HAUPTMANN · DIE GROSSEN DRAMEN

DATE DUE		

GERHART HAUPTMANN

DIE GROSSEN
DRAMEN

PROPYLÄEN VERLAG

BERLIN

INHALT

DIE WEBER

Schauspiel aus den vierziger Jahren

Geschrieben:

Frühjahr 1891 bis Frühjahr 1892 in Schreiberhau.

Erstveröffentlichung: Buchausgabe 1892.

Meinem Vater Robert Hauptmann

widme ich dieses Drama.

Wenn ich Dir, lieber Vater, dieses Drama zuschreibe, so geschieht es aus Gefühlen heraus, die Du kennst und die an dieser Stelle zu zerlegen keine Nötigung besteht.

Deine Erzählung vom Großvater, der in jungen Jahren, ein armer Weber, wie die Geschilderten hinterm Webstuhl gesessen, ist der Keim meiner Dichtung geworden, die, ob sie nun lebenskräftig oder morsch im Innern sein mag, doch das Beste ist, was „ein armer Mann wie Hamlet ist" zu geben hat.

Dein

Gerhart

DREISSIGER, Parchentfabrikant
FRAU DREISSIGER
PFEIFER, Expedient
NEUMANN, Kassierer
DER LEHRLING   } bei Dreißiger
DER KUTSCHER JOHANN
EIN MÄDCHEN
WEINHOLD, Hauslehrer bei Dreißigers Söhnen
PASTOR KITTELHAUS
FRAU PASTOR KITTELHAUS
HEIDE, Polizeiverwalter
KUTSCHE, Gendarm
WELZEL, Gastwirt
FRAU WELZEL
ANNA WELZEL
WIEGAND, Tischler
EIN REISENDER
EIN BAUER
EIN FÖRSTER
SCHMIDT, Chirurgus
HORNIG, Lumpensammler
DER ALTE WITTIG, Schmiedemeister

Weber:

BÄCKER
MORITZ JÄGER
DER ALTE BAUMERT
MUTTER BAUMERT
BERTHA BAUMERT
EMMA BAUMERT
FRITZ, Emmas Sohn, vier Jahre alt
AUGUST BAUMERT

DER ALTE ANSORGE

FRAU HEINRICH

DER ALTE HILSE

FRAU HILSE

GOTTLIEB HILSE

LUISE, Gottliebs Frau

MIELCHEN, seine Tochter, sechs Jahre alt

REIMANN

HEIBER

EIN KNABE, acht Jahre alt

FÄRBEREIARBEITER

Eine große Menge junger und alter Weber und Weberfrauen

Die Vorgänge dieser Dichtung geschehen in den vierziger Jahren in Kaschbach im Eulengebirge, sowie in Peterswaldau und Langenbielau am Fuße des Eulengebirges.

ERSTER AKT

Ein geräumiges, graugetünchtes Zimmer in Dreißigers Haus zu Peterswaldau. Der Raum, wo die Weber das fertige Gewebe abzuliefern haben. Linker Hand sind Fenster ohne Gardinen, in der Hinterwand eine Glastür, rechts eine ebensolche Glastür, durch welche fortwährend Weber, Weberfrauen und Kinder ab- und zugehen. Längs der rechten Wand, die, wie die übrigen, größtenteils von Holzgestellen für Parchent verdeckt wird, zieht sich eine Bank, auf der die angekommenen Weber ihre Ware ausgebreitet haben. In der Reihenfolge der Ankunft treten sie vor und bieten ihre Ware zur Musterung. Expedient Pfeifer steht hinter einem großen Tisch, auf welchem die zu musternde Ware vom Weber gelegt wird. Er bedient sich bei der Schau eines Zirkels und einer Lupe. Ist er zu Ende mit der Untersuchung, so legt der Weber den Parchent auf die Waage, wo ein Kontorlehrling sein Gewicht prüft. Die abgenommene Ware schiebt derselbe Lehrling ins Repositorium. Den zu zahlenden Lohnbetrag ruft Expedient Pfeifer dem an einem kleinen Tischchen sitzenden Kassierer Neumann jedesmal laut zu.

Es ist ein schwüler Tag gegen Ende Mai. Die Uhr zeigt zwölf. Die meisten der harrenden Webersleute gleichen Menschen, die vor die Schranken des Gerichts gestellt sind, wo sie in peinigender Gespanntheit eine Entscheidung über Tod und Leben zu erwarten haben. Hinwiederum haftet allen etwas Gedrücktes, dem Almosenempfänger Eigentümliches an, der, von Demütigung zu Demütigung schreitend, im Bewußtsein, nur geduldet zu sein, sich so klein als möglich zu machen gewohnt ist. Dazu kommt ein starrer Zug resultatlosen, bohrenden Grübelns in allen Mienen. Die Männer, einander ähnelnd, halb zwerghaft, halb schulmeisterlich, sind in der Mehrzahl flachbrüstige, hüstelnde, ärmliche Menschen mit schmutzigblasser Gesichtsfarbe: Geschöpfe des Webstuhls, deren Knie infolge vielen Sitzens gekrümmt sind. Ihre Weiber zeigen weniger Typisches auf den ersten Blick; sie sind aufgelöst, gehetzt, abgetrieben — während die Männer eine gewisse klägliche Gravität zur Schau tragen — und zerlumpt, wo die Männer geflickt sind. Die jungen Mädchen sind mitunter nicht ohne Reiz; wächserne Blässe, zarte Formen, große, hervorstehende, melancholische Augen sind ihnen dann eigen.

KASSIERER NEUMANN *Geld aufzählend.* Bleibt sechzehn Silbergroschen zwei Pfennig.

ERSTE WEBERFRAU *dreißigjährig, sehr abgezehrt, streicht das Geld ein mit zitternden Fingern.* Sind Se bedankt.

NEUMANN *als die Frau stehenbleibt.* Nu? stimmt's etwa wieder nich?

ERSTE WEBERFRAU *bewegt, flehentlich.* A paar Fenniche uf Vorschuß hätt ich doch halt a so neetig.

NEUMANN. Ich hab a paar hundert Taler neetig. Wenn's ufs Neetighaben ankäm —! *Schon mit Auszahlen an einen andern Weber beschäftigt, kurz.* Ieber den Vorschuß hat Herr Dreißiger selbst zu bestimmen.

ERSTE WEBERFRAU. Kennt ich da vielleicht amal mit'n Herrn Dreißiger selber red'n?

EXPEDIENT PFEIFER *ehemaliger Weber. Das Typische an ihm ist unverkennbar; nur ist er wohlgenährt, gepflegt gekleidet, glatt rasiert, auch ein starker Schnupfer. Er ruft barsch herüber.* Da hätte Herr Dreißiger weeß Gott viel zu tun, wenn er sich um jede Kleenigkeit selber bekimmern sollte. Dazu sind wir da. *Er zirkelt und untersucht mit der Lupe.* Schwerenot! Das zieht. *Er packt sich einen dicken Schal um den Hals.* Macht de Tiere zu, wer reinkommt.

DER LEHRLING *laut zu Pfeifer.* Das is, wie wenn man mit Kletzen red'te.

PFEIFER. Abgemacht sela! — Waage! *Der Weber legt das Webe auf die Waage.* Wenn Ihr ock Eure Sache besser verstehn tät't. Trepp'n hat's wieder drinne . . . ich seh gar nich hin. A guter Weber verschiebt's Aufbäumen nich wer weeß wie lange.

BÄCKER *ist gekommen. Ein junger, ausnahmsweise starker Weber, dessen Gebaren ungezwungen, fast frech ist. Pfeifer, Neumann und der Lehrling werfen sich bei seinem Eintritt Blicke des Einvernehmens zu.* Schwere Not ja! Da soll eener wieder schwitz'n wie a Laugensack.

ERSTER WEBER *halblaut.* 's sticht gar sehr nach Regen.

DER ALTE BAUMERT *drängt sich durch die Glastür rechts. Hinter der Tür gewahrt man die Schulter an Schulter gedrängt, zusammengepfercht wartenden Webersleute. Der Alte ist nach vorn gehumpelt und hat sein Pack in der Nähe des Bäcker auf die Bank gelegt. Er setzt sich daneben und wischt sich den Schweiß.* Hier is 'ne Ruh verdient.

12

BÄCKER. Ruhe is besser wie a Beehmen Geld.

DER ALTE BAUMERT. A Beehmen Geld mechte ooch sein. Gu'n Tag ooch, Bäcker!

BÄCKER. Tag ooch, Vater Baumert! Ma muß wieder lauern, wer weeß wie lange!

ERSTER WEBER. Das kommt nich druf an. A Weber wart't an Stunde oder an'n Tag. A Weber is ock 'ne Sache.

PFEIFER. Gebt Ruhe dahinten! Man versteht ja sei eegenes Wort nich.

BÄCKER *leise.* A hat heute wieder sein'n tälsch'n Tag.

PFEIFER *zu dem vor ihm stehenden Weber.* Wie oft hab ich's Euch schonn gesagt! besser putzen sollt'r. Was ist denn das für 'ne Schlauderei? Hier sind Klunkern drinne, so lang wie mei Finger, und Stroh und allerhand Dreck.

WEBER REIMANN. 's mecht halt a neu Noppzängl sein.

LEHRLING *hat das Webe gewogen.* 's fehlt auch am Gewicht.

PFEIFER. Eine Sorte Weber is hier so — schade fier jede Kette, die man ausgibt. O Jes's, zu meiner Zeit! Mir hätt's woll mei Meister angestrichen. Dazumal da war das noch a ander Ding um das Spinnwesen. Da mußte man noch sei Geschäfte verstehn. Heute da is das nich mehr neetig. — Reimann zehn Silbergroschen.

WEBER REIMANN. E Fund wird doch gerech'nt uf Abgang.

PFEIFER. Ich hab keine Zeit. Abgemacht sela. Was bringt Ihr?

WEBER HEIBER *legt sein Webe auf. Während Pfeifer untersucht, tritt er an ihn und redet halblaut und eifrig in ihn hinein.* Sie werden verzeihen, Herr Feifer, ich meecht Sie gittichst gebet'n hab'n, ob Se vielleicht und Se wollt'n so gnädig sein und wollt'n mir den Gefall'n tun und ließen mir a Vorschuß dasmal nich abrechn'.

PFEIFER *zirkelnd und guckend, höhnt.* Nu da! Das macht sich ja etwan. Hier is woll d'r halbe Einschuß wieder auf a Feifeln geblieb'n?

WEBER HEIBER *in seiner Weise fortfahrend.* Ich wollt's ja gerne uf de neue Woche gleiche mach'n. Vergangne Woche hatt ich bloß zwee Howetage uf'n Dominium zu leist'n. Dabei liegt Meine krank derheeme...

PFEIFER *das Stück an die Waage gebend.* Das is eben wieder 'ne richt'ge Schlauderarbeit. *Schon wieder ein neues Webe in Augenschein nehmend.* So ein Salband, bald breit, bald schmal.

Emal hat's den Einschuß zusammengeriss'n, wer weeß wie
sehr, dann hat's wieder mal 's Sperrittl auseinandergezog'n.
Und auf a Zoll kaum siebzig Faden Eintrag. Wo is denn der
iebriche? Wo bleibt da die Reelletät? Das wär so was!

WEBER HEIBER *unterdrückt Tränen, steht gedemütigt und hilflos.*

BÄCKER *halblaut zu Baumert.* Der Packasche mecht ma noch
Garn d'rzune koofen.

ERSTE WEBERFRAU *welche nur wenig vom Kassentisch zurück-
getreten war und sich von Zeit zu Zeit mit starren Augen
hilfesuchend umgesehen hat, ohne von der Stelle zu gehn, faßt
sich ein Herz und wendet sich von neuem flehentlich an den
Kassierer.* Ich kann halt balde . . . ich weeß gar nich, wenn Se
mir das Mal und geb'n mir keen'n Vorschuß. . . o Jesis, Jesis.

PFEIFER *ruft herüber.* Das is a Gejesere. Laßt bloß a Herr Jesus
in Frieden. Ihr habt's ja sonst nich so ängstlich um a Herr
Jesus. Paßt lieber auf Euern Mann uf, daß und man sieht'n
nich aller Augenblicke hinterm Kretschamfenster sitz'n. Wir
kenn kein'n Vorschuß geb'n. Wir miss'n Rechenschaft ablegen
dahier. 's is auch nich unser Geld. Von uns wird's nachher
verlangt. Wer fleißig is und seine Sache versteht und in der
Furcht Gottes seine Arbeit verricht't, der braucht ieberhaupt
nie keen'n Vorschuß nich. Abgemacht Seefe.

NEUMANN. Und wenn a Bielauer Weber 's vierfache Lohn kriegt,
da verfumfeit er's vierfache und macht noch Schulden.

ERSTE WEBERFRAU *laut, gleichsam an das Gerechtigkeitsgefühl
aller appellierend.* Ich bin gewiß ni faul, aber ich kann ni mehr
aso fort. Ich hab halt doch zweemal an Iebergang gehabt.
Und was de mei Mann is, der is ooch bloßich halb; a war beim
Zerlauer Schäfer, aber der hat'n doch au nich kenn'n von
sein'n Schad'n helf'n, und da . . . Zwing'n kann ma's doch
nich . . . Mir arbeit'n gewiß, was wir ufbringen. Ich hab schonn
viele Woch'n keen'n Schlaf in a Aug'n gehabt, und 's wird
auch schonn wieder gehn, wenn ock ich und ich wer de
Schwäche wieder a bissel raus krieg'n aus a Knoch'n. Aber
Se miss'n halt ooch a eenziges bissel a Einsehn hab'n. *Inständig,
schmeichlerisch flehend.* Sind S' ock scheen gebet'n und bewil-
ligen m'r dasmal a paar Greschl.

PFEIFER *ohne sich stören zu lassen.* Fiedler elf Silbergroschen.

ERSTE WEBERFRAU. Bloß a paar Greschl, daß m'r zu Brote komm'n.
D'r Pauer borgt nischt mehr. Ma hat a Häufl Kinder . . .

NEUMANN *halblaut und mit komischem Ernst zum Lehrling.* Die Leinweber haben alle Jahre ein Kind, alle walle, alle walle, puff, puff, puff.

DER LEHRLING *gibt ebenso zurück.* Die Blitzkröte ist sechs Wochen blind — *summt die Melodie zu Ende* — alle walle, alle walle, puff, puff, puff.

WEBER REIMANN *das Geld nicht anrührend, das der Kassierer ihm aufgezählt hat.* M'r hab'n doch jetzt immer dreizehntehalb Beehmen kriegt fer a Webe.

PFEIFER *ruft herüber.* Wenn's Euch nicht paßt, Reimann, da braucht'r bloß ein Wort sag'n. Weber hat's genug. Vollens solche, wie ihr seid. Für'n volles Gewichte gibt's auch 'n vollen Lohn.

WEBER REIMANN. Daß hier was fehl'n sollte an'n Gewichte . . .

PFEIFER. Bringt ein fehlerfreies Stück Parchent, da wird auch am Lohn nichts fehl'n.

WEBER REIMANN. Daß 's hier und sollte zu viel Placker drinne hab'n, das kann doch reen gar nich meeglich sein.

PFEIFER *im Untersuchen.* Wer gut webt, der gut lebt.

WEBER HEIBER *ist in der Nähe Pfeifers geblieben, um nochmals einen günstigen Augenblick abzupassen. Über Pfeifers Wortspiel hat er mitgelächelt, nun tritt er an ihn und redet ihm zu wie das erste Mal.* Ich wollte Se gittichst gebeten hab'n, Herr Feifer, ob Se vielleicht und Se wollt'n aso barmherzig sein und rech'nt 'n mir a Fimfbeehmer Vorschuß dasmal nich ab. Meine liegt schon seit d'r Fasnacht krumm im Bette. Se kann m'r keen Schlag Arbeit nich verricht'n. Da muß ich a Spulmädel bezahl'n. Deshalb . . .

PFEIFER *schnupft.* Heiber, ich hab nich bloß Euch alleene abzufertig'n. Die andern woll'n auch drankommen.

WEBER REIMANN. So hab ich de Werfte kriegt — aso hab ich se ufgebäumt und wieder runtergenommen. A besser Garn, wie ich kriegt hab, kann ich nich zurickbringen.

PFEIFER. Paßt's Euch nich, da braucht'r Euch bloß keene Werfte mehr abzuhol'n. Wir hab'n 'r genug, die sich's Leder von a Fießen dernach ablauf'n.

NEUMANN *zu Reimann.* Wollt Ihr das Geld nich nehmen?

WEBER REIMANN. Ich kann mich durchaus aso nich zufriede geben.

NEUMANN *ohne sich weiter um Reimann zu bekümmern.* Heiber zehn Silbergroschen. Geht ab fünf Silbergroschen Vorschuß. Bleiben fünf Silbergroschen.

WEBER HEIBER *tritt heran, sieht das Geld an, steht, schüttelt den Kopf, als könnte er etwas gar nicht glauben, und streicht das Geld langsam und umständlich ein.* O meins, meins! — *Seufzend.* Nu, da da!

DER ALTE BAUMERT *Heibern ins Gesicht.* Jaja, Franze! Da kann eens schon manchmal 'n Seufzrich tun.

WEBER HEIBER *mühsam redend.* Sieh ock, ich hab a krank Mädel derheeme zu lieg'n. Da mecht a Fläschel Medezin sein.

DER ALTE BAUMERT. Wo tutt's er'n fehlen?

WEBER HEIBER. Nu sieh ock, 's wa halt von kleen uf a vermickertes Dingl. Ich weeß gar nich . . . na, dir kann ich's ja sag'n: se hat's mit uf de Welt gebracht. Aso 'ne Unreenichkeit ieber und ieber bricht 'r halt durchs Geblitte.

DER ALTE BAUMERT. Ieberall hat's was. Wo eemal 's Armut is, da kommt ooch Unglicke ieber Unglicke. Da is o kee Halt und keene Rettung.

WEBER HEIBER. Was hast d'nn da eingepackt in dem Tiechl?

DER ALTE BAUMERT. Mir sein halt gar blank derheeme. Da hab ich halt unser Hundl schlacht'n lassen. Viel is ni dran, a war o halb d'rhungert. 's war a klee, nettes Hundl. Selber abstechen mocht ich 'n nich. Ich konnt mer eemal kee Herze nich fass'n.

PFEIFER *hat Bäckers Webe untersucht, ruft.* Bäcker dreizehntehalb Silbergroschen.

BÄCKER. Das is a schäbiges Almosen, aber kee Lohn.

PFEIFER. Wer abgefertigt is, hat's Lokal zu verlassen. Wir kenn uns vorhero nich rihren.

BÄCKER *zu den Umstehenden, ohne seine Stimme zu dämpfen.* Das is a schäbiges Trinkgeld, weiter nischt. Da soll eens treten vom friehen Morg'n bis in die sinkende Nacht. Und wenn man achtz'n Tage ieberm Stuhle geleg'n hat, Abend fer Abend wie ausgewund'n, halb drehnig vor Staub und Gluthitze, da hat man sich glicklich dreiz'ntehalb Beehmen erschind't.

PFEIFER. Hier wird nich gemault!

BÄCKER. Vo Ihn laß ich mersch Maul noch lange nich verbiet'n.

PFEIFER *springt mit dem Ausruf.* Das mecht ich doch amal sehn! *nach der Glastür und ruft ins Kontor.* Herr Dreißicher, Herr Dreißicher, mechten Sie amal so freundlich sein!

DREISSIGER *kommt. Junger Vierziger. Fettleibig, asthmatisch. Mit strenger Miene.* Was gibt's denn, Pfeifer?

PFEIFER *glubsch.* Bäcker will sich's Maul nich verbieten lassen.

DREISSIGER *gibt sich Haltung, wirft den Kopf zurück, fixiert Bäcker mit zuckenden Nasenflügeln.* Ach so — Bäcker! *Zu Pfeifer.* Is das der? *Die Beamten nicken.*

BÄCKER *frech.* Ja, ja, Herr Dreißicher! *Auf sich zeigend.* Das is der — *auf Dreißiger zeigend.* und das is der.

DREISSIGER *indigniert.* Was erlaubt sich denn der Mensch!?

PFEIFER. Dem geht's zu gutt! Der geht aso lange aufs Eis tanzen, bis a's amal versehen hat.

BÄCKER *brutal.* O du Fennigmanndl, halt ock du deine Fresse. Deine Mutter mag sich woll ei a Neumonden beim Besenreit'n am Luzifer versehn hab'n, daß aso a Teiwel aus dir geworn is.

DREISSIGER *in ausbrechendem Jähzorn, brüllt.* Maul halten! auf der Stelle Maul halten, sonst . . . *Er zittert, tut ein paar Schritte vorwärts.*

BÄCKER *mit Entschlossenheit ihn erwartend.* Ich bin nich taub. Ich heer noch gut.

DREISSIGER *überwindet sich, fragt mit anscheinend geschäftsmäßiger Ruhe.* Is der Bursche nicht auch dabei gewesen?

PFEIFER. Das is a Bielauer Weber. Die sind ieberall d'rbei, wo's 'n Unfug zu machen gibt.

DREISSIGER *zitternd.* Ich sag' euch also: passiert mir das noch einmal und zieht mir noch einmal so eine Rotte Halbbetrunkener, so eine Bande von grünen Lümmeln am Hause vorüber wie gestern abend — mit diesem niederträchtigen Liede . . .

BÄCKER. 's Bluttgericht meenen Se woll?

DREISSIGER. Er wird schon wissen, welches ich meine. Ich sag' euch also: hör' ich das noch einmal, dann lass' ich mir einen von euch rausholen, und — auf Ehre, ich spaße nicht — den übergebe ich dem Staatsanwalt. Und wenn ich rausbekomme, wer dies elende Machwerk von einem Liede . . .

BÄCKER. Das is a schee Lied, das!

DREISSIGER. Noch ein Wort, und ich schicke zur Polizei — augenblicklich. Ich fackle nicht lange. Mit euch Jungens wird man doch noch fertig werden. Ich bin doch schon mit ganz anderen Leuten fertig geworden.

BÄCKER. Nu das will ich gloob'n. Aso a richtiger Fabrikante, der wird mit zwee-, dreihundert Webern fertich, eh man sich umsieht. Da läßt a ooch noch ni a paar morsche Knoch'n iebrich. Aso eener der hat vier Mag'n wie 'ne Kuh und a Gebiß wie a Wolf. Nee nee, da hat's nischt!

DREISSIGER *zu den Beamten.* Der Mensch bekommt keinen Schlag mehr bei uns.

BÄCKER. Oh, ob ich am Webstuhle d'rhungere oder im Straßengrab'n, das is mir egal.

DREISSIGER. Raus, auf der Stelle raus!

BÄCKER *fest.* Erst will ich mei Lohn hab'n.

DREISSIGER. Was kriegt der Kerl, Neumann?

NEUMANN. Zwölf Silbergroschen, fünf Pfennige.

DREISSIGER *nimmt überhastig dem Kassierer das Geld ab und wirft es auf den Zahltisch, so daß einige Münzen auf die Diele rollen.* Da! — hier! und nu rasch mir aus den Augen!

BÄCKER. Erscht will ich mei Lohn hab'n.

DREISSIGER. Da liegt sein Lohn; und wenn er nun nich macht, daß er rauskommt . . . Es ist grade zwölf . . . Meine Färber machen gerade Mittag . . . !

BÄCKER. Mei Lohn geheert in meine Hand. Hieher geheert mei Lohn. *Er berührt mit den Fingern der rechten die Handfläche der linken Hand.*

DREISSIGER *zum Lehrling.* Heben Sie's auf, Tilgner.

DER LEHRLING *tut es, legt das Geld in Bäckers Hand.*

BÄCKER. Das muß all's sein richt'gen Paß gehn. *Er bringt, ohne sich zu beeilen, in einem alten Beutel das Geld unter.*

DREISSIGER. Nu? *Als nun Bäcker sich noch immer nicht entfernt, ungeduldig.* Soll ich nun nachhelfen? *Unter den dichtgedrängten Webern ist eine Bewegung entstanden. Jemand stößt einen langen, tiefen Seufzer aus. Darauf geschieht ein Fall. Alles Interesse wendet sich dem neuen Ereignis zu.*

DREISSIGER. Was gibt's denn da?

VERSCHIEDENE WEBER UND WEBERFRAUEN. 's is eener hingeschlag'n. 's is a klee hiprich Jungl. Is's etwa de Kränkte oder was?!

DREISSIGER. Ja . . . wie denn? Hingeschlagen? *Er geht näher.*

ALTER WEBER. A liegt halt da. *Es wird Platz gemacht.*
Man sieht einen achtjährigen Jungen wie tot an der Erde liegen.

DREISSIGER. Kennt jemand den Jungen?

ALTER WEBER. Aus unserm Dorfe is a nich.

DER ALTE BAUMERT. Der sieht ja bald aus wie Heinrichens. *Er betrachtet ihn genauer.* Ja, ja! Das is Heinrichens Gustavl.

DREISSIGER. Wo wohnen denn die Leute?

DER ALTE BAUMERT. Nu, oben bei uns, in Kaschbach, Herr Dreißiger. Er geht Musicke machen, und am Tage da liegt a ieberm Stuhle. Se han neun Kinder, und 's zehnte is unterwegens.

VERSCHIEDENE WEBER UND WEBERFRAUEN. Den Leut'n geht's gar sehr kimmerlich. — Den regnet's in de Stube. — Das Weib hat keene zwee Hemdl fer die neun Burschen.

DER ALTE BAUMERT *den Jungen anfassend.* Nu, Jungl, was hat's denn mit dir? Da wach ock uf!

DREISSIGER. Faßt mal mit an, wir wollen ihn mal aufheben. Ein Unverstand ohnegleichen, so'n schwächliches Kind diesen langen Weg machen zu lassen. Bringen Sie mal etwas Wasser, Pfeifer!

WEBERFRAU *die ihn aufrichten hilft.* Mach ock ni etwa Dinge und stirb, Jungl!

DREISSIGER. Oder Kognak, Pfeifer, Kognak is besser.

BÄCKER *hat, von allen vergessen, beobachtend gestanden. Nun, die eine Hand an der Türklinke, ruft er laut und höhnisch herüber.* Gebt 'n ock was zu fressen, da wird a schonn zu sich kommen. *Ab.*

DREISSIGER. Der Kerl nimmt kein gutes Ende. — Nehmen Sie ihn unterm Arm, Neumann. Langsam, langsam . . . so . . . so . . . wir wollen ihn in mein Zimmer bringen. Was wollen Sie denn?

NEUMANN. Er hat was gesagt, Herr Dreißiger! Er bewegt die Lippen.

DREISSIGER. Was willst du denn, Jungl?

DER JUNGE *haucht.* Mich hungert!

DREISSIGER *wird bleich.* Man versteht ihn nich.

WEBERFRAU. I gloobe, a meinte . . .

DREISSIGER. Wir werden ja sehn. Nur ja nich aufhalten. — Er kann sich bei mir aufs Sofa legen. Wir werden ja hören, was der Doktor sagt.

Dreißiger, Neumann und die Weberfrau führen den Jungen ins Kontor. Unter den Webern entsteht eine Bewegung, wie bei Schulkindern, wenn der Lehrer die Klasse verlassen hat. Man reckt und streckt sich, man flüstert, tritt von einem Fuß auf den andern, und in einigen Sekunden ist das Reden laut und allgemein.

DER ALTE BAUMERT. Ich gloob immer, Bäcker hat recht.

MEHRERE WEBER UND WEBERFRAUEN. A sagte ja o aso was. — Das is hier nischt Neues, daß amal een'n d'r Hunger schmeißt. — Na ieberhaupt, was de den Winter erscht wern soll, wenn das

hie und 's geht aso fort mit der Lohnzwackerei. — Und mit a
Kartoffeln wird's das Jahr gar schlecht. — Hie wird's au nich
anderscher, bis mer alle vollens uf'n Rick'n lieg'n.

DER ALTE BAUMERT. Am best'n, ma macht's wie d'r Nentwich
Weber, ma legt sich a Schleefl um a Hals un knippt sich am Webstuhle uf. Da, nimm der 'ne Prise, ich war in Neurode, da arbeit
mei Schwager in d'r Fabricke, wo se 'n machen, a Schnupp-
tabak. Der hat m'r a paar Kerndl gegeb'n dahier. Was trägst
denn du in dem Tiechl Scheenes?

ALTER WEBER. 's is bloß a bissel Perlgraupe. D'r Wag'n vom Ull-
brichmiller fuhr vor m'r her. Da war a Sack a bissel ufgeschlitzt.
Das kommt mir gar sehr zupasse, kannst gloob'n.

DER ALTE BAUMERT. Zweiundzwanzig Miehlen sein in Peterschwalde, und fer unsereens fällt doch nischt ab.

ALTER WEBER. Ma muß ebens a Mut nich sink'n lass'n. 's kommt
immer wieder was und hilft een a Stickl weiter.

WEBER HEIBER. Ma muß ebens, wenn d'r Hunger kommt, zu a
vierzehn Nothelfern beten, und wenn ma dadervon etwa ni
satt wird, da muß ma an Steen ins Maul nehmen und dran
lutschen. Gell, Baumert?

Dreißiger, Pfeifer und der Kassierer kommen zurück.

DREISSIGER. Es war nichts von Bedeutung. Der Junge ist schon
wieder ganz munter. *Erregt und pustend umhergehend.* Es
bleibt aber immer eine Gewissenlosigkeit. Das Kind ist ja nur
so'n Hälmchen zum Umblasen. Es ist rein unbegreiflich, wie
Menschen . . . wie Eltern so unvernünftig sein können. Bürden
ihm zwei Schock Parchent auf, gute anderthalb Meilen Wegs.
Es ist wirklich kaum zu glauben. Ich werde einfach müssen die
Einrichtung treffen, daß Kindern überhaupt die Ware nicht
mehr abgenommen wird. *Er geht wiederum eine Weile stumm
hin und her.* Jedenfalls wünsche ich dringend, daß so etwas
nicht mehr vorkommt. — Auf wem bleibt's denn schließlich
sitzen? Natürlich doch auf uns Fabrikanten. Wir sind an allem
schuld. Wenn so'n armes Kerlchen zur Winterszeit im Schnee
steckenbleibt und einschläft, dann kommt so'n hergelaufener
Skribent, und in zwei Tagen, da haben wir die Schauerge-
schichte in allen Zeitungen. Der Vater, die Eltern, die so'n Kind
schicken . . . i bewahre, wo werden die denn schuld sein! Der
Fabrikant muß ran, der Fabrikant ist der Sündenbock. Der
Weber wird immer gestreichelt, aber der Fabrikant wird immer

geprügelt: das is'n Mensch ohne Herz, 'n Stein, 'n gefährlicher
Kerl, den jeder Preßhund in die Waden beißen darf. Der lebt
herrlich und in Freuden und gibt den armen Webern Hunger-
löhne. — Daß so'n Mann auch Sorgen hat und schlaflose
Nächte, daß er sein großes Risiko läuft, wovon der Arbeiter
sich nichts träumen läßt, daß er manchmal vor lauter Divi-
dieren, Addieren und Multiplizieren, Berechnen und wieder Berechnen nicht weiß, wo ihm der Kopf steht, daß er hunderterlei
bedenken und überlegen muß und immerfort sozusagen auf
Tod und Leben kämpft und konkurriert, daß kein Tag vergeht
ohne Ärger und Verlust: darüber schweigt des Sängers Höflichkeit. Und was hängt nicht alles am Fabrikanten, was saugt nicht
alles an ihm und will von ihm leben! Nee, nee! Ihr solltet
nur manchmal in meiner Haut stecken, ihr würdet's bald genug
satt kriegen. *Nach einiger Sammlung.* Wie hat sich dieser Kerl,
dieser Bursche da, dieser Bäcker, hier aufgeführt! Nun wird er
gehen und ausposaunen, ich wäre wer weiß wie unbarmherzig.
Ich setzte die Weber bei jeder Kleinigkeit mir nichts dir nichts
vor die Tür. Ist das wahr? Bin ich so unbarmherzig?

VIELE STIMMEN. Nee, Herr Dreißicher!

DREISSIGER. Na, das scheint mir doch auch so. Und dabei ziehen
diese Lümmels umher und singen gemeine Lieder auf uns Fabrikanten, wollen von Hunger reden und haben so viel übrig, um
den Fusel quartweise konsumieren zu können. Sie sollten mal
die Nase hübsch woanders neinstecken und sehen, wie's bei den
Leinwandwebern aussieht. Die können von Not reden. Aber
ihr hier, ihr Parchentweber, ihr steht noch so da, daß ihr Grund
habt, Gott im stillen zu danken. Und ich frage die alten, fleißi-
gen und tüchtigen Weber, die hier sind: kann ein Arbeiter, der
seine Sachen zusammenhält, bei mir auskommen oder nicht?

SEHR VIELE STIMMEN. Ja, Herr Dreißicher!

DREISSIGER. Na, seht ihr! — So'n Kerl wie der Bäcker natürlich
nicht. Aber ich rate euch, haltet diese Burschen im Zaume. Wird
mir's zu bunt, dann quittiere ich. Dann löse ich das Geschäft
auf, und dann könnt ihr sehn, wo ihr bleibt. Dann könnt ihr
sehn, wo ihr Arbeit bekommt. Bei Ehren-Bäcker sicher nicht.

ERSTE WEBERFRAU *hat sich an Dreißiger herangemacht, putzt mit
kriechender Demut Staub von seinem Rock.* Se hab'n sich a
brinkel angestrichen, gnädicher Herr Dreißicher.

DREISSIGER. De Geschäfte gehen hundsmiserabel, das wißt ihr

ja selbst. Ich setze zu, statt daß ich verdiene. Wenn ich trotzdem dafür sorge, daß meine Weber immer Arbeit haben, so
setze ich voraus, daß das anerkannt wird. Die Ware liegt mir
da in Tausenden von Schocken, und ich weiß heut noch nicht,
ob ich sie jemals verkaufen werde. — Nun, hab' ich gehört,
daß sehr viele Weber hierum ganz ohne Arbeit sind, und da . . .
na, Pfeifer mag euch das Weitere auseinandersetzen. — Die
Sache ist nämlich die: damit ihr den guten Willen seht . . . ich
kann natürlich keine Almosen austeilen, dazu bin ich nicht reich
genug, aber ich kann bis zu einem gewissen Grade den Arbeits-
losen Gelegenheit geben, wenigstens 'ne Kleinigkeit zu verdienen. Daß ich dabei ein immenses Risiko habe, ist ja meine Sache.
— Ich denke mir halt: wenn sich ein Mensch täglich 'ne Quark-
schnitte erarbeiten kann, so ist das doch immer besser, als wenn
er überhaupt hungern muß. Hab' ich nicht recht?

VIELE STIMMEN. Ja, ja, Herr Dreißicher!

DREISSIGER. Ich bin also gern bereit, noch zweihundert Webern
Beschäftigung zu geben. Unter welchen Umständen, wird euch
Pfeifer auseinandersetzen. *Er will gehen.*

ERSTE WEBERFRAU *vertritt ihm den Weg, spricht überhastet, flehend und dringlich.* Gnädicher Herr Dreißicher, ich wollte Sie
halt recht freundlich gebet'n hab'n, wenn Se vielleicht . . . ich
hab halt zweimal an Iebergang gehabt.

DREISSIGER *eilig.* Sprecht mit Pfeifer, gute Frau, ich hab' mich so
schon verspätet. *Er läßt sie stehen.*

WEBER REIMANN *vertritt ihm ebenfalls den Weg. Im Tone der
Kränkung und Anklage.* Herr Dreißicher, ich muß mich wirk-
lich beklag'n. Herr Feifer hat m'r . . . Ich hab doch fer mei
Webe jetzt immer zwölftehalb Beehmen kriegt . . .

DREISSIGER *fällt ihm in die Rede.* Dort sitzt der Expedient. Dorthin wendet Euch: das ist die richtige Adresse.

WEBER HEIBER *hält Dreißiger auf.* Gnädicher Herr Dreißicher —
stotternd und mit wirrer Hast. Ich wollte Se vielmals gittigst
gebeten han, ob mir vielleicht und a kennde mer . . . ob mer d'r
Herr Feifer vielleicht und a kennde . . . a kennde . . .

DREISSIGER. Was wollt Ihr denn?

WEBER HEIBER. Da Vorschuß, den ich 's letzte Mal, ich meene, da
ich . . .

DREISSIGER. Ja, ich verstehe Euch wirklich nicht.

WEBER HEIBER. Ich war a brinkl sehr in Not, weil . . .

DREISSIGER. Pfeifers Sache, Pfeifers Sache. Ich kann wirklich nicht . . . macht das mit Pfeifer aus. *Er entweicht ins Kontor. Die Bittenden sehen sich hilflos an. Einer nach dem andern tritt seufzend zurück.*

PFEIFER *die Untersuchung wieder aufnehmend.* Na, Annl, was bringst du?

DER ALTE BAUMERT. Was soll's denn da setz'n fer a Webe, Herr Feifer?

PFEIFER. Fürs Webe zehn Silbergroschen.

DER ALTE BAUMERT. Nu das macht sich!

Bewegung unter den Webern, Flüstern und Murren.

ZWEITER AKT

Das Stübchen des Häuslers Wilhelm Ansorge zu Kaschbach im Eulengebirge. In einem engen, von der sehr schadhaften Diele bis zur schwarz verräucherten Balkendecke nicht sechs Fuß hohen Raum sitzen: zwei junge Mädchen, Emma und Bertha Baumert, an Webstühlen — Mutter Baumert, eine kontrakte Alte, auf einem Schemel am Bett, vor sich ein Spulrad — ihr Sohn August, zwanzigjährig, idiotisch, mit kleinem Rumpf und Kopf und langen, spinnenartigen Extremitäten, auf einem Fußschemel, ebenfalls spulend. Durch zwei kleine, zum Teil mit Papier verklebte und mit Stroh verstopfte Fensterlöcher der linken Wand dringt schwaches, rosafarbenes Licht des Abends. Es fällt auf das weißblonde, offene Haar der Mädchen, auf ihre unbekleideten, magern Schultern und dünnen, wächsernen Nacken, auf die Falten des groben Hemdes im Rücken, das, nebst einem kurzen Röckchen aus härtester Leinewand, ihre einzige Bekleidung ist. Der alten Frau leuchtet der warme Hauch voll über Gesicht, Hals und Brust: ein Gesicht, abgemagert zum Skelett, mit Falten und Runzeln in einer blutlosen Haut, mit versunkenen Augen, die durch Wollstaub, Rauch und Arbeit bei Licht entzündlich gerötet und wäßrig sind, einen langen Kropfhals mit Falten und Sehnen, eine eingefallene, mit verschossenen Tüchern und Lappen verpackte Brust.

Ein Teil der rechten Wand, mit Ofen und Ofenbank, Bettstelle und mehreren grell getuschten Heiligenbildern, steht auch noch im Licht. — Auf der Ofenstange hängen Lumpen zum Trock-

nen, hinter dem Ofen ist altes, wertloses Gerümpel angehäuft. Auf der Ofenbank stehen einige alte Töpfe und Kochgeräte, Kartoffelschalen sind zum Dörren auf Papier gelegt. — Von den Balken herab hängen Garnsträhnen und Weifen. Körbchen mit Spulen stehen neben den Webstühlen. In der Hinterwand ist eine niedrige Tür ohne Schloß. Ein Bündel Weidenruten ist daneben an die Wand gelehnt. Mehrere schadhafte Viertelkörbe stehen dabei. — Das Getöse der Webstühle, das rhythmische Gewuchte der Lade, davon Erdboden und Wände erschüttert werden, das Schlurren und Schnappen des hin und her geschnellten Schiffchens erfüllen den Raum. Da hinein mischt sich das tiefe, gleichmäßig fortgesetzte Getön der Spulräder, das dem Summen großer Hummeln gleicht.

MUTTER BAUMERT *mit einer kläglichen, erschöpften Stimme, als die Mädchen mit Weben innehalten und sich über die Gewebe beugen.* Mißt er schonn wieder knipp'n!?

EMMA, *das ältere der Mädchen, zweiundzwanzigjährig. Indem sie gerissene Fäden knüpft.* Eine Art Garn is aber das au!

BERTHA *fünfzehnjährig.* Das is aso a bissel Zucht mit der Werfte.

EMMA. Wo a ock bleibt aso lange? A is doch fort schonn seit um a neune.

MUTTER BAUMERT. Nu ebens, ebens! Wo mag a ock bleiben, ihr Mädel?

BERTHA. Ängst Euch beileibe ni, Mutter!

MUTTER BAUMERT. 'ne Angst is das immer!

EMMA *fährt fort zu weben.*

BERTHA. Wart amal, Emma!

EMMA. Was is denn?

BERTHA. Mir war doch, 's kam jemand.

EMMA. 's wird Ansorge sein, der zu Hause kommt.

FRITZ *ein kleiner, barfüßiger, zerlumpter Junge von vier Jahren, kommt hereingeweint.* Mutter, mich hungert.

EMMA. Wart, Fritzl, wart a bissel! Großvater kommt gleich. A bringt Brot mit und Kerndl.

FRITZ. Mich hungert aso, Mutterle!

EMMA. Ich sag dersch ja. Bis ock nich einfältich. A wird ja gleich kommen. A bringt a scheenes Brotl mit und Kerndlkoffee. — Wenn ock wird Feierabend sein, da nimmt Mutter de Kartuffelschalen, die trägt se zum Pauer, und der gibbt er derfire a scheenes Neegl Puttermilch fersch Jungl.

FRITZ. Wo is er'n hin, Großvater?

EMMA. Beim Fabrikanten is a, abliefern a Kette, Fritzl.

FRITZ. Beim Fabrikanten?

EMMA. Ja, ja, Fritzl! unten bei Dreißichern in Peterschwalde.

FRITZ. Kriegt a da Brot?

EMMA. Ja, ja, a gibbt 'n 's Geld, und da kann a sich Brot koofen.

FRITZ. Gibbt der Großvatern viel Geld?

EMMA *heftig.* O heer uf, Junge, mit dem Gerede. *Sie fährt fort zu weben, Bertha ebenfalls. Gleich darauf halten beide wieder inne.*

BERTHA. Geh, August, frag Ansorgen, ob a nich will anleucht'n. *August entfernt sich, Fritz mit ihm.*

MUTTER BAUMERT *mit überhandnehmender, kindischer Angst, fast winselnd.* Ihr Kinder, ihr Kinder, wo der Mann bleibt?!

BERTHA. A wird halt amal zu Hauffen reingegangen sein.

MUTTER BAUMERT *weint.* Wenn a bloß nich etwan in a Kretscham gegang'n wär!

EMMA. Wenn ock nich, Mutter! Aso eener is unser Vater doch nich.

MUTTER BAUMERT *von einer Menge auf sie einstürzender Befürchtungen außer sich gebracht.* Nu, nu ... nu sagt amal, was soll nu bloß wern? Wenn a 's nu ... wenn a nu zu Hause kommt ... Wenn a 's nu versauft und bringt nischt ni zu Hause? Keene Handvoll Salz is mehr im Hause, kee Stickl Gebäcke. 's mecht an Schaufel Feurung sein ...

BERTHA. Laß 's gutt sein, Mutter! m'r hab'n Mondschein. M'r gehn in a Pusch. M'r nehmen uns August'n mite und hol'n a paar Rittl.

MUTTER BAUMERT. Gelt, daß euch d'r Jäger und kriegt euch zu pack'n!

ANSORGE *ein alter Weber mit hünenhaftem Knochenbau, der sich tief bücken muß, um ins Zimmer zu gelangen, steckt Kopf und Oberkörper durch die Tür. Haupt- und Barthaare sind ihm stark verwildert.* Was soll denn sein?

BERTHA. Se mechten Licht machen!

ANSORGE *gedämpft, wie in Gegenwart eines Kranken sprechend.* 's is ja noch lichte.

MUTTER BAUMERT. Nu laß du uns ooch noch im Finstern sitzen.

25

ANSORGE. Ich muß mich halt ooch einrichten. *Er zieht sich zurück.*

BERTHA. Nu da siehste's, aso geizig is a.

EMMA. Da muß man nu sitzen, bis 'n wird passen.

FRAU HEINRICH *kommt. Eine dreißigjährige Frau, die ein Kind unterm Herzen trägt. Aus ihrem abgemüdeten Gesicht spricht marternde Sorge und ängstliche Spannung.* Gu'n Abend mitnander.

MUTTER BAUMERT. Nu, Heinrichen, was bringst uns denn?

FRAU HEINRICH *welche hinkt.* Ich hab' m'r an Scherb eingetreten.

BERTHA. Nu komm her, setz dich. Ich wer sehn, daß ich 'n rauskriege.

Frau Heinrich setzt sich, Bertha kniet vor ihr nieder und macht sich an ihrer Fußsohle zu schaffen.

MUTTER BAUMERT. Wie geht's d'n derheeme, Heinrichen?

FRAU HEINRICH *verzweifelter Ausbruch.* 's geht heilig bald nimehr. *Sie kämpft vergebens gegen einen Strom von Tränen. Nun weint sie stumm.*

MUTTER BAUMERT. Fer unsereens, Heinrichen, wärsch am besten, d'r liebe Gott tät a Einsehn hab'n und nähm uns gar von d'r Welt.

FRAU HEINRICH *ihrer nicht mehr mächtig, schreit weinend heraus.* Meine armen Kinder derhungern m'r! *Sie schluchzt und winselt.* Ich weeß m'r keen'n Rat nimehr. Ma mag anstell'n, was ma will, ma mag rumlaufen, bis ma liegenbleibt. Ich bin mehr tot wie lebendig, und is doch und is kee Anderswerden. Neun hungriche Mäuler, die soll eens nu satt machen. Von was d'nn, hä? Nächten Abend hatt ich a Stickl Brot, 's langte noch nich amal fier de zwee Kleenst'n. Wem sollt ich's d'nn geb'n, hä? Alle schrien sie in mich nein: Mutterle mir, Mutterle mir . . . Nee, nee! Und dad'rbei kann ich jetzt noch laufen. Was soll erscht wern, wenn ich zum Lieg'n komme? Die paar Kartoffeln hat uns 's Wasser mitgenommen. Mir hab'n nischt zu brechen und zu beißen.

BERTHA *hat die Scherbe entfernt und die Wunde gewaschen.* M'r woll'n a Fleckl drum bind'n; *zu Emma.* such amal eens!

MUTTER BAUMERT. 's geht uns ni besser, Heinrichen.

FRAU HEINRICH. Du hast doch zum wenigsten noch deine Mädel. Du hast'n Mann, der de arbeiten kann, aber meiner, der is m'r vergangene Woche wieder hingeschlag'n. Da hat's 'n doch wieder gerissen und geschmissen, daß ich vor Himmelsangst ni wußte, was anfangen mit'n. Und wenn a so an Anfall gehabt hat, da liegt a m'r halt wieder acht Tage feste im Bette.

MUTTER BAUMERT. Meiner is ooch nischt nimehr wert. A fängt ooch an und klappt zusammen. s' liegt 'n uf d'r Brust und im Kreuze. Und abgebrannt sind m'r ebenfalls ooch bis uf a Fennich. Wenn a heut ni und a bringt a paar Greschl mit, da weeß ich ooch ni, was weiter werd'n soll.

EMMA. Kannst's glooben, Heinrichen. Wir sein aso weit ... Vater hat mußt Ami'n mitnehmen. Wir miss'n 'n schlacht'n lass'n, daß m'r ock reen wieder amal was in a Mag'n krieg'n.

FRAU HEINRICH. Hätt'r nich an eenziche Handvoll Mehl iebrich?

MUTTER BAUMERT. O ni aso viel, Heinrichen; kee Kerndl Salz is mehr im Hause.

FRAU HEINRICH. Nu da weeß ich nich! *Erhebt sich, bleibt stehen, grübelt.* Da weeß ich wirklich nee! — Da kann ich m'r eemal nich helfen. *In Wut und Angst schreiend.* Ich wäre ja zufriede, wenn's uf Schweinfutter langte! Aber mit leeren Händen darf ich eemal nich heemkommen. Das geht eemal nich. Da verzeih mersch Gott. Ich weeß mer da eemal keen'n andern Rat nimehr. *Sie hinkt, links nur mit der Ferse auftretend, schnell hinaus.*

MUTTER BAUMERT *ruft ihr warnend nach.* Heinrichen, Heinrichen! mach ni etwan 'ne Tummheit.

BERTHA. Die tut sich kee Leids an. Gloob ock du das nich.

EMMA. Aso macht's doch die immer. *Sie sitzt wieder am Stuhl und webt einige Sekunden.*

AUGUST *leuchtet mit dem brennenden Talglicht seinem Vater, dem alten Baumert, der sich mit einem Garnpack hereinschleppt, voran.*

MUTTER BAUMERT. O Jes's, o Jes's, Mann, wo bleibst ock du aso lange!?

DER ALTE BAUMERT. Na, beeß ock ni gleich. Laß mich ock erscht a brinkl verblasen. Sieh lieber dernach, wer de mitkommt.

MORITZ JÄGER *kommt gebückt durch die Tür. Ein strammer, mittelgroßer, rotbäckiger Reservist, die Husarenmütze schief auf dem Kopf, ganze Kleider und Schuhe auf dem Leibe, ein sauberes Hemd ohne Kragen dazu. Eingetreten, nimmt er Stellung und salutiert militärisch, forsch.* Gu'nabend, Muhme Baumert!

MUTTER BAUMERT. Nu da, nu da! bist du wieder zu Hause? Hast du uns noch nich vergessen? Nu da setz dich ock. Komm her, setz dich.

EMMA *einen Holzstuhl mit dem Rocke säubernd und Jäger hin-schiebend.* Gu'n Abend, Moritz! Willst amal wieder sehn, wie's bei armen Leuten aussieht?

JÄGER. Nu sag m'r ock, Emma! ich wollt's ja ni gloob'n. Du hast ja a Jungl, das balde kann Soldate werden. Wo hast d'r d'nn den angeschafft?

BERTHA *die dem Vater die wenigen mitgebrachten Lebensmittel abnimmt, Fleisch in eine Pfanne legt und in den Ofen schiebt, während August Feuer anmacht.* Du kennst doch a Finger Weber?

MUTTER BAUMERT. M'r hatt'n 'n doch hier mit im Stiebl. A wollt se ja nehmen, aber a war doch halt eemal schonn ganz marode uf de Brust. Ich ha doch das Mädel gewarnt genug. Konnt se woll heern? Nu is a längst tot und vergessen, und die kann sehn, wie s' a Jungen durchbringt. Nu sag m'r ock, Moritz, wie is denn dirsch gangen?

DER ALTE BAUMERT. Nu sei ock ganz stille, Mutter, fer den is Brot gewachsen; der lacht uns alle aus; der bringt Kleeder mite wie a Ferscht und an silberne Zylinderuhre und obendruf noch zehn Taler baar Geld.

JÄGER *großpratschig hingepflanzt, im Gesicht ein prahlerisches Schwerenöterlächeln.* Ich kann nich klagen. Mir is's ni schlecht gangen unter a Soldaten.

DER ALTE BAUMERT. A is Pursche gewest bein Rittmeester. Heer ock, a red't wie de vornehmen Leute.

JÄGER. Das feine Sprechen hab ich mer aso angewehnt, daß iich's gar nimeh loo'n kann.

MUTTER BAUMERT. Nee, nee, nu sag mir ock! aso a Nischtegutts, wie das gewest is, und kommt aso zu Gelde. Du warscht doch ni nich fer was Gescheuts zu gebrauchen; du konntst doch kee Strähnl hintereinander abhaspeln. Ock immerfort naus; Meesekasten ufstell'n und Rotkätlsprenkel, das war dir lieber. Nu, is nich wahr?

JÄGER. 's is wahr, Muhme Baumert. Ich fing ni ock Kätl, ich fing ooch Schwalben.

EMMA. Da konnten wir immerzu reden: Schwalben sind giftig.

JÄGER. Das war mir egal. Wie is Euch d'nn d'rgangen, Muhme Baumert?

MUTTER BAUMERT. O Jes's, gar gar schlimm in a letzten vier Jahr'n. Sieh ock, ich ha halt 's Reißen. Sieh d'r bloß amal meine

Finger an. Ich weeß halt gar nich, hab ich an Fluß kriegt oder
was? Ich bin d'r halt aso elende! Ich kann d'r kee Glied ni bewegen. 's gloobt's kee Mensch, was ich muß fer Schmerzen d'r-
leiden.

DER ALTE BAUMERT. Mit der is jetzt gar schlecht. Die macht's
nimehr lange.

BERTHA. Am Morgen zieh mersche an, am Abend zieh mersche
aus. M'r missen se fittern wie a kleenes Kind.

MUTTER BAUMERT *fortwährend mit kläglicher, weinerlicher
Stimme.* Ich muß mich bedien lassen hinten und vorne. Ich bin
mehr als krank. Ich bin ock 'ne Last. Was hab ich schon a lieben
Herrgott gebeten, a soll mich doch bloßich abruffen. O Jes's,
o Jes's, das ist doch halt zu schlimm mit mir. Ich weeß doch gar
nich... de Leute kennten denken... aber ich bin doch's Arbeiten
gewehnt von Kindheet uf. Ich hab doch meine Sache immer konnt
leisten, und nu uf eemal — *sie versucht umsonst, sich zu erheben* — 's geht und geht nimehr. Ich hab an guten Mann und
gute Kinder hab ich, aber wenn ich das soll mit ansehn . . .
Wie sehn die Mädel aus!? Kee Blutt haben se bald nimehr in
sich. An Farbe haben se wie de Leintiecher. Das geht doch immer egal fort mit dem Schemeltreten, ob's aso an Mädel dient
oder nich. Was hab'n die fer a bißl Leben. 's ganze Jahr kommen se nich vom Bänkl runter. Ni amal a paar Klunkern hab'n
se sich derschind't, daß se sich kennten d'rmite bedeck'n und
kennten sich amal vor a Leuten sehn lassen oder an Schritt in
die Kirche machen und kennten sich amal 'ne Erquickung holen.
Aussehn tun se wie de Galgengeschlinke, junge Mädel von funfzehn und zwanzig.

BERTHA *am Ofen.* Nu das raucht wieder aso a bißl!

DER ALTE BAUMERT. Nu, da sieh ock den Rauch. Na, da nimm
amal an, kann woll hier Wandel wern? A sterzt heilig bald ein,
d'r Owen. Mir missen 'n sterzen lassen, und a Ruß, den missen
m'r schlucken. Mir husten alle, eener mehr wie d'r andre. Was
hust't, hust't, und wenn's uns derwircht und wenn gleich de
Plautze mitgeht, da frägt uns ooch noch kee Mensch dernach.

JÄGER. Das ist doch Ansorchens Sache, das muß a doch aus-
bessern.

BERTHA. Der wird uns woll ansehn. A mukscht aso mehr wie
genug.

MUTTER BAUMERT. Dem nehmen m'r aso schonn zu viel Platz weg.

DER ALTE BAUMERT. Und wemm'r erscht uffmucken, da fliegen m'r naus. A hat bald a halb Jahr keene Mietzinse ni
besehn.

MUTTER BAUMERT. Aso a eelitzicher Mann, der kennte doch umgänglich sein.

DER ALTE BAUMERT. A hat au nischt, Mutter, 's geht 'n o beese
genug, wenn a ooch keen'n Staat macht mit seiner Not.

MUTTER BAUMERT. A hat doch sei Haus.

DER ALTE BAUMERT. Nee, Mutter, was redst'n. An dem Hause
dahier, da is ooch noch nich a klee Splitterle seine.

JÄGER *hat sich gesetzt und eine kurze Pfeife mit schönen Quasten
aus der einen, eine Quartflasche Branntwein aus der andern
Rocktasche geholt.* Das kann auch hier bald nimehr aso weitergehn. Ich hab mei Wunder gesehn, wie das hierum aso aussieht
under a Leuten. Da leben ja in a Städten de Hunde noch besser
wie ihr.

DER ALTE BAUMERT *eifrig.* Gelt, gelt ock? Du weeßt's auch!? Und
sagt man a Wort, da heeßt's bloß, 's sein schlechte Zeiten.

ANSORGE *kommt, ein irdenes Näpfchen mit Suppe in der einen,
in der andern Hand einen halbfertig geflochtenen Viertelkorb.*
Willkommen, Moritz! Bist du auch wieder da?

JÄGER. Scheen Dank, Vater Ansorge.

ANSORGE *sein Näpfchen ins Röhr schiebend.* Nu sag m'r ock an:
du siehst ja bald aus wie a Graf.

DER ALTE BAUMERT. Zeich amal dei scheen Uhrla. A hat 'n neuen
Anzug mitbracht und zehn Taler baar Geld.

ANSORGE *kopfschüttelnd.* Nu ja ja! — Nu nee nee!

EMMA *die Kartoffelschalen in ein Säckchen füllend.* Nu will ich
ock gehn mit a Schal'n. Vielleicht wird's langen uf a Neegl Ab-
gelassene. *Sie entfernt sich.*

JÄGER *während alle mit Spannung und Hingebung auf ihn achten.* Na nu nehmt amal an: wie oft habt ihr m'r nich de Helle
heiß gemacht. Dir wern se Moritz lehr'n, hieß 's immer, wart
ock, wenn de wirscht zum Militär kommen. Na nu seht ersch,
mir is gar gutt gegangen. A halb Jahr da hatt ich de Kneppe.
Willig muß man sein, das is 's Haupt. Ich ha 'n Wachtmeister
die Stieweln geputzt; ich ha 'n 's Ferd gestriegelt, Bier geholt.
Ich war aso gefirre wie a Wieslichen. Und uf 'n Posten war ich:
Schwerkanon ja, mei Zeug, das mußt ock immer a so finkeln.
Ich war d'r erschte im Stalle, d'r erschte beim Appell, d'r erschte

im Sattel; und wenn 's zur Attacke ging — marsch marsch! heiliges Kanonrohr, Kreuzdonnerschlag, Herrdumeinegitte!! Und ufgepaßt hab ich wie a Schießhund. Ich dacht halt immer: hier hilft's nischt, hier mußt de dran glooben; und da rafft ich m'r halt a Kopp zusammen, und da ging's ooch; und da kam's aso weit, daß d'r Rittmeester und sagte vor d'r ganzen Schwadron ieber mich: das is ein Husar, wie a sein muß. *Stille. Er setzt die Pfeife in Brand.*

ANSORGE *kopfschüttelnd.* Da hast du aso a Glicke gehabt?! Nu ja ja! — nu nee nee! *Er setzt sich auf den Boden, die Weidenruten neben sich, und flicht, ihn zwischen den Beinen haltend, an seinem Korbe weiter.*

DER ALTE BAUMERT. Da woll'n m'r hoffen, daß de uns dei Glicke mitebringst. — Nu soll mer woll amal mittrinken?

JÄGER. Nu ganz natierlich, Vater Baumert, und wenn's alle is, kommt mehr. *Er schlägt ein Geldstück auf den Tisch.*

ANSORGE *mit blödem, grinsendem Erstaunen.* O mei, mei, das gieht ja hier zu . . . da kreescht a Braten, da steht a Quart Branntwein — *er trinkt aus der Flasche* — sollst laba, Moritz! Nu ja ja! nu nee nee! *Von jetzt an wandert die Schnapsflasche.*

DER ALTE BAUMERT. Kennten m'r nich zum wenigsten zu allen heiligen Zeiten aso a Stickl Gebratnes hab'n, stats daß ma kee Fleisch zu sehn kriecht ieber Jahr und Tag? — Aso muß ma warten, bis een wieder amal aso a Hundl zulauft wie das hier vor vier Wochen: und das kommt ni ofte vor im Leben.

ANSORGE. Hast du Ami'n schlachten lassen?

DER ALTE BAUMERT. Ob a m'r vollens ooch noch derhungern tat...

ANSORGE. Nu ja ja — nu nee nee.

MUTTER BAUMERT. Und war aso a nette, betulich Hundl.

JÄGER. Seid ihr hierum immer noch aso happich uf Hundebraten?

DER ALTE BAUMERT. O Jes's, Jes's, wenn m'r ock und hätt'n 'n genug.

MUTTER BAUMERT. Nu da da, aso a Stickl Fleesch is gar ratlich.

DER ALTE BAUMERT. Hast du keen Geschmack nimehr uf so was? Nu da bleib ock bei uns hier, Moritz, da werd a sich bald wieder einfinden.

ANSORGE *schnüffelnd.* Nu ja ja — nu nee nee, das is ooch noch 'ne Guttschmecke, das macht gar a lieblich Gerichl.

DER ALTE BAUMERT *schnüffelnd.* D'r reene Zimt, mecht man sprechen. '

31

ANSORGE. Nu sag uns amal deine Meinung, Moritz. Du weißt doch, wie's in d'r Welt draußen zugeht. Werd das nu hier amal andersch werden mit uns Webern, oder wie?

JÄGER. Ma sollt's wirklich hoffen.

ANSORGE. Mir kenn d'r nich leben und nich sterben hier oben. Uns geht's leider beese, kannst's glooben. Eener wehrt sich bis ufs Blutt. Zuletzt muß man sich drein geb'n. De Not frißt een 's Dach ieberm Koppe und a Boden unter a Fießen. Frieher, da man noch am Stuhle arbeiten konnte, da hat man sich halb-wegens mit Kummer und Not doch kunnt aso durchschlag'n. Heute kann ich m'r schonn ieber Jahr und Tag kee Stickl Arbeit mehr erobern. Mit der Korbflechterei is ooch ock, daß man sei bißl Leben aso hinfristen tutt. Ich flechte bis in de Nacht nein, und wenn ich ins Bette falle, da hab ich an Beehmen und sechs Fenniche derschindt't. Du hast doch Bildung, nu da sag amal selber, kann da woll a Auskommen sein bei der Teurung? Drei Taler muß ich hinschmeißen uf Haussteuer, een'n Taler uf Grundabgaben, drei Taler uf Hauszinse. Vierzehn Taler kann ich Verdienst rechnen. Bleib'n fer mich sieben Taler ufs ganze Jahr. Da dervon soll ma sich nu bekochen, beheizen, bekleiden, beschuhn, ma soll sich bestricken und beflicken, a Quartier muß ma hab'n und was da noch alles kommt. — Is's da a Wunder, wenn ma de Zinse ni zahl'n kann?

DER ALTE BAUMERT. 's mißt amal eener hingehn nach Berlin, und mißt's 'n Keeniche vorstell'n, wie's uns aso geht.

JÄGER. Ooch nich aso viel nutzt das, Vater Baumert. 's sein er schonn genug in a Zeitungen druf zu sprechen gekommen. Aber die Reichen, die drehn und die wenden an Sache aso . . . die ieberteifeln a besten Christen.

DER ALTE BAUMERT *kopfschüttelnd.* Daß se in Berlin den Pli nich hab'n!

ANSORGE. Sag du amal, Moritz, kann das woll meeglich sein? Is da gar kee Gesetze d'rfor? Wenn eens nu und schind't sich 's Bast von a Händen und kann doch seine Zinse ni ufbringen, kann m'r d'r Pauer mei Häusl da wegnehmen? 's is halt a Pauer, der will sei Geld hab'n. Nu weeß ich gar nich, was de noch wern soll. — Wenn ich halt und ich muß aus dem Häusl nausgehn . . . *Durch Tränen hervorwürgend.* Hier bin ich geborn, hier hat mei Vater am Webstuhle gesessen, mehr wie virzig Jahr. Wie oft hat a zu Muttern gesagt: Mutter, wenn's mit mir amal a Ende nimmt, das Häusl halt feste. Das Häusl hab ich erobert, meent a iebersche. Hie is jeder Nagel an durchwachte Nacht, a jeder Balken a Jahr trocken Brot. Da mißt ma doch denken . . .

JÄGER. Die nehmen een 's Letzte, die sein's kumpabel.

ANSORGE. Nu ja ja! — nu nee nee! Kommt's aber aso weit, da wär mirsch schonn lieber, se triegen mich naus, stats daß ich uf meine alten Tage noch nauslaufen mißte. Das bißl Sterben da! Mei Vater starb ooch gerne genug. — Ock ganz um de Letzte, da wollt'n a bißl angst wern. Wie ich aber zu'n ins Bette kroch, da wurd a ooch wieder stille. — Wenn ma's aso bedenkt: dazemal war ich a Jungl von dreizehn Jahr'n. Miede war ich, und da schlief ich halt ein, bei dem kranken Manne — ich verstand's doch nich besser — und da ich halt ufwachte, war a schonn kalt.

MUTTER BAUMERT *nach einer Pause.* Greif amal ins Röhr, Bertha, und reich Ansorgen de Suppe.

BERTHA. Dahier eßt, Vater Ansorge!

ANSORGE *unter Tränen essend.* Nu nee nee — nu ja ja!

Der alte Baumert hat angefangen, das Fleisch aus der Pfanne zu essen.

MUTTER BAUMERT. Nu, Vater, Vater, du wirscht dich doch gedulden kenn'n. Laß ock Berthan vor richtig vorschirr'n.

DER ALTE BAUMERT *kauend.* Vor zwee Jahren war ich's letzte Mal zum Abendmahle. Gleich dernach verkooft ich a Gottstischrock. Dad'rvon kooften m'r a Stickl Schweinernes. Seitdem da hab ich kee Fleesch nimehr gessen bis heut abend.

JÄGER. Mir brauchen o erscht kee Fleesch, fer uns essen's de Fabrikanten. Die waten im Fette rum bis hieher. Wer das ni gloobt, der brauch ock nuntergehn nach Bielau und nach Peterschwalde. Da kann ma sei Wunder sehn: immer e Fabrikantenschloß hintern andern. Immer e Palast hintern andern. Mit Spiegelscheiben und Türmeln und eisernen Zäunen. Nee, nee, da spiert keener nischt von schlechten Zeiten. Da langt's uf Gebratnes und Gebacknes, uf Eklipaschen und Kutschen, uf Guvernanten und wer weeß was. Die sticht d'r Haber aso sehr! Die wissen gar nich, was se schnell anstell'n vor Reechtum und Iebermut.

ANSORGE. In a alten Zeiten da war das ganz a ander Ding. Da ließen de Fabrikanten a Weber mitleben. Heute da bringen se alles alleene durch. Das kommt aber daher, sprech ich: d'r hohe

Stand gloobt nimehr a keen Herrgott und keen Teiwel ooch nich. Da wissen se nischt von Geboten und Strafen. Da stehl'n se uns halt a letzten Bissen Brot und schwächen und untergraben uns das bißl Nahrung, wo se kenn'n. Von den Leuten kommt's ganze Unglicke. Wenn unsere Fabrikanten und wär'n gute Menschen, da wär'n ooch fer uns keene schlechten Zeiten sein.

JÄGER. Da paßt amal uf, da wer ich euch amal was Scheenes vorlesen. *Er zieht einige Papierblättchen aus der Tasche.* Komm, August, renn in de Schölzerei und hol noch a Quart. Nu, August, du lachst ja in een Biegen fort.

MUTTER BAUMERT. Ich weeß nich, was mit dem Jungen is, dem geht's immer gutt. Der lacht sich de Hucke voll, mag's kommen wie's will. Na, feder, feder! *August ab mit der leeren Schnapsflasche.* Gelt ock, Alter, du weeßt, was gutt schmeckt?

DER ALTE BAUMERT *kauend, vom Essen und Trinken mutig erregt.* Moritz, du bist unser Mann. Du kannst lesen und schreiben. Du weeßt's, wie's um de Weberei bestellt is. Du hast a Herze fer de arme Weberbevelkerung. Du sollt'st unsere Sache amal in de Hand nehmen dahier.

JÄGER. Wenn's mehr ni is. Das sollte mir ni druf ankommen; dahier! den alten Fabrikanteräudeln, den wollt ich viel zu gerne amal a Liedl ufspiel'n. Ich tät m'r nischt draus machen. Ich bin a umgänglicher Kerl, aber wenn ich amal falsch wer und ich krieg's mit der Wut, da nehm ich Dreißichern in de eene, Dittrichen in de andre Hand und schlag se mit a Keppen in'nander, daß 'n 's Feuer aus a Augen springt. — Wenn mir und m'r kennten's ufbringen, daß m'r zusammenhielten, da kennt m'r a Fabrikanten amal an solchen Krach machen ... Da braucht m'r keen'n Keenich derzu und keene Regierung, da kennten m'r eenfach sagen: mir woll'n das und das und aso und aso ni, und da werd's bald aus een'n ganz andern Loche feifen dahier. Wenn die ock sehn, daß ma Krien hat, da ziehn se bald Leine. Die Betbrieder kenn ich! Das sein gar feige Luder.

MUTTER BAUMERT. 's is wirklich bald wahr. Ich bin gewiß ni schlecht. Ich bin gewiß immer diejenige gewest, die gesagt hat, die reichen Leute missen ooch sein. Aber wenn's aso kommt ...

JÄGER. Vor mir kennte d'r Teiwel alle hol'n, der Rasse vergennt ich's.

BERTHA. Wo is denn der Vater? *Der alte Baumert hat sich still-schweigend entfernt.*

MUTTER BAUMERT. Ich weeß nich, wo a mag hin sein.

BERTHA. Is etwan, daß er das Fleescherne nimehr gewehnt is?!

MUTTER BAUMERT *außer sich, weinend.* Nu da seht ihrsch, nu da seht ihrsch! Da bleibt's 'n noch ni amal. Da wird a das ganze bissel scheenes Essen wieder von sich geben.

DER ALTE BAUMERT *kommt wieder, weinend vor Ingrimm.* Nee, nee! mit mir is bald gar alle. Mich hab'n se bald aso weit! Hat man sich amal was Guttes dergattert, da kann ma's nich amal mehr bei sich behalt'n. *Er sitzt weinend nieder auf die Ofen-bank.*

JÄGER *in plötzlicher Aufwallung, fanatisch.* Und dad'rbei gibt's Leute, Gerichtsschulzen, gar nicht weit von hier, Schmärwam-pen, die de's ganze Jahr nischt weiter zu tun haben, wie un-sern Herrgott im Himmel a Tag abstehl'n. Die woll'n behaup-ten, de Weber kennten gutt und gerne auskommen, se wär'n bloß zu faul.

ANSORGE. Das sein gar keene Mensche. Das sein Unmensche, sein das.

JÄGER. Nu laß ock gutt sein, a hat sei Fett. Ich und d'r rote Bäcker, mir hab'n 's 'n eingetränkt, und bevor m'r abzogen zu guter Letzte, sangen m'r noch's Bluttgerichte.

ANSORGE. O Jes's, Jes's, ist das das Lied?

JÄGER. Ja, ja, hie hab ich's.

ANSORGE. 's heeßt doch, gloob ich, 's Dreißicherlied oder wie.

JÄGER. Ich wersch amal vorlesen.

MUTTER BAUMERT. Wer hat denn das Lied derfund'n?

JÄGER. Das weeß kee Mensch nich. Nu heert amal druf. *Er liest, schülerhaft buchstabierend, schlecht betonend, aber mit unver-kennbar starkem Gefühl. Alles klingt heraus: Verzweiflung, Schmerz, Wut, Haß, Rachedurst.*

> Hier im Ort ist ein Gericht,
> noch schlimmer als die Vehmen,
> wo man nicht erst ein Urteil spricht,
> das Leben schnell zu nehmen.
> Hier wird der Mensch langsam gequält,
> hier ist die Folterkammer,
> hier werden Seufzer viel gezählt
> als Zeugen von dem Jammer.

DER ALTE BAUMERT *hat, von den Worten des Liedes gepackt und im Tiefsten aufgerüttelt, mehrmals nur mühsam der Versuchung widerstanden, Jäger zu unterbrechen. Nun geht alles mit ihm durch; stammelnd, unter Lachen und Weinen, zu seiner Frau.* Hier ist die Folterkammer. Der das geschrieben, Mutter, der sagt die Wahrheet. Das kannst du bezeugen . . . Wie heeßt's? Hier werden Seufzer . . . wie? hie wern se viel gezählt . . .

JÄGER. Als Zeugen von dem Jammer.

DER ALTE BAUMERT. Du weeßt's, was mir aso seufz'n een Tag um a andern, ob m'r stehn oder liegen.

JÄGER *während Ansorge, ohne weiterzuarbeiten, in tiefer Erschütterung zusammengesunken dasitzt, Mutter Baumert und Bertha fortwährend die Augen wischen, fährt fort zu lesen.*

> Die Herrn Dreißiger die Henker sind,
> die Diener ihre Schergen,
> davon ein jeder tapfer schind't,
> anstatt was zu verbergen.
> Ihr Schurken all, ihr Satansbrut . . .

DER ALTE BAUMERT *mit zitternder Wut den Boden stampfend.* Ja, Satansbrut!!

JÄGER *liest.*

> Ihr höllischen Kujone,
> ihr freßt der Armen Hab und Gut,
> und Fluch wird euch zum Lohne.

ANSORGE. Nu ja ja, das is auch an Fluch wert.

DER ALTE BAUMERT *die Faust ballend, drohend.* Ihr freßt der Armen Hab und Gut! —

JÄGER *liest.*

> Hier hilft kein Bitten und kein Flehn,
> umsonst ist alles Klagen.
> „Gefällt's euch nicht, so könnt ihr gehn
> am Hungertuche nagen."

DER ALTE BAUMERT. Wie steht's? Umsonst ist alles Klagen? Jedes Wort . . . jedes Wort . . . da is all's aso richtig wie in d'r Bibel. Hier hilft kein Bitten und kein Flehn!

ANSORGE. Nu ja ja! nu nee nee! da tutt schonn nischt helfen.

JÄGER *liest.*

> Nun denke man sich diese Not
> und Elend dieser Armen,
> zu Haus oft keinen Bissen Brot,

ist das nicht zum Erbarmen?
Erbarmen, ha! ein schön Gefühl,
euch Kannibalen fremde,
ein jedes kennt schon euer Ziel,
's ist der Armen Haut und Hemde.

DER ALTE BAUMERT *springt auf, hingerissen zu deliranter Raserei.*
Haut und Hemde. All's richtig, 's is der Armut Haut und
Hemde. Hier steh ich, Robert Baumert, Webermeister von
Kaschbach. Wer kann vortreten und sag'n . . . Ich bin ein
braver Mensch gewest mei lebelang, und nu seht mich an!
Was hab ich davon? Wie seh ich aus? Was hab'n se aus mir
gemacht? Hier wird der Mensch langsam gequält. *Er reckt
seine Arme hin.* Dahier, greift amal an, Haut und Knochen.
Ihr Schurken all, ihr Satansbrut!! *Er bricht weinend vor ver-
zweifeltem Ingrimm auf einem Stuhl zusammen.*

ANSORGE *schleudert den Korb in die Ecke, erhebt sich, am ganzen Leibe zitternd vor Wut, stammelt hervor.* Und das muß
anderscher wern, sprech ich, jetzt uf der Stelle. Mir leiden's
nimehr! Mir leiden's nimehr, mag kommen, was will.

DRITTER AKT

*Die Schenkstube im Mittelkretscham zu Peterswaldau, ein großer
Raum, dessen Balkendecke durch einen hölzernen Mittelpfeiler,
um den ein Tisch läuft, gestützt ist. Rechts von dem Pfeiler, so
daß nur der Pfosten verdeckt wird, liegt die Eingangstür in der
Hinterwand. Man sieht durch sie in den großen Hausraum, der
Fässer und Brauergerät enthält. Im Innern, rechts von der Tür
in der Ecke, befindet sich das Schenksims: eine hölzerne Scheidewand von Mannshöhe mit Fächern für Schankutensilien; dahinter ein Wandschrank, enthaltend Reihen von Schnapsflaschen;
zwischen Scheidewand und Likörschrank ein kleiner Platz für
den Schenkwirt. Vor dem Schenksims steht ein mit bunter Decke
gezierter Tisch. Eine hübsche Lampe hängt darüber, mehrere
Rohrstühle stehen darum. Unweit davon an der rechten Wand
führt eine Tür mit der Aufschrift „Weinstube" ins Honoratioren-
stübchen. Noch weiter vorn rechts tickt die alte Standuhr. Links
von der Eingangstür, an der Hinterwand, steht ein Tisch mit
Flaschen und Gläsern und weiterhin in der Ecke der große*

Kachelofen. Die linke Seitenwand hat drei kleine Fenster, darunter hinlaufend eine Bank, davor je einen großen hölzernen Tisch, die schmale Seite der Wand zugekehrt. An den Breitseiten der Tische stehen Bänke mit Lehnen, an den inneren Schmalseiten je ein einzelner Holzstuhl. Das große Lokal ist blau getüncht, mit Plakaten, Bilderbogen und Buntdrucken behängt, darunter das Porträt Friedrich Wilhelms IV.

Scholz Welzel, ein gutmütiger Koloß von über fünfzig Jahren, läßt hinter dem Schenksims Bier aus einem Fasse in ein Glas laufen. Frau Welzel plättet am Ofen. Sie ist eine stattliche, sauber gekleidete Frau von noch nicht fünfunddreißig Jahren. Anna Welzel, eine siebzehnjährige, hübsche Person mit prachtvollen, rotblonden Haaren, sitzt, propre gekleidet und mit einer Stickarbeit beschäftigt, hinter dem gedeckten Tisch. Einen Augenblick blickt sie von der Arbeit auf und lauscht, denn aus der Ferne kommen Töne eines von Schulkindern gesungenen Grabchorals. Meister Wiegand, der Tischler, sitzt an dem gleichen Tisch in seiner Arbeitstracht hinter einem Glase bayerischen Bieres. Er ist ein Mann, dem man anmerkt: er weiß, worauf es in der Welt ankommt, wenn man ein Ziel erreichen will, nämlich auf Pfiffigkeit, Schnelligkeit und rücksichtsloses Fortschreiten. Ein Reisender am Säulentisch kaut mit Eifer an einem deutschen Beefsteak. Er ist mittelgroß, wohlgenährt, wohlaufgeschwemmt, aufgelegt zur Heiterkeit, lebhaft und frech. Er trägt sich modern. Seine Reiseeffekten, Tasche, Musterkoffer, Schirm, Überzieher und Plüschdecke, liegen neben ihm auf Stühlen.

WELZEL *dem Reisenden ein Glas Bier zutragend, seitwärts zu Wiegand.* 's is ja heute d'r Teifel los in dem Peterschwalde.

WIEGAND *mit einer scharfen, trompetenden Stimme.* Nu, 's is halt doch Liefertag bei Dreißichern oben.

FRAU WELZEL. 's ging aber doch sonste nich aso lebhaft zu.

WIEGAND. Nu, 's kennte vielleicht sein, 's wär wegen da zweehundert neuen Webern, die a will noch annehmen jetzte.

FRAU WELZEL *immer plättend.* Ja, ja, das wird's sein. Will a zweehundert, da wern er woll sechshundert kommen sein. M'r habn 'r ja genug von der Sorte.

WIEGAND. O Jes's, Jes's, die langen zu. Und wenn's den ooch schlecht geht, die sterben ni aus. Die setzen mehr Kinder in de Welt, wie m'r gebrauchen kenn'n. *Der Choral wird einen Augenblick stärker hörbar.* Nu kommt au noch das Begräbnis d'rzu. D'r Fabich Weber is doch gestorben.

WELZEL. Der hat lange genug gemacht. Der lief doch schonn ieber Jahr und Tag ooch bloß rum wie a Gespenste.

WIEGAND. Kannst's glooben, Welzel, aso a klee numpern Sargl, a so a rasnich klee, winzig Dingl, das hab ich doch noch keemal ni zusammengeleimt. Das war d'r a Leichl, das wog noch nich neunzig Fund.

DER REISENDE *kauend*. Ich verstehe bloß nich . . . wo man hinblickt, in irgend'ne Zeitung, da liest man die schauerlichsten Geschichten von der Webernot, da kriegt man einen Begriff von der Sache, als wenn hier die Leute alle schon dreiviertel verhungert wären. Und wenn man dann so'n Begräbnis sieht. Ich kam grade im Dorfe rein. Blechmusik, Schullehrer, Schulkinder, der Pastor und ein Zopp Menschen hinterdrein, Herrgott, als wenn der Kaiser von China begraben würde. Ja, wenn die Leute das noch bezahlen können . . . ! *Er trinkt Bier. Nachdem er das Glas wieder hingestellt, plötzlich mit frivoler Leichtigkeit.* Nich wahr, Fräulein? Hab' ich nich recht?

ANNA *lächelt verlegen und stickt eifrig weiter.*

DER REISENDE. Gewiß 'n Paar Morgenschuhe für'n Herrn Papa.

WELZEL. Oh, ich mag solche Dinger erscht nich an a Fuß ziehn.

DER REISENDE. Na hör'n Sie mal an! Mein halbes Vermögen gäb' ich, wenn die Pantoffeln für mich wär'n.

FRAU WELZEL. Fer sowas, da hat er ee'mal kee Verständnis nich.

WIEGAND *nachdem er mehrmals gehüstelt, mit dem Stuhle gerückt und einen Anlauf zum Reden genommen hat.* Der Herr haben sich ieber das Begräbnis wunderlich ausgedrückt. Nu sagen Sie mal, junge Frau, das is doch 'n kleines Leichenbegängnis?

DER REISENDE. Ja, da frag' ich mich aber . . . Das muß doch barbarisch Geld kosten. Wo kriegen die Leute das Geld nu her?

WIEGAND. Se werden ergebenst entschuldigen, mein Herr, das is so'ne Unverständlichkeit unter der hiesigen armen Bevölkerungsklasse. Mit Erlaubnis zu sagen, die machen sich so'ne iebertriebliche Vorstellickeit von wegen der schuldigen Ehrfurcht und pflichtmäßigen Schuldigkeit gegen selig entschlafene Hinterbliebene. Wenn das und sind gar verstorbene Eltern, da is das nu so ein Aberglaube, da wird von den nächsten

Nachkommen und Erblassern das Letzte zusammengekratzt, und was die Kinder nich auftreiben, das wird von den nächsten Magnaten geborgt. Und da kommen die Schulden bis ieber die Ohren; Hochwürden der Pastor wird verschuldet, der Küster und was da alles fer Leute herumstehn. Und das Getränk und das Essen und dergleichen Notdurft. Nee, nee, ich lobe mir respektive Kindlichkeit, aber nich, daß die Leidtragenden ihr ganzes Leben unter Verpflichtungen davor gedrückt werden.

DER REISENDE. Erlauben Sie mal, das müßte doch der Pastor den Leuten ausreden.

WIEGAND. Se werden ergebenst entschuldigen, mein Herr, ich muß hier befürworten, daß jede kleine Gemeinde ihr kirchliches Gotteshaus hat und ihren Seelenhirten Hochwürden erhalten muß. An so'nem großen Begräbnisfest, da hat die hohe Geistlichkeit ihre scheene Ievervorteilung. Desto zahlreicher so eine Grablegung gehandhabt wird, je umfänglicher auch die Offertorien fließen. Wer die hiesigen arbeitenden Verhältnisse kennt, der kann mit unmaßgeblicher Bestimmtheit behaupten, die Herren Farrer dulden bloß widerstreblich die stillen Begräbnisse.

HORNIG *kommt. Kleiner, o-beiniger Alter, ein Ziehband um Schulter und Brust. Er ist Lumpensammler.* Scheen gu'n Tag ooch. An eefache mecht ich bitten. Na, junge Frau, hab'n Se was Lumpiges? Jungfer Anna! Scheene Zoppbändl, Hemdbändl, Strumpbändl hab ich im Wägl, scheene Stecknadeln, Haarnadeln, Häkel und Esel. Alles geb ich fer a paar Lumpen. *In verändertem Tone.* Von den Lumpen da wird a scheen weiß Papierl gemacht, und da schreibt der liebe Schatz a hibsch Briefl druf.

ANNA. Oh, ich bedank mich, ich mag keen'n Schatz.

FRAU WELZEL *einen Bolzen einlegend.* Aso is das Mädel. Vom Heiraten will se nischt wissen.

DER REISENDE *springt auf, scheinbar freudig überrascht, tritt an den gedeckten Tisch und streckt Anna die Hand hinüber.* Das ist gescheit, Fräulein, machen Sie's wie ich. Topp! Geben Sie mir den Patsch! Wir beide bleiben ledig.

ANNA *puterrot, gibt ihm die Hand.* Nun, Sie sein doch schon verheiratet?!

DER REISENDE. I Gott bewahre, ich tu' bloß so. Sie denken wohl,

weil ich den Ring trage?! Ach, den habe ich bloß an den Finger
gesteckt, um meine bestrickende Persönlichkeit vor unlauteren
Angriffen zu schützen. Vor Ihnen fürchte ich mich nicht. *Er
steckt den Ring in die Tasche.* — Sagen Sie mal im Ernst, Fräulein, wollen Sie sich niemals auch nur so'n ganz kleenes bissel
verheiraten!

ANNA *kopfschüttelnd.* O wärsch doch!

FRAU WELZEL. Die bleibt Ihn ledig odersch muß was sehr Rares
sein.

DER REISENDE. Nu warum auch nich? 'n reicher schlesischer Ma-
gnat hat die Kammerjungfer seiner Mutter geheiratet, und der
reiche Fabrikant Dreißiger hat ja auch 'ne Scholzentochter genommen. Die ist nich halb so hübsch wie Sie, Fräulein, und
fährt jetzt fein in Equipage mit Livreediener. Warum d'nn
nicht? *Er geht umher, sich dehnend und die Beine vertretend.*
Eine Tasse Kaffee werd' ich trinken.

*Ansorge und der alte Baumert kommen, jeder mit einem Pack,
und setzen sich still und demütig zu Hornig an den vordersten
Tisch links.*

WELZEL. Willkommen! Vater Ansorge, sieht man dich wieder
amal?!

HORNIG. Kommst du ooch noch amal aus dein'n verräucherten
Geniste gekrochen?

ANSORGE *unbeholfen und sichtlich verlegen.* Ich hab m'r wieder
amal 'ne Werfte geholt.

DER ALTE BAUMERT. A will fer zehn Beehmen arbeiten.

ANSORGE. Ich hätt's ni gemacht, aber mit der Korbflechterei hat's
auch a End genommen.

WIEGAND. 's is immer besser wie nischt. A tut's ja ock, daß 'r 'ne
Beschäftigung hat. Ich bin sehr gut bekannt mit Dreißigern.
Vor acht Tagen nahm ich 'n de Doppelfenster raus. Da red'ten
m'r drieber. A tut's bloß aus Barmherzigkeit.

ANSORGE. Nu ja ja — nu nee nee.

WELZEL *den Webern je einen Schnaps vorsetzend.* Hie wird sein.
Nu sag amal, Ansorge. Wie lange hast du dich ni mehr rasieren
lassen? — Der Herr mecht's gerne wissen.

DER REISENDE *ruft herüber.* Ach, Herr Wirt, das hab' ich doch
nicht gesagt. Der Herr Webermeister ist mir nur aufgefallen
durch sein ehrwürdiges Aussehen. Solche Hünengestalten bekommt man nicht oft zu sehen.

ANSORGE *krault sich verlegen den Kopf.* Nu ja ja — nu nee nee.

DER REISENDE. Solche urkräftige Naturmenschen sind heutzutage sehr selten. Wir sind von der Kultur so beleckt . . . aber ich hab' noch Freude an der Urwüchsigkeit. Buschige Augenbrauen! So'n wilder Bart . . .

HORNIG. Nu sehn S' ock, werter Herr, ich wer Ihn amal was sag'n: bei da Leuten da langt's halt ni uf a Balbier, und a Rasiermesser kenn se sich schonn lange ni derschwingen. Was wächst, wächst. Uf a äußern Menschen kenn die nischt verwenden.

DER REISENDE. Aber ich bitte Sie, lieber Mann, wo werd' ich denn . . . *Leise zum Wirt.* Darf man dem Haarmenschen 'n Glas Bier anbieten?

WELZEL. I beileibe, der nimmt nischt. Der hat gar kom'sche Mucken.

DER REISENDE. Na, dann nicht. Erlauben Sie, Fräulein? *Er nimmt an dem gedeckten Tisch Platz.* Ich kann Sie versichern, Ihr Haar sticht mir schon, seit ich reinkam, derart in die Augen, dieser matte Glanz, diese Weichheit, diese Fülle! *Er küßt gleichsam entzückt seine Fingerspitzen.* Und diese Farbe . . . wie reifer Weizen. Wenn Sie mit dem Haar nach Berlin kommen, Sie machen Furore. Parole d'honneur, mit dem Haar können Sie an den Hof gehen . . . *Zurückgelehnt das Haar betrachtend.* Prachtvoll, einfach prachtvoll.

WIEGAND. Derwegen hat se ja auch eine schöne Benennung erfahren.

DER REISENDE. Wie heißt sie denn da?

ANNA *lacht immerfort in sich hinein.* Oh, heer'n Se nich drauf!

HORNIG. Das ist doch d'r Fuchs, ni wahr?

WELZEL. Nu heert aber uf! Macht m'r das Mädel ni noch vollends gar verdreht! Se hab'n 'r schonn Raupen genug in a Kopp gesetzt. Heut will se an Grawen, morgen soll's schonn a Firscht sein.

FRAU WELZEL. Mach du das Mädel ni schlecht, Mann! Das is kee Verbrechen, wenn d'r Mensch will vorwärtskommen. Aso wie du freilich denkst, aso denken ni alle. Das wär auch ni gutt, da käm keener vom Flecke, da blieben se alle sitzen. Wenn Dreißigers Großvater aso hätte gedacht, da wär a woll sein a armer Weber geblieben. Itzt sein se steinreich. D'r alte Tromtra war

o nich mehr wie a armer Weber, nu hat a zwelf Rittergieter und
is obendruf adlig gewor'n.

WIEGAND. Alles, was de recht is, Welzel. In der Sache da is deine
Frau uf'm rechtlichen Wege. Das kann ich underfertigen. Hätt
ich aso wie du gedacht, wo wär'n ock itzt meine sieben Gesellen?

HORNIG. Du weeßt druf zu laufen, das muß dir d'r Neid lassen.
Wenn d'r Weber noch uf zwee Been rumlauft, da machst du'n
schonn a Sarg fertig.

WIEGAND. Wer de will mitkummen, muß sich derzu halten.

HORNIG. Ja, ja, du hälst dich o noch derzu. Du weeßt besser wie
a Doktor, wenn d'r Tod um a Weberkindl kommt.

WIEGAND, *kaum noch lächelnd, plötzlich wütend.* Und du weeßt's
besser wie de Pol'zei, wo de Nipper sitzen unter a Webern und
die de sich jede Woche a hibsch Neegl Spul'n iebrig machen. Du
kommst nach Lumpen und nimmst o a Feifl Schußgarn, wenn's
druf ankommt.

HORNIG. Und dei Weizen blieht uf'm Kirchhowe. Je mehr daß
uf de Hobelspäne schlafen gehn, um desto besser fer dich. Wenn
du die vielen Kindergräbl ansiehst, da kloppst du d'r uf a
Bauch und sagst: 's war heuer wieder a gudes Jahr; de kleen'n
Kreppe sein wieder gefall'n wie de Maikäwer von a Bäumen.
Da kann ich m'r wieder a Quart zulegen de Woche.

WIEGAND. Derw gen, da wär ich noch lange kee Hehler.

HORNIG. Du machst heechstens amal an reichen Parchentfabrikanten an toppelte Rechnung oder holst a paar iebrige Brettel
von Dreißichersch Bau, wenn d'r Mond amal grade ni scheint.

WIEGAND *ihm den Rücken wendend.* Oh, red du, mit wem de
willst, ock mit mir nich. *Plötzlich wieder.* Lügenhornig!!

HORNIG. Totentischler!

WIEGAND *zu den Anwesenden.* A kann's Vieh behexen.

HORNIG. Sieh dich vor, sag ich d'r bloß, sonst mach ich amal mei
Zeichen. *Wiegand wird bleich.*

FRAU WELZEL *war hinausgegangen und setzt nun dem Reisenden
Kaffee vor.* Soll ich Ihn'n a Kaffee lieber ins Stiebl tragen?

DER REISENDE. I, was denken Sie! *Mit einem schmachtenden Blick
auf Anna.* Hier will ich sitzen, bis ich sterbe.

EIN JUNGER FÖRSTER UND EIN BAUER *der letztere mit einer Peitsche, kommen. Beide.* Gu'n Mittag! *Sie bleiben am Schenksims
stehen.*

DER BAUER. Zwee Ingwer mechten mir hab'n.

WELZEL. Willkommen mitnander! *Er gießt das Verlangte ein; die beiden ergreifen die Gläschen, stoßen damit an, trinken davon und stellen sie auf das Schenksims.*

DER REISENDE. Nun, Herr Förster, tüchtigen Marsch gemacht?

DER FÖRSTER. 's geht. Ich komme von Steinseifferschdorf.

Erster und zweiter alter Weber kommen und setzen sich zu Ansorge, Baumert und Hornig.

DER REISENDE. Entschuldigen Sie, sind Sie Gräflich Hochheimscher Förster?

DER FÖRSTER. Gräflich Keilsch bin ich.

DER REISENDE. Freilich, freilich, das wollt' ich ja auch sagen. Es ist hier zu schlimm mit den vielen Grafen und Baronen und Freiherrlichen Gnaden. Man muß'n Riesengedächtnis hab'n. Zu was haben Sie denn die Axt, Herr Förster?

DER FÖRSTER. Die hab' ich Holzdieben weggenommen.

DER ALTE BAUMERT. Unse Herrschaft, die nimmt' gar sehr genau mit a paar Scheiten Brennholz.

DER REISENDE. Nu erlauben Sie, das geht doch auch nicht, wenn da jeder holen wollte . . .

DER ALTE BAUMERT. Mit Verlaub zü reden, hie is das wie ieberall mit a kleen'n und a großen Dieben; hier sein welche, die treiben Holzhandel im großen und wern reich von gestohlnen Holze. Wenn aber a armer Weber . . .

ERSTER ALTER WEBER *unterbricht Baumert.* Mir derfen kee Zweigl nehmen, aber de Herrschaft, die greift uns desto forscher an, die zieht uns 's Leder egelganz ieber de Ohren runter. Da sein zu entrichten Schutzgelder, Spinngelder, Naturalleistungen, da muß ma umsonste Gänge laufen und Howearbeit tun, ob ma will oder nich.

ANSORGE. 's is halt aso: was uns d'r Fabrikante iebrich läßt, das holt uns d'r Edelmann vollens aus d'r Tasche.

ZWEITER ALTER WEBER *hat am Nebentisch Platz genommen.* Ich hab's o 'n gnädijen Herrn selber gesagt. Se werd'n gittigst verzeihn, Herr Graf, meent ich ieber'n, das Jahr kann ich aso viel Howetage eemal ni leisten. Ich streit's eemal nich! Denn warum? Se wern entschuldijen, mir hat's Wasser alles zuschanden gemacht. Mei bissel Acker hat's weggeschwemmt. Ich muß Tag und Nacht schaffen, wenn ich leben will. Aso a Unwetter. Ihr Leute, ihr Leute! Ich stand ock immer und rang de Hände. Der scheene Boden, der kam ock immer aso über a Berg runderge-

wellt und ins Häusl nein; und der scheene, teure Samen! . . .
O Jes's, o Jes's, da hab ich ock immer aso in de Wolken nein-
geprillt, und acht Tage lang hab ich geflennt, daß ich bald keene
Straße ni mehr sah . . . Und dernach konnt ich mich mit achzig
schweren Radwern Boden über a Berg wieder nufquäl'n.

DER BAUER *roh.* Ihr macht ja a schauderhaftiges Gelammetiere
dahier. Was de d'r Himmel schickt, das miß mir uns alle gefall'n lass'n. Und wenn's euch sonst nich zum besten geht, wer
is denn schuld wie ihr selber? Wie's Geschäft gutt ging, was
habt'r gemacht? All's verspielt und versoffen habt'r. Hätt ihr
euch dazemal was derspart, da wär jetzt a Notpfennig da sein,
da braucht'r kee Garn und kee Holz stehl'n.

ERSTER JUNGER WEBER *mit einigen Kameraden im „Hause", der
Diele, spricht laut zur Tür herein.* A Pauer bleibt a Pauer, und
wenn a schläft bis um neune.

ERSTER ALTER WEBER. Das is jetzt aso: d'r Pauer und d'r Edelmann, die ziehn a een'n Strange. Will a Weber an Wohnung
hab'n, da sagt d'r Pauer: ich geb d'r a klee Lechl zum drinne
wohn. Du zahlst m'r scheene Zinse und hilfst m'r mei Heu und
mei Getreide reinbringen, und wenn de ni willst, da sieh, wo
de bleibst. Kommt eener zum zweeten, der macht's wie d'r
erschte.

DER ALTE BAUMERT *grimmig.* Ma is wie a Griebsch, an dem alle
rumfressen.

DER BAUER *aufgebracht.* Oh, ihr verhungerten Luder, zu was
wärt ihr zu gebrauchen? Kennt ihr an Flug in a Acker dricken?
Kennt ihr woll' ne gleiche Furche ziehn oder 'ne Mandel Haber-
garben uf a Wag'n reechen? Ihr seid ja zu nischt nutze wie zum
Faulenzen und bei a Weibern liegen. Ihr wärt Scheißkerle! Ihr
kennt een was nitzen. *Er hat indes gezahlt und geht ab. Der
Förster folgt ihm lachend. Welzel, der Tischler und Frau Welzel
lachen laut, der Reisende für sich. Als das Gelächter verstummt,
tritt Stille ein.*

HORNIG. Aso a Pauer, der is wie a Bremmerochse . . . Wenn ich
ni wißte, was hie fir 'ne Not is. In den Derfern hie nuff, was
hat man da alles zu sehn kriegt! Zu viern und fünfen lagen se
nackt uf en'n eenzichen Strohsack.

DER REISENDE *in milde verweisendem Ton.* Erlauben Sie mal,
lieber Mann. Über die Not im Gebirge sind doch die Ansichten
recht verschieden, wenn Sie lesen können . . .

HORNIG. Oh, ich les' all's vom Blatte runder, aso gutt wie Sie. Nee, nee, ich wersch wissen, ich bin genug rumkommen bei da Leuten. Wenn man's Kupsel Sticka vierzig Jahr uf'n Puckel gehabt hat, da wird ma woll was wissen zuguderletzt. Wie warsch denn mit Fullern? Die Kinder, die klaubten mit Nachbarsch Gänsen im Miste rum. Gestorben sein de Leute — nakkend — uf a Fliesen im Hause. Stinkende Schlichte hab'n se gefressen vor Himmelsangst. Hingerafft hat se d'r Hunger zu Hunderten und aber Hunderten.

DER REISENDE. Wenn Sie lesen können, müssen Sie doch auch wissen, daß die Regierung genaue Nachforschungen hat anstell'n lassen und daß . . .

HORNIG. Das kennt man, das kennt man: da kommt so a Herr von der Regierung, der alles schon besser weeß, wie wenn a's gesehn hätte. Der geht aso a bissel im Dorfe rum, wo de Bache ausfließt und de scheensten Häuser sein. De scheen'n blanken Schuhe, die will a sich weiter ni beschmutzen. Da denkt a halt, 's wird woll ieberall aso scheen aussehn, und steigt in de Kutsche und fährt wieder heem. Und da schreibt a nach Berlin, 's wär und wär eemal keene Not nich. Wenn a aber und hätte a bissel Geduld gehabt und wär in da Derfern nufgestiegen, bis wo de Bache eintritt, und ieber de Bache nieber uf de kleene Seite oder gar abseit, wo de kleen'n eenzelnen Klitschen stehn, die alten Schaubennester an a Bergen, die de manchmal aso schwarz und hinfällig sein, daß 's 'n Streichhelzl ni verlohnt, um aso a Ding anzustecken, da wär a woll andersch hab'n nach Berlin bericht't. Zu mir hätten se soll'n kommen, de Herrn von d'r Regierung, die's nich haben glooben wollen, daß hier 'ne Not wär. Ich hätt'n amal was ufgezeicht. Ich wollt'n amal de Augen ufkneppen in allen den Hungernestern hier nein.

Man hört draußen das Weberlied singen.

WELZEL. Da singen se schonn wieder das Teifelslied.

WIEGAND. Die stell'n ja 's ganze Dorf uf a Kopp.

FRAU WELZEL. 's is reen, als wenn was in d'r Luft läg.

Jäger und Bäcker, Arm in Arm, an der Spitze einer Schar junger Weberburschen, betreten lärmend das „Haus" und von da die Wirtsstube.

JÄGER. Schwadron halt! Abgesessen! *Die Angekommenen begeben sich zu den verschiedenen Tischen, an denen bereits Weber sitzen, mit ihnen Gespräche anknüpfend.*

HORNIG *Bäcker zurufend.* Nu sag ock bloß, was geht denn vor, daß 'r aso ei hellen Haufen beinander seid?

BÄCKER *bedeutsam.* Vielleichte wird amal was vorgehn. Gelt ock, Moritz?!

HORNIG. Nu wärsch doch! Macht ock ni Dinge.

BÄCKER. 's is schonn Blut geflossen. Willst's sehn? *Er streift seinen Ärmel herauf und zeigt ihm blutende Impf- stellen am nackten Oberarm. Wie er, so tun auch viele der jun- gen Weber an den übrigen Tischen.*

BÄCKER. Beim Bader Schmidt war'n mir, impfen lassen.

HORNIG. Na nu wird's Tag. Da kann man sich ni wundern, daß aso a Teeps is uf allen Gassen. Wenn solche Leubel im Dorfe rumschwuchtern . . .!

JÄGER *sich protzenhaft aufspielend, mit lauter Stimme.* Gleich zwee Quart, Welzel! Ich zahl's. Denkst etwan, ich hab kee Puttputt? Nu harr ock sachte! Wenn mir sonst woll- ten, da kennten mir Scheps trinken und Kaffee lappern bis morgen frieh, aso gutt wie a Reisender. *Gelächter unter den jungen Webern.*

DER REISENDE *mit komischem Erstaunen.* Meinen Sie mir, oder neinen Sie mich? *Der Wirt, die Wirtin und ihre Tochter, Tisch- ler Wiegand und der Reisende lachen.*

JÄGER. Immer den, der fragt.

DER REISENDE. Erlauben Sie mal, junger Mensch, Ihr Geschäft scheint recht gut zu gehen.

JÄGER. Ich kann ni klag'n. Ich bin Konfektionsreisender. Ich mach mit'n Fabrikanten Halbpart. Je mehr d'r Weber hungert, um desto fetter speis ich. Je größer de Not, desto größer mei Brot.

BÄCKER. Das haste gutt gemacht, sollst laba, Moritz!

WELZEL *hat den Kornschnaps gebracht. Auf dem Rückwege zum Schenksims bleibt er stehn und wendet sich langsam in all sei- nem Phlegma und seiner Massigkeit wieder den Webern zu. Mit ebensoviel Ruhe wie Nachdruck.* Laßt ihr den Herrn zufrieden, der hat euch nischt nich getan.

STIMMEN JUNGER WEBER. Mir tun 'n ja auch nischt.

Frau Welzel hat mit dem Reisenden einige Worte gewechselt. Sie nimmt die Tasse mit dem Kaffeerest und bringt sie in das Nebenstübchen. Der Reisende folgt ihr dahin unter dem Ge- lächter der Weber.

STIMMEN JUNGER WEBER *singend.*

Die Herren Dreißiger die Henker sind,
die Diener ihre Schergen . . .

WELZEL. Pscht, pscht! Das Lied singt, wo 'r wollt. Ei mein Hause duld ich's nich.

ERSTER ALTER WEBER. A hat ganz recht; laßt ihr das Singen.

BÄCKER *schreit.* Aber bei Dreißigern miß mer noch amal vorbeiziehn. Der muß unser Lied noch amal zu heer'n kriegen.

WIEGAND. Treibt's ock ni gar zu tolle, daß a ni etwa amal falsch versteht! *Gelächter und Hoho!!*

DER ALTE WITTIG *ein grauhaariger Schmied, ohne Mütze, in Schurzfell und Holzpantinen, rußig, wie er aus der Werkstatt kommt, ist eingetreten und wartet am Schenksims stehend auf ein Glas Branntwein.* Laß ock du die geruhig a bissel a Theater machen. Die Hunde, die de viel kläffen, beißen nich.

STIMMEN ALTER WEBER. Wittig, Wittig!

WITTIG. Hie hängt a. Was gibbt's denn?

STIMMEN ALTER WEBER. Wittig ist da. — Wittig, Wittig! — Komm her, Wittig, setz dich zu uns! — Komm her zu uns, Wittig!

WITTIG. Ich wer mich in Obacht nehmen und wer mich zu solchen Goten setzen.

JÄGER. Komm, trink amal mit.

WITTIG. O behalt dir den'n Branntwein. Will ich trinken, zahl ich 'n selber. *Er setzt sich mit einem Schnapsglas zu Baumert und Ansorge. Dem letzteren auf den Bauch klopfend.* Was haben die Weber fer eine Speis? Sauerkraut und Läusefleisch.

DER ALTE BAUMERT *ekstatisch.* Nu aber wie d'nn da, wenn se nu und sein nimehr zufriede dermit?

WITTIG *mit gemachtem Staunen den Weber dumm anglotzend.* Nu, nu, nu, sag mer ock, Heinerle, bist du's? *Unbändig herauslachend.* Ihr Leute, ihr Leute, ich lach mich tot. Der ale Baumert will Rebellion machen. Nu wern mersch hab'n: itzt fangen de Schneider ooch an, dann wern de Bälämmel rebellisch, dann de Mäuse und Ratten. O du meine Gitte, das werd a Tanz werden! *Er will sich ausschütten vor Lachen.*

DER ALTE BAUMERT. Nu sieh ock, Wittig, ich bin no immer derselbige wie frieher. Ich sag o itzt noch: wenn's im guten ging, wärsch besser.

WITTIG. Dreck werd's gehn, aber nich im guden. Wo wär aso was im guden gangen? Is's etwa ei Frankreich im guden gangen? Hat etwa d'r Robspier a Reichen de Patschel gestreechelt? Da hieß's bloß: Allee, schaff fort! Immer nuf uf de Giljotine! Das muß gehn, allong sangfang. De gebratnen Gänse kommen een ni ins Maul geflog'n.

DER ALTE BAUMERT. Wenn ich ock und hätte hallwäge mein Auskommen . . .

ERSTER ALTER WEBER. Uns steht halt 's Wasser bis hierum, Wittig.

ZWEITER ALTER WEBER. Ma mag bald gar nimehr heem gehn. Ob ma nu schachtert, oder ma legt sich schlafen, ma hungert uf beede Arten.

ERSTER ALTER WEBER. D'rheeme verliert man vollens ganz a Verstand.

ANSORGE. Mir is jetzt schonn eegal, 's kommt aso oder aso.

STIMMEN ALTER WEBER *mit steigender Erregung.* Nirgend hat ma Ruh. — O ken'n Geist nich zur.Arbeit hat man. — Oben bei uns in Steenkunzendorf sitzt eener schonn a ganzen Tag an d'r Bache und wäscht sich, nackt, wie'n Gott gemacht hat. Dem hat's gar a Kopp verwirrt.

DRITTER ALTER WEBER *erhebt sich, vom Geiste getrieben, und fängt an, mit „Zungen" zu reden, den Finger drohend erhoben.* Es ist ein Gericht in der Luft! Gesellet euch nicht zu den Reichen und Vornehmen! Es ist ein Gericht in der Luft! Der Herr Zebaoth . . . *Einige lachen. Er wird auf den Sitz niedergedrückt.*

WELZEL. Der derf ock a eenzichtes Gläsl trinken, da wirrt's 'n gleich aus'n Koppe.

DRITTER ALTER WEBER *fährt wieder auf.* Doch ha! sie glauben an keinen Gott, noch weder Hell noch Himmel. Religion ist nur ihr Spott . . .

ERSTER ALTER WEBER. Laß gutt sein, laß!

BÄCKER. Laß du den Mann sei Gesetzl beten. Das kann sich manch eens zu Herzen nehmen.

VIELE STIMMEN *tumultuarisch.* Laßt 'n reden! — Laßt 'n!

DRITTER ALTER WEBER *mit gehobener Stimme.* Daher die Helle die Seele weit aufgesperrt und den Rachen aufgetan, ohn alle Maße, daß hinunterfahren alle die, so die Sachen der Armen beugen und Gewalt üben im Recht der Elenden, spricht der Herr. *Tumult. Der alte Weber, plötzlich schülerhaft deklamierend.*

> Und doch wie wunderlich geht's,
> wenn man es recht will betrachten,
> wenn man des Leinewebers Arbeit will verachten!

BÄCKER. Mir sein aber Parchentweber. *Gelächter.*

HORNIG. A Leinwebern geht's noch viel elender. Die schleichen ock bloßich noch wie de Gespenster zwischen a Bergen rum. Ihr dahier habt doch noch Krien zum ufmucken.

WITTIG. Denkst du etwan, hie is schon 's Schlimmste vorieber? Das bißl Forsche, was die noch im Leibe hab'n, das werd'n 'r de Fabrikante schon ooch vollens austreiben.

BÄCKER. A hat ja gesagt: de Weber werden noch fer 'ne Quark-schnitte arbeiten. *Tumult.*

VERSCHIEDENE ALTE UND JUNGE WEBER. Wer hat das gesagt?

BÄCKER. Das hat Dreißiger ieber Weber gesagt.

EIN JUNGER WEBER. Das Aas sollt man ärschlich ufknippen.

JÄGER. Heer amal uf mich, Wittig, du hast immer aso viel der-zählt von d'r franzeschen Revolution. Du hast immer 's Maul aso voll genommen. Nu kennte vielleicht bald Gelegenheit wern, daß eener und kennte zeigen, wie's mit'm beschaffen is: ob a a Großmaul is oder a Ehrenmann.

WITTIG *jähzornig aufbrausend.* Sag noch ee Wort, Junge! Hast du geheert Kugeln pfeifen? Hast du uf Vorposten gestanden ei Feindesland?

JÄGER. Nu, bis ock ni falsch. Mir sein ja Kamraden. Ich hab's ja ni schlimm gemeent.

WITTIG. Uf die Kamradschaft plamp ich. Du Laps, ufgeblasener! *Gendarm Kutsche kommt.*

MEHRERE STIMMEN. Pscht, pscht, Pol'zei!

Es wird eine unverhältnismäßig lange Zeit gezischt, bis völlige Ruhe eingetreten ist.

KUTSCHE *unter tiefem Schweigen aller übrigen seinen Platz an der Mittelsäule einnehmend.* An kleen Korn mecht ich bitten. *Wiederum völlige Ruhe.*

WITTIG. Nu, Kutsche, sollst woll amal zum Rechten sehn hier bei uns?

KUTSCHE *ohne auf Wittig zu hören.* Gu'n Tak o, Meister Wie-gand.

WIEGAND *noch immer in der Ecke vor dem Schenksims.* Scheen Dank, Kutsche.

KUTSCHE. Wie geht's Geschäft?

WIEGAND. Dank fer de Nachfrage.

BÄCKER. D'r Verwalter hat Angst, m'r kennten uns a Magen verderben von dem vielen Lohn, das m'r kriegen. — *Gelächter.*

JÄGER. Gell ock, Welzel, mir hab'n alle Schweinernes gegessen und Fettunke und Kleeßl und Sauerkraut, und itzt trink m'r erscht noch Schlampanjerwein. — *Gelächter.*

WELZEL. Hinten rum scheint die Sonne.

KUTSCHE. Und wenn ihr und hätt gleich Schlampanjer und Gebratenes, derwegen werd ihr noch lange ni zufrieden sein. Ich hab o keen'n Schlampanjer, und 's muß halt auch gehn.

BÄCKER *mit Bezug auf Kutsches Nase.* Der begißt seine kohlrote Gurke mit Branntwein und Schepsbier. Dad'rvon wird se ooch reif. — *Gelächter.*

WITTIG. Aso a Schandarm hat a schweres Leben: eemal muß a an verhungerten Betteljungen ins Loch stecken, dann muß a wieder amal a hibsch Webermädel verfihrn, dann muß a sich wieder amal sternhagelsmäßig bekreeschen und 's Weib durchpriegeln, daß se vor Himmelangst zu a Nachbarn gelaufen kommt; und aso uf'n Ferde rumschappern, in a Federn liegen bis um neune, das is gar kee leichte Ding dahie!

KUTSCHE. Schwatz du immerzu! Du wirscht dich schonn noch beizeiten um a Hals räden. Ma weeß ja längst, was du fer a Briederle bist. Dei ufrihrerisch Maulwerk das is längst bekannt bis nauf zum Landrat. Ich kenn een'n, der bringt ieber Jahr und Tag Weib und Kind eis Armenhaus mit Saufen und Kretschamhocken und sich selber ins Gefängnis, der wird ufhetzen und ufhetzen, bis 's wird a Ende mit Schrecken nehmen.

WITTIG *lacht bitter heraus.* Wer weeß ooch, was kommt?! Uf de Letzte kannste gar recht haben. *Jähzornig hervorbrechend.* Kommt's aber aso weit, dann weeß ich ooch, wem ich's zu verdanken hab, wer mich verklatscht hat bei a Fabrikanten und uf d'r Herrschaft und verschänd't und verleumd't, daß ich keen'n Schlag Arbeit mehr beseh — wer mir de Pauern hat uf a Hals gehetzt und de Miller, daß ich de ganze Woche kee Pferd zum Beschlagen kriege oder an Reefen um a Rad zu machen. Ich weeß, wer das is. Ich hab die infame Karnalje emal vom Ferde gezogen, weil se an kleen'n tummen Jungen wägen a paar unreifen Birnen mit'n Ochsenziemer hat durchgewalkt. Und ich sag dir, du kennst mich, bringst du mich ins Gefängnis, da mach du ooch gleich dei Testament. Heer ich ock was von weiter Ferne läuten, da nehm ich, was ich kriege, 's is nu a Hufeisen oder Hammer, 'ne Radspeiche oder a Wassereimer, und da such ich dich uf, und wenn ich dich soll aus'n

Bette holen von deinem Mensche weg, ich reiß dich raus und schlag d'r a Schädel ein, so wahr wie ich Wittig heeße. *Er ist aufgesprungen und will auf Kutsche losgehen.*

ALTE UND JUNGE WEBER *ihn zurückhaltend.* Wittig, Wittig, bleib bei Verstande.

KUTSCHE *hat sich unwillkürlich erhoben; sein Gesicht ist blaß. Während des Folgenden retiriert er. Je näher der Tür, desto mutiger wird er. Die letzten Worte spricht er schon auf der Türschwelle, um im nächsten Augenblick zu verschwinden.* Was willst du von mir? Mit dir hab ich nisccht nich zu schaffen. Ich hab mit a hiesichten Webern zu reden. Dir hab ich nischt nich getan. Du gehst mich nischt an. Euch Webern aber soll ich's ausrichten: d'r Herr Polizeiverwalter läßt euch verbieten, das Lied zu singen — das Dreißicherlied, oder wie sich's genennt. Und wenn das Gesinge uf d'r Gasse ni gleich ufheert, da wird a d'rfire sorgen, daß ihr im Stockhause mehr Zeit und Ruhe kriegt. Da kennt 'r dann singen bei Wasser und Brot, aso lange wie d'r lustig seid. *Ab.*

WITTIG *schreit ihm nach.* Gar nischt hat a uns zu verbieten, und wenn wir prill'n, daß de Fenster schwirr'n, und wenn ma uns heert bis in Reechenbach, und wenn wir singen, daß allen Fabrikanten de Häuser ieberm Koppe zusammenstirzen und allen Verwaltern de Helme uf'm Schädel tanzen. Das geht niemanden nischt an.

BÄCKER *ist inzwischen aufgestanden, hat pantomimisch das Zeichen zum Singen gegeben und beginnt nun selbst mit allen gemeinschaftlich.*

> Hier im Ort ist ein Gericht,
> noch schlimmer als die Vehmen,
> wo man nicht erst ein Urteil spricht,
> das Leben schnell zu nehmen.

Der Wirt sucht zu beruhigen, wird aber nicht gehört. Wiegand hält sich die Ohren zu und läuft fort. Die Weber erheben sich und ziehen unter dem Gesang der folgenden Verse Wittig und Bäcker nach, die durch Winke usw. das Zeichen zum allgemeinen Aufbruch gegeben haben.

> Hier wird der Mensch langsam gequält,
> hier ist die Folterkammer,
> hier werden Seufzer viel gezählt
> als Zeugen von dem Jammer.

*Der größte Teil der Weber singt den folgenden Vers schon auf
der Straße, nur einige junge Burschen noch im Innern der Stube,
während sie zahlen. Am Schluß der nächsten Strophe ist das
Zimmer leer bis auf Welzel, seine Frau, seine Tochter, Hornig
und den alten Baumert.*

> Ihr Schurken all, ihr Satansbrut,
> ihr höllischen Kujone,
> ihr freßt der Armen Hab und Gut,
> und Fluch wird euch zum Lohne.

WELZEL *räumt mit Gleichmut Gläser zusammen.* Die sein ja heute
gar tälsch. *Der alte Baumert ist im Begriff zu gehn.*

HORNIG. Nu sag bloß, Baumert, was is denn im Gange?

DER ALTE BAUMERT. Zu Dreißichern gehn woll'n se halt, sehn,
daß a was zulegt zum Lohne dahier.

WELZEL. Machst du ooch noch mit bei solchen Tollheeten?!

DER ALTE BAUMERT. Nu sieh ock, Welzel, an mir liegt's nich. A
Junges kann manchmal, und a Altes muß. *Ein wenig verlegen
ab.*

HORNIG *erhebt sich.* Das sollt mich doch wundern, wenn's hie ni
amal beese käm.

WELZEL. Daß die alten Krepper a vollens a Verstand verliern!?

HORNIG. A jeder Mensch hat halt 'ne Sehnsucht.

VIERTER AKT

*Peterswaldau. — Privatzimmer des Parchentfabrikanten Drei-
ßiger. Ein im frostigen Geschmack der ersten Hälfte unseres
Jahrhunderts luxuriös ausgestatteter Raum. Die Decke, der
Ofen, die Türen sind weiß; die Tapete gradlinig kleingeblümt
und von einem kalten, bleigrauen Ton. Dazu kommen rotüber-
zogene Polstermöbel aus Mahagoniholz, reich geziert und ge-
schnitzt, Schränke und Stühle von gleichem Material und wie
folgt verteilt: rechts, zwischen zwei Fenstern mit kirschroten
Damastgardinen, steht der Schreibsekretär, ein Schrank, dessen
vordere Wand sich herabklappen läßt; ihm gerade gegenüber
das Sofa, unweit davon ein eiserner Geldschrank, vor dem
Sofa der Tisch, Sessel und Stühle; an der Hinterwand ein Ge-
wehrschrank. Diese sowie die andern Wände sind durch
schlechte Bilder im Goldrahmen teilweise verdeckt. Über dem*

Sofa hängt ein Spiegel mit stark vergoldetem Rokokorahmen.
Eine einfache Tür links führt in den Flur, eine offene Flügel-
tür der Hinterwand in einen mit dem gleichen ungemütlichen
Prunk überladenen Salon. Im Salon bemerkt man zwei Damen,
Frau Dreißiger und Frau Pastor Kittelhaus, damit beschäftigt,
Bilder zu besehen — ferner den Pastor Kittelhaus im Gespräch
mit dem Kandidaten und Hauslehrer Weinhold.

KITTELHAUS ein kleines, freundliches Männchen, tritt gemütlich
plaudernd und rauchend mit dem ebenfalls rauchenden Kandidaten in das Vorderzimmer; dort sieht er sich um und schüttelt,
da er niemand bemerkt, verwundert den Kopf. Es ist ja durchaus nicht zu verwundern, Herr Kandidat: Sie sind jung. In
Ihrem Alter hatten wir Alten — ich will nicht sagen dieselben
Ansichten, aber doch ähnliche. Ähnliche jedenfalls. Und es ist
ja auch was Schönes um die Jugend — um alle die schönen
Ideale, Herr Kandidat. Leider nur sind sie flüchtig, flüchtig
wie Aprilsonnenschein. Kommen Sie erst in meine Jahre! Wenn
man erst mal dreißig Jahre das Jahr zweiundfünfzigmal —
ohne die Feiertage — von der Kanzel herunter den Leuten
sein Wort gesagt hat, dann ist man notwendigerweise ruhiger
geworden. Denken Sie an mich, wenn es mit Ihnen so weit
sein wird, Herr Kandidat.

WEINHOLD neunzehnjährig, bleich, mager, hochaufgeschossen, mit
schlichtem, langem Blondhaar. Er ist sehr unruhig und nervös
in seinen Bewegungen. Bei aller Ehrerbietung, Herr Pastor . . .
Ich weiß doch nicht . . . Es existiert doch eine große Verschie-
denheit in den Naturen.

KITTELHAUS. Lieber Herr Kandidat, Sie mögen ein noch so un-
ruhiger Geist sein — im Tone eines Verweises. und das sind
Sie — Sie mögen noch so heftig und ungebärdig gegen die be-
stehenden Verhältnisse angehen, das legt sich alles. Ja, ja, ich
gebe ja zu, wir haben ja Amtsbrüder, die in ziemlich vorge-
schrittenem Alter noch recht jugendliche Streiche machen. Der
eine predigt gegen die Branntweinpest und gründet Mäßig-
keitsvereine, der andere verfaßt Aufrufe, die sich unleugbar
recht ergreifend lesen. Aber was erreicht er damit? Die Not
unter den Webern wird, wo sie vorhanden ist, nicht gemildert.
Der soziale Frieden dagegen wird untergraben. Nein, nein, da
möchte man wirklich fast sagen: Schuster, bleib bei deinem

Leisten! Seelsorger, werde kein Wanstsorger! Predige dein reines Gotteswort, und im übrigen laß den sorgen, der den Vögeln ihr Bett und ihr Futter bereitet hat und die Lilie auf dem Felde nicht läßt verderben. — Nun aber möcht' ich doch wirklich wissen, wo unser liebenswürdiger Wirt so plötzlich hingekommen ist.

FRAU DREISSIGER *kommt mit der Pastorin nach vorn. Sie ist eine dreißigjährige, hübsche Frau von einem kernigen und robusten Schlage. Ein gewisses Mißverhältnis zwischen ihrer Art zu reden oder sich zu bewegen und ihrer vornehm reichen Toilette ist auffällig.* Se haben ganz recht, Herr Pastor. Wilhelm macht's immer so. Wenn 'n was einfällt, da rennt er fort und läßt mich sitzen. Da hab' ich schon so drüber gered't, aber da mag man sagen, was man will.

KITTELHAUS. Liebe, gnädige Frau, dafür ist er Geschäftsmann.

WEINHOLD. Wenn ich nicht irre, ist unten etwas vorgefallen.

DREISSIGER *kommt. Echauffiert, aufgeregt.* Nun, Rosa, ist der Kaffee serviert?

FRAU DREISSIGER *schmollt.* Ach, daß du ooch immer fortlaufen mußt.

DREISSIGER *leichthin.* Ach, was weißt du!

KITTELHAUS. Um Vergebung! Haben Sie Ärger gehabt, Herr Dreißiger?

DREISSIGER. Den hab' ich alle Tage, die Gott der Herr werden läßt, lieber Herr Pastor. Daran bin ich gewöhnt. Nun, Rosa?! Du sorgst wohl dafür.

FRAU DREISSIGER *geht mißlaunig und zieht mehrmals heftig an dem breiten gestickten Klingelzug.*

DREISSIGER. Jetzt eben — *nach einigen Umgängen* — Herr Kandidat, hätte ich Ihnen gewünscht, dabei zu sein. Da hätten Sie was erleben können. Übrigens . . . Kommen Sie, fangen wir unsern Whist an!

KITTELHAUS. Ja, ja, ja und nochmals ja! Schütteln Sie des Tages Staub und Last von den Schultern, und gehören Sie uns!

DREISSIGER *ist ans Fenster getreten, schiebt eine Gardine beiseite und blickt hinaus. Unwillkürlich.* Bande!!! — Komm doch mal her, Rosa! *Sie kommt.* Sag doch mal: dieser lange, rothaarige Mensch dort!

KITTELHAUS. Das ist der sogenannte rote Bäcker.

DREISSIGER. Nu sag mal, ist das vielleicht derselbe, der dich vor zwei Tagen insultiert hat? Du weißt ja, was du mir erzähltest, als dir Johanna in den Wagen half.

FRAU DREISSIGER *macht einen schiefen Mund, gedehnt.* Ich wöß nich mehr.

DREISSIGER. Aber so laß doch jetzt das Beleidigttun. Ich muß das nämlich wissen. Ich habe die Frechheiten nun nachgerade satt. Wenn es der ist, so zieh' ich ihn nämlich zur Verantwortung. *Man hört das Weberlied singen.* Nun hören Sie bloß, hören Sie bloß!

KITTELHAUS *überaus entrüstet.* Will denn dieser Unfug wirklich immer noch kein Ende nehmen? Nun muß ich aber wirklich auch sagen: es ist Zeit, daß die Polizei einschreitet. Gestatten Sie mir doch mal! *Er tritt ans Fenster.* Nun sehen Sie an, Herr Weinhold! Das sind nun nicht bloß junge Leute, da laufen auch alte, gesetzte Weber in Masse mit. Menschen, die ich lange Jahre für höchst ehrenwert und gottesfürchtig gehalten habe, sie laufen mit. Sie nehmen teil an diesem unerhörten Unfug. Sie treten Gottes Gesetz mit Füßen. Wollen Sie diese Leute vielleicht nun noch in Schutz nehmen?

WEINHOLD. Gewiß nicht, Herr Pastor. Das heißt, Herr Pastor, cum grano salis. Es sind eben hungrige, unwissende Menschen. Sie geben halt ihre Unzufriedenheit kund, wie sie's verstehen. Ich erwarte gar nicht, daß solche Leute . . .

FRAU KITTELHAUS *klein, mager, verblüht, gleicht mehr einer alten Jungfer als einer alten Frau.* Herr Weinhold, Herr Weinhold! aber ich bitte Sie!

DREISSIGER. Herr Kandidat, ich bedaure sehr . . . Ich habe Sie nicht in mein Haus genommen, damit Sie mir Vorlesungen über Humanität halten. Ich muß Sie ersuchen, sich auf die Erziehung meiner Knaben zu beschränken, im übrigen aber meine Angelegenheiten mir zu überlassen, mir ganz allein! Verstehen Sie mich?

WEINHOLD *steht einen Augenblick starr und totenblaß und verbeugt sich dann mit einem fremden Lächeln. Leise.* Gewiß, gewiß, ich habe Sie verstanden. Ich sah es kommen; es entspricht meinen Wünschen. *Ab.*

DREISSIGER *brutal.* Dann aber doch möglichst bald, wir brauchen das Zimmer.

FRAU DREISSIGER. Aber Wilhelm, Wilhelm!

DREISSIGER. Bist du wohl bei Sinnen? Du willst einen Menschen in Schutz nehmen, der solche Pöbeleien und Schurkereien wie dieses Schmählied da verteidigt?!

FRAU DREISSIGER. Aber Männdel, Männdel, er hat's ja gar nich ...

DREISSIGER. Herr Pastor, hat er's verteidigt, oder hat er's nicht verteidigt?

KITTELHAUS. Herr Dreißiger, man muß es seiner Jugend zugute halten.

FRAU KITTELHAUS. Ich weiß nicht, der junge Mensch ist aus einer so guten und achtbaren Familie. Vierzig Jahr' war sein Vater als Beamter tätig und hat sich nie auch nur das geringste zuschulden kommen lassen. Die Mutter war so überglücklich, daß er hier ein so schönes Unterkommen gefunden hatte. Und nun, nun weiß er sich das so wenig wahrzunehmen.

PFEIFER *reißt die Flurtür auf, schreit herein.* Herr Dreißicher, Herr Dreißicher! se hab'n 'n feste. Se mechten kommen. Se haben een'n gefangen.

DREISSIGER *hastig.* Ist jemand zur Polizei gelaufen?

PFEIFER. D'r Herr Verwalter kommt schonn die Treppe ruf.

DREISSIGER *in der Tür.* Ergebener Diener, Herr Verwalter! Es freut mich, daß Sie gekommen sind.

KITTELHAUS *macht den Damen pantomimisch begreiflich, daß es besser sei, sich zurückzuziehen. Er, seine Frau und Frau Dreißiger verschwinden in den Salon.*

DREISSIGER *im höchsten Grade aufgebracht, zu dem inzwischen eingetretenen Polizeiverwalter.* Herr Verwalter, ich habe nun endlich einen der Hauptsänger von meinen Färbereiarbeitern festnehmen lassen. Ich konnte das nicht mehr weiter mit ansehen. Die Frechheit geht einfach ins Grenzenlose. Es ist empörend. Ich habe Gäste, und diese Schufte erdreisten sich ... sie insultieren meine Frau, wenn sie sich zeigt; meine Knaben sind ihres Lebens nicht sicher. Ich riskiere, daß sie meine Gäste mit Püffen traktieren. Ich gebe Ihnen die Versicherung, wenn es in einem geordneten Gemeinwesen ungestraft möglich sein sollte, unbescholtene Leute, wie ich und meine Familie, fortgesetzt öffentlich zu beschimpfen ... ja dann ... dann müßte ich bedauern, andere Begriffe von Recht und Gesittung zu haben.

POLIZEIVERWALTER *etwa fünfzigjähriger Mann, mittelgroß, korpulent, vollblütig. Er trägt Kavallerieuniform mit Schleppsäbel und Sporen.* Gewiß nicht ... Nein, gewiß nicht, Herr Dreißiger! Verfügen Sie über mich. Beruhigen Sie sich nur, ich stehe ganz zu Ihrer Verfügung. Es ist ganz in der Ordnung . . . Es ist mir sogar sehr lieb, daß Sie einen der Hauptschreier haben festnehmen lassen. Es ist mir sehr recht, daß die Sache nun endlich mal zum Klappen kommt. Es sind so'n paar Friedensstörer hier, die ich schon lange auf der Pike habe.

DREISSIGER. So'n paar grüne Burschen, ganz recht, arbeitsscheues Gesindel, faule Lümmels, die ein Luderleben führen, Tag für Tag in den Schenken rumhocken, bis der letzte Pfennig durch die Gurgel gejagt ist. Aber nun bin ich entschlossen, ich werde diesen berufsmäßigen Schandmäulern das Handwerk legen, gründlich. Es ist im allgemeinen Interesse, nicht nur im eigenen Interesse.

POLIZEIVERWALTER. Unbedingt! ganz unbedingt, Herr Dreißiger. Das kann Ihnen kein Mensch verdenken. Und soviel in meinen Kräften steht . . .

DREISSIGER. Mit dem Kantschu müßte man hineinfahren in das Lumpengesindel.

POLIZEIVERWALTER. Ganz recht, ganz recht. Es muß ein Exempel statuiert werden.

GENDARM KUTSCHE *kommt und nimmt Stellung. Man hört, da die Flurtür offen ist, das Geräusch von schweren Füßen, welche die Treppe heraufpoltern.* Herr Verwalter, ich melde gehorsamst: m'r hab'n einen Menschen festgenommen.

DREISSIGER. Wollen Sie den Menschen sehen, Herr Polizeiverwalter?

POLIZEIVERWALTER. Ganz gewiß, ganz gewiß. Wir wollen ihn zuallererst mal aus nächster Nähe betrachten. Tun Sie mir den Gefallen, Herr Dreißiger, und bleiben Sie ganz ruhig. Ich verschaffe Ihnen Genugtuung, oder ich will nicht Heide heißen.

DREISSIGER. Damit kann ich mich nicht zufrieden geben, der Mensch kommt unweigerlich vor den Staatsanwalt.

JÄGER *wird von fünf Färbereiarbeitern hereingeführt, die, an Gesicht, Händen und Kleidern mit Farbe befleckt, direkt von der Arbeit herkommen. Der Gefangene hat die Mütze schief sitzen, trägt eine freche Heiterkeit zur Schau und befindet sich infolge des vorherigen Branntweingenusses in gehobenem Zustand.* O ihr älenden Kerle! Arbeiter wollt 'r sein? Kamraden wollt'r sein? Eh ich das machte — eh ich mich vergreifen tät a mein'n Genossen, da tät ich denken, die Hand mißt m'r verfaul'n dahier! *Auf einen Wink des Verwalters hin veranlaßt Kutsche, daß die Färber ihre Hände von dem Opfer nehmen. Jäger steht nun frei und frech da, während um ihn alle Türen verstellt werden.*

POLIZEIVERWALTER *schreit Jäger an.* Mütze ab, Flegel! *Jäger nimmt sie ab, aber sehr langsam, ohne sein ironisches Lächeln aufzugeben.* Wie heißt du?

JÄGER. Hab ich mit dir schonn die Schweine gehit't?
Unter dem Eindruck der Worte entsteht eine Bewegung unter den Anwesenden.

DREISSIGER. Das ist stark.

POLIZEIVERWALTER *wechselt die Farbe, will aufbrausen, kämpft den Zorn nieder.* Das übrige wird sich finden. Wie du heißt, frage ich dich! *Als keine Antwort erfolgt, rasend.* Kerl, sprich, oder ich lasse dir fünfundzwanzig überreißen.

JÄGER *mit vollkommener Heiterkeit und ohne auch nur durch ein Wimperzucken auf die wütende Einrede zu reagieren, über die Köpfe der Anwesenden hinweg zu einem hübschen Dienstmädchen, das, im Begriff, den Kaffee zu servieren, durch den unerwarteten Anblick betroffen mit offenem Munde stehengeblieben ist.* Nu sag m'r ock, Plättbrettl-Emilie, bist du jetzt bei der Gesellschaft?! Na da sieh ock, daß de hier nausfind'st. Hie kann amal d'r Wind gehn, und der bläst alles weg ieber Nacht. *Das Mädchen starrt Jäger an, wird, als sie begreift, daß die Rede ihr galt, rot vor Scham, schlägt sich die Hände vor die Augen und läuft hinaus, das Geschirr zurücklassend, wie es gerade steht und liegt. Wiederum entsteht eine Bewegung unter den Anwesenden.*

POLIZEIVERWALTER *nahezu fassungslos zu Dreißiger.* So alt wie ich bin, eine solche unerhörte Frechheit ist mir doch ...

JÄGER *spuckt aus.*

DREISSIGER. Kerl, du bist in keinem Viehstall, verstanden?!

POLIZEIVERWALTER. Nun bin ich am Ende meiner Geduld. Zum letzten Mal: wie heißt du?

KITTELHAUS *der während der letzten Szene hinter der ein wenig geöffneten Salontür hervorgeblickt und gehorcht hat, kommt nun, durch die Geschehnisse hingerissen, um, bebend vor Erregung, zu intervenieren.* Er heißt Jäger, Herr Verwalter. Moritz ... nicht? Moritz Jäger. *Zu Jäger.* Nu sag bloß, Jäger, kennst du mich nich mehr?

JÄGER *ernst.* Sie sein Pastor Kittelhaus.

KITTELHAUS. Ja, dein Seelsorger, Jäger! Derselbe, der dich als kleines Wickelkind in die Gemeinschaft der Heiligen aufgenommen hat. Derselbe, aus dessen Händen du zum erstenmal den Leib des Herrn empfangen hast. Erinnerst du dich noch? Da hab' ich mich nun gemüht und gemüht und dir das Wort Gottes ans Herz gelegt. Ist das nun die Dankbarkeit?

JÄGER *finster, wie ein geduckter Schuljunge.* Ich hab' ja een Taler Geld ufgelegt.

KITTELHAUS. Geld, Geld . . . Glaubst du vielleicht, daß das schnöde, erbärmliche Geld . . . Behalt dir dein Geld, das ist mir viel lieber. Was das für ein Unsinn ist! Sei brav, sei ein Christ! Denk an das, was du gelobt hast. Halt Gottes Gebote, sei gut und sei fromm. Geld, Geld . . .

JÄGER. Ich bin Quäker, Herr Pastor, ich gloob an nischt mehr.

KITTELHAUS. Was, Quäker, ach rede doch nicht! Mach, daß du dich besserst, und laß unverdaute Worte aus dem Spiel! Das sind fromme Leute, nicht Heiden wie du. Quäker! was Quäker!

POLIZEIVERWALTER. Mit Erlaubnis, Herr Pastor. *Er tritt zwischen ihn und Jäger.* Kutsche! binden Sie ihm die Hände!

Wüstes Gebrüll von draußen. Jäger! Jäger soll rauskommen!

DREISSIGER *gelinde erschrocken wie die übrigen Anwesenden, ist unwillkürlich ans Fenster getreten.* Was heißt denn das nun wieder?

POLIZEIVERWALTER. Oh, das versteh' ich. Das heißt, daß sie den Lumpen wieder raushaben wollen. Den Gefallen werden wir ihnen nun aber mal nicht tun. Verstanden, Kutsche? Er kommt ins Stockhaus.

KUTSCHE *mit dem Strick in der Hand, zögernd.* Mit Respekt zu vermelden, Herr Verwalter, wir werden woll unsere Not haben. Es ist eine ganz verfluchte Hetze Menschen. De richt'ge Schwefelbande, Herr Verwalter. Da is der Bäcker, da is der Schmied . . .

KITTELHAUS. Mit gütiger Erlaubnis — um nicht noch mehr böses Blut zu machen, würde es nicht angemessener sein, Herr Verwalter, wir versuchten es friedlich? Vielleicht verpflichtet sich der Jäger, gutwillig mitzugehen oder so . . .

POLIZEIVERWALTER. Wo denken Sie hin!! Meine Verantwortung! Auf so etwas kann ich mich unmöglich einlassen. Vorwärts, Kutsche! nich lange gefackelt!

JÄGER *die Hände zusammenlegend und lachend hinhaltend.* Immer feste, feste, aso feste, wie 'r kennt. 's is ja doch nich uf lange. *Er wird gebunden von Kutsche mit Hilfe der Kameraden.*

POLIZEIVERWALTER. Nu vorwärts, marsch! *Zu Dreißiger.* Wenn Sie Sorge haben, dann lassen Sie sechs Mann von den Färbern mitgehen. Die können ihn in die Mitte nehmen. Ich reite voran, Kutsche folgt. Wer sich entgegenstellt, wird niedergehauen. *Geschrei von unten: Kikeriki — i!! Wau wau, wau!*

POLIZEIVERWALTER *nach dem Fenster drohend.* Kanaillen! ich werde euch bekikerikien und bewauwauen. Marsch, vorwärts! *Er schreitet voran hinaus mit gezogenem Säbel, die andern folgen mit Jäger.*

JÄGER *schreit im Abgehen.* Und wenn sich de gnäd'ge Frau Dreißichern o noch aso stolz macht, die is deshalb ni mehr wie unsereens. Die hat mein Vater viel hundertmal fer drei Fennige Schnaps vorgesetzt. Schwadron links schwenkt, marsch, marsch! *Ab mit Gelächter.*

DREISSIGER *nach einer Pause, scheinbar gelassen.* Wie denken Sie, Herr Pastor? Wollen wir nun nicht unsern Whist machen? Ich denke, der Sache steht nun nichts mehr im Wege. *Er zündet sich eine Zigarre an, dabei lacht er mehrmals kurz, sobald sie brennt, laut heraus.* Nu fang' ich an, die Geschichte komisch zu finden. Dieser Kerl! *In einem nervösen Lachausbruch.* Es ist aber auch unbeschreiblich lächerlich. Erst der Krakeel bei Tisch mit dem Kandidaten. Fünf Minuten darauf empfiehlt er sich. Fort über alle Berge! Dann diese Geschichte. Und nun spielen wir unsern Whist weiter.

KITTELHAUS. Ja aber ... *Gebrüll von unten.* Ja, aber ... Wissen Sie: die Leute machen einen so schrecklichen Skandal.

DREISSIGER. Ziehen wir uns einfach in das andere Zimmer zurück. Da sind wir ganz ungestört.

KITTELHAUS *kopfschüttelnd.* Wenn ich nur wüßte, was in diese Menschen gefahren ist! Ich muß dem Kandidaten darin recht geben, wenigstens war ich bis vor kurzem auch der Ansicht, die Webersleute wären ein demütiger, geduldiger und lenksamer Menschenschlag. Geht es Ihnen nicht auch so, Herr Dreißiger?

DREISSIGER. Freilich waren sie geduldig und lenksam, freilich waren es früher gesittete und ordentliche Leute. Solange nämlich die Humanitätsdusler ihre Hand aus dem Spiele ließen. Da ist ja den Leuten lange genug klargemacht worden, in welchem entsetzlichen Elend sie drinstecken. Bedenken Sie doch: all die Vereine und Komitees zur Abhilfe der Webernot. Schließlich glaubt es der Weber, und nun hat er den Vogel. Nun komme einer her und rücke ihnen den Kopf wieder zurecht. Jetzt ist er im Zuge. Jetzt murrt er ohne aufzuhören. Jetzt paßt ihm das nicht und jen's nicht. Jetzt möchte alles gemalt und gebraten sein.

Plötzlich ein vielstimmiges, aufschwellendes Hurragebrüll.

KITTELHAUS. So haben sie denn mit all ihrer Humanität nichts weiter zuwege gebracht, als daß aus Lämmern über Nacht buchstäblich Wölfe geworden sind.

DREISSIGER. Ach was! bei kühlem Verstande, Herr Paster, kann man der Sache vielleicht sogar noch 'ne gute Seite abgewinnen. Solche Vorkommnisse werden vielleicht in den leitenden Kreisen nicht unbemerkt bleiben. Möglicherweise kommt man dort doch mal zu der Überzeugung, daß es so nicht mehr lange weitergehen kann, daß etwas geschehen muß, wenn unsre heimische Industrie nicht völlig zugrunde gehen soll.

KITTELHAUS. Ja, woran liegt aber dieser enorme Rückgang, sagen Sie bloß?

DREISSIGER. Das Ausland hat sich gegen uns durch Zölle verbarrikadiert. Dort sind uns die besten Märkte abgeschnitten, und im Inland müssen wir ebenfalls auf Tod und Leben konkurrieren, denn wir sind preisgegeben, völlig preisgegeben.

PFEIFER *kommt atemlos und blaß hereingewankt.* Herr Dreißicher, Herr Dreißicher!

DREISSIGER *bereits in der Salontür, im Begriff zu gehen, wendet sich geärgert.* Nu, Pfeifer, was gibt's schon wieder?

PFEIFER. Nee, nee . . . nu laßt mich zufriede!

DREISSIGER. Was ist denn nu los?

KITTELHAUS. Sie machen einem ja Angst; reden Sie doch!

PFEIFER, *immer noch nicht bei sich.* Na, da laßt mich zufriede! nee so was! nee so was aber ooch! Die Obrigkeit . . . na, den wird's gutt gehn.

DREISSIGER. In's Teufels Namen, was is Ihnen denn in die Glieder geschlagen? Hat jemand den Hals gebrochen?

PFEIFER *fast weinend vor Angst, schreit heraus.* Se hab'n a Jäger Moritz befreit, a Verwalter gepriegelt und fortgejagt, a Schandarm gepriegelt und fortgejagt. Ohne Helm . . . a Säbel zerbrochen . . . nee, nee!

DREISSIGER. Pfeiffer, Sie sind wohl übergeschnappt.

KITTELHAUS. Das wäre ja Revolution.

PFEIFER *auf einem Stuhl sitzend, am ganzen Leibe zitternd, wimmernd.* Herr Dreißicher, 's wird ernst! Herr Dreißicher, 's wird ernst!

DREISSIGER. Na, dann kann mir aber die ganze Polizei . . .

PFEIFER. Herr Dreißicher, 's wird ernst!

DREISSIGER. Ach, halten Sie's Maul, Pfeifer! Zum Donner-wetter!

FRAU DREISSIGER *mit der Pastorin aus dem Salon.* Ach, das ist aber wirklich empörend, Wilhelm. Der ganze schöne Abend wird uns verdorben. Nu hast du's, nu will die Frau Pastern am liebsten zu Hause gehn.

KITTELHAUS. Liebe, gnädige Frau Dreißiger, es ist doch vielleicht heute wirklich das beste . . .

FRAU DREISSIGER. Aber Wilhelm, du solltest doch auch mal gründlich dazwischen fahren.

DREISSIGER. Geh du doch und sag's 'n! Geh du doch! Geh du doch! *Vor dem Pastor stillstehend, unvermittelt.* Bin ich denn ein Tyrann? Bin ich denn ein Menschenschinder?

KUTSCHER JOHANN *kommt.* Gnäd'ge Frau, ich hab de Pferde der-weile angeschirrt. A Jorgel und 's Karlchen hat d'r Herr Kan-dedate schon in a Wagen gesetzt. Kommt's gar schlimm, da fahr m'r los.

FRAU DREISSIGER. Ja, was soll denn schlimm kommen?

JOHANN. Nu ich weeß halt au ni. Ich meen halt aso! 's wern halt immer mehr Leute. Se hab'n halt doch a Verwalter mit samst'n Schandarme fortgejagt.

PFEIFER. 's wird ernst, Herr Dreißiger! 's wird ernst!

FRAU DREISSIGER *mit steigender Angst.* Ja, was soll denn werden? Was wollen die Leute? Se könn uns doch nich ieberfallen, Jo-hann?

JOHANN. Frau Madame, 's sein riede Hunde drunter.

PFEIFER. 's wird ernst, bittrer Ernst.

DREISSIGER. Maul halten, Esel! Sind die Türen verrammelt?

KITTELHAUS. Tun Sie mir den Gefallen . . . Tun Sie mir den Ge-fallen . . . Ich habe einen Entschluß gefaßt . . . Tun Sie mir den Gefallen . . . *Zu Johann.* Was verlangen denn die Leute?

JOHANN *verlegen.* Mehr Lohn woll'n sie halt hab'n, die tummen Luder.

KITTELHAUS. Gut, schön! — Ich werde hinausgehen und meine Pflicht tun. Ich werde mit den Leuten mal ernstlich reden.

JOHANN. Herr Paster, Herr Paster! das lassen Se ock unterwegens. Hie is jedes Wort umsonste.

KITTELHAUS. Lieber Herr Dreißiger, noch ein Wörtchen. Ich möchte Sie bitten: stellen Sie Leute hinter die Tür, und lassen Sie sogleich hinter mir abschließen.

FRAU KITTELHAUS. Ach, willst du das wirklich, Joseph?

KITTELHAUS. Ich will es. Ich will es. Ich weiß, was ich tue. Hab keine Sorge, der Herr wird mich schützen.

FRAU KITTELHAUS *drückt ihm die Hand, tritt zurück und wischt sich Tränen aus den Augen.*

KITTELHAUS *indes von unten herauf ununterbrochen das dumpfe Geräusch einer großen, versammelten Menschenmenge heraufdringt.* Ich werde mich stellen . . . Ich werde mich stellen, als ob ich ruhig nach Hause ginge. Ich will doch sehen, ob mein geistliches Amt . . . ob nicht mehr so viel Respekt bei diesen Leuten . . . Ich will doch sehen . . . *Er nimmt Hut und Stock.* Vorwärts also, in Gottes Namen. *Ab, begleitet von Dreißiger, Pfeifer und Johann.*

FRAU KITTELHAUS. Liebe Frau Dreißiger, — *sie bricht in Tränen aus und umhalst sie* — wenn ihm nur nicht ein Unglück zustößt!

FRAU DREISSIGER, *wie abwesend.* Ich weeß gar nich, Frau Pastern, mir is aso . . . Ich weeß gar nich, wie mir zumute is. So was kann doch reen gar nich menschenmeeglich sein. Wenn das aso is . . . da is ja grade, als wie wenn's Reichtum a Verbrechen wär. Sehn S' ock, wenn mir das hätte jemand gesagt, ich weeß gar nich, Frau Pastern, am Ende wär ich lieber in mein kleenlichen Verhältnissen drinngeblieben.

FRAU KITTELHAUS. Liebe Frau Dreißiger, es gibt in allen Verhältnissen Enttäuschungen und Ärger genug.

FRAU DREISSIGER. Nu freilich, nu freilich, das denk ich mir doch ooch eben. Und daß mir mehr haben als andere Leute . . . nu Jes's, mir haben's doch ooch nich gestohlen. 's is doch Heller fer Fennig uf rechtlichem Wege erworben. So was kann doch reen gar nich meeglich sein, daß die Leute ieber een herfallen. Is denn mein Mann schuld, wenn's Geschäfte schlecht geht?

Von unten herauf dringt tumultuarisches Gebrüll. Während die beiden Frauen noch bleich und erschrocken einander anblicken, stürzt Dreißiger herein.

DREISSIGER. Rosa, wirf dir was über und spring in den Wagen, ich komme gleich nach! *Er stürzt nach dem Geldschrank, schließt ihn auf und entnimmt ihm verschiedene Wertsachen.*

JOHANN *kommt.* Alles bereit! Aber nu schnell, eh's Hintertor ooch besetzt is!

FRAU DREISSIGER *in panischem Schrecken den Kutscher umhalsend.* Johann, liebster Johann! Rett' uns, allerallerallerbester Johann! Rette meine Jungen, ach, ach . . .

DREISSIGER. Sei doch vernünftig! Laß doch den Johann los!

JOHANN. Madam, Madam! Sein S' ock ganz geruhig. Unse Rappen sein gutt im Stande. Die holt keener ein. Wer de ni beiseite geht, wird iebergefahr'n. *Ab.*

FRAU KITTELHAUS *in ratloser Angst.* Aber mein Mann? Aber, aber mein Mann? Herr Dreißiger, mein Mann?

DREISSIGER Frau Pastor, Frau Pastor, er ist ja gesund. Beruhigen Sie sich doch nur, er ist ja gesund.

FRAU KITTELHAUS. Es ist ihm was Schlimmes zugestoßen. Sie sagen's bloß nicht. Sie sagen's bloß nicht.

DREISSIGER. O lassen Sie's gut sein, die werden's bereun. Ich weiß ganz genau, wessen Hände dabei waren. Eine so namenlose Frechheit bleibt nicht ungerochen. Eine Gemeinde, die ihren Seelsorger mißhandelt, pfui Teufel! Tolle Hunde, nichts weiter, toll gewordene Bestien, die man demgemäß behandeln wird. *Zu Frau Dreißiger, die wie betäubt dasteht.* Nu so geh doch und rühr dich. *Man hört gegen die Haustür schlagen.* Hörst du denn nicht? Das Gesindel ist wahnsinnig geworden. *Man hört Klimpern von zerbrechenden Scheiben, die im Parterre eingeworfen werden.* Das Gesindel hat den Sonnenkoller. Da bleibt nichts übrig, wir müssen machen, daß wir fortkommen. *Man hört vereint rufen.* Expedient Feifer soll rauskommen! — Expedient Feifer soll rauskommen!

FRAU DREISSIGER. Feifer, Feifer, sie wollen Feifer raushaben.

PFEIFER *stürzt herein.* Herr Dreißicher, am Hintertor stehn o schonn Leute. De Haustier hält keene drei Minuten mehr. D'r Wittigschmied haut mit an Ferdeeimer drauf nei wie a Unsinniger.

Von unten Gebrüll lauter und deutlicher. Expedient Feifer soll rauskommen! — Expedient Feifer soll rauskommen!

FRAU DREISSIGER *rennt davon, wie gejagt; ihr nach Frau Kittelhaus. Beide ab.*

PFEIFER *horcht auf, wechselt die Farbe, versteht den Ruf und ist im nächsten Moment von wahnsinniger Angst erfaßt. Das Folgende weint, wimmert, bettelt, winselt er in rasender Schnelligkeit durcheinander. Dabei überhäuft er Dreißiger mit kindlichen Liebkosungen, streichelt ihm Wangen und Arme, küßt seine Hände und umklammert ihn schließlich wie ein Ertrinkender, ihn dadurch hemmend und fesselnd und nicht von ihm lassend.* Ach liebster, scheenster, allergnädigster Herr Dreißicher, lassen Sie mich nich zuricke, ich hab Ihn immer treu gedient; ich hab ooch de Leute immer gutt behandelt. Mehr Lohn, wie festgesetzt war, konnt ich'n doch nich geben. Verlassen Se mich nich, se machen mich kalt. Wenn se mich finden, schlagen se mich tot. Ach Gott im Himmel, ach Gott im Himmel! Meine Frau, meine Kinder . . .

DREISSIGER *indem er abgeht, vergeblich bemüht, sich von Pfeifer loszumachen.* Lassen Sie mich doch wenigstens los, Mensch! Das wird sich ja finden; das wird sich ja alles finden. *Ab mit Pfeifer. Einige Sekunden bleibt der Raum leer. Im Salon zerklirren Fenster. Ein starker Krach durchschallt das Haus, hierauf brausendes Hurra, danach Stille. Einige Sekunden vergehen, dann hört man leises und vorsichtiges Trappen die Stufen zum ersten Stock empor, dazu nüchterne und schüchterne Ausrufe.* links! — oben nuf! — pscht! — langsam! langsam! — schipp ock nich! — hilf schirjen! — praatz, hab ich a Ding! — macht fort, ihr Wirgebänder! — mir gehn zur Hochzeit! — geh du nei! — o geh du!

Es erscheinen nun junge Weber und Webermädchen in der Flurtür, die nicht wagen einzutreten und eines das andere hereinzustoßen suchen. Nach einigen Sekunden ist die Schüchternheit überwunden, und die ärmlichen, mageren, teils kränklichen, zerlumpten oder geflickten Gestalten verteilen sich in Dreißigers Zimmer und im Salon, alles zunächst neugierig und scheu betrachtend, dann betastend. Mädchen versuchen die Sofas; es bilden sich Gruppen, die ihr Bild im Spiegel bewundern. Es steigen einzelne auf Stühle, um die Bilder zu betrachten und herabzunehmen, und dazwischen strömen immer neue Jammergestalten vom Flur herein.

EIN ALTER WEBER *kommt.* Nee, nee, da laßt mich aber doch zufriede! Unten da fangen se gar schonn an und richten an Sache zugrunde. Nu die Tollheet! Da ist doch kee Sinn und kee Verstand o nich drinne. Ums Ende wird das noch gar sehr a beese Ding. Wer hie an hellen Kopp behält, der macht ni mit. Ich wer mich in Obacht nehmen und wer mich an solchen Untaten beteiligen!

Jäger, Bäcker, Wittig mit einem hölzernen Eimer, der alte Baumert und eine Anzahl junger und alter Weber kommen wie auf der Jagd nach etwas hereingestürmt, mit heiseren Stimmen durcheinanderrufend.

JÄGER. Wo is a hin?

BÄCKER. Wo is der Menschenschinder?

DER ALTE BAUMERT. Kenn mir Gras fressen, friß du Sägespäne.

WITTIG. Wenn m'r 'n kriegen, knippen mer 'n uf.

ERSTER JUNGER WEBER. Mir nehmen 'n bei a Been'n und schmeißen 'n zum Fenster naus, uf de Steene, daß a bald fer immer liegenbleibt.

ZWEITER JUNGER WEBER *kommt.* A is fort ieber alle Berge.

ALLE. Wer denn?

ZWEITER JUNGER WEBER. Dreißicher.

BÄCKER. Feifer o?

STIMMEN. Sucht Feifern! sucht Feifern!

DER ALTE BAUMERT. Such, such, Feiferla, 's is a Weberschmann auszuhungern. *Gelächter.*

JÄGER. Wenn mersch o ni kriegen, das Dreißicherviech . . . arm soll a wern.

DER ALTE BAUMERT. Arm soll a wern wie 'ne Kirchenmaus. Arm soll a wern.

Alle stürmen in der Absicht zu demolieren auf die Salontür zu.

BÄCKER *der voraneilt, macht eine Wendung und hält die andern auf.* Halt, heert uf mich! Sei mer hier fertig, da fang m'r erscht recht an. Von hier aus geh mer nach Bielau nieder, zu Dittrichen, der de mechan'schen Webstihle hat. Das ganze Elend kommt von a Fabriken.

ANSORGE *kommt vom Flur herein. Nachdem er einige Schritte gemacht, bleibt er stehen, sieht sich ungläubig um, schüttelt den Kopf, schlägt sich vor die Stirn und sagt.* Wer bin ich? D'r Weber Anton Ansorge. Is a verruckt gewor'n, Ansorge? 's is wahr, mit mir dreht sich's ums Kreisel rum wie 'ne Bremse. Was macht a hier? Was a lustig is, wird a woll machen. Wo is a hier, Ansorge? *Er schlägt sich wiederholt vor den Kopf.* Ich bin ni gescheut! Ich steh fer nischt. Ich bin ni recht richtig. Geht

weg, geht weg! Geht weg, ihr Rebeller! Kopp weg, Beene weg,
Hände weg! Nimmst du m'r mei Häusl, nehm ich d'r dei Häusl.
Immer druf! *Mit Geheul ab in den Salon. Die Anwesenden
folgen ihm mit Gejohl und Gelächter.*

FÜNFTER AKT

*Langenbielau. — Das Weberstübchen des alten Hilse. Links
ein Fensterchen, davor ein Webstuhl, rechts ein Bett, dicht daran gerückt ein Tisch. Im Winkel rechts der Ofen mit Bank.
Um den Tisch, auf Ritsche, Bettkante und Holzschemel sitzend:
der alte Hilse, seine ebenfalls alte, blinde und fast taube Frau,
sein Sohn Gottlieb und dessen Frau Luise bei der Morgenan-
dacht. Ein Spulrad mit Garnwinde steht zwischen Tisch und
Webstuhl. Auf den gebräunten Deckbalken ist allerhand altes
Spinn-, Spul- und Webegerät untergebracht. Lange Garnsträhnen hängen herunter. Vielerlei Prast liegt überall im Zimmer umher. Der sehr enge, niedrige und flache Raum hat eine
Tür nach dem „Hause", in der Hinterwand. Dieser Tür gegenüber im „Hause" steht eine andere Tür offen, die den Einblick
gewährt in ein zweites, dem ersten ähnliches Weberstübchen.
Das „Haus" ist mit Steinen gepflastert, hat schadhaften Putz
und eine baufällige Holztreppe hinauf zur Dachwohnung. Ein
Waschfaß auf einem Schemel ist teilweise sichtbar; ärmliche
Wäschestücke, Hausrat armer Leute steht und liegt durcheinander. Das Licht fällt von der linken Seite in alle Räumlichkeiten.*

DER ALTE HILSE *ein bärtiger, starkknochiger, aber nun von Alter,
Arbeit, Krankheit und Strapazen gebeugter und verfallener
Mann. Veteran, einarmig. Er ist spitznasig, von fahler Gesichtsfarbe, zittrig, scheinbar nur Haut, Knochen und Sehnen und hat
die tiefliegenden, charakteristischen, gleichsam wunden Weber-
augen. — Nachdem er sich mit Sohn und Schwiegertochter erhoben, betet er.* Du lieber Herrgott, mir kenn dir gar nich
genug Dank bezeigen, daß du uns auch diese Nacht in deiner
Gnade und Giete und hast dich unser erbarmt. Daß mir auch
diese Nacht nich han keen'n Schaden genommen, Herr, deine

Giete reicht so weit, und mir sein arme, beese, sindhafte Menschenkinder, ni wert, daß dei Fuß uns zertritt, aso sindhaftich und ganz verderbt sein mir. Aber du, lieber Vater, willst uns ansehen und annehmen um deines teuren Sohnes, unsers Herrn und Heilands Jesus Christus willen. Jesu Blut und Gerechtigkeit, das ist mein Schmuck und Ehrenkleid. Und wenn auch mir und mer wern manchmal kleenmietig under deiner Zuchtrute — wenn und der Owen d'r Läutrung und brennt gar zu rasnich heiß — da rech's uns ni zu hoch an, vergib uns unsre Schuld. Gib uns Geduld, himmlischer Vater, daß mir nach diesem Leeden und wern teilhaftig deiner ewigen Seligkeit. Amen.

MUTTER HILSE *welche vorgebeugt mit Anstrengung gelauscht hat, weinend.* Nee, Vaterle, du machst a zu a scheenes Gebete machst du immer.

Luise begibt sich ans Waschfaß, Gottlieb ins gegenüberliegende Zimmer.

DER ALTE HILSE. Wo is denn's Madel?

LUISE. Nieber nach Peterschwalde — zu Dreißichern. Se hat wieder a paar Strähne verspult nächt'n Abend.

DER ALTE HILSE *sehr laut sprechend.* Na, Mutter, nu wer ich dersch Rädla bringen.

MUTTER HILSE. Nu bring's, bring's, Aaler.

DER ALTE HILSE *das Spulrad vor sie hinstellend.* Sieh ock, ich wollt dersch ja zu gerne abnehmen.

MUTTER HILSE. Nee . . . nee . . . was tät ock ich anfangen mit der vielen Zeit!?

DER ALTE HILSE. Ich wer d'r de Finger a bissel abwischen, daß nich etwa 's Garn und wird fettig, heerscht de? *Er wischt ihr mit einem Lappen die Hände ab.*

LUISE *vom Waschfaß.* Wo hätt mir ock Fettes gegessen?!

DER ALTE HILSE. Hab'n mer kee Fett, eß mirsch Brot trocken — hab'n mer kee Brot, eß mer Kartoffeln — hab'n mer keene Kartoffeln ooch nich, da eß mer trockne Kleie.

LUISE *batzig.* Und hab'n mer kee Schwarzmehl, da machen mersch wie Wenglersch unten, da sehn m'r dernach, wo d'r Schinder a verreckt Ferd hat verscharrt. Das graben m'r aus, und da leben m'r amal a paar Wochen von Luder: aso mach mersch! nich wahr?

GOTTLIEB *aus dem Hinterzimmer.* Was Geier hast du fer a Geschwatze!?

DER ALTE HILSE. Du sollt'st dich mehr vorsehn mit gottlosen Reden! *Er begibt sich an den Webstuhl, ruft.* Wollt'st m'r ni helfen, Gottlieb — 's sein ock a paar Fädel zum Durchziehn.

LUISE *vom Waschfaß aus.* Gottlieb, sollst Vatern zureechen. *Gottlieb kommt. Der Alte und sein Sohn beginnen nun die mühsame Arbeit des Kammstechens. Fäden der Werfte werden durch die Augen der Kämme oder Schäfte am Webstuhl gezogen. Kaum haben sie begonnen, so erscheint im „Hause" Hornig.*

HORNIG *in der Stubentür.* Viel Glick zum Handwerk!

DER ALTE HILSE UND SEIN SOHN. Scheen Dank, Hornig!

DER ALTE HILSE. Nu sag amal, wenn schläfst du d'nn eegentlich? Bei Tage gehst uf a Handel, in d'r Nacht stehst de uf Wache.

HORNIG. Ich hab doch gar keen'n Schlaf ni mehr!?

LUISE. Willkommen, Hornig!

DER ALTE HILSE. Na was bringst du Gudes?

HORNIG. Scheene Neuigkeeten, Meester. De Peterschwalder hab'n amal 'n Teiwel riskiert und haben a Fabrikant Dreißicher mitsamst der ganzen Familie zum Loche nausgejagt.

LUISE *mit Spuren von Erregung.* Hornig liejt wieder amal in a hellen Morgen nein.

HORNIG. Dasmal nich, junge Frau! dasmal nich. — Scheene Kinderschirzl hätt ich im Wagen. Nee, nee, ich sag reene Wahrheit. Se haben 'n heilig fortgejagt. Gestern abend is a nach Reechenbach kommen. Na Gott zu dir! Da han s'n doch ni erscht amal woll'n behalt'n — aus Furcht vor a Webern —, da hat er doch plutze wieder fortgemußt uf Schweidnitz nein. —

DER ALTE HILSE *nimmt Fäden der Werfte vorsichtig auf und bringt sie in die Nähe des Kammes, durch dessen eines Auge der Sohn von der anderen Seite mit einem Drahthäkchen greift, um die Fäden hindurchzuziehen.* Nu hast aber Zeit, daß de ufheerscht, Hornig!

HORNIG. Ich will ni mit heilen Knochen von d'r Stelle gehn. Nee, nee, das weeß ja bald jedes Kind.

DER ALTE HILSE. Nu sag amal, bin ich nu verwirrt, oder bist du verwirrt?

HORNIG. Nu das heeßt. Was ich dir erzählt hab, das is aso wahr wie Amen in d'r Kirche. Ich wollte ja nischt sagen, wenn ich und ich hätte nich d'rbei gestanden, aber aso hab ich's doch gesehn. Mit eegnen Augen, wie ich dich hier sehn tu, Gottlieb. Gedemoliert haben se'n Fabrikanten sei Haus, unten vom Keller uf bis oben ruf unter de Dachreiter. Aus a Dachfenstern haben se 's Porzlan geschmissen — immer iebersch Dach nunter. Wie viel hundert Schock Parchent liegen bloß in d'r Bache?! 's Wasser kann ni mehr fort, kannst's glooben; 's kam immer ieber a Rand riebergewellt; 's sah orntlich schwefelblau aus von dem vielen Indigo, den se haben aus a Fenstern geschitt't. Die himmelblauen Staubwolken, die kamen bloß immer aso gepulwert. Nee, nee, dort haben se schonn firchterlich geäschert. Ni ock etwa im Wohnhause, in d'r Färberei, uf a Speichern . . .! 's Treppengeländer zerschlagen, de Dielen ufgerissen und Spiegel zertrimmert, Sofa, Sessel, alles zerrissen und zerschlissen, zerschnitten und zerschmissen, zertreten und zerhackt — nee verpucht! kannst's glooben, schlimmer wie im Kriege.

DER ALTE HILSE. Und das sollten hiesige Weber gewest sein? *Er schüttelt langsam und ungläubig den Kopf. An der Tür haben sich neugierige Hausbewohner gesammelt.*

HORNIG. Nu, was denn sonste? Ich kennte ja alle mit Namen genenn'n. Ich fihrt a Landrat durchs Haus. Da hab ich ja mit vielen gered't. Se war'n aso umgänglich wie sonste. Se machten ihre Sache aso sachte weg, aber se machten's grindlich. D'r Landrat red'te mit vielen. Da war'n se aso demietig wie sonste. Aber abhalt'n ließen se sich nich. Die scheensten Meebelsticke, die wurden zerhackt, ganz wie fersch Lohn.

DER ALTE HILSE. A Landrat hätt'st du durchs Haus gefihrt?

HORNIG. Nu, ich wer mich doch ni firchten. Ich bin doch bekannt bei den Leuten wie a beese Greschl. Ich hab doch mit keen nischt. Ich steh doch mit allen gut. Aso gewiß wie ich Hornig heeße, so wahr bin ich durchgegangen. Und ihr kennt's dreiste glooben: mir is orntlich weech wor'n hie rum — und 'n Landrat, dem sah ich's wohl ooch an — 's ging 'n nahe genug. Denn warum? Ma heerte ooch noch nich amal a eenzichtes Wort, aso schweigsam ging's her. Orntlich feierlich wurd een zumutte, wie die armen Hungerleider und nahmen amal ihre Rache dahier.

LUISE *mit ausbrechender, zitternder Erregung, zugleich die Augen mit der Schürze reibend.* Aso is ganz recht, aso muß kommen!

STIMMEN DER HAUSBEWOHNER. Hier gäb's o Menschenschinder genug. — Da drieben wohnt glei eener. — Der hat vier Pferde und sechs Kutschwagen im Stalle und läßt seine Weber d'rfiere hungern.

DER ALTE HILSE *immer noch ungläubig.* Wie sollte das aso rauskommen sein, dort drieben?

HORNIG. Wer weeß nu!? Wer weeß ooch!? Eener spricht so, d'r
andre so.

DER ALTE HILSE. Was sprechen se denn?

HORNIG. Na Gott zu dir, Dreißicher sollte gesagt hab'n: de
Weber kennten ja Gras fressen, wenn se hungern täten. Ich
weeß nu weiter nich.

*Bewegung auch unter den Hausbewohnern, die es einer dem
andern unter Zeichen der Entrüstung weitererzählen.*

DER ALTE HILSE. Nu heer amal, Hornig. Du kennt'st mir meinsweg'n sagen: Vater Hilse, morgen mußt du sterben. Das kann
schonn meeglich sein, werd ich sprechen, warum denn ni? —
Du kennt'st mir sagen: Vater Hilse, morgen besucht dich d'r
Keenig von Preußen. Aber daß Weber, Menschen wie ich und
mei Sohn, und sollten solche Sachen haben vorgehabt — nimmermehr! Nie und nimmer wer ich das glooben.

MIELCHEN *siebenjähriges, hübsches Mädchen mit langen offenen
Flachshaaren, ein Körbchen am Arm, kommt hereingesprungen.
Der Mutter einen silbernen Eßlöffel entgegenhaltend.* Mutterle!
sieh ock, was ich hab! Da sollst mer a Kleedl d'rfier koofen.

LUISE. Was kommst 'n du aso gejähdert, Mädel? *Mit gesteigerter
Aufregung und Spannung.* Was bringst 'n da wieder geschleppt,
sag emal. Du bist ja ganz hinter a Oden gekommen. Und de
Feifel sein noch im Kerbel. Was soll denn das heeßen, Mädel?

DER ALTE HILSE. Mädel, wo hast du den Leffel her?

LUISE. Kann sein, se hat'n gefunden.

HORNIG. Seine zwee, drei Taler is der gutt wert.

DER ALTE HILSE *außer sich.* Naus, Mädel! naus! Glei machst, daß
d' naus kommst. Wirscht du glei folgen, oder soll ich a Priegel
nehmen?! Und den Leffel trägst hin, wo d'n her hast. Naus!
Willst du uns alle mitsammen zu Dieben machen, hä? Dare,
dir wer ich's Mausen austreiben. — *Er sucht etwas zum Hauen.*

MIELCHEN *sich an der Mutter Röcke klammernd, weint.* Großvaterle, hau mich nich, mer haben's doch ge — gefunden. De
Spul . . . Spulkinder haben alle welche.

LUISE *zwischen Angst und Spannung hervorstoßend.* Nu da
siehst's doch, gefunden hat sie's. Wo hast's denn gefunden?

MIELCHEN *schluchzend.* In Peterswalde haben mersch gefunden,
vor Dreißigersch Hause.

DER ALTE HILSE. Nu da hätt m'r ja de Bescheerung. Nu mach aber lang, sonster wer ich d'r uf a Trab helfen.

MUTTER HILSE. Was geht denn vor?

HORNIG. Itz will ich d'r was sag'n, Vater Hilse. Laß Gottlieben a Rock anziehn, a Leffel nehmen und ufs Amt tragen.

DER ALTE HILSE. Gottlieb, zieh d'r a Rock an!

GOTTLIEB *schon im Anziehen begriffen, eifrig.* Und da wer ich uf de Kanzlei gehn und sprechen: se sollten's nich iebel nehmen, aso a Kind hätte halt doch no nich aso 's Verständnis dervon. Und da brächt ich den Leffel. Heer uf zu flenn'n, Mädel! *Das weinende Kind wird von der Mutter ins Hinterzimmer gebracht, dessen Tür sie schließt. Sie selbst kommt zurück.*

HORNIG. Seine drei Taler kann der gutt Wert haben.

GOTTLIEB. Gib ock a Tiechl, Luise, daß a nich zu Schaden kommt. Nee, nee, aso, aso a teuer Dingl. *Er hat Tränen in den Augen, während er den Löffel einwickelt.*

LUISE. Wenn mir a hätt'n, kennt m'r viele Wochen leben.

DER ALTE HILSE. Mach, mach, feder dich! Feder dich aso sehr, wie de kannst! Das wär aso was! Das fehlt mir noch grade. Mach, daß mir den Satansleffel vom Halse kriegen. *Gottlieb ab mit dem Löffel.*

HORNIG. Na nu wer ich ooch sehn, daß ich weiterkomme. *Er geht, unterhält sich im „Haus" noch einige Sekunden, dann ab.*

CHIRURGUS SCHMIDT *ein quecksilbriges, kugliges Männchen mit weinrotem, pfiffigem Gesicht kommt ins „Haus".* Gu'n Morgen, Leute! Na, das sind m'r scheene Geschichten. Kommt mir nur! *Mit dem Finger drohend.* Ihr habt's dick hintern Ohren. *In der Stubentür, ohne hereinzukommen.* Gu'n Morgen, Vater Hilse! *Zu einer Frau im „Hause".* Nu, Mutterle, wie steht's mit'n Reißen? Besser, wie? Na säht Ihr woll! Vater Hilse, ich muß doch ooch mal schaun, wie's bei Euch aussieht. Was Teuwel is denn dem Mutterle?

LUISE. Herr Dokter, de Lichtadern sein 'r vertrockn't, se sieht gar gar nich mehr.

CHIRURGUS SCHMIDT. Das macht der Staub und das Weben bei Licht. Na sagt amal, kennt ihr euch darieber 'n Versch machen? Ganz Peterschwaldau is ja auf'n Beinen hierrieber. Ich setz mich heut frieh in meinen Wagen, denke nischt Iebels, nicht mit einer Faser. Höre da fermlich Wunderdinge. Was in drei Teiwels Namen ist denn in die Menschen gefahren, Hilse? Wüten da

wie 'n Rudel Welfe. Machen Revolution, Rebellion; werden
renitent, plündern und marodieren . . . Mielchen! wo ist denn
Mielchen? *Mielchen, noch rot vom Weinen, wird von der Mutter hereingeschoben.* Da, Mielchen, greif mal in meine Rock-
schöße. *Mielchen tut es.* Die Feffernisse sind deine. Na, na;
nich alle auf einmal. Schwernotsmädel! Erst singen! Fuchs, du
hast die . . . na? Fuchs, du hast die . . . Gans . . . Wart nur du,
was du gemacht hast: du hast ja die Sperlinge uf'n Pfarrzaune
Stengelscheißer genannt. Die haben's angezeigt beim Herr Kanter Na nu sag bloß ein Mensch. An finfzehnhundert Menschen
sind auf der Achse. *Fernes Glockenläuten.* Hört mal: in Rei-
chenbach läuten sie Sturm. Finfzehnhundert Menschen. Der
reine Weltuntergang. Unheimlich.

DER ALTE HILSE. Da kommen sie wirklich hierieber nach Bielau?

CHIRURGUS SCHMIDT. Nu freilich, freilich, ich bin ja durchgefah-
ren. Mitten durch a ganzen Schwarm. Am liebsten wär ich abgestiegen und hätte glei jed'm a Pulwerle gegeben. Da trottelt
eener hinterm andern her wie's graue Elend und verfiehren ein
Gesinge, daß een fermlich a Magen umwend't, daß een richtig
zu wirgen anfängt. Mei Friedrich uf'm Bocke, der hat genatscht
wie a alt Weib. Mir mußten uns glei d'rhinterher 'n tichtichen
Bittern koofen. Ich meechte kee Fabrikante sein, und wenn ich
gleich uf Gummirädern fahr'n keente. *Fernes Singen.* Horcht
mal! Wie wenn man mit a Knecheln 'n alten, zersprungenen
Bunzeltopp bearbeitet. Kinder, das dauert nich fünf Minuten,
da haben mer se hier. Adje, Leute. Macht keene Tummheiten.
Militär kommt gleich dahinterher. Bleibt bei Verstande. Die
Peterswaldauer hab'n a Verstand verloren. *Nahes Glockenläuten.* Himmel, nu fangen unsre Glocken auch noch an, da
müssen ja die Leute vollens ganz verrickt werd'n. *Ab in den
Oberstock.*

GOTTLIEB *kommt wieder. Noch im „Hause" mit fliegendem
Atem.* Ich hab se gesehn, ich hab se gesehn. *Zu einer Frau im
„Hause".* Se sein da, Muhme, se sein da! *In der Tür.* Se sein da,
Vater, se sein da! Se haben Bohnenstangen und Stichliche und
Hacken. Se stehn schonn beim oberschten Dittriche und machen
Randal. Se kriegen gloob ich Geld ausgezahlt. O Jes's, was
wird ock noch werden dahier? Ich seh nich hin. Aso viel Leute,
nee aso viel Leute! Wenn die erscht und nehmen an Anlauf —
o verpucht, o verpucht! da sein unsere Fabrikanten o beese dran.

DER ALTE HILSE. Was bist denn so gelaufen! Du wirscht aso lange jächen, biste wirscht wieder amal dei altes Leiden haben, biste wirscht wieder amal uf'n Ricken liegen und um dich schlagen.

GOTTLIEB *halb und halb freudig erregt.* Nu, ich mußte doch laufen, sonste hätten die mich ja feste gehalten. Se prillten ja schon alle: ich sollte de Hand auch hinrecken. Pate Baumert war ooch d'rbei. Der meent ieber mich, hol d'r ock ooch an Finfbeehmer, du bist o a armer Hungerleider. A sagte gar: sag du's dein'n Vater . . . Ich sollt's Ihn sagen, Vater, Se sollten kommen und sollten mithelfen, a Fabrikanten de Schinderei heemzahlen. *Mit Leidenschaft.* 's kämen jetzt andere Zeiten, meent a. Jetzt tät a ganz andere Ding werden mit uns Webern. M'r soilten alle kommen und 's mit helfen durchsetzen. Mir wollten alle jetzt o unser Halbfindl Fleesch zum Sonntage haben und an allen heiligen Tagen amal an Bluttwurscht und Kraut. Das tät jetzt alles a ganz andre Gesichte kriegen, meent' er ieber mich.

DER ALTE HILSE *mit unterdrückter Entrüstung.* Und das will dei Pate sein?! Und heeßt dich a an solchen sträflichen Werke mit teelnehmen?! Laß du dich nich in solche Sachen ein, Gottlieb. Da hat d'r Teifel seine Hand im Spiele. Das is Satansarbeit, was die machen.

LUISE *übermannt von leidenschaftlicher Aufregung, heftig.* Ja, ja, Gottlieb, kaffer du dich hinter a Owen, in de Helle, nimm d'r an Kochleffel in de Hand und 'ne Schissel voll Puttermilch uf de Knie, zieh d'r a Reckel an und sprich Gebetl, so bist'n Vater recht. — Und das will a Mann sein?
Lachen der Leute im „Hause".

DER ALTE HILSE *bebend, mit unterdrückter Wut.* Und du willst 'ne richtige Frau sein, hä? Da wer ich dirsch amal orntlich sagen. Du willst 'ne Mutter sein und hast so a meschantes Maulwerk dahier? Du willst dein'n Mädel Lehren geben und hetzt dein'n Mann uf zu Verbrechen und Ruchlosigkeiten?!

LUISE *maßlos.* Mit Euren bigotten Räden . . . dad'rvon da is mir o noch nich amal a Kind satt gewor'n. Derwegen han se gelegen alle viere in Unflat und Lumpen. Da wurd ooch noch nich amal a eenzichtes Winderle trocken. Ich will 'ne Mutter sein, daß d's weeßt! und deswegen, daß d's weeßt, winsch ich a Fabrikanten de Helle und de Pest in a Rachen nein. Ich bin

ebens 'ne Mutter. — Erhält ma woll so a Wirml?! Ich hab mehr
geflennt wie Oden geholt von dem Augenblicke an, wo aso a
Hiperle uf de Welt kam, bis d'r Tod und erbarmte sich drieber.
Ihr habt Euch an Teiwel gescheert. Ihr habt gebet't und gesungen, und ich hab m'r de Fieße bluttich gelaufen nach een'n een-
zichten Neegl Puttermilch. Wie viel hundert Nächte hab ich
mir a Kopp zerklaubt, wie ich ock und ich kennte so a Kindl
ock a eenzich Mal um a Kirchhoof rumpaschen. Was hat so a
Kindl verbrochen, hä? und muß so a elendigliches Ende nehmen — und drieben bei Dittrichen, da wern se in Wein gebad't
und mit Milch gewaschen. Nee, nee: wenn's hie losgeht — ni
zehn Pferde soll'n mich zurickehalten. Und das sag ich: stirmen
se Dittrichens Gebäude — ich bin de erschte, und Gnade jeden,
der mich will abhalten. Ich hab's satt, aso viel steht feste.

DER ALTE HILSE. Du bist gar verfallen; dir is ni zu helfen.

LUISE *in Raserei.* Euch is nich zu helfen. Lappärsche seid ihr. Ha-
derlumpe, aber keene Manne. Gattschliche zum Anspucken.
Weechquarkgesichter, die vor Kinderklappern Reißaus nehmen.
Kerle, die dreimal „scheen Dank" sagen fer 'ne Tracht Priegel.
Euch haben se de Adern so leer gemacht, daß ihr ni amal mehr
kennt rot anlaufen im Gesichte. An Peitsche sollt ma nehmen
und euch a Krien einbläun in eure faulen Knochen. *Schnell ab.*
Verlegenheitspause.

MUTTER HILSE. Was is denn mit Liesln, Vater?

DER ALTE HILSE. Nischte, Mutterle. Was soll denn sein?

MUTTER HILSE. Sag amal, Vater, macht mirsch bloß aso was vor,
oder läuten de Glocken?

DER ALTE HILSE. Se wern een'n begraben, Mutter.

MUTTER HILSE. Und mit mir will's halt immer noch kee Ende
nehmen. Warum sterb ich ock gar nich, Mann? — *Pause.*

DER ALTE HILSE *läßt die Arbeit liegen, richtet sich auf, mit Feier-
lichkeit.* Gottlieb! — Dei Weib hat uns solche Sachen gesagt.
Gottlieb, sieh amal her! *Er entblößt seine Brust.* Dahier saß a
Ding, aso groß wie a Fingerhutt. Und wo ich men'n Arm hab
gelassen, das weeß d'r Keenig. De Mäuse haben mern nicht ab-
gefressen. *Er geht hin und her.* Dei Weib — an die dachte noch
gar kee Mensch, da hab ich schonn mei Blut quartweise fersch
Vaterland verspritzt. Und deshalb mag se plärr'n, soviel wie
se Lust hat. Das soll mir recht sein. Das is mir Schißkojenne. —
Ferchten? Ich und mich ferchten? Vor was denn ferchten, sag

m'r a eenzigtes Mal. Vor den paar Soldaten, die de vielleicht und kommen hinter a Rebellern her? O Jeckerle! wärsch doch! Das wär halb schlimm. Nee, nee, wenn ich schonn a bissel morsch bin uf a Rickgrat, wenn's druf ankommt, hab ich Knochen wie Elfenbeen. Da nehm ich's schonn noch uf mit a paar lumpigten Bajonettern. — Na und wenn's gar schlimm käm!? O viel zu gerne, viel zu gerne tät ich Feierabend machen. Zum Sterben ließ ich mich gewiß ni lange bitten. Lieber heut wie morgen. Nee, nee. Und's wär o gar! Denn was verläßt eens denn? Den alten Marterkasten wird ma doch ni etwa beweinen. Das Häufel Himmelsangst und Schinderei da, das ma Leben nennt, das ließ man gerne genug im Stiche. — Aber dann Gottlieb! dann kommt was — und wenn ma sich das auch noch verscherzt, dernachert is's erscht ganz alle.

GOTTLIEB. Wer weeß, was kommt, wenn eens tot is? Gesehn hat's keener.

DER ALTE HILSE. Ich sag dirsch, Gottlieb! zweifle nich an dem eenzigten, was mir armen Menschen haben. Fer was hätt ich denn hier gesessen — und Schemel getreten uf Mord vierzig und mehr Jahr? und hätte ruhig zugesehen, wie der dort drieben in Hoffart und Schwelgerei lebt und Gold macht aus mein'n Hunger und Kummer. Fer was denn? Weil ich 'ne Hoffnung hab. Ich hab was in aller der Not. *Durchs Fenster weisend.* Du hast hier deine Parte, ich drieben in jener Welt: das hab ich gedacht. Und ich laß mich vierteeln — ich hab 'ne Gewißheet. Es ist uns verheißen. Gericht wird gehalten; aber nich mir sein Richter, sondern: mein is die Rache, spricht der Herr, unser Gott.

EINE STIMME *durchs Fenster.* Weber raus!

DER ALTE HILSE. Vor mir macht, was d'r lustig seid! *Er steigt in den Webstuhl.* Mich werd'r woll missen drinnelassen.

GOTTLIEB *nach kurzem Kampf.* Ich wer gehn und wer arbeiten. Mag kommen, was will. *Ab. Man hört das Weberlied vielhundertstimmig und in nächster Nähe gesungen; es klingt wie ein dumpfes, monotones Wehklagen.*

STIMMEN DER HAUSBEWOHNER *im „Hause".* O jemersch, jemersch, nu kommen se aber wie de Ameisen. — Wo sein ock die vielen Weber her? — Schipp ock nich, ich will ooch was sehn. — Nu sieh ock die lange Latte, die de vorneweg geht. — Ach! ach! nu kommen se knippeldicke!

HORNIG *tritt unter die Leute im „Hause"*. Gelt, das is amal aso a Theater? So was sieht man nich alle Tage. Ihr sollt't ock rufkommen zum oberschten Dittriche. Da haben se schonn wieder a Ding gemacht, das an Art hat. Der hat kee Haus nimehr, keene Fabricke nimehr — keen Weinkeller nimehr, kee garnischte mehr. Die Flaschen, die saufen se aus . . . da nehmen se sich gar nich erscht amal Zeit, de Froppen rauszureißen. Eens, zwee, drei sein de Hälse runter, ob se sich's Maul ufschneiden mit a Scherben oder nich. Manche laufen rum und blutten wie de Schweine. — Nu wern se den hiesigen Dittrich ooch noch hochnehmen.

Der Massengesang ist verstummt.

STIMMEN DER HAUSBEWOHNER. Die sehn doch reen gar nich aso beese aus.

HORNIG. Nu laßt's gutt sein! wart's ock ab! Jetzt nehmen se de Gelegenheit erschte richtig in Augenschein. Sieh ock, wie se den Palast von allen Seiten ufs Korn nehmen. Seht ock den kleenen, dicken Mann — a hat'n Ferdeeimer mite. Das is a Schmied von Peterschwalde, a gar a sehr gefirre Männdl. Der haut de dicksten Tieren ein wie Schaumprezeln, das kennt 'r glooben. Wenn der amal an Fabrikanten in de Mache kriegt, der hat aber verspielt dahier!

STIMMEN DER HAUSBEWOHNER. Praatz, hast a Ding! — Da flog a Stein ins Fenster! — Nu kriegt's d'r alte Dittrich mit d'r Angst. — A hängt a Tafel raus. — An Tafel hängt a raus? — Was steht's denn druf? — Kannst du ni lesen? — Was sollte ock aus mir wern, wenn ich ni lesen kennte! — Na, lies amal! — Ihr sollt alle befriedigt werden, ihr sollt alle befriedigt werden. —

HORNIG. Das konnt a underwegens lassen. Helfen tutt's ooch nich aso viel. Die Brieder haben eegene Mucken. Hier is uf de Fabricke abgesehn. De mechan'schen Stihle, die woll'n se doch aus d'r Welt schaffen. Die sein's doch halt eemal, die a Handweber zugrunderichten: das sieht doch a Blinder. Nee, nee! die Christen sein heut eemal im Zuge. Die bringt kee Landrat und kee Verwalter zu Verstande — und keene Tafel schonn lange nich. Wer die hat sehn wirtschaften, der weeß, was 's geschlagen hat.

STIMMEN DER HAUSBEWOHNER. Ihr Leute, ihr Leute, aso 'ne Menschheet! — Was woll'n denn die? — *Hastig.* Die kommen ja ieber die Bricke rieber!? — *Ängstlich.* Die kommen woll uf de kleene Seite? *In höchster Überraschung und Angst.* Die kommen zu uns, die kommen zu uns. — Se hol'n de Weber aus a Häusern raus.

Alle flüchten, das „Haus" ist leer. Ein Schwarm Aufständischer, beschmutzt, bestaubt, mit von Schnaps und Anstrengung geröteten Gesichtern, wüst, übernächtig, abgerissen, dringt mit dem Ruf Weber raus! *ins „Haus" und zerstreut sich von da in die einzelnen Zimmer. Ins Zimmer des alten Hilse kommen Bäcker und einige junge Weber, mit Knütteln und Stangen bewaffnet. Als sie den alten Hilse erkennen, stutzen sie, leicht abgekühlt.*

BÄCKER. Vater Hilse, heert uf mit der Exterei. Laßt Ihr das Bänkl dricken, wer Lust hat. Ihr braucht Euch keen'n Schaden nich mehr antreten. Davor wird gesorgt wern.

ERSTER JUNGER WEBER. Ihr sollt ooch keen'n Tag nich mehr hungrig schlafen gehn.

ZWEITER JUNGER WEBER. D'r Weber soll wieder a Dach ieber a Kopp und a Hemde uf a Leib kriegen.

DER ALTE HILSE. Wo bringt euch d'r Teiwel her mit Stangen und Äxten?

BÄCKER. Die schlag mer inzwee uf Dittrichens Puckel.

ZWEITER JUNGER WEBER. Die mach m'r gliehend und stoppen se a Fabrikanten in a Rachen, daß se auch amal merken, wie Hunger brennt.

DRITTER JUNGER WEBER. Kommt mit, Vater Hilse! mir geben kee Pardon.

ZWEITER JUNGER WEBER. Mit uns hat o keener Erbarmen gehabt. Weder Gott noch Mensch. Jetzt schaffen wir uns selber Recht.

DER ALTE BAUMERT *kommt herein, schon etwas unsicher auf den Füßen, einen geschlachteten Hahn unterm Arm. Er breitet die Arme aus.* Briederle, — mir sein alle Brieder! Kommt an mei Herze, Brieder! *Gelächter.*

DER ALTE HILSE. Aso siehst du aus, Willem!?

DER ALTE BAUMERT. Gustav, du!? Gustav, armer Hungerleider, komm an mei Herze. *Gerührt.*

DER ALTE HILSE *brummt.* Laß mich zufriede.

DER ALTE BAUMERT. Gustav, aso is's. Glick muß d'r Mensch hab'n. Gustav, schmeiß amal a Auge uf mich. Wie seh ich aus? Glick muß d'r Mensch haben! Seh ich nich aus wie a Graf!

Sich auf den Bauch schlagend. Rat amal, was in dem Bauche steckt? A Edelmannsfressen steckt in dem Bauche. Glick muß d'r Mensch haben, da kriegt a Schlampancher und Hasengebratnes. — Ich wer euch was sagen: mir haben halt an Fehler gemacht: zulangen miß m'r.

ALLE *durcheinander.* Zulangen miß m'r, hurra!

DER ALTE BAUMERT. Und wenn ma de erschten gutten Bissen verdrickt hat, da spiert ma's woll balde in d'r Natur. H-uchjesus, da kriegt man 'ne Forsche, aso stark wie a Bremmer. Da treibt's een de Stärke aus a Gliedmaßen ock aso raus, daß man gar nimehr sieht, wo man hinhaut. Verflugasich die Lust aber ooch.

JÄGER *in der Tür, bewaffnet mit einem alten Kavalleriesäbel.* Mir hab'n a paar famoste Attacken gemacht.

BÄCKER. Mir hab'n die Sache schonn sehr gutt begriffen. Eens, zwee, drei, sind m'r drinne in a Häusern. Da geht's aber o schonn wie helles Feuer. Daß's ock aso prasselt und zittert. Daß de Funken spritzen wie in d'r Feueresse.

ERSTER JUNGER WEBER. Mir sollten gar amal a klee Feuerle machen.

ZWEITER JUNGER WEBER. Mir ziehn nach Reechenbach und zinden a Reichen de Häuser ieberm Koppe an.

JÄGER. Das wär den a Gestrichenes. Da kriegten se erscht gar viel Feuerkasse. *Gelächter.*

BÄCKER. Von hier ziehn m'r na Freiburg zu Tromtra'n.

JÄGER. M'r sollten amal de Beamten hochnehmen. Ich hab's gelesen, von a Birokratern kommt alles Unglicke.

ZWEITER JUNGER WEBER. Mir ziehn balde nach Breslau. Mir kriegen ja immer mehr Zulauf.

DER ALTE BAUMERT *zu Hilse.* Nu trink amal, Gustav!

DER ALTE HILSE. Ich trink nie keen'n Schnaps.

DER ALTE BAUMERT. Das war in d'r alten Welt, heut sind mir in eener andern Welt, Gustav!

ERSTER JUNGER WEBER. Alle Tage is nich Kirm's. *Gelächter.*

DER ALTE HILSE *ungeduldig.* Ihr Hellenbrände, was wollt ihr bei mir?!

DER ALTE BAUMERT *ein wenig verschüchtert, überfreundlich.* Nu sieh ock, ich wollt d'r a Hähndl bringen. Sollst Muttern dervon an Suppe kochen.

DER ALTE HILSE *betroffen, halb freundlich.* O geh und sag's Muttern.

MUTTER HILSE *hat, die Hand am Ohr, mit Anstrengung hinge-horcht, nun wehrt sie mit den Händen ab.* Laßt mich zufriede. Ich mag keene Hiehndlsuppe.

DER ALTE HILSE. Hast recht, Mutter. Ich ooch nich. Aso eene schonn gar nich. Und dir, Baumert! dir will ich a Wort sag'n. Wenn de Alten schwatzen wie de kleen'n Kinder, da steht d'r Teiwel uf'm Koppe vor Freiden. Und daß ihrsch wißt! Daß ihrsch alle wißt: ich und ihr, mir haben nischt nich gemeen. Mit mein'n Willen seit'r nich hier. Ihr habt hier nach Recht und Gerechtigkeit nischt nich zu suchen!

STIMME. Wer nich mit uns is, der is wider uns.

JÄGER *brutal drohend.* Du bist gar sehr schief gewickelt. Heer amal, Aaler, mir sind keene Diebe.

STIMME. Mir haben Hunger, weiter nischt.

ERSTER JUNGER WEBER. Mir woll'n leben und weiter nischt. Und deshalb haben m'r a Strick durchgeschnitten, an dem m'r hingen.

JÄGER. Und das war ganz recht! *Dem Alten die Faust vors Ge-sicht haltend.* Sag du noch ee Wort! Da setzt's a Ding nein — mitten ins Zifferblatt.

BÄCKER. Gebt Ruhe, gebt Ruhe! Laß du den alten Mann. Vater Hilse: aso denken mir eemal: eher tot, wie aso a Leben noch eemal anfangen.

DER ALTE HILSE. Hab ich's nich gelebt sechzig und mehr Jahr?

BÄCKER. Das is egal; anderscher muß's doch werden.

DER ALTE HILSE. Am Nimmermehrschtage.

BÄCKER. Was mir nich gutwillig kriegen, das nehmen mir mit Gewalt.

DER ALTE HILSE. Mit Gewalt? *Lacht.* Nu da laßt euch bald begra-ben dahier. Se wern's euch beweisen, wo de Gewalt steckt. Nu wart ock, Pirschl!

JÄGER. Etwa wegen a Soldaten? Mir sein auch Soldat gewest. Mit a paar Kompanien wern mir schonn fertig werden.

DER ALTE HILSE. Mid'n Maule, da gloob ich's. Und wenn ooch: zwee jagt'r naus, zehne kommen wieder rein.

STIMMEN *durchs Fenster.* Militär kommt. Seht euch vor! *Allge-meines, plötzliches Verstummen. Man hört einen Moment schwach Querpfeifen und Trommeln. In die Stille hinein ein kurzer, unwillkürlicher Ruf.* O verpucht! ich mach lang! — *Allgemeines Gelächter.*

BÄCKER. Wer red't hier von ausreißen? Wer ist das gewest?

JÄGER. Wer tutt sich hier firchten vor a paar lumpichten Pickel-hauben? Ich wer' euch kommandieren. Ich bin beim Kommiß gewest. Ich kenne den Schwindel.

DER ALTE HILSE. Mit was wollt er'n schissen? Woll mit a Priegeln, hä?

ERSTER JUNGER WEBER. Den alten Kropp laßt zufriede, a is ni recht richtig im Oberstiebel.

ZWEITER JUNGER WEBER. A bissel iebertrabt is a schonn.

GOTTLIEB *ist unbemerkt unter die Aufständischen getreten, packt den Sprecher.* Sollst du an alten Manne so fläm'sch kommen?

ERSTER JUNGER WEBER. Laß mich zufriede, ich hab nischt Beeses gesagt.

DER ALTE HILSE *sich ins Mittel legend.* O laß du 'n labern. Ver-greif dich nich, Gottlieb. A wird balde genug einsehn, wer de heute verwirrt is, ich oder er.

BÄCKER. Gehst mit uns, Gottlieb?

DER ALTE HILSE. Das wird a woll bleiben lassen.

LUISE *kommt ins Haus, ruft hinein.* O halt euch ni uf erscht. Mit solchen Gebetbichl-Hengsten verliert erscht keene Zeit. Kommt uf a Platz! Uf a Platz sollt'r kommen. Pate Baumert, kommt aso schnell, wie 'r kennt! D'r Major spricht mit a Leuten vom Ferde runter. Se sollten heemgehn. Wenn ihr ni schnell kommt, haben m'r verspielt.

JÄGER *im Abgehen.* Du hast'n scheen'n tapfern Mann.

LUISE. Wo hätt ich an Mann? Ich hab gar keen'n Mann!

Im „Hause" singen einige.

　　　's war amal a kleener Mann,
　　　he, juchhe!
　　　Der wollt a groß Weibl han.
　　　He didel didel dim dim dim heirassassa!

WITTIG *ist, einen Pferdeeimer in der Faust, vom Oberstock ge-kommen, will hinaus, bleibt im „Hause" einen Augenblick stehen.* Druf! wer de kee Hundsfott sein will, hurra! *Er stürmt hinaus. Eine Gruppe, darunter Luise und Jäger, folgen ihm mit Hurra.*

BÄCKER. Lebt g'sund, Vater Hilse, wir sprechen uns wieder. *Will ab.*

DER ALTE HILSE. Das gloob ich woll schwerlich. Finf Jahre leb ich nimehr. Und eher kommste ni wieder raus.

BÄCKER *verwundert stehenbleibend.* Wo denn her, Vater Hilse?

DER ALTE HILSE. Aus'n Zuchthause; woher denn sonste?

BÄCKER *wild herauslachend.* Das wär mir schonn lange recht. Da kriegt ma wenigstens satt Brot, Vater Hilse! *Ab.*

DER ALTE BAUMERT *war in stumpfsinniges Grübeln, auf einem Schemel hockend, verfallen; nun steht er auf.* 's is wahr, Gustav, an kleene Schleuder hab ich. Aber derwegen bin ich noch klar genug im Kopfe dahier. Du hast deine Meinung von der Sache, ich hab meine: Ich sag: Bäcker hat recht, nimmt's a Ende in Ketten und Stricken: im Zuchthause is immer noch besser wie derheeme. Da is ma versorgt; da braucht ma nich darben. Ich wollte ja gerne nich mitmachen. Aber sieh ock, Gustav, d'r Mensch muß doch a eenziges Mal an Augenblick Luft kriegen. *Langsam nach der Tür.* Leb gesund, Gustav. Sollte was vorfall'n, sprich a Gebetl fer mich mit, heerscht! *Ab.*

Von den Aufständischen ist nun keiner mehr auf dem Schauplatz. Das „Haus" füllt sich allmählich wieder mit neugierigen Bewohnern. Der alte Hilse knüpft an der Werfte herum. Gottlieb hat eine Axt hinterm Ofen hervorgeholt und prüft unbewußt die Schneide. Beide, der Alte und Gottlieb, stumm bewegt. Von draußen dringt das Summen und Brausen einer großen Menschenmenge.

MUTTER HILSE. Nu sag ock, Mann, de Dielen zittern ja aso sehr — was geht denn vor? Was soll denn hier werd'n? — *Pause.*

DER ALTE HILSE. Gottlieb!

GOTTLIEB. Was soll ich denn?

DER ALTE HILSE. Laß du die Axt liegen.

GOTTLIEB. Wer soll denn Holz kleene machen? *Er lehnt die Axt an den Ofen. — Pause. —*

MUTTER HILSE. Gottlieb, heer du uf das, was d'r Vater sagt.

STIMME *vor dem Fenster singend.*

> Kleener Mann, blei ock d'rheem,
> he, juchhe!
> Mach Schissel und Teller reen.
> Hei didel didel, dim dim dim. *Vorüber.*

GOTTLIEB *springt auf, gegen das Fenster mit geballter Faust.* Aas, mach mich ni wilde!

Es kracht eine Salve.

MUTTER HILSE *ist zusammengeschrocken.* O Jesus Christus, nu donnert's woll wieder!?

DER ALTE HILSE *die Hand auf der Brust, betend.* Nu, lieber Herr-

gott im Himmel! schitze die armen Weber, schitz meine armen
Brieder!

Es entsteht eine kurze Stille.

DER ALTE HILSE *für sich hin, erschüttert.* Jetzt fließt Blutt.

GOTTLIEB *ist im Moment, wo die Salve kracht, aufgesprungen
und hält die Axt mit festem Griff in der Hand, verfärbt, kaum
seiner mächtig vor tiefer innerer Aufregung.* Na, soll man sich
etwa jetzt o noch kuschen?

EIN WEBERMÄDCHEN *vom „Haus" aus ins Zimmer rufend.* Vater
Hilse, Vater Hilse, geh vom Fenster weg. Bei uns oben ins
Oberstiebl is 'ne Kugel durchs Fenster geflogen. *Verschwindet.*

MIELCHEN *steckt den lachenden Kopf zum Fenster herein.* Großvaterle, Großvaterle, se haben mit a Flinten geschossen. A paare
sind hingefall'n. Eener, der dreht sich so ums Kringl rum, immer ums Rädl rum. Eener, der tat so zappeln wie a Sperling,
dem man a Kopp wegreißt. Ach, ach und aso viel Blut kam ge-
treescht —! *Sie verschwindet.*

EINE WEBERSFRAU. A paar hab'n se kaltgemacht.

EIN ALTER WEBER *im „Hause".* Paßt ock uf, nu nehmen sie's Militär hoch.

EIN ZWEITER WEBER *fassungslos.* Nee, nu seht bloß de Weiber,
seht bloß de Weiber! Wern se nich de Recke hochheben! Wern
se ni 's Militär anspucken!

EINE WEBERFRAU *ruft herein.* Gottlieb, sieh dir amal dei Weib
an, die hat mehr Krien wie du, die springt vor a Bajonettern
rum, wie wenn se zur Musicke tanzen tät.

*Vier Männer tragen einen Verwundeten durchs Haus. Stille. Man
hört deutlich eine Stimme sagen.* 's is d'r Ulbrichs Weber. *Die
Stimme nach wenigen Sekunden abermals.* 's wird woll Feierabend sein mit'n; a hat 'ne Prellkugel ins Ohr gekriegt. *Man
hört die Männer eine Holztreppe hinaufgehen. Draußen plötzlich.* Hurra, hurra!

STIMMEN *im Hause.* Wo haben s'n de Steene her? — Nu zieht aber
Leine! — Vom Chausseebau. — Nu hattjee, Soldaten. — Nu
regnet's Flastersteene.

*Draußen Angstgekreisch und Gebrüll sich fortpflanzend bis in
den Hausflur. Mit einem Angstruf wird die Haustür zuge-
schlagen.*

STIMMEN *im „Hause".* Se laden wieder. — Se wern glei wieder
'ne Salve geb'n. — Vater Hilse, geht weg vom Fenster.

GOTTLIEB *rennt nach der Axt.* Was, was, was! Sein mir tolle Hunde? Soll'n mir Pulver und Blei fressen stats Brot? *Mit der Axt in der Hand einen Moment lang zögernd, zum Alten.* Soll mir mei Weib derschossen werd'n? Das soll nich geschehen! *Im Fortstürmen.* Ufgepaßt, jetzt komm ich! *Ab.*

DER ALTE HILSE. Gottlieb, Gottlieb!

MUTTER HILSE. Wo ist denn Gottlieb?

DER ALTE HILSE. Beim Teiwel is a.

STIMME *vom „Hause".* Geht vom Fenster weg, Vater Hilse!

DER ALTE HILSE. Ich nich! Und wenn ihr alle vollens drehnig werd! *Zu Mutter Hilse mit wachsender Ekstase.* Hie hat mich mei himmlischer Vater hergesetzt. Gell, Mutter? Hie bleiben m'r sitzen und tun, was mer schuldig sein, und wenn d'r ganze Schnee verbrennt.

Er fängt an zu weben. Eine Salve kracht. Zu Tode getroffen, richtet sich der alte Hilse hoch auf und plumpst vornüber auf den Webstuhl. Zugleich erschallt verstärktes Hurra-Rufen. Mit Hurra stürmen die Leute, die bisher im Hausflur gestanden, ebenfalls hinaus. Die alte Frau sagt mehrmals fragend. Vater, Vater, was is denn mit dir? *Das ununterbrochene Hurra-Rufen entfernt sich mehr und mehr. Plötzlich und hastig kommt Mielchen ins Zimmer gerannt.*

MIELCHEN. Großvaterle, Großvaterle, se treiben de Soldaten zum Dorfe naus, se haben Dittrichens Haus gestirmt, se machen's aso wie drieben bei Dreißichern. Großvaterle!? *Das Kind erschrickt, wird aufmerksam, steckt den Finger in den Mund und tritt vorsichtig dem Toten näher.* Großvaterle!?

MUTTER HILSE. Nu mach ock, Mann, und sprich a Wort, 's kann een'n ja orntlich angst werd'n.

HANNELES HIMMELFAHRT

Traumdichtung

Begonnen Anfang 1893,

beendet im Sommer 1893 in Schreiberhau.

Erstveröffentlichung:

Buchausgabe unter dem Titel „Hannele" 1894

An Marie Hauptmann

geborene Thienemann

Die Kinder pflücken roten Klee, rupfen die Blütenkrönchen
behutsam aus und saugen an den blassen, feinen Schäften.
Eine schwache Süßigkeit kommt auf ihre Zungen. Wenn Du
nur so viel Süße aus meinem Gedicht ziehst, so will ich mich
meiner Gabe nicht schämen.

Schreiberhau 1893

Gerhart

HANNELE
GOTTWALD, Lehrer
SCHWESTER MARTHA, Diakonissin
TULPE
HEDWIG
PLESCHKE } Armenhäusler
HANKE
SEIDEL, Waldarbeiter
BERGER, Amtsvorsteher
SCHMIDT, Amtsdiener
DOKTOR WACHLER

Es erscheinen dem Hannele im Fiebertraum: Der Maurer Mattern, ihr Vater. Eine
Frauengestalt, ihre verstorbene Mutter. Drei lichte Engel. Ein großer schwarzer
Engel. Die Diakonissin. Der Dorfschneider. Gottwald und seine Schulkinder. Die
Armenhäusler Pleschke, Hanke und andere. Seidel. Vier weißgekleidete Jünglinge.
Ein Fremder. Viele kleine und große lichte Engel. Leidtragende, Frauen usw.

ERSTER AKT

*Ein Zimmer im Armenhause eines Gebirgsdorfes: Kahle Wände,
eine Tür in der Mitte, ein kleines gucklochartiges Fenster links.
Vor dem Fenster ein wackliger Tisch mit Bank. Rechts eine Bettstelle mit Strohsack. An der Hinterwand ein Ofen mit Bank
und eine zweite Bettstelle, ebenfalls mit einem Strohsack und
einigen Lumpen darüber. — Es ist eine stürmische Dezember-
nacht. Am Tisch, beim Scheine eines Talglichtes, aus einem Gesangbuch singend, sitzt Tulpe, ein altes, zerlumptes Bettelweib.*

TULPE *singt.*

Ach bleib mit deiner Gnade
bei uns, Herr Jesu Christ,
daß uns hinfort nicht . . .

*Hedwig, genannt Hete, eine liederliche Frauensperson von
etwa dreißig Jahren, mit Ponylocken, tritt ein. Sie hat ein
dickes Tuch um den Kopf und ein Bündel unterm Arm; sonst
·ist sie leicht und ärmlich gekleidet.*

HETE *in die Hände blasend, ohne das Bündel unterm Arm weg-
zulegen.* Ei Jesses, Jesses! is das a Wetter! *Sie läßt das Bündel
auf den Tisch gleiten, bläst sich fortgesetzt in die hohlen Hände
und tritt abwechselnd mit einem ihrer zerrissenen Schuhe auf
den andern.* Aso toll haben mersch schonn viele Jahre nich
gehabt.

TULPE. Was bringst'n mit?

HETE *fletscht die Zähne und wimmert im Schmerz, nimmt Platz
auf der Ofenbank und müht sich, die Schuhe auszuziehen.* O
jemersch, jemersch, meine Zehen! Das brennt wie Feuer.

TULPE *hat das Bündel aufgeknotet; ein Brot, ein Päckchen Zi-
chorie, ein Tütchen Kaffee, einige Paar Strümpfe usw. liegen
offen.* Da wird woll fer mich ooch a bissel was abfall'n.

HETE *die, mit dem Ausziehen der Schuhe beschäftigt, nicht auf
Tulpe geachtet hat, stürzt nun wie ein Geier über die Gegenstände und rafft sie zusammen.* Tulpe! — *Den einen Fuß nackt,
den andern noch im Schuh, humpelt sie mit den Sachen nach
dem Bett an der Hinterwand.* Ich wer 'ne Meile loofen, gelt?
Und wer m'r die Knochen im Leibe erfrieren, damit Ihr und
kennt's Euch einsacken, gelt?

TULPE. Oh, halt deine Gusche, alte Schalaster! An dem bissel

Gelumpe vergreif ich mich nich — *sie steht auf, klappt das Buch zu und wischt es sorgfältig an ihren Kleidern ab —*, was du dir da hast zusammengebettelt.

HETE *die Sachen unter den Strohsack packend.* Wer hat ock im Leben mehr gefochten, ich oder Ihr? Ihr habt doch im Leben nischt andersch getan, aso alt wie Ihr seid: das weeß doch a jedes.

TULPE. Du hast noch ganz andre Dinge getrieben. Der Herr Paster hat dir die Meenung gesagt. Wie ich a jung Mädel war wie du, ich hab freilich andersch uf mich gehalten.

HETE. Dad'rfier habt Ihr ooch im Zuchthause gesessen.

TULPE. Und du kannst neinkommen, wenn de sonst willst. Ich brauch bloß amal a Schandarm zu treffen. Dem wer ich amal a Talglicht uffstecken. Mach du dich bloß mausig, Mädel, ich sag dirsch!

HETE. Da schickt a Schandarm ock gleich mit zu mir, da wer ich'n gleich was mit erzählen.

TULPE. Erzähl du meinswegen, was du willst.

HETE. Wer hat denn a Paleto gestohlen? Hä? Vom Gastwirt Richter sein'n kleenen Jungen? *Tulpe tut, als ob sie nach Hete spuckte.* Tulpe! verpucht! — nu gerade nich.

TULPE. Vor mir! ich will von dir nischt Geschenktes.

HETE. Ja, weil Ihr nischt krigt.

Pleschke und Hanke sind von dem Sturm, welcher mit einem wütenden Stoß soeben wider das Haus fuhr, förmlich in den Flur hineingeworfen worden. Pleschke, ein alter, kropfhalsiger, halb kindischer Kerl in Lumpen, bricht darüber in lautes Lachen aus. Hanke, ein junger Liedrian und Nichtstuer, flucht. Beide schütteln, durch die offene Tür sichtbar, auf den Steinen des Flurs den Schnee von ihren Mützen und Kleidern. Jeder trägt ein Bündel.

PLESCHKE. O Hagel! o Hagel! das schmeißt ja wie Teifel; die alte Kaluppe von Armenhaus, die wird's woll amal bei Gelegenheit, ja . . . bei Gelegenheit, ja, zusammenreißen. *Hete besinnt sich angesichts der beiden, holt die Sachen wiederum unter dem Strohsack hervor und läuft an den Männern vorüber hinaus und eine Treppe hinauf.*

PLESCHKE *hinter Heten dreinsprechend.* Was laufst'n du . . . laufst'n du fort? Mir tun der nischt . . . tun der nischt. Gelt, Hanke? Gelt?

TULPE *am Ofen mit einem Kartoffeltopf beschäftigt.* Das Frauvolk is nich gescheit im Koppe. Die denkt, mir wern 'r 'ne
Sache wegnehmen.

PLESCHKE *eintretend.* O Jes, Jes! Ihr Leute! Nu da ... da heert's
auf. Gu'nabend ... Gu'nabend ja. Teifel, Teifel! A Wetter
is draußen ... a Wetter is draußen! Der Länge lang, ja ...
der Länge lang, ja — bin ich hingeschlagen — aso lang wie
ich bin. *Er ist mit geknickten Beinen bis zum Tische gehinkt.*
Hier legt er sein Bündel und wendet den wackligen Kopf mit
den weißen Haaren und triefigen Augen zu Tulpe herum. Da-
bei schnappt er noch immer vor Anstrengung nach Luft, hustet
und macht Bewegungen, um sich zu erwärmen. Indessen ist
Hanke auch ins Zimmer gelangt. Einen Bettelsack hat er neben
die Tür gestellt und sogleich begonnen, vor Frost bebend, trok-
kenes Reisig in den Ofen zu stopfen.

TULPE. Wo kommst'n her?

PLESCHKE. Ich? Ich? Wo ich herkomme? Gar — gar von weit
her. 's Oberdorf hab ich ... hab ich abgeloofen.

TULPE. Bringste was mit?

PLESCHKE. Ja, ja, scheene Sachen. Scheene Sachen hab ich. Beim
Kanter kricht ich ... kricht ich 'n Finfer, ja, und oben beim
Gastwirt ... oben beim Gastwirt kricht ich ... kricht ich'n
Topp voll, ja ... 'n Topp voll ... Topp voll Suppe kricht ich.

TULPE. Ich wern glei uffsetzen. Gib amal her.

Sie zieht den Topf aus dem Bündel, setzt ihn auf den Tisch
und wühlt weiter.

PLESCHKE. A Ende Wurscht, ja, is ooch ... ooch dabei. Der
Fleescher ... der Seipelt-Fleescher hat mirsch ... hat mirsch
gegeben.

TULPE. Wieviel bringst'n Geld mitte?

PLESCHKE. Drei Beehmen, ja ... drei Beehmen sind's, gloob ich.

TULPE. Na gib ock her. Ich wer dersch uffheben.

HETE *wieder eintretend.* Ihr seid scheen tumm, daß ihr alles weg-
gebt. *Sie geht zum Ofen.*

TULPE. Bekimmer du dich um deine Sachen.

HANKE. A is doch der Breitgam.

HETE. O jemersch, jemersch!

HANKE. Da muß a doch ooch d'r Braut was mitbringen. Das
liegt halt eemal so in a Verhältnissen.

PLESCHKE. Du kannst zum Narren haben ... kannst zum Nar-

ren haben, wen de willst, ja . . . wen de willst, ja. An'n alten
Mann . . . an'n alten Mann, den laß du zufriede.

HETE *die Sprechweise des alten Pleschke nachäffend.* Der alte
Pleschke . . . der alte Pleschke . . . der kann bald gar nich . . .
gar nich mehr labern. Der wird bald . . . wird bald gar gar gar
gar gar kee Wort . . . Wort mehr raus . . . rausbringen, ja.

PLESCHKE *mit seinem Stecken auf sie zugehend.* Jetzt zieh aber
Leine . . . zieh aber . . . Leine!

HETE. Vor wem denn, hä?

PLESCHKE. Jetzt zieh aber . . . Leine!

TULPE. Immer gib 'r a Ding.

PLESCHKE. Jetzt zieh aber . . . Leine!

HANKE. Laßt ihr die Tummheet!

TULPE. Ihr gebt Ruhe! *Hete benutzt hinter dem Rücken Hankes
den Moment, in welchem er, sie verteidigend, mit Pleschke zu
tun hat, um ihm aus dem Bettelsack blitzschnell etwas heraus-
zugreifen und damit fortzurennen. Tulpe, die es bemerkt hat,
schüttelt sich vor Lachen.*

HANKE. Da gibt's nischt zu lachen.

TULPE *immer lachend.* Nu da! nu da! da soll eens nich lachen.

PLESCHKE. O Jeses, Jeses! sieh ock dernach!

TULPE. Sieh d'r ock deine Sachen an! Kann sein, se sein was weniger geworn.

HANKE *wendet sich, merkt, daß er gefoppt ist.* Luder!! — *Er
stürzt Hete nach.* Wenn ich dich kriege! *Man hört Trampeln,
eine Treppe hinauf, Jagen, unterdrücktes Schreien.*

PLESCHKE. A Teifelsmädel! A Teifelsmädel! *Er lacht in allen Ton-
arten. Tulpe will sich ebenfalls ausschütten vor Lachen. Plötzlich hört man die Haustür heftig gehen. Das Lachen beider
bricht ab.* Nu? Was is das?

*Heftige Windstöße wuchten gegen das Haus. Körniger Schnee
wird gegen das Fenster geworfen. Einen Moment Stille. Jetzt
erscheint Lehrer Gottwald, ein schwarzbärtiger Zweiunddreißi-
ger; auf dem Arm trägt er das etwa vierzehnjährige Hannele
Mattern. Das Mädchen, dessen lange rote Haare offen über die
Schulter des Lehrers herabhängen, wimmert fortwährend. Es
hat sein Gesicht am Halse des Lehrers verborgen, seine Arme
hängen schlaff und tot herab. Man hat es nur notdürftig bekleidet und in Tücher eingehüllt. Mit aller Sorgfalt läßt Gottwald, ohne sich irgendwie um die Anwesenden zu bekümmern,*

94

seine Last auf das Bett gleiten, das rechts an der Wand steht.
Ein Mann, Waldarbeiter, namens Seidel, ist mit einer Laterne
ebenfalls eingetreten. Er trägt, neben Säge und Axt, ein Bündel
nasser Lumpen und hat einen alten Jägerhut ziemlich verwe-
gen auf den schon stark angegrauten Kopf gesetzt.

PLESCHKE *dumm und betroffen starrend.* Hee, hee, hee, hee! Was
geht denn da vor? Was geht denn da vor?

GOTTWALD *Decken und seinen eignen Mantel über das Mädchen*
breitend. Steine heiß machen, Seidel! schnell!

SEIDEL. Attent, attent! a paar Ziegelsteine! Allo, allo! immer
macht, daß was wird!

TULPE. Was hat's denn mit 'r?

SEIDEL. I, laßt das Gefrage. *Schnell ab mit Tulpe.*

GOTTWALD *beruhigend zu Hannele.* Laß gut sein, laß gut sein.
Ängste dich nicht! Es geschieht dir nichts.

HANNELE *mit klappernden Zähnen.* Ich fürcht' mich so! Ich
fürcht' mich so!

GOTTWALD. Du brauchst dich aber vor gar nichts zu fürchten.
Es wird dir niemand etwas tun.

HANNELE. Der Vater, der Vater . . .

GOTTWALD. Der ist ja nicht hier.

HANNELE. Ich fürcht' mich so, wenn der Vater kommt.

GOTTWALD. Er kommt aber nicht. So glaub mir doch nur!
Jemand kommt in höchster Schnelligkeit die Treppe herunter.

HETE *hält ein Reibeisen in die Höhe.* Nu seht bloß: aso was
krigt Hanke geschenkt.
Hanke ist hinter ihr dreingejagt, erreicht sie, will ihr das Reib-
eisen entwinden, sie aber wirft es mit einer schnellen Bewegung
von sich mitten ins Zimmer hinein.

HANNELE *schreckhaft auffahrend.* Er kommt! Er kommt! *Halb*
aufgerichtet, starrt sie, den Kopf vorgestreckt, mit dem Aus-
druck höchster Angst in dem blassen, kranken, gramverzehrten
Gesichtchen in die Richtung der Geräusche. Hete hat sich dem
Hanke entwunden und ist fort in das Hinterzimmer. Hanke
tritt ein, um das Reibeisen aufzuheben.

HANKE. Ich wer dirsch anstreichen. Dare du!

GOTTWALD *zu Hannele.* Du kannst ruhig sein, Hannele. — *Zu*
Hanke. Was wollen Sie denn?

HANKE *erstaunt.* Ich! Was ich will?

HETE *steckt den Kopf herein, ruft.* Langfinger! Langfinger!

HANKE *drohend.* Sei du ganz geruhig, dir zahl ich's heem.

GOTTWALD. Ich bitte um Ruhe, hier liegt 'n Krankes.

HANKE *hat das Reibeisen aufgehoben und zu sich gesteckt; ein wenig verschüchtert zurücktretend.* Was ist denn da los?

SEIDEL *kommt wieder; er bringt zwei Ziegelsteine.* Hier bring ich einstweilen.

GOTTWALD *faßt die Steine prüfend an.* Schon genug?

SEIDEL. A bissel wärmt's schonn. *Er bringt einen der Steine an den Füßen des Mädchens unter.*

GOTTWALD *bedeutet eine andere Stelle.* Den andern hierher!

SEIDEL. Se hat sich eemal noch nicht erwärmt.

GOTTWALD. Es beutelt sie förmlich.

Tulpe ist hinter Seidel hergekommen. Ihr sind Hete und Pleschke gefolgt. An der Tür werden einige andere Armenhäusler, fragwürdige Gestalten, sichtbar. Alle sind voll Neugier, flüstern, werden allmählich lauter und bewegen sich näher heran.

TULPE *zunächst dem Bette stehend, die Hände in die Seite gestemmt.* Heeß Wasser und Branntwein, wenn's was da hat.

SEIDEL *zieht eine Schnapsflasche, ebenso Pleschke und Hanke.* Hier is noch a Neegel.

TULPE *schon am Ofen.* Her damitte.

SEIDEL. Is heeß Wasser?

TULPE. O Jes, da kann man 'n Ochsen verbriehn.

GOTTWALD. Und bißchen Zucker reintun, wenn's gibt!

HETE. Wo sollen mir ock a Zucker herhaben?

TULPE. Du hast ja welchen. Red ni so tumm!

HETE. Ich? Zucker? Nee. *Sie lacht gezwungen.*

TULPE. Du hast doch welchen mittegebracht. Ich hab's doch gesehn, im Tiechel, vorhin. Da liig ock nich erscht.

SEIDEL. Na mach. Bring her!

HANKE. Nu lauf, Hete, lauf!

SEIDEL. Du siehst doch, wie's mit dem Mädel steht.

HETE *verstockt.* Oh, vor mir.

PLESCHKE. Sollst Zucker holen.

HETE. Beim Kaufmann hat's 'n. *Sie drückt sich hinaus.*

SEIDEL. Nu haste Zeit, daßte Beene machst, sonst setzt's a paar Dinger hinter die Lauscher. Kann sein, du hätt'st damitte genug. Nach mehr sähst du dich gewiß nich um.

PLESCHKE *war einen Moment hinausgegangen, kommt wieder.* Aso is das Mädel ... so is das Mädel.

SEIDEL. Der wollt ich wohl ihre Mucken austreiben. Wenn ich und wär wie der Ortsvorsteher, ich nähm' mir a ticht'gen weidnen Knippel, und haste gesehn, die wer schonn arbeiten. A Mädel wie die . . . die is jung und stark. Was braucht die im Armenhause zu liegen!

PLESCHKE. Hier hab ich noch a klee Brickel . . . Brickel . . . a klee Brickel Zucker hab ich noch . . . hier noch ja . . . gefunden.

HANKE *schnüffelnd in der Grogluft.* Da wär ich ooch gerne genug amal krank.

AMTSDIENER SCHMIDT *mit einer Laterne, tritt ein. Eindringlich und vertraulich.* Macht Platz, der Herr Amtsvorsteher kommt! *Amtsvorsteher Berger tritt ein. Hauptmann der Reserve, wie nicht zu verkennen. Schnurrbärtchen. Noch jugendliches, gutes Gesicht, schon stark angegrautes Haar. Langer Überrock, Anflug von Eleganz. Stock. Der Krampfhut schief und keck aufgesetzt. Etwas Burschikoses liegt in seinem Wesen.*

DIE ARMENHÄUSLER. Gu'nabend, Herr Amtsvorsteher! Gu'n-abend, Herr Hauptmann!

BERGER. 'nabend! *Er legt Hut, Stock und Mantel ab. Mit einer bezeichnenden Gebärde.* Nu mal rrraus hier! *Schmidt befördert die Armenhäusler hinaus und drängt sie ins Hinterzimmer.* Gu'nabend, Herr Gottwald. *Reicht ihm die Hand.* Nu, wie steht's hier?

GOTTWALD. Wir haben sie halt aus dem Wasser gezogen.

SEIDEL *tritt vor.* Sie werden entschuldigen, Herr Amtsvorsteher. *Er schlägt dabei in alter militärischer Gewohnheit grüßend mit der Hand an die Stirn.* Ich hatte noch was in der Schmiede zu tun. Ich wollt m'r a Band um de Axt lassen machen. Und wie ich nu raustrete aus der Schmiede, da is doch unten an der Jeuchner Schmiede . . . da is doch a Teich. Man mechte bald sprechen, a halber See. *Zu Gottwald.* Na, ja, 's is wahr. A is bald aso groß. Und wie Sie vielleicht wern wissen, Herr Vorsteher: da hat's ane Stelle, die de nicht zufriert. Und nie und nimmer friert Ihn die nich zu. Ich war noch a ganz a kleener Junge . . .

BERGER. Na, und? Was war da?

SEIDEL *wieder mit der Hand an die Stirn schlagend.* Nu wie ich also und tret aus der Schmiede — der Mond kam gerade a bissel durch —, da heer ich Ihn halt aso a Gewimmer. Erscht denk ich, 's macht der bloß was vor. Da seh ich aber ooch schonn, daß jemand uff'n Teiche is. Und immer zu uff de offene Stelle. Ich schrei — da is a ooch schon verschwunden. Na ich, kenn Se denken, ich in de Schmiede, a Brett genomm, erscht gar nischt gesagt und rum um a Teich. 's Brett aufs Eis. Ich eens zwee drei — und da hatt ich se doch ooch schonn beim Wickel.

BERGER. Das laß ich mir doch mal gefallen, Seidel. Sonst hört man bloß immer von Keilereien, Köpfe blutig schlagen, Beine gebrochen. Das is doch wenigstens mal was anders. Da habt Ihr sie gleich hierhergebracht?

SEIDEL. Der Herr Lehrer Gottwald ...

GOTTWALD. Zufälligerweise ging ich vorüber. Ich kam aus der Lehrerkonferenz. Da hab' ich sie erst mal zu mir genommen. Meine Frau hat schnell was zusammengesucht, damit sie nur trocken am Leibe wurde.

BERGER. Wie hängt denn nun die Geschichte zusammen?

SEIDEL zögernd. Na — 's is halt von Mattern-Mäuer die Stieftochter.

BERGER einen Moment lang betreten. Von wem? Der Lump der!

SEIDEL. De Mutter is vor sechs Wochen gestorben. Das übrige weeß man ja von alleene. Die hat Ihn gekratzt und um sich geschlagen, bloß weil se dachte, ich wär der Vater.

BERGER murmelt. So'n Wicht!

SEIDEL. Nu sitzt a doch wieder im Niederkretscham und sauft seit gestern in eenem Biegen. Der schenkt'n doch ein aso viel wie a will.

BERGER. Das woll'n wir dem Kerl doch mal eklig versalzen. Er beugt sich über das Bett, um Hannele anzureden. Du! Mädel; sag mal! Du wimmerst ja so. Du brauchst mich gar nicht so furchtsam ansehn. Ich tu' dir nichts. Wie heißt du denn? — Was sagst du? Ich hab' dich nicht verstanden. — Er richtet sich auf. Ich glaube, das Mädel ist etwas störrisch.

GOTTWALD. Sie ist nur verängstet. — Hannele!

HANNELE haucht. Ja.

GOTTWALD. Du mußt dem Herrn Amtsvorsteher antworten.

HANNELE zitternd. Lieber Gott, mich friert.

SEIDEL kommt mit dem Grog. Komm, trink amal, hier!

HANNELE wie vorher. Lieber Gott, mich hungert.

GOTTWALD zum Amtsvorsteher. Und wenn man's ihr vorhält, will sie nicht essen.

HANNELE. Lieber Gott, mir tut es so bitter weh.

GOTTWALD. Wo tut dir's denn weh?

HANNELE. Ich hab' solche Furcht.

BERGER. Wer tut dir denn was? Wer? Nur raus mit der Sprache! Ich versteh' keine Silbe, liebes Kind. Das kann mir nichts helfen. Hör mal auf mich, Mädel! Hat dich dein Stiefvater schlecht behandelt? Geschlagen, mein' ich. Eingesperrt? Aus dem Haus geworfen, so was, wie? — Du lieber Gott, ja . . .

SEIDEL. Das Mädchen ist schweigsam. Das soll schonn schlimm kommen, eh die ein Wort sagt. Die is, möcht man sprechen, stumm wie ein Lamm.

BERGER. Ich möchte nur was Bestimmtes wissen. Vielleicht kann ich doch den Kerl nun mal fassen.

GOTTWALD. Sie hat unsinnige Angst vor dem Menschen.

SEIDEL. Das ist doch nischt Neues mehr mit dem Kerle. Das weeß, mecht ma sprechen . . . das weeß doch a jed's . . . Da kenn Se doch fragen, wen Se wollen. Mich wundert bloß, daß das Mädel noch lebt. Man sollte denken, 's wär' gar nicht meeglich.

BERGER. Was hat er denn mit ihr angestellt?

SEIDEL. Nu halt aso allerhand, mecht man sprechen. Um neune abends jagt'r se naus — und wenn's so a Wetter war wie heute, da sollt se an Fimfbeehmer mit nach Hause bringen. — Na, was denn sonste, halt zum Versaufen. Wo sollt Ihn das Mädel an Fimfbeehmer hernehmen? Da blieb se halt halbe Nächte im Freien. Denn wenn se kam und brachte keen Geld . . . de Leute sind Ihn zusammengeloofen, so hat se geschrien, geprillt, mecht man sprechen.

GOTTWALD. An der Mutter hatte sie noch'n Rückhalt.

BERGER. Ich werde den Kerl jedenfalls gleich einstecken. Er steht ja schon längst auf der Säuferliste. Nu komm mal, Mädel, sieh mich mal an!

HANNELE *flehentlich.* Ach bitte, bitte, bitte, bitte.

SEIDEL. Aus der wern Se woll aso leichte nischt rauskriegen.

GOTTWALD *mild.* Hannele!

HANNELE. Ja

GOTTWALD. Kennst du mich?

HANNELE. Ja.

GOTTWALD. Wer bin ich denn?

HANNELE. Der — Herr Lehrer — Gottwald.

GOTTWALD. Schön. Na siehst du. Ich mein' es doch immer gut mit dir. Nu kannst du mir auch mal gleich erzählen . . . Du warst doch unten am Schmiedeteich. Weshalb bist du denn nicht zu Hause geblieben? Nu? Warum nicht?

HANNELE. Ich fürchte mich so.

BERGER. Wir werden uns ganz beiseitestellen. Sag's nur dem Herrn Schullehrer ganz allein!

HANNELE *scheu und geheimnisvoll.* Es hat gerufen.

GOTTWALD. Wer hat gerufen?

HANNELE. Der liebe Herr Jesus.

GOTTWALD. Wo hat dich der liebe Herr Jesus gerufen?

HANNELE. Im Wasser.

GOTTWALD. Wo?

HANNELE. Nu unten — im Wasser.

BERGER *zieht sich, seinen Entschluß ändernd, den Überrock an.* Hier muß vor allen Dingen der Doktor her. Ich denke, er wird noch im Schwerte sitzen.

GOTTWALD. Ich hatte auch gleich zu den Schwestern geschickt. Das Kind muß unbedingt Pflege erhalten.

BERGER. Ich gehe und sage dem Doktor Bescheid. *Zu Schmidt.* Sie bringen mir mal den Wachtmeister ran. Ich warte im Schwert. Gutnacht, Herr Gottwald. Wir wollen den Kerl gleich heute noch aufheben. *Ab mit Schmidt. Hannele schläft ein.*

SEIDEL *nach einer Pause.* A wird sich hitten und wird den einsperren.

GOTTWALD. Warum denn nicht?

SEIDEL. Der weeß schonn, warum. Wer hat denn das Kind in die Welt gesetzt?

GOTTWALD. Ach Seidel, das ist ja bloßes Gerede.

SEIDEL. Na wissen Se: der Mann hat Ihn gelebt.

GOTTWALD. Was lügen die Leute nicht alles zusammen! Da kann man doch nicht mal die Hälfte glauben. — Wenn nur der Doktor bald kommen wollte!

SEIDEL *leise.* Ich gloobe, das Mädel steht nich mehr uff.

Doktor Wachler tritt ein, ein etwa vierunddreißigjähriger, ernster Mann.

DOKTOR WACHLER. Gut'nabend.

GOTTWALD. Gut'nabend.

SEIDEL *beim Pelzausziehen behilflich.* Gu'nabend, Herr Dokter!

DOKTOR WACHLER *wärmt am Ofen die Hände.* Noch ein Licht möcht' ich haben. *Im Hinterzimmer wird ein Leierkasten gedreht.* Die scheinen da drüben verrückt zu sein.

SEIDEL *schon an der geöffneten Tür des Hinterzimmers.* Ihr sollt euch a bissel ruhig verhalten! *Der Lärm schweigt, Seidel verschwindet im Hinterzimmer.*

DOKTOR WACHLER. Herr Gottwald? nicht wahr?

GOTTWALD. Ich heiße Gottwald.

DOKTOR WACHLER. Sie hat sich ertränken wollen, hör' ich.

GOTTWALD. Sie hat sich wohl keinen Rat mehr gewußt.

Kleine Pause.

DOKTOR WACHLER *ans Bett tretend, beobachtend.* Sie spricht wohl im Schlaf?

HANNELE. Millionen Sternchen. *Doktor Wachler und Gottwald beobachten. Mondschein fällt durchs Fenster und beleuchtet die Gruppe.* Was ziehst du an meinen Knochen? Au, au! Es tut mir in der Seele weh.

DOKTOR WACHLER *lockert ihr vorsichtig das Hemd am Halse.* Der ganze Leib scheint mit Striemen bedeckt.

SEIDEL. So lag Ihn die Mutter ooch im Sarge.

DOKTOR WACHLER. Erbärmlich! Erbärmlich!

HANNELE *mit verändertem, störrischem Ton.* Ich mag nicht. Ich mag nicht. Ich geh' nicht zu Hause. Ich muß — zu der Frau Holle — in den Brunnen gehn. Laß mich doch, Vater. Pfui, wie das stinkt! Du hast wieder Branntwein getrunken. Horch, wie der Wald rauscht! Heute morgen hat ein Windbaum auf den Bergen gelegen. Wenn nur kein Feuer ausbricht! — Wenn der Schneider keinen Stein in der Tasche und kein Bügeleisen in der Hand hat, fegt ihn der Sturm über alle Berge. Horch! es stürmt!

Die Diakonissin, Schwester Martha, kommt.

GOTTWALD. Guten Abend, Schwester!

SCHWESTER MARTHA *nickt. Gottwald tritt zur Diakonissin, die alles zur Pflege bereit macht, und spricht mit ihr im Hintergrund.*

HANNELE. Wo ist meine Mutter? Im Himmel? Ach! ach, so weit! — *Sie schlägt die Augen auf, blickt fremd um sich, fährt mit der Hand über die Augen und spricht kaum hörbar.* Wo — bin ich — denn?

DOKTOR WACHLER *über sie gebeugt.* Bei guten Menschen.

HANNELE. Mich dürstet.

DOKTOR WACHLER. Wasser! *Seidel, der ein zweites Licht gebracht hat, geht, Wasser zu holen.* Hast du irgendwo Schmerzen?

HANNELE *schüttelt den Kopf.*

DOKTOR WACHLER. Nicht? Na sieh mal an: da ist es ja gar nicht so schlimm mit uns.

HANNELE. Sind Sie der Doktor?

DOKTOR WACHLER. Gewiß.

HANNELE. Da bin ich — wohl krank?

DOKTOR WACHLER. Ein bißchen, nicht sehr.

HANNELE. Wollen Sie mich gesund machen?

DOKTOR WACHLER *schnell untersuchend.* Tut es hier weh? Da? Schmerzt es hier? Hier? Hier? Du brauchst mich gar nicht so ängstlich ansehn, ich tu' dir nicht weh. Wie ist es hier? Hast du Schmerzen hier?

GOTTWALD *tritt wieder ans Bett.* Antworte dem Herrn Doktor, Hannele!

HANNELE *mit inniger, bittender, in Tränen zitternder Stimme.* Ach, lieber Herr Gottwald.

GOTTWALD. Jetzt paß nur auf, was der Doktor sagt, und antworte schön!

HANNELE *schüttelt den Kopf.*

GOTTWALD. Warum denn nicht?

HANNELE. Weil . . . weil . . . ich möchte so gern zu Muttern.

GOTTWALD *streicht ergriffen über ihr Haar.* Na laß das nur gut sein. *Kleine Pause. Der Doktor richtet sich auf, holt Atem und ist einen Moment lang nachdenklich. Die Schwester Martha hat das zweite Licht vom Tisch genommen und leuchtet damit.*

DOKTOR WACHLER *winkt Schwester Martha.* Ach bitte, Schwester! *Er tritt mit ihr an den Tisch und gibt ihr mit leiser Stimme Verhaltungsmaßregeln. Gottwald nimmt nun seinen Hut und steht abwartend, Blicke bald auf Hannele, bald auf den Doktor und die Diakonissin werfend. Doktor Wachler, das leise Gespräch mit der Schwester abschließend.* Ich werde wohl noch mal wiederkommen. Die Medikamente schicke ich übrigens. *Zu Gottwald.* Er soll arretiert sein, im Gasthaus zum Schwert.

SCHWESTER MARTHA. So hat man mir wenigstens eben gesagt.

DOKTOR WACHLER *zieht seinen Pelz über. Zu Seidel.* Sie kommen wohl mit zur Apotheke!

Der Doktor, Gottwald und Seidel grüßen die Schwester Martha im Abgehen leise.

GOTTWALD *angelegentlich.* Wie denken Sie über den Zustand, Herr Doktor? *Alle drei ab. Die Diakonissin ist nun bei Han-*

*nele allein. Sie gießt Milch in ein Töpfchen. Währenddessen
öffnet Hannele die Augen und beobachtet sie.*

HANNELE. Kommst du vom Herr Jesus?

SCHWESTER MARTHA. Was sagtest du?

HANNELE. Ob du vom Herr Jesus kommst?

SCHWESTER MARTHA. Kennst du mich denn nicht mehr, Hannele?
Ich bin doch die Schwester Martha, nicht wahr? Du warst doch
bei uns, weißt du nicht mehr? Wir haben miteinander gebetet
und schöne Lieder gesungen. Nicht wahr?

HANNELE *nickt freudig.* Ach, schöne Lieder!

SCHWESTER MARTHA. Nun will ich dich pflegen in Gottes Namen,
bis du wieder gesund wirst.

HANNELE. Ich mag nicht gesund werden.

SCHWESTER MARTHA *mit einem Milchtöpfchen bei ihr.* Der Doktor sagt, du sollst etwas Milch nehmen, damit du wieder zu
Kräften kommst.

HANNELE *weigert sich.* Ich mag nicht gesund werden.

SCHWESTER MARTHA. Du magst nicht gesund werden? Nun über-
leg dir's nur erst ein Weilchen! Komm, komm, ich will dir die
Haare aufbinden. *Sie tut es.*

HANNELE *weint leise.* Ich will nicht gesund werden.

SCHWESTER MARTHA. Warum denn nur nicht?

HANNELE. Ich möchte so gern . . . ich möchte so gern in den
Himmel kommen.

SCHWESTER MARTHA. Das steht nicht in unsrer Macht, gutes Kind.
Da müssen wir warten, bis Gott uns abruft. Aber wenn du
deine Sünden bereust . . .

HANNELE *eifrig.* Ach Schwester! ich bereue so sehr.

SCHWESTER MARTHA. Und an den Herrn Jesus Christus glaubst...

HANNELE. Ich glaub an meinen Heiland so fest.

SCHWESTER MARTHA. Dann kannst du getrost und ruhig zuwarten.
Ich rück' dir jetzt deine Kissen zurecht, und du schläfst ein.

HANNELE. Ich kann nicht schlafen.

SCHWESTER MARTHA. Versuch es nur!

HANNELE. Schwester Martha!

SCHWESTER MARTHA. Nun?

HANNELE. Schwester Martha! gibt es Sünden . . . gibt es Sünden,
die nicht vergeben werden?

SCHWESTER MARTHA. Jetzt schlafe nur, Hannele! Reg dich nicht
auf!

HANNELE. Ach, sagen Sie mir's, bitte, bitte recht schön!

SCHWESTER MARTHA. Es gibt solche Sünden. Allerdings. Die Sünden wider den Heiligen Geist.

HANNELE. Wenn ich nun eine begangen habe . . .

SCHWESTER MARTHA. Ach wo! Das sind nur ganz schlimme Menschen. Wie Judas, der den Herrn Jesus verriet.

HANNELE. Es kann doch aber . . . es kann doch sein.

SCHWESTER MARTHA. Du mußt jetzt schlafen.

HANNELE. Ich ängst' mich so.

SCHWESTER MARTHA. Das brauchst du durchaus nicht.

HANNELE. Wenn ich so eine Sünde begangen habe.

SCHWESTER MARTHA. Du hast keine solche Sünde begangen.

HANNELE *klammert sich an die Schwester und starrt ins Dunkle.* Ach, Schwester, Schwester!

SCHWESTER MARTHA. Sei du ganz ruhig!

HANNELE. Schwester!

SCHWESTER MARTHA. Was denn?

HANNELE. Er wird gleich reinkommen. Hörst du nicht?

SCHWESTER MARTHA. Ich höre gar nichts.

HANNELE. Es ist seine Stimme. Draußen. Horch!

SCHWESTER MARTHA. Wen meinst du denn nur?

HANNELE. Der Vater, der Vater — dort steht er.

SCHWESTER MARTHA. Wo denn?

HANNELE. Sieh doch!

SCHWESTER MARTHA. Wo?

HANNELE. Unten am Bett.

SCHWESTER MARTHA. Hier hängt ein Mantel und hier ein Hut. Wir wollen das garstige Zeug mal wegnehmen und rüber zum Vater Pleschke tragen. Ich bringe mir gleich etwas Wasser mit und mache dir einen kalten Umschlag. Willst du ein Augenblickchen allein bleiben? Aber ganz, ganz ruhig und stille liegen!

HANNELE. Ach, bin ich dumm. Es war bloß ein Mantel, gelt? und ein Hut!?

SCHWESTER MARTHA. Aber ganz, ganz still, ich komme gleich wieder. *Sie geht, muß aber umkehren, da es im Hausflur stockfinster ist. Ich* stelle das Licht hier heraus auf den Flur. *Noch einmal liebevoll mit dem Finger drohend. Und* ganz, ganz ruhig. *Ab.*

Es ist fast ganz dunkel. Sogleich erscheint am Fußende von

Hanneles Bett die Gestalt des Maurers Mattern. Ein versoffenes wüstes Gesicht, rote, struppige Haare, worauf eine abgetragene Militärmütze ohne Schild sitzt. Sein Maurerhandwerkszeug trägt er in der Linken. Er hat einen Riemen um die rechte Hand geschlungen und verharrt die ganze Zeit über in einer Spannung, wie wenn er im nächsten Augenblick auf Hannele losschlagen wollte. Von der Erscheinung geht ein fahles Licht aus, welches den Umkreis um Hanneles Bett erhellt.

HANNELE *bedeckt erschrocken ihre Augen mit den Händen, stöhnt, windet sich und stößt leise wimmernde Laute aus.*

DIE ERSCHEINUNG *heisere, in höchster Wut gepreßte Stimme.* Wo bleibst du? Wo bist du gewesen, Mädel? Was hast du gemacht? Ich wer dich lehren. Ich wer dirsch beweisen, paß amal uff. Was hast du zu a Leuten gesagt? Hab ich dich geschlagen und schlecht behandelt? Hä? Is das wahr? Du bist ni mei Kind. Mach, daß du uffstehst! Du gehst mich nischt an. Ich kennte dich uff die Gasse schmeißen . . . Steh uff und mach Feuer! Wird's bald werden? Aus Gnade und Barmherzigkeit bist du im Hause. Gelt, nu noch faulenzen obendruff. Nu? Wird's nu werden? Ich schlag dich so lange, biste, biste . . .

HANNELE *ist mühsam und mit geschlossenen Augen aufgestanden, hat sich zum Ofen geschleppt, das Türchen geöffnet und bricht nun ohnmächtig zusammen.*

In diesem Augenblick kommt Schwester Martha mit Licht und einem Krug Wasser, und die Mattern-Halluzination verschwindet. Sie stutzt, gewahrt Hannele in der Asche liegen, erschrickt, stößt einen Ruf aus. Herr Jesus!, stellt das Licht und den Krug weg, läuft zu Hannele und hebt sie vom Boden auf. Der Ruf lockt die übrigen Armenhausbewohner heran.

SCHWESTER MARTHA. Ich habe nur müssen Wasser holen, da ist sie mir aus dem Bett gestiegen. Ich bitte Sie, Hedwig, helfen Sie mir!

HANKE. Nu Hete, da kannste dich in Obacht nehmen, sonst brichste der alle Knochen im Leibe.

PLESCHKE. Ich gloobe, dem Mädel . . . ich gloobe, dem Mädel . . . dem hat's eens . . . hat's eens angetan, Schwester!

TULPE. Kann sein, das Mädel is gar verhext.

HANKE *laut.* Das geht hier zu Ende, aso viel sag ich.

SCHWESTER MARTHA *hat mit Hilfe Hedwigs Hannele wieder aufs Bett gelegt.* Sie haben vielleicht ganz recht, lieber Mann, aber bitte, nicht wahr, Sie sehen das ein: wir dürfen die Kranke nicht länger aufregen!?

HANKE. Aso viel machen wir gar nich her.

PLESCHKE *zu Hanke*. A Laps bist du, a Laps bist du . . . a Laps, daß d's weeßts, ja, und weiter . . . weiter nischt. A Krankes . . . a Krankes, das weeß ja a Kind . . . a Krankes muß seine Ruhe haben.

HETE *macht ihm nach*. A Krankes . . . a Krankes . . .

SCHWESTER MARTHA. Ich möchte recht dringend bitten, recht herzlich . . .

TULPE. Die Schwester hat recht, macht ihr, daß ihr nauskommt.

HANKE. Wir gehn schonn alleene, wenn mer Lust hann.

HETE. Mir soll'n woll im Hiehnerstalle schlafen?

PLESCHKE. Fer dich wird Platz sein . . . fer dich is Platz, ja, du weeßt, wo de bleibst. *Die Armenhäusler alle ab.*

HANNELE *öffnet die Augen, ängstlich*. Ist . . . ist er fort?

SCHWESTER MARTHA. Die Leute sind fort. Du hast dich doch nicht erschrocken, Hannele?

HANNELE *immer in Angst*. Ist Vater fort?

SCHWESTER MARTHA. Er war ja nicht hier.

HANNELE. Ja, Schwester, ja!

SCHWESTER MARTHA. Das wirst du geträumt haben.

HANNELE *mit tiefem Seufzer von innen betend*. Ach lieber Herr Jesus! Ach lieber Herr Jesus! Ach schönstes, bestes Herr Jesulein; so nimm mich doch zu dir, so nimm mich doch zu dir! *Verändert.*

> Ach, wenn er doch käm',
> ach, daß er mich nähm'
> und daß ich den Leuten
> aus den Augen käm'.

Ich weiß es ganz gewiß, Schwester . . .

SCHWESTER MARTHA. Was weißt du denn?

HANNELE. Er hat mir's versprochen. Ich komm' in den Himmel, er hat mir's versprochen.

SCHWESTER MARTHA. Hm.

HANNELE. Weißt du, wer?

SCHWESTER MARTHA. Nun?

HANNELE *geheimnisvoll ins Ohr der Schwester*. Der liebe — Herr Gottwald.

SCHWESTER MARTHA. Jetzt schlaf aber, Hannele: weißt du was?

HANNELE. Schwester, gelt? Der Herr Lehrer Gottwald ist ein schöner Mann. Heinrich heißt er. Gelt? Heinrich ist ein schöner Name, gelt? *Innig.* Du lieber, süßer Heinrich! Schwester! weißt du was? Wir machen zusammen Hochzeit. Ja, ja, wir beide: der Herr Lehrer Gottwald und ich.

> Und als sie nun verlobet war'n,
> da gingen sie zusammen
> in ein schneeweißes Federbett
> in einer dunklen Kammer. —

Er hat einen schönen Backenbart. — *Verzückt.* Auf seinem Kopfe wächst blühender Klee! — Horch! er ruft mich. Hörst du nicht?

SCHWESTER MARTHA. Schlaf, Hannele, schlaf, es ruft niemand.

HANNELE. Das war der Herr Jesus. — Horch! horch! jetzt ruft er mich wieder. Hannele! — ganz laut, Hannele! ganz, ganz deutlich. Komm, geh mit mir!

SCHWESTER MARTHA. Wenn Gott mich abruft, werd' ich bereit sein.

HANNELE *nun wieder vom Mond beschienen, reckt den Kopf, wie wenn sie süße Gerüche einsöge.* Spürst du nichts, Schwester?

SCHWESTER MARTHA. Hannele, nein.

HANNELE. Den Fliederduft? *In immer gesteigerter, seliger Ekstase.* So hör doch! So hör doch! Was das bloß ist? *Es wird wie aus weiter Ferne eine süße Stimme hörbar.* Sind das die Engel? Hörst du denn nicht?

SCHWESTER MARTHA. Gewiß, ich hör's, aber weißt du was, du mußt dich nun still auf die Seite legen und ruhig schlafen bis morgen früh.

HANNELE. Kannst du das auch singen?

SCHWESTER MARTHA. Was denn, Kindchen?

HANNELE. Schlaf, Kindchen, schlaf!

SCHWESTER MARTHA. Willst du es gern hören?

HANNELE *legt sich zurück und streichelt die Hand der Schwester.* Mutterchen, sing mir's! Mutterchen, sing mir's!

SCHWESTER MARTHA *löscht das Licht aus, beugt sich über das Bett und spricht mit leichter Andeutung der Melodie, während die ferne Musik forttönt.*

> Schlaf, Kindchen, schlaf!
> Im Garten geht ein Schaf . . .

nun singt sie, und es wird ganz dunkel.

im Garten geht ein Lämmelein
auf dem grünen Dämmelein.
Schlaf, Kindchen, schlaf!

*Ein Dämmerlicht erfüllt nun das ärmliche Gemach. Auf der
Bettkante, nach vorn gebeugt, sich mit den bloßen, mageren
Armen stützend, sitzt eine blasse, geisterhafte Frauengestalt.
Sie ist barfuß; das weiße Haar hängt offen und lang an den
Schläfen herab und fällt bis auf die Bettdecke. Das Gesicht ist
abgehärmt, ausgemergelt; die in tiefe Höhlen gesunkenen Augen scheinen, obgleich fest geschlossen, auf das schlafende Hannele gerichtet. Ihre Stimme ist wie die einer Schlafwachenden,
monoton. Bevor sie ein Wort hervorbringt, bewegt sie, gleichsam vorbereitend, die Lippen. Mit einiger Anstrengung scheint
sie die Laute aus der Tiefe ihrer Brust hervorzuholen. Vor der
Zeit gealtert, hohlwangig, abgemagert und aufs dürftigste gekleidet.*

FRAUENGESTALT. Hannele!

HANNELE *ebenfalls mit geschlossenen Augen.* Mutterchen, liebes
Mutterchen, bist du's?

FRAUENGESTALT. Ja, ich habe die Füße unseres lieben Heilands
mit meinen Tränen gewaschen und mit meinem Haupthaar
getrocknet.

HANNELE. Bringst du mir gute Botschaft?

FRAUENGESTALT. Ja.

HANNELE. Kommst du von weit her?

FRAUENGESTALT. Hunderttausend Meilen weit durch die Nacht.

HANNELE. Mutter, wie siehst du aus?

FRAUENGESTALT. Wie die Kinder der Welt.

HANNELE. In deinem Gaumen wachsen Maiglöckchen. Deine
Stimme tönt.

FRAUENGESTALT. Es ist kein reiner Klang.

HANNELE. Mutter, liebe Mutter, wie glänzest du doch in deiner
Schöne.

FRAUENGESTALT. Die Engel im Himmel sind viel hundertmal
schöner.

HANNELE. Warum bist du nicht auch so schön?

FRAUENGESTALT. Ich litt Pein um dich.

HANNELE. Mutterchen, bleibe bei mir!

FRAUENGESTALT *erhebt sich.* Ich muß fort.

HANNELE. Ist es schön, wo du bist?

FRAUENGESTALT. Weite, weite Auen, bewahrt vor dem Winde, geborgen vor Sturm und Hagelwettern in Gottes Hut.

HANNELE. Ruhst du aus, wenn du müde bist?

FRAUENGESTALT. Ja.

HANNELE. Hast du Speise zu essen, wenn's dich hungert?

FRAUENGESTALT. Ich stille meinen Hunger mit Früchten und Fleisch. Mich dürstet, und ich trinke goldnen Wein. *Sie weicht zurück.*

HANNELE. Gehst du fort, Mutter?

FRAUENGESTALT. Gott ruft.

HANNELE. Ruft Gott laut?

FRAUENGESTALT. Gott ruft laut nach mir.

HANNELE. Das ganze Herz ist mir verbrannt, Mutter!

FRAUENGESTALT. Gott wird es mit Rosen und Lilien kühlen.

HANNELE. Wird Gott mich erlösen?

FRAUENGESTALT. Kennst du die Blume, die ich in der Hand hab'?

HANNELE. Himmelsschlüssel.

FRAUENGESTALT *legt sie in Hanneles Hand.* Du sollst sie behalten, als Gottes Pfand, lebe wohl!

HANNELE. Mutterchen, bleibe bei mir!

FRAUENGESTALT *weicht zurück.* Über ein kleines wirst du mich nicht sehen, und aber über ein kleines, so wirst du mich sehn.

HANNELE. Ich fürchte mich.

FRAUENGESTALT *weicht weiter zurück.* Wie dem weißen Schneestaub auf den Bergen vom Winde geschieht, so wird Gott deine Quäler verfolgen.

HANNELE. Geh nicht fort!

FRAUENGESTALT. Des Himmels Kinder sind wie die blauen Blitze der Nacht. — Schlafe!

Es wird nun wiederum allmählich dunkel. Dabei hört man von lieblichen Knabenstimmen gesungen die zweite Strophe des Liedes „Schlaf, Kindchen, schlaf".

> Schlaf, Kindchen, feste,
> es kommen fremde Gäste . . .

Jetzt erfüllt mit einem Schlage ein goldgrüner Schein das Gemach. Man sieht drei lichte Engelsgestalten, schöne, geflügelte Jünglinge mit Rosenkränzen auf den Köpfen, welche den Schluß des Liedes von Notenblättern, die zu beiden Seiten herunterhängen, absingen. Weder die Diakonissin noch die Frauengestalt ist zu sehen.

Die Gäste, die jetzt kommen sein,
das sind die lieben Engelein.
Schlaf, Kindchen, schlaf!

HANNELE *öffnet die Augen, starrt verzückt die Engelsgestalten
an und sagt erstaunt.* Engel? *Mit wachsendem Erstaunen, her-
vorbrechender Freude, aber noch nicht zweifelsfrei.* Engel!! *Im
Jubelüberschwang.* Engel!!!
*Kleine Pause. Die Engel sprechen nun, nacheinander, folgendes
zur Musik.*

ERSTER ENGEL.

Auf jenen Hügeln die Sonne,
sie hat dir ihr Gold nicht gegeben;
das wehende Grün in den Tälern,
es hat sich für dich nicht gebreitet.

ZWEITER ENGEL.

Das goldene Brot auf den Äckern,
dir wollt' es den Hunger nicht stillen;
die Milch der weidenden Rinder,
dir schäumte sie nicht in den Krug.

DRITTER ENGEL.

Die Blumen und Blüten der Erde,
gesogen voll Duft und voll Süße,
voll Purpur und himmlischer Bläue,
dir säumten sie nicht deinen Weg.
Kleine Pause.

ERSTER ENGEL.

Wir bringen ein erstes Grüßen
durch Finsternisse getragen;
wir haben auf unsern Federn
ein erstes Hauchen von Glück.

ZWEITER ENGEL.

Wir führen am Saum unsrer Kleider
ein erstes Duften des Frühlings;
es blühet von unsern Lippen
die erste Röte des Tags.

DRITTER ENGEL.

Es leuchtet von unsern Füßen
der grüne Schein unsrer Heimat;
es blitzen im Grund unsrer Augen
die Zinnen der ewigen Stadt.

ZWEITER AKT

Es ist alles wie vor der Engelserscheinung: die Diakonissin sitzt neben dem Bett, darin Hannele liegt. Sie zündet das Licht wieder an, und Hannele schlägt die Augen auf. Das innere Gesicht scheint noch vorhanden zu sein. Ihre Mienen haben noch den Ausdruck himmlischer Überseligkeit. Sobald sie die Schwester erkannt hat, beginnt sie in freudiger Überstürzung zu reden.

HANNELE. Schwester! Engel! Schwester Martha, Engel!... Weißt du, wer hier war?

SCHWESTER MARTHA. Hm. Wachst du schon wieder!

HANNELE. Nu raten Sie doch! Nu? *Hervorbrechend.* Engel! Engel! Richtige Engel! Engel vom Himmel, Schwester Martha! Du weißt doch: Engel mit langen Flügeln.

SCHWESTER MARTHA. Nun, wenn du so schöne Träume gehabt hast...

HANNELE. Ach, ach! da sagt sie, das soll ich geträumt haben. Was ist aber das hier? Sieh dir's doch an! *Sie tut, als ob sie eine Blume in der Hand hielte und sie ihr zeigte.*

SCHWESTER MARTHA. Was hast du denn da?

HANNELE. Nu sieh dir's doch an!

SCHWESTER MARTHA. Hm.

HANNELE. Hier, sieh doch!

SCHWESTER MARTHA. Aha!

HANNELE. So riech doch nur!

SCHWESTER MARTHA *tut, als ob sie an einer Blume röche.* Hm! schön.

HANNELE. Nicht doch so tief. Du zerbrichst mir's ja.

SCHWESTER MARTHA. Das tut mir ja leid. Was ist es denn eigentlich?

HANNELE. Nu, Himmelsschlüssel, kennst du das nicht?

SCHWESTER MARTHA. Ach so!

HANNELE. Du bist doch ...! So bring doch das Licht! Schnell, schnell!

SCHWESTER MARTHA *indem sie mit dem Lichte leuchtet.* Ach ja, jetzt seh' ich's.

HANNELE. Gelt?

SCHWESTER MARTHA. Du sprichst aber wirklich viel zu viel. Wir

111

müssen uns jetzt ganz stille verhalten, sonst ist der Herr Doktor böse auf uns. Er hat auch die Medizin geschickt. Die wollen wir auch getreulich einnehmen.

HANNELE. Ach Schwester! Sie sorgen sich so um mich. Sie wissen ja gar nicht, was passiert ist. Nu? Nu? Da sagen Sie's doch, wenn Sie's wissen! Wer hat mir denn das gegeben? Nu? Das goldene Schlüsselchen? Wer denn? Na? Wohin paßt denn das goldne Schlüsselchen? Nu?

SCHWESTER MARTHA. Das erzählst du mir alles morgen früh. Dann hast du dich tüchtig ausgeruht, bist frisch und gesund . . .

HANNELE. Ich bin doch gesund. *Sie setzt sich auf und stellt die Füße auf den Boden.* Du siehst doch, daß ich gesund bin, Schwester!

SCHWESTER MARTHA. Aber Hannele! Nein, das mußt du nicht tun. Das darfst du nicht tun.

HANNELE *erhebt sich, wehrt die Schwester ab, tut einige Schritte.* Du sollst mich doch lassen. Du sollst mich doch lassen. Ich muß doch fort. — *Sie erschrickt und starrt auf einen Punkt.* Ach, himmlischer Heiland!

Man gewahrt einen Engel mit schwarzen Kleidern und Flügeln. Er ist groß, stark und schön und führt ein langes, geschlängeltes Schwert, dessen Griff mit schwarzen Flören umwickelt ist. Schweigsam und ernst sitzt er in der Nähe des Ofens und blickt Hannele an, unverwandt und ruhig. Ein weißes, traumhaftes Licht füllt den Raum.

HANNELE. Wer bist du? *Keine Antwort.* Bist du ein Engel? *Keine Antwort.* Kommst du zu mir? *Keine Antwort.* Ich bin Hannele Mattern, kommst du zu mir?

Zunächst keine Antwort. Mit gefalteten Händen, andächtig und demütig, hat Schwester Martha dagestanden. Nun begibt sie sich langsam hinaus.

HANNELE. Hat Gott dir die Sprache von deiner Zunge genommen? *Keine Antwort.* Bist du von Gott? *Keine Antwort.* Bist du mir freundlich? Kommst du als Feind? *Keine Antwort.* Hast du ein Schwert in den Falten deines Kleides? *Keine Antwort.* Brr, mich friert. Schneidender Frost weht von deinen Flügeln. Kälte haucht von dir aus. *Keine Antwort.* Wer bist du? *Keine Antwort. Ein plötzliches Grauen übermannt sie. Mit einem Schrei wendet sie sich, als ob jemand hinter ihr wäre.* Mutterchen! Mutterchen! *Eine Gestalt in der Kleidung der Diakonis-*

112

sin, aber schöner und jugendlicher als diese, mit langen weißen Flügeln, kommt herein. Hannele, sich an die Gestalt drängend, ihre Hand erfassend. Mutterchen! Mutterchen! es ist jemand hier.

DIAKONISSIN. Wo?

HANNELE. Dort, dort!

DIAKONISSIN. Warum zitterst du so?

HANNELE. Ich fürchte mich.

DIAKONISSIN. Fürchte dich nicht, ich bin bei dir.

HANNELE. Meine Zähne schlagen vor Angst aufeinander. Ich kann mich nicht halten. Mir graut vor ihm.

DIAKONISSIN. Ängste dich nicht, er ist dein Freund.

HANNELE. Wer ist es, Mutter?

DIAKONISSIN. Kennst du ihn nicht?

HANNELE. Wer ist es?

DIAKONISSIN. Der Tod.

HANNELE. Der Tod. *Hannele sieht eine Weile den schwarzen Engel stumm und ehrfurchtsvoll an.* Muß es denn sein?

DIAKONISSIN. Es ist der Eingang, Hannele.

HANNELE. Muß jeder durch den Eingang?

DIAKONISSIN. Jeder.

HANNELE. Wirst du mich hart anfassen, Tod? — Er schweigt. Auf alles, was ich sage, schweigt er, Mutter!

DIAKONISSIN. Die Worte Gottes sind in deinem Herzen laut.

HANNELE. Ich habe dich von Herzen oft ersehnt. Nun bangt mir immer.

DIAKONISSIN. Mache dich bereit!

HANNELE. Zum Sterben?

DIAKONISSIN. Ja.

HANNELE *nach einer Pause, schüchtern.* Soll ich zerrissen und zerlumpt im Sarge liegen?

DIAKONISSIN. Gott wird dich kleiden. *Sie zieht eine kleine, silberne Schelle hervor und läutet damit. Sogleich kommt, wie alle folgenden Gestalten lautlos auftretend, ein kleiner, buckliger Dorfschneider herein, der Brautkleid, Schleier und Kranz über dem Arm trägt und in den Händen ein paar gläserne Pantoffeln. Er hat einen wippenden, komischen Gang, verneigt sich stumm vor dem Engel, vor der Diakonissin und zuletzt am tiefsten vor Hannele.*

DORFSCHNEIDER *immer mit Verbeugungen.* Jungfrau Johanna

Katharina Mattern. *Er räuspert sich.* Der Herr Vater, seine Durchlaucht der Herr Graf, haben geruht, bei mir Brautkleider zu bestellen.

DIAKONISSIN *nimmt dem Schneider den Rock ab und bekleidet Hannele.* Komm, ich ziehe dir's über, Hannele.

HANNELE *freudig erregt.* Ach, wie das knistert.

DIAKONISSIN. Weiße Seide, Hannele.

HANNELE *sieht entzückt an sich hinunter.* Die Leute werden staunen, wie ich schön geputzt im Sarge liege.

DORFSCHNEIDER. Jungfrau Johanna Katharina Mattern. *Er räuspert sich.* Das ganze Dorf ist voll davon. *Er räuspert sich.* Was Ihr im Tode für ein großes Glück macht, Jungfer Hanna. *Er räuspert sich.* Euer Herr Vater — *er räuspert sich* — der durchlauchtige Herr Graf — *Räuspern* — ist beim Herrn Ortsvorsteher gewesen ...

DIAKONISSIN *setzt Hannele den Kranz auf.* Nun neige deinen Kopf, du Himmelsbraut!

HANNELE *vor kindlicher Freude bebend.* Weißt du was, Schwester Martha, ich freu' mich auf den Tod ... *Plötzlich an der Schwester zweifelnd.* Du bist es doch?

DIAKONISSIN. Ja.

HANNELE. Du bist doch Schwester Martha? Ach nein doch: meine Mutter bist du doch?

DIAKONISSIN. Ja.

HANNELE. Bist du beides?

DIAKONISSIN. Die Kinder des Himmels sind eins in Gott.

DORFSCHNEIDER. Wenn's nun erlaubt wäre, Prinzessin Hannele. *Mit den Pantoffeln vor ihr niederkniend.* Es sind die kleinsten Schühchen im Reich. Sie haben alle zu große Füße: die Hedwig, die Agnes, die Liese, die Martha, die Minna, die Anna, die Käthe, die Grete. *Er hat ihr die Pantoffeln angezogen.* Sie passen, sie passen! Die Braut ist gefunden. Jungfer Hannele hat die kleinsten Füße. — Wenn Sie wieder was brauchen! Ihr Diener, Ihr Diener! *Komplimentierend ab.*

HANNELE. Ich kann es kaum erwarten, Mutterchen.

DIAKONISSIN. Nun brauchst du keine Medizin mehr einzunehmen.

HANNELE. Nein.

DIAKONISSIN. Nun wirst du bald gesünder sein als eine Bachforelle, Hannele!

HANNELE. Ja.

DIAKONISSIN. Nun komm und leg dich auf dein Sterbelager. *Sie faßt Hannele bei der Hand, führt sie sanft an das Bett, und Hannele legt sich darauf nieder.*

HANNELE. Nun werd' ich endlich doch erfahren, was das Sterben ist . . .

DIAKONISSIN. Das wirst du, Hannele!

HANNELE *auf dem Rücken liegend, die Hände wie um ein Blümchen gefaltet.* Ich hab' ein Pfand.

DIAKONISSIN. Das drücke fest an deine Brust!

HANNELE *mit neu beginnender Angst, schüchtern nach dem Engel hinüber.* Muß es denn sein?

DIAKONISSIN. Es muß.

Aus weiter Ferne hört man die Töne eines Trauermarsches.

HANNELE *horchend.* Jetzt blasen sie zu Grabe. Meister Seyfried und die Musikanten. *Der Engel erhebt sich.* Jetzt steht er auf. *Der Sturm draußen hat zugenommen. Der Engel ist aufgestanden und schreitet ernst und langsam Hannele näher.* Jetzt kommt er auf mich zu. Ach, Schwester, Mutter! Ich sehe dich ja nicht mehr. Wo bist du denn? *Zu dem Engel, flehentlich.* Mach's kurz, du schwarzer, stummer Geist! — *Wie unter einem Alp ächzend.* Es drückt mich, drückt mich wie ein . . . wie ein Stein — *Der Engel erhebt langsam sein breites Schwert.* Er will mich . . . will mich ganz vernichten. *In höchster Angst.* Hilf mir, Schwester!

DIAKONISSIN *tritt zwischen den Engel und Hannele mit Hoheit und legt ihre beiden Hände schützend auf Hanneles Herz. Mit Größe, Kraft und Weihe spricht sie.* Er darf es nicht. Ich lege meine beiden geweihten Hände dir aufs Herz.

Der schwarze Engel verschwindet. Stille. Die Diakonissin faltet die Hände und blickt milde lächelnd auf Hannele herunter, dann versinkt sie in sich und bewegt die Lippen, lautlos betend. Die Klänge des Trauermarsches haben inzwischen nicht ausgesetzt. Ein Geräusch von vielen vorsichtig trappelnden Füßen wird vernehmlich. Gleich darauf erscheint die Gestalt des Lehrers Gottwald in der Mitteltür. Der Trauermarsch verstummt. Gottwald ist schwarz wie zu einem Begräbnis gekleidet und trägt einen Strauß schöner Glockenblumen in der Hand. Ehrfürchtig hat er den Zylinder abgenommen und wendet sich, kaum eingetreten, mit einer ruheheischenden Gebärde nach rückwärts. Man gewahrt hinter ihm seine Schulkinder: Knaben und Mädchen in ihren besten Kleidern. Auf die Gebärde des Lehrers hin unterbrechen sie ihr Geflüster und verhalten sich ganz still. Sie wagen sich auch nicht über die Türschwelle. Gottwald nähert sich jetzt mit feierlicher Miene der noch immer betenden Diakonissin.

GOTTWALD *mit leiser Stimme.* Guten Tag, Schwester Martha!

DIAKONISSIN. Herr Gottwald! Gott grüße Sie!

GOTTWALD *schüttelt, auf Hannele blickend, in schmerzlichem Bedauern den Kopf.* Armes Dingelchen.

DIAKONISSIN. Warum sind Sie denn so traurig, Herr Gottwald?

GOTTWALD. Weil sie nun doch gestorben ist.

DIAKONISSIN. Darüber wollen wir nicht traurig sein; sie hat den Frieden, und den Frieden gönne ich ihr.

GOTTWALD *seufzend.* Ja, ihr ist wohl. Von Trübsal und von Kummer ist sie nun befreit.

DIAKONISSIN *in den Anblick versunken.* Schön liegt sie da.

GOTTWALD. Ja, schön — jetzt, nun du tot bist, blühst du erst so lieblich auf.

DIAKONISSIN. Weil sie so fromm war, hat sie Gott so schön gemacht.

GOTTWALD. Ja, sie war fromm und gut. *Seufzt schwer, klappt sein Gesangbuch auf und blickt trüb hinein.*

DIAKONISSIN *blickt mit in das Gesangbuch.* Man soll nicht klagen. Still geduldig muß man sein.

GOTTWALD. Ach, mir ist schwer.

DIAKONISSIN. Weil sie erlöst ist?

GOTTWALD. Weil mir zwei Blumen verwelkt sind.

DIAKONISSIN. Wo?

GOTTWALD. Zwei Veilchen, die ich hier im Buche habe. Das sind die toten Augen meines lieben Hannele.

DIAKONISSIN. In Gottes Himmel werden sie viel schöner auferblühn.

GOTTWALD. Ach Gott, wie lange werden wir noch weiterpilgern müssen durch das finstere Erdenjammertal!? *Plötzlich verändert, geschäftig und geschäftlich, Noten hervorziehend.* Was meinen Sie? ich habe mir gedacht: wir singen hier im Hause erst den Choral: Jesus meine Zuversicht.

DIAKONISSIN. Ja, das ist ein schöner Choral, und Hannele Mattern war ein gläubiges Kind.

GOTTWALD. Und draußen auf dem Kirchhof singen wir dann:

Laßt mich gehen. *Er wendet sich, geht auf die Schulkinder zu und spricht.* Nummer zweiundsechzig: Laßt mich gehen. *Er intoniert leise taktierend.* Laßt mich gehen, laßt mich gehen, daß ich Jesum möge sehen. *Die Kinder haben leise mitgesungen.* Kinderchen, seid ihr auch alle warm angezogen? Draußen auf dem Kirchhof wird es sehr kalt sein. Kommt mal rein! Seht euch das arme Hannele noch einmal an! *Die Schulkinder strömen herein und stellen sich feierlich um das Bett.* Seht mal, wie der Tod das liebe, kleine Mädchen schön gemacht hat. Mit Lumpen war sie behangen — jetzt hat sie seidne Kleider an. Barfuß ist sie herumgelaufen, jetzt hat sie Schuhe von Glas an den Füßen. Die wird jetzt bald in einem goldenen Schlosse wohnen und alle Tage gebratenes Fleisch essen. — Hier hat sie von kalten Kartoffeln gelebt; und wenn sie nur immer satt davon gehabt hätte! Hier habt ihr sie immer die Lumpenprinzessin geheißen, jetzt wird sie bald eine richtige Prinzessin sein. Also wer ihr etwas abzubitten hat, der tue es jetzt, sonst sagt sie alles dem lieben Gott wieder, und dann geht es euch schlecht.

EIN KLEINER JUNGE *tritt ein wenig vor.* Liebes Prinzeßchen Hannele, nimm mir's nicht übel und sag's nicht dem lieben Gott, daß ich dich immer Lumpenprinzessin geheißen habe.

ALLE KINDER *durcheinander.* Es tut uns allen herzlich leid.

GOTTWALD. So, nun wird das arme Hannele euch schon vergeben. Geht nur jetzt ins Haus und wartet draußen auf mich!

DIAKONISSIN. Kommt, ich werde euch in das Hinterstübchen führen. Dort will ich euch sagen, was ihr tun müßt, wenn ihr auch solche schöne Engel werden wollt, wie das Hannele bald eins sein wird. *Sie geht voraus, die Kinder folgen ihr; die Tür wird angelegt.*

GOTTWALD *nun allein bei Hannele. Er legt ihr gerührt die Blumen zu Füßen.* Mein liebes Hannele, hier habe ich dir noch einen Strauß schöner Glockenblumen mitgebracht. *An ihrem Bett kniend, mit zitternder Stimme:* Vergiß mich nicht ganz und gar in deiner Herrlichkeit. *Er schluchzt, die Stirn in die Falten ihres Kleides gedrückt.* Das Herz will mir zerbrechen, weil ich von dir scheiden muß.

Man hört sprechen; Gottwald erhebt sich, deckt ein Tuch über Hannele. Zwei ältere Frauen, wie zu einem Begräbnis gekleidet,

Taschentuch und Gesangbuch mit gelbem Schnitt in der Hand, huschen herein.

ERSTE FRAU *sich umsehend.* Mir sein woll die erschten?

ZWEITE FRAU. Nee, der Herr Lehrer is ja schonn da. Guten Tag, Herr Lehrer!

GOTTWALD. Guten Tag.

ERSTE FRAU. Es geht Ihn woll nahe, Herr Lehrer! Das war Ihn auch wirklich ein zu gutes Kind. Immer fleißig, immer fleißig.

ZWEITE FRAU. Is's denn wahr, die Leute sprechen . . . 's is woll nich wahr? Se hätte sich selber 's Leben genommen?

DRITTE FRAU *ist dazu gekommen.* Das wär eine Sinde wider a Geist.

ZWEITE FRAU. Eine Sinde wider den Heiligen Geist.

DRITTE FRAU. Eine solche Sinde, sagt der Herr Paster, wird nie nich vergeben.

GOTTWALD. Wißt ihr denn nicht, was der Heiland gesagt hat? Lasset die Kindlein zu mir kommen!

VIERTE FRAU *ist gekommen.* Ihr Leute, ihr Leute, is das a Wetter. Da wird man sich woll die Fisse erfrieren. Wenn ock der Pfarr und macht's nich zu lang. Der Schnee liegt an'n Meter hoch uff'n Kirchhowe.

FÜNFTE FRAU *kommt.* Ihr Leute, der Pfarr will se nich einsegnen. A will er de geweihte Erde verweigern.

PLESCHKE *kommt.* Habt ihr geheert . . . habt ihrsch geheert — a scheener Herr ist beim Pfarr gewesen und hat gesagt: ja . . . das Mattern Hannla is eine Heilige.

HANKE *eilig herein.* Se bringen an'n gläsernen Sarg getragen.

VERSCHIEDENE STIMMEN. An'n gläsernen Sarg! An'n gläsernen Sarg!

HANKE. O Jes's! der mag a paar Talerle kosten.

VERSCHIEDENE STIMMEN. An'n gläsernen Sarg! An'n gläsernen Sarg!

SEIDEL *ist eingetreten.* Hier wern wir noch scheene Dinge erleben. A Engel is mitten durchs Dorf gegangen. Aso groß wie a Pappelbaum, kennt er glooben. Am Schmiedeteiche sitzen ooch zwee. Die sein aber kleen wie kleene Kinder. Das Mädel is mehr wie a Bettelmädel.

VERSCHIEDENE STIMMEN. Das Mädel is mehr wie a Bettelmädel. — Se bringen an'n gläsernen Sarg getragen. — A Engel is mitten durchs Dorf gegangen.

Vier weißgekleidete Jünglinge bringen einen gläsernen Sarg hereingetragen, den sie unweit von Hanneles Bett niedersetzen. Die Leidtragenden flüstern erstaunt und neugierig.

GOTTWALD *nimmt das Tuch ein wenig auf, das Hannele bedeckt.* Da seht euch doch auch die Tote mal an!

ERSTE FRAU *neugierig darunter schielend.* Die hat ja Haare, die sind ja von Golde.

GOTTWALD *das Tuch ganz von dem von blassem Licht überhauchten Hannele hinwegziehend.* Und seidne Kleider und gläserne Schuhe.

ALLE *weichen mit Ausrufen äußersten Erstaunens wie geblendet zurück.*

VERSCHIEDENE STIMMEN. Ach, is die scheen! — Wer is'n das? — Das Mattern Hannla? — Das Mattern Hannla? — Das gloob ich nich.

PLESCHKE. Das Mädel ... das Mädel — is eine Heilige.
Die vier Jünglinge legen Hannele mit sanfter Vorsicht in den gläsernen Sarg.

HANKE. 's heeßt ja, se wird ieberhaupt nich begraben.

ERSTE FRAU. Se wird in der Kirche uffgestellt.

ZWEITE FRAU. Ich gloobe, das Mädel is gar nich tot. Die sieht ja wie's liebe Leben aus.

PLESCHKE. Gebt amal ... gebt amal ane Flaumfeder her, m'r wern'r ... m'r wern'r ane Flaumfeder vor a Mund halten. Ja. Und sehn, ja, ob se noch Odem hat, ja. *Man gibt ihm eine Flaumfeder, und er hält sie prüfend vor Hanneles Mund.* Sie bewegt sich nicht. Das Mädel ist tot. Die hat ooch nich mehr aso viel Leben.

DRITTE FRAU. Ich geb er mein Sträußel Rosmarin. *Sie legt ein Sträußchen in den Sarg.*

VIERTE FRAU. Mei Richel Lavendel kann se ooch mitnehmen.

FÜNFTE FRAU. Wo is denn Mattern?

ERSTE FRAU. Wo is denn Mattern?

ZWEITE FRAU. Ach der, der sitzt im Gasthause drieben.

ERSTE FRAU. Der weeß woll noch gar nich, was passiert is?

ZWEITE FRAU. Wenn der ock seinen Schnaps hat. Der weeß von nischt.

PLESCHKE. Habt ihrsch 'n ... habt ihrsch 'n ja, denn nich ... nich gesagt, daß a eine ... eine Leiche im Hause hat?

DRITTE FRAU. Das sollte der woll von selber wissen.

119

VIERTE FRAU. Ich will nischt gesagt hab'n, nee, nee, beileibe! Aber wer das Mädel hat ums Leben gebracht, das weeß man woll etwan.

SEIDEL. Das will ich meenen, das weeß, mecht man sprechen, 's ganze Dorf. Die hat eine Beule wie meine Faust.

FÜNFTE FRAU. Wo der Kerl hintritt, da wächst kee Gras.

SEIDEL. M'r hab'n se doch umgezogen mitsammen. Da hab ich's doch ganz genau gesehn. Die hat eine Beule wie meine Faust. Und dadran is se zugrunde gegangen.

ERSTE FRAU. Die hat kein andrer auf dem Gewissen wie Mattern.

ALLE *mit Heftigkeit, aber im Flüsterton durcheinander sprechend.* Kee andrer Mensch.

ZWEITE FRAU. Ein Mörder is das.

ALLE *voll Wut, aber geheimnisvoll.* A Mörder, a Mörder! *Man hört die grölende Stimme des angetrunkenen Maurers Mattern.*

STIMME MATTERNS. Ein ruhiges Gewissen ist ein sanftes Ruhekissen. *Er erscheint in der Tür und schreit.* Mädel! Mädel! Balg! Wo steckst du? *Er lümmelt sich am Türpfosten herum.* Bis finfe zähl ich . . . aso lange wart ich. Länger nich: eens — zwee — drei und eens macht . . . Mädel!! mach mich nich wilde, sag ich dir bloß. Wenn ich dich suche und find dich, Karnallie, ich tu dich zermantschen. *Stutzt, gewahrt die Anwesenden, welche sich totenstill verhalten.* Was wollt ihr dahier? — *Keine Antwort.* Wie kommt ihr hierher? — Euch schickt woll der Teifel, hä? Macht, daß d'r nauskommt! Na, wird's nu bald werden? *Er lacht in sich hinein.* Da wart m'r a bissel. Die Fahrten kenn ich doch. Das is weiter nischt. Ich hab halt a bissel viel im Koppe. Da macht's een was vor. — *Er singt.* Ein ruhiges Gewissen is ein sanftes Ruhekissen. *Erschrickt.* Seid ihr immer noch da? *Plötzlich in jähzorniger Wut nach etwas zum Dreinschlagen suchend.* Ich nehm, was ich finde . . .

Ein Mann in einem braunen, abgetragenen Havelock ist eingetreten. Er ist zirka dreißig Jahre alt, hat langes, schwarzes Haar und ein blasses Gesicht mit den Zügen des Lehrers Gottwald. Er hat einen Schlapphut in der linken Hand und Sandalen an den Füßen. Er erscheint wegmüde und staubig. Die Worte des Maurers unterbrechend, hat er ihm mit der Hand sanft den Arm berührt. Mattern fährt jäh herum.

DER FREMDE *sieht ihm ernst und voller Ruhe ins Gesicht und sagt demütig.* Mattern-Maurer — Gott grüße dich!

MATTERN. Wie kommst du hierher? Was willst du hier?

DER FREMDE *demütig bittend.* Ich hab' mir die Füße blutig gelaufen; gib mir Wasser, sie zu waschen! Die heiße Sonne hat
mich ausgedörrt; gib mir Wein zu trinken, daß ich mich er-
frische! Ich habe kein Brot gegessen, seit ich auszog am Morgen.
Mich hungert.

MATTERN. Was geht mich das an! Wer heeßt dich rum-
lungern uff der Landstraße? Da arbeite du! Ich muß ooch
arbeiten.

DER FREMDE. Ich bin ein Arbeiter.

MATTERN. A Landstreicher bist du. Wer arbeitet, der brauch nich
betteln zu gehn.

DER FREMDE. Ich bin ein Arbeiter ohne Lohn.

MATTERN. A Landstreicher bist du.

DER FREMDE *zaghaft, unterwürfig, dabei aber recht eindringlich.*
Ich bin ein Arzt, du kannst mich vielleicht brauchen.

MATTERN. Ich bin nich krank, ich brauche keenen Dokter.

DER FREMDE *mit vor innerer Bewegung zitternder Stimme.* Mattern-Maurer, besinne dich! Du brauchst mir kein Wasser zu
reichen, und ich will dich doch heilen. Du brauchst mir kein
Brot zu essen zu geben, und ich will dich dennoch gesund
machen, so wahr mir Gott helfe.

MATTERN. Mach, daß du fortkommst! Geh deiner Wege! Ich
habe gesunde Knochen im Leibe. Ich brauche keenen Dokter!
Haste verstanden?

DER FREMDE. Maurer Mattern, besinne dich! — Ich will dir die
Füße waschen. Ich will dir Wein zu trinken geben. Du sollst
süßes Brot essen. Setze deinen Fuß auf meinen Scheitel, und
ich will dich dennoch heil und gesund machen, so wahr mir
Gott helfe.

MATTERN. Nu will ich bloß sehn, ob du woll gehn wirscht. Und
wenn de nich naus find'st, da sag ich aso viel . . .

DER FREMDE *ernst ermahnend.* Mattern-Maurer, weißt du, was
du im Hause hast?

MATTERN. Alles, was reingeheert. Alles, was reingeheert. Du
geheerscht nich rein. Sieh, daß du weiterkommst!

DER FREMDE *einfach.* Deine Tochter ist krank.

MATTERN. Zu der ihrer Krankheet braucht's keenen Dokter. Der
ihre Krankheet is nischt wie Faulheet. Die wer ich ihr schonn
alleene austreiben.

DER FREMDE *feierlich.* Mattern-Maurer, ich komme zu dir als Bote.

MATTERN. Von wem werscht du ock als Bote kommen?

DER FREMDE. Ich komme vom Vater, und ich gehe zum Vater. Wo hast du sein Kind?

MATTERN. Was wer ich wissen, wo die sich rumtreibt. Was gehn mich dem seine Kinder an! A hat sich ja sonst nich drum bekimmert.

DER FREMDE *fest.* Du hast eine Leiche in deinem Hause.

MATTERN *gewahrt das daliegende Hannele, tritt steif und stumm an den Sarg und blickt hinein, dabei murmelnd.* Wo hast du die scheenen Kleider her? Wer hat dir den gläsernen Sarg gekooft?

Die Leidtragenden flüstern heftig und geheimnisvoll. Man hört mehrmals, voller Erbitterung ausgesprochen, das Wort: „Mörder!"

MATTERN *leise, bebend.* Ich hab dich doch nie nich schlecht behandelt. Ich hab dich gekleedet. Ich hab dich genährt. *Frech zu dem Fremden hinüber.* Was willst du von mir? Was geht mich das an?

DER FREMDE. Mattern-Maurer, hast du mir etwas zu sagen? *Unter den Leidtragenden wird das Geflüster heftiger, immer wütender und öfter schallt es: „Mörder!" „Mörder!"* — Hast du dir gar nichts vorzuwerfen? Hast du sie niemals nachts aus dem Schlafe gerissen? Ist sie niemals unter deinen Fäusten wie tot zusammengesunken? —

MATTERN *entsetzt, außer sich.* Da, schlag mich tot! Hier, gleich uff der Stelle! — Mich soll gleich a Blitz vom Himmel treffen, wenn ich dadran schuld bin.

Schwacher, bläulicher Blitz und fernes Donnerrollen.

ALLE *durcheinander.* 's kommt a Gewitter. Jetzt mitten im Winter!? A hat sich verschworen! Der Kindesmörder hat sich verschworen!

DER FREMDE *eindringlich, gütig.* Hast du mir noch nichts zu sagen, Mattern?

MATTERN *in erbärmlicher Angst.* Wer sein Kind lieb hat, züchtigt es. Dem Mädel hier hab ich nur Gutes getan. Ich hab se gehalten wie mei Kind. Ich kann se bestrafen, wenn se nich gutt tut.

DIE FRAUEN *fahren auf ihn ein.* Mörder! Mörder! Mörder! Mörder!

MATTERN. Die hat mich belogen und betrogen. Die hat mich bestohlen Tag für Tag.

DER FREMDE. Sprichst du die Wahrheit?

MATTERN. Gott soll mich strafen . . .
*In diesem Augenblick zeigt sich in Hanneles gefalteten Hän-
den eine Himmelsschlüsselblume, welche eine gelblich-grüne
Glut ausstrahlt. Der Maurer Mattern starrt wie von Sinnen,
am ganzen Leibe zitternd, auf die Erscheinung.*

DER FREMDE. Mattern-Maurer, du lügst.

ALLE *in höchster Aufregung durcheinander redend.* Ein Wunder!
Ein Wunder!

PLESCHKE. Das Mädel . . . das Mädel is eine Heilige; a hat sich
um Leib und Seele . . . Seele geschworen.

MATTERN *brüllt.* Ich häng mich u — uf! *Hält sich mit beiden
Händen die Schläfen. Ab.*

DER FREMDE *schreitet bis an Hanneles Sarg vor und spricht zu
den Anwesenden gewendet; vor der nun mit aller Hoheit da-
stehenden und sprechenden Gestalt weichen sie alle ehrfürchtig
zurück.* Fürchtet euch nicht! — *Er beugt sich und erfaßt wie
prüfend Hanneles Hand; voll Sanftmut spricht er.* Das Mägde-
lein ist nicht gestorben. Es schläft. *Mit tiefster Innerlichkeit und
überzeugter Kraft.* Johanna Mattern, stehe auf!!! *Ein helles
Goldgrün erfüllt den Raum. Hannele öffnet die Augen, richtet
sich auf an der Hand des Fremden, ohne aber zu wagen, ihm
ins Gesicht zu sehen. Sie steigt aus dem Sarge und sinkt sogleich
vor dem Erwecker auf die Knie. Alle Anwesenden packt ein
Grauen. Sie fliehn. Der Fremde und Hannele bleiben allein.
Der graue Mantel ist von seiner Schulter geglitten, und er steht
da in einem weißgoldenen Gewande.*

DER FREMDE *weich, innig.* Hannele!

HANNELE *entzückt in sich, den Kopf so tief beugend, als nur immer möglich.* Da ist er.

DER FREMDE. Wer bin ich?

HANNELE. Du.

DER FREMDE. Nenn meinen Namen!

HANNELE *haucht ehrfurchtzitternd.* Heilig, heilig!

DER FREMDE. Ich weiß alle deine Leiden und Schmerzen.

HANNELE. Du lieber, lieber . . .

DER FREMDE. Erhebe dich!

HANNELE. Dein Kleid ist makellos. Ich bin voll Schmach.

DER FREMDE *legt seine rechte Hand auf Hanneles Scheitel.* So nehm' ich alle Niedrigkeit von dir. *Er berührt ihre Augen, nachdem er mit sanfter Gewalt ihr Gesicht heraufgebogen.* So beschenke ich deine Augen mit ewigem Licht. Fasset in euch Sonnen und wieder Sonnen! Fasset in euch den ewigen Tag vom Morgenrot bis zum Abendrot, vom Abendrot bis zum Morgenrot! Fasset in euch, was da leuchtet: blaues Meer, blauen Himmel und grüne Fluren in Ewigkeit. *Er berührt ihr Ohr.* So beschenk' ich dein Ohr, zu hören allen Jubel aller Millionen Engel in den Millionen Himmeln Gottes. *Er berührt ihren Mund.* So löse ich deine stammelnde Zunge und lege deine Seele darauf und meine Seele und die Seele Gottes des Allerhöchsten.

HANNELE *am ganzen Körper bebend, versucht sich aufzurichten. Wie unter einer ungeheuren Wonnelast vermag sie es nicht. Von tiefem Schluchzen und Weinen erschüttert, birgt sie den Kopf an des Fremden Brust.*

DER FREMDE. Mit diesen Tränen wasche ich deine Seele von Staub und Qual der Welt. Ich will deinen Fuß über die Sterne Gottes erhöhen.

Zu sanfter Musik, mit der Hand über Hanneles Scheitel streichend, spricht nun der Fremde das Folgende. Indem er spricht, tauchen Engelsgestalten in der Tür auf, große, kleine, Knaben, Mädchen, stehen schüchtern, wagen sich herein, schwingen Weihrauchfässer und schmücken das Gemach mit Teppichen und Blumen.

DER FREMDE.

Die Seligkeit ist eine wunderschöne Stadt,
wo Friede und Freude kein Ende mehr hat.
Harfen, erst leise, zuletzt laut und voll.
Ihre Häuser sind Marmel, ihre Dächer sind Gold,
roter Wein in den silbernen Brünnlein rollt;
auf den weißen, weißen Straßen sind Blumen gestreut,
von den Türmen klingt ewiges Hochzeitsgeläut.
Maigrün sind die Zinnen, vom Frühlicht beglänzt,
von Faltern umtaumelt, mit Rosen bekränzt.
Zwölf milchweiße Schwäne umkreisen sie weit
und bauschen ihr klingendes Federkleid;
kühn fahren sie hoch durch die blühende Luft,
durch erzklangdurchzitterten Himmelsduft.

Sie kreisen in feierlich ewigem Zug,
ihre Schwingen ertönen gleich Harfen im Flug,
sie blicken auf Zion, auf Gärten und Meer,
grüne Flöre ziehen sie hinter sich her.
Dort unten wandeln sie Hand in Hand,
die festlichen Menschen, durchs himmlische Land.
Das weite, weite Meer füllt rot roter Wein,
sie tauchen mit strahlenden Leibern hinein.
Sie tauchen hinein in den Schaum und den Glanz,
der klare Purpur verschüttet sie ganz,
und steigen sie jauchzend hervor aus der Flut,
so sind sie gewaschen durch Jesu Blut.

*Der Fremde wendet sich nun an die Engel, welche ihre Arbeit
vollendet haben. Mit scheuer Freude und Glückseligkeit treten
sie herzu und bilden um Hannele und den Fremden einen
Halbkreis.*

Mit feinen Linnen kommt, ihr Himmelskinder!
Lieblinge, Turteltauben, kommt herzu,
hüllt ein den schwachen, ausgezehrten Leib,
den Frost geschüttelt, Fieberglut gedörrt,
sanft, daß sein krankes Fleisch der Druck nicht schmerze;
und weich hinschwebend, ohne Flügelschlag,
tragt sie, der Wiesen saft'ge Halme streifend,
durch linden Mondenschimmer liebreich hin . . .
durch Duft und Blumendampf des Paradieses,
bis Tempelkühle wonnig sie umschließt! —
Kleine Pause.
Dort mischt, indes sie ruht auf seidnem Bette,
im weißen Marmorbade Bergbachs Wasser
und Purpurwein und Milch der Antilope,
in reiner Flut ihr Siechtum abzuspülen!
Brecht aus den Büschen volle Blütenzweige:
Jasmin und Flieder, schwer vom Tau der Nacht,
und ihrer klaren Tropfen feuchte Bürde
laßt frisch und duftig auf sie niederregnen!
Nehmt weiche Seide drauf, um Glied für Glied,
wie Lilienblätter, schonend abzutrocknen!
Labt sie mit Wein, kredenzt in goldener Schale,
in den ihr reifer Früchte Fleisch gepreßt! —
Erdbeeren, die noch warm vom Sonnenfeuer,

Himbeeren, voll von süßem Blut gesogen,
die samtne Pfirsich, goldene Ananas,
Orangen, gelb und blank, bringt ihr getragen
auf weiten Schüsseln spiegelnden Metalls!
Ihr Gaumen schwelge, und ihr Herz umfange
des neuen Morgens Pracht und Überfülle.
Ihr Aug' entzücke sich am Stolz der Hallen.
Laßt feuerfarbne Falter über ihr
am malachitnen Grün des Estrichs schaukeln!
Auf ausgespanntem Atlas schreite sie
durch Hyazinthen, Tulpen . . . ihr zur Seite
laßt grüner Palmen breite Fächer zittern
und alles spiegeln sich im Glanz der Wände!
Auf Feldern roten Mohns führt ihren armen Blick,
wo Himmelskinder goldne Bälle werfen
im frühen Strahl des neugebornen Lichts,
und liebliche Musik schlingt ihr ums Herz!

DIE ENGEL *singen im Chor.*
Wir tragen dich hin, verschwiegen und weich,
eia popeia ins himmlische Reich.
Eia popeia ins himmlische Reich.

Über dem Engelsgesang verdunkelt sich die Szene. Aus dem Dunkel heraus hört man schwächer und schwächer, ferner und ferner singen. Es wird nun wieder licht, und man hat den Blick in das Armenhauszimmer, wo alles so ist, wie es war, ehe die erste Erscheinung auftauchte. Hannele liegt wieder im Bett: ein armes, krankes Kind. Doktor Wachler hat sich mit dem Stethoskop über sie gebeugt; die Diakonissin, welche ihm das Licht hält, beobachtet ihn ängstlich. Nun erst schweigt der Gesang gänzlich.

DOKTOR WACHLER *sich aufrichtend, sagt.* Sie haben recht!
SCHWESTER MARTHA *fragt.* Tot?
DER DOKTOR *nickt trübe.* Tot.

DER BIBERPELZ

Eine Diebskomödie

Begonnen im Sommer 1892,
beendet Anfang 1893 in Schreiberhau.
Erstveröffentlichung: Buchausgabe 1893.

VON WEHRHAHN, Amtsvorsteher

KRÜGER, Rentier

DOKTOR FLEISCHER

PHILIPP, sein Sohn

MOTES

FRAU MOTES

FRAU WOLFF, Waschfrau

JULIUS WOLFF, ihr Mann

LEONTINE }
ADELHEID } ihre Töchter

WULKOW, Schiffer

GLASENAPP, Amtsschreiber

MITTELDORF, Amtsdiener

Ort des Geschehens: irgendwo um Berlin.
Zeit: Septennatskampf gegen Ende der achtziger Jahre

ERSTER AKT

Kleiner, blaugetünchter, flacher Küchenraum mit niedriger Decke; ein Fenster links; eine rohgezimmerte Tür ins Freie führend rechts; eine Tür mit ausgehobenem Flügel mitten in der Hinterwand. — Links in der Ecke der Herd, darüber an der Wand Küchengerät am Rahmen, rechts in der Ecke Ruder und Schiffereigerät; gespaltenes Holz, sogenannte Stubben, unter dem Fenster in einem Haufen. Eine alte Küchenbank, mehrere Schemel usw. usw. — Durch den leeren Türrahmen der Hinterwand blickt man in einen zweiten Raum. Darin steht ein hochgemachtes, sauber gedecktes Bett, darüber hängen billige Photographien in noch billigeren Rahmen, Öldruckköpfe in Visitenkartenformat usw. Ein Stuhl aus weichem Holz ist mit der Lehne gegen das Bett gestellt. — Es ist Winter, der Mond scheint. Auf dem Herd in einem Blechleuchter steht ein brennendes Talglicht. Leontine Wolff ist auf einem Schemel am Herd, Kopf und Arme auf der Herdplatte, eingeschlafen. Sie ist ein siebzehnjähriges, hübsches, blondes Mädchen in der Arbeitstracht eines Dienstmädchens. Über die blaue Kattunjacke hat sie ein dickes, wollenes Brusttuch gebunden. — Einige Sekunden bleibt es still, dann hört man, wie jemand bemüht ist, von außen die Tür aufzuschließen, in der jedoch von innen der Schlüssel steckt. Nun pocht es.

FRAU WOLFF *unsichtbar von außen.* Adelheid! Adelheid! *Stille; dann wird von der andern Seite ans Fenster gepocht.* Wirschte gleich uffmachen!

LEONTINE *im Schlaf.* Nein, nein, ick laß mir nich schinden!

FRAU WOLFF. Mach uff, Mädel, sonste komm ich durchs Fenster. *Sie trommelt sehr stark ans Fenster.*

LEONTINE *aufwachend.* Ach, du bist's, Mama! Ick komme ja schon! *Sie schließt auf.*

FRAU WOLFF *ohne einen Sack, welchen sie auf der Schulter trägt, abzulegen.* Was willst'n du hier?

LEONTINE *verschlafen.* 'n Abend, Mama!

FRAU WOLFF. Wie bist'n du reinkommen, hä?

LEONTINE. Na, übern Ziejenstall lag doch der Schlüssel. *Kleine Pause.*

FRAU WOLFF. Was willste denn nu zu Hause, Mädel?

LEONTINE *läppisch maulend.* Ich soll woll man jar nich mehr bei euch komm?

FRAU WOLFF. Na, sei bloß so gutt und tu dich a bissel. Das hab ich zu gerne. *Sie läßt den Sack von der Schulter fallen.* Du weeßt woll noch gar nich, wie spät daß 's schonn is? Mach bloß, daßte fortkommst zu deiner Herrschaft.

LEONTINE. Wenn ick da man ooch wer mal 'n bißken zu spät komm!

FRAU WOLFF. Nu nimm dich in Obacht, haste verstanden! Und sieh, daßte fortkommst, sonst haste verspielt.

LEONTINE *weinerlich, trotzig.* Ick jeh nich mehr bei die Leute, Mama!

FRAU WOLFF *erstaunt.* Du gehst nich . . . *Ironisch.* Ach wo, das ist ja was ganz Neues.

LEONTINE. Na brauch ick mir immer lassen schinden?

FRAU WOLFF *war bemüht, ein Stück Rehwild aus dem Sack hervorzuziehen.* I, schinden tun se dich also bei Kriegers? Nee, so a armes Kind aber ooch! Mit so was komm mer ock uffgezogen! A Frauenzimmer wie a Dragoner . . .! Nanu faß an, dort unten a Sack! Du kannst dich woll gar nich tälscher anstellen? Bei mir haste damit kee Glicke nich! 's Faullenzen lernste bei mir erscht recht nich! *Beide hängen den Rehbock am Türpfosten auf.* Nu sag ich dersch aber zum letzten Male...

LEONTINE. Ick jeh nich mehr bei die Leute hin. Denn jeh ick lieber in't Wasser, Mama!

FRAU WOLFF. Na, daßte ock bloß keen'n Schnuppen krigst.

LEONTINE. Ick spring in't Wasser!

FRAU WOLFF. Da ruff mich ock, heerschte! Ich wer der an Schupps geben, daßte ooch ja und fliegst nich daneben.

LEONTINE *schreit heftig.* Na, brauch ick mir das woll jefallen zu lassen, det ick abens muß Holz rinräumen zwee Meter?

FRAU WOLFF *tut erstaunt.* Nee, 's is woll nich meeglich! Holz sollste reinschleppen! Nee, ieber die Leute aber ooch.

LEONTINE. . . . un zwanzig Daler uffs ganze Jahr? Denn soll ick mir ooch noch die Poten verfrieren? Un nich ma satt Kartoffel und Häring?!

FRAU WOLFF. Da red erscht nich lange, tummes Mädel. Da hast a Schlissel, geh, schneid d'r Brot ab. Un wenn de satt bist, scheer dich, verstanden?! 's Flaummus steht in der oberschten Reihe.

LEONTINE *nimmt aus der Schublade ein großes Brot und schneidet davon.* Die Juste von Schulzens kriejt vierzig Daler un . . .

FRAU WOLFF. Renn du bloß mit'n Kopp durch de Wand! Du
wirscht bei da Leuten nich ewig bleiben. Du bist ni vermit't
fir ewige Zeiten. Meinswegen zieh du zum erschten April.
So lange bleibste an Ort und Stelle! — 's Weihnachtsgeschenk
in der Tasche, gelt, nu mechste fortloofen? Das is keene Mode!
— Ich geh bei da Leuten aus und ein. Das wer ich woll uff
mir sitzen lassen!

LEONTINE. Det bißken Lumpe, det ick da anhabe?

FRAU WOLFF. 's baare Geld vergißte woll ganz?

LEONTINE. Jawoll doch! Janze Märker sechse!

FRAU WOLFF. I, Geld is Geld! Das laß du gutt sein!

LEONTINE. Na, wenn ick aber kann mehr verdien'n!?

FRAU WOLFF. Mit'n Maule!

LEONTINE. Nee, mit de Nähmaschine. Ick jeh nach Berlin und
nähe Mäntel. Stechowns Emilie jeht ooch seit'n Neujahr!

FRAU WOLFF. Komm du m'r bloß mit der Schlumpe gezogen!
Die soll m'r ock unter de Finger loofen! Dem Balge will ich a
Talglicht uffstecken! Das wär so a Awasemang fer dich, gelt?
Mit a Kerl'n de Nächte verschwiemeln. Nee, Mädel, wenn ich
bloß da dran denke: ich hau dich, daßte schon gar nich mehr
uffstehst. — Nu kommt Papa, jetzt nimm dich in Obacht!

LEONTINE. Wenn Papa mir verpaukt, denn loof ick fort; denn
wer ick schon sehn, wo ick bleiben du.

FRAU WOLFF. Jetzt maul nich! Geh und futter de Ziegen. Se
sind ooch noch nich gemolken den Abend. Un gib a Kar-
nickeln 'ne Hamv'll Heu.

LEONTINE *sucht schnell hinauszukommen, trifft aber in der Tür
auf ihren Vater, sagt flüchtig.* 'n Abend *und wischt an ihm
vorüber hinaus.*

*Julius Wolff, der Vater, ist Schiffszimmermann, von langer
Figur, mit blöden Augen und trägen Bewegungen, etwa drei-
undvierzig Jahre alt. — Er stellt zwei lange Ruder, die er
auf der Schulter getragen, in die Ecke und wirft sein Schiffs-
zimmergerät schweigend ab.*

FRAU WOLFF. Haste a Schiffer-Emil getroffen?

JULIUS *brummt.*

FRAU WOLFF. Kannste nich reden? Ja oder nein? Wird a rum-
komm, hä?

JULIUS *unwirsch.* Immerzu doch! Schrei du man noch mehr!

FRAU WOLFF. Du bist schon a kuraschierter Kerl. Dabei da vergißte de Tire zuzumachen.

JULIUS *schließt die Tür.* Was is 'n das wieder mit Leontinen?

FRAU WOLFF. I, gar nischt! — Was hat'n der Emil gelad't?

JULIUS. All widder Klinkern. Wat soll er jelad't hebben? — Wat is det nu widder mit det Mädel?

FRAU WOLFF. De halbe Zille oder de ganze?

JULIUS *jähzornig aufwallend.* Wat mit det Weibsstück all widder los is?

FRAU WOLFF *ihn überbietend.* Was Emil gelad't hat, will ich wissen. A halben oder a ganzen Kahn?

JULIUS. I, immerzu doch, de janze Zille.

FRAU WOLFF. Pst, Julian. *Sie erschrickt und riegelt den Laden zu.*

JULIUS *sie erschrocken anglotzend, schweigt. Nach einigen Sekunden, leise.* 's is all'n junger Förster in Rixdorf.

FRAU WOLFF. Geh, kriech untersch Bette, Julian. *Nach einer Pause.* Wenn du bloß nich a so schrecklich tumm wärscht. Glei wirschte wie so a richt'ger Bremmer. Von solchen Sachen verstehste doch nischt. Laß du mich bloß fer die Mädel sorgen. Das schlägt nich in deine Konferenz. In meine Konferenz geheert das. Bei Jungen wär das ganz was andersch. Da wer ich dir ooch niemals nischt dreinreden. A jedes hat seine Konferenz.

JULIUS. Denn soll se man mir nich jrade in'n Weg loofen.

FRAU WOLFF. Du willst se woll lahm schlagen, Julian?! Laß du dir ock ja nich aso was einfallen! Denk bloß nich, daß ich aso was zugebe! Ich wer se m'r lassen zu Schanden schlagen. Das Mädel kann unser Glicke sein. Wenn du bloß fer so was a Verstand hätt'st.

JULIUS. Denn soll se man sehn, wo se bleiben dut.

FRAU WOLFF. Da is keene Angst drum, Julian. Kann meeglich sein, du erlebst noch was. Se wohnt noch amal in der Beletage, und wir sein froh, wenn se uns bloß kennt. Was hat'n der Tätsrat zu mir gesagt? Ihre Tochter is so ein scheenes Mädchen, die kann beim Theater Farure machen.

JULIUS. Denn soll se man machen, det se hinkommt.

FRAU WOLFF. Du hast keene Bildung, Julian. Von Bildung hast du ooch keene Spur. Wenn ich ne gewest wär, Julian! Was wär ock aus da Mädeln geworden? Ich hab se gebild't erzogen,

verstehste. De Bildung is heutzutage de Hauptsache. Das geht
nich a so uff eenen Hieb. Immer eens nach 'n andern, a pee
a pee. Nu mag se mal erscht a Dienst kenn'nlern. Dann geht
se meinswegen rein nach Berlin. Die is heite noch viel zu jung
fersch Theater. *Es hat unter dem Vorhergehenden mehrmals an
die Tür gepocht, nun klingt*

ADELHEIDS *Stimme herein.* Mama! Mama! mach doch bloß man
uff! *Frau Wolff öffnet. Adelheid kommt herein. Sie ist ein
langaufgeschossenes Schulmädchen im vierzehnten Jahre, mit
hübschem Kindergesicht. Der Ausdruck ihrer Augen aber verrät
frühe Verderbnis.* Was machste mir denn nich uff, Mama?
Ick hab mir ja Hände und Füße verfroren.

FRAU WOLFF. Red nich erscht lange an Blech zusammen. Mach
Feuer in Ofen, da wird der schon warm wern. Wo steckst
d'n du ieberhaupt aso lange?

ADELHEID. Ick hab doch de Stiebeln jeholt for Vatern.

FRAU WOLFF. Da biste wieder zwee Stunden geblieben.

ADELHEID. Na, wenn ick um sieben erscht bin jejangen?

FRAU WOLFF. Um sieben biste gegangen, so. Jetzt is 's halb elfe.
Das weeßte woll gar nich? Da biste bloß viertehalbe Stunde
gewesen, das is woll ni viel? Nu her amal druff, uff das, was
ich sage. Bleibst du m'r noch eemal so lange fort und gar bei
dem lausigen Fielitzschuster — dann paß amal uff, was d'r
da passiert.

ADELHEID. Ick soll wohl bloß immer zu Hause biestern?

FRAU WOLFF. Jetzt biste stille und red'st keen Ton!

ADELHEID. Wenn ick ooch mal bißken zu Fielitzen jeh . . .

FRAU WOLFF. Ob de woll stille bist, mecht ich wissen. Lehr du
mich Fielitz'n kenn'n! Ja? Der Audiat soll sich ock nich be-
rihmen. Dessen sei Handwerk is ni bloß Schuhflicken. Wenn
eener erscht zweemal im Zuchthause sitzt . . .

ADELHEID. Det is ja nich wah . . . Det is ja bloß alles zusammen-
jelogen. Er hat et mir ja jesagt, Mama!

FRAU WOLFF. Das weeß dochs ganze Dorf, tumme Gans! Das is
a richt'ger Kuppler is das.

ADELHEID. Er jeht ja sojar bein Amtsvorsteher.

FRAU WOLFF. Na freilich doch. Fer Spionierer. A Tenuntiat is
a obendruff.

ADELHEID. Wat is'n dat, 'n Tenutiat?

JULIUS *aus dem Nebenzimmer, in das er gegangen war.* Nu will ick all noch zwei Wörter abwarten. *Adelheid wird bleich und geht gleich stumm daran, Feuer im Ofen zu machen.*

LEONTINE *kommt herein.*

FRAU WOLFF *hat den Rehbock aufgebrochen, Herz, Leber usw. herausgenommen und übergibt es Leontine.* Da schnell, wasch ab! Sei bloß ganz still, sonste schlägt's noch ein. *Leontine, sichtlich eingeschüchtert, begibt sich an die Arbeit. Beide Mädchen flüstern miteinander.*

FRAU WOLFF. Hä, Julian? Was machste dadrinne? Du hast's woll schon wieder vergessen, hä? Ich hab dersch doch heute morgen gesagt. Das Brett, was de losgerissen is.

JULIUS. Wat 'n for'n Brett?

FRAU WOLFF. Na, weeßte nich? Hinten am Ziegenstall. Der Wind hat's doch losgemacht gestern nacht — sieh, daßte nauskommst zunageln, verstehste?

JULIUS. I, morjen früh is all ooch noch 'n Dach.

FRAU WOLFF. Nu nee! Da mach der ock keene Gedanken! Mit so was woll'n m'r bei uns nich erscht anfangen. *Julius ist brummend ins Zimmer getreten.* Dort nimm d'r a Hammer! Hier haste Nägel! Nu sieh, daß de fortkommst.

JULIUS. Du bist ja man duslig.

FRAU WOLFF *ihm nachrufend.* Wenn Wulkow kommt, was soll er'n geben?

JULIUS. Na, Märker zwölwe doch janz jewiß! *Ab.*

FRAU WOLFF *wegwerfend.* I, Märker zwelwe! *Pause.* Nu macht bloß, daß Papa sein Essen krigt. *Kleine Pause.*

ADELHEID *auf das Reh blickend.* Wat is'n det, Mama?

FRAU WOLFF. A Klapperstorch! *Beide Mädchen lachen.*

ADELHEID. 'n Klapperstorch? Hat der ooch Hörner? Det weeß ich schon, 'n Rehbock is det!

FRAU WOLFF. Na, wenn de's weeßt, warum frägst'n da erscht?

LEONTINE. Hat den Papa jeschoss'n, Mama?

FRAU WOLFF. Nu rennt ock und schreit durchs ganze Dorf: Papa hat'n Rehbock geschossen, ja!?

ADELHEID. Ich wer mir schön hüten. Denn kommt der Blanke.

LEONTINE. Vor Schandarm Schulzen fürcht ick mir nich, der hat mir schon mal an't Kinn jefaßt.

FRAU WOLFF. Der kann dreiste kommen. Mir tun nischt Beeses. Wenn a Reh 'n Schuß hat und 's is am Verenden und 's findt's kee Mensch, da fressen's de Raben. Ob mirsch nu fressen oder

de Raben, gefressen werd's doch. *Kleine Pause.* Nu sag amal:
Holz haste soll'n reinräumen?

LEONTINE. Ja, bei die Kälte! Zwee Meter Knüppel! Un wenn
man kaputt is wie so'n Hund! Um halber zehne des Abends
spät!

FRAU WOLFF. Nu liegt woll das Holz noch uff der Straße?

LEONTINE. Vorn Jachtentor liejt et. Ick weeß weiter nich.

FRAU WOLFF. Na, wenn se nu aber — und stehlen das Holz?
Was 'n dann morgen frieh?

LEONTINE. Ick jeh nich mehr hin.

FRAU WOLFF. Sein's griene Knippel oder trockne?

LEONTINE. Det sin so schöne, trockne Knüppel. — *Gähnt ein
Mal über das andere Mal.* I, Mama, ick bin so schrecklich müde.
Ick hab mir so schrecklich mußt abmarachen. *Sie setzt sich mit
allen Zeichen der Übermüdung.*

FRAU WOLFF *nach kurzem Schweigen.* Meinswegen bleib heute
nacht bei uns. Ich hab mersch a bissel andersch ieberlegt. Und
morgen früh woll'n m'r weiter sehn.

LEONTINE. Ick bin janz abjekommen, Mama. Det hängt bloß
noch allens so an mir.

FRAU WOLFF. Nu mach und geh schlafen, nauf in die Kammer,
daß Papa nich etwan doch noch 'n Krach macht. Von solch'n
Sachen versteht a zu wenig.

ADELHEID. Papa spricht immer so unjebildet.

FRAU WOLFF. A hat eben keen Bildung gelernt. Das wer mit
euch ooch nich andersch sein, wenn ich euch nich hätte gebild't
erzogen. *Auf dem Herd eine Kasserolle haltend, zu Leontine.*
Nu komm, leg's rein! *Leontine legt die gewaschenen Fleisch-
stücke in die Kasserolle.* So. Jetzt geh schlafen!

LEONTINE *begibt sich ins Hinterzimmer, noch sichtbar spricht sie.*
Mama! Der Motes is fort von Krüger.

FRAU WOLFF. Da hat a woll keene Miete bezahlt?

LEONTINE. Mit Hängen und Würjen, sagt Herr Krüger. Er
hat ihm aber doch rausjeschmissen. 's wär so'n verlogener,
windiger Kerl. Und immer so hochmütig zu Herr Krüger.

FRAU WOLFF. Wenn ich wie Herr Krieger gewesen wär, den
hätt ich gar nich so lange behalten.

LEONTINE. Weil Herr Krüger doch Tischler jewesen is, denn
is Motes man immer so verächtlich. Mit Herr Doktor Fleischer
hat er sich ooch jezankt.

FRAU WOLFF. Na, wer sich mit dem zankt . . .! Das mecht ich wissen. Die Leut tun keener Fliege was!

LEONTINE. Er darf jar nich mehr bei Fleischers hinkomm.

FRAU WOLFF. Wenn du amal kennt'st bei den Leuten ankomm'n!

LEONTINE. Da sind de Mächens wie Kind im Hause.

FRAU WOLFF. Und was der Bruder is in Berlin, der is doch Kassierer beim Theater.

WULKOW *hat mehrmals von außen an die Tür gepocht und ruft nun mit heiserer Stimme.* Wollt ihr mir woll mal jefälligst rinlassen?

FRAU WOLFF. Na freilich, warum nich? Immer rin in de Bude!

WULKOW *kommt herein; ein Spreeschiffer, nahe an sechzig Jahre alt, gebückt gehend, mit graugelbem Bart von Ohr zu Ohr und unter dem Kinn herum, der das verwitterte Gesicht frei läßt.* Ick wünsche schönen juten Abend.

FRAU WOLFF. Nu kommt a doch wieder angezogen, die Wolffen a bissel iebersch Ohr haun.

WULKOW. I, det versuch ick schon ja nich mehr!

FRAU WOLFF. Na, anderscher wird's ja doch wiedèr nich wern.

WULKOW. Umjekehrt wird'n Schuh draus!

FRAU WOLFF. Noch was! Gelt? — Hier hängt a. Na? A Kapitalsticke, was?

WULKOW. Det Julius man ooch jehörig uffpaßt. Se sin jetzt alle böse hinterher.

FRAU WOLFF. Was woll'n Se'n geben, das ist de Hauptsache. Was nutzt das lange Gequassel da!

WULKOW. Wat ick Ihn sache. Ick komme von Grünau. Da hebb ick et janz bestimmt jehört. Se hebben Fritze Webern jeschossen. Se hebb'n em de Hosen voll Schrot jesenget.

FRAU WOLFF. Was woll'n Se geben, das is de Hauptsache.

WULKOW *das Reh befühlend.* Ick hebbe man schon vier Böcke zu liejen.

FRAU WOLFF. Derwegen da geht eure Zille nich unter.

WULKOW. Det soll se ooch nich. Det wär so'n Fest. Aber wat 'n dann, wenn ick nu liejenbleibe? Ick muß mit die Dinger doch rin nach Berlin. Et arbeet heut all schlecht jenug uff de Spree, und wenn et de Nacht so weiter backt, denn jibt et morjen schon ja keen Fortkomm. Denn sitz ick im Eise mit mein Kahn und hebbe die Dinger uff'm Halse.

FRAU WOLFF *scheinbar ihren Entschluß ändernd.* Na, Mädel,

spring amal runter zu Schulzen. Sag'n scheenen Gruß, und a soll amal ruffkomm'n, de Mutter hätte was zu verkoofen.

WULKOW. Hebb ick jesacht, ick will et nich koofen?

FRAU WOLFF. Mir is das ja ganz eengal, wersch kooft.

WULKOW. Ick will et ja koofen.

FRAU WOLFF. I, wer de ni will, der läßt's halt bleiben.

WULKOW. Ick koofe det Stick! Wat soll et denn bringen?

FRAU WOLFF *das Reh anfassend.* Das Reh hier, das hat seine dreißig Fund. Aber gutt un gerne kann ich Ihn sagen. Na, Adelheid! Du warscht doch dabei! Mir konnten's doch kaum uff a Nagel heben.

ADELHEID *welche ja nicht dabei war.* Ick habe mir richtig wat ausjerenkt.

WULKOW. Mit Märker dreizehn is et bezahlt. Da verdien ick ooch noch nich zehn Fennije bei.

FRAU WOLFF *tut fürchterlich erstaunt; im nächsten Augenblick nimmt sie etwas anderes vor. Als hätte sie Wulkows Anwesenheit vergessen, spricht sie, ihn scheinbar erst wieder gewahrend.* Ich winsch Ihn ooch eine glickliche Reise!

WULKOW. Na, mehr wie dreizehn kann ick nich jeben.

FRAU WOLFF. I, lassen Se's man!

WULKOW. Ick kann nich mehr jeben. Wat ick Ihn'n sage. Et is bloß, det ick die Kundschaft behalte. Jott soll mich strafen! So wah, wie ick hier steh. Bei det janze Jeschäft verdien ick nich so viel. Un wenn ick ooch sagen wollte: vierzehn, denn setz ick zu, denn hebb ick Verlust von eene Mark. Det soll mir aber nu janz ejal sind. Det ihr all 'n juten Willen seht. For Märker vierzehn...

FRAU WOLFF. Lußt's gutt sein! Lußt's gutt sein! Das Reh werd'n m'r los, da warten m'r noch nich bis morgen frieh.

WULKOW. Na, wenn et man keener hängen sieht. Det is nich mit Jelde abzumachen.

FRAU WOLFF. Das Reh hier, das hab mir verendet gefunden.

WULKOW. Ja, in de Schlinge, det will ick jlooben!

FRAU WOLFF. Kommt bloß nich uff die Art! Da habt Ihr ke Glicke! Ma soll euch woll all's in a Rachen schmeißen? Ma schind't sich, bis ma keen Oden mehr hat. Stundenlang muß ma baden im Schnee, geschweige was ma dabei riskiert, im Stockbrandfinstern. Das is kee Spaß.

WULKOW. Ick hebbe man schon Sticker viere zu liejen. Sonst wollt ick ja sagen funfzehn Mark.

FRAU WOLFF. Nee, Wulkow, heute is kee Geschäfte mit uns. Da geht ock ruhig a Häusel weiter, mir hab'n uns geschind't hier ieber a See . . . ee Haar, da saß m'r noch fest im Eise. Mir konnten nich vorwärts und nich rückwärts. Aso was kann ma zuletzt nich wegschenken.

WULKOW. Na, hebb ick nu etwa jroß wat davon? Det Schiff-werken is 'n jezwungenes Werk! Un Paschen, det is 'n schlechtet Jeschäft. Wenn ihr all rinfallt, denn flieg ick schon längst rin. Bei Jahre vierzig plag ick mir nu. Wat hebb ick heute? 't Reißen hebb ick. Wenn ick det Morjens früh uffsteh, denn muß ick schriegen wie'n junger Hund. Ick will mir schon viele Jahre 'n Pelz koofen, det hebben mir alle Doktors jeraten, weil det ick so leidenschaftlich bin. Ick hebb mir noch keen könn koofen, Wolffen. Bis heute noch nich, so wah, wie ick hier steh!

ADELHEID *zur Mutter.* Haste von Leontinen gehört?

WULKOW. Na, will man sagen: sechzehn Mark!

FRAU WOLFF. Nee, is nich! Achtzehn! *Zu Adelheid.* Wat redst'n da wieder?

ADELHEID. Frau Krüger hat doch 'n Pelz jekauft, der hat bei fünfhundert Mark gekost't. 'n Biberpelz.

WULKOW. 'n Biberpelz?

FRAU WOLFF. Wer hat'n gekooft?

ADELHEID. Nu Frau Krüger doch, für Herr Krüger zu Weih-nachten.

WULKOW. Det Mächen is woll bei Krüger in Dienst?

ADELHEID. Ick nich. Meine Schwester. Ick jeh überhaupt nich bei Leute in Dienst.

WULKOW. Ja, wenn ick nu so wat mal hebben könnte. Um so wat erwerb ick mir schon lange. Da jeb ick ooch sechzig Dah-ler für. Det Doktor- und Apothekerjeld, det jeb ich doch lieber für Pelzwerk aus. Da hebb ick ooch noch'n Verjnüjen all.

FRAU WOLFF. Ihr braucht ja bloß amal hingehn, Wulkow, zu Kriegern rieber. Vielleicht schenkt a'n weg.

WULKOW. Nee, jutwillig nich. Aber wie jesacht: fer so wat ver-interessier ick mir sehr.

FRAU WOLFF. I ja, so'n Pelz mecht ich ooch mal haben.

WULKOW. Wie is et nu? Sechzehn?

FRAU WOLFF. Unter achtzehn is nich. Nich unter achtzehn, hat Julian gesagt. Mit sechzehn Mark darf ich dem nich erscht kommen. Wenn der sich asowas in a Kopp setzt — *Julius kommt herein.* Na, Julius, du hast doch gesagt: achtzehn Mark?

JULIUS. Wat hebb ick jesacht?

FRAU WOLFF. Du heerscht woll wieder amal nich gutt! Du hast doch gesagt, nich unter achtzehn. Um weniger soll ich den Bock doch nich hergeben.

JULIUS. Ick hebbe jesacht? . . . Ja so, det Stück Wild. Ja! So! Hm! Det is ooch noch ja nich zu ville.

WULKOW *Geld herausnehmend und aufzählend.* Det's nu mal 'n Ende hat. Siebzehn Marcht. Na, stimmt et nu?

FRAU WOLFF. Ihr seid schon eemal a beschissener Kerl. Ich hab's ja gesagt, wie a reinkam zer Tiere: der braucht bloß ieber de Schwelle zu treten, da hat ma ooch schonn a Ding iebersch Ohr.

WULKOW *hat einen versteckt gehaltenen, eingerollten Sack aufgewickelt.* Nu helft et man jleich hier rinbugsieren. *Frau Wolff ist behilflich, das Reh in den Sack zu stecken.* Un wenn Se all mal wat zu hören kriejen von sowat — ick meen all beispielsweise so'n Pelz zum Beispiel. So Stücker sechzig, siebzig Dahler, die bin ick imstande und leje se an.

FRAU WOLFF. Ihr seid woll ni recht . . .! Wie soll'n mir zu so an Pelze komm'n?

EINE MÄNNERSTIMME *ruft von außen.* Frau Wolffen! Frau Wolffen! Sind Se noch wach?

FRAU WOLFF *wie die andern erschrocken, heftig, gepreßt.* Fix wegstecken! wegstecken, rein in de Stube! *Sie drängt alle in das Hinterzimmer und schließt die Tür.*

DIE MÄNNERSTIMME. Frau Wolffen! Frau Wolffen, schlafen Se schon?

FRAU WOLFF *löscht das Licht.*

DIE MÄNNERSTIMME. Frau Wolffen! Frau Wolffen, sind Se noch wach? *Die Stimme entfernt sich singend.* Morgenrot, Morgenrot, leuchtest mir zum frühen Tod.

LEONTINE. Det is ja bloß Morjenrot, Mama!

FRAU WOLFF *horcht eine Weile, öffnet dann leise die Tür und horcht wieder. Dann schließt sie beruhigt und zündet das Licht an. Hierauf läßt sie die andern wieder herein.* 's war bloß d'r Amtsdiener Mitteldorf.

WULKOW. Wat Deibel, ihr hebbt ja schöne Bekenntschaft!

FRAU WOLFF. Nu seht aber, daß 'r fortkommt, Wulkow.

ADELHEID. Mama, der Mino hat anjeschlagen.

FRAU WOLFF. Macht, macht, Wulkow. Federt! und hinten naus durch a Gemiesegarten. Julian wird uffmachen. Geh, Julian, mach uff!

WULKOW. Un wie jesacht, wenn so wat mal wär wie so'n Biberpelz —

FRAU WOLFF. Na freilich, macht bloß! . . .

WULKOW. Wenn die Spree all nich zu wird, denn bin ick in Stücker drei, vier Tagen all widder retur von Berlin. Da lieje ick mit mein Kahn widder unten.

ADELHEID. An die jroße Brücke?

WULKOW. Wo ick immer lieje. Na, Julius, denn wanke man immer vorauf. *Ab.*

ADELHEID. Mama, der Mino hat wieder jebellt.

FRAU WOLFF *am Herd.* I, lass'n bellen. — *Ein langgezogener Ruf aus der Ferne. „Hol über!"*

ADELHEID. 't will jemand über die Spree, Mama.

FRAU WOLFF. Na, geh mal, Papa is ja unten am Wasser. *„Hol über!"* Trag Papan de Rudel. Er soll bloß erscht Wulkown a Stickel fortlassen.

Adelheid ab mit den Rudern. Frau Wolff ist eine Weile eifrig arbeitend allein. Adelheid kommt wieder.

ADELHEID. Papa hat'n Rudel unten im Kahn.

FRAU WOLFF. Wer will denn so spät noch iebersch Wasser?

ADELHEID. Ick jloobe, Mama, 't is der dämliche Motes.

FRAU WOLFF. Was? Wer is's, Mädel?

ADELHEID. Ick jloobe, de Stimme war Motesens Stimme.

FRAU WOLFF *heftig.* Geh runter, lauf! Papa soll ruffkomm; der dämliche Motes kann drieben bleiben. Der braucht m'r nich erscht im Hause rumschniffeln.

Adelheid ab. Frau Wolff versteckt und räumt alles beiseite, was an die Rehbock-Episode etwa erinnern könnte. Über die Kasserolle deckt sie eine Stürze. Adelheid kommt zurück.

ADELHEID. Mama, ick bin schon zu spät jekommen. Ick hör se schon reden.

FRAU WOLFF. Wer is's denn nu?

ADELHEID. Ick sag et ja: Motes.

Frau und Herr Motes erscheinen nacheinander in der Tür. Beide mittelgroß. Sie: geweckte, junge Frau von etwa dreißig Jahren, bescheiden, aber ordentlich gekleidet. Er hat einen grünen

Jagdüberzieher an, sein Gesicht ist gesund und unbedeutend, er trägt über dem linken Auge eine schwarze Binde.

FRAU MOTES *ruft herein.* Nase blau jefroren, Mutter Wolffen!

FRAU WOLFF. Warum gehn Se spazieren in der Nacht. Sie hab'n doch am Tage Zeit genug.

MOTES. Schön warm is 's hier. — Wer hat Zeit am Tage?

FRAU WOLFF. Na Sie!

MOTES. Ick lebe wohl etwa von meine Renten?

FRAU WOLFF. Das weeß ich ja nich, von was Sie leben.

FRAU MOTES. I, sein Se man bloß nich so glupsch, Mutter Wolffen. Wir wollten mal fragen nach unsere Rechnung.

FRAU WOLFF. Da hab'n Se mich schon mehr wie eemal gefragt.

FRAU MOTES. Na, frag'n wir noch mal, was is denn dabei? Wir müssen doch endlich mal bezahlen.

FRAU WOLFF *erstaunt.* Bezahlen wollen Sie?

FRAU MOTES. Jewiß doch. Natürlich!

MOTES. Die Mutter Wolffen tut ganz erstaunt. Sie dachten wohl, wir würden Ihn'n durchbrennen?

FRAU WOLFF. I, sowas wer ich doch woll nich denken, Wenn Se woll'n aso gutt sein! Da machen mersch gleiche. 's sein also elf Mark und dreißig Fennige.

FRAU MOTES. Ja, ja, Mutter Wolffen, wir kriegen Geld. Die Leute werden hier Augen machen!

MOTES. Das riecht ja hier so nach Hasenbraten.

FRAU WOLFF. Dachhase vielleicht! Das is eher meeglich!

MOTES. Woll'n gleich mal nachschauen! *Er will den Deckel von der Kasserolle nehmen.*

FRAU WOLFF *verhindert ihn.* Toppgucken is nich!

FRAU MOTES *die mißtrauisch beobachtet hat.* Mutter Wolffen, wir haben auch was gefunden.

FRAU WOLFF. Ich hab nischt verloren.

FRAU MOTES. Da, sehn Se mal zu. *Sie zeigt ihr zwei Drahtschlingen.*

FRAU WOLFF *ohne aus der Fassung zu geraten.* Das sein woll Schlingen?

FRAU MOTES. Die haben wir ganz in der Nähe gefunden. Kaum zwanzig Schritte von Ihrem Garten.

FRAU WOLFF. Ihr Kinder, was hier bloß gewilddiebt wird!

FRAU MOTES. Wenn Sie bloß aufpassen, Mutter Wolffen, da kenn Se den Wilddieb richtig mal fassen.

141

FRAU WOLFF. I, solche Sachen gehn mich nischt an!

MOTES. Wenn ich bloß so'n Hallunken mal treffe, dem geb' ich zuerst 'n paar hinter die Ohren — dann bring' ich ihn unbarmherzig zur Anzeige.

FRAU MOTES. Frau Wolffen, haben Sie 'n paar frische Eier?

FRAU WOLFF. Jetzt, mitten im Winter? Die sind gar rar.

MOTES *zu Julius, der eben eintritt.* Förster Seidel hat wieder 'n Wilddieb jefaßt. Wird morgen nach Moabit jebracht. Hat Schneid, der Kerl, das muß man sagen. Wenn ich bloß nicht das Malheur gehabt hätte, da könnt' ich heut Oberförster sein. Dann würd' ich die Hunde noch anders zwiebeln!

FRAU WOLFF. Das hat manch einer schon bießen missen!

MOTES. Ja, wer sich fürchtet. Ich fürcht' mich nicht! Ich hab' auch schon so'n paar denunziert. *Die Wolffen und ihren Mann abwechselnd scharf fixierend.* Und mit'n paar andern wart' ich bloß noch; die laufen mir auch noch in die Hände. Die Schlingenleger soll'n nur nich denken, daß ich se nich kenne. Ich kenn' sie genau!

FRAU MOTES. Haben Sie vielleicht gebacken, Frau Wolffen? Uns ist das Bäckerbrot so zuwider.

FRAU WOLFF. Sie wollten doch, denk ich, de Rechnung ausgleichen.

FRAU MOTES. Ick sage Ihn'n ja, Sonnabend, Mutter Wolffen. Mein Mann ist doch Redakteur geworden von den Blättern für Jachd und Forstwirtschaft.

FRAU WOLFF. Na ja, das weeß ich schonn, was das heeßt.

FRAU MOTES. Na, was ich Ihn'n sage, Frau Wolffen. Wir sind ja von Krüger schon wegjezogen.

FRAU WOLFF. Ja, weil Se mußten, sind Se gezogen.

FRAU MOTES. Wir mußten? Du, Männe, hör doch mal! *Sie lacht gezwungen.* Frau Wolff sagt, wir mußten von Krüger fortziehn!

MOTES *rot vor Zorn.* Weshalb ich dort fortgezogen bin, das werden Sie schon noch mal erfahren. Der Mann ist'n Wucherer und Halsabschneider.

FRAU WOLFF. Das weeß ich nich. Dazu kann ich nischt sagen.

MOTES. Ich warte nur, bis ich die Beweise habe. Der soll sich vor mir nur ja in acht nehmen. Der und sein Busenfreund Doktor Fleischer. Der ganz besonders. Wenn ich bloß wollte: ein Wort genügte, da säß' der Mann hinter Schloß und Riegel. *Schon im*

Anfang seiner Rede hatte er sich zurückgezogen, bei den letzten Worten geht er hinaus. Ab.

FRAU WOLFF. Die Männer han sich woll wieder gezankt?

FRAU MOTES *scheinbar vertraulich.* Mit meinem Manne is nich zu spaßen. Wenn der sich was vornimmt, der läßt nicht locker. Er steht auch sehr gut mit'n Herrn Amtsvorsteher. — Wie is's mit die Eier und mit dem Brot?

FRAU WOLFF *widerwillig.* Na, finfe hab ich grade noch liegen. Und a Sticke Brot. *Frau Motes packt die Eier und das halbe Brot in ihren Handkorb.* Sind Se nu zufrieden?

FRAU MOTES. Jewiß doch. Freilich. Jut sind doch die Eier?

FRAU WOLFF. So jut, wie se meine Hiehner jelegt haben.

FRAU MOTES *hastig, um ihrem Mann nachzukommen.* Na, jute Nacht! Nächsten Sonnabend Jeld! *Ab.*

FRAU WOLFF. Ja doch, ja doch, 's is ja schonn gutt! *Schließt die Tür, halblaut.* Macht, daß d'r 'nauskommt. Bei allen Leiten bloß nischt wie Schulden. *An der Kasserolle.* Was geht's bloß die an, was wir essen? Die soll'n doch in ihre Teppe gucken. Geh schlafen, Mädel.

ADELHEID. Jute Nacht, Mama. *Gibt ihr einen Kuß.*

FRAU WOLFF. Na, jibste Papan keen Gutenachtkuß?

ADELHEID. Jute Nacht, Papa. *Küßt ihn, er brummt; Adelheid ab.*

FRAU WOLFF. Das muß ma immer erscht extra sagen. *Pause.*

JULIUS. Was mußte die Leite alle Eier jeben?

FRAU WOLFF. Ich soll m'r den Kerl woll zum Feinde machen? Mach du d'r ock den zum Feinde, Julian. Ich sag der, das is a gefährlicher Kerl. Der hat nischt zu tun wie a Leuten uffpassen. Komm, setz dich! Iß! Hier haste 'ne Gabel. Von solchen Sachen verstehste zu wenig. Paß lieber uff deine Sachen uff! De Schlingen legste gleich hinter a Garten! Das waren doch deine?

JULIUS *geärgert.* Na, immerzu.

FRAU WOLFF. Daß der dämliche Motes se ooch gleich find't. Hier in der Nähe am Hause, verstehste, da legste m'r keene Schlingen mehr. Womeeglich heeßt's dann, mir hab'n se gelegt.

JULIUS. Hör du bloß mit det Gequaßle uff! *Beide essen.*

FRAU WOLFF. Du, 's Holz is ooch alle, Julian.

JULIUS. Ick soll woll noch jehn bis in Hinterwinkel?

FRAU WOLFF. Am besten wärsch, m'r machten's gleich ab.

JULIUS. Ick spüre de Knochen schon jar nich mehr. Mag jehn, wer will, det is mich eenjal!

143

FRAU WOLFF. Ihr Männer habt immer a großes Maul, und wenn's derzu kommt, da kennt er nischt leisten. Ich arbeit euch dreimal in a Sack un wieder raus, euch alle mitnander. Wenn de heite und de willst durchaus nich mehr raus, hilft alles nischt, Julian, morgen mußte. Wie is 's, sein de Klettereisen scharf?

JULIUS. Ick hebbe se Machnow Karln jeborcht.

FRAU WOLFF *nach einer Pause.* Wenn du bloß nich aso feige wärscht! Da hätt'n m'r schonn schnell a paar Meter Holz! Da braucht m'r uns gar nich erscht so schinden. Da braucht m'r ooch gar nich erscht weit zu gehn.

JULIUS. Laß mir man essen 'n Happen, ja!

FRAU WOLFF *gibt ihm ein Kopfstück.* Nu sei bloß nich immer so miseldrähtig. Ich will amal gutt sein, paß amal uff! *Eine Flasche Schnaps hervorholend und zeigend.* Hier! Siehste, das hab ich der mitgebracht. Nu machste ooch glei a freindlich Gesichte! *Gießt ihrem Manne ein Glas voll.*

JULIUS *trinkt; nachher.* Det is ... bei die Kälte is det all janz jut!

FRAU WOLFF. Na, siehste woll! Sorg ich nu etwa fer dich?

JULIUS. Janz jut war det. Det war janz jut! *Er gießt sich aufs neue ein und trinkt.*

FRAU WOLFF *nach einer Pause, Holz spaltend, dazwischen hie und da einen Bissen essend.* Der Wulkow — das is a rechter Hallunke. A tutt doch immer, als wenn's 'n schlecht ginge.

JULIUS. Der soll man still sind, all der mit sein Handel.

FRAU WOLFF. Du hast doch geheert, mit dem Biberpelz.

JULIUS. Ick hebb nischt jehört all.

FRAU WOLFF *gezwungen leichthin.* 's Mädel erzählte doch von d'r Frau Kriegern, se hat doch 'm Krieger an Pelz geschenkt.

JULIUS. Die Leite hebben's ja, det ...

FRAU WOLFF. Na ja, da meente doch Wulkow ... Du hast's doch geheert! Wenn a so an Pelz amal kriegen kennte, da wollt a gleich sechzig Taler geben.

JULIUS. Der soll sich all selber de Finger verbrenn.

FRAU WOLFF *nach einer Pause ihrem Manne eingießend.* I, trink man noch eenen!

JULIUS. Denn immer ... immer zu ... all ... wat ...

FRAU WOLFF *holt ein Oktavbüchelchen hervor und blättert darin.*

JULIUS. Wieviel hebben wir denn seit Juli verdrübert?

FRAU WOLFF. Halt dreißig Taler sein abgezahlt.

JULIUS. Dann bleiben noch all — all ...?

FRAU WOLFF. Sein immer noch sibzig. Ma kommt halt uff die Art gar nich recht weiter. So fufzig — sechzig Taler uff eemal, wenn ma die uff eemal so hinleg'n kennte. Da wär doch d'r Grund und Boden bezahlt. Da kennt ma so hundert bis zwee wieder uffnehmen und vielleicht a paar hibsche Stub'n uffbaun. An Sommergast kenn m'r doch so nich uffnehmen: und Sommergäste, die bringen's hauptsächlich.

JULIUS. Na, immer zu — all —

FRAU WOLFF *resolut*. Du bist a zu langsamer Mensch, Julian. Hättst du woll das Grundstick gekooft, hä? Nu? Und wenn mersch jetzt wieder wollten verkoofen, da kennt m'r schonn 's Doppelte kriegen. Ich hab ne ganz andere Temperatur. Wenn du bloß meine Temperatur hättst . . .

JULIUS. Ick arbeete doch — wat nützt denn det alles!

FRAU WOLFF. Mit dem bissel Arbeiten wirschte weit komm.

JULIUS. Ick kann doch nich stehlen. Ick soll woll all rinfallen.

FRAU WOLFF. Du bist eben tumm und mußt ooch tumm bleiben. Hier hat kee Mensch von stehl'n geredt. Wer halt nich wagt, der gewinnt ooch nich. Und wenn de erscht reich bist, Julian, und kannst in der Eklipage sitzen, da fragt dich kee Mensch nich, wo de's her hast. Ja, wenn ma's von armen Leiten nähme! Aber wenn m'r nu wirklich — und gingen zu Kriegern und lad'ten de zwee Meter Holz uff a Schlitten und stellten se drum bei uns in a Schuppen, da sein de Leite noch lange nich ärmer.

JULIUS. Holz? Wat soll det nu widder sin — mit det Holz?

FRAU WOLFF. Du bekimmersch dich eben reene um gar nischt. Deine Tochter, die kann ma zu Tode schinden. Holz hat se soll'n reinräumen, abens um zehne, un deswegen is se davongeloofen. Aso wäs läßt du d'r ruhig gefall'n. Womeeglich gibbste dem Kinde Kallasche und jagst se noch zu da Leiten zuricke.

JULIUS. Jewiß doch! — Tu ick! Det sollt mir infall'n . . .

FRAU WOLFF. Bei sowas muß immer 'ne Strafe sein. Wer mich haut, sprech ich, den hau ich wieder —

JULIUS. Na, hebb'n se all det Mächen jehaut?

FRAU WOLFF. Na, wenn se is fortgeloofen, Julian?! Nee, nee, mit dir is nischt anzufang'n. Nu liegt das Holz uff d'r Gasse draußen. Na, wenn ich nu sagte, m'r woll'n gehn, schind'st du meine Kinder, da nehm ich dei Holz — du wärscht m'r a scheenes Gesichte schneiden.

JULIUS. Det will ick man ja nich . . . Wat ick mir vor koofe.

Ick kann ooch all mehr wie Brot essen. I, ick will mir det ausjebeten hebb'n, det sowat . . . det schlagen nich mehr vorkommt.

FRAU WOLFF. Nu rede nich erscht und hol deine Strippe. Zeig lieber a Leiten, daß de Krien hast. In eener Stunde is alles gemacht. Dann gehn m'r schlafen, und damit gutt. Und morgen brauchste nich in a Wald, da hab'n m'r Holz, mehr wie m'r brauchen.

JULIUS. Na, wenn et rauskommt, mir is et eenjal.

FRAU WOLFF. Warum nich gar! Weck bloß nich de Mädel.

MITTELDORF *von außen.* Frau Wolffen, Frau Wolffen, sind Se noch wach?

FRAU WOLFF. Na freilich, Mitteldorf, komm Se ock rein! *Sie öffnet die Tür.*

MITTELDORF *tritt ein, im abgetragenen Dienstanzug und Überzieher. Sein Gesicht hat etwas Mephistophelisches. Seine Nase zeigt alkoholische Rötung. Er ist in seinem Auftreten sanft, fast schüchtern. Er spricht langsam und schleppend und ohne eine Miene zu verziehen.* Ju'n Abend, Frau Wolffn.

FRAU WOLFF. Gu'n Nacht, woll'n Se woll sagen.

MITTELDORF. Ick bin schon vorhin mal hier jewesen. Erst war es mir so: ick sähe Licht, denn war et mit eenmal jänzlich dunkel. 't hat mir ooch keener weiter jeantwort. Nu hab ick et aber janz deitlich jesehn, dat diesmal Licht wa, un da komm ick noch ma.

FRAU WOLFF. Was bringen Se mir denn nu, Mitteldorf?

MITTELDORF *hat sich gesetzt, sinnt eine Weile und spricht dann.* Deswegen bin ick ja herjekomm. Ick habe was von de Frau Amtsvorsteher.

FRAU WOLFF. Ich soll woll waschen kommen, hä?

MITTELDORF *zieht die Augenbrauen nachdenklich herauf, spricht dann.* Jawoll!

FRAU WOLFF. Wenn d'nn da?

MITTELDORF. Morjen. — Morjen früh.

FRAU WOLFF. Das sagen Se m'r in der Nacht um zwelwe?

MITTELDORF. Et is morjen Waschdach bei de Frau Vorsteher.

FRAU WOLFF. Das muß ma doch a paar Tage vorher wissen.

MITTELDORF. Jewiß doch. Machen Se man keen Lärm. Ick hab et mal wieder verjessen jehabt. Mir jeht so ville in Kopp herum, det ick eemal so wat zu leicht verschwitze.

146

FRAU WOLFF. Na, Mitteldorf, da wer ich's schon einrichten. Mir stehn ja uff gutem Fuße mitnander. Sie hab'n a so schonn genung uff'm Puckel mit Ihren elf Kindern zu Hause, gelt? Was brauchen Sie sich noch schlecht machen lassen!

MITTELDORF. Wenn se morjen nich komm, Mutter Wolffen, denn jeht et mir madich schlecht morjen früh.

FRAU WOLFF. Ich wer schon komm, lassen Se's gutt sein. Da, trinken S' amal! Ma kann's gebrauchen. *Sie gibt ihm Grog.* Ich hatte noch grade a bissel heeß Wasser. Mir gehn nämlich heite noch uff de Reise. Nach fetten Gänsen nieber uff Treptow. Am Tage hat ma doch keene Zeit. 's is doch nu eemal nich andersch bei uns. A Armes schind't sich halt Tag und Nacht. A Reiches liegt derfire im Bette.

MITTELDORF. Ick bin jekündigt, wissen Se schon? Der Amtsvorsteher hat mir jekündigt. Ick bin nich scharf jenug uff de Leute.

FRAU WOLFF. Da soll eens woll sein wie a Kettenhund?

MITTELDORF. Ick jinge am liebsten ja nich zu Hause; denn wenn ick komme, denn jibt et Zank. Denn weeß ick mir nich zu retten vor Vorwürfe.

FRAU WOLFF. I, halten Se sich de Ohren zu!

MITTELDORF. Nu jeht man mal 'n bißken in't Wirtshaus, det de Sorjen een nich janz unterkriejen: det soll man nu ooch nich. Ja nischt soll man! Nu hab ick heute wieder jesessen, 't hat all eener uffjelegt 'n Fäßchen. —

FRAU WOLFF. Sie wern sich doch vor an Weibe nich ferchten. Wenn se halt schimpft, denn schimpfen Se wieder, und wenn se haut, denn haun Se wieder. Nu komm Se mal her, Sie sind länger wie mir. Nu lang Se amal das Kupsel da runter. Du, Julian, mach d'r a Schlitten zurecht. *Julius ab.* Wie ofte soll ich d'r das d'n sag'n. *Mitteldorf holt von einem hohen Wandbrett Strippen und Zugstricke herunter.* A großen Schlitten machste zerechte. De Strippen geben Se ooch gleich runter.

JULIUS *von außen.* Ick kann nich sehn.

FRAU WOLFF. Was kannste nich?

JULIUS *erscheint in der Tür.* Ick kann den Schlitten alleene nich rauskriejen. Et liejt ja drunter und drüber allens. Un ohne Licht jeht et nu schon janich.

FRAU WOLFF. Du weeßt d'r nu eemal schonn keen Rat. *Sie schlingt sich hastig Brust- und Kopftuch um.* Na wart ock, ich

wer der helfen komm. Dort de Laterne, Mitteldorf! *Mitteldorf nimmt mühsam eine Laterne herunter und gibt sie Frau
Wolff.* So, dank scheen! *Sie steckt das Licht in die Laterne.*
Das steck m'r hier rein, und nu kenn m'r gehn. Jetzt wer ich
d'r helfen a Schlitten rausziehn. *Sie geht mit der Laterne voran.
Mitteldorf folgt. In der Tür wendet sie sich und übergibt Mitteldorf die Laterne.* Sie kenn uns a bissel leichten d'rzu!

MITTELDORF *leuchtend und vor sich hinsingend ab.* Morgenro-ot,
Morgenro-ot . . .

ZWEITER AKT

*Amtszimmer beim Amtsvorsteher von Wehrhahn: großer, weiß-
getünchter, kahler Raum mit drei Fenstern in der Hinterwand.
In der linken Wand die Eingangstür. An der Wand rechts der
lange Amtstisch mit Büchern, Akten usw. belegt; hinter ihm
der Stuhl für den Amtsvorsteher. Am Mittelfenster Tisch und
Stuhl für den Schreiber. Ein Schrank aus weichem Holz vorn
rechts, dem Amtsvorsteher, wenn er auf dem Stuhl sitzt, zur
Hand, enthält die Bücher. Aktenregale verkleiden die Linkswand. Sechs Stühle stehen ganz vorn, von der Linkswand an
in einer Reihe. Man sieht die eventuell Daraufsitzenden von
rückwärts. — Es ist ein heller Wintervormittag. Der Schreiber
Glasenapp sitzt kritzelnd auf seinem Platz. Er ist eine dürftige,
bebrillte Persönlichkeit. Amtsvorsteher von Wehrhahn, ein
Aktenfaszikel unterm Arm, tritt schnell ein. Wehrhahn ist
gegen vierzig Jahre alt und trägt ein Monokel. Er macht den
Eindruck eines Landjunkers. Seine Amtstracht besteht aus einem
schwarzen, zugeknöpften Gehrock und hohen, über die Bein-
kleider gezogenen Schaftstiefeln. Er spricht nahezu im Fistelton
und befleißigt sich militärischer Kürze im Ausdruck.*

WEHRHAHN *nebenhin, wie ein Überbürdeter.* Mojen!

GLASENAPP *steht auf.* Jehorsamer Diener, Herr Amtsvorsteher.

WEHRHAHN. Was vorjefall'n, Glasenapp?

GLASENAPP *stehend in Papieren blätternd.* Habe zu melden, Herr
Amtsvorsteher — Da war zuerst . . . ja! Der Jastwirt Fiebig.
Er bittet um die Erlaubnis, Herr Vorsteher, am nächsten Sonn-
tag Tanzmusik abhalten zu dürfen.

WEHRHAHN. Ist das nicht . . . sagen Sie doch mal: Fiebig? hat einer doch neulich den Saal herjejeben . . .?

GLASENAPP. Für die Freisinnigen. Zu Befehl, Herr Baron!

WEHRHAHN. Derselbe Fiebig?

GLASENAPP. Jawohl, Herr Baron!

WEHRHAHN. Dem woll'n wir mal bißchen Kandare anlegen!

Amtsdiener Mitteldorf tritt ein.

MITTELDORF. Jehorsamster Diener, Herr Baron!

WEHRHAHN. Hören Sie mal: ein für allemal — im Dienste bin ich der Amtsvorsteher.

MITTELDORF. Jawohl. Zu Befehl, Herr Bar- Herr Amtsvorsteher, wollt' ich sagen.

WEHRHAHN. Nun merken Sie sich das endlich mal: daß ich Baron bin, ist Nebensache. Kommt hier wenigstens gar nicht in Betracht. *Zu Glasenapp.* Nun bitte, ich möchte weiter hören. War denn der Schriftsteller Motes nicht da?

GLASENAPP. Jawohl, Herr Amtsvorsteher.

WEHRHAHN. So. War also da? Da bin ich doch außerordentlich neugierig. Er wollte doch hoffentlich wiederkommen?

GLASENAPP. So gegen halb zwölwe will er wieder hier sein.

WEHRHAHN. Hat er Ihnen vielleicht was gesagt, Glasenapp?

GLASENAPP. Er kam in Sachen des Doktor Fleischer.

WEHRHAHN. Nun sagen Sie doch mal, Glasenapp, ist Ihnen der Doktor Fleischer bekannt?

GLASENAPP. Ich weiß nur: er wohnt in der Villa Krüger.

WEHRHAHN. Wie lange ist der Mann schon im Ort?

GLASENAPP. Zu Michaeli bin ich gekommen.

WEHRHAHN. Na ja, Sie kamen mit mir zugleich, ich bin jetzt zirka vier Monate hier.

GLASENAPP *mit einem Blick auf Mitteldorf.* Ich denke, der Mann muß zwei Jahre hier sein.

WEHRHAHN *zu Mitteldorf.* Sie können ja wohl keine Auskunft geben.

MITTELDORF. Zu dienen — Michaeli vorm Jahr.

WEHRHAHN. Wie? Ist der Mann da hierhergezogen?

MITTELDORF. Zu dienen, von Berlin, Herr . . . Herr Amtsvorsteher.

WEHRHAHN. Ist Ihnen der Mensch vielleicht näher bekannt?

MITTELDORF. Ich weiß bloß, een Bruder is Theaterkassierer.

WEHRHAHN. Ich habe ja nicht nach dem Bruder gefragt. Was treibt der Mann? Was tut er? Was ist er?

MITTELDORF. Da kann ich nu ooch nischt Genaues sagen. Bloß det er krank is, det sagen de Leute. Er leidet ja wohl an de Zuckerkrankheit.

WEHRHAHN. An was der Mann leidet, is mir egal. Der kann Sirup schwitzen, wenn's ihm Spaß macht. — Was ist er?

GLASENAPP *zuckt die Achseln.* Er nennt sich Provatjelehrter.

WEHRHAHN. Pri! Pri! nicht Pro — Privatgelehrter.

GLASENAPP. Der Buchbinder Hugk hat Bücher von ihm. Er läßt alle Woche welche einbinden.

WEHRHAHN. Ich möchte mal sehen, was der Mann so liest.

GLASENAPP. Der Briefträger meint, er hält zwanzig Zeitungen. Auch demokratische sind mit drunter.

WEHRHAHN. Sie können mir Hugk mal hierherbestellen.

GLASENAPP. Jleich?

WEHRHAHN. Bei Jelegenheit. Morjen, übermorjen. Er mag mal so'n paar Bücher mitbringen. *Zu Mitteldorf.* Sie scheinen den janzen Tach zu schlafen — oder hat der Mann vielleicht gute Zigarren?

MITTELDORF. Herr Vorsteher . . .!

WEHRHAHN. Na, das lassen Sie man. Ich sehe mir meine Leute schon an. Das hat mein Herr Vorgänger so einreißen lassen. Allmählich wird das schon anders werden. — Für eine Polizeiperson ist es schmählich, sich von irgendwem regalieren zu lassen. Ihnen selbstverständlich böhmische Berge. *Zu Glasenapp.* Hat Motes nicht etwas Bestimmtes jesagt?

GLASENAPP. Bestimmtes hat er mir nicht gesagt. Er meinte, der Herr Vorsteher wüßte schon . . .

WEHRHAHN. Das heißt, ich weiß nur ganz Allgemeines. Ich hatte den Mann ja schon längst im Auge. Ich meine natürlich den Doktor Fleischer. Herr Motes hat es mir nur bestätigt, daß ich den Patron ganz richtig erkannt habe. — Was hat denn Motes so für einen Leumund? *Glasenapp und Mitteldorf sehen einander an. Glasenapp zuckt die Achseln.* Pumpt sich wohl rum, was?

GLASENAPP. Er sagt ja, er hat seine Pension.

WEHRHAHN. Pension?

GLASENAPP. Er hat doch'n Schuß ins Auge bekommen.

WEHRHAHN. Wär' also so 'ne Art Schmerzensjeld.

GLASENAPP. Se werden verzeihen, Herr Amtsvorsteher. Ich jloobe, der Mann hat mehr die Schmerzen. Von Jeld hat noch keener bei dem was bemerkt.

WEHRHAHN *belustigt.* Ist sonst eine Sache von Bedeutung?

GLASENAPP. Nur Kleinigkeiten, Herr Amtsvorsteher. 'ne Dienstabmeldung —

WEHRHAHN. Schon gut, schon gut. Haben Sie vielleicht mal was läuten hören, daß Fleischer die Zunge nicht recht im Zaum hält?

GLASENAPP. Nicht daß ich grade im Augenblick wüßte.

WEHRHAHN. Man hat mir das nämlich hinterbracht. Er führe ungesetzliche Reden auf alle möglichen hohen Personen. Es wird sich ja übrigens alles zeigen. Nun wollen wir doch an die Arbeit jehn. Ja, Mitteldorf, haben Sie etwa noch was?

MITTELDORF. Es soll heut nacht 'n Diebstahl verübt sein.

WEHRHAHN. 'n Diebstahl? Wo?

MITTELDORF. In der Villa Krüjer.

WEHRHAHN. Was ist denn gestohlen?

MITTELDORF. Knüppelholz.

WEHRHAHN. In der letztvergangenen Nacht, oder wann?

MITTELDORF. Vergangene Nacht.

WEHRHAHN. Von wem haben Sie's denn?

MITTELDORF. Ich hab' es . . .

WEHRHAHN. Na also, von wem denn?

MITTELDORF. Ich hab' es . . . ich habe es von Herrn Fleischer jehört.

WEHRHAHN. So! Mit dem Mann unterhalten Sie sich . . .?

MITTELDORF. Herr Krüjer hat es auch selber erzählt.

WEHRHAHN. Der Mann ist der reine Querulant. Der Mann schreibt mir wöchentlich drei Briefe. Bald hat man ihn übers Ohr gehauen, bald hat man ihm seinen Zaun zerbrochen, bald hat man ihm seine Grenze verrückt. Nur Scherereien auf Scherereien.

MOTES *tritt ein. Er lacht im Reden fast fortwährend nervös.* Jehorsamster Diener, Herr Amtsvorsteher.

WEHRHAHN. Da sind Sie ja. Freut mich, daß Sie kommen. Da können Sie mir vielleicht gleich mal sagen: bei Krüger soll ja jestohlen sein?

MOTES. Ich wohne nicht mehr in der Villa Krüger.

WEHRHAHN. Und haben auch sonst nichts jehört, Herr Motes?

MOTES. Jehört hab' ich wohl, aber nichts Jenaues. Als ich jetzt bei der Villa vorüberkam, da suchten sie beide die Spuren im Schnee.

WEHRHAHN. So? Doktor Fleischer ist ihm behilflich — da sind sie wohl ziemlich dick befreundet?

MOTES. Ein Herz und eine Seele, Herr Vorsteher.

WEHRHAHN. Ja, was nun den Fleischer anbelangt — das interessiert mich vor allen Dingen. Bitte, setzen Sie sich! — Ich kann Ihnen sagen, ich habe die halbe Nacht nicht jeschlafen. Die Sache hat mich nicht schlafen lassen. Sie haben mir da einen Brief geschrieben, der mich außerordentlich aufgeregt hat. Das ist nun freilich Sache der Anlage. Meinen Vorgänger würde das nicht gestört haben. Ich meinesteils habe mich fest entschlossen, was man so sagt, durch und durch zu drücken. Meine Aufgabe hier ist: mustern und säubern. Was hat sich im Schutze meines Herrn Vorgängers nicht alles für Kehricht hier angesammelt! Dunkle Existenzen, politisch verfemte, reichs- und königsfeindliche Elemente. Die Leute sollen zu stöhnen bekommen. — Nun also, Herr Motes, Sie sind Schriftsteller?

MOTES. Für forst- und jagdliche Sachen, jawohl.

WEHRHAHN. Da schreiben Sie so in Forst- und Jagdzeitungen? Apropos: und können Sie denn davon leben?

MOTES. Wenn man eingeführt is wie ich, Herr Baron. Ich hab' Jott sei Dank mein schönes Auskommen.

WEHRHAHN. Sie sind ein gelernter Forstmann, wie?

MOTES. Ich war auf der Akademie, Herr Vorsteher. In Eberswalde hab' ich studiert. Kurz vor dem Examen betraf mich das Unglück . . .

WEHRHAHN. Ach ja, Sie tragen ja eine Binde.

MOTES. Ich verlor ein Auge auf Jagd, Herr Baron. Ich bekam ein Schrotkorn ins rechte Auge, von wem, war leider nicht zu ermitteln. Da mußte ich denn die Karriere aufgeben.

WEHRHAHN. Also Pension bekommen Sie nicht?

MOTES. Nein. Ich habe mich nun auch so ziemlich durchgefressen. Mein Name ist doch nun schon ziemlich genannt.

WEHRHAHN. Hm. Ist Ihnen vielleicht mein Schwager bekannt?

MOTES. Herr Oberförster von Wachsmann, jawohl. Ich korrespondiere viel mit ihm, und außerdem sind wir Vereinsgenossen: Verein zur Züchtung von Vorstehhunden.

WEHRHAHN *einigermaßen aufatmend.* So! sind Sie also mit ihm bekannt?! Das ist mir ja angenehm zu hören. Das erleichtert die Sache ja wesentlich und begründet das gegenseitige Vertrauen. Da hindert uns ja nun nichts mehr, Herr Motes. — Sie schrieben mir also in Ihrem Briefe, Sie hätten Gelegenheit gehabt, den Doktor Fleischer zu beobachten. Erzählen Sie doch mal, was Sie wissen.

MOTES *räuspert sich.* Als ich . . . als ich vor einem Jahre zirka die Villa Krüger bezog, Herr Baron, da hatte ich keine Ahnung davon, mit wem ich zusammengeraten würde.

WEHRHAHN. Sie kannten weder Krüger noch Fleischer?

MOTES. Nein. Wie das so ist in einem Hause, ich konnte mich nicht so recht zurückziehen.

WEHRHAHN. Was kamen denn da so für Leute ins Haus?

MOTES *mit bezeichnender Handbewegung.* Ach!

WEHRHAHN. Ich verstehe.

MOTES. Krethi und Plethi. Demokraten.

WEHRHAHN. Gab es regelmäßig Zusammenkünfte?

MOTES. Alldonnerstäglich, soviel ich weiß.

WEHRHAHN. Da wollen wir doch mal ein Augenmerk drauf haben. — Verkehren Sie jetzt nicht mehr mit den Leuten?

MOTES. Es war mir zuletzt nicht mehr möglich, Herr Vorsteher.

WEHRHAHN. Es war Ihnen widerwärtig, was?

MOTES. Es war mir gänzlich zuwider geworden.

WEHRHAHN. Das ganze ungesetzliche Wesen, das freche Gespött über hohe Personen, das konnten Sie alles zuletzt nicht mehr anhören?

MOTES. Ich blieb, weil ich dachte, wer weiß, wozu's gut ist.

WEHRHAHN. Aber endlich haben Sie doch jekündigt?

MOTES. Ich bin jezogen, jawohl, Herr Baron.

WEHRHAHN. Und endlich haben Sie sich entschlossen . . .

MOTES. Ich habe es für meine Pflicht gehalten.

WEHRHAHN. Die Behörde davon zu unterrichten. Das finde ich sehr ehrenwert von Ihnen. Er hat also so ein Wort gesagt — wir werden ja später protokollieren — auf eine Persönlichkeit bezüglich, die uns allen ehrfurchtgebietend hoch steht.

MOTES. Jewiß, Herr Baron, das hat er jesagt.

WEHRHAHN. Das würden Sie eventuell beeiden?

MOTES. Das würde ich eventuell beeiden.

WEHRHAHN. Sie würden es auch beeiden müssen.

MOTES. Jawohl, Herr Baron.

WEHRHAHN. Das beste wäre ja allerdings, wir könnten noch einen Zeugen bekommen.

MOTES. Ich müßte mich umsehen, Herr Baron. Nur wirft der Mann so mit Geld herum, daß . . .

WEHRHAHN. Ach, warten Sie mal, da kommt schon der Krüger. Ich will doch den Mann lieber vorher abfertigen. Ich bin Ihnen jedenfalls sehr dankbar, daß Sie mich so tatkräftig unterstützen. Man ist darauf geradezu angewiesen, wenn man heutzutage was ausrichten will.

KRÜGER *tritt hastig und erregt ein.* Ach Chott! Ach Chott! Chuten Tag, Herr Vorsteher.

WEHRHAHN *zu Motes.* Entschuldigen Sie einen Augenblick! *Hochmütig inquirierend zu Krüger.* Was wünschen Sie denn? *Krüger ist ein kleiner, etwas schwerhöriger, fast siebzigjähriger Mann. Er geht schon etwas gebückt, mit der linken Schulter ein wenig geneigt, ist aber im übrigen noch sehr rüstig und unterstützt seine Worte mit heftigen Handbewegungen. Er trägt eine Pelzmütze, die er im Amtslokale in der Hand behält, einen braunen Winterüberzieher, um den Hals einen dicken Wollschal.*

KRÜGER *mit Ärger geladen, platzt heraus.* Pestohlen bin ich, Herr Amtsvorsteher. *Er wischt sich, verschnaufend, mit dem Taschentuch den Schweiß von der Stirn und sieht dem Vorsteher nach Art der Schwerhörigen starr auf den Mund.*

WEHRHAHN. Bestohlen? Hm!

KRÜGER *schon gereizt.* Jawohl pestohlen. Ich bin pestohlen. Man hat mir zwei Meter Holz entwendet.

WEHRHAHN *mit halbem Lächeln bei den Anwesenden umblickend, leichthin.* Es ist doch sonst in der letzten Zeit hier nicht das jeringste vorjekommen.

KRÜGER *die Hand am Ohr.* Was? Nicht das keringste. Du lieber Chott! Dann steh' ich vielleicht zum Spaße hier?

WEHRHAHN. Sie brauchen deswegen nicht ausfällig zu werden. Wie heißen Sie übrigens?

KRÜGER *stutzt.* Wie ich heiße?

WEHRHAHN. Ja, wie Sie heißen.

KRÜGER. Ist Ihnen mein Name noch nicht bekannt? Ich denke, wir hatten schon das Vergnügen.

WEHRHAHN. Bedaure. Ich wüßte mich kaum zu erinnern. Das wäre schließlich hier auch ganz gleichgültig.

KRÜGER *resigniert.* Ich heiße Krüger.

WEHRHAHN. Rentier vielleicht?

KRÜGER *heftig, ironisch, überstürzt.* Jawohl. Rentier und Hausbesitzer.

WEHRHAHN. Ich bitte, legitimieren Sie sich.

KRÜGER. Leg . . . legitimieren? Krüger heiß' ich. Da wollen wir doch nicht erst Umstände machen. Ich wohne seit dreißig Jahren hier. Mich kennt ja ein jedes Kind auf der Straße.

WEHRHAHN. Wie lange Sie hier sind, geht mich nichts an. Ihre Identität will ich hier nur feststellen. Ist Ihnen der Herr bekannt. Herr Motes? *Motes erhebt sich halb mit einem bösen Gesicht.* Ach so, ich verstehe. Bitte, setzen Sie sich. Nun also, Glasenapp?

GLASENAPP. Ja! Zu dienen! Es ist der Herr Rentier Krüger von hier.

WEHRHAHN. Gut. — Holz ist Ihnen also gestohlen?

KRÜGER. Ja. Holz. Zwei Meter kieferne Knüppel.

WEHRHAHN. Haben Sie das Holz im Schuppen gehabt?

KRÜGER *wieder heftig werdend.* Das ist wieder eine Sache für sich. Das ist eine kanz besondere Klage.

WEHRHAHN *ironisch und flüchtig zu den andern hinüberlachend, leichthin.* Schon wieder eine?

KRÜGER. Was meinen Sie?

WEHRHAHN. Nichts. Reden Sie nur gefälligst weiter. Das Holz war also wohl nicht im Schuppen?

KRÜGER. Das Holz war im Karten. Das heißt: voor dem Karten.

WEHRHAHN. Mit andern Worten, es lag auf der Straße?

KRÜGER. Es lag vor dem Karten auf meinem Grundstück.

WEHRHAHN. Daß jeder ohne weiteres dazu konnte?

KRÜGER. Und das ist eben die Schuld des Tienstmädchens. Sie sollte das Holz am Abend hereinräumen.

WEHRHAHN. Da hat sie's verschwitzt?

KRÜGER. Sie hat sich keweigert. Und als ich weiter darauf bestand, da ist sie mir schließlich davongelaufen. Nun werd' ich dafür die Eltern verklagen. Ich peanspruche vollen Schadenersatz.

WEHRHAHN. Das halten Sie immerhin, wie Sie wollen. Aber helfen wird es wohl nicht viel. — Ist Ihnen nun irgend jemand verdächtig?

KRÜGER. Nein. Hier ist ja alles verstohlenes Pack.

WEHRHAHN. Vermeiden Sie, bitte, das Verallgemeinern. Sie müssen mir doch etwas in die Hand geben.

KRÜGER. Ich werde doch nicht einen Menschen beschuldigen auf gutes Glück.

WEHRHAHN. Wer wohnt außer Ihnen in Ihrem Hause?

KRÜGER. Herr Doktor Fleischer.

WEHRHAHN *gleichsam nachsinnend*. Doktor Fleischer? Doktor Fleischer? Der Mann ist — ? was?

KRÜGER. Ist krundgelehrt. Ein krundgelehrter Mann, jawohl.

WEHRHAHN. Sie sind beide sehr intim miteinander?

KRÜGER. Mit wem ich intim bin, ist meine Sache. Das kehört auch gar nicht hierher, wie mich dünkt.

WEHRHAHN. Wie soll man schließlich da etwas ermitteln? Sie müssen mir doch einen Fingerzeig geben?

KRÜGER. Ich muß? Du lieber Chott ja! Ich muß? Mir werden zwei Meter Holz kestohlen. Ich komme den Tiebstahl einfach anzeigen . . .

WEHRHAHN. Sie müssen doch eine Vermutung haben. Das Holz muß doch jemand gestohlen haben.

KRÜGER. Wa—? Ja — ich nicht! Ich chanz kewiß nicht.

WEHRHAHN. Aber lieber Mann . . .

KRÜGER. Wa—? Ich heiße Herr Krüger.

WEHRHAHN *einlenkend, scheinbar gelangweilt*. Ä! — Na, Glasenapp, protokollieren Sie also. — Was ist denn nun mit dem Mädchen, Herr Krüger? Das Mädchen ist Ihnen fortgelaufen?

KRÜGER. Ja, chanz kewiß — zu den Eltern zurück!

WEHRHAHN. Sind die Eltern am Ort?

KRÜGER. Was für ein Wort?

WEHRHAHN. Ob die Eltern des Mädchens hier am Ort sind?

GLASENAPP. Es ist die Tochter der Waschfrau Wolffen.

WEHRHAHN. Der Wolffen, die heute bei uns wäscht, Glasenapp.

GLASENAPP. Zu befehlen, Herr Vorsteher.

WEHRHAHN *kopfschüttelnd*. Äußerst merkwürdig! Diese fleißige, ehrenhafte Person. *Zu Krüger*. Verhält es sich so? Die Tochter der Wolffen?

KRÜGER. Es ist die Tochter der Waschfrau Wolff.

WEHRHAHN. Und ist das Mädchen zurückgekommen?

KRÜGER. Bis heute noch nicht zurückgekommen.

WEHRHAHN. Dann wollen wir doch mal die Wolffen rufen. He, Mitteldorf! Sie sind wohl sehr müde? Na, gehen Sie mal rüber

über den Hof. Die Wolffen soll gleich mal zu mir kommen. Ich bitte, setzen Sie sich, Herr Krüger.

KRÜGER *Platz nehmend, seufzt.* Ach Chott, ach Chott, das ist so ein Leben!

WEHRHAHN *halblaut zu Motes und Glasenapp.* Ich bin doch neugierig, was da herauskommt. Da muß irgend etwas nicht ganz stimmen. Ich halte nämlich sehr viel von der Wolffen. Das Weibsbild arbeitet wie vier Männer. Meine Frau sagt, wenn die Wolffen nicht kommt, so braucht sie statt ihrer zwei Frauen zum Waschen. — Sie hat auch gar nicht üble Ansichten.

MOTES. Ihre Töchter sollen zur Oper gehen . . .

WEHRHAHN. Na ja, da mag ja wohl 'ne Schraube los sein. Ist aber doch kein Charakterfehler. Was haben Sie denn da hängen, Herr Motes?

MOTES. Drahtschlingen. Ich bring' sie dem Förster Seidel.

WEHRHAHN. Ach, zeigen Sie doch mal her so'n Ding. *Er hält eine und betrachtet sie nahe.* Da muß so'n Stück Wild nun so langsam erwürgen.

Die Wolffen tritt ein, hinter ihr Mitteldorf. Sie trocknet sich noch die vom Waschen nassen Hände.

FRAU WOLFF *unbefangen, heiter, mit einem flüchtigen Blick auf die Drahtschlingen.* Hier bin ich? Was hat's nu? Was gibbt's mit der Wolffen?

WEHRHAHN. Frau Wolff, ist Ihnen der Herr bekannt?

FRAU WOLFF. Na, welcher Herr d'nn? *Mit dem Finger auf Krüger weisend.* Der hier? Das is Herr Krieger. Den wer ich woll etwa kenn, nich wahr? Guten Morgen, Herr Krieger.

WEHRHAHN. Ihre Tochter ist bei Herrn Krüger im Dienst?

FRAU WOLFF. Wer? Meine Tochter? Jawoll! Leontine. *Zu Krüger.* Das heeßt: sie is Ihn ja fortgeloofen.

KRÜGER *wütend.* Ja, allerdings!

WEHRHAHN *unterbrechend.* Ach, warten Sie mal.

FRAU WOLFF. Was habt er'n da eenklich mitnander gehabt?

WEHRHAHN. Frau Wolffen, hören Sie mal auf mich! Ihre Tochter muß gleich in den Dienst zurückjehen.

FRAU WOLFF. I nee, m'r behalten se jetzt zu Hause.

WEHRHAHN. Das geht nicht so einfach, wie Sie denken. Herr Krüger hat nötigenfalls das Recht, polizeiliche Hilfe anzurufen. Dann müßten wir Ihre Tochter zurückbringen.

FRAU WOLFF. Mei Mann hat sich's halt in a Kopp gesetzt. Er will

157

se halt eemal durchaus nich mehr fortlassen. Und wenn sich mei
Mann amal was in a Kopp setzt . . . Ihr Männer seid halt gar
zu schrecklich jähzornig.

WEHRHAHN. Nu lassen Sie das mal gut sein, Frau Wolffen. Ihre
Tochter ist seit wie lange zu Hause?

FRAU WOLFF. Seit gestern abend.

WEHRHAHN. Schön. Seit gestern. Sie hat sollen Holz in den
Schuppen räumen und hat sich geweigert.

FRAU WOLFF. Wärsch doch! Geweigert! Das Mädel weigert Ihn
keene Arbeit. Das hätt ich dem Mädel ooch woll'n anstreichen!

WEHRHAHN. Sie haben jehört, was Frau Wolff jesagt hat.

FRAU WOLFF. Das Mädel is immer willig gewesen. Wenn die mir
hätte eemal 'n Handgriff verweigert . . .

KRÜGER. Sie hat sich keweigert, das Holz reinzutragen.

FRAU WOLFF. Ja, Holz reinschleppen, de Nacht um halb elwe,
wer das von so an Kinde verlangt . . .

WEHRHAHN. Das Wesentliche ist nun, Frau Wolffen: das Holz
ist draußen liegengeblieben, und diese Nacht ist es gestohlen
worden. Nun will . . .

KRÜGER *hält sich nicht mehr.* Sie werden tas Holz ersetzen, Frau
Wolff.

WEHRHAHN. Das wird sich ja finden, warten Sie doch.

KRÜGER. Sie werden's mir bei Heller und Pfennig ersetzen.

FRAU WOLFF. I, ja doch! Das wär ane neie Mode! Hab ich Ihn
vielleicht Ihr Holz gestohlen?

WEHRHAHN. Na, lassen Sie sich mal den Mann erst beruhigen.

FRAU WOLFF. I, wenn mir Herr Krieger erst aso kommt, mit
Holz bezahlen und solche Sachen, da hat a bei mir kee Glicke
nich. Ich bin zu a Leiten gewiß immer freindlich. Da kann sich
kee Mensch ieber mich beklagen. Aber wenn's amal muß sein,
warum denn nich? Da red ich halt ooch amal frisch von der
Leber. Ich tu meine Pflicht, und damit is's gutt. Da kann mir
keener im Dorfe was nachsagen. Uff'm Koppe rumtrampeln
laß ich mir nicht!

WEHRHAHN. Ereifern Sie sich nur nicht, Frau Wolff. Sie haben
durchaus keinen Grund dazu. Bleiben Sie nur immer ruhig,
ganz ruhig. Sie sind uns ja nicht mehr unbekannt. Daß Sie
fleißig sind und ehrenhaft, das wird Ihnen wohl kein Mensch
bestreiten. Was haben Sie also dagegen zu sagen?

KRÜGER. Die Frau kann kar nichts dagegen sagen!

FRAU WOLFF. Na nu, ihr Leute, nu schlägt's aber dreiz'n. Is denn das Mädel nich meine Tochter? Da soll ich nischt d'rzu sagen, hä? Da suchen Se sich ane Tumme aus, da kenn Se de Mutter Wolffen schlecht. Ich halte vor niemand nich hinterm Berge, und wenn's der Herr Vorsteher selber is. Viel weniger vor Ihn, das kenn Se mer glooben.

WEHRHAHN. Ich begreife ja Ihre Erregung, Frau Wolffen. Aber wenn Sie der Sache nützen wollen, so rate ich Ihnen, ruhig zu bleiben.

FRAU WOLFF. Da hat ma nu bei da Leiten gearbeit. Zehn Jahre hab ich de Wäsche gewaschen. M'r hab'n uns vertragen de ganze Zeit. Un nu uff eenmal woll'n Se aso komm. Zu Ihn komm ich nie mehr, das kenn Se m'r glooben.

KRÜGER. Das prauchen Sie kar nicht. Es kibt andere Frauen, die waschen könn.

FRAU WOLFF. Und 's Gemiese und 's Obst aus Ihrem Garten, das kann Ihn ooch ane andre verkoofen.

KRÜGER. Das werde ich los, ta ist keine Angst. — Sie hätten bloß prauchen ein Prügel nehmen und Ihre Tochter zu mir zurück-jagen.

FRAU WOLFF. Ich lasse meine Tochter nich schinden.

KRÜGER. Wer hat Ihre Tochter geschunden? frag' ich.

FRAU WOLFF *zu Wehrhahn.* A halbes Gerippe is Ihn das Mädel.

KRÜGER. Dann soll sie nicht kanze Nächte durchtanzen.

FRAU WOLFF. Se schläft wie a Steen a ganzen Tag.

WEHRHAHN *über Frau Wolff hinweg zu Krüger.* Wo hatten Sie denn das Holz gekauft?

FRAU WOLFF. Na, dauert die Sache hier noch lange?

WEHRHAHN. Weshalb denn, Frau Wolffen?

FRAU WOLF. I, wegen der Wäsche. Wenn ich m'r hier meine Zeit versteh, da kann ich ooch heite nich fertig wern.

WEHRHAHN. Das kommt hier nicht in Betracht, Frau Wolffen.

FRAU WOLFF. Und Ihre Frau? Was werd d'nn die sagen? Da machen Se's ock mit der aus, Herr Vorsteher.

WEHRHAHN. Es dauert ja nur noch eine Minute. — Da sagen Sie uns mal gleich, Frau Wolffen, Sie sind ja im Dorfe herum be-kannt. Wem trauen Sie so einen Diebstahl zu? Wer könnte das Holz wohl gestohlen haben?

FRAU WOLFF. Da kann ich Ihn gar nischt sagen, Herr Vorsteher.

WEHRHAHN. Und haben Sie gar nichts Verdächt'ges bemerkt?

FRAU WOLFF. Ich war de Nacht erscht gar nich zu Hause. Ich mußte nach Treptow, Gänse einkoofen.

WEHRHAHN. Um welche Zeit war das?

FRAU WOLFF. Gleich nach zehne. Mitteldorf war ja dabei, als m'r loszogen.

WEHRHAHN. Eine Holzfuhre ist Ihnen da nicht begegnet?

FRAU WOLFF. Nee, wißt ich nich.

WEHRHAHN. Wie ist's, Mitteldorf, haben Sie nichts bemerkt?

MITTELDORF *nach einigem Nachsinnen*. Mir ist nichts Verdächtiges uffjestoßen.

WEHRHAHN. Na selbstverständlich, das wußt' ich vorher. *Zu Krüger.* Wo haben Sie also das Holz jekauft?

KRÜGER. Zu was müssen Sie denn das wissen? frag' ich.

WEHRHAHN. Sie werden das, denk' ich, mir überlassen.

KRÜGER. Natürlich doch bei der Forstverwaltung.

WEHRHAHN. Das ist doch durchaus nicht so natürlich. Es gibt doch zum Beispiel auch Holzjeschäfte. Ich kaufe zum Beispiel mein Holz bei Sandberg. Warum sollten Sie nicht beim Händler kaufen? Man kauft überdies beinahe profitabler.

KRÜGER *ungeduldig*. Ich habe nicht länger Zeit, Herr Vorsteher.

WEHRHAHN. Was heißt das, Zeit? Sie haben nicht Zeit? Kommen Sie zu mir oder ich zu Ihnen? Nehm' ich Ihre Zeit in Anspruch oder Sie die meine?

KRÜGER. Das ist Ihr Amt, dafür sind Sie hier.

WEHRHAHN. Bin ich vielleicht Ihr Schuhputzer, was?

KRÜGER. Habe ich vielleicht silberne Löffel gestohlen? Ich verbitte mir diesen Unteroffizierston!

WEHRHAHN. Da hört doch aber . . . Schreien Sie nicht so!

KRÜGER. Sie schreien, Herr!

WEHRHAHN. Sie sind halbtaub, da muß ich schreien.

KRÜGER. Sie schreien immer, Sie schreien jeden an, der hierher-kommt.

WEHRHAHN. Ich schreie niemand an, schweigen Sie still!

KRÜGER. Sie spielen sich hier als wer weiß was auf. Sie schikanieren den ganzen Ort.

WEHRHAHN. Das kommt noch ganz anders, warten Sie nur. Ich werde Ihnen noch viel unbequemer.

KRÜGER. Das macht mir nicht den keringsten Eindruck. Ein Kernegroß sind Sie, weiter nichts. Sie wollen sich aufspielen, weiter nichts. Als ob Sie der König selber wären . . .

WEHRHAHN. Hier bin ich auch König!

KRÜGER *lacht aus vollem Halse.* Ha, ha, ha, ha, ha! Das lassen Sie kut sein, in meinen Augen sind Sie kar nichts. Sie sind 'n kanz simpler Amtsvorsteher. Sie müssen erst lernen, einer zu werden.

WEHRHAHN. Herr, wenn Sie nicht augenblicklich schweigen . . .

KRÜGER. Dann lassen Sie mich wohl arretieren? Das möchte ich Ihnen denn doch nicht raten. Das könnte Ihnen kefährlich werden.

WEHRHAHN. Gefährlich? Sie? *Zu Motes.* Haben Sie gehört? *Zu Krüger.* Und wenn Sie wühlen und intrigieren mit Ihrem ganzen lieblichen Anhang, Sie werden mich von der Stelle nicht fortbringen.

KRÜGER. Du lieber Chott! Ich gegen Sie wühlen? Dazu ist mir Ihre Person viel zu kleichgültig. Wenn Sie sich nicht ändern, das klauben Sie mir, da richten Sie so viel Unheil an, daß Sie sich känzlich unmöglich machen.

WEHRHAHN *zu Motes.* Herr Motes, man muß das Alter berücksichtigen.

KRÜGER. Ich bitte mich zu Protokoll zu vernehmen.

WEHRHAHN *wühlt in seinen Sachen.* Erstatten Sie bitte schriftlich Anzeige, ich habe im Augenblick keine Zeit.

KRÜGER *sieht ihn verblüfft an, wendet sich energisch und geht ohne Gruß hinaus.*

WEHRHAHN *nach einer Verlegenheitspause.* Da kommen die Leute mit solchen Lappalien! — Äh! *Zu Frau Wolff.* Machen Sie, daß Sie zum Waschen kommen! — Ich sage Ihnen, mein lieber Motes, so'n Posten wird einem schwer gemacht. Wenn man nicht wüßte, für was man hier steht, da könnte man manchmal die Büchse ins Korn werden. So aber heißt es: tapfer aushalten. Was ist es denn schließlich, für was man kämpft? Die höchsten Güter der Nation!

DRITTER AKT

Morgens gegen acht Uhr in der Wohnung der Frau Wolff. Auf dem Herd kocht das Kaffeewasser. Frau Wolff sitzt auf einer Fußbank und zählt Geld auf die Platte eines Stuhles. Julius kommt herein, ein geschlachtetes Kaninchen tragend.

JULIUS. Stich du all bloß det Jeld beiseite.

FRAU WOLFF *ins Berechnen vertieft, grob.* I, hab dich nich!

Schweigen.

Julius wirft das Kaninchen auf einen Schemel, dann greift er ziemlich unschlüssig nach diesem und jenem und fängt schließlich an, einen Stiefel zu schmieren. Man hört fern ein Jagdsignal blasen.

JULIUS *horcht, dann ängstlich erregt.* Ob du woll det Jeld beiseite stichst!

FRAU WOLFF. Du sollst mich in Ruh lassen, Julian. Laß du doch den dämlichen Motes blasen. Der is im Walde und denkt an nischt.

JULIUS. Bring du uns man noch nach Plötzensee!

FRAU WOLFF. Du sollst kee Blech reden. 's Mädel kommt!

ADELHEID *kommt, eben aufgestanden.* Juten Morjen, Mama!

FRAU WOLFF. Haste scheen geschlafen?

ADELHEID. Ihr seid woll fort jewesen die Nacht?

FRAU WOLFF. Du wirscht woll geträumt haben; nu mach! Trag Holz herzu. Feder a bissel!

ADELHEID *mit einer Apfelsine ballend, nach der Tür.*

FRAU WOLFF. Wo hast'n die her?

ADELHEID. Von Kaufmann Schöbel. *Ab.*

FRAU WOLFF. Du sollst von dem Kerle nicht geschenkt nehmen! — Nu komm amal, Julian! Heer amal druff! Hier hab ich nu neununfufzig Taler. Das ist doch nu eemal mit Wulkown immer. Um eenen wird ma doch immer beschummelt, denn sechzig hat er doch geb'n wollen. — Ich tu se hier in a Beutel, verstehste! Nu nimm der 'ne Hacke, geh, mach d'r hinten im Ziegenstalle a Loch, aber unter der Krippe, wo's trocken ist; da kannste a Beutel reintun, heerschte! Un a flachen Steen, den deckste m'r drieber. Nu halt dich aber ni lange uff.

JULIUS. Ich denke, du willst all Fischern wat abzahl'n.

FRAU WOLFF. Ob de woll tun kannst, was ich d'r sage. Nu mähr nich erscht lange, haste verstanden?

JULIUS. Mach du mir nich eklich, sonst kriste wat druff all. Ich jeb et nich zu, det det Jeld in't Haus bleibt.

FRAU WOLFF. Wo soll's 'n da hinkommen?

JULIUS. Det nimmste und bringste bei Fischern hin. Du hast ja jesacht all, wir woll'n mit wat abzahl'n.

FRAU WOLFF. Du bist doch a hagelshorntummer Kerl. Wenn du mich nicht hätt'st, da wärschte verloren.

JULIUS. Schrei du man noch mehr!

FRAU WOLFF. Da muß man ooch schreien, wenn du aso tumm bist. Da red ni so tumm, da brauch ich ni schreien. Wenn mir jetzt das Geld zu Fischern bringen, da paß amal uff, was uns da passiert.

JULIUS. Ick sach et ja! mit die janze Jeschichte! Wat hab ick davon, wenn ick sitzen muß!

FRAU WOLFF. Nu hast aber Zeit, daß de stille bist!

JULIUS. 'n bißken mehr schriegen kannste woll nich?

FRAU WOLFF. Ich wer m'r deswegen kee ander Maul koofen. Du machst a Hallo . . . ich weeß gar ni wie, wegen so an bissel Geschichte da. Paß du bloß uff dich uff und nich uff mich. Hast a Schlissel schonn in de Spree geschmissen?

JULIUS. Na, bin ick denn schonn an't Wasser jekomm?

FRAU WOLFF. Nu haste Zeit, daß de Beene machst. Se soll'n woll a Schlissel bei dir finden? *Julian will fort.* I, wart amal, Julian! Gib her a Schlissel!

JULIUS. Wat willst'n mit machen?

FRAU WOLFF *den Schlüssel an sich nehmend.* Das geht dich nischt an, das ist meine Sache. *Sie steckt den Schlüssel zu sich, schüttet Kaffee in die Kaffeemühle und fängt an zu mahlen.* Nu geh in a Stall, denn kommste und trinkst.

JULIUS. Det hätte ick man sollen früher jewußt hebben. *Julius ab. Adelheid kommt herein, eine große Schürze voll Knüppelholz bringend.*

FRAU WOLFF. Wo haste das Holz hergenommen?

ADELHEID. Na, halt von det neue Knüppelholz.

FRAU WOLFF. Du sollst von dem neuen Holze nich nehmen.

ADELHEID *läßt es vor dem Herd auf die Erde fallen.* Det schad't doch nischt, Mama, wenn et wechkommt.

FRAU WOLFF. Was du bloß weeßt! Was fällt 'n dir ein? Wer du man erscht trocken hinter a Ohren!

ADELHEID. Ick weeß, wo et her is!

FRAU WOLFF. Was meenste denn, Mädel?

ADELHEID. Ick meene det Holz.

FRAU WOLFF. I, quaßle bloß nich. Das is uff d'r Auktion gekooft.

ADELHEID *spielt Ball mit der Apfelsine.* Ja, ja, wenn't man wah wär. Det is ja stibitzt.

FRAU WOLFF. Was is es?

ADELHEID. Stibitzt. Det is ja det Holz von Krüjer, Mama. Det hat mir ja Leontine jesacht.

FRAU WOLFF *haut ihr ein Kopfstück.* Da haste 'ne Antwort. Mir sein keene Diebe. Nu geh und mach deine Schularbeiten. Und mach se sauber, das sag ich dir. Ich komme nachher und seh mersch an.

ADELHEID *ab ins Nebenzimmer.* Ick denke, ich kann jehn Schlittschuh loofen.

FRAU WOLFF. Un a Konfirmantenunterricht, den haste woll ganz und gar vergessen?

ADELHEID. Der is ja erst Dienstach.

FRAU WOLFF. Morgen is a. Lern du m'r ja deine Bibelspriche. Ich komme nachher un ieberheer dich.

ADELHEID *hört man im Nebenzimmer laut gähnen, dann sagen.* Jesus sprach zu seine Jünger, wer keen Löffel hat, ißt mit de Finger.

Julius kommt wieder.

FRAU WOLFF. Na, haste's ooch richtig gemacht, Julian?

JULIUS. Wenn't dir nich jefällt, denn mach't man alleene.

FRAU WOLFF. Weeß Gott! da tutt ma ooch immer am besten. *Sie gießt ihm selbst und sich je eine Obertasse voll Kaffee und stellt sie auf einen Holzstuhl, dazu Brot und Butter.* Da hier, trink Kaffee!

JULIUS *sich setzend und Brot schneidend.* Wenn man bloß Wulkow hat fortjekonnt.

FRAU WOLFF. Na, bei dem Tauwetter.

JULIUS. Immerzu doch, Tauwetter!

FRAU WOLFF. Wenn's ooch meinswegen a bissel friert, deswegen wird a nich sitzenbleiben. Der is jetzt schon längst a Stick im Kanale.

JULIUS. Wenn er man nich noch all an de Brücke liecht.

FRAU WOLFF. For mir mag a liegen, wo a will.

JULIUS. Det Wulkow noch mal jehörig rinschliddert, das kannste mir dreiste jlooben, verstehste!

FRAU WOLFF. Das is seine Sache, nich unsere Sache!

JULIUS. Denn stecken wir man all ooch in de Patsche. Laß du se man finden den Pels bei Wulkown.

FRAU WOLFF. Was denn fer'n Pelz?

JULIUS. Na, Kriejer sein Pels.

FRAU WOLFF. Red du bloß keen Blech nich zusammen, verstehste.
Verbrenn d'r dei Maul nich an fremden Sachen.

JULIUS. Det betrifft m'r ooch all.

FRAU WOLFF. Dreck betrifft's dich! Das geht dich nischt an.
Das sind meine Sachen, nich deine Sachen. Du bist gar ke
Mann, du bist a alt Weib. — Hier haste Geld, nu mach, daß
de fortkommst. Geh nieber zu Fiebigen, trink an Schnaps;
meinswegen mach d'r an lust'gen Sonntag. *Es klopft.* Herrein!
Immer rein, wer de reinwill.

*Doktor Fleischer mit seinem fünfjährigen Jungen tritt ein. Flei-
scher ist siebenundzwanzig Jahr, trägt Jägerianerkostüm, hat
kohlschwarze Haare, ebensolchen Schnurr- und Backenbart;
seine Augen liegen tief, seine Stimme ist für gewöhnlich sanft.
Er verwendet in jeder Sekunde rührende Sorgfalt auf sein Kind.*

FRAU WOLFF *jauchzend.* Hach, kommt uns der Philipp amal
besuchen! Na, das is scheen, das rech'n ich mir aber. *Sie bemächtigt sich des Kindes und zieht ihm den Paletot aus.* Nu
komm, zieh der aus a Paletot. Hier hinne is warm, hier wirschte
nich frieren.

FLEISCHER ängstlich. Frau Wolffen, es zieht. Ich glaube, es zieht.

FRAU WOLFF. Wer werd denn so weech gebacken sein! A bissel
Zug schad't dem Jungen nischt.

FLEISCHER. Nein, nein, bewahre. Was denken Sie denn! Im
Augenblick hat der Junge was weg. Bewege dich, Philippchen.
Immer beweg dich.

PHILIPP *wehrt mit den Schultern ab und quiekt dabei.*

FLEISCHER. Ja, Philippchen, siehst du, sonst wirst du krank.
Du brauchst ja bloß langsam hin und her gehen.

PHILIPP *ungezogen.* Ich will aber nich.

FRAU WOLFF. I, lassen Se'n man.

FLEISCHER. Guten Morgen, Frau Wolffen.

FRAU WOLFF. Guten Morgen, Herr Doktor, besuchen Sie uns
ooch wieder amal?

FLEISCHER. Guten Morgen, Herr Wolff.

JULIUS. Schön juten Morjen, Herr Fleischer.

FRAU WOLFF. Na, sein Se willkomm'n. Nehmen Se Platz!

FLEISCHER. Wir wollen uns gar nich lange aufhalten.

FRAU WOLFF. Na, wenn m'r so an scheenen Besuch kriegen, gleich in der Frieh, da wern m'r heut ooch an glicklichen Tag hab'n. *Vor dem Jungen kniend.* Nich wahr, mei Junge, du bringst uns Glick?

PHILIPP *erregt.* Ich bin im zoloschen Darten dewesen, da hab ich Störche desehn, die haben sich mit goldnen Schnäbeln debeißt.

FRAU WOLFF. Nee, is woll nich meeglich, du liegst m'r was vor. *Den Jungen würgend und abküssend.* Huch, Junge, ich freß dich, ich freß dich reen uf. Herr Fleischer, den Jungen behalt ich m'r. Das is mei Junge. Gelt, du bist mei Junge. Was macht denn de Mutter, hä?

PHILIPP. Sie is desund, und sie läßt schön drüßen, und Sie möchten doch morgen früh Wäsche waschen.

FRAU WOLFF. Na, sieh eener an. Aso a Junge. Der kann schonn solche Sachen ausrichten. *Zu Fleischer.* Na, wollen Se sich nich a bissel setzen?

FLEISCHER. Der Junge quält mich, er will mal Kahn fahren. Geht's denn?

FRAU WOLFF. I, freilich. De Spree is frei. Das Mädel kann Ihn ja a Stickel rausrudern.

FLEISCHER. Der Junge läßt mich nu mal nicht locker. Er hat sich das so in den Kopf gesetzt.

ADELHEID *an der Tür des Nebenzimmers sichtbar werdend, winkt Philipp.* Komm, Philipp, ick wer d'r was Schönes zeijen.

PHILIPP *kreischt störrisch auf.*

FLEISCHER. Philippchen, hörst du, nicht ungezogen!

ADELHEID. Da sieh man die schöne Apfelsine!

PHILIPP *lacht übers ganze Gesicht, tut ein paar Schritte auf Adelheid zu.*

FLEISCHER. Na geh mal hin, aber ja nicht betteln!

ADELHEID. Komm, komm, die essen wir jetzt mitnander. *Sie tut ein paar Schritte auf das Kind zu, faßt es bei der Hand, hält ihm mit der freien Hand die Apfelsine vor, und beide begeben sich einträchtig ins Nebenzimmer.*

FRAU WOLFF *dem Jungen nachschauend.* Nee, Junge, ich muß dich bloß immer ansehn. Ich weeß nich, wenn ich so'n Jungen seh . . . *sie nimmt den Schürzenzipfel und schneuzt sich —* da is mersch, als wenn ich glei heulen mißte.

FLEISCHER. Haben Sie nicht mal so'n Jungen gehabt?

FRAU WOLFF. Na freilich. Aber was nutzt denn das alles? Ma

macht 'n ja doch nich wieder lebendig. — Ja sehen Se, das sind so Lebenssachen. *Pause.*

FLEISCHER. Man muß zu vorsichtig sein mit den Kindern.

FRAU WOLFF. Da mag ma halt noch so vorsichtig sein. Was kommen soll, kommt. *Pause. Kopfschüttelnd.* Was haben Sie denn mit Herrn Motes gehabt?

FLEISCHER. Ich? Nichts. Was soll ich mit ihm gehabt haben?

FRAU WOLFF. Ich meente bloß so.

FLEISCHER. Wie alt ist denn Ihre Tochter jetzt?

FRAU WOLFF. Zu Ostern kommt se doch aus der Schule. Wie is's denn, wollen Se se haben, Herr Fleischer? Zu Ihn, da geb ich se gerne ins Dienst.

FLEISCHER. Warum denn nicht? Das wär' gar nicht übel.

FRAU WOLFF. Das is Ihn a strammer Pursche geworden. Wenn die ooch noch jung is, kann ich Ihn sagen, die arbeit't mit jeder um die Wette. Und wissen Se was: se is manchmal a Strick, se tut manchmal nich gutt. Aber tumm is se nich. Die hat Ihn Schenie.

FLEISCHER. Das kann ja immerhin möglich sein.

FRAU WOLFF. Lassen Sie die bloß a eenziges Mal was uffsagen — a Getichte, oder was grade is. Da kann ich Ihn aber sagen, Herr Doktor, da komm Se aus der Gansehaut gar nich raus. Se kenn se ja amal reinruffen lassen, wenn Se wieder amal Berliner Besuch hab'n. Zu Ihn kommen doch immer so allerhand Tichter. Die is Ihn treiste, die legt glei los. Se deklamiert Ihn zu wundernscheene! — *Verändert.* Nu will ich Ihn aber an gutten Rat geben: Se derfen mersch aber nich iebelnehmen. —

FLEISCHER. 'n guten Rat nehm' ich niemals übel.

FRAU WOLFF. Uffs erschte: schenken Se nich so viel weg! Das dankt Ihn kee Mensch. Sie hab'n doch bloß Undank.

FLEISCHER. Ich schenke ja gar nich viel weg, Frau Wolffen.

FRAU WOLFF. Na ja, ich weeß schonn. Reden Se erscht nich, das macht Ihn bloß die Leite stutzig. Da heeßt's gleich: das is a Temekrat. Und sein S' ock im Reden ja immer recht vorsichtig.

FLEISCHER. Wie soll ich denn das verstehen, Frau Wolff?

FRAU WOLFF. Man kann sich ja denken, was ma will. Im Aussprechen muß ma gar vorsichtig sein. Da sitzt ma im Loch, ma weeß gar nich wie.

FLEISCHER *wird bleich.* Na, machen Sie keinen Unsinn, Frau Wolff.

FRAU WOLFF. Nee, nee, das sag ich in allen Ernst. — Und nehm Se sich bloß vor dem Menschen in acht.

FLEISCHER. Vor welchem Menschen meinen Sie denn?

FRAU WOLFF. Na der, von dem m'r vorhin gered't haben.

FLEISCHER. Vor Motes etwa?

FRAU WOLFF. Ich nenn keene Namen. Sie missen doch was mit dem Menschen gehabt haben?

FLEISCHER. Ich verkehre ja gar nicht mehr mit ihm.

FRAU WOLFF. Na, sehn Se, das hab ich m'r doch gedacht.

FLEISCHER. Das kann mir kein Mensch verdenken, Frau Wolffen!

FRAU WOLFF. Ich verdenk's Ihn ooch nich.

FLEISCHER. Das wäre noch schöner, mit einem Schwindler . . . mit einem notorischen Schwindler verkehren.

FRAU WOLFF. Das is ooch a Schwindler, da haben Se schonn recht.

FLEISCHER. Jetzt is er zur Kuchen-Dreiern gezogen. Die arme Frau kann sehn, wo sie bleibt. Was die etwa hat, das wird sie schon loswerden. Mit so einem Kerl . . . einem förmlichen Zuchthäusler . . .

FRAU WOLFF. A läßt halt so manchmal Reden fallen . . .

FLEISCHER. So!? Über mich? Da bin ich neugierig.

FRAU WOLFF. Sie hätten, gloob ich, was Schlechtes gesprochen von eener hohen Person oder was.

FLEISCHER. Hm! was Genaues wissen Sie nicht?!

FRAU WOLFF. A steckt halt viel mit'n Wehrhahn zusammen. Aber wissen Se was? Ich will Ihn was sagen. Gehn Se amal hin zur Mutter Dreiern. Die alte Hexe riecht ooch schonn Lunte. Erscht sin s' er doch um a Mund gegangen, jetzt fressen doch die 'r de Haare vom Koppe.

FLEISCHER. Ach was, die ganze Sache ist Unsinn!

FRAU WOLFF. I, gehn Se zur Dreiern, das kann nischt schaden. Die hat m'r ane Geschichte erzählt . . . A hat se zum Meineid verleiten wollen. Da hab'n Se da ganzen Kerl in der Hand.

FLEISCHER. Ich kann ja mal hingehen, meinetwegen. Aber schließlich ist mir die Sache egal. Das müßte doch mit'm Deibel zugehn, wenn so'n Kerl . . . der soll doch mal ankommen. — Du, Philipp, Philipp! Wo bist du denn? Wir wollen jetzt gehn.

ADELHEIDS STIMME. Wir sehn uns so schöne Bilder an.

FLEISCHER. Was sagen Sie übrigens zu der Geschichte?

FRAU WOLFF. Zu welcher?

FLEISCHER. Sie haben noch gar nichts gehört?

FRAU WOLFF *unruhig.* Nee, was ich Ihn sage. *Ungeduldig.* Mach, Julian, geh, daß de zeitig wieder zu Mittage da bist. *Zu Fleischer.* M'r ham heite a Kaninchen geschlacht. Biste noch nich fertig, Julian?

JULIUS. Na, laß m'r bloß man meine Mitze suchen.

FRAU WOLFF. Ich kann das nich sehn, wenn eener so dämelt — so: kommste heite nich, kommste morgen. Bei mir muß alles vom Fleck gehn.

FLEISCHER. Heut nacht ist bei Krüger ge . . .

FRAU WOLFF. Sein Se stille! Lassen Se mich mit dem Manne zufrieden! Uf den hab ich eene solche Bost! Der Mann hat mich Ihn zu tief gekränkt. Wie mir beede mitnander gestanden haben, und macht mich so schlecht vor den Leuten. *Zu Julius.* Na, gehste nu, oder gehste nich?

JULIUS. Ick jeh schon, rege dir man nich uff. Ick wünsch all juten Morjen, Herr Fleischer!

FLEISCHER. Guten Morgen, Herr Wolff. *Julius ab.*

FRAU WOLFF. Na, wie gesagt —

FLEISCHER. Ja, wie ihm das Holz gestohlen wurde, da hat er sich wohl mal mit Ihnen gezankt? Von damals das hat er längst bereut.

FRAU WOLFF. I, der und bereuen!

FLEISCHER. Nu was ich Ihnen sage, Mutter Wolffen. Und überhaupt nach der letzten Geschichte. Sie stehen bei dem Manne groß angeschrieben. 's beste wär', Sie vertrügen sich wieder.

FRAU WOLFF. M'r hätten vernimft'g reden kenn. Aber gleich mit der Polizei — nu nee!

FLEISCHER. Die alten Leutchen sind wirklich schlimm dran; das Holz vor acht Tagen, heute der Pelz . . .

FRAU WOLFF. Nu raus mit der großen Neuigkeit!

FLEISCHER. Sie haben halt wieder mal eingebrochen.

FRAU WOLFF. Gestohlen? Machen Se bloß kennen Unsinn.

FLEISCHER. Und zwar einen nagelneuen Pelz.

FRAU WOLFF. Nee, wissen Se, nächstens zieh ich fort. Das ist ja eine Bande dahier! Da is ma ja seines Lebens nich sicher! Z! Z! Solche Menschen! Ma sollt's nich glooben!

FLEISCHER. Nu können Sie sich denken, was für 'n Hallo ist.

FRAU WOLFF. Das kann man den Leiten nich verdenken.

FLEISCHER. Und wirklich, 's war 'n recht teures Stück, ich glaube Nerz.

FRAU WOLFF. Is das a so ähnlich wie Biber, Herr Fleischer?

FLEISCHER. Ach, 's kann sogar Biber gewesen sein. Die Leutchen waren ganz stolz darauf. — Das heißt: gelacht hab' ich doch im stillen. Wenn so was entdeckt wird, das wirkt immer komisch.

FRAU WOLFF. Sie sin aber wirklich unbarmherzig. Ieber sowas kann ich nich lachen, Herr Fleischer!

FLEISCHER. Na denken Sie, daß mir der Mann nicht leid tut?

FRAU WOLFF. Was missen bloß das fer Menschen sein! Das will een doch gar nich in a Kopp. So andere Leute ums Ihrige bringen — nee, da lieber arbeiten, bis ma hinfällt.

FLEISCHER. Können Sie denn nich mal so'n bißchen rumhorchen? Ich glaube, der Pelz ist im Orte geblieben.

FRAU WOLFF. Nu haben Se denn uff niemand Verdacht?

FLEISCHER. Da hat so'ne Waschfrau bei Krüger gewaschen . . .

FRAU WOLFF. De Millern?

FLEISCHER. Die hat so'ne große Familie . . .?

FRAU WOLFF. 'ne große Familie hat die Frau, aber stehlen . . . nee. A bissel mausen, ja!

FLEISCHER. Natürlich hat sie Krüger gejagt.

FRAU WOLFF. Das muß doch rauskommen, Schwerenot. Das mißte doch mit'n Teifel zugehn. Na, wenn ich bloß Amtsvorsteher wär. Der Mann is Ihn aber tumm . . . nee, horndumm. Ich seh durch mei Hiehnerooge mehr wie der durch sein Glasooge, kenn Se mer glooben.

FLEISCHER. Das glaube ich beinahe.

FRAU WOLFF. Das kann ich Ihn sagen, wenn's druff ankommt: dem stehl ich a Stuhl unterm Hintern weg.

FLEISCHER *ist aufgestanden, ruft lachend ins Nebenzimmer.* Komm, Philipp, komm, wir müssen jetzt gehn. Adieu, Mutter Wolffen.

FRAU WOLFF. Zieh dich an, Adelheid. Du sollst a Herr Fleischer a Stickl rudern.

ADELHEID *kommt, die letzten Knöpfe am Halse knöpfend, führt Philipp an der Hand.* Ick bin ja schon fertig. *Zu Philipp.* Komm her, du, ick nehme dir uf'n Arm.

FLEISCHER *besorgt und beim Anziehen behilflich.* Nur ja gut ein-packen. Er ist zu anfällig. Und auf dem Wasser wird's windig sein.

ADELHEID. Ick will man voraufjehn, 'n Kahn zurechtmachen.

FRAU WOLFF. Wie geht's Ihn denn jetzt mit Ihrer Gesundheit?

FLEISCHER. Viel besser, seit ich hier draußen lebe.

ADELHEID *in der Tür, ruft zurück.* Mama, Herr Krüger.

FRAU WOLFF. Wer kommt?

ADELHEID. Herr Krüger.

FRAU WOLFF. Is woll nich meeglich!

FLEISCHER. Er wollte den Morgen zu Ihnen kommen. *Ab.*

FRAU WOLFF *wirft einen schnellen Blick auf den Haufen Knüppelholz und beginnt resolut ihn wegzuräumen.* Komm, Mädel, hilf, daß mersch Holz wegkriegen.

ADELHEID. Warum denn, Mama? Ach, wegen Herr Krüger.

FRAU WOLFF. Weswegen denn sonst, tumme Gans! Geheert sich das woll, wie das bei uns aussieht? Is das ane Art am Sonntagmorgen? Was soll denn Herr Krieger von uns denken? *Krüger erscheint, echauffiert, die Wolffen ruft ihm entgegen.* Herr Krieger, sehn Se sich ock nich um. Bei uns sieht's noch gar sehr schrecklich aus.

KRÜGER *sich überhastend.* Chuten Morgen! Chuten Morgen! Das lassen Sie kut sein. Sie kehn die kanze Woche auf Arbeit, da kann am Sonntag nicht alles kefegt sein. Sie sind eine ordentliche Frau. Sie sind eine ehrliche Frau, Frau Wolffen. Und was zwischen uns ist vorkefallen, das wollen wir känzlich verkessen, denk' ich.

FRAU WOLFF *gerührt mit dem Schürzenzipfel zuweilen die Augen trocknend.* Ich hab niemals nischt gegen Ihn gehabt. Ich hab immer gern bei Ihn gearbeit. Aber da Se halt gleich a so heftig wurden, da geht halt de Bost ooch amal mit een durch, 's hat een ja leed genug getan.

KRÜGER. Sie kommen wieder und waschen bei uns! Wo ist Ihre Tochter, die Leontine?

FRAU WOLFF. Sie is mit Grienkohl beim Postvorsteher.

KRÜGER. Das Mädchen keben Sie wieder zu uns. Statt zwanzig bekommt sie dreißig Taler. Wir waren sonst immer mit ihr zufrieden. Verkeben und verkessen wir alles! *Er reicht ihr die Hand, die Wolffen schlägt ein.*

FRAU WOLFF. Das hätte ja alles gar nich sein brauchen. Das Mädel is halt noch a tummes Kind. Mir Alten ham uns doch immer vertragen.

KRÜGER. Die Sache ist also abkemacht. *Verschnaufend.* Da bin ich doch wenigstens so weit beruhigt. — Nu sagen Sie bloß. Was mir passiert ist. Was sagen Sie dazu?

FRAU WOLFF. Ach, wissen Se, nee . . . ich sage schonn gar nischt.

KRÜGER. Da haben wir nun diesen Herrn von Wehrhahn. Die ehrlichen Bürger kujonieren, Schikanen und Quälereien erdenken. In was steckt der Mann seine Nase nicht alles!

FRAU WOLFF. Bloß wo a se haben soll, hat a se nich.

KRÜGER. Ich kehe jetzt hin und mache die Anzeige. Ich lasse nicht locker, die Sache muß rauskommen.

FRAU WOLFF. Das lassen Sie ja nich sitzen, Herr Krieger!

KRÜGER. Und wenn ich soll alles auf den Kopf stell'n. Meinen Pelz werd' ich wiederbekommen, Frau Wolff.

FRAU WOLFF. Hier muß amal richtig gereenigt werden, daß amal Ruhe wird in dem Nest. Die stehlen een ja sonstl's Dach ieberm Koppe.

KRÜGER. Nu denken Sie sich um Chottes willen! In vierzehn Tagen zwei solche Diebstähle! Zwei Meter Knüppel, wie Sie dort haben. *Er nimmt einen Knüppel in die Hand.* So chutes, teures Holz, Frau Wolff.

FRAU WOLFF. Nee, ärgern kennt ma sich, daß ma grien wird. Was hier fer ane Bande sitzt . . . Pfui Teufel! Nee sowas!! äh! Laßt mich zufriede!

KRÜGER *ficht wütend mit dem Knüppel in der Luft herum.* Und wenn's mich tausend Taler kost't, ich werde den Tieben schon auf die Spur komm'n. Die Leute entkehen dem Zuchthause nicht.

FRAU WOLFF. Das wär ooch a Segen. Wahrhaft'gen Gott!

VIERTER AKT

Im Amtslokal. Glasenapp sitzt auf seinem Platz. Frau Wolff mit Adelheid, die ein in Leinwand gewickeltes Paketchen vor sich auf dem Schoße hat, warten auf den Amtsvorsteher.

FRAU WOLFF. A bleibt ja heute wieder gar lange.

GLASENAPP *schreibend.* Jeduld! Jeduld!

FRAU WOLFF. Na, wenn a heut wieder so spät kommt, da hat a doch wieder nicht Zeit fer uns.

GLASENAPP. I, Jott! Mit euern Lappalien da! Wir haben janz andre Dinge zu tun.

FRAU WOLFF. Ihr werd't ooch scheene Dinge ze tun haben.

GLASENAPP. Det is ja keen Ton. Det paßt sich janich!

FRAU WOLFF. I, haben Se sich bloß a bißl mehr. Das Mädel hat Krieger hierhergeschickt.

GLASENAPP. Mal wieder die Pelzjeschichte, was?

FRAU WOLFF. Ooch noch!

GLASENAPP. Da hat doch der alte Kerl mal was. Da kann er sich doch 'n bißken ins Zeug legen, der olle o-beinige Scherulant.

FRAU WOLFF. Ihr mault bloß; seht lieber, daß'r was rauskriegt.

MITTELDORF *erscheint in der Tür.* Se soll'n mal rüberkomm, Jlasenapp. Herr Vorsteher will wat von Sie wissen.

GLASENAPP. Muß ich schon wieder mal unterbrechen. *Wirft die Feder weg und geht hinaus.*

FRAU WOLFF. Gu'n Morgen, Mitteldorf.

MITTELDORF. Juten Morjen!

FRAU WOLFF. Wo bleibt'n der Vorsteher aso lange?

MITTELDORF. Schreibt janze Boochen voll, Mutter Wolffen. 's sin wichtche Sachen, det kann ich Ihn sachen. *Vertraulich.* Und wissen Se: 't liejt wat in de Luft. — Wat, weeß ich noch nich. Aber det wat liejt, det weeß ick so sicher . . . Wenn Se bloß man acht jeben, denn werns Se's erleben. Et kracht, und wenn et kracht, Mutter Wolffen, denn — hat et jekracht. Nee, wie jesacht, ick versteh ja nischt von. Det is allens de Neuheit. De Neuheit is allens. Und von de Neuheit versteh ick nischt. Et muß wat jeschehn. Det jeht nich so weiter. Der janze Ort muß jesäubert wern. Ick finde mich ja nu nich mehr so rin. Wat der Vorsteher war, der jestorben is, det war jejen den bloß 'n Eckensteher. Ick könnte Ihn'n all noch ville erzähl'n. Ick hab man nich Zeit. Der Baron vermißt mir. *Geht, in der Tür wendet er sich noch einmal und sagt:* Et kracht, Mutter Wolffen, det können Se mir jlooben. *Ab.*

FRAU WOLFF. Na, wenn's ock bei dem nich etwa geschnappt hat.

Pause.

ADELHEID. Wat soll ick denn sachen? Ick hab 't verjessen.

FRAU WOLFF. Was haste denn zum Herr Krieger gesagt?

ADELHEID. Na, det ick det Pack hier jefunden habe.

FRAU WOLFF. Sonst brauchste ooch hier nischt weiter zu sagen. Bloß, daß de forsch bist und resolut. Du bist doch sonst nich uffs Maul gefallen.

WULKOW *kommt herein.* Ick wünsche juten Morjen!

FRAU WOLFF *starrt sprachlos auf Wulkow, dann.* Nee, aber Wulkow, Ihr seid woll gar nich mehr gescheit?! Was wollt Ihr denn hier?

WULKOW. Na, meine Frau hat wat Kleenes jekriecht.

FRAU WOLFF. Was hat se gekriegt?

WULKOW. 'n kleenet Mächen. Da muß ick all komm uf't Standesamt.

FRAU WOLFF. Ick denke, Ihr seid schon längst im Kanale?

WULKOW. Ick hätt all ooch nischt dajejen, Wolffen. Wenn't bloß an mir läje, wär ick't ooch. Ick hebbe ja ooch jleich losjemacht. Un wie ick komme bis bei de Schleusen, da jeht et nich weiter. Nu hebb ich jelauert, det de Spree sollte loslassen. Zwee Tache un Nächte hebb ich jelejen, bis det nu mit meine Frau noch zukam. Denn half keen Jammern, denn mußt ick retour.

FRAU WOLFF. Da habt'r a Kahn wieder an der Bricke?

WULKOW. Na immer. Wo soll ick den hebben all?

FRAU WOLFF. Nu laßt mich zufriede.

WULKOW. I, wenn se man bloß nischt jerochen hebben.

FRAU WOLFF. Geh, hol fer zehn Fennig Zwirn beim Koofmann!

ADELHEID. Det hol ick, wenn ick nach Hause jeh.

FRAU WOLFF. Du gehst und maulst nich!

ADELHEID. Ick bin doch keen kleenes Mächen mehr. *Ab.*

FRAU WOLFF *heftig.* Da habt Ihr dort an der Schleuße gelegen?

WULKOW. Zwee janze Tage. Wat ick Ihn sache.

FRAU WOLFF. Nu, laßt Euch verglasen. Ihr seid a Kerl — a Pelz zieht Ihr an am lichten Tage.

WULKOW. Ick? Anjezochen?

FRAU WOLFF. Ja, angezogen, am hellen Tage. Daß 's der ganze Ort glei zu wissen kriegt, was Ihr fer an scheenen Pelz anhat.

WULKOW. Det war ja all mittendrin in de Heide.

FRAU WOLFF. 'ne Viertelstunde von unsern Hause. Mei Mädel hat Euch doch sitzen sehn. Se mußte a Doktor Fleischer rudern, und der hat ooch gleich an Verdacht gefaßt.

WULKOW. Da weeß ick nischt von, det jeht mir nischt an. *Man hört jemand kommen.*

FRAU WOLFF. Pst, sein Se bloß jetzt uff'n Posten, Wulkow!

GLASENAPP *kommt eilig herein, etwa in der Weise des Amtsvorstehers. Fragt Wulkow von oben herab.* Was haben Sie denn?

WEHRHAHN *noch außen.* Was willst du denn, Mädchen? Du kommst zu mir? Man also rein! *Wehrhahn läßt Adelheid vor sich eintreten und folgt ihr.* Viel Zeit hab' ich heute nicht. Ach so, du bist wohl die kleine Wolff? Na setz dich mal hin! Was hast du denn da?

ADELHEID. Ick hab das Paket . . .

WEHRHAHN. Na wart erst mal . . . *Zu Wulkow.* Was haben Sie denn?

WULKOW. Eine Jeburt möcht ick anmelden.

WEHRHAHN. Also standesamtlich. Die Bücher, Glasenapp! Das heißt, ich will erst das andere erledigen. *Zu Frau Wolff.* Was gibt es denn da mit Ihrer Tochter? Hat Krüger sie wieder mal geohrfeigt?

FRAU WOLFF. Nee, so weit hat a's woll doch nich getrieben.

WEHRHAHN. Was is denn dann los?

FRAU WOLFF. Halt mit den Paket . . .

WEHRHAHN *zu Glasenapp.* Ist Motes noch immer nicht dagewesen?

GLASENAPP. Bis jetzt noch nicht.

WEHRHAHN. Mir unbegreiflich! Na, Mädchen, was willst du?

GLASENAPP. Es betrifft den gestohlenen Pelz, Herr Vorsteher.

WEHRHAHN. Ach so. Das ist mir heute nicht möglich. Wer kann denn alles auf einmal tun! *Zu Frau Wolff.* Sie kann sich mal morgen bei mir melden.

FRAU WOLFF. Se hat schon a paarmal woll'n mit Ihn reden.

WEHRHAHN. Dann versucht sie's morgen zum drittenmal.

FRAU WOLFF. Herr Krieger läßt se halt gar nich mehr locker.

WEHRHAHN. Was hat Herr Krüger damit zu tun?

FRAU WOLFF. 's Mädel war bei 'm mit dem Paketel.

WEHRHAHN. Was ist das für 'n Lappen? Zeigen Sie mal.

FRAU WOLFF. Das hängt mit der Pelzgeschichte zusammen. Heeßt das: Herr Krieger is eben der Meinung.

WEHRHAHN. Was ist denn drin in dem Lappen, was?

FRAU WOLFF. 'ne griene Weste is drin vom Herr Krieger.

WEHRHAHN. Das hast du gefunden?

ADELHEID. Ick hab et jefunden, Herr Amtsvorsteher!

WEHRHAHN. Wo hast du's gefunden?

ADELHEID. Det war, wie ick mit Maman zur Bahn jing. Da jing ick so und da . . .

WEHRHAHN. Laß man gut sein. *Zu Frau Wolff.* Das deponieren Sie doch mal zunächst! Wir werden morgen darauf zurückkommen.

FRAU WOLFF. Mir wär's schonn recht.

WEHRHAHN. Und wem denn nicht?

FRAU WOLFF. Herr Krieger is bloß zu eifrig dahinter.

WEHRHAHN. Herr Krüger, Herr Krüger, der ist mir ganz gleichgültig. Der Mann belästigt mich geradezu. Man kann doch so
was nicht übers Knie brechen. Er hat ja Belohnung ausgesetzt,
es ist ja im Amtsblatt bekanntgegeben.

GLASENAPP. Dem Mann jeschieht immer noch nicht jenug.

WEHRHAHN. Was soll das heißen: geschieht nicht genug? Wir
haben den Tatbestand aufgenommen. Seine Waschfrau ist ihm
verdächtig gewesen, wir haben Haussuchung vorgenommen.
Was will er denn noch? Der Mann soll doch still sein. Nun,
wie jesagt, morjen steh' ich zu Diensten.

FRAU WOLFF. Uns is das egal, mir kommen ooch wieder.

WEHRHAHN. Na ja, morgen früh.

FRAU WOLFF. Gu'n Morgen!

ADELHEID *knickst.* Guten Morjen!

Frau Wolff und Adelheid ab.

WEHRHAHN *in Akten wühlend, zu Glasenapp.* Ich bin doch neugierig, was da rauskommt. Herr Motes will nun auch Zeugen
stellen. Er meint, die Dreiern, die Kuchenhexe, die habe mal
grade dabeigestanden, als Fleischer sich despektierlich aussprach.
Wie alt ist denn die Dreiern, sagen Sie mal?

GLASENAPP. So gegen siebzig Jahre, Herr Vorsteher.

WEHRHAHN. 'n bißchen verschnupft, was?

GLASENAPP. Na, wie man's nimmt. Sie hat die Gedanken noch
ziemlich beisammen.

WEHRHAHN. Ich kann Ihnen sagen, Glasenapp, es wäre mir eine
direkte Genugtuung, hier mal gründlich zwischenzufahren.
Daß die Leute merken, mit wem sie's zu tun haben. Bei Kaisers
Geburtstag, wer war nicht dabei? Natürlich der Fleischer. Dem
Mann trau' ich das Schlimmste zu. Wenn der noch so schafsdumme Jesichter macht! Man kennt sie ja, diese Wölfe im
Schafspelz. Können keiner Fliege ein Beinchen ausreißen, aber
wenn's drauf ankommt, sprengen die Hunde janze jroße Ort-
schaften in die Luft. Der Boden soll ihnen doch hier etwas
heiß werden!

MOTES *kommt.* Jehorsamser Diener!

WEHRHAHN. Na also, wie steht's?

MOTES. Frau Dreier will jejen elf Uhr hier sein.

WEHRHAHN. Die Sache wird einiges Aufsehen machen. Es wird

ein großes Geschrei entstehen. Der Wehrhahn mischt sich in alles hinein. Nun, Gott sei Dank, ich bin drauf gefaßt. Ich stehe hier ja nicht zu meinem Vergnügen. Zum Spaß hat man mich nicht hierhergesetzt. Da denken die Leute, so'n Amtsvorsteher, das ist weiter nichts wie ein höherer Büttel. Da mögen sie jemand anders hierhersetzen. Die Herren freilich, die mich ernannt haben, die wissen genau, mit wem sie's zu tun haben. Die kennen den ganzen Ernst meiner Auffassung. Ich erfasse mein Amt als heiljen Beruf. Bericht für die Staatsanwaltschaft hab' ich verfaßt. Wenn ich ihn heute mittag abschicke, kann übermorgen Verhaftsbefehl hier sein.

MOTES. Nun wird man aber über mich herfallen.

WEHRHAHN. Sie wissen, mein Onkel ist Kammerherr. Ich werde mal mit ihm über Sie sprechen. Potz Donnerwetter! Da kommt der Fleischer! Was will denn der Mensch? Er hat doch nicht etwa Lunte jerochen? *Es klopft, Wehrhahn schreit.* Herein!

FLEISCHER *tritt ein, bleich und aufgeregt.* Guten Morgen! *Er bleibt ohne Antwort.* Ich möchte eine Anzeige machen, die sich auf den neuerlichen Diebstahl bezieht.

WEHRHAHN *mit durchdringendem Polizeiblick.* Sie sind der Doktor Joseph Fleischer?

FLEISCHER. Ganz recht. Joseph Fleischer ist mein Name.

WEHRHAHN. Sie wollen mir eine Anzeige machen?

FLEISCHER. Wenn Sie gestatten, so möcht' ich das tun. Ich habe nämlich etwas beobachtet, was möglicherweise dazu führt, dem Pelzdieb auf die Spur zu kommen.

WEHRHAHN *trommelt auf den Tisch und sieht sich mit einem Ausdruck gemachten Befremdens bei den Anwesenden um, diese zum Lächeln herausfordernd. Anteillos.* Was haben Sie nun also so Wichtiges beobachtet?

FLEISCHER. Das heißt, wenn Sie etwa von vornherein auf meine Mitteilung keinen Wert legen, dann würde ich vorziehen . . .

WEHRHAHN *schnell, hochmütig.* Was würden Sie vorziehen?

FLEISCHER. Ich würde vorziehn, darüber zu schweigen.

WEHRHAHN *wendet sich schweigend und gleichsam nicht begreifend an Motes, dann verändert, beiläufig.* Meine Zeit ist etwas in Anspruch genommen. Ich möchte Sie bitten, sich kurz zu fassen.

FLEISCHER. Meine Zeit ist ebenfalls eingeteilt. Indessen hielt ich mich für verpflichtet . . .

WEHRHAHN *hinredend.* Sie hielten sich für verpflichtet. Gut. Nun sagen Sie also, was Sie wissen.

FLEISCHER *mit Überwindung.* Ich bin also gestern Kahn gefahren. Ich hatte den Kahn von der Wolffen genommen. Und ihre Tochter saß vorn am Ruder.

WEHRHAHN. Gehört das denn unbedingt zur Sache?

FLEISCHER. Ja, allerdings — nach meiner Meinung.

WEHRHAHN *ungeduldig trommelnd.* Schon gut, schon gut, daß wir weiterkommen.

FLEISCHER. Wir fuhren bis in die Nähe der Schleusen. Da hatte ein Spreekahn angelegt. Das Eis, wie wir sahen, war dort aufgestaut. Wahrscheinlich war er dort festgefahren.

WEHRHAHN. Hm. So. Das interessiert uns nun weniger. Was ist denn der Kern von der ganzen Sache?

FLEISCHER *mit Gewalt an sich haltend.* Ich muß gestehen, daß diese Art . . . Ich komme hierher durchaus freiwillig, einen freiwilligen Dienst der Behörde zu leisten . . .

GLASENAPP *frech.* Der Herr Amtsvorsteher hat nicht Zeit. Sie sollen nur weniger Worte machen. Sie sollen es kurz und bündig sagen.

WEHRHAHN *heftig.* Die Sache! Die Sache! Was wollen Sie denn?

FLEISCHER *mit Überwindung.* Es liegt mir daran, daß die Sache entdeckt wird. Und im Interesse des alten Herrn Krüger werd' ich . . .

WEHRHAHN *gähnend, uninteressiert.* Es blendet mich, schließen Sie mal die Rouleaus!

FLEISCHER. Auf dem Kahne befand sich ein alter Schiffer, wahrscheinlich der Eigentümer des Schiffes.

WEHRHAHN *wie vorher gähnend.* Ja, höchstwahrscheinlich.

FLEISCHER. Dieser Mann saß auf dem Deck in einem Pelze, den ich aus der Ferne für Biber hielt.

WEHRHAHN *wie vorher.* Ich hätt' ihn vielleicht für Marder gehalten.

FLEISCHER. Ich fuhr heran, soweit es möglich war, und konnte so ziemlich gut beobachten. Es war ein dürftiger, schmuddliger Schiffer, und der Pelz schien durchaus nicht für ihn gemacht. Es war auch ein nagelneues Stück . . .

WEHRHAHN *scheinbar zu sich kommend.* Ich höre, ich höre, — nun? Und? Was weiter?

FLEISCHER. Was weiter? Nichts!

WEHRHAHN *scheinbar auflebend.* Sie wollten mir doch eine Anzeige machen. Von etwas Wichtigem sprachen Sie doch.

FLEISCHER. Ich habe gesagt, was ich sagen wollte.

WEHRHAHN. Sie haben uns hier eine Geschichte erzählt von einem Schiffer, der einen Pelz trägt. Nun, Schiffer tragen mitunter Pelze. Das ist keine große Neuigkeit.

FLEISCHER. Darüber denken Sie so oder so. Unter diesen Verhältnissen bin ich am Ende. *Er geht ab.*

WEHRHAHN. Ist Ihnen wohl so was mal vorgekommen? Der Mann ist ja bodenlos dumm außerdem. Ein Schiffer hat einen Pelz angehabt. Ist der Mann wohl plötzlich verrückt geworden? Ich besitze ja selbst einen Biberpelz. Ich bin doch deshalb noch lange kein Dieb. — Schockschwerenot! was ist denn das wieder? Es soll wohl heute gar keine Ruhe werden. *Zu Mitteldorf, der an der Tür steht.* Sie lassen jetzt niemand weiter herein! Herr Motes, tun Sie mir den Gefallen, gehen Sie, bitte, rüber in meine Privatwohnung! Wir können dort ungestörter verhandeln. — Zum soundsovielten Mal dieser Krüger. Der ist ja wie von Taranteln gestochen. Wenn der alte Esel fortfährt, mich zu plagen, da fliegt er noch mal zur Tür raus.

Krüger wird in Begleitung von Fleischer und Frau Wolff in der offenen Tür sichtbar.

MITTELDORF *zu Krüger.* Herr Vorsteher ist nicht zu sprechen, Herr Krüger.

KRÜGER. Ach was! Nicht zu sprechen! Das ist mir kanz kleichgültig. *Zu den übrigen.* Immer vorwärts, vorwärts. Das will ich mal sehen.

Alle, Krüger voran, treten ein.

WEHRHAHN. Ich möchte um etwas mehr Ruhe bitten. Wie Sie sehen, habe ich hier noch zu verhandeln.

KRÜGER. Verhandeln Sie ruhig, wir können warten. Dann werden Sie wohl auch mit uns verhandeln.

WEHRHAHN *zu Motes.* Also bitte, drüben in meiner Privatwohnung, und wenn Sie Frau Dreier etwa sehen, ich möchte sie auch lieber drüben verhören. Sie sehen ja selbst: hier ist es unmöglich.

KRÜGER *auf Fleischer zeigend.* Der Herr hier weiß auch etwas von der Frau Treier. Kann Ihnen sokar etwas Schriftliches keben.

MOTES. Gehorsamer Diener, empfehle mich bestens. *Ab.*

KRÜGER. Der Mann hat's nötig, sich zu empfehlen.

WEHRHAHN. Ich bitte, enthalten Sie sich Ihrer Bemerkungen.

KRÜGER. Das sage ich nochmal: der Mann ist ein Schwindler!

WEHRHAHN *als ob er es nicht gehört, zu Wulkow*. Nun also, was gibt's? Erst werde ich Sie abfertigen. Die Bücher, Glasenapp! — Lassen Sie mal. Ich will mir erst das mal vom Halse schaffen. *Zu Krüger*. Ich werde erst Ihre Sache erledigen.

KRÜGER. Ja, darum wollt' ich auch tringend bitten.

WEHRHAHN. Wir wollen mal von dem „dringend" ganz absehen. Was hätten Sie also für ein Anliegen?

KRÜGER. Kein Anliegen. Kar kein Anliegen hab' ich. Ich komme, mein kutes Recht zu beanspruchen.

WEHRHAHN. Was wäre das für ein gutes Recht?

KRÜGER. Mein kutes Recht, Herr Amtsvorsteher. Das Recht, das ich habe, als ein Bestohlener, daß die Ortsbehörde mir Beistand leistet, mein gestohlenes Gut zurückzuerhalten.

WEHRHAHN. Ist Ihnen der Beistand verweigert worden?

KRÜGER. Nein, kar nicht. Das kann ja auch kar nicht sein. Aber dennoch sehe ich, daß nichts keschieht! Die kanze Sache nimmt keinen Fortgang.

WEHRHAHN. Sie glauben, das geht so im Handumdrehen?

KRÜGER. Ich klaube kar nichts, Herr Amtsvorsteher. Ich wäre dann wohl nicht hierhergekommen. Ich habe vielmehr bestimmte Beweise. Sie nehmen sich meiner Sache nicht an.

WEHRHAHN. Ich könnte Sie jetzt schon unterbrechen. Etwas Weiteres der Art anzuhören, läge ganz außer meiner Amtspflicht. Einstweilen reden Sie aber nur weiter!

KRÜGER. Sie könnten mich kar nicht unterbrechen. Als preußischer Staatsbürger habe ich Rechte. Und wenn sie mich hier unterbrechen, dann kiebt es andere Orte zum Reden. Sie nehmen sich meiner Sache nicht an.

WEHRHAHN *scheinbar gelassen*. Nun bitte, wollen Sie das begründen!

KRÜGER *auf die Wolffen zeigend*. Hier, diese Frau ist zu Ihnen gekommen. Ihre Tochter hat einen Fund kemacht. Sie hat den Weg nicht kescheut, Herr Vorsteher, obkleich sie doch eine arme Frau ist. Sie haben sie einmal abkewiesen, und heute ist sie wieder gekommen . . .

FRAU WOLFF. Er hatte halt doch keine Zeit, der Herr Vorsteher.

WEHRHAHN. Ach bitte, weiter!

KRÜGER. Ich bin auch durchaus noch lange nicht fertig. Was

haben Sie zu der Frau kesagt? Sie haben der Frau kanz einfach kesagt: Sie hätten jetzt keine Zeit für die Sache. Sie haben nicht einmal die Tochter verhört. Sie wissen auch nicht den keringsten Umstand; von dem kanzen Vorfall wissen Sie kar nichts.

WEHRHAHN. Jetzt möcht' ich Sie bitten, sich etwas zu mäßigen.

KRÜGER. Ich bin kemäßigt, ich bin sehr kemäßigt. Ich bin viel zu kemäßigt, Herr Amtsvorsteher. Ich bin noch ein viel zu kemäßigter Mensch. Was sollte ich sonst zu so etwas sagen? Was ist das für eine Art Untersuchung? Dieser Herr hier, Herr Fleischer, ist bei Ihnen kewesen, mit einer Beobachtung, die er kemacht hat. Ein Schiffer trägt einen Biberpelz . . .

WEHRHAHN *die Hand erhebend.* Pst, warten Sie mal! *Zu Wulkow.* Sie sind doch Schiffer?

WULKOW. Seit dreißig Jahren hebb ick jeschiffwerkt.

WEHRHAHN. Sie sind wohl schreckhaft? Sie zucken ja so.

WULKOW. Ick hebbe mir richtig 'n bißken verschrocken.

WEHRHAHN. Tragen nun die Spreeschiffer öfter Pelze?

WULKOW. Manch eener hat seinen Pelz, immerzu.

WEHRHAHN. Der Herr dort hat einen Schiffer gesehen, der hat im Pelz auf dem Deck gestanden.

WULKOW. Da is nischt Verdächtijes bei, Herr Vorsteher. Da sin ville, die schöne Pelze hab'n. Ick hebbe sojar all ooch selber eenen.

WEHRHAHN. Na sehn Sie, der Mann hat selbst einen Pelz.

FLEISCHER. Aber schließlich doch keinen Biberpelz.

WEHRHAHN. Das haben Sie ja nicht genau gesehen.

KRÜGER. Wa? Hat der Mann einen Biberpelz?

WULKOW. Da jibt et ville, kann ick Ihn sachen, die hebben die schönsten Biberpelze. Warum ooch nich? 's Jeld langt ja all zu.

WEHRHAHN *im Vollgefühle des Triumphes mit gemachter Gleichgültigkeit.* So. *Leichthin.* Bitte, fahren Sie fort, Herr Krüger. Das war so ein kleiner Abstecher. Ich wollte Ihnen nur mal vor Augen führen, was es auf sich hat mit dieser „Beobachtung". — Sie sehen, der Mann hat selbst einen Pelz. *Wieder heftig.* Es wird uns doch deshalb im Traume nicht einfallen, zu sagen, er hätte den Pelz gestohlen. Das wäre ja eine Absurdität.

KRÜGER. Wa? Ich verstehe kein Wort davon.

WEHRHAHN. Da muß ich noch etwas lauter reden. Und da ich mal gerade im Reden bin, da möchte ich Ihnen auch gleich mal was

sagen. Nicht in meiner Eigenschaft als Beamter, sondern einfach als Mensch wie Sie, Herr Krüger. Ein immerhin ehrenwerter Bürger, der sollte mit seinem Vertrauen mehr haus-
halten, sich nicht auf das Zeugnis von Leuten berufen . . .

KRÜGER. Mein Umkang, mein Umkang?

WEHRHAHN. Jawohl, Ihr Umgang.

KRÜGER. Da geben Sie nur auf sich selber acht! Solche Leute wie
Motes, mit dem Sie umkehen, die sind bei mir aus dem Hause
keflogen.

FLEISCHER. Dem Mann, der in Ihrer Privatwohnung wartet, dem
hab' ich bei mir die Tür gewiesen.

KRÜGER. Er hat mich um meine Miete beschwindelt.

FRAU WOLFF. Da sein er nich viele hier am Orte, die er nich hat
hinten und vorne beschwindelt, um Behms, um Märker, um
Taler, um Goldsticke.

KRÜGER. Der Mann hat das richtige Steuersystem.

FLEISCHER *zieht aus seiner Tasche ein Papier*. Der Mann ist auch
reif für den Staatsanwalt. *Er legt das Papier auf den Tisch.* Ich
bitte gefälligst, das durchzulesen.

KRÜGER. Das Blatt hat Frau Dreier selbst unterschrieben. Er hat
sie zum Meineid verleiten wollen.

FLEISCHER. Sie hat sollen aussagen gegen mich.

KRÜGER *Fleischer anfassend*. Das ist ein unpescholtener Mann,
und den will dieser Schuft ins Elend bringen. Und Sie reichen
dem Menschen dazu die Hand.

WEHRHAHN *gleichzeitig mit Krüger, Fleischer und Glasenapp*.
Ich bin nun am Ende mit meiner Geduld. Was Sie mit dem
Manne zu verhandeln haben, das geht mich nichts an und ist
mir auch gleichgültig. *Zu Fleischer.* Entfernen Sie mal den
Wisch da gefälligst!

KRÜGER *abwechselnd zur Wolffen und zu Glasenapp*. Das ist
der Freund des Herrn Amtsvorstehers. Das ist der Kewährsmann. Ein schöner Kewährsmann. Ein Revolvermann, woll'n
wir mal lieber sagen.

FLEISCHER *zu Mitteldorf*. Ich bin keinem Menschen Rechenschaft
schuldig. Was ich tu' und lasse, ist meine Sache. Mit wem ich um-
gehe, ist meine Sache. Was ich denke und schreibe, ist meine Sache.

GLASENAPP. Man kann ja sein eigenes Wort nicht verstehen. Herr
Vorsteher, soll ich vielleicht den Gendarm holen? Ich springe
schnell rüber. Mitteldorf! . . .

WEHRHAHN. Ich bitte um Ruhe! *Ruhe tritt ein. Zu Fleischer.* Entfernen Sie mal den Wisch da gefälligst!

FLEISCHER *tut es.* Der Wisch da kommt vor den Staatsanwalt.

WEHRHAHN. Das mögen Sie halten, wie Sie wollen. *Er steht auf und nimmt aus dem Schrank das Paket der Frau Wolff.* Damit diese Sache nun aus der Welt kommt. *Zu Frau Wolff.* Wo haben Sie also das Ding gefunden?

FRAU WOLFF. Ich hab's doch gar nich gefunden, Herr Vorsteher.

WEHRHAHN. Na wer denn sonst?

FRAU WOLFF. Meine jingste Tochter.

WEHRHAHN. Warum haben Sie die nicht mitgebracht?

FRAU WOLFF. Sie war ja doch da, Herr Amtsvorsteher. Ich kann se ja auch schnell rieberholen.

WEHRHAHN. Das verzögert doch aber die Sache bedeutend. Hat Ihnen das Mädel denn nichts erzählt?

KRÜGER. Sie sagten doch, auf dem Wege zum Pahnhof.

WEHRHAHN. Der Dieb ist also wohl nach Berlin. Da werden wir schlechtes Suchen haben.

KRÜGER. Ich klaube das kar nicht, Herr Amtsvorsteher. Herr Fleischer hat eine kanz richtige Ansicht. Die kanze Sache mit dem Paket ist angelegt, um uns irrezuführen.

FRAU WOLFF. Ooch noch! Das kann ganz gutt meeglich sein.

WEHRHAHN. Na, Wolffen, Sie sind doch sonst nicht so dumm. Was hier gestohlen wird, geht nach Berlin. Der Pelz war längst in Berlin verkauft, noch eh wir hier wußten, daß er gestohlen war.

FRAU WOLFF. Herr Vorsteher, nee, ich kann m'r nich helfen. Da bin ich doch nich ganz Ihrer Meenung. Wenn der Dieb in Berlin is, da mecht ich wissen: was braucht der a so a Paket zu verlieren?

WEHRHAHN. Man verliert doch so was nicht immer absichtlich.

FRAU WOLFF. I, sehn Se sich bloß das Paket amal an, da is alles so scheene zusammgepackt, de Weste, der Schlissel, das Stickel Papier . . .

KRÜGER. Ich klaube, der Dieb ist hier am Ort.

FRAU WOLFF. *Krüger bestärkend.* Na sehn Se, Herr Krüger.

KRÜGER *bestärkt.* Das klaub' ich bestimmt.

WEHRHAHN. Bedaure, ich neige nicht zu der Ansicht. Ich habe eine viel zu lange Erfahrung . . .

KRÜGER. Was? Eine lange Erfahrung? Hm!

WEHRHAHN. Gewiß. — Auf Grund dieser langen Erfahrung weiß ich, daß diese Möglichkeit kaum in Betracht kommt.

FRAU WOLFF. Na, na, ma soll nischt verreden, Herr Vorsteher.

KRÜGER *mit Bezug auf Fleischer.* Er hat aber doch einen Schiffer gesehen . . .

WEHRHAHN. Ach, kommen Sie doch nicht mit dieser Geschichte. Da müßt' ich ja alle Tage Haussuchungen halten, mit zwanzig Gendarmen und Polizisten. Da müßt' ich bei jedem einzelnen haussuchen.

FRAU WOLFF. Da fangen Se ock gleich bei mir an, Herr Vorsteher.

WEHRHAHN. Na, ist denn so was nicht lächerlich? Nein, nein, meine Herren, so geht das nicht. So kommen wir nun und nimmer zu etwas. Sie müssen mir gänzlich freie Hand lassen. Ich habe schon meine Verdachte gefaßt und will einstweilen nur noch beobachten. Es gibt hier so einige dunkle Gestalten, die hab' ich schon lange aufs Korn genommen. Frühzeitig fahren sie rein nach Berlin, mit schweren Hucken auf dem Rücken, und abends kommen sie leer zurück.

KRÜGER. Die Chemüsefrauen gehen wohl so mit ihrem Chemüse auf dem Rücken.

WEHRHAHN. Nicht nur die Gemüsefrauen, Herr Krüger. Ihr Pelz ist wahrscheinlich auch so gereist.

FRAU WOLFF. Das kann halt eben ooch meeglich sein. Unmeeglich is halt nischt uff der Welt.

WEHRHAHN *zu Wulkow.* Na also. Nun? Sie wollen anmelden.

WULKOW. 'n kleenet Mächen, Herr Amtsvorsteher.

WEHRHAHN. Ich werde also mein möglichstes tun.

KRÜGER. Ich lasse nicht eher Ruhe, Herr Vorsteher, als bis ich zu meinem Pelze komme.

WEHRHAHN. Nun, was gemacht werden kann, wird gemacht. Die Wolffen kann ja mal 'n bißchen rumhören.

FRAU WOLFF. Uff so was versteh ich mich eemal zu schlecht. Aber wenn aso was nich rauskommt, nee, nee, wo bleibt da ock alle Sicherheet!

KRÜGER. Sie haben kanz recht, Frau Wolffen, kanz recht. *Zu Wehrhahn.* Ich bitte das Päckchen genau zu besichtigen. Es ist eine Handschrift auf dem Zettel, die zu einer Entdeckung führen kann. Und übermorgen früh, Herr Vorsteher, werd' ich wieder so frei sein, nachzufragen. Kuten Morgen! *Ab.*

FLEISCHER. Guten Morgen. *Ab.*

WEHRHAHN *zu Wulkow.* Sie sind wieviel Jahr' alt? Guten Morgen, guten Morgen! — Bei den beiden Kerls ist was los da
oben. *Zu Wulkow.* Wie heißen Sie?

WULKOW. August Philipp Wulkow.

WEHRHAHN *zu Mitteldorf.* Gehen Sie mal rüber in meine Wohnung. Da sitzt der Schriftsteller Motes und wartet. Sagen Sie
ihm, es tät' mir leid, ich hätte heut morgen anderes zu tun.

MITTELDORF. Da soll er nich warten?

WEHRHAHN *barsch.* Nicht warten! Nein!

Mitteldorf ab.

WEHRHAHN *zu Frau Wolff.* Ist Ihnen der Schriftsteller Motes
bekannt?

FRAU WOLFF. Bei so was, wissen Se, da schweig ich lieber. Da
kennt ich Ihn nich viel Gutes erzählen.

WEHRHAHN *ironisch.* Von Fleischer dagegen um so mehr.

FRAU WOLFF. Das is Ihn ooch wirklich ke iebler Mann.

WEHRHAHN. Sie wollen wohl 'n bißchen vorsichtig sein?

FRAU WOLFF. Nee, wissen Se, dazu taug ich nischt. Ich bin immer
geradezu, Herr Vorsteher. Wenn ich mit'm Maule nich immer
so vorneweg wär, da hätt ich kenn schonn viel weiter sein.

WEHRHAHN. Bei mir hat Ihnen das noch nicht geschadet.

FRAU WOLFF. Bei Ihn nich, nee, Herr Amtsvorsteher. Sie kenn
ooch a offnes Wort vertragen. Vor Ihn da braucht ma sich nich
zu verstecken.

WEHRHAHN. Kurz! Fleischer, das ist ein Ehrenmann.

FRAU WOLFF. Das is a ooch, ja, das is a ooch.

WEHRHAHN. Na, denken Sie mal an Ihr heutiges Wort!

FRAU WOLFF. Und Sie an meins!

WEHRHAHN. Gut, wollen mal sehn. *Er dehnt sich, steht auf und
vertritt sich die Beine. Zu Wulkow.* Das ist nämlich hier unsere
fleißige Waschfrau. Die denkt, alle Menschen sind so wie sie.
Zu Frau Wolff. So ist's aber leider nicht in der Welt. Sie sehen
die Menschen von außen an. Unsereins blickt nun schon etwas
tiefer. *Er geht einige Schritte, bleibt dann vor ihr stehen und
legt ihr die Hand auf die Schultern.* Und so wahr es ist, wenn
ich hier sage: die Wolffen ist eine ehrliche Haut, so sag' ich
Ihnen mit gleicher Bestimmtheit: Ihr Doktor Fleischer, von
dem wir da sprechen, das ist ein lebensgefährlicher Kerl!

FRAU WOLFF *resigniert den Kopf schüttelnd.* Da weeß ich nu
nich . . .

FLORIAN GEYER

Schauspiel

Geschrieben vom Frühjahr 1894 bis Herbst 1895
in Schreiberhau und Berlin-Grunewald.
Erstveröffentlichung: Buchausgabe 1896.

Dramatis Personae

BISCHOF KONRAD VON WÜRZBURG

SEBASTIAN VON ROTENHAHN, Hofmeister des Bischofs

MARKGRAF FRIEDRICH, Oberster Hauptmann der Besatzung
von „Unserer Frauen Berg"

HANS VON LICHTENSTEIN, Domherr

HEINZ VON STEIN

WOLF VON HANSTEIN

HANS VON GRUMBACH

SEBASTIAN VON GEYER   } Ritter

WOLF VON KASTELL

LORENZ VON HUTTEN

KUNZ VON DER MÜHLEN

GILGENESSIG, Schreiber

FLORIAN GEYER

STEPHAN VON MENZINGEN

GÖTZ VON BERLICHINGEN

KONRAD VON HANSTEIN

THOMAS VON HARTHEIM

GEORG VON WERTHEIM

WILHELM VON GRUMBACH

ANNA VON GRUMBACH, seine Frau

TELLERMANN, Feldhauptmann des Florian Geyer

KARLSTATT

REKTOR BESENMEYER

DER SCHULTHEISS BEZOLD VON OCHSENFURT

LORENZ LÖFFELHOLZ, Feldschreiber des Florian Geyer

MARTIN, ein fahrender Schüler

FINKENMÄUSLIN

KUNZLIN   } Boten

SARTORIUS

LINK, ein Würzburger

JACOB KOHL
PFARRER BUBENLEBEN } Bauernführer
WENDEL HIPPLER

GEORG METZLER
FLAMMENBECKER } Bauernführer
KRATZER, Wirt

ERSTER
ZWEITER } BAUERNHAUPTMANN
DRITTER

SCHÄFERHANS
MAREI, Lagerdirne
EIN TRUNKENER
EIN DUDELSACKPFEIFER
JÖRG KUMPF
KILIAN, der Harnischweber
JOS FRANKENHEIM, Schulmeister
OSWALD BARCHART
OCHSENHANS
MARKART TÖPPELIN, genannt Bohnlein
ENGELHART GOPPOLT, Leinenweber
HANS KUNRAT
HANS BEHEIM, Maurer
CHRISTHEINZ

} Bürger von Rothenburg

WEITERE BÜRGER VON ROTHENBURG
ENTLAUFENER MÖNCH
HAUSIERER
JÖSLEIN, ein alter Jude
EINE ALTE FRAU
EIN ZERLUMPTER MENSCH, ihr Sohn
KLÄUSLIN, fahrender Musikant
SEIN WEIB
SEBASTIAN SCHERTLIN
FEISTLE

URSEL, Beschließerin in Grumbachs Schloß

PETER, ein Reitknecht

EIN WEINSBERGER

DER BLINDE MÖNCH

EIN HÖRIGER

EIN BAUER

DIE KELLNERIN

ERSTER ⎫
⎬ REISIGER
ZWEITER ⎭

BAUERN

EINE BÄUERIN

RITTER

ERSTER ⎫
⎬ RITTER
ZWEITER ⎭

DOMHERR

TRABANT

Gefolge des Bischofs, Ritter, Trabanten, Bauern, Musikanten, Volk

VORSPIEL

*Auf dem Schloß „Unserer Frauen Berg" bei Würzburg. Die
große Hofstube. Links eine Art Thron mit Baldachin. Eine
Anzahl Ritter, geharnischte und ungeharnischte, stehen abwartend oder bewegen sich, halblaut miteinander redend. An einer
Fensternische, rechts, steht der Schreiber Gilgenessig, ein kleines,
vertrocknetes Männchen, und liest einigen Rittern aus einer
Flugschrift laut vor. Unter den Zuhörenden: Hans von Lichtenstein, ein etwa vierzigjähriger Domherr, Heinz von Stein,
Ritter, Wolf von Hanstein, Ritter, Hans von Grumbach, Ritter.*

GILGENESSIG *liest.* „Zum ersten ist unsre demütige Bitt — "

HANS VON LICHTENSTEIN *knirschend.* Ei, du Speikatz! Fast
demütig.

GILGENESSIG *liest.* „Zum ersten ist unsre demütige Bitt, daß eine
ganze Gemeine Macht soll haben, ihren Pfarrherrn selbst erwählen und kiesen. Der soll uns das Evangelium predigen,
lauter, klar, ohn alle menschliche Zusätz."

HANS VON LICHTENSTEIN *schnaufend.* Ein fast demütig und unter-
täniges Supplizieren, mit Flegeln und Hauen, Spießen und
Hakenbüchsen.

HEINZ VON STEIN. Nach dem Kirchendieb- und Ketzerpater-
noster!

WOLF VON HANSTEIN. Dünket euch das ein so unbillig Erfordern,
ihr Herrn?

HEINZ VON STEIN. Lies, Schreiber, lies!

HANS VON LICHTENSTEIN. Es riecht hie ein wenig nach Luthe-
rischer Grütz, Karlstattscher Suppen und Hussitischer Pestilenz.

WOLF VON HANSTEIN. Dünket euch das so unbillig, ihr Herrn?

HANS VON GRUMBACH. Ei, leid dich, Wolf! Das Männlein zer-
platzet dir sonst vor Wut!

WOLF VON HANSTEIN *laut.* Wie steht's in der Schrift geschrieben? „Ich will meine Herd erlösen von ihrem Mund." Ihr
habt die Milch gessen, euch von der Woll gekleidet, und was
feist gewesen, habt ihr gemetzget! Itzt hungert sie nach Brot
und dürstet nach Wein, aber nit nur nach Brot und Wein,
sondern der Herr hat seinen Hunger und Durst gesandt, zu
hören sein Wort, lauter, klar und rein und trotz aller feisten
Bäuche und glatten Bälge, ohn alle menschliche Zusätz.

GILGENESSIG *liest.* „Zum andern, nachdem der rechte Zehnte ufgesetzt ist im alten Testament und im neuen alles erfüllt, nicht desto minder wollen wir den rechten Kornzehnt gern haben."

HEINZ VON STEIN. Brav daher gered't, Junker Misträumer, fürtrefflich aufgereupzt, Gevatter Knollfink!

GILGENESSIG *liest.* „Den kleinen Zehnten wollen wir gar nit geben."

HANS VON LICHTENSTEIN. Oha! Euch hat der Teufel die Leviten gelesen!

WOLF VON HANSTEIN. Hochwürdiger Herr, wollt Ihr mir eine Frage beantworten?

HANS VON LICHTENSTEIN. Je nachdem, Ritter!

WOLF VON HANSTEIN. Wohlan, stehet dem Bischof nach levitischem Gesetz der Zehnte von allem Land zu, warum läßt er sich nit beschneiden? *Sensation bei einem Teil der Anwesenden, Gelächter bei einem andern.*

HANS VON LICHTENSTEIN. Kotz, Junker, das mag Euch der Teufel beantworten!

WOLF VON HANSTEIN. Entsetzet ihr euch, liebe Herrn? Ei! leset doch die Leviten, und wann es darinnen nit gefodert wird, so will ich den Magister Hoogstraten zu Köln fortan nit mehr eine verabscheuungswürdige, verfluchte Bestie schelten!

GILGENESSIG *liest.* „Zum dritten ist der Brauch bisher gewest, daß sie uns für ihre Eigenleut gehalten haben." *Bewegung, Lachen und Entrüstung unter der Mehrheit der Anwesenden.*

HEINZ VON STEIN. Freilich wohl, Eigenleut hat's geben, also-lange die Welt steht; da hadert mit unserm Herrgott, der hat es so eingericht't.

HANS VON LICHTENSTEIN. Itzt meinen sie, daß sie es Gott wollen abtrotzen, wann sie den Teufel zum Abt über sich setzen, und daß er werde einen jeden Lüsbühel unter ihnen zum Herren machen. *Graf Wolf von Kastell kommt. Im übrigen füllt sich der Saal mehr und mehr mit Domherren, Rittern und allerhand Hofbeamten.*

WOLF VON KASTELL. Was liest der Schreiber?

GILGENESSIG *liest.* „. . . der Brauch bisher gewest, daß sie uns für ihre Eigenleut gehalten haben, welches zum Erbarmen ist, angesehen, daß uns Christus alle mit seinem kostbarlichen Blutvergießen erlöst und erkauft hat, den Hirten gleich alsowohl als den Höchsten."

WOLF VON HANSTEIN *nachsprechend.* „. . . den Hirten gleich alsowohl als den Höchsten."

HANS VON GRUMBACH. Dawider wäre wohl nichts nit zu sagen, ihr Herrn.

WOLF VON KASTELL. Was leset Ihr?

GILGENESSIG. Die gründlichen und rechten Hauptartikel aller Bauernschaft und Hintersassen der geistlichen und weltlichen Oberkeiten, von welchen sie sich beschwert vermeinen, auch die Handlung und Instruktion, so vorgenommen worden sein von allen Rotten und Haufen der Bauern.

WOLF VON KASTELL. Die zwölf Artikel, damit sie Sankt Velten beschissen hat. Wo habt Ihr sie her?

ERSTER RITTER. Ei, fliegen sie nit allenthalben in der Luft herum? Habt Ihr sie noch nit in Eurem Hosensack gefunden? *Eine große Anzahl der Ritter und Domherren weist das Schriftchen vor.*

STIMMEN. Da! Nehmt, lest!

GILGENESSIG. Das Heftlein, daraus ich euch vorlese, gestrenge Herrn, hätt ein Bote vom Götzen von Berlichingen unlängst über die Mauer hereingereicht.

WOLF VON KASTELL. Tuet seine Pfauenfedern gewaltig herfür, der Götz!

HANS VON LICHTENSTEIN. Hat auch unserm allergnädigsten Bischof und Herrn absagen und des Stifts Lehne aufkündigen lassen.

GILGENESSIG. „Datum zu Amorbach uf Donnerstag nach Misericordias Domini."

ZWEITER RITTER. Habt ihr gehört, ihr Herrn, wie greulich die Evangelischen zu Amorbach gehaust haben? Ich war im Zwinger gegen den Glißberg, als die Türmer den Boten anbliesen. Bin auf die Mauer gestiegen und hab mit ihm gered't. Ist es der Köchle gewest und des Götzen von Berlichingen Leibknecht, den ich gut gekannt hab, von einem Gesellenritt her, den wir miteinander getan haben. „Köchle, was macht ihr", hab ich ihn angeschrien, „du und dein Herr? Seid ihr zu schwarzen Bauern worden?" — „Müssen wohl, fester Junker", hat er mir Antwort geben, „es sei uns lieb oder leid; aber es ist ein

Jammer, wie sie alles verwüstet haben zu Amorbach, als die wütigen vollen Säu! Ich bin den Pfaffen mein Lebtag gram gewest", hat er geschrien, „aber hier ist christliche Liebe auf türkische Art bewiesen." — „Habt ihr euch bei den Benediktinern eingelegt?" schrei ich ihm zu. — „Ja, fester Junker, und es ist in der ganzen Abtei kein Nagel in einem Pfosten blieben."

WOLF VON KASTELL. Kotz Leichnam! Ihr Herrn, zu einem Scheißhausräumer wollt ich mich eh verdingen, denn daß ich mich brauchen ließ wie der Götz und zu einem obersten Feldhauptmann setzen, wo nichts dann heilloses Gesindel, Spieler, Diebsleut, Vaganten und Pfannenflicker hinter ihm drein fleugt!

ZWEITER RITTER. Es ist zweifelsohn, ihr Herrn, und der Köchle hat es von Amorbach mitgebracht, Graf Wilhelm von Henneberg hätt sich itzt auch mit den Bauern verbrüdert.

WOLF VON KASTELL. Leider Gottes, es ist, wie der Junker sagt. Mein Schwager hätt sich itzt auch mit dem Gepövel vermenget. Haben ihm Dörfer, Schlösser und Abteien verwüstet, er ist von ihnen gedrungen und gezwungen worden. Freilich, wann sie mich schon am Schandpfahl hätten und den Schelmenschinder mit den glühenden Eisen an mich setzten, so wollt ich mich doch lieber dem Teufel selbst verbrüdern als mit den rotzigen bäurischen Bluthunden.

HANS VON LICHTENSTEIN. Das ist nun der herrliche und zuverlässige Trost, den Grave Wilhelm unserm gnädigen Herrn, dem Bischof Konrad, durch Schickung und Schrift so läßlich und sicherlich zugesagt hat, daß er sich itzt mit den Bauern verbrüdert.

HEINZ VON STEIN. O der elenden Hilf, wir hätten wohl lange genug verziehen sollen, eh uns versprochenermaßen von Henneberg wär Kriegsvolk zukommen.

GILGENESSIG. Die Brief sind Papier blieben.

ERSTER DOMHERR. Sind in die Aschen fallen und sind verbrannt.

WOLF VON HANSTEIN. Ich aber sag euch, ihr Herrn, der Grave Wilhelm von Henneberg versteht die Läufte, wir aber verstehen die Läufte nit. Was hat denn der gemeine Adel all die Zeit von den geistlichen Herren zu befahren gehabt?! Not, Bedrückung Leibes und der Seele.

HANS VON LICHTENSTEIN. Und was hat er von den Bauern zu befahren gehabt? Wollt Ihr mir das wohl sagen, Ritter? Muß

man es Euch erzählen, Herr, wie die Bauern unlängst zu Weinsberg mit dem gemeinen Adel gehandelt haben? Habt Ihr das
wohl schon vergessen, Ritter, daß sie wider Kriegsbrauch und
Recht den Ludwig von Helfenstein durch die Spieße gejagt
haben und vierzig gefangene Ritter und Knechte dazu? Itzt
ist es landkundig worden, wie sie allda gehauset. Haut und
Haar eines Gemordeten hätt ein frommer evangelischer Bruder auf dem Spieße herumgetragen. Ein verrucht Weib und
schwarze teuflische Hexe hätt dem Helfensteiner das Brotmesser in den Leib stoßen und mit dem Blut und Fett, das
herausgeschweißet, ihre Schuhe geschmiert. Meinet Ihr dannoch, Junker, daß die Bäurischen ein freundlich Gemüt tragen
wider Euch? Bei unsrer lieben Frauen! glaubet mir, bleiben die
Bäurischen oben liegen, so wird die Prophezei wahr, darin es
heißt: der gemeine Adel soll einstmals müssen Elend aus Essig
speisen, mit Mangel beträufeln und in bitterer Wermut arme
Ritter backen.
*Viele Ritter schlagen an die Wehre, und es erschallt mehrmals
der Ruf: „Rache für Weinsberg!"*

WOLF VON HANSTEIN. Itzt rufet ihr: Rache für Weinsberg, und
Gott weiß es, daß ihr mit den Weinsberger Mordbuben nit
wolltet glimpflich verfahren, wann ihr an sie kämet. Wisset
ihr aber auch, was die Bauern geschrien, als sie Weinsberg im
Sturm genommen und Ritter, Bürger und Knechte zu Paaren
trieben? „Rache für Wurzach! Rache für die siebentausend von
Wurzach!" Luget, ihr Herrn, der Truchseß hätt auch kein Erbarmen mit ihnen gehabt und den bösen Krieg allenthalben
ausschreien lassen. Läßt auch die Profossen in sie arbeiten mit
Galgen und Rad und der Bauern beste Leut abtun, als wenn
es Hühner wären. Denkt an den frommen Prediger Jakob
Wehe zu Leipheim.

HANS VON LICHTENSTEIN. Ei, wohl und brav, so ist es recht; es
sei mit Gewalt gered't und ihnen das Maul gestopfet, allen
verfluchten, falschen, höllischen Propheten und Schwarm-
geistern, wie sie der Satan allenthalben hat auferwecket. Heraus mit dem verfluchten, höllischen Unkraut, das er hat zwischen den Weizen gesäet, überall und allerwegen in deutschen
Landen! Immer herausgerauft, gerissen, gestochen, gebrannt,
immer darniedergemäht, sei es lutherisch, karlstattisch, münzerisch, hussitisch oder wiclefitisch. Der Bock ist schon viel zu

weit in Garten kommen. Immer darein gewettert, Georg Truchseß! Sei ein echter, rechter Sankt Georg und Drachentöter, so gefällt es Gott und unserer gebenedeiten Jungfrau Maria. Wär es eh geschehen, die Ufruhr sollt schwerlich also überwälzig worden sein.

GILGENESSIG *liest.* „Zum vierten ist bisher bräuchlich gewest, daß kein armer Mann Gewalt gehabt hat, das Wildpret, Vögel oder Fische im fließenden Wasser zu fahen. *Gelächter in der Mehrzahl.* Welches uns ganz unziemlich und unbrüderlich dünkt."

WOLF VON KASTELL. Daß euch die Drüs, mit meinem Willen soll kein Rülze von einem Bauern in meinem Gejaide eine Armbrust aufbringen.

GILGENESSIG *liest.* „Zum fünften sind wir auch beschweret der Beholzung halben, dann unsre Herrschaft haben ihnen die Hölzer alle allein geeignet. Zum sechsten ist unsre hart Beschwerung der Frondienst halben, welche von Tag zu Tag gemehret werden und täglich zunehmen."

HEINZ VON STEIN. Die Sach ist itzt so bestellt: der Bauer will alleweil auf der faulen Haut liegen, in der Trinkstuben sich auftun, über der Geschrift disputieren und den Prädikanten nachlaufen. Aber der Pflug ist ihm zu schwer worden. Wird er itzt aber bei Eiden und Pflichten gemahnt, oha, so ist er der Junker Dörflinger und rührt sich so wenig, als hätt ihn der Satan aus einem Leimklotz gemacht. Wendet die Herrschaft itzt aber den Ernst vor und läßt einen aufsässigen Lauskopf und widerspenstigen Esel in die Eisen tun — kotz Schweiß, so ist man der allergottloseste Tyrann und Wüterich!

GILGENESSIG *liest.* „Zum siebenten sein wir beschwert und diejenigen, die Güter innehaben, daß dieselben Güter die Gült nit ertragen können."

WOLF VON KASTELL. Das nimmt mich nit wunder, wahrlich nit. Gebärden sie sich nit schlimmer auf ihren Gütern mit Schlemmen, Dämmen und Verprassen als der lüderlichste Hauser von Edelmann? Da ist nichts dann Hochzeiten, Fressen, Weinsaufen und Wiedervonsichspeien. Statt groben Zwillichs, wie es einem groben Flegel gebühret, tragen sie Tuch aus Mecheln und London. Ihre Weiber wollen es den Edelfrauen zuvortun an Kleiderpracht, und manch eine hat einen Meierhofwert in einer Ketten um den Hals. Ihre Töchter behenken sie mit Seide und Sammet, Marder, Hermelin und Goldstoff, daß ein

Edelfräulein dawider gehalten einer Stallmagd gleichsiehet.
Lorenz von Hutten kommt erschöpft und atemlos.

LORENZ VON HUTTEN. Neue Zeitung, ihr Herrn!

HEINZ VON STEIN. Ist dir der Teufel begegnet, Lorenz?!

LORENZ VON HUTTEN. Gelobt sei Gott und die heilige Anna, daß ich im Trocknen bin! Hat mir einer den Gaul unterm Leib weggebirst, als wir beide, mein Gaul und ich, durch die Furt wollten und mitten im Main schwammen.

WOLF VON KASTELL. Sie schießen mit den Handrohren?

LORENZ VON HUTTEN. Ei freilich, wißt Ihr das nit? Die Würzburger Häcker, in den Weinbergen am Main, haben die Handrohre mit ihnen genommen und bei der Arbeit neben sich liegen. Wenn sie eines bischöflichen Reuters etwa von ungefähr ansichtig werden, ei nun, so machen sie Jagd auf uns, als ob wir Antvögel wären, piff, paff, hinter dem Mäuerlein hervor. Hab ein gut Roß, das mit dem Blei im Leib noch einen tapfren Sprung vorwärts getan, daß ich, Gott sei gelobt, wie die Katz auf die Füße zu stehen kam und nit, geharnischt wie ich war, im tiefen Wasser elendiglich ersoff.

WOLF VON KASTELL. Ist denn kein Henker meh unten zu Würzburg, der einen verdammten, meuchlerischen Mörder und Friedbrecher voneinander kann schlagen, daß der Kopf das kleinere und der Leib das größere Teil ist?

LORENZ VON HUTTEN. Ei nein. Dann die Würzburger haben den Meister Jakob davongejagt, weil er gesagt hat, es wird mit der Ufruhr zu Würzburg kein End nit nehmen, bevor er nit etlichen, dem Georg Bermetter voran, die Grint abgehauen. Dafür wollten ihn die Würzburger tot haben; so ist er itzt hie auf der Burg mitsamt seinen Knechten.

GILGENESSIG. Heut ist zu Würzburg kein Zeuge, Herr Graf, der etwas ablegen, kein Notario, der etwas schreiben, kein Advokato, der den Prozeß formieren, kein Stadtdiener, der angreifen, kein Richter, der examinieren, keine Obrigkeit, die urteilen, gleich wie kein Scharfrichter ist, der exequieren kann.

HANS VON LICHTENSTEIN. Was ist's für Zeitung, die Ihr bringt, fester Junker?

LORENZ VON HUTTEN. Was ich für Zeitung bringe, liebe Herrn? Nit mehr noch minder, als daß ich gute Kundschaft hab und glaublich bericht't bin, daß alle Haufen der Bauern uf Würzburg zu ziehn und daß, solange die Welt steht, kein solches

Reisen, Webern und Inhaufenziehen gewesen ist mit Panieren, Schweinspießen, Flegeln, Hellebarden, Handrohren, Wägen und Hakenbüchsen. Ich bin glaublich bericht't, daß die Evangelischen von Amorbach her unterwegs sind, daß sie ein Kruzifix mit sich tragen und geschworen haben, wie sie das Kind im Mutterleibe wollten verderben, wenn ihnen der Bischof, unser allergnädigster Herr, das Schloß nit wollt gutwillig eingeben. *Bewegung und Erregung unter den Rittern.*

WOLF VON KASTELL. Wer vor Dräuen stirbt, dem läutet man mit Eselsfürzen aus, ihr Herrn. Habt Ihr noch meh solcher Botschaften, Ritter?

LORENZ VON HUTTEN. Ja, Kitzingen ist in der Brüderschaft.

ERSTER RITTER. Potz Blau, Kitzingen hat sich mit den Bauern verbrüdert?

LORENZ VON HUTTEN. Auf Edelmannswort!

HANS VON LICHTENSTEIN. Wird den Markgrafen Kasimir zu Ansbach übel verdrießen!

WOLF VON HANSTEIN. Meinet Ihr? Mir will viel eh scheinen, daß den ganzen bäurischen Handel zu Ansbach kein übel Aug ansiehet. — Ist nicht der Markgraf den lutherischen Materien zugetan, so gut wie der Henneberger? Ist es nit landkundig, daß der Schwarzenberger, der gewaltige Ritter und Lutheraner, zwischen Ansbach und den bäurischen Lägern Botschaft hin und wider reitet? Es dünket mich nit unmöglich, daß markgräfisches Geschütz mit den bäurischen Flegeln zu gleicher Zeit hie oben anklopfet.

WOLF VON KASTELL. Meinest du uns scheißbange zu machen, Wulf, mit überhirnischem Zeug und Spinnstubenmärlein? Mag es den Markgrafen gelüsten als einen Fuchs nach der feisten Gans, und wär auch all sein Gemüt darauf gericht't, des Stifts Güter zu erschnappen und als ein Herzog in Franken Einzug zu halten auf Unserer Frauen Berg, so weiß er doch, daß es mit dem Bundschuh just so wenig möglich sein kann, als daß man über dem Rheinsturz bei Schaffhausen auf einen Turm steiget. *Sebastian von Rotenhahn, Hofmeister des Bischofs, in Rüstung, tritt ein und durchschreitet den Raum, im Begriff sich zum Bischof zu begeben. Man hält ihn an.*

HEINZ VON STEIN. Saget, Euer Hochgelahrt, bestätigt sich das Gerücht? Hat sich Kitzingen dem Florian Geyer und seinen Schwarzen zugelobt?

SEBASTIAN VON ROTENHAHN. Liebe, getreue Freunde und Herrn! Habet Geduld, verziehet ein wenig!

ERSTER RITTER. Weshalb hat man uns berufen, Euer Edel?

SEBASTIAN VON ROTENHAHN. Das sollt Ihr von seiner Liebden, unserm gnädigsten Fürsten und Herrn, in höchsteigener Person erfahren.

ZWEITER RITTER. Es heißt: von allen Seiten zögen die Gewalthaufen der Bauern wider uns, hätten geschworen, nichts Edles leben zu lassen.

SEBASTIAN VON ROTENHAHN. Liebe Getreue, habet Geduld, verziehet ein wenig!

ZWEITER RITTER. Wird der Bischof das Schloß zutun, oder wird er es räumen lassen?

SEBASTIAN VON ROTENHAHN. Ihr Herrn, zu Weinsberg hatte der Florian Geyer leichtes Spiel, hie aber sind festere Mauern, ein unüberwindliches Schloß, sofern wir einig sind. Es wäre doch gar jämmerlich und schändlich, wenn wir einem so edlen Herrn, milden, gütigen und gerechten Fürsten, wie es unser Bischof Konrad ist, nit sollten beiständig sein. Würde auch einer hochberühmten fränkischen Reichsritterschaft zu unauslöschlicher Schmach und Schande gereichen.

WOLF VON HANSTEIN. Wohlan, Bastian, der Bischof ist ein frommer und gerechter Herr, und ich hab nichts wider ihn; aber der ganze Handel hat in keinem Weg mit der Person zu tun. Ist einstmals ein Ritter gewest, und war nie keiner ihm gleich, stolz wie er, mutig wie er, treu und fest an die Wahrheit gehängt. Der hat wider die Pfaffen geschrieben, solang ihm ein Äderlein hielt: Ulrich von Hutten hat er geheißen. Ei nun, der Hutten ist tot und hin; die Pfaffen haben ihn in Armut, Elend und Tod gehetzt. Aber sein Werk ist blieben, seine Saat ist blieben und stehet in Blüte. „Wach auf", hat er geschrieben, „du edle deutsche Freiheit", und die edle deutsche Freiheit ist aufgewacht. Aber itzt, Bastian, da Gott in die Sachen geschaut und sie auferwecket hat, itzt schlafet Ihr. Dazumalen waret ihr ein Herz, du und der Hutten. Aber alsbald er dahin ist, bist du mit ihm gestorben. Oder willst du mir sagen, daß du noch lebst? Potz, wie hättest du deinen Blutsbruder ungerächt können lassen! Wie hättest du dich mögen von den Pfaffen brauchen und andern zu einem Wall auftürmen lassen wider die . . .

SEBASTIAN VON ROTENHAHN. Was redest du dich in Hitze, Wolf! Wider wen redest du, wider was redest du? Soll eine allgemeine, große Reformation sich anfahen, wohlan, setze ich mich dawider, setzt sich der Bischof dawider? Hat er sich nicht vielmehr hoch erboten, wo gerechte Beschwerde seien, dieselbe zu hören, unbillige Bürden zu ringern und abzutun, allem Folge zu tun und Statt zu lassen, was andere Fürsten, Herren und Hintersässen beschließen und ufrichten würden? Siehest du nit, daß es hie allein heißt, sich wider Tollheit und Raserei setzen, die alles darniedertritt, zerstampfet und verwüstet, sauren Schweiß der Armen, Häuser der Reichen, Schlösser, Kirchen, Schätze der Kunst und Gelehrsamkeit? Ei, Wolf, in welche Verblendung bist du geraten! Lebte der Ulrich von Hutten, hie sollt er neben mir stehen, so wahr ich sein Freund bin.

LORENZ VON HUTTEN. So wahr Gott lebet, hie stünd er neben uns.

SEBASTIAN VON ROTENHAHN. Ja, Wolf, so ist es, und siehe doch um dich! Hat nicht der Luther sich wider die Bauern gewandt und wider ihre blutgierigen, höllischen Haufen und Rotten geschrieben?

Der Bischof Konrad von Würzburg, mit großem Gefolge.

WOLF VON KASTELL *den Bischof zuerst gewahrend.* Unser allergnädigster Herr, der Bischof Konrad zu Würzburg und Herzog von Franken, vivat hoch!

DIE MEHRZAHL DER RITTER. Hoch! Hoch!

Der Bischof begibt sich nach dem Thronsessel; das Gefolge, darunter der junge Oberste Hauptmann, Dompropst Friedrich von Brandenburg, gruppiert sich um ihn. Nachdem Stille eingetreten, redet der Bischof stehend.

BISCHOF KONRAD. Liebe Freunde, ich weiß, daß ihr es alle treulich und gut mit mir meinet als meine Diener, Vasallen und Stiftsverwandte. So hab ich euch dann berufen lassen, um euch kundzutun, wie ich mich in diesen geschwinden und je länger je mehr bedrohlichen Läuften fürder zu halten gesonnen bin.

Es ist euch bekannt, wie dieser Zeit allenthalben in deutscher Nation sich eine Aufruhr erhebt hat und der gemeine Mann sich bedrückt vermeinet mit unbilligen und unträglichen Lasten.

Als sich im März die Bauern in der Rothenburger Landwehr zu Ohrenbach und Bretheim erhoben und rottiert, hab ich dem Statthalter zu Mainz, auch dem Pfalzgrafen Ludwig um

Hilf zugeschrieben. Als danach Markgraf Kasimir einen Tag gen Neustadt ausgeschrieben, wie man sich ufs fürderlichste und fruchtbarlichste wider das Vornehmen der Bauern in Rüstung schickte, zu beraten, hab ich meine Räte dorthin verordnet. Aber es ist nichts Fruchtbarliches und Fürderliches auf dem Tag gehandelt worden. Nu hab ich meine Ritterschaft und Landschaft beschrieben und in des Stifts Amten ufbieten lassen.

Haben auch meine Bauern alsogleich zu den Wehren griffen, Reispanier ufgesteckt, Schläge und Fuhrten vermacht, aber, als itzt am Tag ist, allein mir zuleid, nit mir zulieb. Nachdem der Bauern unchristlich und unbrüderlich Fürnehmen im hohen und niedern Deutschland immer bedrohlicher anwuchs und der Florian Geyer Weinsberg im Sturm genommen, hab ich zum andern Malen seiner Liebden dem Markgrafen zu Ansbach, meinem lieben Freund und Herrn, Werbung um Hülfe tun lassen und hab ihme durch seiner Liebden leiblichen Bruder, unsern lieben getreuen Freund und Dompropst — *dabei legt er die Hand auf Markgraf Friedrichs Schulter* — Markgrave Friedrich in Person angesucht. Ist mir aber keine tröstliche Antwort gefallen, da seiner Liebden nit minder bedroht ist und die gleiche Ufruhr, Empörung und Not zu gewärtigen hat dann wir. Derweilen ist die Sintflut immer mehr gestiegen, hat alles überwälzet, Herrschaften, Fürstentümer, Klöster, Burgen und Städte; hab ich mich um Bundshülfe umgetan bei dem Bund zu Schwaben, hab meine Räte in der Bauern Läger geschickt, hat aber alles nit mögen fruchten.

Liebe Freunde und Herrn, es kann euch das alles nit unbekannt sein, ingleichen, wie ich mich hoch und willig erboten, zur Abwendung und Milderung gerechter Beschwerden meiner bischöflichen Stadt und Landschaft. Gott weiß es, daß ich alles in Güte zu tun bereitwillig war, damit die Sachen zu dieser Weiterung nit erwachsen möchten, war aber alle Geschicklichkeit und Vernunft gar umsonst, kein gütlich Wort nit gehöret, alles in Luft geblasen. So ist es zu Würzburg dahin kommen, daß sie die Haufen der Bauern mit Schriften zu sich geladen; Bürgerschaft und Rat sind eines Sinns, möchten je eher je lieber zu den Bauern fallen und helfen, unser festes Schloß ab dem Berg werfen. Nachdem ich dies alles nu hab sehen müssen und erkannt hab, daß auch von Grave Wilhelm von Henneberg

Hilfe nit meh zu gewärtigen ist, auch nichts Gewissers ist, dann daß die Bauern vor Unserer Frauen Berg ziehen, den belägern und zu nötigen unterstehen werden, hab ich mit meinen Räten Gespräch halten und für gut befunden, mich auf und hinweg zu tun. Ja, lieben Freunde, so stehe ich itzt vor euch. *Mit starker innerer Bewegung.* Von all meinem Fürstentum und Landen ist mir nichts überblieben als dies einige Schloß, und davon muß ich itzt auch ziehen. Gott aber mag wissen, ob ich je wieder darein komme.

Pause der Ergriffenheit, stumme Bewegung und Flüstern unter den Rittern.

Es ist mir nit wenig beschwerlich, hinwegzuziehn und so viele Fürsten, Grafen, Ritter und Knecht in der Burg zu verlassen. Aber es ist von mir und meinen Räten für gut angesehen, daß ich mich hinweg und zu Pfalzgrave Ludwigen, Kurfürsten, tue, um persönlich Hülf zu erlangen oder des schwäbischen Bundes zu Ulm Hülfe. Seid gewiß, daß ich keine Müh sparen, auf nichts anders denken will bei Tag und Nacht, dann wie ich euch erlöse aus Fahr und Ängsten, darin ich euch zurücklaß.

Gemurmel und Flüstern unter den Rittern.

SEBASTIAN VON ROTENHAHN *tritt vor.* Hochwürdiger Fürst und Herr! Euer fürstlichen Gnaden Willen und Meinung haben wir vernommen und bitten Euer fürstliche Gnaden, nit anders von uns zu denken, als daß sich ein jeder von uns zu halten gedenkt, wie ihm nach adligen Ehren gebührt und zusteht. *Entschiedene Zustimmungsbezeigung bei der Mehrzahl.* Es ist keiner unter uns Franken, der nit gewillt ist, Leib und Gut bei seinem Herzog und Herrn zu lassen —

WOLF VON HANSTEIN *leise.* Der Teufel hat ihn zu einem Herzog in Franken gemacht!

SEBASTIAN VON ROTENHAHN *fortfahrend.* — und sich zu gebrauchen, weil er ein'n Arm zu regen die Kraft hat.

Meine guten Freunde, Gesellen und Brüder von den fränkischen Adelsbänken wissen allzu wohl, was itzt auf dem Spiel steht. Der Pövel hat sich erhebt allenthalben, und wo etwas hoch ist, da reckt er seine Arme nach, da greifen sie mit ihren unreinen Händen. Nennen sich evangelische Brüder und ihre Einung eine christliche Brüderschaft, unserm Herrn und Seligmacher Jesu Christo zu einem Greuel und Schmach. Hießen viel baß höllische Brüder und ihre Einung eine türkische Brüderschaft, da sie überall wüten mit Weingärten zerreißen, Früchte zertreten, mit Mord, Brand, Weiber schänden, Kisten fegen und Säckel leeren.

Es ist leider am Tag, daß Fürsten, Herrn und Gewaltigen, kurzum der Oberheit allenthalben das Schwert und das Herz entsunken ist. Ein großer Schrecken ist in sie gefahren und hat sie gelähmet. Keiner reicht dem andern die Hand und rühret sich nit, bis ihm die Mauer, daran er sich lehnet, selbst zu heiß wird.

Gnädigster Herr, durchlauchtigster Fürst! Uns alle hier lähmet der Schrecken nit. Wahr ist's: das Gesindel fleugt und schneit zu, allweg, als die Fliegen im Sommer. Es ist schier, als habe es in deutschen Landen allenthalben Bauern geregnet und gehagelt, aber es ist der mehre Teil ein nackt, ungeniet Volk, die den Hasen im Busen haben, Weinbuben und Tabernierer, die zuallererst nach den Fässern und Würsten laufen und nit gewohnt sind, einen Mann zu finden.

Liebe, fromme Gesellen! In unserer Besatzung ist keiner, der nit ein Mannskerl, von unserm Obersten Hauptmann Markgrafen Friedrich von Brandenburg bis herab zum allergeringsten Buben. Laßt sie nur kommen und ihnen die harten bäurischen Grützköpf an unsern Mauern zerstoßen! Wir wollen sie mit Stückkugeln laus'n, daß ihnen soll angst und bange werden.

RUFE DER RITTER *kriegerisch begeistert.* Her! Her!

SEBASTIAN VON ROTENHAHN. Wir wollen ihnen die Würzburger Osterfladen mit Pulver bestreuen und mit Pech und Schwefel begießen. Sie sollen bleierne Birnen dabei zu schlucken bekommen, soviel sie nur immer mögen.

GESCHREI DER RITTER. Her! Her!

SEBASTIAN VON ROTENHAHN. Unsere Mauern sind fest, die Gräben tief; Zwergzäune sind ufgericht't, ein Lichtzaun ist gemacht, Zwinger, Tor, Turm sind in gutem Stand. Wir haben Pulver und Proviant, Wasser, Wein, Holz, Kohle, Mehl, Speck. Wir können in Hülle und Fülle leben und uns ihrer erwehren zween Monat und länger hinaus. Wir wissen wohl, es ist nit allein um das Schloß getan, es ist um die ganze deutsche Nation getan. Dies ist der Fels, Freunde; unterspület ihn die Flut, so stürzet alles nach und versinket und bleibet nichts über von ganzer großer deutscher Nation dann ein Haufe elender Steine und Trümmer. Gnädigster Herr und Fürst! Gott hat uns auf diesen Felsen gestellt, und wir wollen mit Gott ausharren, ihn hüten und verteidigen, und wär es wider den Teufel selbst, weil wir noch einen Blutstropfen im Leib und einen Hauch in der Brust haben.

BISCHOF KONRAD. Das walte Gott und der Ritter Sankt Georg! *Ein Tumult und Begeisterungstaumel bricht jetzt los. Die Ritter schreien „Her! Her", umarmen sich, schütteln sich die Hände unter Tränen. „Vivat Bischof Konrad! Vivat unser Bischof und Herr!" und wiederum „Her! Her!" schallt es durcheinander. Inmitten der allgemeinen Bewegung entfernt sich der Bischof und sein Gefolge. Dompropst Markgraf Friedrich von Brandenburg bleibt mit kleinem Gefolge zurück.*

KUNZ VON DER MÜHLEN *schreit.* Ich will den Florian Geyer in ein Mauseloch prügeln.

ERSTER RITTER. Bauer, hüt dich, mein Roß schlägt dich!

KUNZ VON DER MÜHLEN. Wohl her! Wir wollen den Florian Geyer und seine Weinsberger Mordbuben in ein Mauseloch prügeln.

SEBASTIAN VON GEYER *zu Wolf von Hanstein.* Wolf, Wolf, ich halt mich nit länger. Soll der Bärenhäuter meinen leiblichen Bruder also beschimpfen dürfen?

WOLF VON HANSTEIN *laut zu Kunz von der Mühlen.* Der Florian Geyer ist ein so ehrlicher Ritter und Reuter von Adel als irgendeiner im Lande zu Franken.

KUNZ VON DER MÜHLEN. Der Florian Geyer ist ein halssträflicher Schuft.

WOLF VON HANSTEIN *zu Sebastian von Geyer, der losfahren will.* Leid dich, Sebastian; laß das gesporute Hähnlein krähen auf seinem Mist. Wann wollt Ihr doch Euren Adelsbrief bezahlen, he, Junker Straßenfeger?

KUNZ VON DER MÜHLEN *schreit.* Der Florian Geyer ist ein Ächter, ein Feind des Kaisers und ganzer deutscher Nation. Hat zu Pavia dem Franzosen gedient.

WOLF VON HANSTEIN *dicht an Kunz von der Mühlen.* Männlein, ob dir der Henker unter deinen gepichten Haaren noch Ohren gelassen hat, das weiß ich nit. Aber du bist ein gehelmter Esel, wann du sie nit hast. Und wenn du nit aufhörst zu schreien, will ich dir die Harnischhand in dein Lästermaul stopfen, daß der rote Schweiß hernachgehet.

SEBASTIAN VON GEYER. Wolf, tritt beiseit! Die Gecksnase ist von den Bauern entloffen. Denket sich hie groß aufzutun am Hof, leicht ein Lehen zu erschnappen, mit Gramanzen und Maulmachen. Der Teufel gesegn es ihm.

WOLF VON KASTELL. Friede, ihr Herrn! Unser Oberster Hauptmann, der Markgraf Dompropst, begehrt zu reden.

WOLF VON HANSTEIN. Sebastian —!

SEBASTIAN VON GEYER. Daß dich potz Marter schänd! der Hund soll mir büßen!

WOLF VON HANSTEIN. Komm mit mir!

SEBASTIAN VON GEYER. Wohin?

WOLF VON HANSTEIN. Der Pfaff führt euch am Seil. Ich geh zu den Bauern. Gehst du mit?

SEBASTIAN VON GEYER. Es geht nit an, Wolf, streitet mir wider Pflicht und Gewissen.

MARKGRAF FRIEDRICH. Lieben Freunde, von unserm gnädigsten Herrn zum Obersten Hauptmann über dies Schloß gesetzt, tu ich euch kund und zu wissen, daß ich von Stund an die Burg zutun will und zur Verteidigung beschicken. Drum welcher Lust hat in der Besatzung zu bleiben, der begebe sich auf den Schloßhof! Allda wird der Eid verlesen werden, danach sich zu halten jeder geloben und schwören soll. Wer aber nit Lust hat, uns fürder beiständig zu sein, der trete itzt ab!

Wolf von Hanstein tritt, während alles still ist, aus der Reihe.

WOLF VON KASTELL. Wo willst du hin, Wolf?

WOLF VON HANSTEIN. Dem Evangelium einen Beistand tun.

DIE RITTER. Schuft, Schurk, Verräter, Memme!

WOLF VON HANSTEIN *schreit rasend zurück.* Fresse die Pest alle Pfaffenknechte! Es lebe die deutsche evangelische Freiheit!

DIE RITTER. Hoch unser Bischof und Herr, hoch Bischof Konrad von Würzburg!

WOLF VON HANSTEIN. Bundschuh! Bundschuh! *Ab.*

ERSTER AKT

*Die Kapitelstube des Neu-Münsters zu Würzburg. In der Hinter-
wand eine Bogentür nach der Kirche. Rechts Fenster mit Nische.
Im übrigen Chorstühle an den Wänden und ein langer leerer
Tisch, von Stühlen umgeben, in der Mitte des großen Raumes.
Martin ist beschäftigt, grüne Reiser anzunageln, welche Finkenmäuslin und Kunzlin aus einem Korbe ihm zureichen. Am Tisch
sitzt Lorenz Löffelholz, ein nasses Tuch um den Kopf gewunden, und hat Schriften vor sich aufgehäuft. In einer Fensternische der Rektor Besenmeyer und Bezold, der Schultheiß von
Ochsenfurt, die Vorgänge auf der Straße durchs offene Fenster
beobachtend. Stephan von Menzingen, ein etwa vierzigjähriger
Ritter in vollem Harnisch, sitzt nachlässig in einem der Chorstühle.*

DER SCHULTHEISS. Setzt Euch, Bruder Rektor, Ihr seid müde!

REKTOR BESENMEYER. Schütt dich der Ritt, Bruder Schultheiß!
Necdum omnis hebet effeto in corpore sanguis: noch ist nicht
alles Blut im alten Leibe vertrocknet. Was denkt Ihr von mir?
Wer ist dieser, der auf dem weißen Gaul?

DER SCHULTHEISS. Der Fettwanst, den das Rößlein kaum tragen
kann?

LÖFFELHOLZ. Wenn Ihr nit wißt, was eine volle Sau is, Bruder
Rektor, so seht Euch den Jacob Kohl an!

REKTOR BESENMEYER. Ist es der Jacob Kohl? Sieht nit fast aus
wie ein großer Kriegsmann.

DER SCHULTHEISS. Sind ihm auch zuallererst die Federn ein
wenig gewachsen; hat bis hieher schwerlich wohl ein'n toten
Mann gesehen gehabt.

LÖFFELHOLZ. Versteht er sich nit auf Kriegshändel, so tuet er
sich desto meh herfür, stehet mit dem Maul und der Weinkannen in der Trinkstuben desto baß seinen Mann. Höret
doch zu, wie sie ihn anschreien! „Hans um und um" ist gar
wohl gelitten, wird aber dem Bischof sein Schloß wohl schwerlich ab dem Berg stoßen.

DER SCHULTHEISS. Es wär dann Sach, daß es vor Dräuen um-
fiel — —

MENZINGEN. Wird der Versammlungsrat hie Sitzung halten?

LÖFFELHOLZ. Ja, Bruder, an alle Hauptleut aller Haufen um
Würzburg ist Ladung ergangen.

MENZINGEN. Es tät not, daß wir uf fürgebrachte Instruktion und Handlung Bescheid erhielten, damit anheims zu reiten gen Rothenburg.

LÖFFELHOLZ. Leid dich, Bruder Menzingen: fasse dich mit der Geduld! —

MARTIN. Gib her, Finkenmäuslin!

LÖFFELHOLZ. Mach flugs, Martin! Du mußt mit Schriften aufs Rathaus!

MARTIN. Wohl, wohl, Bruder. *Er singt.*
    Winter, du mußt Urlaub han,
    das hab ich wohl vernommen.
    Was mir der Winter hat angetan,
    das klag ich diesem Sommer.
Was machst du für ein Gesicht, Finkenmäuslin? He, du, Kunzlin! Weißt nit, daß sich das Jubeljahr anfahet?

KUNZLIN. Ei freilich, Bruder!

MARTIN. So mach einen Sprung und schrei juhu!

KUNZLIN *springt und schreit.* Juhu!

MARTIN. Kotz Lung, wo ist mein Hammer? Gib her!

FINKENMÄUSLIN. Ich hab ihn nit!

MARTIN. Gib her!

MENZINGEN. Er hat ihn nit. Hörst du dann nit, du Partekenhengst?

MARTIN. Wohlan, Bruder! ich hab oft genug den Brotreigen vor der Bauern Türen mitsingen helfen. Itzt singen die Bauern den Brotreigen vor den Schlössern und Häusern ihrer Herrschaft. Aber einen so großmerklichen hab ich mein Tag nit mitgesungen. Gib her den Hammer!

FINKENMÄUSLIN. Potz dieser und jener, ich hab ihn nit.

MARTIN *greift in Finkenmäuslins Tasche und holt ihn heraus.* Jez', was ist das? Bah!

FINKENMÄUSLIN. Wie ist das zugegangen?

MARTIN. Wie ist das zugegangen? Ja, itzt ratet! Wofür hab ich Occams Schule genossen? Was wißt Ihr von all meinen Subtilitäten? Zum Beispiel, Bruder Menzinger: kann Gott sich mit der Kreatur vereinen oder nit? Gott kann sich mit der Kreatur vereinen. Der Vater ist der Sohn der Jungfrau Maria. Der Heilige Geist ist ein Mensch und der Sohn der Jungfrau. Der Vater, der nie gestorben, hätte sterben können, und der Sohn, welcher gestorben, hätte nie sterben können. Glaubt

Ihr's nit? Euer Körper, Bruder, kann intensiverweise an einem Orte unendlich weiß und intensiverweise ins Unendliche schwarz sein. Verstehet Ihr das, oder nit?

MENZINGEN *lachend*. Gott helfe mir, nein, ich hab's nit gelernet!

REKTOR BESENMEYER *lachend*. So freuet Euch, denn Ihr brauchet nichts zu verlernen. Hinderlich und elend ist uns unser Lernen. Wir haben genung verdorbene Gehirne und Theologaster. Sie verstehen ihre eigenen Bücher nit. Mit ihren exercitiis, copulatis, summis und dergleichen labyrinthis ist nichts getan. Mit ihren Quästionen werden sie die Hölle nit auslöschen, mit ihren Distinktionen den Himmel nit aufschließen.

DER SCHULTHEISS. Bruder Rektor!

REKTOR BESENMEYER. Oha!

DER SCHULTHEISS. Kennt Ihr den Berlinger von Angesicht?

REKTOR BESENMEYER. Den Götzen von Berlichingen mit der eisernen Hand?

DER SCHULTHEISS. Der dort auf dem magern Klepper sitzt.

REKTOR BESENMEYER. Das kurze Männlein?

DER SCHULTHEISS. Das Nußknackerlein. Mit dem er spricht, ist der Henneberger.

MENZINGEN. Der Henneberger ist auch in der Einung?

LÖFFELHOLZ. Die Henneberger sind in der Einung, die Hohenlohe sind in der Einung, die Wertheims und viele andre meh.

REKTOR BESENMEYER. Was disputieret er doch wohl so eifrig?

DER SCHULTHEISS. Kotz Blau, was wird es sein!? Die Geschichte vom Bamberger Bischof, mit dem er alleweil in Händel gelegen.

MARTIN. Wollt Ihr sie hören, Bruder Rektor? Ich will sie Euch Wort für Wort aufsagen, und wann Ihr ein alt Weib findet im Lande zu Franken, das sie nit herbetet wie das Paternoster, so möget Ihr mich lassen mit einem Kürißbengel totschlagen. — Es ist Sag, sie wollen den Berlinger zu eim obersten Hauptmann über uns alle setzen.

LÖFFELHOLZ. Das hat Hans Fürzlin ersonnen. Der Götz ist nit viel meh dann ein hölzern Schüreisen und als ein Gefangener im eigenen Haufen. Er darf nit seine Notdurft verrichten, es ist einer dabei, der ihm aufpaßt. Was soll er ausrichten, wenn man ihn wollte zum Herrn machen über dreißigtausend wütige Leut?!

DER SCHULTHEISS. Hat kein Marks in den Händen, der ganze Götz.

MENZINGEN. Wo liegt der evangelische Hauf, Bruder?

LÖFFELHOLZ. Zu Hugberg und Randersacker.

REKTOR BESENMEYER. Wieviel schätzet Ihr itzt Bäurische in und um Würzburg?

DER SCHULTHEISS. Potz Leichnam, sie könnten den Main aussaufen!

MENZINGEN. Meinet Ihr, daß sie sich in der Besatzung ernstlich werden zur Wehre schicken und unterstehen, das Schloß zu halten wider die Übermacht?

DER SCHULTHEISS. Es ist eine tapfre Anzahl guter, gedienter Leut in der Burg.

LÖFFELHOLZ *zu Menzingen.* Mauerbrechend Geschütz, Bruder, als ihr zu Rothenburg habt; es fehlt uns an guten Stücken; schafft uns eure zwo Notschlangen herbei. Ist Bresche gemacht, so lasset Gott und den Florian Geier für das andre sorgen.

MARTIN. Bruder, der Florian Geyer verstehet sich auf Kriegshändel meh dann die übrigen Hauptleut samt und sunders, und seine Schwarzen richten meh aus dann alle andern Haufen der Bauerschaft. Wer den Geyer und seine Schwarzen bei Weinsberg gesehn hat, der weiß, daß ich vor Gott red und die lautre Wahrheit.

LÖFFELHOLZ. Ich stund auch dabei, als sie den Sturm antraten... Ihr wißt, daß, inwährend wir mit dem Helfensteiner in Handlung stunden, er uns ließ hochverräterischerweis seine Reuter im Rücken abbrechen mit Stechen und Brennen. Alsbald es ruchbar ward in den Lägern, war jedermanns Meinung darauf, daß man sollte mit dem Ernst herfür und stürmen gesamter Hand. Zuvor aber waren sie Herolde senden, aber die schoß man uns darnieder wider Kriegsbrauch und Recht. Kam einer von den Geschickten blutig und mit Geschrei daher, und nu war kein Halten, rennete alles wider die Stadtmauer. Itzt trat der Florian Geyer zu seinen Schwarzen und schrie sie an: in einer halben Stunde sind wir tot, Brüder, oder die schwarze Fahne steckt uf'm Schloßturm. Was sag ich, Brüder, es sind nit meh dann viertausend Kerls; aber wenn sie die Erde über den Kopf geworfen haben und her! her! schreien, so wollt ich dem Teufel lieber begegnen. So rasch dir drei Rosen am Paternoster durch deine Finger mögen gleiten, alsobald brachen sie in die Weinberge, stäubten den Berg hinauf, hingen an der Mauer und sprangen darüber wie die Katzen, wurfen alles nieder und ließen die Bauernfahne von allen Türmen wehn. — *Wilhelm von Grumbach tritt ein, prachtvoll geharnischt.* Dawider nehmet den Berlinger, der will den Fuchs nindert nit beißen. Ihm sind alle Furten und Gräben zu tief und die Moräste zu breit, den setze der Teufel über sich.

DER SCHULTHEISS. Walt's Gott, wir erwählen den rechten Mann.

MARTIN. Hoch Florian Geyer! Sieger von Weinsberg! Der Geyer soll unser Hauptmann sein!

LÖFFELHOLZ. Sie denken nit alle so wie wir.

WILHELM VON GRUMBACH. Ich wünsch euch gute Zeit, ihr Herren!

LÖFFELHOLZ. Es ist aus und hin mit der Herrlichkeit; hie sind keine Herren. Was willst du, Bruder?

WILHELM VON GRUMBACH. Des Junkers Florian von Geyer Feldschreiber such ich.

LÖFFELHOLZ. So wirst du ihn ebensowenig finden, als wenn du ausgangen wärst, des Teufels Feldschreiber zu suchen.

WILHELM VON GRUMBACH. Kotz Schweiß, wo find ich den Lorenz Löffelholz?

LÖFFELHOLZ. Kotz, ich bin der Lorenz Löffelholz, aber niemals nit eines Edelmanns Feldschreiber. Meinst du, ich sollt sitzen und mich brauchen lassen — Gott weiß es, daß ich meh tot dann lebendig bin! — so es im Herrendienst wäre?

MENZINGEN. Gott grüß dich, Wilhelm!

WILHELM VON GRUMBACH. Gott dank dir, Stephan!

MENZINGEN *zu Löffelholz.* Es ist der Junker von Grumbach, Bruder, dessen Schwester der Florian Geyer zur Eh hat.

LÖFFELHOLZ. Das schiert mich den Teufel. Was willst du, Bruder?

WILHELM VON GRUMBACH. Es ist mir im Läger zu Heidungsfeld ein Schutz- und Sicherheitsbrief zugesagt.

LÖFFELHOLZ. Dacht ich's doch gleich! Ein armer Ritter, der einen Schutzbrief erbettelt.

WILHELM VON GRUMBACH *jähzornig.* Itzt, Schreiber, gib acht, wer vor dir steht.

LÖFFELHOLZ. Willst du vom Leder zucken!? Ich weiß, daß du ein Wehr hast. Ich weiß auch, wer vor mir steht: ein Bruder Bauer stehet vor mir! Wie heißt du, Bruder?

WILHELM VON GRUMBACH. Ich bin der Ritter Wilhelm von Grumbach.

LÖFFELHOLZ. Streich dein Wappen aus, Bruder. Es hat kein Art meh damit. Du wirst ein Bauer so gut wie ich, dawider kann dir kein Schutzbrief nit helfen. *Grumbach nimmt den Schutzbrief, der ihm hingeworfen wird wie dem Hunde der Brocken, und unterdrückt seine Wut. Er tritt zu Menzingen in eine Nische und redet leise mit ihm.* Ist nichts dann Fliehen und Flehen in der Ritterschaft. Denken an nichts anders, dann daß sie ihre festen Häuser und Äcker erretten wollen. Da sehet den Florian Geyer an, der schonet des Seinen in keinem Weg. Haben ihm itzt die Stammburg mit Feuer niedergelegt, hat aber nit mit der Wimper gezuckt.

DER SCHULTHEISS *leise zu Löffelholz.* Ich hab gemeint, der Grumbach wär in der Besatzung.

LÖFFELHOLZ. Ei, wär es so, ich vergunnt es dem Bischof; es ist nichts gelegen an solcher Bruderschaft. Es ist ihnen nit ums göttliche Recht. Sie suchen ihren Vorteil, wie die Raben nach Aas fliegen. *Glocken beginnen zu läuten.*

MARTIN *an der Tür nach der Kirche.* Brüder, die Kirche ist ganz voll Menschen, stehen Kopf an Kopf.

REKTOR BESENMEYER. Sagtet Ihr nit, der Pater Ambrosius werde predigen?

DER SCHULTHEISS. Ja, Bruder Rektor!

REKTOR BESENMEYER. Es ist wahrlich ein großer Tag, und nun ich ihn gesehn hab, will ich gern und getrost dahinfahren.

LÖFFELHOLZ. Mere, liebe Brüder, das Glück schneiet mit großen Flocken und ist, Gott! Wunders genug. Es ist sichtbarlich und mit Händen zu greifen; Gott hat sich in den Handel geschlagen und sich der armen teutschen Nation erbarmt.

REKTOR BESENMEYER. Es ist Sag: von wo unser Herr Jesus ist aufgefahren gen Himmel, im Mittelpunkt der Erden, da, heißt es, hangt eine große Glocke; die soll einst laut und fürchterlich anschlagen, so laut und so fürchterlich soll sie anschlagen, daß selbst die Tauben sie hören werden. Wohlan! knäufelt die Ohren auf, ihr Tyrannen und Peiniger Leibes und der Seele, und merket, daß euer Jüngster Tag naht. *Bubenleben kommt.*

MARTIN *triumphierend.* Hörst du das Geschrei, Bruder Bubenleben? Der Florian Geyer reitet ein.

LÖFFELHOLZ. Bruder Bubenleben, ich verhoff, daß Gott Euch itzt wird die Augen auftun und Euch zeigen, wen er sich in diesen Läuften zu seim Helden gemacht.

BUBENLEBEN *legt eine Druckschrift vor Löffelholz.* Da, leset: An die Versammlung der Bauernschaft deutscher Nation, ausgangen von oberländischen Mitbrüdern. Hie stehet geschrieben die gleiche Meinung, uf der ich verharre: die Anführer sollen Bauern sein, unsresgleichen. Nimmt man einen von Adel darein, verschleicht man Wolfshaar unter die Schafswollen. Das kann sich nit reimen, liebe Brüder!

MARTIN *in Begeisterungsraserei am Fenster.* Vivat der schwarz Geyer!

REKTOR BESENMEYER *außer sich.* Vivat Sankt Georg! Vivat Sankt Georg!

LÖFFELHOLZ. Sitzt er nit auf dem Gaul so richt und strack als ein Bolz?

REKTOR BESENMEYER. Wahrlich ein echter, rechter Gotteshauptmann!

DER SCHULTHEISS. Hat Rost am Harnisch, aber nit am Schwert!

REKTOR BESENMEYER. Ein brennendes Recht fließt durch sein Herz.

MARTIN. Vivat der schwarze Geyer! Vivat Florian Geyer! *Er rennt nach der Tür zur Kirche.* Er ist in die Kirche getreten.

REKTOR BESENMEYER. Mit allen Trabanten.

MARTIN. Sind an hundert Trabanten mit ihm im vollen Harnisch. *Löffelholz und der Schultheiß flüstern miteinander.*

BUBENLEBEN. Da verspür ich wohl höllische Tyrannei, aber nichts nit von christlicher Demut.

Tellermann, geharnischt, kommt herein in einem Freudenrausch von Wein- und Einzugsbegeisterung.

TELLERMANN *steht, schwingt das Schwert hoch.* Grüß euch Gott, liebe Brüder, segne euch Gott, liebe evangelische Brüder! Morbleu, liebe Brüder. J'ay gaigné mon procès. Entendez-vous? Der große Tag ist da! Écutez, écutez! Sehet mich nit darauf an, was ich red, wie ich red. Der Wein ist mir in'n Kopf krochen. Das Glück ist mir ins Herz krochen. Brüder — *mit den Fäusten auf den Tisch trommelnd* — itzt bin ich daheim — und wie sind wir eingeritten! Mort de ma vie, Pfaff! Itzt sind wir daheim! Wo aber bist du, Bischöflein? Hast davon gemußt, dich flüchten aus deinem Pracht. Bugre! larron! menteur! fils de putain! traître! faquin! brutal! bourreau! Hast uns verjagt und vertrieben wie schlechte Hunde. Outrage pour outrage!

DER SCHULTHEISS. Wie sieht's aus uf der Gassen, Bruder?

TELLERMANN *den Schultheiß umarmend.* Brüderlein, liebes Schultheißlein, es ist meh des Segens, dann einer kann im

Busen behalten. Gott, Gott! Was eine glückselige Widerfahrt! Je jene, je jene. Juch! Der Florian Geyer soll leben! Oberster Feldhauptmann über alle Haufen. Ein Hundsfott, der nit Bescheid tut!

DER SCHULTHEISS. Walt's Gott! Ich tu dir Bescheid!

TELLERMANN. Morbleu! Wie haben sie ihn geehrt! Am Hauger Tor hat er still gehalten. Ist wie alle Tore sperrangelweit ufgewest. Hat aber dannoch dawider gebockt mit dem Schwertknauf und hinaufgeschrien gen den Frauenberg. „Hie kehre ich heim, Florian Geyer, in Kaisers Acht und Papstes Bann, aber von Gott erweckt, erwählet und geführet! Hie kehre ich heim, Florian Geyer, des Sickingen Freund und der Pfaffen Feind, wie ich bei mir selbst gelobt und geschworen, und will nit rasten, bis daß ich dein hochstolz Schloß, du hochstolzer, teuflischer Pfaffe Konrad, in Grund verstört." So hat er geschrien; so sind wir einritten. War des Jubeljauchzens kein Ende; wehten mit Tüchern aus allen Fenstern. Die Weiber wollten gar auf die Straßen springen vor Jauchzen und Lust; sein Gaul konnte kaum fortschreiten. Sie küßten ihm den Stegreif und leckten ihm den Rost vom Harnisch. Waren dieselben Plätze und Straßen, wo römisch-kaiserliche Majestät offne Acht über uns ausblasen, verrufen und ausschreien lassen. *Mit Beziehung auf Bubenleben.* Was will der Pfaff hier? Alle in einen Sack und unter die Schindbrücke mit ihnen!

DER SCHULTHEISS. Sei ruhig, Bruder, fasse dich, Bruder! *Ein Domherr, der Schreiberdienste tut, kommt.*

TELLERMANN. Kotz Blut, kenn ich dich nit, bist du nit ein verfluchter Domherr vordem gewest? Mort de ma vie! Hat nit der Sendpfaff mit dir zu Morgen gessen, nachdem er den Stab gebrochen über meine Mutter selig?

DOMHERR. Ach Lieber, mein Herr, Ihr irret Euch wahrlich!

TELLERMANN. Hast du nit Scheiter herbeigeschleppt und Öl, Pech und Schwefel darauf gegossen, als man sie verbrannt auf dem Jüdenplatz? Da, hier, schau mich an! Ich bin der Tellermann, ich bin ein Beghard, ich bin ein Kunde, ich bin ein heimlicher Ketzer. Meine Mutter selig wollt's nit gestehn, man hat sie aufgezogen eine Hand hoch, so lang man drei Paternoster spricht. Sie hat's nit gestanden, Gott verzeih ihr's. Ich aber bekenn freiwillig; ich hab allezeit das Evangelium liebgehabt, meh dann Menschentand. Ich leugne nit: ich gehör zu den freien

Geistern. Frei sind wir, weil Gott uns befreit hat und unsre Bedrücker, Feinde und Seelenmörder zerstreuet wie Mehl. Frei sind wir, weil wir kein Gewissen nit haben und von diesem bösen Tier nit zerfetzet und zerrissen werden. Und, Pfaffe, so hindert mich nichts, daß ich dich niederschlag ...

DER SCHULTHEISS. Friede! Friede!

TELLERMANN *vom Schultheiß und den andern gehalten und verhindert, in Raserei, schreit.* Schlagt tot! Schlagt tot! *Der Domherr flüchtet sich, und Tellermann sinkt, erschöpft und nahezu besinnungslos, auf einen Stuhl.*

DER SCHULTHEISS. Es ist der Tellermann, eines Roßhändlers Sohn. Haben ihm vor zehn Jahren hie zu Würzburg die Mutter verbrannt. Da hat es ihn itzunder übermannt, ansonsten kein besserer Kriegsmann im ganzen hellen Haufen dann er. Der Geyer und er sind eine Hand.

REKTOR BESENMEYER. Ein rasender Ajax, Brüder!

DER SCHULTHEISS. Hunderte für einen allenthalben im Volk.

REKTOR BESENMEYER. Gottesgeißeln!

DER SCHULTHEISS. Saat von Drachenzähnen, ausgesäet von Papst, Kardinälen, Bischöfen und Meßpfaffen, aufgangen ihnen selbst zum Verderben.

REKTOR BESENMEYER. Schweig stille, der Pater Ambrosius spricht! *Man hört aus der Kirche den Tonfall einer Predigt, ohne Worte zu verstehen.*
Durch die Nebentür links treten auf Sebastian von Rotenhahn, Wolf von Kastell, Hans von Lichtenstein, Hans von Grumbach, Kunz von der Mühlen. Sie werden geführt von Sartorius.

SARTORIUS *mit Gravität zu Löffelholz tretend, der, im Anhören der Predigt begriffen, sein Herankommen nicht bemerkt hat.* Ihr werdet mir verzeihen ... Ich habe die Legation hergeführt, Euer Hochgelahrt.

LÖFFELHOLZ. Zu früh, Bruder.

SARTORIUS. Ich bin von Wendel Hipplern auf diese Stunde befohlen, Euer Hochgelahrt.

LÖFFELHOLZ. Ei, nennet mich doch nicht Hochgelahrt, Bruder. Wir sind allzumal Sünder und mangeln des Ruhms.

SARTORIUS. Mere, lieber Bruder, Ihr habt recht. *Sie fahren fort, leise miteinander zu sprechen. Derweil hat die Gruppe der Gesandtschaft untereinander geflüstert. Wilhelm von Grumbach hat eine Wendung gemacht und sie bemerkt. Er stößt*

*Menzingen an, und beide blicken sich um. Möglichst unauf-
fällig treten beide der Gesandtschaftsgruppe näher.*

SEBASTIAN VON ROTENHAHN *gepreßt.* Bei der Liebe Gottes! seid
ihr zu schwarzen Bauern worden?

WILHELM VON GRUMBACH. In bin in des Markgrafen zu Ansbach
Diensten hie.

SEBASTIAN VON ROTENHAHN. Hast aber doch das bäurische Kreuz
am Arm.

WILHELM VON GRUMBACH. Muß wohl, es sei mir lieb oder leid.
Ist ohn das nit durchzukommen.

SEBASTIAN VON ROTENHAHN. Junker von Menzingen? Wo hat
Euch der Teufel hergetragen?

MENZINGEN. Ich bin in der Legation von Rothenburg.

SEBASTIAN VON ROTENHAHN. Seid Ihr dann zu Rothenburg Bürger geworden?

MENZINGEN. Ei freilich, Junker! Wußtet Ihr das noch nit?

SEBASTIAN VON ROTENHAHN. Wußt ich es schon nit, so begreif ich
es dennoch zu wohl, daß Ihr hinter den Mauern der Reichs-
städte Schutz suchet.

MENZINGEN. Ihr beliebet zu scherzen, Ritter!

SEBASTIAN VON ROTENHAHN. Hat nicht Euer Name auch unter
der Absag gestanden, die der des Landes vertriebene Ulrich von
Württemberg gen Stuttgart getan, bevor ihn der Helfensteiner
so böslich und meisterlich hat heimgehen heißen?

MENZINGEN. Der Handel is nit zu Ende, Ritter! Ist darnach dem
Helfensteiner übel bekommen. Hat müssen zu Weinsberg sein
Leben lassen.

SEBASTIAN VON ROTENHAHN. Je, saget Ihr das!? — So spricht
dann die Red wahr, die unter dem Volke gehet: der König
von Frankreich und der verlorne Fürst hätten die Karten gemischt, der Geyer hätt sie zu Hohentwiel vom Tische genommen und ausgegeben: und also das große bäurische Spiel angehoben!?

MENZINGEN. Da fraget Ihr nach!?

SEBASTIAN VON ROTENHAHN. So wird man ein jedes Tröpflein
adligen Bluts, zu Weinsberg vergossen, dereinst von Euch
fordern. *Menzingen wendet sich mit Achselzucken.*

LICHTENSTEIN. Will die hochstolze, reichsfreie Stadt sich auch mit
dem Unrat vermengen und sich in die höllische Einung tun?

MENZINGEN. Das wird geschehen, wie Gott es fügt, Ritter.

HANS VON GRUMBACH *zu Wilhelm*. Kotz Leichnam, Vetter, sollen wir einer dem andern Feind sein? Wie reimet sich das?

WILHELM VON GRUMBACH Blau, Hans! Da siehe du zu!

WOLF VON KASTELL. Hat dich der Bischof nit ufgemahnet, dich in die Besatzung zu tun?

WILHELM VON GRUMBACH. Ich bin dem Markgrafen zu Ansbach mit Diensten verbunden und für ihn zu reiten und reisen verpflicht.

LICHTENSTEIN. Der Junker von Grumbach hat es niemalen anders gehalten: wann er die Klepper im Dienste des Markgrafen abgetrieben, so stunden sie bald danach am Hof unsers Bischofs in Habern bis an den Hals.

WILHELM VON GRUMBACH. Kotz Bauch, dafür hab ich nit meh dann fünfhundert Schweine im Gramschatz und der Bischof ihrer zweitausend auf Eichelmast, und ist doch mein Wald. Dafür schießen seine Domherrn und Diener das Wild in meinem Forst und fischen in meinen Bächen.

WOLF VON KASTELL. Bist du unbillig beschwert, so hast du den Weg Rechtens.

WILHELM VON GRUMBACH. Die Pfaffen tun mit Liebe nichts, man ziehe ihnen dann das Fell über die Ohren.

WOLF VON KASTELL. Bist du nit schuldig, dem Bischof zuzuziehn?

WILHELM VON GRUMBACH. Leichnam! So hat der Pfaff wahrlich gut Riemen schneiden, wenn die reichsfreie Ritterschaft ihre Haut also billig und knechtswillig zu Markte bringt. Ich bin nit schuldig, dem Bischof in eigner Person zuzuziehn! ist wider Herkommen fränkischen Adels.

HANS VON GRUMBACH. Hast du nit deine Güter vom Stift zu Lehen?

WILHELM VON GRUMBACH. Unsere Lehne sind nit Gnaden- und Dienstlehne, sondern freie Lehne.

WOLF VON KASTELL *zu Sartorius, der herantritt*. Ist wohl Eure Weisheit, Herr Magister?

SARTORIUS. Ich fürchte Gott und liebe meinen Herrn, Euer Edel. Ich diene Seiner Gestrengen mit meinem Paternoster und guten Rat, solange es Gott und meinem gnädigen Herrn gefällt.

WILHELM VON GRUMBACH. Brav gered't, Meister!

WOLF VON KASTELL. Die Juristen und Räte, das ist die Pest; treiben ihre Herren in Unrat und Verderben. Hole der Teufel alle roten Schuhe!

MENZINGEN. So seht doch zuallererst euren Bischof an! Der ist mit Juristen behängt wie ein Jacobsbruder mit Muscheln.

SEBASTIAN VON ROTENHAHN *zu Sartorius*. Das Üble bei dem Handel ist: Ihr kommet um Eure Verehrung, Magister.

SARTORIUS. Das soll mich nicht kränken, Euer Hochgelahrt!

SEBASTIAN VON ROTENHAHN. Entlaufet Ihr schon des Bischofs Nachrichter, so zieht man Euch desto sicherer an dem bäurischen Galgen auf.

SARTORIUS. Steht zu bedenken, Euer Edlen. Ich tue das Gute nit um schnöder Handsalben willen, Euer Hochgelahrt; und vermeide das Rechte nit aus niederer Furcht.

LICHTENSTEIN. Das Kurze und Lange ist: der Junker von Grumbach verrät seinen Lehnsherrn.

WILHELM VON GRUMBACH. Der Kaiser ist mein Lehnsherr und kein Pfaffe zu Würzburg; ich bin kein Pfaffenknecht.

SEBASTIAN VON ROTENHAHN. Das ist itzt der Ton, danach alle singen. Wer itzt das Rechte will und das Gute tut, der heißt ein Pfaffenknecht.

WILHELM VON GRUMBACH. Kotz Dreck, itzt auf einmal, itzt wär ich dem Bischof gut genug, itzt soll ich ihm seine Schmalzgruben und den Domherren ihre seidenen Betten und ihren Wollust verteidigen. Das tue der Teufel!

LÖFFELHOLZ. Was reden die Ritter untereinander?

SARTORIUS. Ihr Herren, tretet zurück, folget mir! Wir sind zu früh kommen.

WOLF VON KASTELL. Kotz Blau, ich möcht mit der Wehre dreinschlagen. *Von Sartorius geleitet, ziehen sie sich zurück.*

REKTOR BESENMEYER *immer noch der Predigt zuhörend.* Der Pater Ambrosius schließt die Predigt in Latein. Er weiset die Brüder und Schwestern auf Wiclefs evangelischen Zukunftsstaat. Tunc necessitaretur respublica redire ad politiam evangelicam, habens omnia in communi . . . Brav, Bruder, in deiner Predigt war Gottestreiben. Du hast wahrlich nit von blauen Enten und von Hühnermilch geredt! War ein ander Ding als damalen, zu Erfurt in der Burs, als ich Kollegiat war und täglich eine Rede über die Jungfrau hinunterschlucken mußte.

Die Gemeine singt in der Kirche. Zu Beginn des Gesanges ist Tellermann auf beide Füße gesprungen. Regungslos und gruppenweise betreten jetzt bäurische Hauptleute und Räte von der Kirche aus die Kapitelstube. Sie flüstern und reden

*lebhaft miteinander, ohne daß man etwas versteht. Die
Ritter werden bemerkt und mißtrauisch betrachtet. Unter den
Hereingekommenen ist Wendel Hippler, welcher sogleich
lebhaft mit Löffelholz disputiert und gestikuliert. Er wird
von den meisten äußerst respektvoll behandelt. Sartorius,
wieder hereingekommen, bemüht sich ehrfurchtsvoll um ihn.
Der dicke Jacob Kohl ist auch zugegen. Er ist sogleich mit
Bubenleben ins Gespräch geraten. Man erkennt, wie sie un-
zufrieden, ja über irgend etwas entrüstet sind. Eine gelb-
schwarze Fahne und eine weiß-damastene werden hereingetragen; auf der einen ist mit Goldfäden eine Sonne und ein
Bundschuh gestickt, dazu die Inschrift: Wer da frei will sein,
der zieh in diesen Sonnenschein. Götz von Berlichingen, der
kaum andere als hämische Beachtung findet, tritt ein im Gespräch mit Georg Metzler. Sie nähern sich Hippler und bilden
im Verein mit diesem und Sartorius eine Gruppe. Götz erscheint
unwirsch und ablehnend. Wilhelm von Grumbach gliedert sich
an diese Gruppe und begrüßt sich mit Götz und dem Grafen
Georg von Wertheim, der sich auch angefunden hat. Flammenbecker, ein Weinsberger, gestikuliert wild unter Genossen. Link,
ein Würzburger Bürger, hat auch eine kleine Gemeine um sich
gebildet. In der Gesamtheit verrät sich bei allem Hochgefühl
eine Besorgnis, Erregung, ja Spannung. Florian Geyer, schwarz
geharnischt, schwarze Straußenfedern auf dem Helme, kommt,
ein großes Gefolge hinter sich. Zwei schwarze Fahnen werden
hinter ihm dreingetragen. Mit Geyers Eintritt schweigt der Gesang in der Kirche, die Glocken schweigen, und in der Kapitelstube wird es plötzlich totenstill. Konrad von Hanstein ist an
Geyers Seite eingetreten.*

FLORIAN GEYER *zu Hanstein.* Das alte Kaiserrecht bestätigt es
uns. Die Gemeinfreien haben Konföderationsrecht. Wir sind
freie Franken, und überdas: haben die Fürsten nit die Kreis-
einung, haben sie nit den Bund zu Regensburg gestiftet wider
die evangelische Lehre? Einung wider Einung! Die Fürsten
wollen's nit gelten lassen; das machen die verfluchten Barett-
linsleut und römischen Juristen. Ich glaube, daß kein Tyrann
jemalen hat so viel Schaden gestift't als Justinian. Das fremde,
ausländische Recht ist über uns kommen gleich einer Sintfluß.
Ich lobe mir unser deutsches Herkommen, die freien Ringe statt
der Amtsstuben.

218

REKTOR BESENMEYER *ergriffen und ehrfurchtsvoll.* Kennet Ihr mich noch, Bruder Geyer?

FLORIAN GEYER. Potz Zäpfel, Euch sollt ich nit kennen, Rektor Besenmeyer? Hab ich nit gemustert in Eurer Landwehr? Haben wir nit in Philipp Tuchscheerers Haus zu Rothenburg die Beine unter den gleichen Tisch gestellt? Was macht der Karlstatt?

REKTOR BESENMEYER. Er will je eher, je lieber zu Euch ins Läger kommen.

FLORIAN GEYER. Das verhüte Gott! Ihr wollt ihm wohl und der Sachen wohl, so machet, daß er von seinem Vorsatz absteht. Wir haben Prädikanten meh dann zu viel in den Lägern. Die Glaubenssachen und himmlischen Dinge soll man einstweilen dahinten lassen, keine Theologie in Kriegshandwerk mengen und sich der irdischen Dinge allein befleißen.

BUBENLEBEN *zu Kohl.* Ei, was eine bübische, höllische Weisheit! Er hat Sankt Velten den Schulsack gefressen.

KOHL. Sehet den Rektor an, wie er gramanzet und ihm die Hand küsset.

BUBENLEBEN. Lieber, ich kenne den stinkigen Bacchanten allzuwohl. Sein Gott ist der Aristoteles; der Cicero, Vergil und Livius seine Heiligen. Eine gute Latinität gilt ihm meh denn das ganze Christentum.

Besenmeyer hat, von Rührung übermannt, Geyers Hand geküßt.

FLORIAN GEYER. Was machet Ihr doch, lieber Vater! Das will ich Euch tun. Ich bin ein grober und ungelehrter Kopf. Und hat doch selbst der herrliche, durchläuchtigste Kaiser Max gesagt: die Gelehrten seien es, die da regieren und nit untertan sein sollten und denen man die meiste Ehre schuldig wär, weil Gott und die Natur sie uns anderen vorgezogen.

REKTOR BESENMEYER. Lasset es zu, Bruder! Es tut meiner armen Seele wohl. Denket Ihr noch daran, wie wir miteinander das Symposion hatten, damalen, zu Gotha, bei dem Mutian? Ihr hattet den Ulrich von Hutten zur Rechten und mich zur Linken sitzen. Der Eitelfritz von Zollern saß uns gegenüber.

FLORIAN GEYER. Ich weiß wohl.

REKTOR BESENMEYER *mit verhaltener Begeisterung.* Wißt Ihr auch wohl, wie Ihr dazumalen aufstundet, den Kranz aus dem Haar nahmet und ausriefet: „Es ist zu früh, sich mit Rosen bekränzen, dieweil noch der Antichrist zu Rom sich mästet von unserm Mark, der deutsche Kaiser nach Brot betteln muß, das Recht um Geld feil ist, der ewige Landfriede auf dem Papier stehet und das Evangelium unterdrücket ist." Wo stunden wir damalen, und wo stehen wir itzt?!

GEYER *froh.* Die Glocke ist gar gegossen, und der Pfeifer mag aufpfeifen: das wollen wir Gott im Himmel danken!

MARTIN *begeistert.* Das danken wir Gott und dem Florian Geyer.

Geyer nimmt am oberen Ende des Tisches Platz; hinter ihm stellen sich auf Tellermann und der Schultheiß, rechts neben ihn setzt sich Hippler, links Löffelholz, hinter diesem steht Martin, gewärtig seines Winkes. Hippler rückt für Sartorius neben sich einen Stuhl zurecht. Sartorius setzt sich mit vielen demütigen Reverenzen. Hanstein ist mit Grumbach und Menzingen ins Gespräch gekommen.

LÖFFELHOLZ *aufstehend.* Brüder, Hauptleute und Räte! Nehmet Platz! Es ist vieles zu bewegen, beraten und zu beschließen. Nehmet Platz, liebe evangelische Brüder! Nehmet Platz!

Götz von Berlichingen setzt sich zugleich mit Georg von Wertheim, dem Grafen von Henneberg, Georg Metzler und anderen nieder. Herolde blasen eine Fanfare.

GEYER *nach Schluß der Fanfare sich erhebend.* Der Versammlungsrat aller Haufen gemeiner Bauernschaft in und um Würzburg ist hiermit eröffnet.

LÖFFELHOLZ. Fast viel Arbeit, Brüder! Viel zu bewegen und beschließen. Es sind Boten und Posten herein von Hohenlohe, Nürnberg, aus vielen Orten der Oberpfalz, von Bamberg, von Mainz, von Straßburg; aus dem Läger des Truchsessen von Waldburg haben wir Kundschaft, aus dem Elsaß, aus dem Tirol, aus dem Salzburgischen, von Thomas Münzer aus Thüringen und anderen Leuten und Orten meh. Erheischet alles ein Antwort. Es mangelt an Schreibern in der Kanzlei, hab aber dannoch niemalen meh Freud an der Feder gehabt. Der Markgraf Kasimir hat Boten von Ansbach gesandt, und hie ist die Kredenz —, warten in der Sakristei. Rothenburg ob der Tauber hat eine Legation abgefertigt —, wartet in der Sakristei. Beschließlich erheischet die Gesandtschaft ein Bescheid, die der Markgraf Dompropst von Unserer Frauen Berg gütlicher Handlung willen an die Versammlung gemeiner Bauernschaft abgeordnet —, wartet in der Sakristei. Es ist meine

Meinung, Brüder, daß wir uns diese zuerst anliegen lassen.

FLAMMENBECKER *unwirsch hingeflegelt.* Man soll auf nichts eingehen, die Besatzung übergebe dann das Schloß mit allem, was drin ist.

BUBENLEBEN *beiläufig.* Ich sage Ja und Amen dazu, und mag die Besatzung abziehen unter Versicherung Leibes und Lebens.

GÖTZ *halb für sich, halb für die andern.* Was will man meh, dann wozu sich die Besatzung uf Unserer Frauen Berg gütlich erboten hat? Sie wollen die zwölf Artikel annehmen mit handgebenden Treuen und unsere evangelischen Brüder sein.

FLAMMENBECKER. Faule Possen. Potz Lung!

BUBENLEBEN. Eine Krähe hacket der andern die Augen nit aus. Man soll keinem Ritter in dieser Sache trauen.

LINK. Ein Grindiger krauet den andern gar sanft. Der Bruder Berlinger hat gute Gesellen und Freund in der Burg, da liegt der Hase im Pfeffer, Brüder!

GÖTZ. Man soll nit vor festen Schlössern verliegen. Es tut not, von stat rucken.

BUBENLEBEN. Es liegt ihm hart an, daß wir je eher je lieber auf und wider seinen alten Feind, den Bamberger, ziehen.

GEYER. Der Bruder Berlinger hat wahr, ich kann's nit unbilligen. Wollen sie in der Besatzung auf die Artikel geloben und schwören, blau! so lasse man sich benügen. Es mangelt uns vorhero mauerbrechend Geschütz; ohn das ist nichts zu verrichten, der Feste nichts abzubrechen.

LINK. Brüder! ich bin ein Würzburger; die Würzburger aber sind eines Kopfes: das Schloß muß herunter. Du sagst von Geschütz, Bruder Geyer! Da steht der Bruder von Wertheim, hat uns Geschütz zugesagt, und damit gedenken wir, ob Gott will, schnelle Arbeit zu tun! Soll denen in der Besatzung der Reif am Kübel dermaßen werden angezogen, daß sie wie Fische sollen daraus springen, auf Gnad und Ungnad sich uns ergeben. Zöget ihr aber itzt ungestürmter Weis gen Bamberg oder Ansbach, so haben wir Schlimmeres zu Würzburg von den Bischöflichen zu befahren, als vordem jemalen erhört ist worden.

HIPPLER. So laßt uns ein Mehrers machen. Wessen Meinung daruf gestellt ist, daß man uf das Erbieten der Besatzung eingehe, der hebe die Hand. *Götz, Geyer, Hippler, Tellermann, Metzler, Löffelholz, Sartorius, Wertheim und Henneberg usw. heben*

die Hand. Es ist eine kleine Minderheit. Jetzunder die Gegen-
prob!

Die große Mehrheit erhebt die Hände.

*Sartorius, durch Hippler veranlaßt, steht auf, begibt sich hin-
aus und kehrt mit der Gesandtschaft wieder: Sebastian von
Rotenhahn, Wolf von Kastell, Hans von Lichtenstein, Kunz
von der Mühlen treten ein. Es wird still, die Bauernhaupt-
leute flegeln sich herum und gebärden sich hochfahrend und
verächtlich nach Möglichkeit.*

HIPPLER *sitzend zu der stehenden Gesandtschaft.* Der Versammlungsrat gemeiner Bauernschaft stellt an Euch das Verlangen,
das Schloß Unsrer Frauen Berg und alle darin begriffene feste
und fahrende Hab zu übergeben, gegen Versicherung für Euch,
Eure Diener und Knecht, mit Geleit hinwegzuziehen.

SEBASTIAN VON ROTENHAHN *nach einigem Nachdenken.* Das zu-
zusagen haben wir keine Vollmacht. Aber wir wollen geloben,
Euer Erfordern bei eilender Post unserem gnädigen Herrn
und Bischof in sein Gewahrsam zu überschicken.

LINK. So sperret man uns die Mäuler uf mit Tagsatzen, Ge-
sandtschaften hin und wider reisen und allen verfluchten,
welschen, hinterhältischen Praktiken, und zielen auf nichts,
dann daß sie uns ufhalten und Zeit und Weile zum Widerstand
gewinnen. Man wird euch den Ernst merken lassen und euch
den Ave Maria mit Stückkugeln in die Burg schicken!

GÖTZ. Ist die Bauernschaft willens, hie zu Würzburg ein so grausam und gottverflucht Stücklein zu spielen, als es jüngst zu
Weinsberg zu unwiederbringlicher Schmach und Schaden gemeinen bäurischen Handels beschehen ist, so hab ich nichts mit
gemein. *Aufregung.*

BUBENLEBEN. Ich frage euch hie, Bruder Götz, und dich, Bruder
Metzler: hat der Markgraf Dompropst euch Geld geboten für
den Abzug oder nit? — Gehet rund durch mit der Antwort!
Es ist Sag: die Besatzung hätt sich wollen allein euch zugeloben,
und sollte dafür den Hauptleuten des Haufens dreitausend
Gulden Schatzung gezahlt und jedem Knecht ein halber Mo-
natslohn zugestellt werden.

GÖTZ. Hauptleut und Rät des Odenwälder Heers sind nit gehalten, ichtwem Red und Antwort zu stehen als ganzer Gemeine des eigenen Haufs! *Aufregung.*

LINK. Pfei der Schand!

FLAMMENBECKER. Verdammter Finanzer! Nieder mit ihm!

LINK. Auf den Schindacker mit dem Götz!

GEYER *springt auf.* Brüder, sind wir Leute, die Händel uf Gewinn treiben, oder haben wir zusammen geschworen, dem Evangelium und Gottes Wort beiständig zu sein? Sind wir Gutgewinner und Beutelschneider oder freie deutsche Männer und Christenleut, die ihr Vornehmen daruf gericht't haben, daß Fried, Freiheit, Einigkeit, Sicherheit Handels und Wandels in deutscher Nation anhebe und aufrecht bleibe? — *Zur Gesandtschaft.* Der Markgraf Dompropst bietet Geld für den Abzug. Will er uns die Ehre abkaufen? Ihr Herren, auf! und bringet ihm diesen Bescheid: der Papst verschachert Christentum, die deutschen Fürsten verschachern die deutsche Kaiserkrone, aber die deutschen Bauern verschachern die evangelische Freiheit nit. *Zustimmung.*

SEBASTIAN VON ROTENHAHN. Die evangelische Freiheit hat bessere Diener, als Ihr einer seid.

GEYER. Das gebe Gott, und das wolle Gott! Ihr aber seid ganz verrömert und Pfaffenknecht. Der Ulrich von Hutten war ein besserer als ich; er hat Euch die Trias romana gewidmet, Ihr wart's nit wert.

SEBASTIAN VON ROTENHAHN. Ich setze mich nit wider Kaiser und Reich.

GEYER. Wir tun es auch nit, niemalen und in keinem Weg. Unser Fürnehmen stehet allein darauf, dem Kaiser seine alte Macht wiederzugeben, unverkümmert von Pfaffen und Fürsten. Ihr setzet euch wider den Kaiser, die ihr Pfaffen und Fürsten beiständig seid. Was hat doch der edle Kaiser Max gesagt: Pfaffen und Fürsten hätten ihn zu Worms gebunden und an einen Nagel gehenket. Taten von Pfaffen und Fürsten für Kaiser und Recht? Trauben von den Disteln. Wenn der Kaiser die Läufte verstünd: hier sind seine Bundsgenossen.

SEBASTIAN VON ROTENHAHN. Kotz Blut! Was eine Schmachbürden richtet Ihr Euch zu. Ihr, ehmals ein ehrlicher Ritter von Adel.

GEYER *den Helm abnehmend und seinen geschorenen Kopf zeigend.* Ein Bauer bin ich und nichts dann ein Bauer!

SEBASTIAN VON ROTENHAHN. Bei meinen adligen Ehren . . .

GEYER. Zentauren seid ihr, aber keine Adelsleut. Wo waren doch eure adligen Ehren, als es dem edlen Franziskus von Sickingen, höchstem Vorbild aller adligen Tugenden, die

223

Schanze verschlug wider den Pfaffen von Trier? Damalen sollt sich ein Edelmannskrieg anfahen. Wo blieb euer Beistand, da es not tat? In einen alten Harnischkasten haben sie des Sickingen edlen Leichnam gestopft, Köche und Spielleut haben ihn am Strick über den Berg heruntergeschleift. Wo waren da eure adligen Ehren? Euer Nam und Ehre: eine Handvoll Wind, von Pfaffen und Fürsten in Luft geblasen.

Die Gesandtschaft hat sich zurückgezogen.

WOLF VON KASTELL *in der Tür, schreit zurück.* Ihr Männer, hütet euch vor dem Geyer! Er ist des Franzosen heimlicher Diener, er liefert euch dem Franzosen aus!

Ab mit der Gesandtschaft.

TELLERMANN. Soll ich mich an sie machen, Kapitän?

GEYER. Leid dich, Bruder, es ist Pech und Schwefel genung über meine Rüstung gelaufen. Hab gut Sorg, daß ihnen strack sicheres Geleit gehalten werd bis in ihr Gewahrsam.

TRABANT *kommt, meldet.* Kapitän, haben sich viel hundert Weiber rottieret und dieshalb wie jenhalb der Mainbrücken ufgestellt. Sind in willens, die Gesandtschaft beim Widerritt ufzuhalten, schwören, sie wollten's nit wieder in die Burg lassen, und sollt sie der Teufel nit daran hindern, vielmeh alles, was pfäffisch sei, von den Kleppern reißen und in den Main stürzen.

GEYER. Blitz und Donner, was haben wir doch mit Weiber-röcken zu schaffen! Frisch, Galgen aufgericht't! Den Profossen in sie arbeiten lassen, flugs aufknüpfen, was nit gut tun will!

FLAMMENBECKER. Hast Stock und Galgen auch nit von kaiserlicher Majestät erworben. *Trabant ab.*

LINK. Brüder, itzt ist eine Stunde warten zu lang. Nu frisch daran! Mit ganzer bäurischer Macht und Geschütz, mit Sturm-bock, Tartsche und Leiter sei wider das Schloß gehandelt! Dran! Dran! mit Gewalt und Gotteskraft, daß sie den grim-men Ernst wohl vermerken und Rittern und Knechten in der Besatzung blutbange werd. Platzet sie an mit dem Geschütz . . .

LÖFFELHOLZ. Mit was Geschütz soll man sie anplatzen? — Höret mir zu, liebe Brüder! Eins tut itzt vor allem not, und so ihr derselben Meinung seid und Gott euch erleuchtet, so gibt er euch noch diese Stunde den Wurf in die Hand. Ich denke wohl, daß ihr mich genugsam kennt. Ich habe die evangelische Freiheit alleweil liebgehabt von ganzem Gemüt. Die Handvoll Bluts

in meim Busen innen, die will ich getrost an den Handel setzen.
Gott hat uns bis hieher glücklich und wohl geführet. Alle
großen Köpfe und gewaltigen Hansen ducken sich und haben
die Flucht geben. Dannoch will mir das Herz nit fast groß
werden und lustig. Bös Ahnen nestelt sich an mich, ob ich nit
weiß, warum.

Brüder, ein oberster Wille muß sein! Wir müssen ein Haupt
über uns setzen, einen gewaltig machen über alle Haufen der
Bauernschaft. Das uneine Gespann stürzet den Pflug um. Ein
Wille ist oft meh denn tausend, eine Hand oft meh denn
hundert, und dieweil ihr dreimal des Tages ein mehrers macht,
kehrt sich der Pövel im hellen Haufen mitnichten daran und
macht alle Ordnung und Artikel zu einem Spott, Schmach und
Gelächter.

Der Truchseß von Waldburg steht mit des Schwäbischen Bundes
Heer in Rüstung wider uns. Dawider ist hoch vonnöten, daß
wir in Zeiten uns schicken. Da ist ein einiger Mann und einiger,
fester Will Reitergeschwader und Fußknecht; ein strack, scharf
Regiment ein gewaltiger Kriegshauf, gedient und erfahren
im Feld. So ist mein Fürschlag und Meinung, daß man den
Florian Geyer erwählen und kiesen soll mit Bestallung gemeiner Bauernschaft, sei es uf ein Jahr. Man soll ihm Räte
beigeben . . . *Unruhe.*

METZLER. Der Götz von Berlichingen soll unser Hauptmann
sein!

BUBENLEBEN *springt auf.* Brüder, man soll keinen Edelmann über
uns setzen! Art läßt nit von Art. Ein Habicht wird niemals
zur Taube, und ein Rittermäßiger wird nie zu einem evangelischen Bauern werden! Es sollt überhaupt kein Ritter in diesem Rat sitzen!

TELLERMANN *ist wiedergekehrt, schreit dazwischen.* Es sollte kein
Pfaff in unserem Rat sitzen!

BUBENLEBEN. Ei nun, es ist landkundig, daß ihr Geyerschen nit
viel haltet von Gottes Wort. Nimmt mich auch nit wunder,
kämpft ihr doch unter der schwarzen Fahn! Habt ihr doch in
der gottlosen bande noire gedient, wo nichts dann Ächter,
Gotteslästerer und Heiden innen sind. Ihr wolltet Gott ab-
setzen, wir aber wollen ihn einsetzen und ihm allein dienen.
So wird Gott uns auch einen Helden erwecken, wann das
Stündlein schlägt . . .

LÖFFELHOLZ *zwischenrufend.* Und wann er schon unter euch sitzet, so sehet ihr ihn doch nit.

BUBENLEBEN *fanatisch.* Gott wird einen Helden ausrüsten, dem große Werke gewachsen. Der wird die Moab, Agag, Achhap, Phalaris und Neros dieser Zeit von den Stühlen stoßen und ihnen die Bluttaufe geben. Gemeiner Leute Kind wird er sein und keiner von den Rittern, die, ob sie gleich in Eisen gepanzert sind, so leise und fürsichtig gehen wie die Katzen auf dem Dachfirst. Sie schonen der Ihren allerwegen; verflucht aber ist jeder Gläubige, der sein Schwert vom Blute der Widersacher Christi fernhält. Itzt heißt es die Hände baden in ihrem Blut und darin heiligen.

DER SCHULTHEISS. Der Pfaff ist besessen.

BUBENLEBEN. Wollt ihr jetzt einen zum obersten Hauptmann machen, so erwählet . . .

DER SCHULTHEISS *schnell.* Den Bruder Bubenleben, Pfarrer zu Mergentheim! *Gelächter.*

BUBENLEBEN. Nein, nit mich, aber den Mann, welchen der fränkische Hauf über sich gesetzet: den Jacob Kohl von Eifelstadt.

LÖFFELHOLZ *zwischenrufend.* Er kann alle großen Schwür.

TELLERMANN. So feist er ist, baumelt er dannoch dem Pfaffen am Gürtel.

GEYER *steht auf.* Wer will halten rein sein Haus, der behalt Pfaffen und Mönche draus.

Geyers entschlossene Bewegung erregt Aufsehen in der Versammlung. Man beobachtet ihn in der Folge scharf. Er spricht intim mit Tellermann, dem Schultheiß und Löffelholz. Hippler und Götz flüstern und beobachten ebenfalls. Der Schultheiß und Tellermann gestikulieren immer heftiger auf Geyer ein.

KOHL. Brüder, wann das Löffelhölzlein auch schellig wird, das schiert mich in keinem Weg. Meine bäurischen Brüder kennen mich.

MARTIN *zwischenrufend.* Aus den Trinkstuben!

KOHL. Potz! Daß dich das Wetter erschlag! Soll ich es leugnen, daß mir der Wein ebenso wohlschmecket als einem Ritter? Der Teufel sollt mir die Lüg gesegnen. Meinst du, man soll nit in der Trinkstuben sitzen, sundern allweg hoch und uf Stelzen einhertreten, sich meh bedünken als andere bäurische Brüder im hellen Haufen? Soll man sich alleweg aufblasen, wie die Geyerschen tun? „He da! Tretet aus dem Weg, daher fahr *ich*!" Das tu ich nit. Um mich ist alles glaslauter.

MARTIN *zwischenrufend.* Lauter Gläser und Kannen!

Gelächter.

KOHL. Jawohl, glaslauter ist alles um mich.

ZWISCHENRUF. Würzburger Jüdenwein!

KOHL. Nit Würzburger Jüdenwein, sundern es ist glaslauter um mich. Ich halt mich nach meinem Schwur, und so mir vom ganzen hellen Haufen ufgelegt wird: tue das!, so tu ich's, und: laß deine Hand von dem andern!, so laß ich meine Hand davon. Heimliche Praktiken und verräterische Anschläg treib ich nit. Wählet man mich, so wählet man mich; wählet man mich nit, so wollt ich doch lieber am Galgen verfaulen, sollt mir der Schinder das Herz aus dem Leibe brennen, eh daß ich mich des tyrannischen Gewalts unterstünd.

LÖFFELHOLZ. Wer unterstehet sich hie des Gewalts?

KOHL. Das, Bruder, fraget den Florian Geyer!

FLAMMENBECKER. Brüder, wir brauchen keinen Hauptmann über uns alle. Stoßen wir deshalb die kleinen Tyrannen von den Stühlen, damit wir die großen daruf setzen? Es gibt hie Leute unter uns, die mögen ihre herrischen und teuflischen Gelüsten nit unterdrucken. Sie setzen Profossen über uns, Stockmeister und Schergen. Sie meinen uns mit Steckenknechten zu regnieren, schlimmer und grausamer, dann es unter dem Papsttum gewest. Sie haben hie zu Würzburg Galgen ufgericht't.

GEYER *schreit dazwischen.* Noch meh Galgen, und alle Weinsberger Blutbuben daran gehenket!

FLAMMENBECKER *rasend.* Alle Junker, Gutgewinner und Ächter daran gehenket! Zum Teufel mit allen gelben Sporen! Man muß euch durch die Spieße jagen wie den Helfensteiner, euch vierteilen als die verfluchten Verräter und Bösewicht! *Gelächter der Ritter.*

HIPPLER. Bruder Geyer, stehet mir Red und Antwort! Es geht das Geschrei, die Euren hätten Gemein gehalten, Hauptleute, Obriste und Feldweibel des schwarzen Haufs hätten es in sie getrieben und jedermann persuadieret meuterischerweis, und sei auch beschlossen worden im Ring: sie wollten in keinem Weg einen andern dulden, man setze dann Euch, Bruder Geyer, zum Obristen-Feldhauptmann über alle Haufen.

GEYER. Da weiß ich nichts von, was gehet mich das an!

GÖTZ. Brüder, was sollen uns die Trabanten vor der Kirchenporten? Schicket sie doch heim.

LINK. Wem stehen sie zu?

FLAMMENBECKER. Sind vom schwarzen Hauf, stehen dem Florian Geyer zu.

BUBENLEBEN. Brüder, was will das werden? Nit weit von hie, uf der Gassen, bin ich auf ein stark Fähnlein gewappneter Knecht gestoßen.

LÖFFELHOLZ. Sind für das Barfüßer-Kloster bestimmt, sollen Quartier darin nehmen um Friedens und Ordnung willen, damit es nit hie zu Würzburg mit Plündern, Stehlen und Beschädigung Leibes und Gutes also türkisch zugehe wie anderwärts.

LINK. Die Bürgerschaft hat ein gut Fähnlein aus allen Vierteilen ausmustern lassen und in das Barfüßer-Kloster gelegt. So werden wir selbst wissen Ordnung und Fried aufrechterhalten.

DER SCHULTHEISS. Ei, Link, das Fähnlein im Barfüßer-Kloster tuet es allen voran mit Schatzen, Ranzionen und durch die Häuser laufen! Und wär es nit so, unter allen Haufen der Bauern sind unnütze Leut genung. Jaufkinder, Luderer und anderes Gesindel webert ein und aus durch die Tore. Dawider ist gut, daß man ihnen ihr eigen Regiment zeige und Bäurische wider Bäurische ufbiete.

LINK. Wird einer Bürgerschaft hie zu Würzburg nit wohl eingehen.

FLAMMENBECKER. Es seien kein unnütze Leut im hellen Haufen!

GEYER. Es gehe der Bürgerschaft wohl oder übel ein, es tut not, daß wir beizeiten anfahen, Ordnung und Zucht in die Haufen zu treiben. Lassen wir den Teufel fürder gewähren, mit Verwüstung Proviants, Getreid in den Main schütten, Wein aus den Fässern laufen lassen, wahrlich, meiner Seel, es wird bald dahin kommen, daß ein evangelischer Bruder im hellen Haufen wird müssen mit blutigen Fingern nach einem Stück Hungerbrot graben!

GÖTZ. Was hab ich gesagt, Brüder? Stoßen die Geyerschen zu uns, so fahet sich Zwietracht an und nimmt niemalen kein End meh.

GEYER. Bruder Berlinger, wer hat meh Zwietracht gesäet in die Haufen, ich oder Ihr?

GÖTZ. Ein jeder beuget und bücket sich, allein die Geyerschen bleiben auf ihrem Kopf, kümmern sich um den gemeinen Handel nit.

TELLERMANN. Kotz Schweiß, Bruder Berlinger, habt ihr wohl unser geachtet, saget mir doch, als ihr, du und der Metzler, euren Zug nahmet, wo wir und der schwarze Hauf vordem gezogen? Neun Städte uf'm Odenwald haben sich uns ufgetan und zugelobt. Hat es der Florian Geyer durchgesetzt, ward von den Unseren keinem Bürger ein Fensterlein zerworfen, keiner Magd ein Fürfleck verrückt. Aber hernacher seid ihr kommen, alles gebrandschatzt, über Kisten und Keller gefallen, Weiber geschändet, viel hundert Wägen Plunders fort lassen schleppen. Bruder, als das ist ruchbar worden in ganzer Gemeine des schwarzen Haufs, was Wunders, daß ihnen die Wut ist ankommen? So habt ihr Zwietracht unter die Brüder gesäet! Die Städte, mit Eiden und Pflichten uns verstrickt, ihr habt gemacht, daß sie mußten Eide und Pflichten brechen und euch wiederum zugeloben.

GÖTZ. Sollte man euch lassen gewähren, ihr Geyerschen, der teuren, evangelischen Freiheit erstünden meh Feinde über Nacht, dann es Krämer gibt in Venedig, Säufer in Sachsen, Säue in Pommern und Huren in Bamberg insgesamt.

GEYER. Wißt Ihr noch meh, Bruder Berlinger?

GÖTZ. Ihr habt uns den ganzen Adel feind gemacht.

GEYER. Ich hab den Artikelbrief vollstreckt.

GÖTZ. Es tut dannoch nit not. Ihr seid selber vordem ein Ritter gewest. Ist es nit schmählich, Bruder, daß Ihr es allen voran tut mit Zerreißung fester Schlösser und Häuser des Adels, da Ihr doch jedem Pfeffersack Reverenz machet, wenn er gleich nur mit der Zipfelhauben über die Stadtmauer herausdräuet? Die Häuser des Adels ...

GEYER. Herunter mit ihnen, herunter mit allen verfluchten Rabennestern! Es muß ein Ende nehmen mit Heckenschinden und Staudenreiten. Meine weiland guten Gesellen vom Adel sollen lernen Besseres tun dann zwo Beine über ein Roß henken, Händel uf Gewinn treiben, Bauern schinden und schatzen, Kaufleut niederwerfen, verstricken oder in die stinkigen Türme werfen, ihnen Händ abhacken, Ohren abschneiden und dergleichen ritterlicher Handlungen meh. Ihr sollt fortan eine Tür haben, den Acker bauen und zu Fuß gehen wie andre Christenleut. Der Edelmann ist nit meh ...

GÖTZ. Wie denkst du über des Edelmanns Wort, Bruder?

GEYER. Wie über jedermanns Wort, daß ein Wort ein Wort bleibe.

GÖTZ. Denk an Möckmühlen, als du noch bestallter Hauptmann des Schwäbischen Bundes warst! Welche bündischen Hundsfötter haben mir damals Geleit zugesagt und gebrochen?

GEYER. Nimm einen Löffel und friß deine Lüge!

HIPPLER *erhebt sich.* Friede, ihr Brüder! — *Man hört schießen.* Kotz, was ist das?

GÖTZ. Oha, Büberei!

GESCHREI *tumultuarisch.* Büberei! Verrat!

WAFFENRUF VON AUSSEN. Vivat Florian Geyer!
Tumult und Panik in der ganzen Versammlung.

GESCHREI. Verrat! Meuterei!

GEYER *springt auf, schreit.* Ruhe, Brüder! Ein Hundsfott, wer von Verrat schreit. Hie steh ich und gelob ich, daß ich Amt und Bestallung nit anders will empfahen oder zur Hand nehmen, es sei mir dann übergeben vom Versammlungsrat gemeiner bäurischer Brüderschaft. Und wen sie über uns alle will mächtig machen, dem will ich mich gehorsam beugen und untertan sein, als einem evangelischen Bauern geziemet und zusteht. Aber meine Meinung ist, liebe Brüder, daß man einen Kriegsrat erwähle, kundige und kriegserfahrene Leute darein setze und den bewegen lasse, was gen innen und außen zu tun und zu lassen sei. Wer aber der Meinung ist, daß das beschehe, der stoße sein Messer in diesen Ring. *Er zieht mit Kreide einen Kreis auf der Kirchentür.*

TELLERMANN *sein Messer zückend.* Dem Truchsessen von Waldburg, bestalltem Obersten Hauptmann des Bundes zu Schwaben, mitten ins Herz! *Er stößt zu.*

BUBENLEBEN. Dem Bischof Konrad von Thüringen mitten ins Herz! *Er stößt zu.*

FLAMMENBECKER. Dem Georgen Truchseß von Waldburg, bestalltem Obersten Hauptmann des Bundes zu Schwaben, dem Bluthund von Wurzach, mitten ins Herz! *Ebenso.*

EIN WEINSBERGER. Rache für Wurzach! Rache für die siebentausend gemordeten Brüder! Dem Truchsessen von Waldburg mitten ins Herz! *Ebenso.*

LÖFFELHOLZ. Allen Fuggern und Welsern mitten ins Herz! *Ebenso.*

SARTORIUS. Dem Truchsessen von Waldburg mitten ins Herz!
Ebenso.

ERSTER BAUERNHAUPTMANN. Allen Schindern und Schabern des
Volkes mitten ins Herz! *Ebenso.*

ZWEITER BAUERNHAUPTMANN *zu Grumbach.* Flugs, Bruder, sage
du auch deinen Spruch!

MARTIN. Allen pfäffischen Königen und königlichen Pfaffen
mitten ins Herz! *Ebenso.*

WILHELM VON GRUMBACH. Dem Bischof Konrad von Würzburg
mitten ins Herz! *Ebenso.*

HIPPLER. Dem Kanzler der Herzöge von Bayern, bestalltem Rat
des Bundes zu Schwaben, dem gottverfluchten Leonhart Eck,
mitten ins Herz! *Ebenso.*

DRITTER BAUERNHAUPTMANN. Dem Truchsessen von Waldburg
mitten ins Herz! *Ebenso.*

GEYER. Der deutschen Zwietracht mitten ins Herz! *Ebenso.*

ZWEITER AKT

*In der Trinkstube von Kratzers Gasthaus am Markte zu
Rothenburg. Rechts Tür nach dem Flur, in der Hinterwand
Fenster, die geöffnet den Blick auf den Markt und das Rathaus
gewähren. Rechts vorn kleine Tür in ein Nebenstübchen. Wandbank und viele dicht besetzte Tische. Ein Dudelsackpfeifer steht
am Türpfosten. Alle Anwesenden, auch Kratzer, der Wirt, und
die Kellnerin, blicken aufmerksam auf Besenmeyer, der um die
schwarze Marei beschäftigt ist.*

REKTOR BESENMEYER. Setze dich, Kind! So! Den Kopf an
den Ofen. So! Und hie . . . hie halte dich fest! Sust
wahrlich fällt sie mir von der Bank gleich einer hölzernen
Mutter Gottes.

KRATZER. Wo habt Ihr die Dirne aufgespürt, Bruder Rektor?

ERSTER BÜRGER *Tisch 1.* Der Bruder Rektor ist allweg mit Spielleuten und armen Vaganten behenkt. Hat eine zu weiche Ge-
mütsart.

ZWEITER BÜRGER *Tisch 1.* Sie ist von den Tatern oder von den Behaimen.

DRITTER BÜRGER *Tisch 1.* Wie ist sie hereingekommen?

REKTOR BESENMEYER. Hat sich, weiß Gott wie, in die Stadt geschleift. Mutter Maria! ein arm Ding. Wunde Füße und wunde Hände.

KRATZER. Was hat sie ins Tüchelchen eingebunden? *Das Tüchelchen entfällt ihr.* — Krebse!

REKTOR BESENMEYER. Divinavi! Wahrhaftig. Pruriunt mihi dentes, mir wässert der Mund. Red, Dirne! red! Allen Menschen geziemt es, mit allem Fleiß zu streben, daß sie ihr Leben nicht lautlos wie das Vieh hinbringen, sagt Sallust. Sie schieret sich nichts um Sallust. Scheret euch auch nichts um sie, lasset sie schlafen! —

Großer allgemeiner Lärm setzt ein; die Aufmerksamkeit wendet sich von Marei ab, die schlafend auf der Ofenbank liegenbleibt. Der Dudelsackpfeifer spielt eine Weise, die Kellnerin läuft mit Weinkannen, ebenso der Wirt. Es wird eifrig gezecht und disputiert.

ERSTER BÜRGER *Tisch 1.* Gehet heim, gehet heim! Wir han ein Reichskammergericht. *Er schlägt eine Karte auf den Tisch.*

ZWEITER BÜRGER *Tisch 1.* Wir han eine Münzordnung. *Tut wie der erste.*

SCHÄFERHANS *tritt an Tisch 1.* Um was geht's?

DRITTER BÜRGER *Tisch 1.* Um ein'n Ablaßzettel, Bruder Veit.

ERSTER BÜRGER *Tisch 1.* Schüttel deinen Ärmel, Schäferhans!

SCHÄFERHANS. Alles durch den Kragen geloffen, kein arm Hellerlein am Sold erspart.

ZWEITER BÜRGER *Tisch 1.* Wem hast gedient zuletzt?

SCHÄFERHANS. Bin kaiserlich gewest, hab unter dem Georgen Frundsberg den Franzosen helfen schmieren, unten im Welschland, zu Pavia. Darnach wollt mich der Schwäbische Bund in Wartgeld nehmen. Das mocht ich nit, wollt mich nit brauchen lassen wider meine bäurischen Brüder.

ZWEITER BÜRGER *Tisch 1.* Ich kotz in den Schwäbischen Bund und auf den Georgen Truchseß dazu!

SCHÄFERHANS. Bundschuh!! Bundschuh!!

ERSTER BÜRGER *Tisch 2, schreit.* Evangelium, Evangelium!

EIN TRUNKENER *heult.* O Karle, Kaiser lobesam, greif du die Sach zum ersten an, Gott wird's mit dir ohn Zweifel han.

ERSTER BÜRGER *Tisch 2.* Evangelium, Evangelium!

ZWEITER BÜRGER *Tisch 2.* Itzt nimmt es ein End mit der Pfafferei und der Möncherei.

KRATZER *an Tisch 2 tretend.* Der Teufel machet' den ersten Mönch, der Dorfochs hat ihn getauft.

DRITTER BÜRGER *Tisch 2.* Ihr werdet Pfaffen und Klöster doch nit abtun! Man vertilget das Unkraut auch nit.

KRATZER. Die Klöster sind leer itzunder wie die Schafställ im Sommer.

ENTLAUFENER MÖNCH. Wo aber Mönche und Nonnen nit gutwillig heraus wolltcn laufen, denen muß man Hände und Füße binden und sie als die Hunde hinaustragen. Sie sitzen dem Teufel im Rachen.

KRATZER *des Mönchs Scheitel befühlend.* Dir ist die Glatze auch noch nit vor gar lang zuwachsen.

ENTLAUFENER MÖNCH. Vermaledeiet sei der Tag, an welchem die Kutt und alle beschorne Heiligkeit erdacht ist worden! Ich hab sie abgeworfen wie des Teufels Livrei. Ich will arbeiten und dem Bauern sein Essen abverdienen.

KRATZER *zu Schäferhans.* Gehst du mit dem Geschütz, Schäferhans?

SCHÄFERHANS. Der ist des Teufels, Meister, der nit mit dem Geschütz geht! Gib mir einen gefünkelten Joham.

ZWEITER BÜRGER *Tisch 2.* Der Doktor Luther hat den Teufel gesehen als eine Sau. Ich meine, er hat zu tief in die Kanne geschaut.

HAUSIERER *ausrufend durch die Flurtür.* Kauft, kauft Reformation Kaiser Sigmunds, genannt die Trompete des Bauernkriegs: Gehorsamkeit ist Tod, Gerechtigkeit leidet Not.

SCHÄFERHANS. Friß, Flechtenmacher, scheiß, Siedeschneider! *Trinkt Branntwein.*

HAUSIERER. Willst mir leicht das Maul stopfen, als der Luther dem Karlstatt oder dem Münzer, dem Propheten Gottes? *Weiter ausrufend.* Kauft, lest des großen Propheten Münzers Verteidigungsschrift wider den wütigen Stier zu Wittenberg, Martinum Lutherum: „Du hast die Christenheit verwirrt und kannst sie, da Not hergehet, nicht berichten. Darum heuchelst du den Fürsten, darum wird dir's gehen wie einem gefangenen Fuchs. Das Volk ist frei worden, und Gott allein will Herr darüber sein." *Weitergehend und rufend.* Judas in Rom, Simon in

Rom, Sodom in Rom! *Zu Tisch 2.* Stecket die Bibel weg, Brüder, der Stadtschreiber gehet vorbei; die Ehrbarkeit hie zu Rothenburg will es nit dulden, daß man in der Trinkstuben über der Geschrift disputiere.

ZWEITER BÜRGER *Tisch 2.* Was die Herrlein von der Ehrbarkeit hie zu Rothenburg gebieten oder verbieten, das acht ich so fast, als ob mich eine Gans anblies!

HAUSIERER *intim zu Tisch 2.* Habt ihr gehört? Der Jakob Schmidt in Kitzingen hat die heilige Hedalogis aus dem Grab genommen, eine Jungfrau aus Engelland, und Kegel geschoben mit ihrem Kopf.

DER BLINDE MÖNCH HANS SCHMIDT *wird von einem kleinen Mädchen herbeigeführt.* Bona dies!

KRATZER. Deo gratias!

VERSCHIEDENE STIMMEN. Der blinde Mönch!

DER BLINDE MÖNCH *sich zur Demut verstellend.* Panem propter deum. *Gelächter der Anwesenden.*

SCHÄFERHANS. Bundschuh! Bundschuh!

KRATZER *auf den Scherz eingehend.* Ein Wolf ein Pfaff, ein Mönch ein Schell. Jagt ihn hinaus! Werft ihm einen vierpfündigen Stein nach!

EIN HÖRIGER. Man soll sich von seiner Kutten nichts Gutes versehen.

ERSTER BÜRGER *Tisch 1.* Red, Käsemönch, sag uns ein Predigtmärlein! Hast leicht dem Teufel einen Backenzahn ausgebrochen oder ihn gesehen als einen brennenden Strohwisch.

EIN HÖRIGER. Für welches schwitzende oder blutende Kreuz bettelst du?

DER BLINDE MÖNCH *mit Verstellung seufzend.* Sind böse Läuft, fast schlimm böse Läuft. Bete zum heiligen Christoph, daß er euch trage mit seinen Schultern durch die greuliche Sintfluß dieser Zeit! Und ihr dort, esset geweihtes Salz und besprenget euch sechsmal des Tages mit geweihtem Wasser, auf daß euch der höllische Geist nit anstoße!

ERSTER BÜRGER *Tisch 2.* Ei, lieber Rotfuchs, wer soll uns das Salz und das Wasser weihen? Ist kein Pfaff meh zu Rothenburg, der es tut.

DER BLINDE MÖNCH *mit erlogener Entrüstung.* Das machet der Karlstatt, der Ketzer und Bösewicht. Den jaget davon!

KRATZER. Ei, Fuchs, gib mir Bescheid: ist es Sach, was die Pfaffen sagen: der Heilige Vater ist über den Engeln im Himmel und dem Teufel in der Höllen und hat ihnen zu gebieten?

DER BLINDE MÖNCH. Ei du nichtsnutziger, ketzerischer Bub und Bösewicht! Was gilt's, du bist ein Prager Student und hast mit dem Luther und Karlstatt dieselbe hussitische Pestilenz-suppe gelöffelt. *Er faßt Kratzer an.* Er starret von wiclefitischem Gift, er strotzet von hussitischem Aussatz, wütet itzt schlim-mer als der englische Schweiß, machet die Leute schier rasend und wütend: kaufen keinen Ablaß und wollen keine Meß hören. *Lachen.* Lachet nit, hütet euch vor Todsünd! Hütet euch vor den höllischen, abgründigen, teuflischen, verzweifel-ten Rottengeistern, die itzund umgehen und die Menschen verderben! Machen ein Geschrei unter den Leuten: das Jubel-jahr stünd vor der Tür. Treiben es in die Herzen, als sollte der Barbarossa wiederkommen, als sollt gar der Heiland wiederkommen auf die Welt und tausend Jahr eitel Fried und Freude anrichten. — Gott helf euch, ihr arme, verblendete Widerchristen! Wo das beschehe, was sollte wohl dann der Töpfer zu Rom mit seinen Götzen anfangen? Wer wird dann noch Götzenfleisch essen? Zur Messe gehen? Den Kirchenstock füllen? Die Pönen bezahlen? Die Päpst, Kardinäl, Bischöf, Meßpfaffen, Mönch, Kobold, Kielkröpf mästen? Wer wird Münster und Dome bauen, wann man Gott in keinem Tempel meh anbeten wird, sondern allein im Geist und in der Wahr-heit? Wer wird noch des Fürsten und Herren Geleit brauchen und bezahlen auf der Landstraßen, so man überall sicher ist gleich wie in Abrahams Schoß? Was wird aus den Hecken-schindern und Stegreifrittern werden, wo ihre Klepper nit meh sollen armen Kaufleuten und Bauern die Beutel abbeißen? Wann sie nit meh sollen Anschläg machen, reißen, rauben, ropfen, schatzen und stehlen? Nein und mitnichten, liebe Brüder! Euer Fürnehmen ist wider Christum, als der Luder schreibet: dann, wer da wider die Gottlosen schreiet, ist wider Christum. Der barmherzige Samariter ist wider Christum. Wer dem armen Lazarus die Schwäre wäscht, ist wider Christum. Wisset ihr nit, was im Evangelium stehet: bekrieget euch! mordet euch! sitzet einer über den andern zu Gericht! Bestehlet und belüget euch! Wenn einer zehn Röcke hat, so reiße er dem den elften vom Leibe, der nur einen hat. So verstehet der Papst, so verstehen die Pfaffen das Evangelium. Aber Gott

sprach: es werde Licht! und so ward es Licht; und so licht ist
es worden, daß ich es scheinen sehe, Gott sei mein Zeuge! durch
meine blinden Augen. *Er setzt sich überwältigt.*

STIMMEN. Vivat die deutsche evangelische Freiheit! Vivat der
blinde Mönch! Bundschuh, Bundschuh!!

DER BLINDE MÖNCH *zu Kratzer.* Wisset Ihr schon? Der Bruder
Andreas zieht gen Würzburg mit dem Geschütz.

KRATZER. Es ging die Flugred, aber ich mocht's nit glauben. Ist
es gewiß?

DER BLINDE MÖNCH. Ja, Bruder. Wir haben heut vor Tag zum
letzten Male miteinander Gott Lob und Dank gesagt, drunten
im Tal, in der Kapelle zu Kobolzell.

SCHÄFERHANS *mit ingrimmiger Gebärde.* Sollen wir mit dem
Böswicht, dem Karlstatt, ins bäurische Lager reiten? Das tue
der Teufel!

DER BLINDE MÖNCH. Was hast du wider den Karlstatt, Bruder?

SCHÄFERHANS. Auf Kavaliersparole, ich will dem verdammten
Ketzer und Schänder Mariens mit der Misericorde den Kopf
voneinander spellen, eh daß ich zulaß und erduld, daß er ein
Cavall besteigt!

KRATZER *zu anderen beiseit.* Muskaten in Warmbier sind gut
vor die Mutterkrankheit. Dafür, daß das nit beschehe, hat
der Florian Geyer Galgen ufrichten lassen.

ERSTER BÜRGER *Tisch 1.* Gestern, kaum daß sie den Galgen hatten
fertig gemacht, ist der Klaus Yckelshaimer von Gailzhofen
daruf gestiegen und hätt geschrien: er wollt sein'n Junker
Kunz Ofner daran henken.

HAUSIERER *ausrufend.* Kauft, kauft! Frischen Ablaß von Rom,
Dispensationen warm vom Heiligen Vater! Wer am Fasttage
Milch und Butter essen will, zahlt zwei Gulden rheinisch.
Beiläufig. Der Kardinal Cajetan absolvieret sich selbst, ißt
Fleisch in den Fasten, so viel er mag; die deutschen Fisch
verderben ihm den Magen. Geld, Geld für die Peterskirche!
Ein Heiliger muß selig gesprochen, die Türken immer bekriegt
werden. Das Pallium des Erzbischofs von Mainz kostet zwan-
zigtausend Gulden, ist aber noch nit bezahlt. Hier kann man
Christum kaufen für zwei Weißpfennig. Kauft, kauft! Gebt
Prager Groschen oder Regensburger Pfennige, deutsche Goldgulden oder italienische Florene! — Lorenz Valla: die angeb-
liche Schenkung Konstantins, woraus sich der Papst die welt-

liche Herrschaft erlogen! Das große Gotteswunder zu Bern! Die Verbrennung des Johan Hus zu Konstanz seines Glaubens willen! Savonarola, gefoltert, gehenkt und verbrannt seines Glaubens willen! Johannes Hilten, verschmachtet im Kerker zu Eisenach seines Glaubens willen!

KILIAN *der Harnischweber, ist gekommen und spricht Kratzer an.* Ich soll dem Florian Geyer den Harnisch flicken?

KRATZER. So geh ins Zeughaus, Bruder! wo die zwo neuen Büchsen stehn, die sie ins Würzburger Läger wollen führen. Hänsle Boßle Keßler, der Büchsenmeister, hätt den Geyer heut morgen in der Kühle dahin abgeholet. *Kilian nimmt Platz.*

MENZINGEN *ohne Harnisch, sehr geschäftig, tritt ein; zu Kratzer.* Ist der Florian Geyer schon aufs Zeughaus gangen?

KRATZER. Vor lang, Bruder! — Wie sieht's auf der Gassen aus?

MENZINGEN. Anders dann es ausgesehen hat, bevorab der Geyer und die bäurischen Hauptleut einzogen. Just als lebten wir mitten im Gottesfrieden. *Da es still geworden ist und viele auf ihn achten und horchen, wendet er sich an die Gesamtheit.* Ich wünsch euch viel seliger Zeit, liebe Brüder!

VIELE STIMMEN. Gute Zeit, Bruder Menzingen! Gott dank dir, Bruder!

MENZINGEN. Wie ist euch zu Sinn, in eurer neuen bäurischen Haut?

ERSTER BÜRGER *Tisch 2.* Seit Rothenburg schwarz ist worden und zu den Bauern gefallen, ist mir zu Sinn, Bruder, als wenn ich von den Franzosen genesen wär.

ZWEITER BÜRGER *Tisch 2.* Bruder, wir haben gewett, ich und der Engelhart Goppolt: als der Florian Geyer vor zween Tagen draußen vor dem Rathaus uf den Schrannen stund — hat er da nit geredt und geschrien: uf hundert und ein Jahr sollt sich die Stadt der Bruderschaft zugeloben?

MENZINGEN. Hast recht gehört, Bruder!

ZWEITER BÜRGER *Tisch 2.* Und mittlerzeit, bevor nit die große, allgemeine Reformation ufgericht ist worden durch hochgelahrte, christliche Männer und Kundige der Geschrift, sind wir nit gehalten, Zins zu zahlen, Zehnt zu geben, noch auch weder Gült, Handlohn, Hauptrecht. Brauchen nit steuern, dienen, fronen, sundern sind frei aller ungerechten Bürd und Beschwerd.

MENZINGEN. Hast recht gehört, Bruder!

DRITTER BÜRGER *Tisch 2.* Vivat die deutsche evangelische Freiheit!

VIERTER BÜRGER *Tisch 2.* Alles muß gar gemein sein. Gleiche Bürden bricht niemand den Rücken.

DRITTER BÜRGER *Tisch 2.* Wir wollen frei sein als die Schweizer und in der Religion mitreden als die Hussiten.

ZWEITER BÜRGER *Tisch 1.* Reitet Ihr auch mit dem Geschütz?

MENZINGEN. Nein, Bruder. Ich will eine Gemeine hie zu Rothenburg mitnichten verlassen, ich will bei euch sterben und genesen.

DRITTER BÜRGER *Tisch 1.* Vivat Junker von Menzingen!

HAUSIERER *ausrufend.* Concilium, Concilium! *Zu Menzingen.* Luget, Bruder! Verstopfen sich die Ohren wie der Papst zu Rom, wollen nichts hören davon. — Der neue Karsthans, von dem edlen Ritter Ulrich von Hutten, so jetzund, von den Pfaffen verfolgt, auf einer Insel im See bei Zürich sein teures Leben geendet hat. Junker Helfreich, Reiter Heinz und Karsthans haben ein schön Gespräch miteinander, sehr unterhaltlich und lehrreich zu lesen.

KILIAN *an Tisch 2 tretend.* Ich soll dem Florian Geyer den Harnisch flicken.

JÖRG KUMPF *ruft durchs Fenster.* Gott grüß dich, Bruder Menzingen!

MENZINGEN. Gott dank dir, Jörg! Tritt herein, nimm einen Frühtrunk!

JÖRG KUMPF. Muß aufs Zeughaus, Bruder, hab Eile! Helfen, unser Geschütz gen Würzburg führen.

MENZINGEN. Brav, Jörg, keiner darf sich sparen und dahinten bleiben, wann das Evangelium ein'n Beistand verlangt.

KRATZER. Potz Bauch, Jörg! Du rasselst ja wie ein Harnischreiter.

JÖRG KUMPF. Ich hab ein'n Harnisch an.

MENZINGEN. Tu dich herein, Jörg, laß dich anschauen! *Jörg verschwindet vom Fenster.*

HAUSIERER. Judas in Rom! Simon in Rom! *Zur Kellnerin.* Herzu, Gret-Müllerin, geh mir um den Bart, sollst eine fette Pfründe haben. Kannst nit lesen, kannst kein Latein, so laß deinen Bettschatz die Pfarre versehn.

Jörg tritt ein, verweilt aufgehalten an der Tür.

ENTLAUFENER MÖNCH. Ein grader Bursch!

ERSTER BÜRGER *Tisch 1.* Gelt wohl! Ist der junge Jörg Kumpf, Bürgermeister Kumpfens Bruder!

ENTLAUFENER MÖNCH. Bürgermeister Kumpfens, der in der Pfarr-

kirchen dem Priester unterm Tagamt das Meßbuch herabge-
worfen und die Schüler aus dem Chore verjagt hätt?

ERSTER BÜRGER *Tisch 1.* Just der, Bruder.

Jörg Kumpf forsch vortretend.

MENZINGEN. Wahrlich, meiner Seel, Bruder! Du bist für den
Harnisch geboren.

KRATZER. Ein fast guter Küriß, Nürnberger Gemächte.

KILIAN. Schütt dich der Ritt! Nit Nürnberger Gemächte, sondern ich hab es gemachet, und hie zu Rothenburg; mit meiner
Hand hab ich das Harnasch gemacht.

KRATZER. Da nimm! Ein Trunk Weins ist gut für den Weg. Uf
daß Ihr mögt brav anpochen uf Unsrer Frauen Berg.

JÖRG KUMPF. Das wollen wir wohl tun! *Singt.*

> Die Singerin singt den Tenor schon,
> die Nacht'gall den Alt in gleichem Ton;
> scharf Metz bassiert mit Schalle;
> die Schlange den Diskant warf darein;
> sie achten nit, wem es g'falle.
> Sie sungen, daß die Mauern klubend
> und Bett und Polster zum Dach ausstubend.

Alle singen begeistert.

> Sie sungen, daß die Mauern klubend
> und Bett und Polster zum Dach ausstubend.

DER BLINDE MÖNCH. Gott segne und behüte dich auf deiner wehr-
lichen Maienfahrt!

DER SCHULTHEISS *tritt ein.* Gutes Jahr, liebe Brüder! Das Geschütz rückt fort, zwölf Gäule vor jedem Stück! Sind in ganzer
deutscher Nation so fast prächtige Büchsen nit meh zu finden,
als eure sind.

STIMMEN. Vivat Rothenburg! *Alles bricht auf, Hals über Kopf;
es wird eilig bezahlt, und das Zimmer leert sich vorn vollkommen. Nur Kratzer, Menzingen, der Schultheiß und der blinde
Mönch bleiben, dann die Kellnerin, welche die Tische abräumt.*

KRATZER *einem Bauern den Kugelhut reichend.* Da ist dein
Kugel, vergiß sie nit!

*Menzingen, der Papiere mit sich hat, versucht ein wenig zer-
streut eine Truhe zu öffnen, die irgendwo unauffällig im Zimmer steht.*

KRATZER *eine Kanne Wein füllend, bemerkt Menzingen.* Der
Schlüssel ist hie.

MENZINGEN *den Schlüssel abnehmend, die Papiere weisend.* Ist wieder ein ganz Bibelbuch vollgered't worden im Ausschuß.

DER BLINDE MÖNCH. Haben sich wieder weidlich gerissen um die Narrenkappe. *Feistle tritt ein.*

KRATZER. Mit ins bäurische Läger zu reiten hätt sich aber keiner gerissen. Ist jeglicher nur bedacht gewest, den Kopf aus der Schlinge zu nehmen — was willst du, Feistle?

FEISTLE. Steht einer vorm Rödertor, Bruder! Begehrt Einlaß.

MENZINGEN. Ist er markgräfisch?

FEISTLE. Soviel ich hab sehn gekonnt, hätt er das bäurische Kreuz uf'm Arm.

KRATZER. Ist es ein reitender Bote, Feistle?

FEISTLE. Ich wollte mein Lebtag nit besser beritten sein, Brüder. Ich hab kein so schönes Pferd nit gesehen, seit Kindesbeinen.

MENZINGEN. Leicht, daß es der Wilhelm von Grumbach ist. Reitet ein schön milchweiß arabisch Tier.

KRATZER. Heiß ihn absteigen und zu Fuß hiehergehen, Feistle! Sust schlagen sie aber Lärmen und rennen zu Haufen. *Feistle ab.*

DER SCHULTHEISS *zu Kratzer.* Bruder! Füll mir den Krug mit Tauberwein.

KRATZER. Wollt Ihr den austrinken, Bruder?

DER SCHULTHEISS. Bis zur Nagelprob; heißet mich einen Pfaffenknecht, wenn ich so viel darin laß, davon eine Laus mag trunken werden. —

MENZINGEN. Wo habt ihr den Wilhelm von Grumbach zum letzten Male gesehen, Bruder Bezold?

DER SCHULTHEISS. In Würzburg im bäurischen Kriegsrat. Ist mit Botschaft an den Markgrafen Kasimir abgefertigt. Hat überdies dem Florian Geyer zugesagt, gute Reiterfähnlein in Wartgeld zu bringen, auch ein stark Fähnlein Hakenschützen wider den Bund zu werben.

MENZINGEN. Bruder! Ich bin glaublich bericht, der Markgraf stehet in starker Rüstung, ist mit einem großen Zeug aus Onolzbach ins Feld, meh dann sechshundert reisige Gäul, ob zweentausend Fußknecht, vierzehn großer Stück.

DER SCHULTHEISS. Jetzt nu wir Rothenburg haben eingenommen, ist dem Markgrafen der Spieß an Bauch gesetzt. Er muß Vertrag suchen, es sei ihm lieb oder leid. Es tut auch nit not, daß, wie ihr es wollt haben, der Geyer noch gen Ansbach hinüber verreite.

MENZINGEN. Achtet des Markgrafen nit zu lützel! Wo ihr nit dazu tuet, kann es geschehen, daß ihr die zween Rothenburger Schlänglein nu und nimmer ins Würzburger Läger bringet.

DER SCHULTHEISS. Der Markgraf ist ein Fuchs. Er müßte zum grauen Esel sein worden, wo er ihm unterstund, die zwo Stück anzutasten. Sollt er uns die abstricken, das wäre die bloße Hand ins Feuer geschlagen.

MENZINGEN *geärgert*. Mag sein, Bruder! Aber bedenket doch ja, was ein Bundesgenosse der Markgraf ist! Schwöret er in die Bruderschaft, so mögt ihr des Georgen Truchseß und des Schwäbischen Bundes getrost gewarten und brauchet nit weiter Sorge zu tragen.

DER SCHULTHEISS *lacht auf*. Kennt Ihr das Märlein, Ritter, wo die Schafe wider den Wolf einen Wolf gewonnen zum Bundesgenossen? Darnach würgeten zween Wölfe in ihren Reihen. Mitnichten, Bruder, befrage den Geyer darum; wir lassen es uns nit um deswillen so blutsauer werden.

MENZINGEN. So wollt ich, ich läg im tiefsten Turm, oder ich hätt Euch Rothenburg nit eingeben.

DER SCHULTHEISS. Habt Ihr es uns eingeben? Ei, potz Haut!

MENZINGEN. Ich hab mich in keinem Weg gesparet und auf der faulen Haut gelegen, sundern Leib, Gut und Ehre daran gesetzet, bis ich die Bürgerschaft dahin bracht, daß ihr habt können einreiten und euch ins gemachte Bett legen. Dawider ist das der Dank gemeiner bäurischer Bruderschaft. — Ich bin dem Markgrafen Kasimir mit Diensten verpflicht't, und wenn man sich unterstehet, unbrüderlich gen seiner Liebden fürzunehmen . . .

DER SCHULTHEISS. Bruder Menzingen, Ihr gefallt mir nit.

MENZINGEN. Ihr auch nit, Bruder!

DER SCHULTHEISS. Ihr spart Euch nit und schaffet tüchtig. Ob aber der evangelischen Freiheit zulieb oder zuleid, weiß keiner zu sagen.

MENZINGEN. Ich bin dem Evangelium und gemeiner evangelischer Freiheit so fast ergeben als irgendeiner in deutscher Nation, und wer das widerficht, dem will ich mit der Wehre zu Willen sein und ihn treffen, um welche Stunde es ihm beliebt.

DER SCHULTHEISS. Bruder! Mein Herz ist fröhlich, und ich will den Handel gern mit der Kanne ausfechten, sofern Ihr Belieben tragt. Zu meh hab ich nit Zeit. Was geht's mich an, was Ihr tut!

Machet es mit Gott aus und mit Eurem Gewissen! *Er tut einen kolossalen Trunk.* Das habe ich allen guten evangelischen Brüdern zugebracht, und wer ein so gut bäurisch Herze hat als ich, der tu mir Bescheid! Ich muß ins Zeughaus. Lebet wohl miteinander! *Ab.*

EINE STIMME *schreit außen.* Schlagt tot! Schlagt tot!

MENZINGEN. Ist ein höllisch weitläufiger Handel, Bruder Rektor!

REKTOR BESENMEYER *der an einem Tisch in Mareis Nähe still gesessen.* Meid das Feuer, so meidst den Rauch. Willst du das Maul krümmen und sauer sehen, wo der großmächtige göttliche Läuterbrand ein klein Räuchlein machet?!

MENZINGEN. Weiß keiner, wohin es noch mag geraten. Haß, Händel, Gezänk, Unfried überall.

REKTOR BESENMEYER. Wohin es noch mag geraten, Bruder? Ist alles viel baß, dann es vorher gewest. Sollen wir itzt nit ein wenig granten, gumpen, blitzen und ungeschickt sein? Sind sie doch kaum aus dem Block entrunnen. Konnte schier' niemand einen Bissen essen, einen Tropfen trinken, es war ein Gesetz darüber gemacht. Man müsse sich aber kleiden und scheren, so und nit so gebärden, diese Speise nit essen, jenen Trunk nit trinken und was der Dinge meh . . .

Volksgemurmel und Lärm kommt näher. Karlstatt, todblaß, flüchtet herein; ihm folgt, in rasender Wut, Schäferhans, Jörg Kumpf, der ihn festhalten will, hinter sich herziehend.

KARLSTATT. Helft, helft! liebe Brüder!

SCHÄFERHANS. Der Teufel soll dir helfen, der dein Meister ist. Hast du nit die gebenedeite Jungfrau Marie ein Grasmaidlein geheißen? Ihr Bild zerstört, die Köpfe absägen lassen, Sakramentshäuslein umwerfen, den zarten Fronleichnam aus dem Käpslein nehmen und unehrlich ausschütten lassen? Potz Zinkes! wer den Ächter und Teufelskirchner durch den Kopf haut, der braucht keinen Ablaß nit meh sein Leben lang kaufen.

JÖRG KUMPF *tritt zwischen Karlstatt und Schäferhans.* Friede! Steck die Wehr ein, Schäferhans!

SCHÄFERHANS. Büblein! Du trittst beiseit, in drei Teufels Namen, oder ich will dir den Hundshaber dermaßen ausdreschen — *er will wieder auf Karlstatt los.*

JÖRG KUMPF. Kotz Bauch! meinst, daß ich nit fluchen kann so fast wie ein Landsknecht? Gib Friede! Steck deine Wehr ein! oder —

SCHÄFERHANS *gehindert, momentan ruhig.* Brüderlein! tritt aus dem Weg, suster, wenn ich dir dein Treff geb, so schläfst du ein, und wenn ich dich schlafen leg, so hab ich das Dutzend voll.

KARLSTATT. Was hab ich dir Böses getan, lieber Bruder? Womit hab ich mich versündigt an dir, daß du mir nach dem Leben trachtest?

SCHÄFERHANS. Du mußt bluten, so wahr ich ein ehrlicher Landsknecht bin.

KARLSTATT *mit ausgebreiteten Armen vor ihn hintretend.* Wohlan! hau zu! und verzeihe dir's Gott!

EIN BAUER *leise zu Schäferhans.* Tu's nit, Schäferhans! Dem Karlstatt kann keine Wehre nichts anhaben.

KARLSTATT. Hau zu, lieber Bruder, und Gott vergeb dir's!

SCHÄFERHANS *wie von einer geheimnisvollen Kraft gelähmt, das Schwert kurz in die Scheide stoßend.* Ich fürcht mich vor keiner schwarzen Kunst. Ich bin auch fest, so gut wie ein anderer, aber nit durch den Teufel, sondern durch Gott und weil ich Sankt Johannis Evangelium allweg uf dem Busen trag — kotz! vexierest du mich?

KRATZER. Was gehst du mich an?

SCHÄFERHANS. Ob du mich scheel angesehen, frag ich dich!

KRATZER. Daß dich potz der und jener uf ein Haufen schänd! Willst du itzt gar mit mir Händel suchen?

STIMMEN. Je, ruft doch den Florian Geyer herbei!

SCHÄFERHANS. Oha! risch! immer herfür mit dem nassen Vogel, und rufet noch zehn andre bäurische Hauptgecken und lausige Schmalzbettler dazu. Mit einem Packscheit wollt ich mir ihrer zwölf Dutzend vom Leibe halten.

Geyer und Wilhelm von Grumbach treten ein.

GEYER. Was geht hie vor?

SCHÄFERHANS. Ich bin ein ehrlicher deutscher Knecht, hab Kaiserlicher Majestät allweg treu und redlich gedient; niemalen keinen Profossen unter der Hand gewest; hat auch niemalen kein Malefizgericht über mich gesessen. Bin auch kein Ächter nit. Hab auch niemalen den Franzosen gedient wider Kaiserliche Majestät und deutsche Nation.

GEYER. Kennest du mich?

SCHÄFERHANS. Ob ich Euch kenn, Junker? Ich kenn Euch wohl, Junker. Von Pavia kenne ich Euch. Von daher kennt Ihr mich auch wohl, und wenn Ihr's begehrt, so will ich Euch hie ein Lied singen im Pavier Ton. Kennet Ihr den Pavier Ton, Junker?

Starret Ihr mich an, Junker? Ich sterb nit davon. *Er wendet Geyer den Rücken zu und tritt frech an den Schenktisch.* Ich sterb überhaupt nit, dann ich hab's vom Tod schriftlich: er läßt mich leben, bis ich ein Paternoster gebet't. Da kann er lang warten.
Er lacht betrunken, und sein Lachen geht in unreinem, trotzig-hämischem Halbsingen unter.

> Wir sind vom Ritterorden,
> doch itzund arm geworden;
> noch wollen wir empor.
> Wir wollen zu Kind und Wiben,
> von den man uns vertrieben,
> und Schloß han wie zuvor.
> Uns soll der Pövel helfen,
> dann fall'n wir gleich den Wölfen
> in geistlich Hürden ein,
> all Pfaffen zu verjagen,
> sie all zu Tod zu schlagen,
> zu trinken ihren Wein.
> Das göttlich Wort sagt eben:
> Wir müssen christlich leben
> und alle Brüder sein.

GEYER. Landsknecht!

SCHÄFERHANS. Ei!

GEYER. Steck die Wehr ein!

SCHÄFERHANS. Blau!

GEYER. Wo bist du hie?

SCHÄFERHANS. Kotz! zu Rothenburg.

GEYER. So sollst du das Stadtrecht wissen und halten. *Er schlägt ihm mit der Faust mitten ins Gesicht, so daß er lautlos zusammenbricht. Karlstatt und andere bemühen sich um Schäferhans.*

GEYER *ganz ruhig zu Karlstatt.* Seid Ihr noch immer willens, Bruder Andreas, mit dem Geschütz zu reiten?

KARLSTATT. Ja, Bruder Geyer, so Gott mir helfe.

MENZINGEN. Hie habet Ihr erst einen Vorgeschmack bekommen. Es sind viel ungeschickte, tolle und wilde Leut in den Lägern.

KARLSTATT. Bewahre uns Gott vor Menschenfurcht! Es ist nit gar lange her, da waren mein Schwager zu Frankfurt und ich die einzigen zween evangelischen Brüder im Reich. Itzt, wo Gott die Saat, von uns gesäet, hat lassen aufgehen, itzt sollt ich kleinmütig sein, die Birn in der Kachel umreiben? Mitnichten, ihr Brüder!

WILHELM VON GRUMBACH. Ich komme von Würzburg und kann Euch auf meine Ehre versichern: Ihr laufet Gefahr Leibes und Lebens allda.

KARLSTATT. Gotteslohn, lieber Warner, aber ich besorg nit, daß meine Brüder zu Würzburg mir indert was sollten zuleide tun. Der arme verblendete Schäferhans hat bis diesen Tag nur allein Fürsten und Herren gedient. Die aber haben mich allweg gejagt, verfolgt, mir nach dem Leben getracht und mich ihren Dienern aufgeredt als einen schwarzen, höllischen Böswicht. Dawider das arme Volk, das in Lehmhütten hauset, auf Stroh schläft und Hungerbrot zehret, das kennet den Bruder Andreas wohl.

WILHELM VON GRUMBACH. Das wäre wohl recht und in keim Weg etwas dawider zu sagen, wo nit der Luther wider Euch sich hätte mit Schriften gewandt.

KARLSTATT *fanatisch.* Der Luther ist dem Teufel auf den Schwanz gebunden. Vor kaum zween Wochen hat er's in Druck lassen ausgeben und wider Fürsten und Herren gewütet: „Erschlagen euch die Bauern nit, so müssen's andre tun." Heut speiet er Mord und Brand wider die Bäurischen aus: man soll in sie stechen, schlagen, würgen. Man soll die Büchsen lassen in sie sausen.

MENZINGEN. Der Luther gilt dannoch fast viel bei den Leuten.

KARLSTATT. So hat sie der Satan mit Blindheit geschlagen, wenn sie einem Manne traun, der heute süß redt und morgen sauer. Der Luther verstehet die Läufte nit. Schwarmgeister nennt er uns; böse, teuflische Rottengeister nennet er uns. Das macht: es ist ihm bequem und genehm, das Evangelium auf der Zunge zu haben, zu lehren, darüber zu disputieren, aber ihm zu geleben ist ihm nit bequem. Und doch ist all Reden, Plärren und Wortemachen eitel Dunst. Die marderne Schauben abwerfen, allem Hochmut, Pracht und Reichtum entsagen, einen groben Zwillich anziehen und den, wo es not tut, dem Nächsten fröhlich dahingeben: das hab ich getan, ist aber des Luthers Sache nit. Ich kenne den Luther wohl. Ich hab ihn zum Doktor promoviert. Er hat mich seinen verehrten Lehrer genennet und Freund geheißen. Itzt ist er mein grimmer Feind; aber ich achte seiner Schmachbüchlein also wenig, als hätt ich auf einen Würfel getreten. Lebet wohl, liebe Brüder! Mir wird geschehen nach Gottes Willen. *Karlstatt hat vielen die Hand gegeben und entfernt sich jetzt, begleitet vom blinden Mönch und anderen.*

GEYER. Der Luther hat ein Weib genommen. Darum kann er nit kommen. Es kommt einem hart an, wider den Luther das Maul aufzutun. Wir bedürfen seiner so fast und sehr. Wehe, daß er zum Judas worden! Christlich frei und leibeigen will er das Volk. — Ich kann itzt nit zum Markgrafen verreiten, Stephan!

MENZINGEN. Hast du von toten Fischen geträumt oder ist dir ein Hase über den Weg gelaufen?

GEYER. Es leidt mich nit meh, ich möchte drei Klepper totreiten und je eher je lieber wieder in Würzburg sein. Gereuet mich fast, daß ich bin fortgegangen. *Er trinkt.* Ein guter Trunk, Bruder.

KRATZER. Glaub's schon! Fritz Teuber, der Ratsknecht, hat ihn gebracht, vier Kannen voll, zu einer Verehrung für Euch vom hohen Rat.

GEYER *lachend.* Daß dich die Drüs! Die Ehrbarkeit schenket mir alten Wein. Gott geb's, daß ihr der neue, den ich hereingebracht hab, also wohl eingehe als mir der alte.

MENZINGEN *aus einem Schrank des Wirtes ein Meßgewand und Kruzifix vorziehend.* Zween feiner, kunstreicher Stück.

GEYER *lachend.* Habt Ihr Sackmann darüber gemacht?

MENZINGEN. Gerettet haben wir sie vor dem Karlstatt und seinem blinden Wüten. Er meinet, sollt kein Maler eine Tafel mehr malen, auch kein Bild mehr schnitzen, alles in dem Herzen gemalet sein.

GEYER *das Kruzifix betrachtend.* Gott grüß die Kunst!

KRATZER. Vom Veit Stoß geschnitzelt, den sie zu Nürnberg durch beede Backen gebrennet.

GEYER. Was soll's damit?

MENZINGEN. Du sollst uns zu Rothenburg mitnichten für Filze halten.

GEYER. Gottes Dank, Stephan! Hebet mir's auf, Bruder Kratzer! Ich will es von Euch fordern, wann wir den Hasen miteinander speisen, der jetzt noch im Holze sitzt.

WILHELM VON GRUMBACH *Geyer zutrinkend.* Ich bring dir's zu, Schwager!

REKTOR BESENMEYER. Habt Ihr Kundschaft, Bruder, aus den Lägern von Würzburg?

GEYER. Hab kein groß Ergötzen daran gefaßt. Sie wachsen anein-

ander im Kriegsrat über ein zerbrochen Glas. Keiner weiß, wer
regiert. Schlagen einander blutige Köpfe. Was sie mir zugesagt,
halten sie nit. Nehmen keine Reiter an. Haben die Landsknechte lassen davonziehen, die in den Lägern waren, und zum
Gegenteil übergehen. Jedoch noch bin ich guten Muts und fürcht
mich nit. Die Schwarzen sind meine Ringmauer.

WILHELM VON GRUMBACH. Vor drei Tagen ritt ich in Würzburg
ein, vor zween wieder heraus. Konnte wohl merken, daß der
Geyer nit in den Lägern was. Alles toll und voll gesoffen. Hab
müssen absitzen, den Gaul durch die Gassen am Zügel führen,
daß er nit einem trunknen Manne, Weib oder jungen Kind ins
offene Maul trat.

MENZINGEN. Gute Botschaft vom Markgrafen?

WILHELM VON GRUMBACH. Er will zween Räte ins bäurische Läger
senden.

GEYER *mit Entschluß.* Wohlan!

MENZINGEN. Haben sie angefangen mit Schießen?

WILHELM VON GRUMBACH. So fast sie mögen von der Schütt und
aus dem Schlosse herunter. Schon grausam viel Schaden getan
in der Stadt und vielen Bäurischen das Leben gekost't.

GEYER. Gen Würzburg! Gen Würzburg! — *Geschrei auf der
Gasse: „Vivat Florian Geyer!"* Was bedeutet dies?

KRATZER. Wollen Euch sehen, bevor Ihr abreitet.

REKTOR BESENMEYER. Wenn's Euch beliebt, Bruder Geyer, redet
ein gutes Wörtlein, zum Abschied, ein kräftig Wörtlein, so wie
Ihr's im Busen habt, trotz allen Oratores und Predigtmachern!

GEYER *durch das Fenster hinausredend.* Ich dank Euch, liebe
bäurische Brüder! Lebet wohl, liebe evangelische Brüder. Ich
gehe von Euch, damit das Gottestreiben dieser Zeit zu einem
seligen Ende geführt werde. Im Kyffhäuser ist es lebendig geworden. Der heimliche Kaiser hat sich geregt und gereckt. Der
Barbarossa ist auferstanden und wird herfürtreten mit ganzer
Macht. Die Tochter des reichen Mannes wird er dem armen
geben. Pfaffen und Mönche wird er abtun. Das unrechte
Recht wird er verdrucken und das rechte Recht ufrichten. —
Das Reich muß reorganisiert werden. Von Franken aus muß
es geschehen. Fränkisch ist die alte Reichsverfassung. Fränkisch
wird die neue sein. Wir haben zu wählen, die Stämme, und
nicht die Fürsten. Was ist uns der spanische Karl? Ein Fremdling, der unsere Not nit versteht. Wir wollen ein deutsch

evangelisch Oberhaupt: einen Volkskaiser, keinen Pfaffen-kaiser. Er soll den Krönungseid schwören, aber von seinen sechs Fragen sollen nicht bloß zwei sich auf das Volk und vier auf das Papsttum beziehen. Und wie der neugewählte König hat Antwort zu geben: „Ich will“, so sag ich auch: Ich will, ich will, ich will ... Dem Barbarossa will ich den Weg bereiten.

Enthusiastischer Tumult auf der Gasse: „Vivat Florian Geyer!“ Alle im Zimmer Anwesenden stimmen mit ein. Sie drängen sich, Geyern die Hand zu geben, der sie allen schüttelt. Lachen, Rühren und Hoffnungsfröhlichkeit. Rufe: „Bundschuh!“

GEYER *nimmt aus dem Tuche mit Krebsen, das er gewahrt, über-mütig einen heraus und setzt ihn auf den Tisch, dabei rufend.* Der alte Krebs lehrt sin Kind den Strich, daß sie noch heut gehn hinter sich.

REKTOR BESENMEYER. Mutter Maria! Bald hätt ich's vergessen, Bruder: hie ist eine Dirne, mit Posten für dich.

Geyer und Rektor Besenmeyer begeben sich zu Marei und versuchen sie aufzuwecken.

WILHELM VON GRUMBACH *roh und brutal überm Tisch erzählend.* Jüngst hab ich einem das Krebsen versalzen, einem, so bei dem weiland Pfaffen zu Würzburg Diener war. Fischete und kreb-sete in meinen Weihern und Wässerlein, als ob sie bischöflich wären. Hab ich ihn lassen fahen durch meine Knechte, ihn über dem Bächlein ufhenken, das ihm so wohl behagt, an einer Weiden; ein weit, weiß Gewand ihm anlegen lassen, und das mit Krebsen und Fischen bemalet. Sind die Raben nach ihm geflogen, drei und meh Wochen. Hat kein Krebslein nit meh gegriffen. Bin vor ihm sicher gewest, kotz Schweiß!

KRATZER. Es geht das Gerücht, der Truchseß von Waldburg hab eine Schlacht gewonnen wider die Bäurischen, nit fern von Böblingen.

MENZINGEN. Eine Flugred eine Lugred, von Herren erdacht und Pfaffenknechten, einen Schrecken und Abfall unterm Volk zu machen.

JÖRG KUMPF *tritt ein, stattlich und stramm.* Ich tu Euch kund, Bruder Geyer, das Geschütz rückt fort.

MENZINGEN. Was macht Ihr Euch doch mit der Dirne zu schaffen!

GEYER *Marei gewaltsam emporreißend.* He! uf! — steh uf!

REKTOR BESENMEYER. Hie ist ein Brief!

GEYER *erbricht ihn.* Vom Bruder Löffelholz, meim Feldschreiber, in Latein verfaßt, des ich nit mächtig bin. *Gibt den Brief an Rektor Besenmeyer, der sich damit entfernt.* He, wachst du itzt auf? Was hast du für Mundbotschaft?

MENZINGEN. Kennst du die Dirne?

GEYER. Sollt ich sie wohl nit kennen? Zwo Jahr und darüber hab ich sie bei mir im Zelt; mit aller Marter hab ich sie müssen einem böhmischen Reiter abhandeln.

WILHELM VON GRUMBACH. Fünfzig Goldgülden für die Dirne! Bist du's zufrieden, Schwager?

MENZINGEN. Soll sie dir leicht in der Badstuben Handreichung tun?

GEYER. Spare dein Gold, Schwager. Sie ist zu nichts nütz, dann daß sie ein wenig die Laute schlägt.

WILHELM VON GRUMBACH. Hundert Goldgülden, Schwager!

GEYER. Nit um tausend, nit um zehntausend. Und nähmst du sie flugs heut, ist sie schon morgen wieder in meinem Zelt. — Was macht der Tellermann?

MAREI. Den Tellermann haben sie in die Eisen gelegt.

GEYER. Was macht der Tellermann, Dirne? Hör, was man fragt!

MAREI *trotzig.* Ich hab's gehört.

GEYER. Trink Wein und stärke dich! — Bist lange in der Irre gelaufen?

MAREI. Nein, Kapitän.

GEYER. Wann bist du von Würzburg fort?

MAREI. Gestern nach dem Ausschlagen.

GEYER. Wer hat dich abgefertigt?

MAREI. Der Bruder Löffelholz.

GEYER. Wie geht's dem Bruder Löffelholz?

MAREI. Liegt im Zelt und ist krank, Kapitän.

GEYER. Gott geb ihm Genesung! — Was macht der Tellermann?

MAREI. Den Tellermann haben sie in die Eisen gelegt.

MENZINGEN. Sie redet irre, sie ist nit bei Sinnen.

MAREI. Ich bin bei Sinnen und red nit irre.

GEYER *schreit sie an.* Wen haben sie in die Eisen gelegt?

MAREI. Den Tellermann.

GEYER. Den Tellermann? — Meinen Leutinger?

MAREI. Ja, Kapitän.

GEYER. Wer hat den Tellermann in die Eisen gelegt?
Besenmeyer kommt wieder.

MENZINGEN. Was hat der Rektor?

KRATZER. Was habt Ihr für Kundschaft?

REKTOR BESENMEYER *bleich, höchst erregt.* Gute Kundschaft. Nichts, liebe Brüder.

WILHELM VON GRUMBACH. Ich fürchte, der Teufel steckt in dem Brief.

DER SCHULTHEISS *tritt ein, hoch, frisch und fröhlich.* Herzu, Kapitän, und vorwärts in Gottes Namen mit dem Geschütz! Die Stadtpfeifer geben uns das Geleit.

GEYER. Kotz Leichnam! Verschließ die Tür! Redet, Bruder, was steht in dem Brief?

REKTOR BESENMEYER. Es sind ihrer zween Briefe, davon ich den ersten zur Hälfte gelesen. Stammt von Wendel Hipplern aus Heilbronn und ist vom Bruder Löffelholz beigeschlossen.

KRATZER. Was macht doch der Wendel Hippler in Heilbronn, Brüder?

MENZINGEN. Ei! Hab ich's dir nit gesagt, daß er und andere bäurische Räte miteinander die große Reichsreformation beraten?

WILHELM VON GRUMBACH. Alle guten Köpfe haben die Bäurischen von Würzburg verschickt. Die strohernen haben sie bei ihnen behalten.

DER SCHULTHEISS. Was geht hie vor, was habt ihr für Zeitung?

GEYER. Macht's flugs, Bruder Rektor! Was schreibt der Hippler?

REKTOR BESENMEYER. Der Truchseß von Waldburg hat eine Schlacht gewonnen.

WILHELM VON GRUMBACH. Hat das Gerücht doch nit gelogen?

GEYER. Wo?

REKTOR BESENMEYER. Bei Böblingen. Zwanzigtausend bäurische Brüder erschlagen.

GEYER. Zwanzigtau ... Den Klepper heraus! Gen Würzburg, gen Würzburg!

MENZINGEN. Zwanzigtausend Bauern erschlagen? —

REKTOR BESENMEYER. Und einen haben sie aufgegriffen: den Nonnenmacher, der zu Weinsberg dem Dittrich von Helfenstein hat aufgespielt, bei seinem Todesgang.

DER SCHULTHEISS. Ist er gerichtet, so hol ihn der Teufel!

REKTOR BESENMEYER. Er ist gerichtet. Mit Gunst zu melden: doch als ein Bösewicht von Teufeln gerichtet. Der Truchseß hat ihn öffentlich vor allem Volk an einen Baum binden mit einer eisernen Ketten, ein Feuer in ziemlicher Weiten um ihn gemacht und also den Menschen langsam lassen verschwitzen und ver-

braten. Da ist er herumgelaufen als ein Hund, hat gelacht, geschrien, geflucht, gebrüllt, indes Herr Jörg Truchseß und andere Grafen und Herren vom Adel immer meh Holz haben
herzugetragen, selbst, eigenhändig, bis er jämmerlich, kläglich
verzuckt und verreckt ist. --

GEYER. So will ich deiner gewarten und deiner feilen, bündischen
Ströter, Hundsfötter und Straßenfeger, und bei Gottes Licht!
mit was Maß du missest, soll dir wieder gemessen werden. Gen
Würzburg! Gen Würzburg!

REKTOR BESENMEYER. Wollt Ihr nit anhören, was der Löffelholz
schreibt?

DER SCHULTHEISS. Was schreibt der Löffelholz?

GEYER *zu Marei, sich plötzlich erinnernd*. Was hast du vom Tellermann gefaselt, wer hätte den wohl in die Eisen gelegt?

REKTOR BESENMEYER *schnell*. Es ist ein Sturmangriff beschehen
wider das Würzburger Schloß.

DER SCHULTHEISS. Kotz hunderttausend höllische Teufel, was soll
das itzt heißen?

GEYER *schreit*. Das ist nit wahr!

REKTOR BESENMEYER. Mere, wahrhaftig, hie steht es geschrieben.

DER SCHULTHEISS. Sie haben gestürmt — ?

REKTOR BESENMEYER. Erstlich sind sie die Schütt angelaufen . . .

DER SCHULTHEISS. Verrat! — Büberei!

GEYER. Büberei! — Verfluchter Verrat!

DER SCHULTHEISS. Hättest du mir gefolgt, Bruder Geyer! Hättest
du eh lassen den Kohl und den Wertheim, den Götz und den
Henneberger turnen und pflöcken, eh daß du dich hättest lassen
hieher verschicken.

GEYER. Haben sie mir's nit auf Ehr und Gewissen gelobt, sollt
keiner eine Tartsche ergreifen noch eine Sturmleiter anlegen,
bevor nit Bresche gemacht wär worden? Haben sie nit teure
Eide geschworen, daß sie nit wollten von Stürmen sprechen,
bevorab ich das Rothenburger Geschütz zu ihnen ins Läger
geführt?

DER SCHULTHEISS. Verrat! — Büberei!

REKTOR BESENMEYER. Die Haufen der Bauern haben den Sturm
erzwungen.

DER SCHULTHEISS. Bruder! Was hab ich gesagt? Was haben wir
dir gesagt damalen im Neumünster in der Kapitelstuben? —
Mach dich zum Herrn über sie, bringe sie unter dich, regiere

sie mit eisernen Ruten, zu ihrem Heil, zu unser aller Heil!

GEYER *zu Marei*. Sind unsere Schwarzen dabei gewest?

MAREI. Ja, Kapitän. Als sie die Hörner blusen: „welche fechten wollten, kämen recht", haben die Unsern das Wilde-Mann's Fähnlein ufgericht; der mehre Teil der Unsern hätt sich darum geschart, und ist kein Haltens gewest. Ist der Tellermann unter sie treten und gesprochen: er hätt dir's mit handgebenden Treuen zugelobt, daß kein Sturm sollte beschehen, bevor du wiederum im Lager seist. Hat sich darob ein Gebrüll und Getobe erhebt: sie wollten auch bei dem Tanz sein. Viele haben geschrien, du seist des Franzosen heimlicher Diener, und viel ungeschickter und hämischer Wort dazu. Hat der Tellermann sie Rebellen genennet, pflicht- und eidbrüchig, Meuterer, ehrlose Knecht . . .

GEYER. Und da haben sie ihn in die Eisen gelegt. — Noch eins, Bruder Rektor: übel gerannt und übel gefallen, schlecht gewagt, den Sturm verloren?

REKTOR BESENMEYER. Ja, Bruder Geyer!

GEYER. Freilich wohl. *Er fängt an, Harnischstücke abzulegen.*

DER SCHULTHEISS. Bluts Willen! es ist hohe Zeit, daß wir arbeiten.

GEYER. Zu spät. — Wieviel sind tot blieben von meinen Schwarzen?

REKTOR BESENMEYER. Über der halbe Teil.

GEYER. Kerls, in Mannheit auserlesen — hilf mir, Marei!

DER SCHULTHEISS. Kotz Donner, Bruder, was hast du vor?

GEYER. Ich will in die Bruderschaft vom gemeinsamen Leben treten, Bücher abschreiben und deutsche Bibeln herumtragen.

DER SCHULTHEISS. Bruder, du hanselierest.

GEYER *sein Schwert ablegend*. Soll ich nit hanselieren, wo alle Welt hanselieret?

DER SCHULTHEISS. Bruder, bist du von Sinnen kommen?

GEYER. Gefehlt. Zur Besinnung bin ich kommen.

REKTOR BESENMEYER. Wollt Ihr nit mit gen Würzburg reiten?

GEYER. Nach Würzburg? Nein! Gott weiß es, nein!

DER SCHULTHEISS. Daß dich potz Marter schänd! Bist du abtrünnig? Willst du nit mit uns ins Läger reiten?

GEYER. So wie ich bin?

DER SCHULTHEISS. Ei! — leg dich an!

GEYER. Und wenn ich mir flugs zwei Schwerter umhenke und drei Kürisse anleg, so hab ich nit meh Macht itzunder in diesem

Spiel und bin ebensowenig nütz als ein jung dreijährig Knäblein.

REKTOR BESENMEYER. Florian Geyer, Held von Weinsberg!

GEYER. In Gottes Namen, laßt mich mit Frieden! *Schnell ab.*

DER SCHULTHEISS. Bei Sankt Georg, der Geyer muß mit uns.

FEISTLE *tritt auf, stößt mit dem Schultheiß zusammen, meldet.* Reitende Boten vom Markgrafen Kasimir.

MENZINGEN *zu Grumbach, der sich erhebt.* Wo willst du hin?

WILHELM VON GRUMBACH. Mit dem Boten gen Ansbach zu Markgrave Kasimir.

MENZINGEN. Gott geb's, daß der Geyer dich hinbegleitet. Itzt ist kein Heil, denn allein bei dem Markgrafen.

DER SCHULTHEISS. Der Geyer muß mit uns. — Er muß — muß mit uns.

MENZINGEN. Versuch's, Bruder Schultheiß!

DRITTER AKT

In einem mittleren Zimmer des Rathauses zu Schweinfurt. Rechts Eingang in die große Ratsstube. Löffelholz, ein nasses Tuch um den Kopf gewunden, sehr blaß und kränklich, sitzt an einem Tische über Schriften. Sartorius ihm gegenüber. Einige Boten warten auf Bänken. Unter ihnen der alte Jude Jöslein.

SARTORIUS. Möchte doch etwas Fruchtbarliches auf dem Landtag gehandelt werden!

LÖFFELHOLZ. Wenn nur der Markgraf nit losschlägt! — Jud!

JÖSLEIN. Euer Gnaden.

LÖFFELHOLZ. Wie lange bist du hinter dem Truchsessen und den Bündischen dreingezogen?

JÖSLEIN. Ein armer Jud muß reisen auf seiner Mutter Fell, darf sich keine Ruh nit vergönnen. Bin ich dreingezogen hinter dem bündischen Schlaghaufen ob vier Wochen. Gott, du gerechter! Was ein grausamer Herr ist der Truchseß. Behenket die Bäume mit Bauernleichen. Meh dann sechstausend Mann hätt er bis diese Stund richten lassen von des Schwäbischen Bundes Profoß. Mein! Mein!

SARTORIUS. Wer hat dich herbestellt, Jud?

JÖSLEIN. Seiner Gestrengen, der Herr Junker Wilhelm von Grumbach.

SARTORIUS. Wo hast du seiner Gnaden zuletzt gesehen?

LÖFFELHOLZ. Gott hat Gnaden zu vergeben, aber kein elender Madensack als der Bruder Grumbach.

JÖSLEIN. Bei Seiner Liebden, dem Herrn Markgrafen zu Ansbach, mit Verlaub, im Feldläger nit fern von Kitzingen.

SARTORIUS. Steht der Markgraf schon vor Kitzingen?

JÖSLEIN. Ich will nit ehrlich sein. Ich will niederknien, und ihr sollt mir Wasser ins Maul schütten: ich will darauf sterben, wenn der Markgraf nit vor Kitzingen liegt.

SARTORIUS. So helfe Gott meinem Junker den Markgrafen persuadieren, daß er darein willige, den Geyer zu ihm vergeleiten zu lassen und uf Anstand und Vertrag mit ihme zu handeln.

LÖFFELHOLZ. Ich traue dem Wilhelm von Grumbach wie einem Fuchs.

JÖSLEIN. Der Junker von Grumbach ist ein Maschgeh.

SARTORIUS. Was heißt: Maschgeh?

JÖSLEIN. Er ist 'n Maschgeh, sein Chafol und sein Chuf ist nicht tuw.

SARTORIUS. Ist das ebräisch?

JÖSLEIN. Jawohl, Euer Hochgelahrt. Ebräisch, Euer Hochgelahrt. Die Sprache, die Gott geredet hat mit den Menschen, Euer Hochgelahrt.

LINK *eintretend.* Habt ihr gehört: hie in der Stadt ist das Gerücht verbreitet, die Bündischen hätten Weinsberg in Grund verbrannt mit allem Gut, das darin ist gewesen?

LÖFFELHOLZ. Woher habt Ihr die Post?

JÖSLEIN. Es ist richtig, ihr Herren, es ist alles wahr. Weinsberg in Grund verbrunnen.

LINK *grob.* Bist du dabei gewest, Jud?

JÖSLEIN. Ich bin so gewiß dabei gewest und hab Weinsberg so gewiß brennen sehn, als Ihr mir hundert Gülden schuldet, Meister Bermetter. Mein! Mein! Ich werd's nit vergessen, und sollt ich flugs meh Jahre leben als Abraham, Isaak und Jakob! Weib und Kinder herausgeführet, wehrhafte Leute sind nit innen gewest, haben gejammert, geschrien und die Haare gerauft. Hätten sich dannoch viel eher die Steine erbarmt, dann sich Herr Georg Truchseß über sie erbarmet hätt, hie zu Schweinfurt.

LINK. Einen Kerb meh ins Spießlein gemacht. Je größer die Schuld, um so blutiger wird die Strafe sein. Mort de ma vie! Ich will den Truchsessen mit der Glefe kitzeln, daß der rote Saft hernachgehet.

LÖFFELHOLZ. Oha! Läßt ein Räupsen, daß es kracht. Gemach, Bruder Link! Eure hochpochenden Worte schlagen den Feind nit.

LINK *lacht stark und verlegen.* Mort de ma vie! Welche Hexe hat Wetter in Euch gemacht, daß Ihr sogar das Maul krümmet und sauer sehet?! *Ab.*

JÖSLEIN. Ist immer beschöchert. Ich hab ihm müssen schilen hundert Gulden und fünfzig Gulden Schatzung zahlen, daß er mir nit zu Würzburg mit seinen Zechgesellen durchs Haus geloffen. *Flammenbecker tritt ein.*

LÖFFELHOLZ. Habt Ihr von einer markgräfischen Botschaft ichtwas gesehn in der Stadt?

FLAMMENBECKER. Nein, Bruder.

SARTORIUS. Ist Euch der Junker von Grumbach nit ufgestoßen?

FLAMMENBECKER. Der hochpochende Leutefresser und Bauernschinder, der alleweil mit Gold und Silber behenket einhertritt? Was gehet mich der an! *Er setzt sich gähnend auf eine Bank.*

BUBENLEBEN *kommt.* Guten Morgen, liebe Brüder. Wie steht's, liebe Brüder?

SARTORIUS. Ich fürchte, es wird ein trauriger Landtag werden. Briefe! Papier! Papierne Boten! Ausflüchte! Die Nürnberger Pfeffersäcke haben abgeschrieben. Windsheim hat abgeschrieben . . .

REKTOR BESENMEYER *tritt ein.* Bona dies.

LÖFFELHOLZ. Bene veneritis nobis.

REKTOR BESENMEYER. Bist du krank, Bruder?

LÖFFELHOLZ. Ich denke wohl. Es steht sehr übel um mich, hat mich ein elender Gaul vor die Brust geschlagen.

REKTOR BESENMEYER. Bruder, tritt ab, leg dich nieder!

LÖFFELHOLZ. Ich? Bewahr mich Gott. Soll mich der Henker im Bette finden?

REKTOR BESENMEYER. Sieht es so übel aus um den Handel, Bruder?

LÖFFELHOLZ. Es wird ein kläglicher Landtag werden.

REKTOR BESENMEYER. Sursum corda!

LÖFFELHOLZ. Sursum corda — facht Essen an!

REKTOR BESENMEYER *ist näher hinzugetreten.* Mich will bedünken, liebe Brüder, als sei die Tagsatzung ein klein zu spät beschehen.

BUBENLEBEN. Wie hätten wir doch sollen landtagen in letztverwichener Zeit?

REKTOR BESENMEYER *zu Löffelholz.* Damalen als die Gewalthaufen der Brüder um Würzburg zusammengezogen. Die Herren vom Adel waren alte Weiber und schier tot. Die Grafen von Hohenlohe hatten wir in der Hand. Henneberg und Wertheim waren in der Bruderschaft. Der Markgraf stund im Gedränge: seine eigenen Untertanen verweigerten den Gehorsam. Die Franken bedrohten ihn von Lauda und Aub. Unser Rothenburg verschloß ihm die Tore. In der Oberpfalz drohete damalen der Aufstand. Der Bischof zu Würzburg, ingleichen der Bamberger waren so hoch bedränget, daß sie nichts hätten mögen verweigern. Mainz, Straßburg und der badische Markgraf ingleichen nicht. Der Kurfürst von der Pfalz hätte nit anders gekunnt, dann den Landtag beschicken . . .

BUBENLEBEN. Damalen hat keiner von einem Landtag geredt.

LÖFFELHOLZ *mit Anstrengung redend.* Der Geyer hat von einem Landtag geredt. Sein ceterum censeo ist es gewest. Daß dich Potz Marter schänd! Hat euer keiner wollen hören. Damalen hatte der Truchseß noch kein Böblingen gewonnen, stunden ihm die Württemberger Schlaghaufen der Bauernschaft noch unbesiegbar genüber . . . Potz, damals sollten sie wohl gekommen sein: Fürsten, Herren und Städte zumal als die gehorsamen Hündlein; heut bleiben sie dahinten. — Setzet Euch zu mir, Bruder Rektor! *Rektor Besenmeyer setzt sich zu Löffelholz und vertieft sich mit ihm in eine Schrift.*

SARTORIUS. Habt Ihr nichts nit von meinem Junker bemerkt, Bruder Bubenleben? —

REKTOR BESENMEYER. Was ist das für eine Schrift?

LÖFFELHOLZ. Der Verfassungsentwurf. Ihr wisset, Bruder Rektor, von dem Ausschuß, den sie erwählt haben aus gemeiner Bauernschaft deutscher Nation, die neue Reichsreformation und Verfassung zu beratschlagen; haben zu Heilbronn getagt, mit Wendel Hipplern an der Spitze, bis der Truchseß heranzog; waren sie fliehen, daß sie die Sättel haben dahinten gelassen. Ist eine gute Schrift, hab niemalen eine so gute in Händen gehabt. — Die hundert und aber hundert Münzherren wollten sie abtun und dafür eine einige Reichsmünze schlagen lassen. Die Gesellschaften wollten sie abtun, die verfluchten Fugger, Welser und Hochstädter, die da Arm und Reich nach ihrem Gefallen schatzen. Die Zölle wollten sie niederlegen.

JÖSLEIN *hat den beiden über die Schulter gesehen.* Mein! Mein! Bin ich gewest im Gewölb, was haben die Welser und Fugger von Augsburg in Frankfurt. Haben se mir stinkiger Jud geheißen und Wucherer angeschrien, und rennen doch selber mit dem Judenspieß. Aber nit im kleinen. Mein! Mein! Betrügen hunderte und tausende arme Einleger um ihr saures Geld, fallieren und sind viel reicher dann zuvor. Aber ein armer Jud muß es ausbaden. Ich hab niemalen unter Safran Rindfleisch gehackt, Gaiskot in den Lorbeer getan, Lindenlaub in den Pfeffer, noch hab ich Fichtenspäne vor Zimmet verkauft. Aber ein armer Jud muß es ausbaden. Hat der Mainzer Kurfürst Albrecht von Brandenburg wollen machen ein Bündnis zur ewigen Vertreibung von uns Jüden, ist aber meh uf Gold bedacht dann der größte Jüd. Ich wollt ihn mir kaufen mit Haut und Haar, wo ich genung Goldgulden im Säckel hätt.

MENZINGEN *ist geharnischt eingetreten, Jöslein auf die Schulter schlagend.* Was mauschelt das Jöslein? Wieviel verarmte Edelleut hast wieder gebraten an deinem Spieß jüngst verwichene Zeit?

JÖSLEIN. Ei wei, Herr! Treibet doch keinen Schimpf, gestrenger Herr. Warum verarmt der Adel, Euer Ehrenfest? Ich hab eines Edelmannes Wittib gekennt, die hat mir ein Dorf verkauft um ein blau Sammetkleid, das sie hat müssen anziehen zum Turnier.

LÖFFELHOLZ. Der Markgraf stehet vor Kitzingen, sagt der Jud.

MENZINGEN. Es gehet ein Brief unten in der Trinkstuben von Hand zu Hand, vom Jörg Kumpf, der itzunder zu Würzburg im Läger weilt. Zeiget an, er sei glaublich bericht, daß der Markgraf den Tag beschicken werde.

JÖSLEIN. Glaubt's nit, Euer Gestrengen!

MENZINGEN. Ist der Wilhelm von Grumbach noch nit hie?

SARTORIUS. Das hab ich Euch fragen wollen, Bruder Menzingen.

MENZINGEN. Ich bin alle Herbergen durchlaufen, überall Umfrag gehalten, nirgend etwas verspürt von ein'm Wilhelm von Grumbach.

JÖSLEIN. Ho! Ho! der Junker von Grumbach wird schwerlich kommen.

MENZINGEN. Warum nit, Jud?

JÖSLEIN. Er trägt hoche Federn am Hut, so weiß er, woher der Wind wehet.

SARTORIUS. Hat dir der Junker sunst nichts nit ufgetragen für uns?

JÖSLEIN. Ich sollt mich hierhertun und seines Schwagers gewarten, des Florian Geyer, der ein Geschäft für mich hätt.

MENZINGEN. Geld, Jud! viel Geld! Mach dich gefaßt! Der Geyer mustert an zween Plätzen.

JÖSLEIN. Gott du gerechter! Wo soll ich hernehmen das viele Geld? Ein armer Landsknecht kommt, bringt ein alt Meßgewand, das er gebeutet: Geld! Alte Schwerter, kupferne Kleinoder, Ketten, Sporen, keinnützigen Plunder: Geld! Hab ich die Bergwerke zu Schwaz im Versatz? Bin ich ein Goldmacher? Sind nicht genug französische Stuber und Sonnenkronen im Umlauf?! Mein! Mein!

LÖFFELHOLZ. Will der Geyer hieher gen Schweinfurt kommen?

MENZINGEN. Ist längst in der Herberge, wißt Ihr das nit?

LÖFFELHOLZ. Heilige Maria! nein, wahrlich nit.

JACOB KOHL *tritt auf, blaß und kleinlaut.* Guten Morgen, ihr Herren!

MENZINGEN. Schön Dank, Bruder Kohl! Ist kein markgräfische Botschaft nit herein?

KOHL. Weiß nit, is mir der Kopf heut ungeschickt. Hab müssen im Stall schlafen bei den Gäulen. Kamen welche herein nach Mitternacht, ein alt Weib und ein Mannskerl. Haben gewimmert und geweint miteinander bis an den nüchternen Morgen. Kunnte kein Auge zutun.

LÖFFELHOLZ *frostgeschüttelt.* Ei, Lieber, itzt schlafe der Teufel ruhig! Seither ihr den Sturm anliefet wider Beschluß und Abred gen Unserer Frauen Berg, bin ich in kein Bett meh kommen.

KOHL. Da mögt ihr dem Bubenleben schön Dank sagen.

BUBENLEBEN. Was maulest du wider mich?

KOHL. Ich red, was wahr ist, sust nichts. Potz, gar nichts!

MARTIN *mit Schriften herein, laut.* Der Florian Geyer ist in der Stadt. *Sensation.*

BUBENLEBEN. Was durfen wir seiner hie? Wo wir seiner bedurften, wollt er nit kommen.

LÖFFELHOLZ. Daß dich der Donner erschmeiß, Pfaff, bist du bis diese Stund nit zur Besinnung kommen? Will deine Hochfahrt

kein Ende finden? Gelt wohl. Erst habt ihr den Geyer ausgetragen, als sei er der evangelischen Freiheit im Herzen fremd:
hernacher habt ihr untereinander verfluchte Praktiken getrieben, ihr und die Herren von Adel, der Götz und der Henneberger, und wolltet doch ehmals nichts mit ihnen gemein haben.
So habt ihr den Geyer zum Postenreiter gemacht, ihn gen Rothenburg verschickt, den Rittern und Herren, den Strötern
und Heckenschindern im Läger zu Lieb und Wohlgefallen. Da
kunnten sie fortan ungestört Verstand suchen mit der Besatzung und jeder allein sein'm Vorteil nachgehen. War keiner
meh da, der's ihnen hätte versalzen. Alsdann habt ihr zum
Sturm lassen ufbieten, obschon ihr im Kriegsrat dem Geyer
zugelobt, es sollt kein evangelischer Bruder eine Leiter anlegen,
er sei denn zurück im Läger und wär Bresche gemacht mit dem
Rothenburger Geschütz, den Tellermann turnen und blöcken
lassen . . .

BUBENLEBEN. Das haben die Schwarzen getan und nit wir.

LÖFFELHOLZ. Wer hat sie ufgehetzt, die Mannszucht zerstöret?
Ehrliche, fromme, mannhafte Knecht zu Meuterern gemacht?
Euch mag der Teufel weißbrennen, Bruder Bubenleben. Den
Rhein heißet man gemeiniglich die Pfaffengasse. Wo aber Pfaffen uf ein Schiff treten, da fluchen und bekreuzen sich die Schiffs-
leut, weil Sag ist: Pfaffen bringen dem Schiff Unheil und Verderben. Ihr habt unserm Schiff Unheil, Schrecken und Not gebracht. Der Geyer und seine Schwarzen — Gott hat sie zusam-
mengeschmiedet wie die Faust und den Schwertgriff. Ihr habt
sie voneinander gerissen. Die Faust allein ist kein'm nütz. Das
Schwert allein ist kein'm nütz. So habt ihr denn tausende bäurische Brüder wider das Schloß in Tod und Verderben geführet
und uf die Schlachtbank geben. Hernacher freilich, als der mehre
Teil darniederlag und nichts meh sprach, der andere Teil uf
den Tod verwund't, von Pech und Schwefel verbrannt, blutig
und vom Pulver geblendet, mit Ächzen und Schreien umkroche
in den Gräben von Unserer Frauen Berg, bis sie elend verziefen,
da riefet ihr nach dem Florian Geyer. Da war er uf einmal kein
Franzos mehr. Da habt ihr Boten uf Boten geschickt. Wer aber
nit kam, das war der Geyer. Und weshalb sollt er wohl kommen sein? Wann man ein'm Toten auch noch so lang Brot ins
Maul stopfet, so wird er dannoch nit meh lebendig.

KOHL. Ich wasche meine Hände in Unschuld.

BUBENLEBEN. Da höret doch zu: itzt will der Kohl vor dem Garne abziehen, als wär er nit hoch stolzieret, wie wenn er eine Glenne geschluckt hätt. Hast du nit dem Pövel gepredigt und gesprochen, was ein überschwenglich groß Gut läge uf'm Schloß? Hast du ihnen nit zugesagt, sie sollten das güldene und silberne Gerät müssen uf Gäulen davonführen und die samtnen Stücke mit den langen Spießen messen? Hast du dich nit vermessen, du wolltest nit nachlassen, du habest denn in des Bischofs seidenen Betten geruht und aus seinen güldnen Bechern den ältesten Steinwein getrunken, den er im Keller hat? Den sollten dir seine Domherren kredenzen, und wenn du voll wärest, so sollte dir müssen der Oberste Hauptmann uf Unserer Frauen Berg die silberne Schüssel vorhalten: darein wolltest du kotzen.

KOHL. Itzt nimm dich in acht, du lügnerischer, schurkischer, diebischer, meineidischer Pfaff!

MENZINGEN. Ei! Leidt euch, Brüder! Wollt ihr wiederum aneinander geraten als die Haderkatzen? Wo es damit beschehen wäre.

LÖFFELHOLZ. Wir hätten einen Kaiser, ein kaiserliches Gericht, Reichsheer, Reichssteuer und den ewigen Landfrieden.

MENZINGEN. Hättet ihr damalen lieber den Götz verschickt und den Florian Geyer bei euch behalten!

BUBENLEBEN. Wenn die Sach uf zween Augen gestanden hätt, so wär es um das Evangelium übel bestellt. Uf Gott hat sie gestanden, und wenn Gott will, so kann er unsre Feinde zerstreuen mit einem Gedanken seines Herzens, und wären sie zahlreicher denn der Staub uf der Landstraße. Hat Gott den Geyer in unser Läger gestellt: ich hab ihn nit heißen seinen Posten verlassen.

KOHL. Was redet der Pfaff? Durch wieviel Brett lügt der Pfaff? Hast du den Geyer nit helfen verjagen? Hast du nit täglich geschrien, daß man sollt stürmen? Hast du nit gerufen: dran! dran!, weil das Feuer heiß ist, und alleweil den Luther zitieret, der gesagt hat, wer dazu tue, daß die Bistum verstöret und die Bischöfe, ungelehrte Potzen und Götzen, abgetan seien, das wären rechte Kinder Gottes und gute Christen? Ich weiß auch wohl deinen alten Haß, Pfäfflein, und daß du dem Fiscal an die Drossel gewollt, der hiebevor dich in Bann getan; hast du mir nit in den Ohren gelegen: der Geyer wär gottlos, ein Heid und Türk? Hast du nit Träumen und Gesichte gehabt, der Geyer müßte davon, oder Gott wär nit bei der Sache?

LINK *hämisch zu Bubenleben.* Wie ist es mit Eurem Segen, Bruder, damit Ihr die Haufen wolltet festmachen? Habt Ihr nit wollen die Büchsensteine im Ärmel uffangen, daß keiner, der wider das Schloß rennete, sollt eine Schramme davontragen? Als aber die Mörser und Stücke uf'm Schloß zu arbeiten begunnen und das Dundern und Summen sich anhub, auch die Kugeln mitnichten wie die gehorsamen Mäuslein wollten in Euren Ärmel springen, sondern Blut und Hirn um Euch spritzte — ei! Pfäfflein, was hast du doch da gemacht?

KOHL. Er hat den Ars in die Schanze geschlagen.

FLAMMENBECKER. In ein'm Keller hat er gelegen, halb tot vor Angst.

BUBENLEBEN. Ich? Mensch! Was hab ich mit dir zu schaffen? Mordbube und Landschelm, der du bist! Hast du dich nicht in allen Schänken hoch berühmt: du habest den Spieß ufgehalten, darin sie den Dittrich von Weiler vom Kirchturm zu Weinsberg herabgestürzt? Hast du nit seinen Kopf uf deim Schäftlin herumgetragen und mit dem Fett und Blut, das aus seinem Leichnam geschweißet, deine Schuhe geschmiert?

FLAMMENBECKER. Hast du nit ufgereizet zu Mord und Brand? Hast du nit laut gerufen: „Der Schlachttag geht an"?

VERSCHIEDENE STIMMEN. Der Geyer, der Geyer! —
Florian Geyer, geharnischt, tritt ein. Er ist blaß und sehr ernst. Löffelholz, Besenmeyer und Sartorius treten ihm entgegen. Er reicht ihnen und anderen die Hand.

GEYER. Gott zum Gruß, Brüder! *Zu Löffelholz.* Grüß dich Gott, lieber Schicksalsgenoß! *Löffelholz und er umarmen sich. Löffelholz kann vor Rührung nicht sprechen. Alle übrigen sind stumm und betreten. Löffelholz drückt Geyer neben sich auf einen Stuhl.* Ist markgräfisches Geleite herein? Er hat mir's neulich lassen zusagen durch mein Geschwey.

SARTORIUS. Bis diese Stunde weder Geleit noch sust Botschaft. Der Markgraf stehet vor Kitzingen!?

GEYER. Es geht ein viel schlimmer Gerücht um in der Stadt: der Markgraf hätt Kitzingen allbereits wiederum eingenommen.

LÖFFELHOLZ. Heilige Mutter Maria, verhüt's Gott!

GEYER. Wie sieht es zu Würzburg aus?

LÖFFELHOLZ. Es heißt, der Truchseß und viel Fürsten und Her-

261

ren rücketen stracks uf Würzburg. Ist der Berlinger auf Krautheim zu, ihm entgegen an dreißigtausend stark. Sind um Mitternacht ausgerückt.

GEYER. Glaub's schon, daß der Götz bei der Nacht noch den
Mann machen kann. Der Markgraf, wie ich berichtet bin, raubt
und plündert, viel schlimmer, als wir Bäurischen jemals getan
haben, nimmt Geld und Kleinoder aus den Klöstern seiner
Schutzherrschaft, soviel er gehaben mag, und bezahlt seine
Söldner damit.

JÖSLEIN. Gestrenger Junker! Mit Verlaub, Euer Gnaden! Bleiben die Herren oben liegen, so ist's gewesen der allerbeste
Handel. Hab ich dabei gestanden im Läger des Georgen Truchseß, wo sie itzt heißen den Bauernjörg. Haben sie unter sich
geredt und gesprochen, daß sie wollten kugeln mit Bauern-
köpfen als die Knaben mit Schißkernen. Sind hochen Muts
und machen hoche Spiele. Haben viel Gold, eine merklich
große Beut und Plunder. Ist ein gut Geschäft für die Herren,
oder ich will ungarische Gulden fortan nit meh zweimal zählen. Hiebevor haben die Bäurischen das Evangelium fürge-
wandt, itzt wenden es Fürsten und Herren für. Ist kein beßrer
Schild, darunter sie mögen zu Gericht sitzen. Haben sie hiebevor den Mantel genommen, itzt nehmen sie dem Bauern
das Haberstroh. Mußte der arme Mann hiebevor fronen mit
Karre, Karst, Haue und Pferden, itzt müssen seine Kinder
die Egge ziehen.

GEYER. Füg dich hernacher in mein Quartier, Bruder! Ich hab
ein Geschäft für dich.

JÖSLEIN. Mein! Mein! Junker von Geyer! Ich bin nit meh als
ein armer Jud, Euer Gestrengen. Ist ein mühselig Geschäft:
darleihen, darleihen und schlechte Pfänder nehmen, Not, Mangel und Mühsal erleiden, sich treten und anspeien lassen und
krummer Hund heißen. Hat mir der Junker von Grumbach
gesagt, wär ein Geschäft zu machen mit Euer Gnaden. Hab
ich bei mir gedacht: ich will das Geschäft nit machen. Es ist
ein gefährlicher Handel und kann dir kosten den besten Hals.
Hab ich weiter bei mir gedrauscht und hab mir gedacht: der
Florian Geyer hat gemacht eine große Einung, sollte werden
für alle im heiligen Reich gleiche Münze, gleiches Gewicht und
gleiches Recht. Gleiches Recht vor uns alle, auch vor uns Jüden.
Bin ich von Stund an aufgewest, mich gen Schweinfurt getan.

Bin ich bereit, Euer Gnaden, zu machen mit Euch das Geschäft.

SARTORIUS *ängstlich.* Der Markgraf hätt Kitzingen eingenommen.

Der Schultheiß von Ochsenfurt wird im Türrahmen sichtbar, auf eine weinende alte Frau einredend, die einen Menschen mit verbundenen Augen, ihren Sohn, an der Hand führt.

KOHL *verlegen auf Geyer zu.* Gute Zeit, Bruder!

SARTORIUS. Bruder Geyer, was soll ich itzt tun? Es ist nit leicht, sich wissen zu halten in diesen geschwinden Läuften.

LÖFFELHOLZ. Hast du Kohle gefressen, Kreide oder Wachs, daß du so bist von Farbe kommen?

SARTORIUS. Sie sagen, der Junker von Grumbach wär abgefallen, sengete und brennte in der Rothenburger Landwehr, mit markgräfischen Reitern und Fußknechten.

GEYER. So haben wir einen Schelmen weniger, die Bündischen einen mehr. Hole der Teufel die ausgeputzte Kanaille!

SARTORIUS. Ich bin des Junkers von Grumbach Diener, ihr Herren.

MENZINGEN. Das soll dir lützel genung helfen, Schreiber! Ist dem Truchsessen von Waldburg der grüne Baum recht, um deinen Junkherrn daran zu henken, dich henket er an dem dürren auf.

SARTORIUS. Ei! Seid ihr zum Scherzen ufgelegt, liebe Herren? Zu losen Bossen bin ich mitnichten ufgelegt. Ich bin in euren Handel geraten wider Willen und Wunsch, allein auf Befehl meines gnädigen Herrn. Meint ihr, ich wollte darin ersaufen?

LÖFFELHOLZ. Gib acht, er fähret vor Furcht aus den Hosen.

SARTORIUS. Beliebet Ihr Schimpf mit mir zu treiben? Hab mich von Euch eines Besseren versehen. Hab Euch seither nit so für einen Phantasten und Schwarmgeist genommen, der das Evangelium so verstehet, daß alles Unterst zuoberst gekehret mußte werden im Heiligen Römischen Reich. Dem Adel hab ich gedienet in dieser Sachen, dem gemeinen Gesindel und Pövel diene ich nit. Und wenn mich der Adel itzund nit schützet . . .

KOHL. Ich wünsch dir viel guter Zeit, Bruder Geyer!

GEYER *tut, als ob er ihn erst bemerkte.* Kotz blau! Der Kohl! Tüchtig gebürstet die Nacht? Tapfer die Sauglock geläutet?

KOHL. Verweigerst du mir deine Hand, Bruder Geyer?

GEYER *ohne Kohl die Hand zu geben.* Warum sollt ihr Bäuri-

263

schen nit auch sitzen, Kotzberger und Rheinpfalz trinken und frisch drauflos bechern? Zu Rottweil sitzet ein Nest geflüchteter Herren, Freiherren und Äbte, die haben, dieweil unser Herrgott Feuer und Schwert hat ausgeschüttet über die deutsche Nation, fröhliche Gelage gehalten und das Maislen getrieben.

LÖFFELHOLZ. Das Maislen? Ei Potz!

GEYER. Ein neu à la mode Spiel. Man schmeißt den Hausrat hin und her, wirft einander mit Kuchenfetzen und beschüttet sich mit unsauberem Wasser.

JÖSLEIN. Auch die Bündischen treiben das schöne Spiel, Euer Gestrengen. Ich hab's gesehn im Läger des Truchsessen, wenn die Ritter und Hauptleut bei Tafel saßen . . .

GEYER. Ist ein schön Spiel und herrliche Kurzweil für einen von Adel, verlohnet des Blutvergießens, wo sie es dadurch hinfüro in alle Zukunft ungestört dürfen treiben.

Der Schultheiß, die alte Frau und der zerlumpte Mensch sind vorgetreten.

DER SCHULTHEISS. Sie stund uf der Gasse, machete ein groß Geschrei. Hab ich sie ufgreifen lassen und hergeführt.

DIE ALTE FRAU *stumpfsinnig vor sich hinplärrend.* Der liebe Gott bewahre euch! Das sagen die sieben Siegel, daß alle Fische werden brüllen, die Engel werden weinen und werfen sich mit Steinen. Die Wege werden schwimmen, die Wasser werden glimmen.

LÖFFELHOLZ *kommt klappernd.* Was soll uns das Weib hie, Bruder Schultheiß?

DER SCHULTHEISS. Bruder, wo ich sie weiter hätte lassen gewähren, so machet sie, daß kein Bäurischer seines Lebens meh sicher ist, hie zu Schweinfurt. Stund alles um sie herum, hörete ihr zu. Will von Kitzingen kommen. Verschwöret sich hoch und teuer, der Markgraf hätt Kitzingen eingenommen.

DIE ALTE FRAU *mit klappernden Zähnen.* Die heilige Sankt Margrithe, die bitt ich, daß sie mich behüte vor Püffen, Fallen und vor Schlägen, auf allen meinen Wegen.

MENZINGEN. Was lügst du von Kitzingen, Weib?

DIE ALTE FRAU. Ei, du ungehangener Dieb, pack dich! Du gottloser Schelm und Bösewicht, bist selber dabei gewest! Bist selber ein schwarzer Bauer gewest! Hast meinen Sohn beschwatzt mit deinen höllischen, boshaften, teuflischen Lügen, mit deiner verdammten, falschen, bübischen evangelischen Freiheit.

DER ZERLUMPTE MENSCH *ihr Sohn.* Heilige Maria!

DIE ALTE FRAU. Bitte für uns!

DER ZERLUMPTE MENSCH. Heilige Gottesgebärerin, heilige Jungfrau aller Jungfrauen!

DIE ALTE FRAU. Bitte für uns!

DER ZERLUMPTE MENSCH. Du Morgenstern! O du Lamm Gottes, das du hinwegnimmst die Sünden der Welt!

DIE ALTE FRAU. Verschone uns, o Herr!

DER ZERLUMPTE MENSCH. Heilige Jungfrau Maria —

DIE ALTE FRAU. Bitte für uns!

GEYER. Ist das dein Sohn, Weib?

DIE ALTE FRAU. Ja, lieber, mein Herr, zu dienen, lieber, mein Herr. Ein weidlich entstandener Gesell, fast geschickt mit der Armbrust. Trifft Euch den Sperling im Flug, lieber Herr. Tat ihm aber alleweil leid hernacher, so fromm war der Bub, so gut war der Bub, und so ein weich Herze hatte der Bub.

DER ZERLUMPTE MENSCH. Heilige Maria —

DIE ALTE FRAU. Bitte für uns — hodie tibi, cras sibi. Sankt Paulus, Sankt Batholomäus, die zween Söhne Zebedäus, der heilige Sankt Wenzel und der selige Stenzel, die sein gut vors kalte Weh und behüten vor Donner und Schnee.

GEYER. He! Mütterchen. Was fehlt deinem Sohn? Bist du krank, Bursch, he, was?

DIE ALTE FRAU. Nit fast, Euer Gnaden. Ein wenig wohl, Euer Gnaden. Wo Gott will, so wird es vorübergehen, Euer Gnaden. Luget, gestrenger Herr, ein Fürstenwort bleibet ein Fürstenwort. Hat der Markgraf lassen ausschreien vor Kitzingen —: so man ihm wollte die Tore öffnen, wollt er keinen lassen am Leben strafen, der bäurisch gewest. Ist er mit allem Kriegsvolk hereingezogen. Hab ich das Fensterlein ufgemacht und hinausgeschaut, hab der Veronika geruft, mich gefreut und gesagt, was ein prächtiger Zeug! Was schöne, grade, mannsfeste Knecht hat doch der Markgraf! Sind sie vorübergewest und alles still worden uf der Gasse. Hab ich bei mir gedacht: der Markgraf Kasimir ist uns alleweil ein guter und gnädiger Fürst gewest. Mit dem bäurischen Handel hat es keine Art. Der Luther ist ein Ketzer, der Florian Geyer ist ein Bösewicht.

DER ZERLUMPTE MENSCH. Heilige Jungfrau Maria . . .

DIE ALTE FRAU. Bitte für uns!

GEYER. Sprecht weiter, Mütterchen! sprechet getrost!

DIE ALTE FRAU. Hab ich das Nachtessen darnach gericht't, Milch uf'n Tisch gestellt, Brot und Zumus, meines Sohns gewartet, gedacht, daß er mir sollt viel neuer Zeitung heimtragen, denn er was auch uf den Markt gelaufen. Poltert es über die Stiegen herauf. Ich weiß nit, wie mir ist. Der Markgraf hat meh dann fünfzig Bürgern von Kitzingen die Augen aus dem Kopf lassen brennen, mit glühenden Eisen . . . Da hab ich mir meinen Sohn genommen, gestrenger Junker, das hab ich getan, Euer Gnaden, und bin aus Kitzingen gezogen bei der Nacht. Wo wir uf einen Geblendeten sind gestoßen, hab ich gesagt: itzt weißt du nit, wo aus. Itzt stößt du den Kopf wider die Mauer. Als du noch Augen hattest, hat dich der Teufel geritten, daß du bist ufsässig gewest wider Gott und seine Obrigkeit. Itzt mußt du Straf leiden, aber mein Kind ist fromm und gehet frei, sicher und ungeschänd't seine Straßen.

DER ZERLUMPTE MENSCH. Heilige Jungfrau Maria —

DIE ALTE FRAU. Bitte für uns!

MENZINGEN *dem Burschen unter das Tuch blickend.* Gott helfe dem Armen, er ist geblendet.

GEYER *zieht einen Ring vom Finger und gibt ihn hin.* Dahier, Weib, nimm's getrost, hätte suster doch müssen ebräisch lernen. *Unter Ableierung der Litanei begeben sich Mutter und Sohn, von vielen beschenkt, rechts hinaus. Es ist eine Pause der Ergriffenheit entstanden, bedrückt flüstern die Anwesenden untereinander.*

LÖFFELHOLZ. Wann sollen wir die Sitzung anfahen, Brüder?

MENZINGEN. Nach dem Ausschlagen.

DER SCHULTHEISS. Es gehet einem hart ein, aber ist dannoch wahr: es ist aus und hin.

MENZINGEN. Was hab ich Euch damalen in der Herberge zu Rothenburg zu bedenken geben? Achtet des Markgrafen nit zu gering; gehret Ihr nit seiner Freundschaft, so fürchtet ihn desto meh als Feind.

LÖFFELHOLZ. Es war ein Tag, Bruder Jacob Kohl, als du mit deinen Franken zu Lauda und Aub lagest, da hättest du leichtlich mögen den Markgrafen unter den Bundschuh treten. Da hab ich dir lassen Botschaft zugehen, mit merklicher Kost und Fahr, aber du wolltest nit schlagen. Du zogest uf Würzburg, dieweil dir die Tore dort offen stunden.

GEYER. Peser le feu, mesurer le vent, faire revenir le jour passé, c'est chose impossible. *Ängstliches und ratloses Geflüster unter den Anwesenden. Furcht und Unruhe.* Was soll itzt geschehen, ihr Herren? Wollen wir maisln?

BUBENLEBEN *kleinlaut.* Ich hab's eh gesagt: es ist itzt nit Zeit, Landtage zu halten.

GEYER. Ei! Wie? Will dann niemand kommen, da ihr doch so viele Städte, geistliche und weltliche Herren so fast demütig, untertänig und bittlich angangen seid? Wollen sie uf den Speck nit meh beißen? Liegt ihnen nichts meh an eurem Frieden und daß sie den Handel hinlegen und zu Vertrag bringen?

LINK. Dem Markgrafen muß man entgegen und nit Landtäge halten.

GEYER. Wie steht's, Jacob Kohl? Wo sind meine Dunkelknaben geblieben? Meine schwarzen Fähnlein, die ich mir gemustert zu Brettheim und Ohrenbach, eh sich das große Spiel anfing? Die ich mir hab im Kriegshandwerk geschulet, geschickt gemacht zu Schlagen und Treffen trutz allen Schweizern? Sind sie keck, willig und fröhlich wie sunst? Kann man mit ihnen einem großtätigen Leutfresser und blutwütigen Markgrafen, einem Truchsessen und Teufel gegenüber treten?

KOHL. Willst mich nit anhören, Bruder? Bruder Geyer! Ist doch Adam im Paradiese gehört worden. Bruder Geyer! Es ist nit allein meine Schuld. Ich hab's müssen zulassen, daß sie zum Sturm uf ließen bieten, gedrungen und gezwungen, von ganzem hellen Haufen, mit Bedrohung Leibes und Lebens. Jedennoch es reut mich fast.

GEYER *springt auf.* Blitz und Donner, was liegt itzt daran! Reue oder nit, gezwungen oder nit. Wißt ihr dann, was ihr getan habt? Den besten Handel, die edelste Sache, die heiligste Sache . . . eine Sache, die Gott einmal in eure Hand geben hat und vielleicht nimmer — in euren Händen ist sie gewest wie ein Kleinod im Saustall. Ihr habt das Maisln damit gespielt. Das Allerheiligste habt ihr herumgezerrt uf euren Gelagen, darüber gerülpset und gekotzet mit euren Zechgesellen, es durch eure Lotterbetten gezogen, mit euren Huren und Buben zertreten und beschissen. Ein jeder von euch hat gedacht wie der Narr in der Komödie: „Ich sollt billig König sein." Hanswurste seid ihr gewesen und Pöveldiener. Mit Wehren habt ihr euch ausstaffieret, mit Harnischstücken behenkt, wie die Buben tun

267

hinter des Vaters Rücken. Getraut ihm doch euer keiner, so hoch ihr den Hals recket, einem alten Weibe eine teige Birne zu nehmen. Wer am tapfersten hinter der Weinkanne saß und brav aufgrolzte hinter dem Krug, Papst, Kaiser und römischen König in die Pfanne hieb mit dem Maul, kurz, wer ein rechter Job was, der was euch der rechte Mann.

LINK. Ei, liebe Brüder, müssen wir uns hie lassen ausschelten, gleich als wir Schulbuben wären?

GEYER. Ob du dich mußt lassen ausschelten, elender, hasenherziger Storger, Spitzknecht, Bettdrucker, Schmalzbettler, Kuppler und Lump, der du bist! Aufhenken wirst du dich lassen müssen, ufziehen zwischen Himmel und Erde, und wenn dich der Teufel bis diesen Tag zehnmal vom Galgen geschnitten hätt.

FLAMMENBECKER. Der Junker von Geyer lebet in einer anderen Welt, meinet, wir seien arme, maultote Leut.

GEYER. Kehricht seid ihr. Kot von der Landstraße, elendes Gerümpel, das Gott besser hätt hinterm Ofen lassen liegen, nit das Seil wert, daran euch der Henker müßt ufziehen. Memmen, die den Feind mit den Hacken bekriegen und denen die Hosen naß werden vor Himmelsangst, wann die Landsknechte nur ein wenig Staub aufwühlen.

FLAMMENBECKER. Sollen wir das ungerächt lassen, Brüder?

GEYER *Schwert heraus.* Ei! So seid mir doch tausendmal gottwillkommen; vom Leder gezuckt, wo ihr nit gar alte Weiber seid worden! Heraus, wer noch ein Schwert hat! Ich hab noch ein Schwert und einen Knopf daran, und darein sollt ihr mir beißen. Aber ihr wagt es nit. Ihr bebet und schlottert vor Angst und erbärmlicher Furcht. Wo ist itzt das Evangelium blieben? Ist keiner unter euch, der es nit hat im Herzen verflucht und verraten. *Unten auf der Straße entsteht Geschrei und Schießen. Verschiedene Stimmen, darunter Sartorius.* Lerman!!! Lerman!!! *Feindsgeschrei. Eine Panik entsteht. Alle außer Geyer, Menzingen, Schultheiß, Löffelholz und Jacob Kohl fliehen.*

GEYER. Potz Leichnam, Angst. *Er bricht in ein endloses, grimmiges Gelächter aus.* Stellt ihr euch so meisterlich!? *Er lacht weiter.* Just wie der Has beim Pauker saß — — wohlan! Itzt gilt's nimmer Lachens und mit halbem Wind fahren. *Finkenmäuslin, bestaubt, ist gekommen.* Was bringst du, Finkenmäuslin?

FINKENMÄUSLIN. Botschaft aus Würzburg vom Pater Ambrosius. Ihr sollt uf sein, wo Ihr noch etwas erhoffet. Die Brüder zu

Würzburg sind eine Herde ohne Haupt. *Übergibt ein Schreiben.*

GEYER. Wenngleich nit viel meh zu hoffen bleibt, so will ich mich danach gen Würzburg tun. Nit aber allein, sundern was ich gemustert zu Rothenburg, will ich mit mir nehmen.

KOHL. Bruder Geyer?

GEYER. Was wiltu?

KOHL. Ehrlich werden. Mit dir reiten, fechten und sterben.

GEYER. Uf und zaudert nit, gen Würzburg voran und erwartet mich! *Kohl ab.*

DER SCHULTHEISS. So helf uns Gott aus der Stadt!

MENZINGEN. Was eitel blinder Lärm, ein Katzbalgerei.

GEYER. Wo ist der Sartorius?

LÖFFELHOLZ. Er hat den Ring an der Hoftür lassen.

GEYER. So leg ihm der Teufel ein Schermesser unter das Kopfkissen, sooft er sich niederlegt. Bist du krank, Bruder?

LÖFFELHOLZ. Ein wenig wohl. *Ein Fieberschauer beutelt ihn.* Ich kann nit mit Euch, aber der Tod wird mich finden, kann ich ihn gleich nit suchen.

MENZINGEN. Brüder! Vielleicht ist dannoch markgräfisch Geleit in Rothenburg.

LÖFFELHOLZ. Wir haben unnütz prokurieret beim Markgrafen. Gewalt ist der beste Prokurator. Lebt wohl!

MENZINGEN. Leb wohl, lieber Bruder!

GEYER. Sollen wir dich hie lassen? Komm mit uns, die Knechte mögen einen Wagen zurichten.

LÖFFELHOLZ. Lasset mich hie! Lasset mich getrost. Ich sterbe den Knechten unter den Händen.

GEYER. Bist treu gewesen am Werk. Alde, alde, wir sehen uns wieder! *Alle ab außer Löffelholz.*

LÖFFELHOLZ *hat die Augen geschlossen, öffnet sie wieder, Schreck und Angst erfaßt ihn, er will sich erheben, vor etwas fliehen und schreit.* Helft, helft, liebe Brüder! Verlasset mich nit, liebe Brüder! Nehmet mich mit euch! *Er fällt betäubt zurück.*

VIERTER AKT

In Kratzers Herberge am Markte zu Rothenburg. Zeit nach Mitternacht. Am geöffneten Fenster stehen Markart Töppelin genannt Bohnlein, Engelhart Goppolt, Leinenweber, Hans

Kunrat, Hans Beheim, ein Maurer, und Christheinz, den Wider-
schein einer Feuersbrunst, davon der ganze Himmel gerötet
ist, beobachtend. Um einen Tisch sitzen Jos Frankenheim, deut-
scher Schulmeister, Oswald Barchart, Ochsenhans und Kilian,
der Harnischweber, sowie zwei Bürger. Kratzer, in der Nähe
der Schenkstatt auf einem Fasse sitzend, hat eine Bibel auf den
Knien und starrt nachdenklich darüber hinaus. Neben ihm
brennt ein Licht. Am Ofen sitzt, eifrig Brot essend, ein altes,
ärmliches Ehepaar. Kläuslin, der Mann, ist ein Stelzfuß, er hat
die Quintern neben sich liegen. Das Weib hält eine alte Harfe
zwischen den Knien. Marei liegt schlafend unter der Bank.

CHRISTHEINZ. Es ist uf Brettheim zu.

EIN BÜRGER. Es heißt ja, daß der Florian Geyer wiederum
mustert zu Brettheim. Fahet leicht an mit Plündern und Brand-
schatzung. Feinds Land und Freunds Land ist all ein Ding bei
den Bäurischen.

KILIAN. Das tuet der Geyer nit.

KRATZER. Was teidingt ihr da? Der Geyer ist uf den Schweinfurter Tag geritten.

JOS FRANKENHEIM. Wird wunders viel rauskommen uf dem
Schweinfurter Tag.

GOPPOLT *am Fenster*. Luget die blutrote Brunst! Ist größer worden statt kleiner.

TÖPPELIN. Sehet die rote Lohe, eitel Flammen und Rauch!

JOS FRANKENHEIM *eine Schrift hervorbringend*. Dabei kann einer
lesen, ihr Herrn.

OCHSENHANS. Habt Ihr viel Unterschriften zusammenbracht?

JOS FRANKENHEIM. Zween hundert und meh.

OCHSENHANS. Potz Küren Marter!

JOS FRANKENHEIM. Wieviel habt Ihr?

OCHSENHANS. Eine tapfere Zahl, obschon nit so viel als Ihr.

JOS FRANKENHEIM. Bin von Haus zu Haus gangen. Überall willig
ufgetan, eh und ich kunnte mit dem Klopfer zwier wider die
Porten schlagen. Ist allen daran gelegen, daß die heilige Meß
wieder ufgericht werd zu Rothenburg.

BARCHART. Es nimmt ein End mit der Ketzerei.

JOS FRANKENHEIM. Soll ich wohl deinen Namen hie auch unter-
setzen, Kilian Harnischweber?

KILIAN. Was für eine Schrift ist es?

JOS FRANKENHEIM. Eine Supplikation an den Rat zur Wieder-
ufrichtung der Meß.

CHRISTHEINZ. Dieweil itzt der Bruder Andreas nit in der Stadt
ist, will der Teufel wiederum sein Gespenst machen bei uns;
aber der Karlstatt wird widerfahren und allen höllischen Lü-
gengeistern das Handwerk legen.

JOS FRANKENHEIM. Schwerlich wohl wird er herwiderfahren.
Haben ihn zu Würzburg übel empfangen. Leicht, daß er schon
gar auf dem Rücken lieget. Ihr seid doch je und immer des
Karlstatts Freund gewest, Meister Kratzer. —

KRATZER. Ein Wirt ist allweg ein Freund seiner Gäste. So bin ich
des Karlstatt Freund gewest.

EIN BÜRGER. Kann mancher den Wein wohl waschen. Sich selber
reinwaschen von Schuld, die man uf sich geladen vor aller Welt,
ist ein übler Ding.

JOS FRANKENHEIM. Grübelt Ihr in der Nasen, Meister? Wollen
Euch die Grillen nit steigen? Potz Leichnam Angst, Meister, was
tut's, wenn ein Wirt zur Hölle fährt? Angepichtes Bier und
schweflichten Wein gewohnet er, so wird ihm hernach Pech,
Schwefel und Feuer nichts nit anhaben.

CHRISTHEINZ *an einem andern Tisch Platz nehmend.* Kommt,
liebe Brüder! *Er hebt die Kanne zum Trunk.* Uf daß den
Schwäbischen Bund mitsamt seinem Georgen Truchseß vollends
der Teufel hole! *Gelächter an Frankenheims Tisch.*

BEHEIM *brüsk.* Der Schwäbische Bund hängt verstrickt an eim
Nagel an der Wand. *Gelächter an Frankenheims Tisch.*

CHRISTHEINZ. Daß dir's blau Feuer, Kilian! Hältst du es itzt mit
andern Leuten?

KILIAN. Ihr Brüder, ich bin ein Harnischmacher. Wo die Bäurischen recht behalten, was soll aus meinem Gewerbe werden?
Und was das Papsttum angehet, so hab ich je und immer gesaget: unter dem Krummstab ist gut wohnen.

KUNRAT. Lasset die Götzenfleischfresser getrost maulen! Sie werden des Teufels Kirchen je nit wieder ufrichten zu Rothenburg.

JOS FRANKENHEIM. Mancher, der itzt noch seine Zunge hat damit
er wütet wider Gott und Christum und die heilige Kirche,
mag des Georgen Truchseß gedenken; hat manch einem Lügen-
propheten die Zung aus dem Hals lassen schneiden. Leicht ist
er näher, als sie vermeinen.

CHRISTHEINZ. Wo der Götz nit wär, mit dreißigtausend bäurischen Brüdern, der wider den Truchsessen im Felde liegt, so wollt ich mir etwan ein'n Hasenkopf ufsetzen. *Er lacht.*

GOPPOLT. Spiel auf, Kläuslin, und singe eins!

CHRISTHEINZ. Der Berlinger wird ihm die Feigen zeigen! *Er ballt die Faust, so daß der Daumen zwischen Zeige- und Mittelfinger vorragt.*

BARCHART. Meister Kratzer, wie steht's? Soll einer dürfen meh dann zween Weiber haben oder nit? Wie viele erlaubt Euch der Karlstatt?

KRATZER. Ihr Herren, warum gehet ihr nit und trinket beim Gabriel Langenberger euren Wein? Der ist euer Mann.

JOS FRANKENHEIM *auf Marei anspielend.* Eine Spindel im Sack, das Maidlin im Haus, das Stroh in den Bottschuhen mögen sich nit verbergen.

CHRISTHEINZ UND DIE ANDERN *trommeln auf den Tisch und rufen.* Sing, Kläuslin, sing!

CHRISTHEINZ. Sing uns das neue Lied vom Götzen von Berlichingen und vom Florian Geyer!

KLÄUSLIN *singt.*

> Götz von Berlingen und auch sein Heer
> lag in der Stadt, als ich versteh,
> waren eitel Bauersknaben.
> Florian Geyer zu Heidingsfeld lag,
> über achtzehntausend Hauptmann was,
> waren eitel fränkische Knaben.

JOS FRANKENHEIM UND GENOSSEN *singen gleichzeitig.*

> Den Münzer hat sein Geist betrogen,
> der ist nun hin und aufgeflogen,
> sie haben beid gut Ding gelogen,
> Thomas, der Herr der Höllengeister,
> und Luther, aller Lügen Meister.

KRATZER *beschwichtigend.* Ihr Herren, Mitternacht ist vorbei! Haltet Frieden, Christheinz, he, Goppolt! Kläuslin, hör uf, es ist nit Singens Zeit!

BARCHART. Itzt nehmet Ihr es auf einmal fast genau, Meister! Sust haben die Herren vom Ausschuß ganze Nächte durch hie geschlemmet.

KRATZER. Sitzt immerzu, ihr Herren, wo euch der Wein beim Gabriel Langenberger nit mundet. Nur daß ihr kein allzu wild Wesens anfahet.

JOS FRANKENHEIM *höhnisch.* Ihr habt die Schlüssel zu den Stadt-
toren, Meister?

KRATZER. Freilich wohl, solange der Ausschuß ganzer Gemeine
sie mir nit abfordert.

JOS FRANKENHEIM. Wie lange, meinet Ihr wohl, daß der Ausschuß
den Gewalt noch zu Handen behält hie zu Rothenburg?

KRATZER. Just so lange, ihr Herren, als es Gott gefällt.

JOS FRANKENHEIM *steht auf und bezahlt.* Der Kratzer ist sein
Lebtag ein geduldig Schäflein und ein rechter Lämmermatz
gewest.

BARCHART. Ingleichen der Christheinz. *Lachen.*

OCHSENHANS. Da wollten sie ein Jubeljahr anrichten, sollten die
Witwen und Waisen getröst, die Kranken gesund, die Lahmen
gehend werden gemacht.

KILIAN. Ist eine hohle Hoffnung gewest.

BEHEIM. Als wann er nit auch ein evangelischer Bruder wär.

KILIAN. Die Bruderschaft nimmt ein End, eh Kirchweih heran-
kummt.

BEHEIM. Gedenk deines Schwurs, und daß du dich hundert und
ein Jahr der Bruderschaft zugelobt.

JOS FRANKENHEIM. Gute Nacht, ihr Herren evangelischen Brüder, wo ihr itzt schlafen könnet!

KILIAN. Holla, so Ihr meinet, ich hätte ein Finger gehoben damalen, als der Geyer uns den Eid abgenommen . . . Potz! davor
hat mich der Himmel behütet. Und wär's nit so: gezwungener
Eid ist Gott leid.

KRATZER *die Gäste hinausgeleitend.* Gute Nacht, ihr Herren, gute
Nacht, gute Nacht!

Frankenheim, Barchart, Ochsenhans und Kilian ab. Pause.

BEHEIM. Bruder, was haben die hier gewollt?

KRATZER. Nichts Gutes sicherlich nit.

GOPPOLT. Es heißt, gerüchtweis, der alte Rat sei zu heimlicher
Sitzung zusammengetreten.

TÖPPELIN. Ist eine Murmelung unter den Leuten; hab's auch zu
Ohren bekommen.

GOPPOLT. Sie wollen, als die Red geht, durch Botschaften im bündischen Lager bittlich handeln lassen, daß man ihrer um Gottes
willen schone.

CHRISTHEINZ. Eh sollt man mich in den tiefsten Turm legen und
den ober mir einwerfen, eh ich um Gnade tät bitten.

KRATZER. Ich wollte, der Menzingen wäre von Schweinfurt zurück.

CHRISTHEINZ. Er ist hier vor der Kühle. Gebet acht, wie er die Mäuslein im alten Rat wird granten machen.

GOPPOLT. Der Kilian will sich aus der Sache schleifen.

KUNRAT. Ist eine schwüle Nacht heut.

KRATZER *am Fenster, sich halb hinauslehnend*. Es wird Regen geben. Am Ende gar ein Gewitter. — Gehet heim, Brüder, sust werdet ihr naß!

TÖPPELIN. Rote Brunst, soweit einer siehet. Ist wahrlich mitnichten eine kleine Brandstatt.

KRATZER. Leer ist der Markt; ist lange nit so leer und ausgestorben gewest.

GOPPOLT. Ist noch dazu Pfingstabend.

CHRISTHEINZ. Seid Ihr verdrießlich, Meister?

KRATZER. Ich weiß nit, Bruder. Am Ende, daß uns des Teufels tausendpfündige List doch noch überfeiget.

CHRISTHEINZ. Wollt Ihr Euch lassen in das Mauseloch bringen durch eitel Mißreden und ungeschickte Worte? Wann einer fliehet, so jagt man ihn.

KRATZER. Ei, Heinz, ich fliehe mitnichten, aber wenn ich's bedenke, wie der Karlstatt geredt hat: man müsse Gott zwingen und es ihm abtrotzen im Gebet, daß er uns erlöset, und hernacher siehet man, daß Gott dannoch den Teufel frei lässet wieder gewähren. Oder wenn man des Thomas Münzers gedenkt und seins gläubigen Muts und wie er gerufen hat: „Schmiedet pinke pank auf dem Amboß Nimrot, lasset eure Schwerter nit kalt werden, Gott gehet uns für." Wie lässet es Gott dann zu, daß die Fürsten unter die armen gläubigen Leut mit Mord und Blut fallen, sie würgen und erstechen, daß kaum einer sein Leben davonbringt?! So ist es bei Frankenhausen beschehen. Haben die armen Leute gesungen: „Nun bitten wir den Heiligen Geist", und also singende hat man sie lassen treten unter die Hufe der Gäule, sie darniedergestochen, geschlagen und keinen geschonet.

GOPPOLT. Und dannoch wird Gott festhalten über seinem Wort. *Man hört jäh ein Geräusch, wie wenn ein Balken oder Baum umfällt. Unmittelbar danach ein kurzes Triumphgeschrei. Alle erschrecken.*

CHRISTHEINZ. Potz Leichnam Angst, was ist das?

GOPPOLT. Laßt uns mitsammen gehn und der Sachen nach-
forschen.

KUNRAT. Es ist uf'n Markt gewest.

BEHEIM. Es muß nit fern sein gewest, wo der neue Galgen steht,
den die Bäurischen haben lassen ufrichten.

FEISTLE *schlüsselbundklirrend durchs Fenster hereinredend.*
Meister!

KRATZER. Was gibt's?

FEISTLE. Habt Ihr den Fall gehört?

KRATZER. Sollt's meinen. — Ja.

FEISTLE. Der neue Galgen ist abgebrochen, hie uf'm Markt.

KRATZER. Dacht ich's doch. Komm herein, Feistle.

CHRISTHEINZ. Das sind welche von der alten Partei gewest. Gute
Nacht, Kratzer! Kommt, lasset uns zuschaun! Leicht, daß wir
noch einen von den Leuten greifen und ihm mit den Bengeln
den bäurischen Schön Dank sagen.

GOPPOLT. Gute Nacht!

KUNRAT. Gute Nacht!

BEHEIM. Gute Nacht!

TÖPPELIN. Gute Nacht!

KRATZER. Ich wünsch euch allen gute Ruh, ihr Brüder!
Christheinz, Goppolt, Kunrat, Beheim, Töppelin ab.

KRATZER *zu den Spielleuten, die ihr Geld zählen.* Geht schlafen!
Im Stall ist eine Streu geschüttet. *Dies und das in Ordnung legend.* Ihr werdet das Lied vom Geyer am längsten gesungen
haben. Lasset euch von ein'm bündischen Reiter ein neues machen! *Feistle tritt ein und hängt ein Schlüsselbund auf.* Von
welchem Tor sind sie?

FEISTLE. Vom Klingentor. — Soll die Dirne hie bleiben?

MAREI *im Traum plappernd.* Hallo! was gibt's? Hallo! was gibt's?
Hörst nit hoch in der Luft? Bist ein Heid, Tellermann? Weißt
nit, daß sie ewiglich tanzen muß, die Herodias? Hier, Kapitän.
Ja, Kapitän.

FEISTLE. Sie sagen, sie sei von der Teufelsgilde, verstünd sich
auf Hagelsieden und uf gesalbten Stecken fahren. Glaub's
aber nit.

KRATZER. Ei, laß sie schlafen!

FEISTLE. Gute Nacht! *Er und die Spielleute ab.*

KRATZER *schließt die Läden; plötzlich erschrickt er und wendet
sich um.* Wer ist hier? Ist indertwer hie?

STIMME. Ich.

KRATZER. Loset! Was ist das für ein Wesen?

STIMME. Wir mögen von den Pfaffen nit genesen. Kennt Ihr den Bruder Andreas nit mehr?

KRATZER *doppelt erschrocken.* Der Karlstatt? Um Gottes willen, wo kommst du her, Bruder?

KARLSTATT. Von Würzburg. *Er tritt aus dem Dunkel heraus, abgerissen, bestaubt, entstellt bis zur Unkenntlichkeit.*

KRATZER *ungläubig.* Bruder, wer bist du?

KARLSTATT. Bist du so gar angebrannten Herzens, daß du mich nit mehr kennst?

KRATZER. Wahrlich, ich habe Euch nit mehr kennt, Bruder Andreas.

KARLSTATT. Itzt aber kennest du mich?

KRATZER. Kommst du von Würzburg?

KARLSTATT. Ja, Bruder! Mit knapper Not mein arm Leben von ihnen gebracht.

KRATZER. Heiliger Gott! Heiliger Gott! Habt Ihr so schlechte Seiden gesponnen im bäurischen Läger?

KARLSTATT *immer ächzend und schwer atmend.* Die Hölle ist zu Würzburg. Gott! Gott! Ich bin ein treuer Diener am Wort und acht mein's elenden Lebens fast gering, aber ich hab müssen Dinge sehen . . .

KRATZER. Bruder, was willst du hie?

KARLSTATT. Ein wenig Wasser. Ich hab eine Wunde am Bein. Einen Trunk, einen Bissen Brot.

KRATZER. Bruder, Gott sei mein Zeuge, ich kann dich nit fürder meh hausen und hofen.

KARLSTATT. Ist auch un von nöten.

KRATZER. Die Ehrbarkeit recket die Köpfe herfür, achten mir uf das Gewerb, und wo nit des Truchsessen Glück wendig wird, so hab ich Galgen und Rad zu befahren.

KARLSTATT. Schwerlich wohl, daß es wird wendig werden.

KRATZER. So ist deines Bleibens nit meh hie zu Rothenburg.

KARLSTATT. Bruder! Da sorge dich nit! Gib mir ein heil Gewand, ein Stück Brot, einen Trunk Wassers oder Weins, Gott wird's dir lohnen. Alsdann will ich den Staub dieses armen gottverfluchten Landes von meinen Füßen schütteln und mich in die Fremde tun. Ich hab keine Vertröstung dann allein, daß ich meiner Sachen gerecht bin gewesen. Hat ein Aussehn gehabt, als sollte der Frühling hervorkeimen allenthalben, ist aber alles wiederum verfaulet in Finsternis.

KRATZER. O lieber Bruder, wie mancher wird itzt nach der Sonne frieren, wo Schatten und Nacht wiederkehret.

KARLSTATT. Itzt werden sie wieder daherfahren mit ihren falschen kirchlichen Bräuchen: Fegfeuer, Seelbad, Ablaß, Heiligendienst, Ölgötzenweihen, Glockentaufen, Fastenhalten, Beichtmarter.

KRATZER *bringt Essen und Trinken.* Da iß, trink und stärk dich, Bruder Andreas!

KARLSTATT. Bruder, in dieser schweren Zeit hat Gott mir Dinge gezeigt . . .! Die Menschen sind ein verfluchtes, verruchtes Geschlecht. Die Speise verstehet mir, so ich der Greu'l gedenke. Vor meinen sehenden Augen haben sie einen in Stücke gehauen und einander geworfen mit dem blutigen Fleisch. Sie haben ihn geschlachtet, wie man ein Kalb metzget, und er hat laut schreiende sich gewehret, daß ich mir hab beede Ohren verstopfet und dannoch Grausens bin worden und mir der Angstschweiß ist ausbrochen. Da hab ich bei mir gedacht, es ist Gottes Wille, daß diese zur Hölle fahren, und bin von ihnen geflohen.

Es wird stark an die Haustür geschlagen.

MAREI *aus dem Schlaf aufschreckend und aufspringend, ruft.* Kapitän! *Sie stürzt hinaus.*

KRATZER. Verbergt Euch, Bruder! Bei allen Gliedern Gottes, wo man Euch bei mir findet, der Meister Veit Mehder ziehet uns beede am nämlichen Galgen zu. Heb dich hinaus, Bruder!

KARLSTATT. Heilige Anna, hilf! *Er wird von Kratzer ins Hinterstübchen gedrückt. Erneutes Klopfen.*

KRATZER. Holla, was gibt's? Potz Rehmschend! Es ist nachtschlafende Zeit! *Ab in den Hausflur. Ein Schlüssel wird umgedreht, eine Tür geht, Schritte von Gewappneten und Stimmen werden hörbar. Rektor Besenmeyer tritt ein, sehr erschöpft. Er vertritt sich die Beine.*

REKTOR BESENMEYER. Mere, ein saurer Ritt!

MENZINGEN *eintretend.* Habt Euch brav gehalten, Bruder, als wäret Ihr reisig gewest von knabenweis!

REKTOR BESENMEYER. Sic! Sic! Sic!

MENZINGEN *zu Kratzer, der hereinkommt.* Bruder, wie stehet es noch bei uns in der Stadt, seither sie mein Angesicht nit haben gesehen?

KRATZER. Übel. Die Wahrheit zu sagen, Bruder, übel genug. Die alte Partei fängt an und reget sich. Der Thomas Zweifel und die Herren von der Ehrbarkeit zeigen sich uf'm Markt. Die Bürgerschaft ist kleines Lauts, treten aus dem Weg, machen Reverenzen und grüßen demütiglich. Der Jos Frankenheim von der alten Partei hat sich mit seinen Gesellen des Dings unterstanden und ist bei mir eingekehret, wollen die alte Meß wieder ufgericht't haben. Spitze Reden geführet, ungeschickte Worte, hab einen Höllenschweiß müssen aushalten.

REKTOR BESENMEYER. O cordolio, o cordolio! Die Spule ist leer gelaufen, neues Garn nit zu finden. Was suster noch Schlimmes?

KRATZER. Der Bruder Andreas ist wieder hie.

REKTOR BESENMEYER. Wo?

KRATZER *hinweisend.* Dort hinter der Tür.

REKTOR BESENMEYER *im Abgehen gedämpft rufend.* Bruder Andreas!

MENZINGEN. Ist ihm der graue Wolf gehetzet und das Fell genugsam zerzogen. Wo wir ihn warneten, hat er uns nit geglaubet.

GEYER *erscheint in der Tür, zurückrufend.* Hab Urlaub. Schütt dem Gaul Habern in die Krippe! Mach flugs, es wird nit lang Sattelhenkens sein!

MAREI *unsichtbar.* Ja, Kapitän!

GEYER. Marei!

MAREI. Ja, Kapitän!

GEYER. Du mußt mir einen Botendienst tun!

MAREI. Ja, Kapitän!

GEYER. Tritt her, schau mir ins Gesicht! Was hast du in den Augen?

MAREI *sichtbar vor ihm.* Weiß nit.

GEYER. Ein Fünklein höllisches Feuer. Mein Weib hat mir ein'n Brief überschicket, lieget mir hart an, schmieret mir das Maul mit guten Worten, ob ich nit wollt mit dem Truchsessen vertragen sein. Reiset herum bei Fürsten und Pfaffen, Fürsprach zu erlangen. Du sollst ihr gen Rimpar meine Antwort bringen.

MAREI. Ja, Kapitän!

MENZINGEN. Ist deine eheliche Hausfrau zu Rimpar, Bruder?

GEYER. Ja, Bruder. Sie meinet, ich soll heimkommen, das Schlötterlein drehen und dem Kind in der Wiege das Jüdel scheuchen. Da schütze mich Gott vor. Bin nie kein Windelwäscher gewest. Gott zum Gruß, Meister!

KRATZER. Gottes Dank! Was bringt Ihr von Schweinfurt Guts?

GEYER. Hunger und Durst. Laß auftragen!

MENZINGEN. Von einem markgräfischen Geleit nichts zu verspüren?

KRATZER *im Abgehen stehenbleibend.* Geleit? Da sehet doch zu! Der Himmel ist rot. Der Markgraf senget und brennet in unserer Landwehr. Die Dörfer krachen vom Feuer. Schreibet den Geleitbrief mit Feuer und Blut. — Wie steht es zu Brettheim?

GEYER. Sie schmücken den bündischen Rauch. Hab mit Bewilligung eines Rats umschlagen lassen in allen Dörfern, ein klein Häuflein Gesindels gemustert, alles wieder zerlaufen.

Karlstatt und Besenmeyer kommen, Kratzer ab.

KARLSTATT *in nervöser Schwäche weinend.* Gott zum Gruß, Brüder!

GEYER. Der Teufel den Schneider! Wie hat er Euer Kleid verderbt!

KARLSTATT. Oh, Bruder, ach, Bruder!

GEYER. Seid Ihr so fast von Farb kommen wie ein Jud? *Er hat sich am Tisch niedergelassen.* Setzt Euch zu uns! Wie sieht es zu Würzburg aus?

KARLSTATT *in weinender Wut.* Morden, Stehlen, Buben, Katzbalgen, Huren, Saufen, Gott verlästern, dem Teufel Tag und Nacht dienen, Gottes Zorn herbeirufen, Bruder, was red ich, was sag ich? Junge Kinder und zitternde Greise, Unzucht, Schande und Laster, Sodom und Gomorrha!

GEYER. Meintet Ihr, englische Kinder und sanftlebende Brüder zu finden? — Es ist schwül überaus, tuet die Fenster auf!

KRATZER. Bruder, ich wag es nit. In der Ratstrinkstube sitzen noch Leute, und wo sie hier Licht sehen . . .

Geyer, mit Kreide auf den Tisch zeichnend.

REKTOR BESENMEYER. Sankt Urban und seine Plag haben vor diesmal den Frühling um den Sommer betrogen. *Mit den übrigen am Tisch sitzend, tief seufzend.* Suspicatur animus nescio quid mali.

GEYER. Was so viel heißen will als: dein Herz ahnet Schlimmes. Meines auch, Bruder. Ich hab Sterne fallen sehen. Wie ich vorhin uf'm Gaul hing, halb schlief und halb wachete, da wußt ich, was es bedeutet: neuen Mord und daß Pfaffen, Mönch und Nonnen werden. — *Zeichnend.* Es reuet mich fast, es reuet mich fast. — Habt Ihr sust Posten für mich?

KARLSTATT. Nein, Bruder. Aber wo ein Verständiger zu Würzburg noch etwas hoffet, so wartet er des Stündleins, wo Ihr wiederkehret. *Pause.*

GEYER *zeichnend.* Der nagende Hund liegt mir unterm Herzen, dieweil ich zu leben hab. *Pause.*

REKTOR BESENMEYER. Wir halten ein richtiges Klostersilentium.

GEYER. Der heimliche Kaiser muß weiter schlafen. Die Raben sammeln sich wieder zu Haufen. *Plötzlich verändert.* Wein! Wein! — Der Götz ist dem Truchsessen entgegen? Wieviel Bäurische schätzet Ihr noch in den Lägern?

KARLSTATT. Ob zwanzigtausend.

GEYER. Wein! Wein! Laßt uns die Letze miteinander trinken. *Zu Marei, die erscheint.* Marei, steig hinab in den Keller! Der Meister Kratzer wird dir den Wein geben, den der Rat uns letzthin verehret hat.

KRATZER *mit den Kellerschlüsseln im Begriff abzugehen, steht still.* Was mache ich doch mit der Truhe, ihr Herrn?

GEYER. Habt Ihr Kostbarkeiten darin?

MENZINGEN. Die Papiere des Ausschusses, Bruder! Hie kann einer ufs Haar sehen, wer im Ausschuß geredt hat und was einer geredt hat.

KRATZER *im Abgehen.* Schick dich, Marei! *Er und Marei ab.*

REKTOR BESENMEYER *nach einer Pause zu Geyer, der noch immer mit Kreide auf der Tischplatte zeichnet.* Bruder, was habt Ihr doch vor Euch hingeredt vom heimlichen Kaiser? Einige sind, die sagen, der Handel hätte darauf gestanden, das Haus Habsburg zu stürzen. Dieselbigen sagen dann, Ihr hättet französische Bestallung. Ihr wolltet den vertriebenen Herzog Ullrich von Württemberg zu einem deutschen, evangelischen Kaiser machen.

GEYER. Bruder, es ist ein Hahnensteigen gewest nach der deutschen Kron.

REKTOR BESENMEYER. Bruder Geyer, Euch trau ich, wie ich mir selber nit traue, aber saget mir doch: war der Lärmen im Reich angefacht dem König Franziskus zulieb, der itzund vom Kaiser gefangen ist, und haben die Leute recht, weil sie sagen: französische Stüber und Sonnenkronen hätten das Beste getan bei dem bäurischen Handel?

GEYER. Bruder, es sind niemalen subtilere Praktiken im Gange gewest, und wahr ist's, der Wind wehet stark von West. Sollen wir aber nit unsere Segel spannen, wo wir gen Osten wollen schiffen, allein weil der Wind von Frankreich wehet?

REKTOR BESENMEYER. Wenn der Schiffer gen Osten segeln will, sagst du, Bruder . . .?

GEYER. Wer nach den neuentdeckten Inseln fahren will, nutzet die Winde, wo sie wehen. Er kann mitnichten immer gradaus schiffen, nur daß er sich selbst Glauben hält und dem Ziele treu bleibe. — *Marei erscheint mit zwei großen Weinkrügen.* Wein! Wein! Wein von dem Rhein! Ich will das Rädlein noch einmal treiben.

KARLSTATT. Ich fürcht, es wird mit all unserm Schweiß und Blut nit meh zu gewinnen sein.

GEYER. Schenk ein, Marei! Wenn ich über acht Tage noch das Leben habe, so sollst du zehn Paar kordowanische Schuh bekommen, dazu drei Mäntel: einen rosenfarbenen aus Mecheln, einen lombardischen, einen rauchfarbenen aus Brügge. *Er faßt ihre langen Haare in zwei Strähnen wie Zügel.* Du sollst dich in gelber Seide tragen, als wenn du einen safrangelben Nürnberger zum Vater hättest. Tut die Fenster auf, Brüder!

MAREI. Ich brauch keine Mäntel und keine kordowanischen Schuh.

GEYER. Trink, Marei! . . . Trink, du Schleck! *Während Marei trinkt.* Dein Haar ist mir lieber wie das der allerseligsten Jungfrau! *Pause.*

REKTOR BESENMEYER *indem er die Kanne nimmt.* O Gramschaft, Gramschaft. *Er trinkt.* — *Zu Karlstatt.* Was wißt Ihr von Thomas Münzer, Bruder?

KARLSTATT *der bisher gierig gegessen hat, spricht mit hohler, zitternder Stimme.* Sie sagen, er sei gefangen, uf die Folter gespannt, darnach aber uf ein'n Wagen geschmiedet, dem Grafen von Mansfeld überschickt für einen Beutpfennig.

REKTOR BESENMEYER. Wie fing sich der Handel so glücklich an und wie fast gewaltig, und wie gehet er gar so kläglich aus!

GEYER. Trinkt, ihr Brüder. Traurigkeit vertrocknet die Gebeine. Glück ist ein Haus, darin einer zu Gast darf weilen eine Stund oder zwei. — Ich bin ein freier Franke!

REKTOR BESENMEYER. Itzt werden sie alle Brunnen wieder verschütten.

KARLSTATT. Bruder, sie waren's nit wert, aus den Lauterquellen zu trinken.

REKTOR BESENMEYER. Und dennoch rufe ich: es lebe die ungemeisterte, unüberwindliche Wahrheit, wie ich sie verstehe!

KARLSTATT. Wie verstehet Ihr sie?

REKTOR BESENMEYER. Die Vernunft ist aller Wahrheit Urquell, nit aber eine verfluchte Hur, wie sie der Luther genennet. Sie ist alles Glückes Urquell und aller Rechte Urquell.

KARLSTATT. Der Meinung kann ich nit sein. Das ist ein heidnischer Glaub, Bruder. Mag sein: die Heiden lehren, dies irdische Leben wohl und glücklich hinzubringen . . . aber jenes Leben — ?! *Rektor Besenmeyer zuckt die Achseln.*

GEYER *seufzend.*

Im Himmel, im Himmel sind Freuden gar viel,
da tanzen die Engel und haben ihr Spiel.

REKTOR BESENMEYER. Ich hab gelebt und gewirket in der tröstlichen Meinung, uf die einst Graf Eberhart von Württemberg die hohe Schule zu Tübingen gegründet hat: graben zu helfen den Brunnen des Lebens, daraus von allen Enden der Welt unversieglich möge geschöpft werden tröstliche und heilsame Weisheit zur Erlöschung des verderblichen Feuers menschlicher Unvernunft und Blindheit.

MENZINGEN. Sie verschütten die Brunnen; das schädliche Feuer brennt hellichterloh!

GEYER. Marei, Musik!

KRATZER *wieder eingetreten.* Bruder, wollt Ihr Musik?

GEYER. Musik will ich haben!

KRATZER *ängstlich.* Sie schleichen mir um das Haus. Es ist tief in der Nacht. Besorg, wir sind nit meh sicher, Brüder.

MENZINGEN. Ei Kotz! So lasset sie doch getrost hereinkehren. Ich will ihnen bei meinem Eid —

KRATZER *hastig.* Still, still, Bruder! Still! Ich hab Schritte gehört. *Es wird mit einem eisernen Gegenstand laut gegen die Tür geschlagen. Alle erschrecken, bleiben stumm und fassen nach den Wehren.*

MENZINGEN *heftig, aber leise.* Geht! Öffnet! Kotz, geht und öffnet!

KRATZER *tut es, laut sprechend.* He, ho, holla! Geduld! 's ist nachtschlafende Zeit. *Erneutes Pochen.* Hie pocht ja einer, als ob er Geld brächte. *Kratzer ab.*

Man hört, wie die Haustür geöffnet wird und ein Gewappneter förmlich hereinfällt. Kurze, heisere und atemlose Schreie.

KRATZERS STIMME. Wer seid Ihr? Was wollt Ihr? Wen suchet Ihr?

TELLERMANNS STIMME. Mort de ma vie! Hand weg! Traître! Faquin! Bourreau! Schurk!

GEYER *springt auf.* Der Tellermann! Bruder, Bruder! Hie bin ich!

TELLERMANN *stürzt mit letzter Kraft herein, bis in die Mitte des Zimmers; er ist in einem verzweifelten Zustand, zerlumpt, verwundet, blutend und trägt den Stumpf einer schwarzen Fahne; er glotzt wild und forschend um sich und schreit nach falscher Richtung.* Kapitän! Kapitän!

GEYER. Hie bin ich, hie!

TELLERMANN. Bruder Geyer! Bruder Geyer! Götz — verfluchter Verrat — alles verloren — Königshofen —

GEYER *außer sich.* Tellermann, Bruder, Blutsbruder, komm zu dir! Marei, Wein! Tellermann! Wein! Hier, Marei, wir wollen's ihm eingießen. Komm zu dir, Bruder!

TELLERMANN *lallt.* Königshofen.

GEYER. Was sagst du, Bruder?

TELLERMANN *bewußtlos.* Königshofen.

REKTOR BESENMEYER. Er stirbt!

MENZINGEN. Hie ist keine Rettung meh.

KRATZER *hereinkommend.* Ist alles voll Bluts. Uf der Schwelle und uf der Dielen. Er schweißet freislich.

GEYER *rasend.* Er stirbt! Bei Sankt Annen! So holt doch den Wundarzt! Was stehet ihr hier?

TELLERMANN *phantasierend.* Her! Her! Wohl her! Schurk! Steh Schuft, steh! — Die Reiter, die Reiter! Das Geschütz, das Geschütz in sie arbeiten lassen! — Pfui, schwarzer Tod! Mort de ma vie! Fürchtet euch nit, liebe fromme Gesellen! Fürchtet euch nit! *Schreiend.* Fürchtet — euch — nit, — sag ich. Löset die Büchsen! Stecht nach den Gäulen! Stecht nach den Kleppern!

GEYER. Bruder Tellermann, komm zu dir!

TELLERMANN. Ah! Ah! Der Berlinger! Wo ist der Berlinger? Aus dem Staube gemacht. — Das Pulver ist naß. — Verfluchtes Gesindel! Die Pferde nit von dem Geschütz nehmen! Laßt sie nit fliehen! — Kerls, fürchtet euch nit, stecht nach den Pferden! — Himmel und Hölle! Hund, komm an!

Der Bewußtlose ist von Geyer und Menzingen auf eine Bank gelegt worden. Er wird stille. Draußen dumpfes Volksgemurmel. Kratzer hat sich über die Truhe hergemacht und stopft die Papiere daraus in den Ofen, so schnell er kann. Karlstatt hat

*sich erhoben, ist zu Kratzer getreten und hat sich mit ihm
stumm verständigt. Darauf ist er hinausgegangen. Die beiden
alten Spielleut sind unbemerkt eingetreten und haben sich an
ihrem alten Platz zurechtgesetzt.*

GEYER *über den immer schwächer Atmenden gebeugt.* Braver
Tellermann! Alter braver Tellermann!

*Karlstatt tritt wieder ein mit einem großen Linnen, das er
feierlich auf der Erde ausbreitet. Er, Menzingen und Besenmeyer nehmen darauf, Geyer sanft bedeutend, den Sterbenden
von der Bank.*

KARLSTATT *feierlich.* Hie stirbt ein Christ! So erscheine er denn
vor Gott wie ein Christ in tiefer Demut zur Erde erniedrigt.
*Tellermann wird feierlich auf das unten ausgebreitete Linnen
gelegt. Pause.*

REKTOR BESENMEYER *leise.* Was hat er gelallt, Bruder?

GEYER *leise.* Königshofen.

KARLSTATT. Es sind die dreißigtausend des Götz.

MENZINGEN *laut.* So bin ich am Ende mit allem Meinen und
kann gen Straßburg auf die Hochzeit ziehn.
Geyer, bei Tellermann kniend.

KARLSTATT *in Beterstellung.* Es geht zu Ende mit ihm.

GEYER. Er schläft. Gute Nacht! *Er drückt ihm die Augen zu.
Pause.*

KARLSTATT. Der Morgen beginnt zu grauen, ich muß fort.

REKTOR BESENMEYER. Wohin?

KARLSTATT. Hab gute Kunden, fromme Evangelische, da und
dort im Land. Wo Gott mir weiter hilft, gedenk ich mich durch-
zuschleifen in die Schweiz.

MENZINGEN *zu Geyer.* Was wirst du tun, Bruder?

GEYER *erhebt sich.* Ich hab den Marco Polo gelesen . . . von
dem edlen Ritter und Landfahrer. Was meinst du? Soll ich
uf ein Schiff gehen und übers Meer reisen?

MENZINGEN. Willst du nit suchen gen Frankreich entkommen?

GEYER. Der Langenmantel schreibt mir, und ich trage den Brief
zween Wochen im Sack, ich soll mich wieder in französische
Dienste tun. Zu Pavia ist es gewest; haben wir fest gestanden,
der Tellermann und ich und ein Dutzend freier mannfester
Knecht. Wollten die schwarze Fahne mitnichten verlassen; der
Überzahl uns erwehrt bis Sonnenuntergang und hernacher wir
das Panner doch von ihnen gebracht. Ist dem König Franziskus

von Frankreich zu Ohren gekommen, wie wir allda unsres Eides so treulich gewartet, und ihm fast wohlgefallen.

KARLSTATT. So kommt, Bruder, lasset uns miteinander pilgern!

GEYER *sich reckend.* Gefehlt! Itzt hab ich einer göttlichen Sache gedient. Itzt dien ich keinem König mehr. Marei, bring mir den Brustharnisch! *Er dehnt sich.* Ich wünscht, ich wär der heilige Fortunat mit seinem Wünschhütlein und immer vollen Säckel. Aber ich bin es nit. — Schlaf, alter Tellermann! — Holla, spielet auf! Es wird mir leicht ums Herz. *Zu Marei, die ihm den Brustharnisch bringt.* Dank dir, Marei! *Während ihm der Harnisch angelegt wird.* Wo ist man die erste Nacht nach dem Tode?

MAREI. Bei Sankt Gertrauden.

GEYER. Wo ist man die zweite Nacht nach dem Tode?

MAREI. Bei Sankt Michel.

GEYER. So will ich übermorgen Sankt Gertrauden und über drei Tage Sankt Michel von euch grüßen. — Fürchet euch nit, singt! Den Toten weckt ihr nit auf.

KLÄUSLIN *singt mit einer alten, zitternden Stimme.*

Der Florian Geyer zu Weinsberg was . . .

GEYER. Sieh zu, ob der Gaul gefressen hat; es wird ein scharfer Ritt werden. *Marei ab.*

KLÄUSLIN *singt.* Ergriff er die schwarze Fahne und sprach: Auf, liebe Gesellen mein, jetzt wollen wir das Schloß gewinnen! *Die Rührung übermannt Geyer, er hat sich niedergelassen und weint. Pause.*

GEYER. Ihr Herren, ich schäme mich nit vor euch. Ich hab nit um mich geweinet.

MAREI *wiedergekehrt.* Der Gaul ist gericht't.

GEYER. Schnall fester, Marei, ich muß das Eisen fühlen. — Deutschland ist ein gut Land, ist aller Länder Krone, hat Gold, Silber, Brot und Wein genung, zu erhalten dies Leben reichlich. Aber es ist der Zwietracht kein End. Die Pfaffen binden es, die Fürsten zerstückeln es. Aber Pfaffen, Fürsten und Fugger und Welser zehren von seinem Mark. Ich hab gedacht, ich wollt Wandel schaffen. Wer bin ich, daß ich's gewagt? Sei's drum: „Von Wahrheit ich will nimmer lan" . . . Den Helm, Marei! — „Das soll mir bitten ab kein Mann, auch schafft zu schrecken mich, kein Wehr, kein Bann, kein Acht" . . . Die Armschienen fest, ich will mich damit begraben lassen! . . .

„Obwohl mein treue Mutter weint, daß ich die Sach hab fangen an, Gott woll sie trösten . . ." *Das Schwert umgürtend.* „Es muß gahn." — So, itzt bin ich gefaßt. Lebt wohl, liebe Brüder, es müßte wunders zugehen, wann wir uns sollten wieder begegnen. Tut mir Bescheid: Ulrich von Huttens Gedächtnis! Des Sickingen Gedächtnis! Sein Sohn ist ein Hundsfott, hat sich zu den Bündischen getan.

KARLSTATT *in seltsamer Gehobenheit.* Bruder Geyer, das große Feuer lieget darnieder, ich glaub, auf lange. Aber im Evangelium steht: das schwankende Rohr wird er nit zerbrechen und das glimmende Docht wird er nit auslöschen.

MENZINGEN. Und über das: Will's Gott, so mag's noch werden gewend't.

GEYER. Lustig, Brüder! Warum sollen wir nit lustig sein? Die heilige Agathe ging zum Märtyrertod als wie zum Tanz. Das heilige Mädchen Anastasia verachtete den Tod, und wir sind Mannskerle. *Zu Tellermann.* Ade, Kamerad, Ade! *Er kniet neben ihm nieder.* Hast brav ausgehalten, Landsmann, hast tapfer gewerket, Landsmann, und Frieden und Schlacht ehrlich erarnet. Laßt itzt! *Er bemüht sich, den Fahnenstumpf aus Tellermanns fest umklammernden Händen zu winden.* Willst sie nit hergeben? Ei, Bruder, gib dich zufrieden! Auf Bauernehr, Bruder! ich will ihr so treu sein wie du. *Aufgestanden.* Leb wohl! Wenn's glückt, so soll sie der Truchsessen von Waldburg noch einmal sehen flattern.

Geyer, Kratzer, Menzingen und Karlstatt ab.

REKTOR BESENMEYER *allein.* Blutige Pfingsten.

KRATZER *kommt, hat es gehört.* Die Läufte stellen sich uf den Kopf. Zu Ostern entstieg der Heiland dem Grabe. Zu Pfingsten schlägt man ihn wieder ans Kreuz. — *Am Ofen.* Das Feuer ist aus.

MENZINGEN *kommt.* Der Geyer ist fort. Was wird aus uns?

REKTOR BESENMEYER *die Leiche berührend.* Das Feuer ist aus.

MENZINGEN. Wo unsre toten bäurischen Brüder im Himmel einziehen, wird es ein langer Zug werden.

KRATZER. Werden wir mit im Zug sein?

MENZINGEN. Man wird uns in den Hundsgraben verscharren.

REKTOR BESENMEYER. Was liegt an mir? — Ich bin ein alter Mann.

FÜNFTER AKT

*Ein Saal im Schlosse zu Rimpar. Es ist Nacht, durch die hohen
Bogenfenster schwacher Feuerschein. Rechts Tür zu einem zweiten Saal. Rechts ganz vorn Pforte von der Wendelstiege. An
der Linkswand zwei verschlossene Eingänge. Vor Frau Grumbach, einer jungen, blassen Frau, steht Marei; ein Reiterknecht
nicht fern davon.*

FRAU GRUMBACH *heftig.* Potz, so gib mir den Brief!

MAREI. Du hast mir die Kette ins Maul geschlagen.

FRAU GRUMBACH. Den Brief! Willst nit?

MAREI. Ich weiß nit, wer du bist.

FRAU GRUMBACH. Des Junkers Wilhelm von Grumbach eheliche
Hausfraue bin ich, dessen Schwester der Florian Geyer zur
Ehe hat.

MAREI. So bring mich zu ihr!

FRAU GRUMBACH. Mein Geschweyte lieget zu Bett und ist krank,
sie kann dich nit sprechen. Gib mir den Brief!

MAREI. Ich hab keinen Brief.

FRAU GRUMBACH. Du hast keinen Brief? Itzt, Peter, hat sie auf
einmal keinen! So wird man dich mit der Rute pfeffern.

PETER *gutmütig zu Marei.* Ei, Dirne, was tuest du? Komm doch
zu Sinnen! Sei klug und gib ihr den Brief!

MAREI. Ich hab keinen Brief.

FRAU GRUMBACH. Hilf, liebe heilige Anna, die Bübin lügt sich
um Leib und Seele, trüget sich an den lichten Galgen. Hat
sie nit vorhin gesaget, daß sie vom Florian Geyer käm mit
Posten für meine Schwägerin?

MAREI. Mundbotschaft hat er mir geben, sust aber nichts.

FRAU GRUMBACH *in Angst und Wut.* Ei, du durchteufelter, ein-
geteufelter, überteufelter Fratz, so will ich dich lassen dermaßen strecken, daß dir deine Mundbotschaft zu Maul und
Nase soll ausgehen, bis du Blut speiest; und sollst deines
Trotzes gedenken. Gib her den Brief!

MAREI. Du hast mir die Kett in den Mund geschlagen. Ich blut.

FRAU GRUMBACH *sucht ihr den Brief mit Gewalt abzunehmen.*
Halt sie fest, Peter! Bauernmetze! Es nimmt ein End mit
eurer verfluchten, schwarzen, höllischen Brüderschaft.

PETER. Dirne, gib gutwillig, was du hast! Des Florian Geyer

Gemahl ist nit meh im Haus. Weiß niemand, wohin sie sich und das Kind geflüchtet. Uf Nürnberg oder sonstwo. Du findest sie nit. Wo du der Frauen den Brief lässest, so wird sie kein Kost noch Mühe scheuen . . .

FRAU GRUMBACH. Das will ich nit tun, so Gott mir helfe. Ich wollte viel lieber einen Wolf säugen, dann für die Geyerschen Botschaften besorgen. Ketzerische, verräterische Brut, Ächter und Landfriedbrecher, uf daß es ein jeder wisse: ich hab nichts gemein mit ihnen. Pack dich, geh vor dich! Sie führet Gift in den Augen als eine Otter. Hebe dich, Viper! *Peter und Marei ab. Frau Grumbach allein, tritt hastig ans Fenster und lauscht. Fernes Schießen. Sie seufzt tief. Ursel, die alte Beschließerin kommt.*

FRAU GRUMBACH. Ist jemand hie?

URSEL. Ich, gnädige Frau.

FRAU GRUMBACH. Die Fenster klirren! Schießen!

URSEL. Geht schlafen, gnädigste Frau; es hat schon fast nachgelassen.

FRAU GRUMBACH. Weiß Gott, wie es noch enden wird, Ursel.

URSEL. Gut wird es enden. Sie schießen Freud, sagt der Koch. Schwören, es seien bündische Stück und nit bäurische Stück. Legt Euch getrost nieder, gnädige Frau!

FRAU GRUMBACH. Nichts dann Not und Angst dieser Zeit.

URSEL. Gnädige Frau! Der Koch in der Küchen hat teure Eide geschworen und gesagt: die bäurische Ufruhr sei itzunder gänzlich darniedergelegt; der Bauernjörg, sagt der Koch, itzunder in ganzer deutscher Nation ihrer Herr worden. Leget Euch endlich zur Ruh! Wo Ihr itzt störrisch seid und bleibet auf Eurem harten Kopf . . . wahrlich, Ihr haltet's nit aus, Ihr traget das Fieber davon.

FRAU GRUMBACH. Ursel, ich kann nit schlafen. Ist mir die Bettstatt schlimmer dann ein heiß Rost.

URSEL. Ich weiß ein tröstlich Gebet; wird Euch sicherlich Ruh bringen.

FRAU GRUMBACH. Hab wüste, schreckliche Träume gehabt.

URSEL. So will ich ein Kreuz über Euch an die Wand machen, soll Euch kein böser Traum fürder anstoßen.

FRAU GRUMBACH. Ursel, ich hab mein'n Junker gesehn im Traum, an den Schandpfahl gebunden, gemartert mit glühenden Zangen und zuallerletzt . . . Ursel, mich schauert's, mich grauset's, wenn ich dran denke.

URSEL. So denket nit dran. Das ist der Böse, der peinigt die arme Seele im Schlaf.

FRAU GRUMBACH. Ich weiß, ich weiß wohl, Ursel, es ist nichts dann höllischer Trug und teuflisch Blendwerk, aber mir ward hart Grausens. Der Henker riß ihm das Herz aus der Brust und schlug's ihm ums Maul.

URSEL. Ei, wie ich sag, wie ich sag, opfert ein Licht in der Kapellen . . .

FRAU GRUMBACH. Und es hat noch gezuckt und geschlagen — *mit Zittern und Zähneklappern* — meines Junkers Herz.

URSEL *um Frau Grumbach bemüht, die erschöpft auf einen Stuhl gesunken ist.* Ei, wie ich sag. Stellet ein geweiht Licht neben Euch an die Bettstatt, so kommen die Engel und jagen den Teufel fort. *Gesprächig.* War einmal ein Ströter, der opferte ein einiges Licht und einen Pfennig bei Mariä Lichtmeß. Endlich kam's, daß er mußte durch das hänfene Fenster gucken. Hing er also am Galgen. Da kam der Teufel daher mit Gestank, langete mit seinen Krallen nach ihm und schlug mit dem Schwanze vor großem Grimm, wollte die arme Seele zur Hölle führen. Dawider stunden die Engel und wollten's nit dulden. Da sagte Gott zu dem Ströter: ich kann nichts tun; du mußt mit dem Teufel kämpfen. Potz Angst, wie wurde dem Ströter so übel zu Sinn! Aber die Englein wußten ihm Rat. Das Licht, so er einstmals geopfert, gaben sie ihm in die eine Hand und den Pfennig mit dem Kreuz darauf in die andere Hand. Und weil das der Teufel sah — was blieb ihm über? Er fluchte weidlich und lief davon. Kommt, kommt, seid geruhig, ich führ Euch zu Bett.

FRAU GRUMBACH *von Ursel geführt.* Bleib bei mir, Ursel! Ursel, bleib bei mir!

SARTORIUS *erscheint, sorgfältig gekleidet, von der Wendelstiege her.* Bona dies, gnädigste Frau! Gott geb Euch Glück und Gesundheit! Wie geht's Euer Gnaden, gnädige Frau?

FRAU GRUMBACH *kalt.* Was suchet Ihr hie?

SARTORIUS. Gnädige Frau! Kennet mich Euer Gnaden nit meh? Ich war uf und an, in die Turmstuben zu steigen. Es ist eine klare Nacht und gut in den Gestirnen forschen.

FRAU GRUMBACH. So wollt ich lieber, Ihr stieget den Turm hinunter bis in den tiefsten Keller hinab, statt daß Ihr ihn hinaufsteiget in Euer höllisches Laborar. Wo kommet Ihr her? Wer hat Euch eingelassen hie in die Burg?

SARTORIUS *blaß*. Helfe mir Gott, gnädige Frau, ich versteh Euer Gnaden nit. Bin ich nit Seiner Gestrengen, Eures Herrn Gemahls, bestallter Diener? Hab ich ihm nit gedienet, mich Tag und Nacht nit gesparet, gewachet, gereiset um seinetwillen?

FRAU GRUMBACH. Betrogen habt Ihr ihn! In Schmach und Verderben verführet mit Eurem bübischen, widerchristlichen Rat.

SARTORIUS. Herren sind Meister, sie tun, was sie wollen.

FRAU GRUMBACH. Herren sind Meister, sagst du mir itzt? So bist du zehnmal ein Meister aller schwarzen höllischen Kunst. Hast du ihn nit betöret mit falschen englischen Weissagungen: das Stift Würzburg werd bald vergehen und einen weltlichen Herrn bekommen?

SARTORIUS. Gnädigste Frau, da hadert mit Gott! Wir haben dabei gestanden, Seiner Gestrengen und ich, als der Knabe vor dem Krystallen saß und Zwiesprach hielt mit den Engeln. So ist es von seinen Lippen gekommen. Ich hab nichts hinzugefüget.

FRAU GRUMBACH. Potz Larifari! Was redet Ihr da? Wollt Ihr mir Schellen anhenken wie meinem Junker? Meinet, weil Ihr Magister seid? In den sieben Todsünden seid Ihr Magister, aber nit in den sieben freien Künsten. Wie kommt Ihr herein, was suchet Ihr hie?

SARTORIUS. Gnädige Frau, Ihr tuet mir wahrlich hart Unrecht. Hab mich in Gottes Namen eins andren Empfanges versehen. Da bücket man sich, da hocket man über Schriften die Nächte durch, windet, drehet, drücket, ziehet sich uf allerlei Weise wie Hans Wurst und hat nichts dann Wermut und Gallen davon.

FRAU GRUMBACH *hohnlachend*. Ihr ziehet und drücket Euch? — Müßig gehen, sich aufputzen, trinken, Venusspiel treiben, tanzen, Vogelstellen, das ist Eure Arbeit gewest, sust eitel Unrat und Trug. Mich lasset doch unverworren mit Eurer Alchemie! Ich hab von dem Gold nichts gesehen, das Ihr wollt können machen. Ist nichts dann Blendwerk und eitel Trug! Was wollt Ihr hie? Habt Urlaub, geht!

SARTORIUS *ängstlich, fast weinend*. So habt doch ein Einsehen, gnädige Frau! Wo soll ich itzt hin? Ich hab mich mit aller Marter hereingerett't. Allenthalben rennen und laufen flüchtige Bauern und bündische Reuter hinterdrein, schlagen und stechen in sie, würgen, was ihnen vor Handen kommt.

FRAU GRUMBACH. Da sehet Ihr zu! Was geht mich das an?

SARTORIUS. So habet doch Mitleid, gnädigste Frau!

FRAU GRUMBACH *ruft entschlossen durchs Fenster.* Peter! He, Peter! Komm herauf!

SARTORIUS. Was tut Ihr um aller Heiligen willen? Ihr seid eine Christin, habet Mitleid!

WILHELM VON GRUMBACH *erscheint plötzlich; ihm folgt Schäferhans.* Der ist des Teufels, der mit dir Mitleid hat. In die Eisen mit ihm!

SARTORIUS *von Schäferhans gepackt, flehend und bettelnd in kindischer Angst.* Ach, Euer Ehrenfest! Ach, Euer Edlen! Gestrenger Junker, tuet doch das nit! Ich hab es ehrlich und treu gemeinet.

SCHÄFERHANS. Kotz, haltet doch stille, plärret nit so! Ihr werdet noch Zeit und Weile genung haben. Ei freilich, freilich, ich weiß den Weg. Hab schon manchem Hundsfott dahin verholfen. Potz Zinkes, du Tölpel, itzt halt dein Maul! *Er schlägt ihn auf den Mund. Sartorius wird still und glotzt in stummer Angst.*

FRAU GRUMBACH *hat Grumbach nur flüchtig begrüßt; jetzt schreit sie dem Sartorius nach, der von Schäferhans abgeführt wird.* Itzt krümmet er sich wie ein Sackpfeifer, schreit Zeter und Mordio! Du Hudler, du Halunk, du Alber, du Tölpel! Das ganze Haus hast du tyrannisiert. Dir Erzschelm gebühret der Scheiterhaufen!

Sartorius und Schäferhans ab.

WILHELM VON GRUMBACH. Jetzt gib dich zufrieden, ich bin nit allein.

FRAU GRUMBACH. Hast du mir wohl jemalen Glauben geschenkt? Ich habe den Wicht nit so bald verschmecket, als ich schon wußte, wes Kind er was. Hie kam er rein, als wär nichts nit geschehn, hat gemeinet, er wollt gar vor dem Garn abziehn. Ist ihm übel gelungen; hab's ihm versalzen.

WILHELM VON GRUMBACH *heftiger.* Jetzt gib dich zufrieden, ich bin nit allein! Der Thomas von Hartheim ist mit mir kommen.

FRAU GRUMBACH. Wo kommt ihr her?

WILHELM VON GRUMBACH. Führen ein Schwader markgräfischer Reuter. Sind verordnet, zum Truchsessen zu stoßen.

FRAU GRUMBACH. Wo steht der Truchseß?

WILHELM VON GRUMBACH. Es muß nit fern sein; uf Würzburg zu ist der Himmel rot. Überall flüchtige Bauern; laufen, als griffe ihnen der Teufel nach dem Buckel. Ob zwanzig haben die Knechte erwürget und niedergestochen. Zween hab ich den Garaus gemacht, dreien der Thomas von Hartheim durch die Köpfe gehauen. Laß uftragen, Anna! Wir wollen nur risch lützel zu Morgen essen und weiterreiten.

URSEL *die abseits gestanden, tritt heran und küßt Grumbach die Hand.* Ach gnädigster Junker, o gnädigster Junker! Viel seliger Zeit, gnädigster Junker! Wie hat sich die liebe gnädige Frau nach Euch gebangt!

WILHELM VON GRUMBACH. Laß gut ein, Ursel.

FRAU GRUMBACH. Geh, schick dich, Ursel, laß den Herrn ein Bad richten! *Mehrere vereinzelte Glockenschläge vom Dorf herauf.* Ei, was ist das? *Ursel ab.*

WILHELM VON GRUMBACH *den Helm abnehmend.* Blau! Anna, nichts Schlimmes. Hab den Knechten das Dorf eingeben zur Plünderung. Haben sich viele unserer armen Leut wiederum heimgetan, verzagter als die Hasen. Halten sich versteckt und verkrochen, müssen aber dannoch herfür.

FRAU GRUMBACH. Bist du vertragen, Wilhelm, mit dem Schwäbischen Bund?

WILHELM VON GRUMBACH. Ich verhoffe zu Gott! Aber schweig itzt davon!

FRAU GRUMBACH *händeringend.* Hättest du doch . . . oh, hättest du doch mein Warnung und Bitten dazumalen nit so gar veracht und in Wind geschlagen!

WILHELM VON GRUMBACH. So schweig itzt davon! Der Hund ging mir vor dem Licht, ich kunnte nit klar sehen.

FRAU GRUMBACH. Hab ich dich nit vor dem Geyer gewarnet, dem Ketzer und Kirchenschänder, der alleweil mit denen von Aufseß Freundschaft gehalten, diesen Ächtern, Landfriedbrechern und böhmischen Ketzern?

WILHELM VON GRUMBACH. Laß das itzt!

FRAU GRUMBACH. Sollt es wohl möglich sein, daß Christus seine heilige Kirche so viel hundert Jahr sollt haben lassen in der Irre gehen? *Hartheim kommt.* Gottwillkommen, Ritter!

HARTHEIM. Viel seliger Zeit, gnädige Frau!

FRAU GRUMBACH. Nehmet Platz, Ritter!

HARTHEIM. Noch nit, gnädigste Frau. Es ist nur, daß die Gäule ein wenig zu Kräften kommen. Es muß bald weiter gewerket sein. Itzt heißt's gute Werke tun, wie es der Luther versteht, nämlich mit dem Schwert.

WILHELM VON GRUMBACH. Erbarmet Euch der armen Leut, hat der Luther gesagt. Steche, schlage, würge hie, wer da kann, hat der Luther geschrieben. Ich will nit dahinten bleiben.

FRAU GRUMBACH. Recht so, Ritter, es sei mit Gewalt geredt und das Maul gestopfet allen teuflischen, höllischen Rottengeistern! Ich hab zu meinem Eheherrn gesprochen von Anbeginn, wie teidingt doch Seiner Liebden, der Markgraf, so ernstlich mit dem schwarzen Gesindel, den rotzigen, bübischen bäurischen Mordhaufen. Er hätte wohl mögen beizeiten mit Feuer und Faustkolben darein arbeiten, ihnen Ruhe gebieten und, wo sie nit wollten hören, ihnen die Eselsohren aufknäufeln lassen mit Büchsensteinen.

SCHÄFERHANS *erscheint von der Wendelstiege.* Mit Verlaub, fester Junker, es ist eine Partei Reuter herein in den Schloßhof. Wollen bündisch sein, haben rote Kreuz uf die Ärmel genäht.

WILHELM VON GRUMBACH *in steigender Aufgeregtheit.* Nehmt ihnen die Gäule ab. Potz Küren Marter! Macht flugs und führet die Herren herauf! *Schäferhans ab.*

HARTHEIM *freudig überrascht.* Sassa! Bündische Reuter! *Er schreit zum Fenster hinab.* Sassa, Kameraden! Hie Ansbach!

GEGENRUF. Schwäbischer Bund!

HARTHEIM. Gebet mir ein klein Urlaub, gnädige Frau, ich will den Herren den Willkomm bieten! *Ab.*

FRAU GRUMBACH. Wer ist in den Hof eingeritten?

WILHELM VON GRUMBACH. Bündische Streifreiter. Itzt, Anna, laß uftragen, daß sich die Tafel biegt! Es muß ein Gelage geben.

FRAU GRUMBACH. In Gottes Namen, was stehest du hier? Geh vor dich und heiß sie willkommen!

LORENZ VON HUTTEN *schnell herein.* Damit ihr es wißt, wir sind dem Florian Geyer uf den Fersen gewest. Wir suchen den Florian Geyer.

WILHELM VON GRUMBACH. Bei mir? Was hab ich doch mit dem Geyer zu schaffen, einem Ächter und Landfriedbrecher!

LORENZ VON HUTTEN. Ist deine Schwester im Haus?

FRAU GRUMBACH. Längst auf und davon über den blauen Berg; Gott weiß, wohin. Wir wissen es nit.

LORENZ VON HUTTEN. Damit du dich weißt zu halten, Wilhelm, der bäurische Handel ist aus und hin. Es ist eine Schlacht beschehen bei Königshofen, und noch nit eine Stund ist vorübergangen, da hat der Truchseß lassen Freud schießen zum andern Mal. Jetzt bist du bündisch mit Haut und Haaren oder bist gar ein verlorener Mann.

WILHELM VON GRUMBACH. Sammer potz Körper! Was soll das heißen?

LORENZ VON HUTTEN. Schwager, ich bin vom Klepper herunter und die Stiegen herauf, so flugs mich die Beine wollten tragen. Du bist in Gefahr, Schwager, das will ich dir nit verhalten. Sie haben dich ausgetragen im bündischen Lager, als stäkest du auch fast tief in dem Bundschuh.

WILHELM VON GRUMBACH. Lug ist's, gelogen und zehnmal gelogen! Ich bin markgräfisch gewest und ein markgräfischer Diener.

LORENZ VON HUTTEN. Hast aber damalen in der Kapitelstuben ungeschickte und spitze Worte geredt wider den Bischof, als wolltest du mit dem Ernst an ihn und ihm das Fell über die Ohren ziehen. Das ist dir unvergessen, Wilhelm.

WILHELM VON GRUMBACH *gezwungen lachend.* Potz! Habt ihr ein Haberkorn funden in mein'm Harn und meinet deshalb, ich hab ein Pferd verschluckt? Was geht mich der bäurische Handel an? Ist wohl schwerlich einer im ganzen Heiligen Reich, dem der Bauern brüderliche Lieb von Anbeginn so gar ist zuwider gewest als mir. Ich hab mit meinen natürlichen und leiblichen Geschwistern nit gerne geteilt, geschweige, daß ich's mit Fremden und diesen rotzigen Bauern tät.

LORENZ VON HUTTEN. So hätt'st du nit sollen in der Kapitelstuben, als sie mit den Brotmessern in die Porten stachen, ein Gleiches tun und nit dazu sprechen: Du stächest dem Bischof Konrad mitten ins Herz!

WILHELM VON GRUMBACH. So soll mich doch uf der Stelle der Donner erschmeißen. Wo das beschehn ist, so will ich nit selig werden. Und wer mir das einmal saget, bei Gottes Stuhl, der soll es nit zweimal sagen. Er sterb und erstick an seiner teuflichen, bübischen Lüg!

LORENZ VON HUTTEN. So laß es gut sein, sie kommen herauf. Aber wenn dir dein Leben lieb ist, verberget den Florian Geyer nit!

WILHELM VON GRUMBACH. Durchsuchet die Burg von der Turmstuben bis in die Keller hinunter, von der Kemenaten bis zur
Zisternen, und wenn Ihr ihn findet, so lasset mich in vier Teile
schneiden, und mag sie der Henker ufstecken uf allen vier
Ecken meiner Burg und meinen Kopf über den Schweinestall
nageln zu einem Gedächtnis. Ich weiß von dem Florian Geyer
nit meh dann Ihr.

*Schertlin und Hartheim treten gleichzeitig von der Stiege herein
im lebhaftesten Gespräch miteinander.*

SCHERTLIN *laut.* So braucht ihr um deswillen kein Bein meh
über ein'n Klepper zu henken. Der Krieg hat ein Loch, er gehet
zu Ende.

LORENZ VON HUTTEN *vorstellend.* Dies ist der ehrenfeste Herr
Sebastian Schertlin, jüngst zu Pavia vom Vice-Re aus Napolis
vor dem Schloß eigenhändig zum Ritter geschlagen.

SCHERTLIN. Ohne Ruhm zu melden, gnädige Frau.

FRAU GRUMBACH. Willkommen, Ritter! Ihr habt Euren Ritter-
sporn mannlich geführet. Wir haben Eurer Zukunft hie fast
sehnlich erwartet.

SCHERTLIN. Habt Ihr auch viel gelitten von den bäurischen
Teufeln?

WILHELM VON GRUMBACH. Unwiederbringlichen Schaden und
Nachteil. Viele Dörfer zerstöret, zween fester Häuser in Grund
verbrunnen.

FRAU GRUMBACH. Nehmet doch Platz, Euer Ehrenfest, verziehet
ein wenig! Ich will gehen und Euch das Bad lassen richten.

WILHELM VON GRUMBACH. Tuet doch meinem Hause die Ehre
an, Ritter!

SCHERTLIN. Dank, fester Junker. Ich will's wohl annehmen und
den Harnasch ein wenig lockern. Haben tapfer gewerket, ohne
Ruhm zu melden.

SCHÄERHANS *tritt ein, meldet.* Mit Verlaub, fester Junker!

WILHELM VON GRUMBACH. Was gibt's?

SCHÄFERHANS. Was sollen wir mit den Bauern tun, die wir ein-
gebracht haben?

WILHELM VON GRUMBACH. Wieviel sind ihrer?

SCHÄFERHANS. Ob zwanzig hab ich gezählet.

SCHERTLIN. Ihr Herren, laßt es uns halten wie Herr Georg
Truchseß. Wann wir geruhet, gessen und trunken haben, alsdann die Gefangenen herauf lassen führen und zu Gericht

sitzen. Daß dich's blau Feuer. Wo hab ich dich schon gesehen, Kerl?

SCHÄFERHANS. Zu Pavia, Ritter!

SCHERTLIN. Hast bei Pavia mitgefochten? Brav, Kamerad, wie kommst du hierher, Kamerad?

SCHÄFERHANS. Ich stund bei den Rothenburgern in Sold. Wollten sie mich mit dem Geschütz gen Würzburg verschicken. Sollt allda bäurisch werden: das wollt ich nit. Hab meine Nahrung und Brot bishero bei Fürsten und Herren gesucht und gehabt, so will ich auch fürder bei heiligen Reichsständen, Fürsten und Herren sterben und genesen.

SCHERTLIN. Ist gut landsknechtisch gesprochen; bist ein mannsfester Kerl! *Schäferhans ab.*

Kunz von der Mühlen und Wolf von Kastell treten ebenfalls von der Stiege her ein. Sie disputieren heftig, aber für sich, spähen umher, blicken forschend auf Grumbach und achten zunächst der anderen nicht.

WILHELM VON GRUMBACH *forciert.* Glück zu, liebe Gesellen! *Zu Kastell.* Willkommen, Euer Gnaden! Tuet meinem Hause die Ehre an! Tretet näher!

WOLF VON KASTELL. Mit Verlaub, Junker von Grumbach, nehmet es uns nit vor übel! Wir haben vor alle Tore und Porten Wachen gestellt. Ihr habt ohne Zweifel gut Wissens, wen wir suchen.

WILHELM VON GRUMBACH. Obgleich ich nit weiß, ihr Herren, welchem Ächter und Schelm ihr uf den Fersen seid, auch in keinem Weg denken kann, was ihr in meinem Haus hoffen könnet zu finden, so mögt ihr doch eures Gefallens darin verfahren, und wo ihr Belieben tragt, kein Mausloch unbesehen lassen in all meiner Burg, Sälen, Kellern und Ställen; so helfe mir Gott! Aber itzt saget mir zuvörderst, ihr Herren, wie seid ihr doch aus der Besatzung kommen?

LORENZ VON HUTTEN. Blau, Schwager! Das ist ein fast trefflich Reiterstücklein gewesen von Heinz Truchsessen Marschalk, unternommen mit dreihundert Pferden; sind von Königshofen her zu uns geritten; funfzig Knechte vor lassen rücken bis an den lichten Zaun. Haben wir sie uf Unsrer Frauen Berg von der Zinnen herab erkennet, eine Stiegen hinuntergelassen und den Lienhart Eifelstätter mit dreien andern hineingenommen. Haben sie uns herrlichen Bericht getan und eine so überaus

selige Vertröstung gemachet, daß alle im Schloß schier taumelig
sind worden vor großer Freud und schreiende durch die Kammern geloffen. Denn es was allbereits Lachen verboten gewest
in der Besatzung, mangelte allbereits Brot, Zumus und Trunk.
Was nit meh fern, daß wir hätten unsre eignen Brunnen wiederum müssen saufen. Was dazu Mangels an Pulver und Blei.
Hatten uns auch die Bäurischen schon ein fast groß Stück unsrer
Mauer niedergelegt mit dem Rothenburger Geschütz, das bös
anklopfete. Wacht und Scart hatten viele unsrer Herren und
Domherren uf den Tod matt und müde gemachet, hätten einen
zweten Sturm wahrlich nit können aushalten. So aber was
Hilf in der Not kommen. Mußte der Türmer uf'm mittleren
Turm alsbald den Bauern das Liedlein blasen:

> Hat dich der Schimpf gereuen,
> so zeug du wieder heim.

Der vordere Türmer jubelnde und schreiende uf die Schütt
geführt, daß er den Würzburgern ufspielete unten in der Stadt.
Das hat er mit Freud getan und ihnen den armen Judas gar
hell und schmetternd mit seiner Trummeten zu hören geben.
Wir aber, der Kunz von der Mühlen, der Wolf von Kastell
und ich, kunnten uns nit meh halten. Wir wollten daran und
die Letze mit helfen werken und schlagen. So sind wir dann
mit den Bündischen aus der Burg gestiegen, und ist uns auch
richtig zuteil worden, was wir begehret. Den härtesten Strauß
im freien Felde mitgefochten zu guter Letzt. Ist im ganzen,
bäurischen Krieg kein so hartes Treffen gewest als um Ingolstadt.

FRAU GRUMBACH. Hab das Schießen gehöret, ihr Herren!

*Schertlin ist inmitten der Erzählung von Grumbach hinaus-
geführt worden.*

WOLF VON KASTELL *wütend.* Und ich sag und behaupt, die
Schanze ist dannoch mitnichten gewonnen, solang wir den
Geyer nit niedergeworfen. *Frau Grumbach ab.*

LORENZ VON HUTTEN *bevor er aus einer großen Weinkanne
trinkt, die eine Magd auf den Tisch gestellt hat.* Es gibt ihrer
genung, die uf der Meinung verharren, der Geyer sei überhaupt
nit bei dem Treffen gewest.

KUNZ VON DER MÜHLEN. Mit meinen Augen hab ich den
Geyer sehen fechten uf der Mauer. Zwier hab ich nach ihm
gehauen und ihn getroffen zwischen Handschuh und Armzeug.

Junker, ich kenne den Geyer allzuwohl, hab auch seine helle Stimme gehöret, da wir zuallererst den Sturm wider das Schlößlein zu Ingolstadt antraten und noch weit im Felde liefen.

WOLF VON KASTELL. Der Geyer ist dabei gewest, oder nennet mich selbst einen schwarzen Bauern. Kein anderer als er ist es gewest, der das Häuflein geführet und ins Ingolstädter Schlößlein geworfen; hätten uns schwerlich so hart Widerstand getan, uns den Graben voll Toter gelassen. Wo aber der Geyer sich aus dem Handel schleifet, so haben wir den Bundschuh zum andernmal, bevor ein Jahr ins Land gehet.

WILHELM VON GRUMBACH *erscheint in der geöffneten Saaltür, aus der Licht strömt.* Ihr Herren, Speis und Trank stehet schon uf'm Tisch. So seiet gebeten und tut meiner Küchen die Ehre an. Der Allmächtige sei mein Zeuge, daß ich lieber uf'm Gaul säß und mich brauchete im Dienste Rechtens und wahrer evangelischer Freiheit. Dieweil ihr aber die Viktorie gewunnen habt ohne mich, die Bauern mit blutigen Köpfen heimgeschickt, ist meine Meinung, daß wir eine kleine Freud und Gelage anstellen und nach so langer Not und Fahr es uns ein wenig wohl sein lassen bei Wein und Schmaus.

Die Ritter folgen schweigend Grumbach in den Speisesaal. Man hört nun das Geräusch der im Nebenzimmer Tafelnden. Einige Schüsse in der Ferne und am Ende das Getrappel von vielen Menschen, welche die Wendeltreppe heraufkommen. Hierauf wird Schäferhans sichtbar, der in die Treppe zurückschreit, während er an einem Strick den ersten gefangenen Bauern heraufzieht.

SCHÄFERHANS. Verdammte Hautzen, herauf, der Galgen ist oben, der Dalinger steht dabei. Steh still, Horck!

Etwa fünfzehn zerlumpte, zitternde, auf den Tod verängstete Bauern und eine Bäuerin, darunter fünf oder sechs mit einem weißen Stab in der Hand, werden von zwei Reisigen hereingetrieben. Einem jeden sind die Hände zusammengebunden, und ein jeder ist genötigt, mit diesen gebundenen Händen seine Hosen zu halten, die sonst herabfallen würden.

SCHÄFERHANS *zu dem Bauern, den er an einer Schlinge um den Hals führt.* Jetzt sollt ihr granten lernen, aber die Füße auf ein glühendes Rost gesetzet!

ERSTER BAUER *blödsinnig vor Angst.* Batienzia, Fintzi, Domine.

SCHÄFERHANS. Gelobet wohl der heiligen Jungfrau ein Licht so lang wie der Münster zu Straßburg.

ERSTER BAUER. Du bist ein Christ, Herr. Hier ist das Stäblein, der Truchseß hat mich begnadigt.

SCHÄFERHANS. Potz Zucker, was gehet mich das an? Du bist verloren wie eines Juden Seel. *Er schlägt ihm den weißen Stab aus der Hand.*

ERSTER REISIGER. Der ist des Teufels, der einen Bauern leben läßt. Ich hab ihrer ob zwanzig kaltgemacht.

ZWEITER REISIGER. Ist ein verzagt schlecht Volk, lassen sich verschlingen als die Kaninchen.

ERSTER REISIGER. Haben sie von den Bäumen geschossen, daß sie herab sind fallen wie die Störch ab den Nestern.

ZWEITER REISIGER. Hatte ein Häuflein verfolgt bis gen Giebelstadt mit mein'm Rennfähnlein. Ist Lachen verboten gewest. Krochen sie unters Gesträuch, etliche in die Hecken innen uf'm Schloßgraben. Konnten wir mit den Gäulen nit ankommen. Haben wir ihnen zugeschrien, welcher unter ihnen die andern zu Tod könnte stechen, dem wollten wir Leib und Leben versichern.

SCHÄFERHANS. Potz! Daß dich der Donner erschmeiß!

ZWEITER REISIGER. Erhub sich ein Kerl und unterstund sich der Sache. Stach also uf seine bäuerischen Brüder ein, als wären es Kälber und Ferkel gewest. Tat ihrer fünfe kurz ab. Der sechste aber, der wollt nit daran, stellete sich meisterlich, und kamen die beiden in ein Ringen, herum Lottel, hinum Trottel; was spaßhaft zu schauen. Und als sie ganz wohl ineinander gemengelt und verstricket, traten sie fehl von ungefähr, rolleten die Böschung hinab in den Graben und versoffen bede.

WOLF VON KASTELL *angetrunken, unruhig, kommt aus dem Saal.* Oha! Brüder Hundsfötter! kommt ihr, kriecht ihr zu Kreuze? Ein jeder unter euch Buben weiß, daß er itzt sterben muß. Aber wo ihr nit voll herausgehet mit der lauteren Wahrheit, so wird man euch dermaßen strecken und peinlich verhören . . . Red du da, wo hast du den Florian Geyer zuletzt gesehen?

SCHÄFERHANS. Der Geyer ist ein Höfling, ein Suppierer, ein Scheißling.

WOLF VON KASTELL. Hundert Gulden sind uf des Geyers Kopf gesetzt. Hundertfünfzig, wer ihn dem Truchsessen lebendig bringt.

SCHÄFERHANS. Potz, so wollt ich, daß ich schon mein Maß Wein und kalt Fleisch im Bauche hätt. Ich will Hunde nehmen und uf ihn Jagd machen, und wo ich ihn finde, will ich mein Messer in sein Herz stoßen und seins Bluts mit hohen Freuden trinken.

WOLF VON KASTELL. Wo hast du den Geyer zuletzt gesehen?

ERSTER BAUER. Als wir mit ganzem hellem Haufen von Würzburg waren ufgebrochen, in Meinung, den Brüdern gen Königshofen zuzuziehen, zogen wir hinaus und bei Heidingsfeld die Stiegen hinauf. Als wir hinauf waren, kam einer uf'n Gaul überzwerg dahergerennet. Ist der Geyer gewest.

LORENZ VON HUTTEN *angetrunken in der Saaltür.* Wulf, ich trink uf den Schwäbischen Bund, so wie er itzt ist, und solang er nit wider den gemeinen Adel zu Felde zieht.

WOLF VON KASTELL. Ich tu dir Bescheid. Aber itzt tu ein Ding und tritt her, der Bruder Schmalzbettler wird dich berichten, ob der Geyer im Treffen gewest ist oder nit.

LORENZ VON HUTTEN. Red du, Landschelm!

ERSTER BAUER. So helfe mir Gott, ich weiß nit meh. Bald darnach fielen des Truchsessen Reiter in uns. Entstund Feindsgeschrei: Flieht, liebe fromme bäurische Brüder, und fing sich das große Fliehen an.

WILHELM VON GRUMBACH. Ihr Herren, laufet ihr von der Krippen? Es ist neuer Wein kommen, und das Spanferkel steht uf'm Tisch. *Mit dem Humpen hereintretend, singt er.* „O du armer Judas, was hast du getan." *Roh herauslachend.* Potz Lung, wie seht ihr doch aus, liebe evangelische Brüder! Oha! Wollen euch die Hosen nit oben bleiben?

SCHÄFERHANS. Ich hab ihnen die Nestel aus den Hosen gemacht, fester Junker, so können sie nit davonlaufen.

Die Ritter lachen wüst.

SCHERTLIN *betrunken, tritt auch herein und herzu.* Keinnutziges Lauszeug, ist nichts zu erarnen an euch für ein'n Reutersmann. Da ihr niedergelegt seid, aus der Gnade Gottes, und eurer an sechzigtausend zu Tode geschlagen mit Gottes Hilf, muß einer zufrieden sein, fähret so arm heim, als er ausfuhr.

WOLF VON KASTELL. Habt ihr nit kurze böhmische Schwerter zur Hand, zum Hände abhauen?

Die Bauern fallen zitternd und wimmernd auf die Knie.

SCHERTLIN. Ihr wisset, was der Luther gesagt und geschrieben: wer Mitleid mit diesen schwarzen bäurischen Teufeln hat, mit dem hat Gott kein Mitleid!

ALLE BAUERN *durcheinander*. Erbarmet euch unserer, ihr Herren, wir sind begnadete Leut!

SCHÄFERHANS. Aufschneider, Bettdrücker, Lügner, Bärenhäuter! Ihr lügt.

WOLF VON KASTELL *die Reitknute in der Hand*. Itzt und heraus. Redet, ihr Hautzen! Wieviel Türen soll der Edelmann haben, he? Antwort: soviel er will.

DIE BAUERN. Soviel er will. *Lachen der Ritter.*

WOLF VON KASTELL. Wieviel feste Häuser darf der Edelmann haben?

DIE BAUERN. Soviel ihm beliebt.

WOLF VON KASTELL *auf die Bauern einknallend*. He! Hallo!

LORENZ VON HUTTEN *auch mit der Peitsche auf sie einhauend*. Schwarze Hunde!

SCHERTLIN *wie Hutten*. Erznarren, Kujone!

WILHELM VON GRUMBACH *wie Hutten*. Hundsfötter, Buben, ins Loch mit ihnen! *Sie haben in Gemeinschaft mit den Reisigen die Bauern hinausgeprügelt. Erschöpfung, wüstes trunkenes Gelächter und Stärkung durch einen Trunk.*

SCHERTLIN. Wohlan, fromme Gesellen! Lasset uns nach der Arbeit ein wenig Deutsch-Herren spielen!

KUNZ VON DER MÜHLEN *spricht im Abgehen*.
Kleider aus und Kleider an,
essen, trinken, schlafen gahn,
das ist die Arbeit, so die Deutsch-Herren han.

SCHERTLIN. Ihr Herren, wo machen wir hernacher den Mummplatz?

WOLF VON KASTELL. Wollt ihr würfeln?

SCHERTLIN. Was eine seltsame Frag? Sollen Kriegsleut ein Gelag haben, und keine Würfel dabei sein?

Alle ab in den Speisesaal, wo sie alsbald zu singen beginnen.
Wir haben keine Sorgen
wohl um das Röm'sche Reich,
es sterb heut oder morgen,
das gilt uns alles gleich.

Marei schleicht ängstlich und vorsichtig herein. Sie stutzt, als sie die Zurufe im Nebenzimmer vernimmt. Sie will zurück, von wo sie gekommen, stutzt aber wieder und·horcht. Schwaches Eisengeräusch eines langsam die Wendeltreppe aufsteigenden Gewappneten wird hörbar. Marei, seltsam unsicher geworden, weiß nicht, ob sie bleiben oder flüchten soll, und schließlich weicht sie zurück, ins fernste Dunkel. Nun sieht man einen schwarzen Ritter die letzten Stufen der Treppe mühselig herauf- wanken. Er hält sich an einen Türpfosten. Das Visier ist ge- schlossen. Mit letzter Anstrengung versucht er den Helm los- zuschnallen.

MAREI *leise* Kapitän!

GEYER *stutzt.*

MAREI *lauter.* Kapitän!

GEYER *öffnet mühsam das Visier.*

MAREI. Kapitän! *Schon ist sie bei ihm und bemüht, ihm den Helm abzunehmen.*

GEYER *lallt.* Schnall mir den Helm ab!

MAREI. Kapitän, du mußt fort, du kannst hier nit bleiben.

GEYER. Still!

Marei schlägt sich die Hand vor den Mund. Geyer will spre- chen, vermag es nicht. Marei stützt ihn und forscht ängstlich. Geyer deutet auf etwas. Marei ratlos. Endlich versteht sie. Auf dem Tisch steht eine Weinkanne, dorthin leitet sie den Kraft- losen. Er kann nicht weiter. Blitzschnell bringt sie den Wein- krug. Er greift lechzend darnach, umklammert ihn und trinkt gierig. Sie unterstützt den Krug wie einem · Kinde. Geyer ist auf ein Knie gesunken, setzt ab, wimmert und trinkt wieder, dann gleitet er auf die Erde. Mit dem Rücken gegen einen Stuhl, sitzt er, legt den Kopf hintenüber, öffnet den Mund und holt tief Atem.

MAREI *ist ratlos, erschrickt, als er die Augen schließt, kniet neben ihn und hastet ihm zu.* Kapitän, du mußt fort, Tod und Ver- derben ist hie!

GEYER *öffnet die Augen.* Wo bin ich?

MAREI. Zu Rimpar bist du, und bündische Reiter sind hie.

GEYER. Ich bin wohl schon tot?

MAREI. Kapitän, du mußt fort, so wahr ich lebe, Kapitän; sonst ist es zu spat.

GEYER *lächelt und sieht sie groß und tief an.* Ich bin zufrieden hie.

LORENZ VON HUTTEN *kommt hereingeschrien und -gepoltert.* Ein schön Spiel, ein verfluchtes Spiel. Wie nennt ihr das Spiel, ihr Herrn? Ist das das Maislen? Ei, so mag der Teufel das Maislen spielen, ich hab einen ganzen Hirsebrei ins Gesicht

bekommen. *Er säubert sich am Fenster. Höllengelächter im Nebenzimmer. Ohne Geyer zu bemerken, geht er wieder ab.*

GEYER *bei Besinnung.* Bündische sind hie? *Er erhebt sich mühsam.*

MAREI. Ich weiß, wo die Pferde sind, Kapitän. Die Knechte sind
trunken, besorgen nichts Übles!

GEYER. War das nit der Lorenz von Hutten?

MAREI. Ich weiß nit.

WILHELM VON GRUMBACH *angetrunken, tritt auf.* Kotz, Dirne,
was tust du hier?

GEYER. Wilhelm!

WILHELM VON GRUMBACH *aufs tiefste erschrocken.* Was? Wer?
Wer bist du, was willst du?

GEYER. Kennst mich nit?

WILHELM VON GRUMBACH. Wer bist du? Was willst du? Ich
kenne dich nit!

GEYER. Hast kurze Gedanken, so du mich nit kennst.

WILHELM VON GRUMBACH. Kotz, kurze Gedanken, lange Gedanken, was geht das mich an? Soll ich mich lebendig lassen vierteilen und meinen Leichnam vom Schinder zu Asche verbrennen?
Da siehe du zu, ich kenne dich nit!

GEYER. Es ist um ein Stündlein Schlafs zu tun.

WILHELM VON GRUMBACH. Ich kenne dich nit. Was willst du
bei mir? Weiß bloß von einem, der sich vermessen hat, daß
er wollt aufspielen, daß Fürsten und Pfaffen sollten das Tanzen lernen. Aber er kunnt nit recht spielen, und so schlug man
ihm die Lauten am Kopf entzwei. Itzt haben die Fürsten und
Pfaffen das Spiel angehoben . . .

GEYER. Ich weiß, ich weiß, es gibt Blut und Geld.

WILHELM VON GRUMBACH. Was willst du hie, was kommst du
zu mir? Soll ich dein entgelten? Willst mir den Bluthund, den
Truchseß, vollends uf'n Hals hetzen? Man hat mich ausgetragen
genung, als stäke ich auch in dem Handel. Hab aber nie nit
darin gesteckt. Bin nie kein Schwarzer gewest.

GEYER. Wilhelm, es ist um ein Stündlein Schlafes zu tun! Alsdann will ich auf und dir nie wieder unter die Augen treten.
Aber itzt bin ich kraftlos, ein Kind kann mich fällen.

WILHELM VON GRUMBACH. Ich kann dich nit hausen und hofen,
es geht mir ans Leben.

GEYER. Wenn ich dann fort soll, willst du mir nit nach deutschem
Brauch eine andere Herberge weisen?

WILHELM VON GRUMBACH. Ich weiß keine andere, ich kenne dich nit. Wer hat dich den Handel anfahen heißen? Itzt ist dir der Tod näher dann das Leben.

GEYER. Ein Mönch in einem Kloster überwähret viele Kriegsleut! Gehab dich wohl! Bist du nit evangelisch gewest?

WILHELM VON GRUMBACH. Lutherisch bin ich gewest, nit aber Karlstattisch oder gar Münzerisch. So halt ich auch itzt fest an Gottes Wort, wie der Luther festhält daran.

GEYER. Brocken und Grumpen wird er davonbringen.

WILHELM VON GRUMBACH. Wo willst du hin?

GEYER. O liebe Deutsche! Dank bei den Deutschen ist nit zu erjagen. Leb wohl!

WILHELM VON GRUMBACH. Kannst du mir Übles nachreden, habe ich es je mit den Bäurischen gehalten?

GEYER. Weiß Gott, was ich kann und was ich nit kann. Vier Tag hab ich nit geruht. Gewerkt hab ich wider die Bündischen, bis alle Glieder mir abstarben. Wir haben die Schanz gehalten, im Schlößlein zu Ingolstadt, bis uns das Pulver ausging; alsdann haben wir uns gewehrt mit Händen und Zähnen. Was überblieb, ist in ein'n Keller krochen und den verrammelt. Haben sie Pulver in die Mordgruben geschüttet und das angezündet. Wilhelm, wenn mich der Henker itzt an der Bank streckt, so kann ich für meine Urgicht nit einstehn.

WILHELM VON GRUMBACH *mit plötzlichem Entschluß.* Komm! geh dort hinein! Kann ich Hunde und Katzen leiden, so kann ich dich auch eine Nacht leiden; aber mit dem frühesten drehe dich aus!

GEYER *zögert, ehe er durch die ihm geöffnete Tür links geht.*

WILHELM VON GRUMBACH. Potz, willst du nit?

GEYER *bedeutsam.* Ich liege und schlafe ganz mit Frieden, denn allein du, Herr . . . *Ab mit Marei und Grumbach.*

FRAU GRUMBACH *hastig herein.* Wilhelm!

WILHELM VON GRUMBACH *kommt wieder.* Rufst du mich?

FRAU GRUMBACH. Was tust du dadrin?

WILHELM VON GRUMBACH. Nichts!

FRAU GRUMBACH. Die Mägde haben einen im schwarzen Harnisch sehen den Wendelstein hinaufgehen.

WILHELM VON GRUMBACH. Nu und? Sind nit Geharnischte meh dann zuviel im Schloß?

FRAU GRUMBACH. Hast du nichts nit bemerkt?

WILHELM VON GRUMBACH *heftig.* Ei, nein!

FRAU GRUMBACH *erschreckt und voll Ahnung.* Wilhelm!

WILHELM VON GRUMBACH. Was willst du von mir?

FRAU GRUMBACH. Du hast den Ritter gesehen?

WILHELM VON GRUMBACH. In's Teufels Namen, so hab ich den Ritter gesehn! Itzt halt dein Maul und laß mich zufrieden!

FRAU GRUMBACH. Du weißt, wer der Ritter ist.

WILHELM VON GRUMBACH. Ich weiß es nit, ich kenn ihn nit.

FRAU GRUMBACH *fast weinend.* Um Gottes und aller Heiligen willen, verbirg ihn nit!

WILHELM VON GRUMBACH. Soll ich die Blutschuld uf mich laden?

FRAU GRUMBACH. Sein Blut soll über mich gehn, Wilhelm! Denk an dein Weib und Kind. Du bist dem Bischof im Weg . . .

WILHELM VON GRUMBACH *da die Ritter im Begriff sind, einzutreten, stößt seine Frau zurück.* Hölle und Teufel!

SCHERTLIN *ohne Harnisch, erscheint, den dreijährigen Buben Grumbachs im Arm, in der Saaltür rechts.* Je jene, je jene! Juch! Hallo! *Ihn auf dem Arm hereintragend.*

> Willst du dich ernähren,
> du junger Edelmann,
> folg du meiner Lehren,
> sitz uf, trab zum Bann!
> Wenn der Bauer zu Holze fährt,
> so greif ihn freislich an,
> derwisch ihn bei dem Kragen,
> erfreu das Herze din,
> nimm ihm, was er habe,
> spann aus die Pferdlein sin,
> sei frisch und dazu unverzagt!
> Wenn er nummen Pfennig hat,
> so reiß ihm d' Gurgel ab!

Als ich an seiner Kammer vorüberging, gnädige Frau, schlug er mörderisch Lärm, schrie nach der Mutter. Bin ich hinein in die Stuben, und war alles gut. Kunnt aber nit wieder heraus, mußt ihn dann mit mir nehmen. Ei, potz! Was Augen macht doch das Junkerlein! Potz Zähholz, schau dich um! Hab auch so ein'n Sohn, als du einer bist. Hat mir im Mutterleib drei seidne Wämser gewunnen. Sie haben mit mir gewett't: es werd eine Tochter.

Frau Grumbach empfängt den Hemdenmatz und entfernt sich schnell mit ihm.

KUNZ VON DER MÜHLEN *ist gekommen mit Hartheim, Kastell und Hutten.* Ihr Herren, die Würfel sind hie.

SCHERTLIN. Ohne Ruhm zu melden. Ihr werdet gut tun, Junker, wo Ihr Euch mit den Würfeln nit an mich getrauet. Vor noch nit zwo Tagen hab ich dem Truchsessen im Läger fünfzig Floren abgenommen.

WOLF VON KASTELL. Aber dreißig davon ab ich den nächsten Tag für mich eingeheimset.

SCHERTLIN. Potz Zucker! Ich war ohne Lust am Spiel, fast hungrig und ungeduldig, sust hättet Ihr mir wohl nit einen Weißpfennig mögen abnehmen. *Zu Hutten.* Ritter! ich trink Eure Gesundheit. *Er trinkt.*

WOLF VON KASTELL. Er ist fast müde und voll, wird Euch schwerlich Bescheid tun. Und Ihr, Junker von Hartheim, Euch ist der Wein auch bös in Kopf krochen, als mir scheinet.

HARTHEIM. Zwanzig Floren, wo Ihr nit eh unter den Tisch fallt als ich.

SCHERTLIN. Ausfechten, ausfechten!

WOLF VON KASTELL. Ich tu Euch Bescheid, als viel Ihr wollt.

SCHERTLIN. Ausfechten, ausfechten! *Schertlin, Hartheim, Kastell, von der Mühlen und Grumbach zurück in den Speisesaal. Hutten ist, den Kopf auf den Tisch gelegt, eingeschlafen.*

FRAU GRUMBACH *herein und zu Hutten.* Lorenz! Lorenz!

LORENZ VON HUTTEN *grunzt.*

FRAU GRUMBACH. Lorenz! Lorenz! Der Florian Geyer ist hie!

LORENZ VON HUTTEN *fährt auf.* Wer? Wo? Der Florian Geyer?

FRAU GRUMBACH. Ja, Lorenz!

LORENZ VON HUTTEN. Itzt auf einmal?

FRAU GRUMBACH. Er ist auf der Flucht, Lorenz, und eben herein.

LORENZ VON HUTTEN. Wo? ich werf ihn nieder, ich werf ihn allein nieder.

FRAU GRUMBACH. Leid dich, um Gottes willen, still, still!
Wilhelm von Grumbach kommt.

LORENZ VON HUTTEN. Wilhelm, wo ist er?

WILHELM VON GRUMBACH. Wer?

LORENZ VON HUTTEN. Der Geyer!

WILHELM VON GRUMBACH. Ei, fragst du mich wieder?

LORENZ VON HUTTEN. Wilhelm, red, oder ich schlag Lärm!

Nieder mit dem Geyer! Er hat französischen Sold gehabt und hat den Herzog und Henker von Württemberg wollen zu einem Kaiser machen. Er hat meinem Todfeind gedient, er muß sterben!

HARTHEIM *kommt.* Was gibt's, ihr Herren?

LORENZ VON HUTTEN. Der Florian Geyer ist im Haus.

HARTHEIM. Der Geyer? Waffen! *Er stürzt ab.*

SCHERTLIN *kommt.* Der Geyer ist hie?

WILHELM VON GRUMBACH. Ihr Herrn, nehmt Vernunft an; bedenkt, wer er ist; mäßigt euch! Ich kann ihn nit hausen und hofen, ich kann ihn nit schützen und will es auch nit; so sorget, daß er euch nit entschlüpft!

SCHERTLIN. Die Pforten besetzen! Waffen! Knechte! *Er stürzt ab. Große Verwirrung.*

HARTHEIM *wiedergekehrt.* Wo ist mein Helm?

SCHERTLIN *nur zum Teil geharnischt, wüst, halb nüchtern, wieder herein.* Die Knechte! Die Knechte!

HARTHEIM. Die Knechte sind toll und vollgesoffen, liegen auf dem Rücken und schnarchen.

SCHERTLIN. Schlaget Lärm!

FRAU GRUMBACH. Nit Lärm schlagen, Ritter!

LORENZ VON HUTTEN *zum Teil gewappnet, kehrt wieder.* Wo ist itzt der Geyer? Ich bin gefaßt.

Schäferhans erscheint an der Treppentür.

SCHERTLIN *zu Schäferhans.* Betrunkene Kanaillen, wollt ihr aufwachen?

Wilhelm von Grumbach hat sich davongeschlichen.

LORENZ VON HUTTEN. Wilhelm! Wo bist du?

SCHERTLIN. Wo ist der Junker?

KUNZ VON DER MÜHLEN. Wo ist der Geyer?

Frau Grumbach gebietet durch eine Bewegung Stille, geht zu der Tür, hinter der Geyer verschwunden ist, und deutet mit der Hand darauf, dann verschwindet sie. Die halbtrunkenen Ritter fassen ihre Schwerter fest und nähern sich vorsichtig der Tür. Stille. Spannung. Da öffnet sich die Tür; Geflüster der Ritter. Marei tritt heraus und wieder zurück. Im nächsten Moment kommt sie ganz heraus; in der Mitte des Zimmers wird sie gepackt und erstochen.

MAREI *sterbend.* Kapitän! Rettio! Mordio! Mörder!

SCHERTLIN. Itzt nit gezögert, faßt eure Wehren fest!

Lorenz von Hutten schleicht ganz nahe der Tür und will gerade seine Hand auf die Klinke legen, als die Tür von innen gewaltsam aufgetreten wird. Mit dem Stumpf der schwarzen Fahne in der Linken und dem entblößten Schwert in der Rechten steht Geyer in dem Türrahmen. Alle prallen zurück. Stolz, kalt und gefährlich ist sein Blick, als er mit eisiger Ruhe fragt.

GEYER. Wen suchet ihr?

DIE RITTER *schweigen.*

GEYER. Wen suchet ihr?

SCHERTLIN. Den Florian Geyer von Giebelstatt.

GEYER *vorschreitend.* Der bin ich, wer seid ihr?

SCHERTLIN. Kennst du mich nit?

GEYER. Nein!

SCHERTLIN. Kennst du den Sabastian Schertlin nit, von Pavia her?

GEYER. Sollt ich jeden Raufbold und Finanzer kennen, der in des Frundsberger Trosse läuft?

LORENZ VON HUTTEN. Kennst du mich auch nit?

GEYER. Du bist ein Pfaffenknecht.

LORENZ VON HUTTEN. Lorenz von Hutten ist mein Name.

GEYER. So schäme dich für den Teufel, wenn du eine ehrliche deutsche Ader im Leibe hast.

LORENZ VON HUTTEN. Potz Marter! Rühmest du dich, des Ulrich von Hutten Freund zu sein, und dienest dem Herzog und Henker von Württemberg, seinem schlimmsten Feind?

GEYER. Nichts ohne Ursach! als der Sickingen sterbend gesagt hat.

HARTHEIM. Kurzum, was redet Ihr viel daher? Gebt Euch in Gnad und Ungnad!

GEYER *lacht in unsäglicher Geringschätzung.*

HARTHEIM. Gebt Euch in Gnad und Ungnad! Gebt Euch gutwillig, Ritter, sust —

GEYER. He! Du! mit deinem spanischen Pfauentritt, bleib mir vom Leib! Hältst du mich nit für Manns genug, mich wider Gewalt zu setzen, daß du mir den Tod dräuest gleich einer feisten Gans?

WOLF VON KASTELL. Du kannst nit wider Gottes Strafe fechten.

SCHERTLIN. Gebt Euch in Gnad und Ungnad! Ihr seid dieser bäurischen Ufruhr Haupt- und Anführer gewest. Die armen Leute verführet zu Schmach, Not und Verderben.

GEYER *lacht.*

WOLF VON KASTELL. Ihr habt Euch wider Recht, Ordnung, Gerechtigkeit und das göttliche Wort gesetzet.

GEYER *den Rücken durch die Wand gedeckt, lacht abermals.*

SCHERTLIN. Zum letzten Male, Ritter: ergebt Euch in Gnad und Ungnad! Tut das Schwert weg!

GEYER *in Kampfstellung, furchtbar.* Her!

LORENZ VON HUTTEN. Dran!

SCHERTLIN. Halt!

Die Ritter beraten leise, indessen hat Schäferhans, im Hintergrund stehend, seine Armbrust aufgebracht und mehrmals auf Geyer angelegt.

GEYER *in sich versunken, schreit plötzlich laut und übermenschlich.* Judas! Judas!

LORENZ VON HUTTEN. Schreiest du itzt wie ein Brüllochs!? Du bist der Judas! Kein andrer als du. Bist du nit am gemeinen Adel zum Judas geworden? Deine Mutter weinet die Augen aus, dein Vater fähret mit Gram in die Grube . . .

GEYER *wie abwesend.* Ich bin der Letzte meines Schilds und Helms.

WOLF VON KASTELL. Was sagt er da? Verhüt es Gott, es sind ehrliche Ritter und Reuter deines Namens genung überblieben.

SCHERTLIN. Im Namen des Truchsessen von Waldburg, Gubernator von Württemberg . . .

LORENZ VON HUTTEN. Im Namen des Obersten Feldhauptmannes . . .

GEYER. Ich nehm ihn für einen Metzger, Schinder, Kuppler und Schelm und euch für Schindhunde, Marksäuger, Neidhunde und nasse Buben . . .

RITTER. Schlagt tot! Schlagt tot!

GEYER. Her! Her!

LORENZ VON HUTTEN. Bauer, gib Frieden!

GEYER. Ziska und die Freiheit! Her!

SCHÄFERHANS *drückt auf Geyer ab.*

Geyer sinkt tödlich getroffen, starr, gerade, mit einem haßerfüllten Blick vornüber und ist nicht mehr.

LORENZ VON HUTTEN *wie die übrigen Ritter verblüfft und erschrocken.* Kotz! was war das?

SCHERTLIN. Bei meinem Eid, ihr Herren . . .

WOLF VON KASTELL. Nit zu nahe, Junker.

Schäferhans fällt über den Toten her wie über ein erlegtes Wild.

HARTHEIM. Ist er tot?

SCHÄFERHANS. Wird wohl. Hab nie keinen beßren Schuß getan.

SCHERTLIN. Du Bluthund hast ihn gefällt.

SCHÄFERHANS *Geyern den Brustharnisch losschnallend.* Sollt ich nit? Hat nit der Truchseß hundert Floren gesetzt uf seinen Kopf?

KUNZ VON DER MÜHLEN *zum Fenster hinausschreiend.* Der Florian Geyer ist tot! Stoßt in die Trummeten! Der Florian Geyer ist tot!

WOLF VON KASTELL. Die Gäule heraus! Auf! und lasset uns die fröhliche Botschaft ins Läger bringen.

LORENZ VON HUTTEN. Laß mir das Schwert, Bruder Veit, so soll dir dein Geld werden. Ich will für dich werben beim Truchsessen. *Er nimmt das Schwert.*

SCHERTLIN. So wahr mir Gott helfe, eine herrliche Wehr!

WOLF VON KASTELL *auch das Schwert beschauend.* Es ist ein Spruch in der Knauf geritzt.

LORENZ VON HUTTEN *liest ab.* Nulla crux — nulla corona.

KUNZ VON DER MÜHLEN *am Fenster, ruft.* Sassa! der Florian Geyer ist tot!

Fanfare unten im Hof.

DIE VERSUNKENE GLOCKE

Ein deutsches Märchendrama

Begonnen im Frühjahr 1896 in Lugano und Mendrisio,
fortgeführt im Sommer 1896 in Vitte auf Hiddensee
und in Neuendorf auf Wollin,
beendet im November 1896 in Berlin.
Erstveröffentlichung: Buchausgabe 1897, ausgegeben 1896.

HEINRICH, ein Glockengießer

MAGDA, sein Weib

KINDER BEIDER

DIE NACHBARIN

DER PFARRER

DER SCHULMEISTER

DER BARBIER

DIE ALTE WITTICHEN

RAUTENDELEIN, ein elbisches Wesen

DER NICKELMANN, ein Elementargeist

EIN WALDSCHRAT, faunischer Waldgeist

ELFEN

HOLZMÄNNERCHEN UND HOLZWEIBERCHEN

SECHS ZWERGE

Der Märchengrund ist das Gebirge und ein Dorf an seinem Fuße.

ERSTER AKT

Eine tannenumrauschte Bergwiese. Links, im Hintergrund,
unter einem überhängenden Felsen halb versteckt, eine kleine
Baude. Vorn, rechts, nahe dem Waldrand, ein alter Ziehbrun-
nen; auf seinem erhöhten Rande sitzt Rautendelein. Rautende-
lein, halb Kind, halb Jungfrau, ist ein elbisches Wesen. Sie
kämmt ihr dickes rotgoldenes Haar, einer Biene wehrend, welche
sie dabei zudringlich stört.

RAUTENDELEIN.
Du Sumserin von Gold, wo kommst du her?
du Zuckerschlürferin, Wachsmacherlein! –
du Sonnenvögelchen, bedräng mich nicht!
Geh! laß mich! Strählen muß ich mir
mit meiner Muhme güldnem Kamm das Haar
und eilen; wenn sie heimkommt, schilt sie mich. –
Geh, sag' ich, laß mich! Ei, was suchst du hier?
Bin ich 'ne Blume? ist mein Mund 'ne Blüte?
Flieg auf den Waldrain, Bienchen, übern Bach,
dort gibt es Krokus, Veilchen, Himmelschlüssel:
da kriech hinein und trinke, bis du taumelst! –
Im Ernst: fahr deines Wegs! pack dich nach Haus,
gen deine Burg! Du weißt: in Ungnad' bist du.
Die Buschgroßmutter wirft 'nen Haß auf dich,
weil du mit Wachs der Kirche Opferkerzen
versorgst. Verstehst du mich!? – Ist das 'ne Art!?
He, alter Rauchfang auf der Muhme Dach,
schmauch doch ein wenig Qualm herab zu mir
und scheuch das böse Ding! – Komm, hulle, hulle,
komm, hulle, hulle Gänsrich, wulle, wulle!
Marsch! *Die Biene entfleucht.*
      So, nun endlich. –
Rautendelein kämmt sich ein paar Augenblicke ungestört, dann
beugt sie sich über den Brunnen und ruft hinab.
          Holla, Nickelmann!
Er hört nicht. Sing' ich mir mein eignes Lied.
    Weiß nicht, woher ich kommen bin;
    weiß nicht, wohin ich geh':
    ob ich ein Waldvöglein bin

313

oder eine Fee.
Die Blumen, die da quillen,
den Wald mit Ruch erfüllen,
hat einer je vernommen,
woher die sind kommen?
Aber manchmal fühl' ich ein Brennen:
möchte so gerne Vater und Mutter kennen.
Kann es nicht sein,
füg' ich mich drein.
Bin doch ein schönes, goldhaariges Waldfräulein.

Wiederum in den Brunnen rufend.

He, alter Nickelmann, komm doch herauf!
Die Buschgroßmutter ist nach Tannenzapfen.
Ich langweil' mich so sehr. Erzähl mir was!
Tu mir's zuliebe! Gern stibitz' ich dir
dafür noch heute nacht, dem Marder gleich
des Kochelbauers Hühnerstall beschleichend,
'nen schwarzen Hahn. — Er kommt! he, Nickelmann! —
Es unkt und gunkt; die Silberküglein steigen.
Stößt er jetzt auf, zerbricht er mir mit eins
das schwarze Spiegelrund, darin ich mir
von unten her so lustig widernicke.

Im Wechselspiel mit ihrem Spiegelbild:

Ei, guten Tag, du liebe Brunnenmaid!
Wie heißt du denn? — ei, wie? — Rautendelein?
Du willst der Mädchen allerschönste sein?
Ja, sagst du? — ich ... ich bin Rautendelein.
Was sprichst du da? Du deutest mit dem Finger
auf deine Zwillingsbrüstlein? Sieh doch her!
bin ich nicht schön wie Freia? Ist mein Haar
aus eitel Sonnenstrahlen nicht gemacht,
daß es, rotglühend wie ein Klumpen Gold,
im Widerschein des Wassers unten leuchtet?!
Zeigst du mir deiner Strähne Feuernetz
und breitest's, wie um Fische drin zu fangen,
im tiefen Wasser aus: wohlan, so fange
den Stein, du dumme Trulle! gleich ist's aus
mit deinem Prunken, und ich bin wie sonst. —
He, Nickelmann! vertreib mir doch die Zeit!
Da ist er.

Der Nickelmann hebt sich, bis unter die Brust, aus dem Brunnen. Hahaha! schön bist du nicht!
Rief man dich schon, man kriegt 'ne Gänsehaut,
'ne schlimmre jedesmal, wo man dich sieht.

DER NICKELMANN *ein Wassergreis, Schilf im Haar, triefend von Nässe, lang ausschnaufend wie ein Seehund; er zwinkert mit den Augen, bis er sich an das Tageslicht gewöhnt hat.*
Brekekekex.

RAUTENDELEIN *nachäffend.*

Brekekekex, jawohl,
es riecht nach Frühling, und das wundert dich.
Das weiß der letzte Molch im Mauerloch,
weiß Laus und Maulwurf, Bachforell' und Wachtel,
Fischotter, Wassermaus und Flieg' und Halm,
der Bussard in der Luft, der Has' im Klee!
Wie weißt denn du es nicht?

NICKELMANN *erbost sich aufblasend.*

Brekekekex!

RAUTENDELEIN.
Hast du geschlafen? Hörst und siehst du nicht?

NICKELMANN.
Brekekekex, sei nicht so naseweis,
verstehst du mich? Du Grasaff, Grasaff du!
Eidotter du! halb ausgeschlüpfter Kiebitz!
Grasmückeneierschale! nämlich: quak!
Ich sag' dir quorax, quorax! quak, quak, quak!!!

RAUTENDELEIN.
Will der Herr Oheim böse sein,
tanz' ich für mich den Ringelreihn!
Liebe Gesellen find' ich genung,
weil ich schön bin, lieblich und jung.
Jauchzend.
Eia, juchheia! lieblich und jung.

WALDSCHRAT *noch nicht sichtbar.*
Holdrioho!

RAUTENDELEIN.
Komm, Schrätlein, tanz mit mir!

WALDSCHRAT *ein bocksbeiniger, ziegenbärtiger, gehörnter Wald-geist, kommt in drolligen Sätzen auf die Wiese gesprungen.*
Kann ich nicht tanzen, mach' ich ein paar Sprünge,

315

wie sie der schnellste Steinbock mir nicht nachmacht.
Gefällt dir's nicht, *lüstern:* weiß ich 'nen andern Sprung.
Komm einmal mit mir, Nixlein, in den Busch;
dort ist 'ne Weide, alt und ausgehöhlt,
die Hahnkraht nie gehört und Wasserrauschen:
dort will ich dir das Wunderpfeiflein schneiden,
danach sie alle tanzen.

RAUTENDELEIN *dem Schrätlein entschlüpfend.*
Spottend.   Ich? mit dir?
Bocksbein! Zottelbein!
Jage du deine Moosweiblein!
Ich bin sauber und schlank.
Geh du mit deinem Ziegengestank!
Geh du zu deiner lieben Frau Schrat,
die alle Tage ein Kindlein hat,
des Sonntags dreie, das macht ihrer neun:
neun schmutzige, klitzekleine Springschrätelein!
Ha, ha, ha! *Übermütig lachend ab ins Haus.*

NICKELMANN.
Brekekekex, 'ne wilde Hummel ist sie.
Daß dich's blau Feuer!

WALDSCHRAT *hat das Mädchen zu erhaschen versucht, nun steht*
er.   Recht zum Kirren was.
Er zieht eine kurze Tabakspfeife hervor und setzt sie, sein
Schwefelholz am Hufe streichend, in Brand. Pause.

NICKELMANN.
Wie geht's bei dir zu Haus?

WALDSCHRAT.   Soso lala!
Hier unten riecht es warm, bei euch ist's mollig.
Bei uns dort oben pfeift und fegt der Wind.
Gequollne Wolken schleppen übern Grat
und lassen, ausgedrückt wie nasser Schwamm,
ihr Wasser unter sich; 's ist Schweinerei.

NICKELMANN.
Was gibt's sonst Neues, Schrat?

WALDSCHRAT.
Gestern aß ich den ersten Rapunzelsalat.
Vormittag heute ging ich aus
eine Stunde vom Haus,
stieg, durch die Rauzen bergunter,

316

in den Hochwald hinein.
Gruben sie Erde und brachen den Stein.
Verwünschter Plunder!
Ist mir nichts so zuwider, traun,
als wenn sie Kapellen und Kirchen baun;
und das verfluchte Glockengebimmel!

NICKELMANN.
Und wenn sie das Brot vermengen mit Kümmel.

WALDSCHRAT.
Aber was hilft alles Weh und Ach!
Man muß es leiden. Am Abgrund jach
hebt sich das neue Ding
mit spitzen Fenstern, Turm und Knauf,
das Kreuz oben drauf. —
War ich nicht flink,
schon quälte uns hier
mit seinem Gebrüll das Glockentier
und hinge in sicherer Höh'!
So aber liegt es ertrunken im See. —
Potz Hahn! das war ein höllischer Spaß:
ich steh' im hohen Berggras,
gelehnt an einen Kiefernstumpf,
schau' mir das Kirchlein an, kaue ein Stänglein Sauerlump
und denke eben ans Schaun und Kaun.
Traun!
da seh' ich, vor mir an einem Stein
haftet ein blutrotes Falterlein.
Ich merk', wie es ängstlich kippt und wippt,
tut, als ob es an einem blauen Moosblümchen nippt.
Ich ruf' es an. Es gaukelt daher
auf meine Hand.
Hatt' ich doch gleich das Elbchen erkannt!
Redete hin und her:
daß in den Teichen
die Frösche schon laichen,
und so dergleichen,
ich weiß es nicht mehr.
Schließlich, so weint es bitter sehr. —
Ich tröste es, wie ich kann;
fängt es wieder zu reden an:

mit Hü und Hott und Peitschenknall
schleiften sie etwas herauf aus dem Tal,
ein umgestülpt eisernes Butterfaß
oder so was;
gar fürchterlich sei es anzuschauen,
alle Moosmännlein und Moosweiblein erfasse ein Grauen.
Man wolle das Ding — es sei nicht zu denken —
hoch in den Turm der Kapelle henken,
mit eisernem Schlägel es täglich schlagen,
alle guten Erdgeisterlein gänzlich zu Tode plagen.

Ich sage: hm, ich sage: soso.
Drauf gaukelt das Elbchen zur Erde.
Ich aber beschleiche 'ne Ziegenherde,
schlampampe mich voll und denke: oho!!
Drei strotzende Euter trank ich leer:
da milkt keine Magd einen Tropfen mehr!
Nun stellt' ich mich auf am roten Floß,
wo sie denn kamen mit Mann und Roß.
Blau! dacht' ich: du mußt geduldig sein;
und kroch ihnen nach hinter Hecken und Stein.
Acht Klepper, schnaubend in hänfenen Stricken,
konnten das Untier kaum vorwärtsrücken.
Mit keuchenden Flanken und zitternden Knien
ruhten sie aus, um aufs neue zu ziehn.
Ich merkte: es konnte der Bretterwagen
die schwere Glocke kaum noch tragen.
Da habe ich ihnen auf Schrätleinsart
— hart am Abgrund ging just die Fahrt —
die Mühe erspart.
Ich griff ins Rad: die Speiche brach,
die Glocke wankte, rutschte nach,
noch einen Riß, noch einen Stoß,
bis sie kopfüber zur Tiefe schoß.
Hei! wie sie sprang
und im Springen klang,
von Fels zu Fels ein eiserner Ball,
mit Klang und Hall und Widerhall!
Tief unten empfing sie aufspritzende Flut:
drin mag sie bleiben! dort ruht sie gut.

*Während der Waldschrat gesprochen, hat es zu dämmern be-
gonnen. Mehrmals, gegen das Ende seiner Erzählung hin, ist
aus dem Walde ein schwacher Hilferuf gehört worden. Nun
erscheint Heinrich, sich krank und mühsam auf die Baude zu-
schleppend. Sogleich verschwindet das Schrätlein in den Wald,
der Nickelmann in den Brunnen.*

HEINRICH *dreißig Jahre alt; ein Glockengießer, blasses, gram-
volles Gesicht.*

Ihr lieben Leute, hört ihr!? macht mir auf!
ich bin verirrt. Helft mir! ich bin gestürzt.
Helft, helft, ihr Leute! ach, ich kann nicht mehr.
*Er sinkt, unweit der Baudentür, ohnmächtig ins Gras. Purpur-
ner Wolkenstreif über den Bergen. Die Sonne ist hinunter. Es
haucht ein kühler, nächtiger Wind über den Plan.*
*Die alte Wittichen, den Tragkorb auf dem Rücken, kommt aus
dem Walde gehumpelt. Ihr Haar ist schlohweiß und offen. Ihr
Gesicht gleicht mehr dem eines Mannes als dem eines Weibes.
Bartflaum.*

DIE WITTICHEN.

Rutandla, kumm und hilf m'r! hilf m'r schleppa:
ich hoa zuviel gelodt. Rutandla, kumm!
ich hoa kenn Odem meh. Wu bleit denn's Madel?
Einer Fledermaus nach, die vorüberfliegt:
He, ale Fladermaus, werscht du glei hirn!
Du krichst a Kropp noch vuol genung. Hir druuf!
fliech 'nei ei's Kafferfansterla und siehch,
ob's Madel do iis? Sprich: sie sull glei kumma,
's kimmt heute noch a Water.
Gegen den Himmel drohend, da es schwach wetterleuchtet.
                    Alerla!
mach's ni zu tulle! hal de Ziechabeckla
a wing eim Zaune! luß den'n ruta Boart
ni goar zu tulle finkeln. He, Rutandla!
Einem Eichhorn zurufend, welches über den Weg springt:
Eichhernla, ich schenk d'r a Buchanißla!
Du bist doch geferre, hust flinke Fießla!?
Spring 'nieder eis Häusla, mach a Mandla,
sprich: se sool kumma; ruf m'rsch Rutandla!
Sie stößt mit dem Fuß an Heinrich.
Woas iis denn doas? — war leit denn hie? nu do?

Nun soa m'r ock, woas machst denn du dohie?
Du! Perschla! — nu do hiert vunt oalles uuf:
bist ernt goar tut? — Rutandla! — nu doas wär!
se sein m'r dunda su schunt uuf'n Hoalse;
d'r Oamtmoan und d'r Foar: doas fahlte noch!
Ma iis asu schunt wie a Hund gehetzt;
se brauchta bluß an Leiche bei m'r finda,
do kennd ich m'r mei Häusla wull besahn,
die nahma 's een'n fer Brennhulz. Perschla! due!
A hirt ni.

Rautendelein tritt aus der Baude, fragenden Blickes.

        Kimmste endlich! — siehch ock har!
m'r hoan Besuch gekricht — und woas fer en'n!
goar sihr an'n stilla. — Hull a Bindla Hei
und mach an Streu!

RAUTENDELEIN.   Im Hause?

DIE WITTICHEN.   Wär'sch doch goar!
Woas sool ins ock doas Perschla drin eim Stiebla.

Ab ins Haus.

*Rautendelein erscheint, nachdem sie einen Augenblick ins Haus
verschwunden war, mit einem Heubündel. Sie ist im Begriff,
neben Heinrich niederzuknien, als dieser die Augen aufschlägt.*

HEINRICH.

Wo bin ich? gutes Mädchen, sag mir doch!

RAUTENDELEIN.

Ei, in den Bergen!

HEINRICH.   In den Bergen. Ja.
Wie aber kam ich, sag mir doch, hierher?

RAUTENDELEIN.

Das, lieber Fremdling, wüßt' ich nicht zu sagen.
Doch laß es dich nicht kümmern, wie's geschah.
Lehn — hier ist Heu und Moos — darauf dein Haupt
und ruh dich aus! Der Ruh' wirst du bedürfen.

HEINRICH.

Der Ruh' bedarf ich, ja; da hast du recht.
Doch Ruh' ist weit. Ach, weit ist Ruh', mein Kind!
Unruhig.
Und wissen will ich, was mit mir geschah!

RAUTENDELEIN.

Wüßt' ich es selber doch!

HEINRICH. Mir ist . . . ich denke . . .
' und denk' ich, scheint ein Traum mir wieder alles.
Gewiß: ich träum' auch jetzt.

RAUTENDELEIN. Hier hast du Milch.
Weil du so kraftlos bist, so mußt du trinken.

HEINRICH *voll Hast.*
Ja trinken will ich. Gib mir, was du hast!
Er trinkt aus dem Gefäß, das sie ihm hinhält.

RAUTENDELEIN *indes er trinkt.*
Du bist, mir scheint, der Berge nicht gewohnt,
stammst von den Menschlein, die im Tale hausen,
und hast, wie jüngst ein Jäger, dich verstiegen,
der, einem flücht'gen Bergwild auf der Spur,
den Todessturz auf unsrer Halde tat.
Allein mich dünkt, ein Mann von andrer Art,
als du bist, war's.

HEINRICH *der Rautendelein, nachdem er getrunken, unverwandt
und mit ekstatischem Staunen angestarrt hat.*
Oh, rede, rede weiter!
Dein Trunk war Labsal; deine Rede mehr. —
Wiederum verfallend und gequält.
Ein Mann von andrer Art, von beßrer Art.
Auch solche fallen. Rede weiter, Kind!

RAUTENDELEIN.
Was frommt mein Reden! lieber will ich gehn
und frisches Wasser dir im Brunnen schöpfen,
denn Staub und Blut entstellen . . .

HEINRICH *flehentlich.* Bleib, o bleib!
*Rautendelein, am Handgelenk von ihm festgehalten, steht
unschlüssig. Heinrich fortfahrend.*
Und schau mich an mit deinem Rätselblick!
denn sieh: die Welt, in deinem Aug' erneut,
mit Bergen, Himmelsluft und Wanderwölkchen . . .
so süß gebettet, lockt die Welt mich wieder.
Bleib, Kind! o, bleib!

RAUTENDELEIN *unruhig.* Gescheh' es, wie du willst,
allein . . .

HEINRICH *fieberischer und flehentlicher.*
Bleib bei mir! bleib und geh nicht fort!
Noch weißt du . . . ahnst du nicht, was du mir bist.

Oh, weck mich nicht! ich will dir sagen, Kind,
ich fiel . . . doch nein: sprich du, denn deine Stimme,
von Gott begabt mit reinem Himmelslaut,
nur will ich hören. Sprich! was sprichst du nicht?
Was singst du nicht? — Ich fiel,
ich sagt' es schon. Ich weiß nicht, wie es kam:
wich nun der Pfad, den meine Füße schritten?
War's willig, widerwillig, daß ich stürzte?
Kurzum: ich fiel; Staub, Stein und Rasen mit mir in die Tiefe.
Fieberischer.
Ich griff 'nen Kirschbaum! weißt du — ja, es war
'ne wilde Kirsche: aus dem Felsenspalt
trieb sie ihr Stämmchen. Doch das Stämmchen brach,
und ich: das Blütenbäumchen in der Rechten,
von dem die Rosablättlein sausend stoben,
fuhr ich ins Bodenlose, und ich starb;
und jetzund bin ich tot. Sag, daß ich's bin!
sag, daß mich niemand weckt!

RAUTENDELEIN *unsicher.*   Mich dünkt, du lebst!

HEINRICH.

Ich weiß, ich weiß. Ich wußt' es früher nicht,
daß Leben Tod, der Tod das Leben ist. —
Wiederum verfallend.
Ich fiel. Ich lebte, fiel. Die Glocke fiel:
wir beide, ich und sie. Fiel ich zuerst,
sie aber hinterdrein? War's umgekehrt?
Wer will es wissen? Niemand wird's ergründen.
Und wird's ergründet, sei mir's einerlei:
es war im Leben, und nun bin ich tot.
Weich.
Bleib! meine Hand . . . noch ist sie . . . weiß wie Milch
ist meine Hand und wie von Blei; und mühsam heb' ich sie;
doch rollt dein weiches Haar darüber her,
ist's wie Bethesdaflut . . . wie süß bist du!
Bleib! meine Hand ist fromm, und heilig du.
Ich sah dich schon. Wo sah ich dich? Ich rang,
ich dient' um dich . . . wie lange? Deine Stimme
in Glockenerz zu bannen, mit dem Golde
des Sonnenfeiertags sie zu vermählen:
dies Meisterstück zu tun, mißlang mir immer.

Da weint' ich blut'ge Tränen.

RAUTENDELEIN.   Weintest? Wie?

Ich kann dich nicht verstehn: was sind das, Tränen?

HEINRICH *bemüht, sich aufzurichten.*

Heb mich ein wenig auf, du liebes Bild!

Sie unterstützt ihn.

Neigst du dich so zu mir? — So löse mich
mit Liebesarmen von der harten Erde,
daran die Stunde mich, wie an ein Kreuz,
gefesselt! Löse mich! ich weiß, du kannst es,
und hier, von meiner Stirn . . . befreie mich
mit deinen weichen Händen: Dornenzweige
flocht man um meine Stirne. Keine Krone!
nur Liebe! Liebe! —

Er ist in eine halbsitzende Lage gebracht; erschöpft.

                    So, ich danke dir.

Weich und verloren.

Es ist hier schön. Es rauscht so fremd und voll.
Der Tannen dunkle Arme regen sich
so rätselhaft. Sie wiegen ihre Häupter
so feierlich. Das Märchen! ja, das Märchen
weht durch den Wald. Es raunt, es flüstert heimlich.
Es raschelt, hebt ein Blättlein, singt durchs Waldgras,
und sieh: in ziehend neblichtem Gewand,
weiß hergedehnt, es naht — es streckt den Arm,
mit weißem Finger deutet es auf mich,
kommt näher, rührt mich an . . . mein Ohr . . . die Zunge . . .
die Augen — nun ist's fort, und du bist da.
Du bist das Märchen! Märchen, küsse mich!

Er wird ohnmächtig.

RAUTENDELEIN *für sich.*

Du redest seltsam, man begreift dich nicht!

Schnell entschlossen, im Begriff davonzugehen.

So lieg und schlummre!

HEINRICH *im Traum.*   Märchen, küsse mich!

RAUTENDELEIN *stutzt, bleibt stehen, starrt auf ihn. Es ist dunkel
geworden. Plötzlich ruft sie mit Angst und Hast.*

Großmutter!

DIE WITTICHEN *nicht sichtbar, ruft aus dem Innern der Baude.*

            Madel !

RAUTENDELEIN.   Komm doch nur heraus!

DIE WITTICHEN.

Kumm du zu mir und hilf m'r Feuer zinda.

RAUTENDELEIN.

Großmutter!

DIE WITTICHEN *wie oben.*

        Hierschte, feder dich und kumm!

Ich will a Ziega Futter gan und melka.

RAUTENDELEIN.

Großmutter, hilf ihm doch! Er stirbt, Großmutter!

DIE WITTICHEN *erscheint auf der Schwelle der Baude; sie trägt einen Milchasch in der Linken und lockt die Katze.*

Miez, Miezla, kumm!

Mit Bezug auf Heinrich, nebenhin.

        Do iis kee Kraut gewachsa.

A Menschakind muß sterba, 's is ni andersch.

Und wenn schunn. Luß du dan! dar wiil's ni besser.

Kumm, Miezla! kumm! hie iis a Negla Milch.

Wu iis denn's Miezla?

        Hulle, hulle, hulle Hulzmannla!

      hie hoa ich a Aschla und a Kannla!

      hulle, hulle, hulle Hulzweibla!

      hie hoa ich a frischbacknes Brutlaibla,

hie gibbt's woas zu schlecka und woas zu beißa,

do täta sich Färschta und Grova drim reißa.

Etwa zehn kleine, drollige Holzmännerchen und Holzweiberchen kommen eilig aus dem Walde gewackelt und fallen über das Schüsselchen her. He, du!

        immer oalles ei Ruh.

      Du a Stickla,

      du a Brickla.

      Jedes a Schlickla.

      Woas macht ihr fer a Gequerle,

      ihr kleen'n Murdskerle?!

      Doas geht ni asu.

      Nanu:

      Oalle fer heute.

      Ihr Leute, ihr Leute!

      Hier giht's ju goar drunder und drieber zu.

Itzunder macht euch furt!

Holzmännerchen und Holzweiberchen ab, wie sie gekommen, in den Wald. Der Mond ist aufgegangen; auf dem Felsen über der Baude erscheint der Waldschrat; die Hände muschelförmig ans Maul legend, ahmt er echohaft einen Hilferuf nach.

WALDSCHRAT.   Zu Hilfe! Hilfe!

DIE WITTICHEN.

Woas hoot's denn?

RUFE *fern aus dem Innern des Waldes.*

Heinrich! Heinrich!

WALDSCHRAT *wie oben.*   Hilfe! Hilfe!

DIE WITTICHEN *droht zu dem Waldschrat hinauf.*

Luß du deine Noarrheeta!
mit da oarme Gebirgsleuta!
Gellwull, a Gloaskirbla imstußa
oder a Hundla derbußa,
an Handwerksburscha eis Moor verfiern,
doaß a muß Hoals und Beene verliern.

WALDSCHRAT.

Großmutter! gib acht auf das Deine,
du kriegst noch Gäste und feine!
Was trägt die Gans auf dem Flaume?
Den Balbierer mitsamt dem Schaume!
Was trägt die Gans auf dem Kopfe?
Den Schulmeister mitsamt dem Zopfe,
den Pfarrer mitsamt dem Kreuze;
das sind drei saubre Käuze!

RUFE *näher als vorhin.*

Heinrich!

WALDSCHRAT *wie oben.*

Zu Hilfe!

DIE WITTICHEN.   Doaß dich doch 's Blaufeuer!

A zieht m'r a Schulmeester uf a Hoals,
a Pfoaffa uba druf.
Dem Schrat mit geballter Faust drohend.
Nu wart ock, due!
Du sullst droa denka! Micka schick ich dir
und gruße Bremsa: stecha sull'n se dich,
doaß du vor Himmelsangst ni weeßt, wuhie!

WALDSCHRAT *schadenfroh, im Verschwinden.*

Sie kommen. *Ab.*

325

DIE WITTICHEN.

Miga se: woas giht's mich oa!

Zu Rautendelein, die noch immer in Heinrichs Anblick und Lei-
den versunken steht.

Gih nei eis Haus! blos aus 's Licht! mir schlofa.
Mach flink!

RAUTENDELEIN *düster, trotzig.*

Ich will nicht.

DIE WITTICHEN.   Willst nicht?

RAUTENDELEIN.   Nein, Großmutter.

DIE WITTICHEN.

Weshoalb denn do?

RAUTENDELEIN.   Sie holen ihn.

DIE WITTICHEN.   Nu, und?

RAUTENDELEIN.

Sie sollen's nicht.

DIE WITTICHEN.   Nee, Madel, Madel! kumm!
Luß du doas Heffla Himmelsjoammer liega
und luß se mit'n macha, woas se wulln,
die Tuta mit dam Tuta. Starba muß a:
Do luß a starba, denn 's tutt 'm gutt.
Sieh, wie dan 's Laba quält! wie's dan im Herza
ock immer reißt und stißt.

HEINRICH *im Traum.*   Die Sonne flieht!

DIE WITTICHEN.

Dar durte hot de Sunne nie gesahn.
Kumm! luß a liega! fulge! iich meen's gutt.
Ab ins Haus.

RAUTENDELEIN *allein geblieben, horcht auf. Man hört wiederum*
„Heinrich, Heinrich!" rufen. Da bricht das Mädchen schnell
einen blühenden Zweig und zieht damit um Heinrich her einen
Kreis auf der Erde, dazu sprechend.

Mit dem ersten Blütenreis
zieh' ich festen Zauberkreis,
wie's Großmutter mich gelehrt.
Bleibe, Kömmling, unversehrt!
Bleibe dein und dein und mein!
Trete keiner hier herein:
sei es Knabe, oder sei's
Mädchen, Jüngling, Mann und Greis.

Sie zieht sich ins Dunkel zurück. Der Pfarrer, der Barbier und
der Schulmeister erscheinen nacheinander aus dem Walde.

PFARRER.
Ich sehe Licht!
SCHULMEISTER. Ich auch!
PFARRER. Wo sind wir hier?
BARBIER.
Das weiß der liebe Gott! Es ruft schon wieder:
Zu Hilfe, Hilfe!
PFARRER. 's ist des Meisters Stimme.
SCHULMEISTER.
Ich höre nichts.
BARBIER. Es kam vom Hohen Rad.
SCHULMEISTER.
Das möchte sein, wenn man gen Himmel fiele!
So aber fällt man, dünkt mich, umgekehrt:
vom Berg zu Tal und nicht von Tal zu Berg.
Der Meister liegt — ich will nicht selig sein! —
um fünfzig Faden tiefer: nicht hier oben.
BARBIER.
Potz Hakengimpel! hört Ihr's denn nicht rufen?
Wenn das nicht Meister Heinrichs Stimme ist,
so will ich Rübezagels Bart rasieren,
so wahr ich auf dies Handwerk mich verstehe!
Nun ruft es wieder.
SCHULMEISTER. Wo?
PFARRER. Wo sind wir hier?
Vor allen Dingen sagt mir dies, ihr Herren!
Mir blutet das Gesicht. Kaum kann ich noch
die Beine schleppen. Mein Füße schmerzen:
ich geh' nicht weiter!
RUF. Hilfe!
PFARRER. Wieder ruft es!
BARBIER.
Das war dicht bei uns! Nicht zehn Schritte entfernt!
PFARRER *erschöpft niedersitzend.*
Ich bin gerädert. Wahrlich, lieben Freunde!
Ich kann nicht weiter. Laßt in Gottes Namen
mich hier zurück! Schlügt ihr mich braun und blau.
ihr brächtet mich von dieser Stelle nicht.

Ich kann nicht mehr. Die schöne Gottesfeier!
Und mußte so sich enden. — Lieber Himmel,
wer hätte das gedacht! Und diese Glocke,
des frommen Meisters höchstes Meisterstück!
Ganz unerforschlich sind des Höchsten Wege,
dazu auch wunderlich.

BARBIER.   Wo sind wir hier?
Ihr fragtet doch, Herr Pfarrer, wo wir sind?
Ei nun, in allem Guten rat' ich Euch:
fort, fort, so schnell Ihr könnt! Ich wollte lieber
nackt in 'nem Wespennest die Nacht verbringen
als hier auf diesem Plan: es — helf uns Gott! —
es ist die Silberlehne, und wir sind
nicht hundert Schritt von Mutter Wittichs Haus!
Verdammtes Wetteraas! Kommt! fort von hier!

PFARRER.
Ich kann nicht weiter!

SCHULMEISTER.   Kommt! ich bitt' Euch, kommt!
Blaupfeifereien sind das mind'ste hier,
und Hexereien machen mir nicht bange;
doch ist kein schlimmrer Platz als der zu finden.
Für allerlei Gesindel, Diebe, Pascher
ein wahres Paradies! So arg verrufen
durch Räubereien und blut'gen Meuchelmord,
daß Peter, der das Gruseln lernen wollte,
käm' er hierher, es sicherlich erlernte.

BARBIER.
Das Einmaleins versteht Ihr, doch es gibt
noch andre Dinge als das Einmaleins:
ich wünsch' Euch nicht, daß Ihr erfahrt, Schulmeister,
was Hexereien sind! Die Hexenvettel,
die, häßlich wie 'ne Kröt' in ihrem Loch,
dort drüben Unheil brütet, schickt Euch Krankheit
und, habt Ihr Vieh, die Pest in Euren Stall:
die Kühe geben Blut statt Milch, die Schafe
kriegen den Wurm, die Pferde werden kollrig;
an Eure Kinder teilt sie Drutenzöpfe,
wenn's ihr beliebt, Kielkröpfe aus und Schwäre!

SCHULMEISTER.
Ihr Herren schwärmt! Die Nacht hat euch verwirrt.

Von Hexen sprecht ihr. Hört doch: wie es wimmert!
Mit meinen Augen hab' ich ihn gesehn.

PFARRER.

Wen?

SCHULMEISTER.

Den wir suchen: unsern Meister Heinrich.

BARBIER.

Die Hexe äfft ihn!

PFARRER. 's ist ein Hexenspuk!

SCHULMEISTER.

Kein Hexenspuk! und zweimal zwei ist vier
und niemals fünf, und Hexen gibt es nicht!
Dort aber liegt der Meister Glockengießer,
so wahr ich einst die Seligkeit erhoffe.
Gebt acht: gleich schiebt die Wolke sich vom Mond.
Gebt acht: ihr Herren! jetzt! — Nun! Hab' ich recht?

PFARRER.

Wahrhaftig, Meister!

BARBIER. Meister Glockengießer!

*Alle drei prallen, auf Heinrich zueilend, gegen den Zauberring
und fahren zurück.*

PFARRER. Au!

BARBIER. Au!

SCHULMEISTER. Au! Au!

RAUTENDELEIN *wird für einen Augenblick sichtbar, wie sie von
einem Baumast herunterspringt; unter dämonischem Hohnge-
lächter verschwindet sie.*

Ha, ha, ha, ha, ha, ha!! — *Pause.*

SCHULMEISTER *verdutzt.*

Was war das?

BARBIER. Was war das?

PFARRER. Es hat gelacht.

SCHULMEISTER.

Das helle Feuer sprang mir aus den Augen:
ich glaub', ich hab' ein Loch in meinem Kopf,
groß wie 'ne Nuß.

PFARRER. Das Lachen, hörtet ihr's?

BARBIER.

Was lachen hört' ich, und was knirschen hört' ich.

PFARRER.

Es hat gelacht. Aus jener Fichte kam es,
die dort im Dämmermonde sich bewegt.
Dort, die, wo jetzt der Uhu flog und schrie.

BARBIER.

Glaubt ihr mir's nun, wie's mit der Vettel steht?
Und daß sie mehr vermag als Brot zu essen?
Ist's hier geheuer, oder fröstelt euch,
wie mir, die Haut vor Grauen? Satansweib!

PFARRER *sein Kruzifix hoch in die Hand nehmend, mit Entschie-
denheit gegen die Baude vordringend.*

Sei's, wie Ihr sagt. Und ist's der Teufel selbst,
der dort sein Nest hat: frisch! und drauf und dran!
Wir wollen ihn mit Gottes Wort bestehen;
denn selten war des Satans List so hell
am Tag wie diesmal, wo er uns die Glocke
mitsamt dem Glockengießer niederwarf:
den Diener Gottes und die Dienerin,
bestimmt, hoch von des Abgrunds Rand hinaus
den Hall des Friedens und der ew'gen Liebe,
die Gnadenbotschaft durch die Luft zu singen.
Als Gottesstreiter finden wir uns hier!
Ich klopfe an.

BARBIER.   Tut's nicht!

PFARRER.   Ich klopfe an. *Er tut es.*

DIE WITTICHEN.

War iis denn do?

PFARRER.   Ein Christ!

DIE WITTICHEN.   Christ oder Heide:
woas wullt Ihr?

PFARRER.   Öffnet!

DIE WITTICHEN *öffnet und erscheint, eine brennende Laterne in
der Hand.*   Nu? Woas wullt Ihr nu?

PFARRER.

Im Namen Gottes, Weib, den du nicht kennst . . .

DIE WITTICHEN.

Oha! doas fängt ju recht erbaulich oa.

SCHULMEISTER.

Halt's Maul, du Donneraas! und sprich kein Wort.
Das Maß ist voll und deine Frist bemessen.

Dein schändlich Leben und dein schändlich Tun
hat so verhaßt im Sprengel dich gemacht,
daß — wenn du jetzt nicht tust, wie man dich heißt —
der rote Hahn, noch eh der Morgen kommt,
auf deinem Dache krähn, dein Hehlernest
in Brunst und Rauch gen Himmel lodern wird!

BARBIER *sich immerfort bekreuzigend.*

Ich fürchte nichts von deinem bösen Blick,
verfluchte Katze; glüh mich immer an!
Wo du auch meinen Leichnam treffen magst
mit deinen roten Augen, sitzt ein Kreuz.
Tu, was man jetzt dich heißt: gib ihn heraus!

PFARRER.

Im Namen Gottes, Weib, den du nicht kennst —
ich sag' es noch einmal: itzund laß ab
von deinem Höllengaukelspiel und hilf!
Dort liegt ein Mann, ein Meister, Diener Gottes,
begabt mit einer Kunst, zu seiner Ehre
und aller Höllenrotten Fluch und Schmach
im Reich der Luft zu herrschen.

DIE WITTICHEN *ist immer abwehrend mit der Laterne auf Heinrich zugeschritten.*   's iis genung!
Nähmt ihr da oarma Knerps, dar durte leit!
Woas giht's mich oa. Ich hoa 'm nischt geton.
A mag sei Laba laba, wenn a's koan,
vor mir su lange wie a Oden hot:
dar, freilich, werd ni goar zu lange reecha.
Ihr nennt a Meester. Mit dar Meesterschoaft
is ni weithar. Euch miga se wull klinga,
die eisna Glocka, die doas Perschla macht.
Ihr hott asu'ne Uhrn, die nischte hirn;
ins klinga se ni gutt. Ihm salber au ni.
A weeß wull, wu's da Dingern oalla fahlt:
oam Besta fahlt's 'n, und an Sprung hot jede.
Hie, nahmt de Trage, troat doas Jingla heem!
Da grußa Meester. — Meester Milchgesicht!
stieh uf: du sullst 'm Paster halfa pred'gen,
'm Lehrer sullste halfa Kinder priegeln,
und 'm Balbierer sullste Schaum schloan halfa.

Heinrich wird auf die Trage gelegt, der Barbier und der Lehrer heben ihn auf.

PFARRER.

Du lasterhaftes, lästerliches Weib:
schweig und kehr um auf deinem Höllenweg!

DIE WITTICHEN.

Spoart Ihr doas Räda! Eure Prädicht kenn' ich.
Ich wiß, ich wiß: de Sinne, doas sein Sinda.
De Erde iis a Soarg. D'r blaue Himmel
d'r Deckel druf. De Sterne, doas sein Lechla,
de Sunne iis a grußes Luch eis Freie.
De Welt ging under, wenn kee Foarr nich wär,
und inse Herrgott is a Popelmoan.
A seld an Rutte nahma, ihr verdient's.
Schloappschwänze seid'r: doas ist's, wetter nischt.
Sie schlägt die Tür zu.

PFARRER.

Du Teufelin . . .

BARBIER. Um's Himmels willen, still!
Erbost sie nicht noch mehr, sonst geht's uns schlimm.

Der Pfarrer, der Lehrer und der Barbier mit Heinrich ab in den Wald. Der Mond kommt klar herauf, und ruhig liegt die Waldwiese. Erste, zweite und dritte Elfe huschen nacheinander aus dem Walde und drehen sich im Ringeltanz.

ERSTE ELFE *Flüsterruf.*

Schwester!

ZWEITE ELFE. Schwester!

ERSTE ELFE. Weiß und bleich
herrscht der Mond im Bergbereich.
Dämmer, kühl und überall,
über Lehnen, Kluft und Tal.

ZWEITE ELFE.

Woher kommst du?

ERSTE ELFE. Wo das Licht
sich im Wassersturze bricht
und die Flut, vom Schein durchhellt,
sausend in die Tiefe fällt.
Dort entstieg ich feuchter Nacht.
Aus dem Gurgelschäumeschacht
quoll ich auf und drang hervor

durch ein tropfend Felsentor.

DRITTE ELFE *kommt.*

Schwestern, schlingt ihr hier den Reihn?

ERSTE ELFE.

Tummle dich und füg dich ein!

ZWEITE ELFE.

Woher kommst du?

DRITTE ELFE.   Horcht und hört!

schlingt den Reigen ungestört:
zwischen Felsen, tief und klar,
liegt der See, der mich gebar,
wie aus schwarzem Edelstein;
goldne Sterne funkeln drein.
Rafft' ich mir im Mondenglast
meiner Kleider Silberlast,
trug mich über Klipp und Kluft
durch die leichte Bergesluft.

VIERTE ELFE *kommt.*

Schwestern!

ERSTE ELFE. Schwester, komm zum Tanz!

ALLE.

Ringelreigenflüsterkranz.

VIERTE ELFE.

Aus Frau Holles Blumenmoor
löst' ich heimlich mich hervor.

ERSTE ELFE.

Schlingt und windet euch im Tanz!

ALLE.

Ringelreigenflüsterkranz.

Das Wetterleuchten nimmt zu. Ganz fernes Donnermurren.

RAUTENDELEIN *steht plötzlich, die Hände hinter dem Kopf, zu-*
schauend an der Haustür; der Mond beleuchtet sie.

Holla! Elfchen!

ERSTE ELFE.

Horch! ein Schrei.

ZWEITE ELFE.

Autsch! nun riß mein Kleid entzwei.
Troll dich, alter Wurzelstock!

RAUTENDELEIN.

Holla! Elfchen!

DRITTE ELFE.   Au! mein Rock.

Hierhin, dorthin, flieht und greift,
weißgekrönt und graugeschweift!

RAUTENDELEIN *mit im Reigen.*

Nehmt mich auf in euren Kranz!
Ringelreigenflüstertanz.
Silberelfchen, liebes Kind!
schau, wie meine Kleider sind.
Blanke Silberfädelein
wob mir meine Muhme drein.
Braunes Elbchen, nimm in acht
meiner braunen Glieder Pracht!
und du, goldnes Elbchen gar,
nimm in acht mein goldnes Haar!
Schwing' ich's hoch — so tu es auch! —
ist's ein seidenroter Rauch.
Hängt es über mein Gesicht,
ist's ein Strom von Gold und Licht.

ALLE.

Schlingt und windet euch im Tanz,
Ringelreigenflüsterkranz.

RAUTENDELEIN.

Fiel 'ne Glock' ins Wasserloch.
Elbchen, sagt, wo liegt sie doch?

ALLE.

Schlingt und windet euch im Tanz,
Ringelreigenflüsterkranz.
Maßlieb und Vergißmeinnicht
rühren unsre Sohlen nicht.

Der Waldschrat kommt herzu gebockt. Der Donner wird lauter. Während des Folgenden gibt es einen starken Schlag und Regengeprassel.

WALDSCHRAT.

Maßlieb und Vergißnichtmein
stampf' ich in den Grund hinein:
spritzt das Moor und knirrt das Gras,
Elbchen! hei! so mach' ich das.
Bucke, bocke, heißa! ho! —
Bulle schnauft ins Haferstroh,
und die junge Schweizerkuh

streckt den Hals und brüllt ihm zu.
Auf des Hengstes brauner Haut
Flieg' ist Bräut'gam, Flieg' ist Braut,
und der Mücken Liebestanz
dreht sich um den Pferdeschwanz.
Holla! alter Pferdeknecht!
kommt die Magd dir eben recht?
Beizt der Mist im heißen Stall,
gibt es einen weichen Fall.
Holla! Hussa! heijuchhei!
Mit dem Flüstern ist's vorbei,
mit dem Raunen unterm Eis:
Leben regt sich laut und heiß.
Mauzt der Kater, maut die Katz',
Falke, Nachtigall und Spatz,
Has' und Hirsch und Henn' und Hahn,
Rebhuhn, Wachtel, Singeschwan,
Storch und Kranich, Lerch' und Fink,
Käfer, Motte, Schmetterling,
Frosch und Kröte, Molch und Laus
lebt sich ein und liebt sich aus.
Er umfaßt eine der Elfen und rennt mit ihr in den Wald. Die
übrigen Elfen zerstieben. Rautendelein bleibt, einsam und ver-
sonnen, mitten auf der Waldwiese stehen. Das Gewitter mit
Sturm, Donner und Regen zieht ab.
NICKELMANN *hebt sich über den Brunnenrand.*
Brekekekex! Brekekekex! He, du!
Was stehst du dort?
RAUTENDELEIN.   Ach, lieber Wassermann!
ich bin so traurig; ach, so traurig bin ich.
NICKELMANN *pfiffig.*
Brekekekex! auf welches Auge denn?
RAUTENDELEIN *belustigt.*
Aufs linke Auge. Willst du mir's nicht glauben?
NICKELMANN.
I, freilich, freilich.
RAUTENDELEIN *mit dem Finger ihr linkes Auge berührend.*
                    Sieh mal, was das ist!?
NICKELMANN.
Was meinst du denn?

RAUTENDELEIN. Was ich im Auge habe.

NICKELMANN.

Was hast du denn im Auge? zeig mal her!

RAUTENDELEIN.

's ist mir ein heißes Tröpflein drauf gefallen.

NICKELMANN.

Ei, ei! vom Himmel? Komm doch, laß mich's sehn!

RAUTENDELEIN *das Tränentröpflein ihm am Finger hinhaltend.*

Ein ganzes, kleines, blankes, heißes Tröpfchen.
Da, schau mal an!

NICKELMANN. Dertausend! ist das schön!
Willst du, so nehm' ich's weg und tu' es fein
dir in ein rosa Muschelchen hinein.

RAUTENDELEIN.

Ei nun, ich leg' dir's auf den Brunnenrand.
Was ist es denn?

NICKELMANN. Ein schöner Diamant!
Blickt man hinein, so funkelt alle Pein
und alles Glück der Welt aus diesem Stein.
Man nennt ihn Träne.

RAUTENDELEIN. Träne! Wie mir's scheint,
ist dies 'ne Träne, hab' ich sie geweint.
So weiß ich denn fortan, was Tränen sind. —
Erzähl mir was!

NICKELMANN. Komm zu mir, liebes Kind!

RAUTENDELEIN.

Ei, nein, es geht auch so. Was soll mir das!
Dein alter Brunnenrand ist bröcklig, naß,
und nichts als Asseln, Spinnen . . . was weiß ich!
Und du und allesamt: ihr ekelt mich.

NICKELMANN.

Brekekekex! das tut mir wahrlich leid.

RAUTENDELEIN.

Schon wieder so ein Tröpflein.

NICKELMANN. Regenszeit!
Fernab blitzt Meister Thor! von seinem Bart
fällt es wie Kindesauggezwinker zart,
durchflorend dunstgeballter Wolken Zug
mit veilchenblauem Licht. Ein Rabenflug,
im Blitzschein sichtbar, unterm Grau dahin

sich tummelnd, taumeltoll begleitet ihn!
Die Flügel naß im wilden Wassersturm.
Horch, Kind! wie Mutter Erde durstig schluckt und trinkt
und wie sich Baum und Gras und Flieg' und Wurm
des Leuchtens freut, das immer neu erblinkt.
Quorax! — *Blitz* — im Tale! Meister, wohlgetan!
Er zündet sich ein Osterfeuer an:
Der Hammer loht. Zwölftausend Meilen Licht.
Der Kirchturm wankt. Der Glockenstuhl zerbricht,
Qualm stößt hervor . . .

RAUTENDELEIN.   Ei, hör doch! schweig doch still!
Erzähle Dinge, die man wissen will.

NICKELMANN.
Brekekekex! ein kleiner Spatz, ein Nichts:
was fällt ihm ein? wenn man es streichelt, sticht's.
Ist das 'ne Art? Da tut man, was man mag,
am Ende erntet man 'nen Backenschlag.
Hab' ich nicht recht? Was willst du wissen, du? —
Nun mault man wieder.

RAUTENDELEIN.   Nichts. Laß mich in Ruh'!

NICKELMANN.
Nichts willst du wissen?

RAUTENDELEIN.   Nein.

NICKELMANN *bettelnd.*   So red' ein Wort!

RAUTENDELEIN.
Ich möchte fort, nur von euch allen fort.
Sie starrt, die Augen voll Tränen, in die Ferne.

NICKELMANN *schmerzvoll, dringlich.*
Was hab' ich dir getan? Wo willst du hin?
steht dir ins Menschenland der krause Sinn?
Ich warne dich. Der Mensch, das ist ein Ding,
das sich von ungefähr bei uns verfing;
von dieser Welt und doch auch nicht von ihr.
Zur Hälfte wo? wer weiß! — zur Hälfte hier.
Halb unser Bruder und aus uns geboren,
uns feind und fremd zur Hälfte und verloren.
Weh jedem, der aus freier Bergeswelt
sich dem verfluchten Volke zugesellt,
das, schwachgewurzelt, dennoch wahnbetört
den eignen Wurzelstock im Grund zerstört

und also, krank im Kerne, treibt und schießt,
wie 'ne Kartoffel, die im Keller sprießt.
Mit Schmachterarmen langt es nach dem Licht;
die Sonne, seine Mutter, kennt es nicht.
Ein Frühlingshauch bricht kranke Zweige leicht,
der grünen Hälmchen kost und Kühlung reicht.
Fürwitz! laß ab, dräng nicht in ihre Reihn!
Du legst um deinen Hals 'nen Mühlenstein.
Sie schummern dich in graue Nebelnacht.
Du lernst zu weinen, wo du hier gelacht.
Du liegst gekettet an ein altes Buch
und trägst, wie sie, der Sonnenmutter Fluch.

RAUTENDELEIN.

Großmutter sagt, du seist ein weiser Mann.
So schau dir deine Springebächlein an:
da ist kein Wässerlein so dünn und klein,
es will und muß ins Menschenland hinein.

NICKELMANN.

Quorax, brekekekex, du aber nicht!
Hör, was ein Tausendjähr'ger zu dir spricht:
laß du die Knechtlein ihrer Wege gehn,
den Menschen Wäsche waschen, Mühlen drehn,
in ihren Gärten wässern Kohl und Kraut,
ich weiß nicht was verschlucken, brrr, mir graut.
Heiß und inständig.
Du aber, Prinzessin Rautendelein!
sollst eines Königs Gemahlin sein.
Ich hab' eine Krone von grünem Kristall,
die setz' ich dir auf im goldschimmernden Saal;
die Dielen, die Decken von klarblauem Stein,
aus roten Korallen Tisch und Schrein . . .

RAUTENDELEIN.

Und ist deine Krone von eitel Saphir,
so laß deine Töchter prunken mit ihr.
Meine güldenen Haare, die lieb' ich viel mehr,
die sind meine Krone und drücken nicht schwer.
Und ist von Korallen dein Schrein und dein Tisch:
was soll mir ein Leben bei Molch und Fisch?
bei Quorax und Quurax in Liesch und Rohr,
in Tang und Gestank, in Brunnen und Moor! *Sie geht.*

NICKELMANN.
  Wo willst du hin?
RAUTENDELEIN *leicht, fremd.*
                    Was geht's dich an!
NICKELMANN *schmerzvoll.*   Ei viel,
  brekekekex.
RAUTENDELEIN.
          Wohin es mir beliebt.
NICKELMANN.
  Wohin es dir beliebt?
RAUTENDELEIN.   Dahin und dorthin.
NICKELMANN.
  Dahin und dorthin?
RAUTENDELEIN *die Arme hochwerfend.*
                    Und — ins Menschenland!
Sie eilt und verschwindet im Walde.
NICKELMANN *im höchsten Schreck.*
  Quorax! *wimmernd.* Quorax! *leiser.* Quorax! *kopfschüttelnd.*
  Brekekekex!

ZWEITER AKT

Das Haus des Glockengießers Heinrich. Ein altdeutscher Wohn-
raum. Die Hälfte der Hinterwand bildet eine tiefe Nische, in
welcher der offene Herd, mit dem Rauchfang darüber, ange-
bracht ist. Über der kalten Kohle hängt der Kupferkessel. Die
andere, vorgerückte Wandhälfte hat ein Fenster mit Butzen-
scheiben; darunter steht ein Bett. In den Seitenwänden je eine Tür;
die linke zur Werkstatt, die rechte in den Hausflur führend.
Rechts vorn ein Tisch mit Stühlen. Auf ihm: gefüllter Milchkrug,
Becher und ein Laib Brot. Nicht weit vom Tisch das Handfaß.
Bildwerke von Adam Kraft, Peter Vischer usw. schmücken den
Raum, vor allem ein Bild des Gekreuzigten aus bemaltem Holz.
Die zwei Söhne Heinrichs, fünf- und neunjährig, sitzen, sonn-
täglich herausgeputzt, am Tisch hinter ihren Milchbecherlein.
Frau Magda, ebenfalls festlich angetan, kommt von rechts ins
Zimmer, einen Strauß Himmelschlüssel in der Hand. Es ist
früher Morgen. Die Helligkeit nimmt zu.

FRAU MAGDA.

Seht, Kinder, was ich hab'! gleich hinterm Garten
traf ich 'nen ganzen Fleck damit besät.
So können wir zu Vaters Ehrentag
uns festlich schmücken, wie es sich geziemt.

ERSTER KNABE.

Mir . . .

ZWEITER KNABE.

Mir ein Sträußchen!

FRAU MAGDA. Jeder kriegt fünf Blümchen,
wovon schon eines, wie ihr wissen müßt,
den Himmel aufschließt. Trinkt nun eure Milch,
eßt euer Stücklein Brot und laßt uns gehn!
Weit ist der Weg zum Kirchlein, weit und steil.

NACHBARIN *am Fenster.*

Seid Ihr schon wach, Frau Nachbarin?

FRAU MAGDA. Ei, freilich!
Ich tat die ganze Nacht kein Auge zu,
doch, da's nicht Sorge war, die wach mich hielt,
bin ich erfrischt, als hätt' ich ausgeruht
wie'n Murmeltier. Der Tag, mich dünkt, wird klar.

NACHBARIN.

Schon recht, schon recht.

FRAU MAGDA. Ihr kommt doch wohl mit uns?
Ich rat' Euch zu. Es wird gut pilgern sein
mit uns, nach dieser kleinen Beinchen Takt,
und schwerlich werden wir zu rasch Euch schreiten;
obgleich, ich sag' es ehrlich, Nachbarin,
ich lieber flöge, als zu Fuße ging':
so treibt's in mir vor Freud' und Ungeduld.

NACHBARIN.

Ist Euer Mann nicht heimgekehrt die Nacht?

FRAU MAGDA.

Wo denkt Ihr hin? Ich will zufrieden sein,
hängt nur die Glocke fest im Glockenstuhl,
wenn die Gemeine heute sich versammelt.
Die Zeit war kurz: da galt es hurtig sein
und sich nicht sparen. Ist 'ne Stunde Schlaf
für meinen Meister Heinrich abgefallen,
hat er, im Waldgras ruhend, seine Augen

ein wenig schließen können, hab' ich Grund,
dem lieben Gott zu danken. Einerlei:
die Müh' war groß, und größer ist der Lohn.
Ihr könnt nicht glauben, wie so fromm und rein
und wunderbar die neue Glocke klingt! Gebt acht,
wenn sie die Stimme heut erhebt
zum erstenmal! 's ist wie Gebet und Predigt,
wie englischer Gesang und Trost und Glück.

NACHBARIN.
Schon recht, schon recht. Doch was mich wundernimmt:
Ihr wißt, Frau Meisterin, von meiner Tür
kann man das Kirchlein an den Bergen sehen.
Es hieß: 'ne weiße Fahne sollte flattern,
sobald die Glock' im Turme sicher hing'.
's ist nichts zu sehn von einer weißen Fahne.

FRAU MAGDA.
Schaut nur recht scharf, gewiß entdeckt Ihr sie!

NACHBARIN.
Nein, sicher nicht.

FRAU MAGDA.   Nun, habt Ihr wirklich recht,
so will es wenig heißen. Wüßtet Ihr,
wie ich, was solch ein Werk für Mühe macht,
wie so ein Meister grübelt, ringt und wirkt
bei Tag und Nacht, es nähm' Euch jetzt nicht wunder,
wenn zur Sekunde nicht, wie's vorbestimmt,
der letzte Nagel im Gebälke sitzt.
Schon jetzt vielleicht seht Ihr die Fahne winken.

NACHBARIN.
Das glaub' ich nicht. Man meint im ganzen Dorf,
es sei da oben etwas nicht geheuer.
Auch unheildroh'nde Zeichen sind geschehn.
Der Hochsteinbauer sah ein nacktes Weib
auf einem Eber durchs Getreide reiten.
Er hob 'nen Stein und warf ihn nach dem Spuk;
gleich ward die Hand ihm lahm bis an die Knöchel.
Es heißt: die bösen Geister in den Bergen
erzürnten sich der neuen Glocke wegen.
Mich wundert's nur, daß Ihr davon nichts wißt.
Der Amtmann ist hinauf mit vielen Leuten.
Man meint . . .

FRAU MAGDA.   Man meint? Der Amtmann ist hinauf?
Um Gottes willen!
NACHBARIN.   Noch ist nichts gesagt.
Kein sicheres Gerücht. Kein Grund zur Sorge.
Regt Euch nicht auf, ich bitt' Euch! Tut es nicht!
Von einem Unglück hat noch nichts verlautet.
Der Glockenwagen, heißt es, sei gebrochen
und mit der Glocke irgendwas geschehn.
Was, weiß man nicht.
FRAU MAGDA.   Nun, ist es weiter nichts —
Glock' hin, Glock' her! — und blieb der Meister heil:
nicht mal das Sträußlein nehm' ich von der Brust.
Doch weil man jetzt nichts sicher wissen kann,
nehmt, bitt' ich Euch, die Kinder . . .
Sie hebt beide schnell zum Fenster hinaus.
                              Wollt Ihr's tun?
NACHBARIN.
Ei, freilich, freilich nehm' ich sie zu mir!
FRAU MAGDA.
So nehmt sie, bitt' ich Euch, in Euer Haus,
denn eilen will ich, eilen, was ich kann,
zu schaun, zu helfen, was weiß ich zu tun.
Nur muß ich — *sie eilt hinaus* — dort sein, wo mein Meister ist.
*Die Nachbarin geht vom Fenster weg. Man hört Volksge-
murmel, darauf einen lauten, durchdringenden Schrei: Magdas
Stimme. Der Pfarrer kommt herein, hastig, er seufzt und wischt
sich die Augen. Er sieht sich suchend um und deckt dann schnell
das Bett auf. Er läuft zurück und trifft in der Tür die Bahre,
auf welcher Heinrich liegt; der Schulmeister und der Barbier
tragen sie. Man hat dem Verunglückten grüne Zweige unter-
gebreitet. Frau Magda folgt, ein Bild des tiefsten Verfalls, starr,
fast von Sinnen. Ein Mann und ein Weib führen sie. Volk
dringt hinter ihr ein. Heinrich wird aufs Bett gelegt.*
PFARRER *zu Magda.*
Kommt zu Euch, Meisterin! faßt Euch in Gott!
Wir nahmen ihn für tot auf unsre Bahre,
doch kam er zur Besinnung unterwegs,
und wie der Arzt versichert, der ihn sah,
noch könnt Ihr hoffen.

FRAU MAGDA *tief aufröchelnd.*
                    Hoffen, Gott im Himmel!
Ein einz'ger Augenblick. Ich war so glücklich.
Was ist mit mir? Was geht hier innen vor?
Wo sind die Kinder?
PFARRER.   Fasset Euch in Gott!
Geduld, Frau Meisterin! Geduld und Demut!
Und: wo die Not am größten, wißt Ihr ja,
ist Gottes Hilfe oft am allernächsten.
Wo aber Er im Rat beschlossen hat,
hier zeitliche Genesung nicht zu schenken,
dann darf Euch eins zu sichrem Trost gereichen:
Eu'r Gatte geht in ew'ge Freuden ein.
FRAU MAGDA.
Was denn, Herr Pfarrer, redet Ihr zu mir
von Trost? Bedarf ich Trost? Er wird genesen.
Er muß genesen!
PFARRER.   Ja, so hoffen wir.
Geschieht es nicht, geschieht doch Gottes Wille.
So oder so: der Meister triumphiert.
Im Dienst des Höchsten goß er seine Glocke.
Im Dienst des Höchsten stieg er in die Berge,
wo finstre Mächte ungebrochen hausen
und Kluft und Abgrund trotzen wider Gott.
Im Dienst des Höchsten ist er auch gefallen:
im Kampfe wider tück'sche Höllengeister,
die, seiner Glocke frohe Botschaft fürchtend,
zu einer Höllenbruderschaft geeint,
den Streich gen ihn geführt. Gott wird sie strafen.
BARBIER.
's ist hier herum 'ne wundertät'ge Frau,
die durch Gebete heilt, wie's ehemals
des Heilands Jünger taten.
PFARRER.   Forscht ihr nach,
und wenn Ihr sie gefunden, bringt sie her!
FRAU MAGDA.
Was ist mit ihm geschehn? Was gafft ihr hier?
Hinaus mit euch! Unheil'ge Neugier ist's.
Geht! tastet ihn nicht an mit euren Blicken! —
Deckt ihn mit Tüchern zu! Sie töten ihn,

beschmutzen ihn zum mind'sten. So: jetzt geht!
Geht zu den Gauklern, wenn ihr glotzen wollt!
Was ist mit ihm geschehn? Seid ihr denn stumm?

SCHULMEISTER.
Schwer zu ergründen ist, wie es geschah.
Wollt' er die Glocke halten, da sie fiel —?
So viel ist sicher, säht Ihr dort hinunter,
wo sich der Sturz begann, Ihr knietet nieder
und danktet Gott. Denn daß der Mann noch lebt,
es ist ein Wunder, sag' ich, gradezu.

HEINRICH *schwach.*
Gebt mir ein wenig Wasser!

FRAU MAGDA *blitzschnell auffahrend.*
      Packt euch fort!

PFARRER.
Geht, liebe Leute, hier tut Ruhe not! *Die Leute ab.*
Bedürft Ihr meiner, liebe Meisterin:
Ihr wißt, wo Ihr mich findet.

BARBIER.   Und auch mich.

SCHULMEISTER. Ich denk', ich bleibe hier.

FRAU MAGDA.   Nein, niemand, niemand!

HEINRICH.
Gib mir ein wenig Wasser!
*Pastor, Schulmeister und Barbier ziehen sich, achselzuckend und
kopfschüttelnd, nach leiser Beratung zurück.*

FRAU MAGDA *mit Wasser zu Heinrich eilend.*
      Wachst du, Heinrich?

HEINRICH.
Mich dürstet. Gib mir Wasser! Hörst du nicht?

FRAU MAGDA *unwillkürlich.*
Geduld! Geduld!

HEINRICH.   Geduld zu üben, Magda,
ich lern' es bald genug. Ein kleines Weilchen
nur brauchst du dich gedulden. *Er trinkt.* Dank dir, Magda.

FRAU MAGDA.
Ach, Heinrich, sprich nicht so! Mir bangt so sehr,
wenn du so sprichst.

HEINRICH *fieberisch heftig.*
    Dir darf nicht bange werden,
denn du mußt leben, leben ohne mich.

FRAU MAGDA.

Ich kann nicht . . . will nicht leben ohne dich.

HEINRICH.

Dein Schmerz ist kindisch, foltre mich nicht länger!
Unwürdig ist er, da du Mutter bist:
dies Wort begreife ganz und fasse dich!

FRAU MAGDA.

Sei doch nur jetzt nicht bös und hart mit mir!

HEINRICH *gequält.*

Das nennst du bös und hart, was Wahrheit ist.
Im Kinderbettchen liegt, was dir gehört.
Dort liegt dein Glück, dein Leben, deine Not,
dein Alles ruht in diesen weißen Linnen,
und wo es nicht so wäre, wär's verrucht.

FRAU MAGDA *wirft sich über ihn.*

So helf' mir Gott! ich liebe dich viel mehr
als unsre Kinder, als mich selbst und alles.

HEINRICH.

Weh über euch denn, arme Frühverwaiste!
Und dreimal wehe mir, dazu verdammt,
euch Brot und Milch vom Munde weg zu schlingen;
doch wird's, ich fühl's, auf meiner Zunge Gift:
und das ist gut. Leb wohl! So oder so.
Seid dem empfohlen, dem wir nicht entrinnen!
Schon manchem war des Todes tiefer Schatten
nur ein willkommnes Licht; so sei's auch mir.
Weich.
Gib mir die Hand! Ich tat dir manches Schlimme
mit Wort und Werk; ich kränkte deine Liebe
zu vielen Malen: jetzt vergib mir, Magda!
Ich wollt' es nicht, doch mußt' ich's immer wieder.
Ich weiß nicht, wer mich zwang, doch zwang mich was,
dir weh zu tun und mir, indem ich's tat.
Vergib mir, Magda!

FRAU MAGDA.

Dir vergeben? was?
Wenn du mich liebhast, Heinrich, sprich nicht so,
sonst kommen mir die Tränen; lieber schilt mich!
Du weißt, was du mir bist.

HEINRICH *gequält.*   Ich weiß es nicht.

FRAU MAGDA.

Du nahmst mich, hobst mich, machtest mich zum Menschen.
Unwissend, arm, geängstet lebt' ich hin,
wie unter graubezognem Regenhimmel;
du locktest, rissest, trugest mich zur Freude;
und niemals fühlt' ich deine Liebe mehr,
als wenn du meine Stirn mit rauhem Griff
vom Dunkel ab-, dem Lichte zugekehrt.
Nun soll ich dir vergeben? Dieses alles,
dafür ich dir mein ganzes Leben schulde?

HEINRICH.

Seltsam verwirrt sich das Gespinst der Seelen.

FRAU MAGDA *sein Haar streichelnd, weich.*

Wenn ich dir dies und das zugut getan,
in Haus und Werkstatt dir ein Stündchen kürzte
und etwa deinem Auge nicht mißfiel . . .
Bedenk doch, Heinrich, ich, die seelensgern,
ich weiß nicht was? dir alles schenken möchte,
ich hatte nichts als dies zur Gegengabe.

HEINRICH *unruhig.*

Ich sterbe: das ist gut. Gott meint es gut,
denn lebt' ich, Magda . . . beuge dich zu mir:
es ist uns beiden besser, daß ich sterbe.
Du meinst: weil du geblüht und mir geblüht,
ich hätte dich zum Blühen auferweckt.
Du irrst. Das tat der ew'ge Wundertäter,
der morgen mitten in den Frühlingswald
von hunderttausend Millionen Blüten
mit seinen kalten Winterstürmen peitscht.
Es ist uns beiden besser, daß ich sterbe.
Sieh, ich war alt und morsch, 'ne schlechte Form.
Ich traure nicht, daß mich der Glockengießer,
der mich nicht besser schuf, itzund verwirft;
und als, dem eignen, schlechten Werke nach,
er mich so machtvoll in den Abgrund stieß,
war mir's willkommen. Ja, mein Werk war schlecht:
die Glocke, Magda, die hinunterfiel,
sie war nicht für die Höhen, nicht gemacht,
den Widerschall der Gipfel aufzuwecken.

FRAU MAGDA.

Ganz unbegreiflich sind mir deine Worte.
Ein Werk, so hoch gepriesen, tadellos,
kein Bläschen im Metall, im Klang so rein —!
„Wie Engelschöre singt des Meisters Glocke":
so sagten alle wie aus einem Mund,
als, zwischen Bäumen draußen aufgehängt,
sie ihre Stimme feierlich erhob . . .

HEINRICH *fieberhastig.*

Im Tale klingt sie, in den Bergen nicht!

FRAU MAGDA.

Das ist nicht wahr. Hätt'st du, wie ich, gehört
den Pfarrer tiefbewegt zum Küster sagen:
„Wie wird sie herrlich in den Bergen klingen . . ."

HEINRICH.

Im Tale klingt sie, in den Bergen nicht:
das weiß nur ich. Der Pastor weiß das nicht.
Ich werde sterben, und ich will es, Kind!
Denn sieh: würd' ich gesund — was man so nennt —
vom Meister Bader ausgeflickt zur Not,
reif für ein Spittel oder was weiß ich,
das hieße, mir den heißen Trank des Lebens
— zuzeiten war er bitter, manchmal süß,
doch immer war er stark, wie ich ihn trank —,
das hieße, ihn zur schalen Brühe machen,
dünn, abgestanden, säuerlich und kalt.
So aber mag ihn, wem er mundet, trinken.
Mich widert das Gebräu von weitem an.
Schweig still! Hör weiter zu! Und brächtest du
mir einen Arzt, den du zu glauben scheinst,
der mich zu alter Freude tüchtig machen,
zu alter Arbeit wieder stählen könnte —
auch dann noch, Magda, ist's um mich geschehn.

FRAU MAGDA.

So sage mir, um Christi willen, Mann!
wie kam dies über dich? Ein Mensch wie du,
begnadet, überschüttet mit Geschenken
des Himmels, hochgepriesen, allgeliebt,
ein Meister seiner Kunst! Wohl hundert Glocken,
in rastlos froher Wirksamkeit gebildet:

die singen deinen Ruhm von hundert Türmen;
sie gießen deiner Seele tiefe Schönheit,
gleichwie aus Bechern, über Gau und Trift.
Ins Purpurblut des Abends, in das Gold
der Herrgottsfrühe mischest du dich ein.
Du Reicher, der so vieles geben kann,
du Gottesstimme! — der du Geberglück
und Geberglück und nichts als dies geschlürft,
wo Bettlerqualen unser Gnadenbrot —:
du siehst mit Undank auf dein Tagewerk?
Nun, Heinrich, wie denn treibst du mich ins Leben,
das dich mit Ekel füllt? Was ist es mir?
Was kann es mir denn sein, wenn du sogar
es wie 'nen schlechten Pfennig von dir weisest?

HEINRICH.

Mißhör mich nicht! Nun hast du selbst geklungen,
so tief und klar wie meiner Glocken keine,
soviel ich ihrer schuf. — Ich danke dir!
Doch sollst du . . . mußt du mich begreifen, Magda!
Noch einmal denn: mein jüngstes Werk mißlang.
Beklommnen Herzens stieg ich hinterdrein,
als sie mit Hott und Hü und wacker fluchend
die Glocke bergwärts schleppten. Nun: sie fiel.
Sie fiel hinab wohl hundert Klaftern tief
und ruht im Bergsee. Dort im Bergsee ruht
die letzte Frucht von meiner Kraft und Kunst.
Mein ganzes Leben, wie ich es gelebt,
trieb keine beßre, konnte sie nicht treiben:
so warf ich's denn dem schlechten Werke nach.
Nun ruht's im Bergsee, ob ich selber schon
ein armes Restchen trüben Daseins zehre.
Ich traure nicht und traure wiederum
um das Verlorne; eines bleibt bestehn:
so Glock' als Leben, keines kehrt mir wieder.
Und wo ich meine Sehnsucht dran geheftet,
begrabne Töne wiederum zu hören —
weh mir! das Dasein, so von mir ergriffen,
darum gelebt: ein Sack voll Gram und Reu',
voll Wahnsinn, Finstre, Irrtum, Gall' und Essig.
Doch so ergreif' ich's nicht! Der Dienst der Täler

lockt mich nicht mehr, ihr Frieden fänftigt nicht,
wie sonst, mein drängend Blut. Was in mir ist,
seit ich dort oben stand, will bergwärts steigen,
im Klaren überm Nebelmeere wandeln
und Werke wirken aus der Kraft der Höhen!
Und weil ich dies nicht kann, sieh wie ich bin,
und weil ich wieder, quält' ich mich empor,
nur fallen könnte, will ich lieber sterben.
Jung müßt' ich werden, wo ich leben sollte,
aus einer Berges-Wunder-Fabelblüte,
aus zweiter Blüte neue Früchte treiben.
Gesunde Kraft müßt' ich im Herzen fühlen,
Mark in den Händen, Eisen in den Sehnen,
zu neuem, unerhörtem Wurf und Werk
die tolle Siegerlust.

FRAU MAGDA.   O Heinrich, Heinrich!
Wüßt' ich, wonach du lechzest, aufzufinden
den Brunnen, dessen Wasser Jugend gibt —
wie gerne lief' ich mir die Sohlen wund.
Ja, fänd' ich selber in dem Quell den Tod:
wenn er nur deinen Lippen Jugend brächte.

HEINRICH *gequält, verfallend, delirierend.*
Du Liebste, Liebe! — Nein, ich will nicht.
Behalt den Trank! Im Quell ist Blut, nur Blut.
Ich will nicht, laß mich, geh und laß mich sterben!
Er wird ohnmächtig.

PFARRER *kommt wieder.*
Wie steht's, Frau Meisterin?

FRAU MAGDA.   Ach, furchtbar schlimm.
Er ist so ganz im Innersten erkrankt.
Ein unbegreiflich Leid zermürbt ihn so!
Ich weiß nicht, was ich fürchten soll und hoffen.
Sie nimmt hastig ein Tuch um.
Ihr spracht von einer wundertät'gen Frau . . .

PFARRER.
Ganz recht, Frau Meisterin, und deshalb komm' ich.
Sie wohnt kaum eine Meile weit von hier
und heißt . . . wie heißt sie doch? Jenseits der Grenze,
in Tannwald, glaub' ich, ja, in Tannwald wohnt sie
und heißt . . .

FRAU MAGDA.   Die Wittichen?
PFARRER.   Wo denkt Ihr hin?
Das ist ein böses Weib, 'ne Teufelsbuhlin,
die sterben muß. Schon ist man drauf und dran,
gen diesen Satan furchtbar sich zu rüsten.
Sie ziehn mit Steinen, Knüppeln, Fackeln aus,
den Garaus ihr zu machen. Gibt man doch
am Unheil, das geschehn, ihr alle Schuld.
Nein, die ich meine, heißt Frau Findeklee,
ist fromm und redlich, eines Schäfers Witwe,
der ein uralt Rezept ihr hinterließ
von — wie mir viele Leute hier versichern —
von wundervoller Heilkraft. Wollt Ihr hin?
FRAU MAGDA.
Ja, ja, Hochwürden.
PFARRER.   Jetzt im Augenblick?
Rautendelein, als Magd verkleidet, mit Beeren.
FRAU MAGDA.
Was willst du, Kind, wer bist du?
PFARRER.
Es ist die Anna aus der Michelsbaude.
Fragt sie nur nicht, denn sie ist leider stumm.
Sie bringt Euch Beeren. Sonst ein gutes Ding.
FRAU MAGDA.
Komm einmal her, mein Kind! Was wollt' ich doch?
Sieh, jener Mann ist krank. Wenn er erwacht,
sei gleich zur Hand. Begreifst du, was ich sage?
Frau Findeklee: das war ja wohl der Name?
Doch ist der Weg zu weit, ich darf nicht fort.
Zwei Augenblicke nur. Die Nachbarin
tut mir die Lieb'. Ich kehre gleich zurück,
und wie gesagt . . . ach Gott, wie ist mir weh! *Ab.*
PFARRER.
Steh hier ein kleines Weilchen! Besser noch,
du setzest dich. Sei klug und mach dich nützlich,
solang man deiner irgend hier bedarf.
Du tust ein gutes Werk, Gott wird dir's lohnen.
Du hast dich recht verändert, liebes Mädchen,
seit ich dich nicht gesehn. Halt dich nur brav,
bleib eine fromme Jungfrau, denn du bist

beschenkt vom lieben Gott mit großer Schönheit.
Nein, wahrlich, Mädchen, wenn man dich so sieht:
du bist's und bist es nicht. Wie 'ne Prinzessin
im Märchen siehst du aus — mit einem Schlag,
ich hätt' es nicht gedacht. Kühl ihm die Stirn!
Verstehst du mich? Er glüht. *Zu Heinrich.*
                    Gott geb' dir Heilung!

Pfarrer ab.

RAUTENDELEIN *schüchtern und demütig bisher, nun ganz verändert und hastig tätig.*
                    Glimmerfunken im Aschenrauch,
                    knistre unterm Lebenshauch!
                    Brich hervor, du roter Wind,
                    bin, wie du, ein Heidenkind.
                    Surre, surre, singe!

Das Herdfeuer ist aufgelodert.
                    Kessel fackelt hin und her.
                    Kupferdeckel, bist du schwer!
                    Brodle, Süppchen, walle, Flut,
                    koche dich und werde gut!
                    Surre, surre, singe!

*Dabei hat sie den Deckel des Kupferkessels aufgehoben und
dessen Inhalt geprüft.*
                    Maienkräuter, zart und frisch,
                    streu' ich euch in das Gemisch:
                    werd' es süß und heiß und stark!
                    Wer es trinkt, der trinkt sich Mark.
                    Surre, surre, singe!

Nun schab' ich Rüben; Wasser hol' ich dann.
Das Faß ist leer. — Doch erst das Fenster auf.
Schön ist's. Doch morgen wird es windig sein:
'ne lange Wolke, wie ein Riesenfisch,
liegt auf den Bergen; morgen birst sie auf,
und tolle Geister fahren sausend nieder,
durch Tannenwald und Kluft, ins Menschental.
Kuckuck! Kuckuck! der Kuckuck ruft auch hier,
und Schwälbchen schießen, schweifen durch die Luft,
durch die der Tag mit Leuchten kommt gedrungen.
Heinrich hat die Augen geöffnet und starrt Rautendelein an.
Nun schab' ich Rüben, und dann hol' ich Wasser.

Weil ich nun Magd bin, hab' ich viel zu tun —
und bleibe, liebe Flamme! mir am Werk!
HEINRICH *in namenlosem Staunen.*
Wer . . . sag, wer bist du?
RAUTENDELEIN *schnell, frisch und unbefangen.*
        Ich? Rautendelein.
HEINRICH.
Rautendelein? Den Namen hört' ich nie.
Doch sah ich dich schon irgendwo einmal.
Wo war es doch?
RAUTENDELEIN. Hoch oben in den Bergen.
HEINRICH.
Ganz richtig. Ja. Wo ich im Fieber lag.
Da träumt' ich dich — und jetzt, jetzt träum' ich wieder.
Man träumt oft seltsam. Gelt? — Dies ist mein Haus;
dort brennt die Flamme mir auf eignem Herd;
ich lieg' in meinem Bett, krank auf den Tod;
das Fenster greif' ich; draußen fliegt die Schwalbe;
im Garten spielen alle Nachtigallen;
Duft schlägt herein von Flieder und Jasmin:
dies alles fühl' ich, schau' ich ganz aufs kleinste;
sieh! im Geweb' der Decke, die mich deckt,
ein jedes Fädchen . . . ja, das Knötchen drin —
und dennoch träum' ich.
RAUTENDELEIN.   Träumst du? Ei, warum?
HEINRICH *verzückt.*
Nun, weil ich träume.
RAUTENDELEIN.   Bist du denn so sicher?
HEINRICH.
Ja. Nein. Ja. Nein. — Was red' ich? Nicht erwachen!
Ob ich so sicher bin, das fragst du mich.
Nun sei es, wie es sei, Traum oder Leben:
es ist. Ich fühl's, ich seh's: du bist, du lebst!
Sei's in mir, außer mir . . . Du lieber Geist!
Geburt der eignen Seele meinethalb —
nicht minder lieb ich dich! nur bleibe, bleibe!
RAUTENDELEIN.
So lange, wie du willst.
HEINRICH.   Ich träume dennoch.

RAUTENDELEIN.
Gib acht: hier heb' ich meinen kleinen Fuß.
Den roten Absatz siehst du? Ja? Wohlan:
dies ist 'ne Haselnuß; sie fass' ich nun:
so, zwischen Däumerling und Zeigefinger.
Nun untern Absatz. Kracks! — ist sie entzwei.
Ist dies nun Traum?

HEINRICH.   Das weiß der liebe Gott.

RAUTENDELEIN.
Nun gib mal weiter acht! Jetzt komm' ich zu dir
und sitze auf dein Bett — da bin ich schon —
und schmause mir vergnüglich meinen Nußkern . . .
Wird dir's zu enge?

HEINRICH.   Nein. Doch gib mir Kunde,
woher denn stammst du, und wer sendet dich?
Was suchst du hier bei mir, der ich, gebrochen,
ein Häuflein Qual, das Ende meiner Bahn
nach Augenblicken messe?

RAUTENDELEIN.   Du gefällst mir.
Woher ich stamme, wüßt' ich nicht zu sagen,
noch auch, wohin ich geh'. Die Buschgroßmutter
hat mich von Moos und Flechten aufgelesen,
und eine Hindin hat mich aufgesäugt.
Im Wald, auf Moor und Berg bin ich daheim.
Im Winde, wenn er saust und faucht und heult,
knurrt und miaut wie eine wilde Katze,
dreh' ich mich gern und wirble durch die Luft.
Da lach' ich, jauchz' ich, daß es widerhallt
und Schrat und Nixe, Moos- und Wassermann
darob vor Lachen bersten. Böse bin ich
und kratz' und beiße arg, wenn ich erbost;
und wer mich ärgert, ei, der seh' sich vor!
Läßt man mich ganz in Ruh', ist's nicht viel besser;
denn, je nach Laune, bin ich bös' und gut,
bald so, bald so, wie mir das Mützlein sitzt.
Dich aber mag ich gern. Dich kratz' ich nicht.
Willst du, so bleib' ich hier, doch besser ist's,
du kommst mit mir hinauf in meine Berge.
Du sollst schon sehn, ich will dir trefflich dienen.
Ich weise dir Demanten und Karfunkel,

wo sie in urgeheimen Schächten ruhn,
Topase und Smaragden, Amethyste —
und was du mich nur heißest, will ich tun.
Bin ich gleich ungebärdig, trotzig, faul,
ganz ungehorsam, tückisch, was du willst,
dir will ich immer nach der Wimper schaun,
und eh du wünschest, nick' ich dir schon: ja.
Die Buschgroßmutter meint . . .

HEINRICH.   Du liebes Kind,
wer ist die Buschgroßmutter, sag mir doch?

RAUTENDELEIN.
Die Buschgroßmutter?

HEINRICH.   Ja!

RAUTENDELEIN.   Die kennst du nicht?

HEINRICH.
Ich bin ein Mensch und blind.

RAUTENDELEIN.   Bald wirst du sehen.
Mir ist's verliehn, wem ich die Augen küsse,
dem öffn' ich sie für alle Himmelsweiten.

HEINRICH.
So tu mir's!

RAUTENDELEIN.
        Hältst du still?

HEINRICH.   Versuch's einmal!

RAUTENDELEIN *küßt ihm die Augen.*
Ihr Augen, tut euch auf!

HEINRICH.   Du süßes Kind,
in letzter Stunde her zu mir gesendet:
ein Blütenzweig, von Gottes Vaterhand
aus einem fernen Frühling mir gebrochen —
du freigeborner Sproß! oh, wär' ich der,
der ich einst auszog, früh, am ersten Tag,
wie wollt' ich jubelnd an die Brust dich drücken!
Ich war erblindet, nun erfüllt mich Licht,
und ahnungsweis' ergreif' ich deine Welt.
Ja, mehr und mehr, wie ich dich in mich trinke,
du Rätselbildung, fühl' ich, daß ich sehe.

RAUTENDELEIN.
Ei, so beschau mich denn, soviel du willst.

HEINRICH.

Wie schön dein Goldhaar ist! so viele Pracht!
Mit dir, du lieblichster von meinen Träumen,
wird mir das Charonsschiff zur Königsbarke,
die, purpursegelnd, feierliche Bahn,
der Morgensonne zu, gen Osten nimmt.
Fühlst du den West? sein unbelauscht Beginnen?
wie er von Südmeers blauen Schaukelwellen
den weißen Schaumsturz streift — uns übersprüht
mit diamantner Frische? — fühlst du das?
Und wir, in Gold und Seide hingelagert,
ermessen wir, glücksel'ger Zuversicht,
die Ferne, die uns trennt: du weißt, wovon —
denn du erkennst das grüne Inselland,
der Birken schwere Hänge, die, zu baden,
in blaue Leuchtefluten niederwallen.
Du hörst den Jubel aller Frühlingssänger,
die unser warten . . .

RAUTENDELEIN.   Ja, ich höre ihn!

HEINRICH *verfallend.*

Nun wohl: ich bin bereit. Wenn ich erwache,
wird einer zu mir sagen: geh mit mir!
Dann lischt das Licht. Hier innen wird es kühl.
Der Seher stirbt, gleichwie der blinde Mann.
Doch sah ich dich und . . .

RAUTENDELEIN *mit Zeremonien.*

          Meister, schlummre ein!
          Wachst du auf, so bist du mein.
          Wünschlicher Gedanken Stärke
          wirk' indes am Heilungswerke.

Sie wirkt am Herd, dabei sprechend.

          Schätze, verwunschene, wollen zum Licht,
          unten in Tiefen leuchten sie nicht.
          Glühende Hunde bellen umsunst,
          winseln und weichen mutiger Kunst.
          Aber wir dienen froh und bereit,
          weil uns beherrschet, der uns befreit!

Mit Gesten gegen Heinrich.

          Eins, zwei, drei: so bist du neu,
          und im Neuen bist du frei.

HEINRICH.

Was ist mit mir geschehn? Aus welchem Schlaf
erwach' ich? Welches Morgens Sonne dringt
durchs offne Fenster, mir die Hand vergoldend?
O Morgenluft! Nun, Himmel, ist's dein Wille,
ist diese Kraft, die durch mich wirkt und wühlt,
dies glühend neue Drängen meiner Brust:
ist dies ein Wink, ein Zeichen deines Willens —
wohlan, so wollt' ich, wenn ich je erstünde,
noch einmal meinen Schritt ins Leben wenden,
noch einmal wünschen, streben, hoffen, wagen
und schaffen, schaffen.

Frau Magda tritt ein. Magda, bist du da?

FRAU MAGDA.

Ist er erwacht?

HEINRICH. Ja, Magda, bist du da?

FRAU MAGDA *ahnungsvoll freudig.*

Wie ist dir?

HEINRICH *überwältigt.*

Gut. Ach, gut. Ich werde leben.
Ich fühl's: ich werde leben. Ja, ich fühl's.

FRAU MAGDA *außer sich.*

Er lebt, er lebt! O Liebster! Heinrich, Heinrich!

Rautendelein steht abseits mit leuchtenden Augen.

DRITTER AKT

*Eine verlassene Glashütte im Gebirge, unweit der Schneegruben.
Rechts, aus dem natürlichen Felsen, welcher die Mauer vertritt,
rinnt Wasser durch eine Tonröhre in einen natürlichen Steintrog.
Links oder an der verfügbaren Hinterwand: Schmiedefeuerherd
mit Rauchfang und Blasebalg. Links hinten erblickt man durch
den scheunentorartigen, offenen Eingang die Hochgebirgsland-
schaft: Gipfel, Moore, tiefere Tannenwaldungen, in nächster
Nähe einen jähen Absturz. Im Dache der Hütte Rauchabzug.
Rechts: spitzbogiger Felsendurchbruch.
Der Waldschrat, welcher, schon außerhalb der Hütte sichtbar,
einen Fichtenwurzelstock zu einem draußen aufgeschichteten
Haufen getragen hat, tritt zögernd ein und sieht sich um. Der
Nickelmann steigt bis unter die Brust aus dem Wassertrog.*

NICKELMANN.

Komm nur herein, brekekekex!

WALDSCHRAT. Bist du's?

NICKELMANN.

Ja. Hol' der Satan Fichtenqualm und Ruß!

WALDSCHRAT.

Sind sie denn ausgeflogen?

NICKELMANN. Wer?

WALDSCHRAT. Nun, sie.

NICKELMANN.

Ich denke, ja; sust wären sie wohl hie.

WALDSCHRAT.

Ich traf den Hornig ...

NICKELMANN. Ei!

WALDSCHRAT. Mit Säg' und Axt.

NICKELMANN.

Was sagt er?

WALDSCHRAT. Daß du hier herumquoraxt.

NICKELMANN.

So halt' der Lümmel sich die Ohren zu.

WALDSCHRAT.

Recht jammerkläglich, sagt er, quaktest du.

NICKELMANN.

Den Kopf dreh' ich ihm ab!

WALDSCHRAT. So ist es recht!

NICKELMANN.

Ihm und dem andern. —

WALDSCHRAT *lacht.* Ein verwünscht' Geschlecht!

Drängt sich in unsre Berge, wühlt und baut,
hebt die Metalle, glüht und schmilzt und braut;
er spannt den Rübekol und Wassermann
ganz mir nichts, dir nichts an den Karren an.
Die schönste Elbin wird sein Liebchen, traun,
und unsereiner muß von ferne schaun.
Sie stiehlt mir Blumen, nelkenbraunen Quarz,
Gold, Edelsteine, gelbes Bernsteinharz.
Sie dient ihm täglich, nächtlich, wie sie kann.
Ihn küßt sie, uns dagegen faucht sie an.
Nichts widersteht ihm. Ält'ste Bäume fallen.
Der Grund erschüttert. Alle Klüfte hallen

durch Tag und Nacht von seinem Hammerschlag.
Sein rotes Schmiedefeuer wirft den Schein
bis in mein fernstes Höhlenhaus hinein.
Der Teufel weiß es, was er schaffen mag!

NICKELMANN.

Brekekekex, trafst du ihn damals doch!
Er läge längst verfault im Wasserloch,
Der Glockenmacher bei dem Glockentier.
Und ist die Glock' mein Würfelbecherlein,
die Würfel müßten seine Knochen sein.

WALDSCHRAT.

Potz Hahn und Hollenzopf! das glaub' ich dir.

NICKELMANN.

Statt dessen wirkt er hier gesund und stark;
ein jeder Hammerschlag dringt mir ins Mark.
Weinerlich.
Er macht ihr Schappel, Ring und Spängelein
und kost ihr Schultern, Brust und Wängelein.

WALDSCHRAT.

Bei meinem Bocksgesicht: du bist verrückt!
Weil's ihn ein bißchen nach dem Kinde jückt,
fängt so ein alter Kerl zu flennen an.
Sie mag nun einmal keinen Wassermann!
Und wenn sie dich nicht mag, so sei gescheit:
das Meer ist tief, die Welt ist lang und breit.
Greif dir 'ne Nixe, ras dich tüchtig aus,
leb, wie ein Pascha, recht in Saus und Braus:
am Ende wirst du ganz gelassen stehn,
sähst du die beiden flugs zu Bette gehn.

NICKELMANN.

Ich bring ihn um . . .

WALDSCHRAT.   Sie ist auf ihn erpicht.

NICKELMANN.

. . . beiß' ihm die Kehle durch . . .

WALDSCHRAT.   Du kriegst sie nicht!
Was kannst du tun? Großmutter steht ihm bei;
die, weißt du, achtet nicht dein Zorngeschrei.
Das Pärlein ist in ganz besondrer Huld.
Hoffst du noch etwas, sei es mit Geduld.

NICKELMANN.
Verdammtes Wort!

WALDSCHRAT.   Die Zeit geht ihren Gang —
und Mensch bleibt Mensch. Der Taumel währt nicht lang.

RAUTENDELEIN *noch nicht sichtbar, kommt singend.*
          Es saß ein Käfer auf'm Bäumel,
          Sum, sum!
          Der hat ein schwarz-weiß Röckel,
          Sum, sum!

Rautendelein erscheint.
Ei, was doch für Besuch! Schön guten Abend!
Hat er mir Gold gewaschen, Nickelmann?
Hat er mir Wurzelstöcke zugetragen,
mein lieber Bocksfuß? Seht: beladen bin ich
mit fremden Wunderdingen ganz und gar,
denn fleißig wahrlich tumml' ich mich herum!
Hier Bergkristalle, hier ein Diamant,
ein Beutelchen mit Goldstaub hab' ich hier,
hier Honigwaben . . . 's ist ein heißer Tag.

NICKELMANN.
Auf heiße Tage folgen heiße Nächte.

RAUTENDELEIN.
Kann sein. Kalt Wasser ist dein Element,
so tauche denn hinein und kühl dich ab!

*Waldschrat lacht unsinnig. Nickelmann taucht lautlos unter und
verschwindet.*
So lange treibt er's, bis man böse wird.

WALDSCHRAT *noch lachend.*
Potz Pferd!

RAUTENDELEIN.
          Am Knie das Band ist mir verrückt
und schneidet mich.

WALDSCHRAT.   Willst du, ich lockr' es dir.

RAUTENDELEIN.
Du wärst der Rechte! — Schrätlein, hörst du, geh!
Du bringst Gestank herein und so viel Fliegen,
in einer Wolke sind sie um dich her.

WALDSCHRAT.
Mir sind sie lieber, traun, als Schmetterlinge,
die mit bestaubtem Flügel dich umtaumeln,

bald in die Lippen sich, ins Haar dir wühlend,
und nachts sich dir um Brust und Hüften klammern.

RAUTENDELEIN *lacht.*

Schau, schau! nun laß es gut sein.

WALDSCHRAT. Weißt du was?
schenk mir dies Wagenrad. Wo stammt es her?

RAUTENDELEIN.

Das weißt du besser als ich, du Strolch!

WALDSCHRAT.

Hätt' ich den Glockenwagen nicht gebrochen,
der Edelfalke säß' dir nicht im Garn.
Drum sei mir dankbar, schenke mir das Ding.
Mit harzgetränkten Seilen dick umflochten
und angezündet, will ich's niederjagen
den steilsten Abhang, den ich finden kann.
Das gibt 'nen Spaß!

RAUTENDELEIN. Und in den Dörfern Feuer.

WALDSCHRAT.

Ja, rotes Opferfeuer, roten Wind!

RAUTENDELEIN.

Es wird nichts draus. Mach, daß du fortkommst, Schrätlein!

WALDSCHRAT.

Ist's denn so eilig? Muß ich wirklich gehn?
So sag mir doch: was macht das Meisterlein?

RAUTENDELEIN.

Er wirkt ein Werk.

WALDSCHRAT. Das wird was Rares sein.
Der Tage Drang, der Nächte Kuß:
Wir kennen schon den Glockenguß!
Berg will zu Tal, Tal will zu Berg,
und flugs entsteht das Wunderwerk:
ein Zwitterding, halb Tier, halb Gott,
der Erde Ruhm, des Himmels Spott.
Komm, Elbchen, in den Haselstrauch!
Was jener kann, das kann ich auch.
Du hast von ihm nicht größre Ehren:
den Heiland wirst du nicht gebären.

RAUTENDELEIN.

Du Tier, du Strolch! Dir blas' ich Blindheit an,
schmähst du noch mehr den auserwählten Mann,

der euch vom Banne zu erlösen ringt,
wenn durch die Nacht sein Hammerschlag erklingt!
Denn unterm Fluche, ob ihr's gleich nicht wißt,
seid ihr und wir und alles, was da ist.
Bleib! Du bist machtlos hier, wer du auch seist:
in diesem Umkreis herrscht des Meisters Geist!

WALDSCHRAT.

Was liegt mir dran! Grüß deinen Herrn Gemahl:
ich fahr wohl einst in seinen Schacht einmal. *Lachend ab.*

RAUTENDELEIN *nach kurzer Pause.*

Ich weiß nicht, was mir ist? So schwül und schwer.
Zum nahen Schneefeld will ich gehn: die Grott'
ist kühl. Schmelzwasser, grün und kalt wie Eis,
muß mich erfrischen. — Auf 'ne Schlange trat ich.
Sie sonnte sich auf schwefelgrünem Stein
und biß nach mir, hoch droben im Gerölle.
Ach, wie mir schwer ist. — Schritte! Horch! Wer kommt?

PFARRER *bergmäßig gekleidet, echauffiert, fast atemlos vor Anstrengung, erscheint vor der Tür.*

Hier, Meister Schaum! mir nach! nur hier herauf! —
Kein leichtes Stück war's, doch nun steh' ich fest.
Zudem! um Gottes willen unternahm ich's.
Und hundertmal ist mir die Müh' gelohnt,
gelingt es mir, als einem guten Hirten,
mir das verstiegne Lamm zurückzuretten.
Nur immer mutig vor! *Er tritt ein.* Ist jemand hier?
Rautendelein bemerkend.
Ei, sieh! da bist du ja! Dacht' ich mir's doch!

RAUTENDELEIN *blaß, bösartig.*

Was wollt Ihr hier?

PFARRER.   Das sollst du wohl erfahren.

Gott sei mein Zeuge, ja! und bald genug:
hab' ich nur erst ein wenig mich verschnauft —
ist mir der Schweiß ein wenig abgetrocknet.
Zuvörderst sag mir, Kind! bist du allein?

RAUTENDELEIN.

Du hast mich nichts zu fragen!

PFARRER.   Sieh doch an!

Nicht übel, wahrlich nicht. Auf diese Art
zeigst du dein wahres Antlitz mir sogleich:

361

nun, um so besser, dies erspart mir vieles.
Du!

RAUTENDELEIN.

Menschlein, sieh dich vor!

PFARRER *ihr entgegen mit gefalteten Händen.*

Mir tust du nichts!
Mein Herz ist fest und rein; ich fürchte nichts.
Der meinen alten Gliedern Mut verlieh,
in eure Höhlen mich hinauf zu wagen,
er steht mir bei, ich fühl's. — Du Teufelin,
versuche nichts an mir mit deinem Trotz,
verschwende nichts von deinen Buhlerkünsten!
In deine Berge hast du ihn verlockt . . .

RAUTENDELEIN.

Wen?

PFARRER.

Wen? den Meister Heinrich! wen denn sonst?
Mit Zauberkünsten, süßen Höllentränken,
bis er so kirr dir wie ein Hündchen wurde.
Ein Mann wie er, Hausvater, Musterbild,
fromm bis ins Innerste. Du großer Gott!
'ne hergelaufne Dirne greift ihn auf,
sie wickelt ihn so recht in ihre Schürze
und schleppt ihn mit sich fort, wohin sie will,
zu bittrer Schmach gemeiner Christenheit.

RAUTENDELEIN.

Bin ich ein Räuber, raubt' ich dir doch nichts!

PFARRER.

Mir, meinst du, nahmst du nichts? Du freches Ding!
Nicht mir, dem Weib allein, noch seinen Kindern — :
Du nahmst der ganzen Menschheit diesen Mann!

RAUTENDELEIN *plötzlich verwandelt, triumphierend.*

Ei, schau doch vor dich! sieh, wer kommt gegangen?
Vernimmst du seines freien Wandelschrittes
gleichmäßig Klingen nicht? Will denn dein armes Schmähn
noch immer nicht in Jauchzen übergehn?
Fühlst du noch nicht des Balderauges Glanz?
Durchdringt es deine Glieder nicht wie Tanz?
Das Gräslein freut sich, das sein Fuß zerbricht.
Ein König naht. Du Bettler jubelst nicht?

Eia juchheia! Meister, sei gegrüßt!
Sie läuft ihm entgegen und wirft sich in seine Arme. Heinrich,
in malerischer Werkeltracht, den Hammer im Arm, erscheint.
Mit Rautendelein Hand in Hand nähert er sich und erkennt
den Pfarrer.

HEINRICH.

Willkommen! Hochwillkommen!

PFARRER.　　　　　　　　　Gott zum Gruß,
viellieber Meister! Ist's die Möglichkeit!
Von Kräften strotzend förmlich, steht er da,
gleich einer jungen Buche, schlank und stark,
und lag doch jüngst gestreckt aufs Krankenlager:
ein siecher Mann, hinfällig, matt und bleich,
schier hoffnungslos. Fürwahr, mir kommt es vor,
als hätte ganz im Nu des Höchsten Liebe,
allmächt'gen Anhauchs, Euer sich erbarmt,
daß Ihr, vom Lager mit zwei Beinen springend,
wie David mochtet tanzen, Zimbal schlagen,
lobsingen, jauchzen Eurem Herrn und Heiland.

HEINRICH.

Es ist so, wie Ihr sagt.

PFARRER.　　　　　　Ihr seid ein Wunder!

HEINRICH.

Auch dies ist wahr. Durch alle meine Sinne
spür' ich das Wunder wirken. Geh, mein Liebling!
Der Pfarrer soll von unserm Wein probieren.

PFARRER.

Ich dank' Euch, nein, nicht jetzt, nicht diesen Tag.

HEINRICH.

Geh, bring ihn! ich verbürg' es, er ist gut.
Doch wie Ihr wollt. Ich bitt' Euch, sitzet nieder!
Seit ich der Schmach der Krankheit mich entrafft,
ward uns das erste, neue Frohbegegnen
auf diese Abendstunde vorbereitet.
Ich hoffte nicht, als ersten Euch zu grüßen
in meines Wirkens strittigem Gebiet.
Nun freut's mich doppelt: so erweist sich's doch,
daß Ihr Beruf und Kraft und Liebe habt.
Durchbrechen seh' ich Euch mit fester Faust
die mörderischen Stricke der Bestallung,

dem Menschendienst entfliehn, um Gott zu suchen.

PFARRER.

Nun, Gott sei Dank! ich fühl's, Ihr seid der Alte.
Die Leute lügen, die da unten schrein,
Ihr wär't ein andrer, als Ihr früher waret.

HEINRICH.

Derselbe bin ich und ein andrer auch. —
Die Fenster auf, und Licht und Gott herein !

PFARRER.

Ein guter Spruch.

HEINRICH.   Der beste, den ich kenne.

PFARRER.

Ich kenne beßre, doch auch er ist gut.

HEINRICH.

Wenn Ihr nur wollt, streckt mir die Hand entgegen:
ich schwör's bei Hahn und Schwan und Pferdekopf!
so nehm' ich Euch von ganzer Seel' als Freund
und öffn' Euch zu dem Frühling meiner Seele
die Pforten angelweit.

PFARRER.   Tut auf getrost!
Ihr tatet's oft und kennt mich zur Genüge.

HEINRICH.

Ich kenn' Euch, ja. Und kennt' ich Euch auch nicht,
und säße hier in eines Freundes Maske
Gemeinheit, meines Herzens Geberlaune
zu nutzen gierig — traun: Gold bleibt doch Gold!
Im Kehricht selbst der Sykophantenseele
geht's nicht verloren.

PFARRER.   Meister, sagt mir doch:
was ist's mit diesem sonderbaren Schwur?

HEINRICH.

Bei Hahn und Schwan?

PFARRER.   . . . und, deucht mir: Pferdekopf?

HEINRICH.

Ich weiß nicht, wie es mir zu Sinne stieg.
Mir scheint, der Wetterhahn auf Eurer Kirche,
der ganz zuoberst, sonnenfunkelnd, steht —
der Pferdekopf auf Nachbar Karges Giebel —
der Schwan, der hoch im Blau verloren flog —:
dies und jenes brachte mich darauf;

am End' ist's einerlei. — Hier kommt der Wein.
Nun, in des Wortes innerstem Bedeuten,
trink' ich Gesundheit: mir und dir und Euch!

PFARRER.

Ich danke Euch und kann Euch nur erwidern,
daß ich Gesundheit dem Geheilten wünsche.

HEINRICH *umhergehend.*

Ich bin geheilt, erneut! ich spür's an allem:
an meiner Brust, die sich so freudig hebt
zu kraftvoll wonniglichem Atemzug,
wobei mir's ist, als ob des Maien Kraft
in mich hinein zu meinem Herzen drängte.
Ich spürs' an meinem Arm, der eisern ist —
an meiner Hand, die, wie 'nes Sperbers Klaue,
in leere Luft sich spreizt und wieder schließt
voll Ungeduld und Schöpfertatendrang.
Seht Ihr das Heiligtum in meinem Garten?

PFARRER.

Was meint Ihr?

HEINRICH.   Dort. Dies andre Wunder. Seht!

PFARRER.

Ich sehe nichts.

HEINRICH.   Ich meine jenen Baum,
der einer blühnden Abendwolke gleicht,
weil sich Gott Freyr auf ihn niedersenkte.
Wollüstig tiefes Sausen dringt hinab,
steht Ihr an seinem Stamm; und ungezählt
sind Honigsammler, sumsend, schwelgerisch
um seiner Blüten duft'ge Pracht bemüht.
Ich fühl's, ich gleiche jenem Baume.
Wie in die Zweige dieses Baumes stieg
Gott Freyr auch in meine Seele nieder,
daß sie in Blüten flammt mit einem Schlag.
Wo durst'ge Bienen sind, die mögen kommen —

PFARRER.

Nur weiter, weiter! — gerne hör' ich zu.
Ihr und der Blütenbaum, Ihr mögt schon prahlen.
Ob Eure Früchte reifen, steht bei Gott!

HEINRICH.

Wahr, bester Freund! was stünde nicht bei dem?

Er warf mich nieder zwanzig Klaftern tief;
er hob mich auf, daß ich nun blühend stehe:
von ihm ist Blüt' und Frucht und alles, alles.
Doch bittet ihn, daß er den Sommer segne!
Was in mir wächst, ist wert, daß es gedeihe,
wert, daß es reife. Wahrlich, sag' ich Euch! —
Es ist ein Werk, wie ich noch keines dachte:
ein Glockenspiel aus edelstem Metall,
das aus sich selber, klingend, sich bewegt.
Wenn ich die Hand wie eine Muschel lege
so mir ans Ohr und lausche, hör' ich's tönen —
schließ' ich die Augen, quillt mir Form um Form
der reinen Bildung greifbar deutlich auf.
Seht: was ich jetzt als ein Geschenk empfing,
voll namenloser Marter sucht' ich es,
als Ihr mich, einen Meister, glücklich prieset.
Ein Meister war ich nicht, noch war ich glücklich!
Nun bin ich beides: glücklich und ein Meister!!

PFARRER.
Ich hör' es gern, wenn man Euch Meister nennt,
doch wundert mich, daß Ihr es selber tut. —
Für welche Kirche schafft Ihr Euer Werk?

HEINRICH.
Für keine.

PFARRER.   Ei, wer gab Euch dann den Auftrag?

HEINRICH.
Der jener Tanne drüben anbefahl,
sich hart am Abgrund herrlich aufzurichten!
Im Ernst: das Kirchlein dort, von Euch begründet,
verfallen ist's zum Teil, zum Teil verbrannt;
drum will ich neuen Grund hoch oben legen —
zu einem neuen Tempel neuen Grund!

PFARRER.
O Meister, Meister! — Doch ich will nicht rechten:
vorerst, so glaub' ich, wir verstehn uns nicht.
Denn was ich meine, trocken ausgesagt,
da Euer Werk so überköstlich ist . . .

HEINRICH.
Ja, köstlich ist es.

PFARRER.   Solch ein Glockenspiel . . .

HEINRICH.

Nennt's, wie Ihr wollt!

PFARRER.   Ihr nanntet's, dünkt mich, so.

HEINRICH.

So nannt' ich, was ich selber nennen muß
und will und soll und einzig nennen kann.

PFARRER.

Sagt mir, ich bitt' Euch, wer bezahlt das Werk?

HEINRICH.

Wer mir mein Werk bezahlt? O Pfarrer, Pfarrer!
Wollt Ihr das Glück beglückt? den Lohn belohnt? —
Nennt immerhin mein Werk, wenn ich es nannte:
ein Glockenspiel! Dann aber ist es eines,
wie keines Münsters Glockenstube je
es noch umschloß, von einer Kraft des Schalles,
an Urgewalt dem Frühlingsdonner gleich,
der brünstig brüllend ob den Triften schüttert;
und so, mit wetternder Posaunen Laut,
mach' es verstummen aller Kirchen Glocken
und künde, sich in Jauchzen überschlagend,
die Neugeburt des Lichtes in die Welt.

Urmutter Sonne!! Dein und meine Kinder,
durch deiner Brüste Milch emporgesäugt —
und so auch dieses, brauner Krum' entlockt
durch nährend-heißen Regens ew'gen Strom:
sie sollen künftig all ihr Jubeljauchzen
gen deine reine Bahn zum Himmel werfen.
Und endlich, gleich der graugedehnten Erde,
die jetzund grün und weich sich dir entrollt,
hast du auch mich zur Opferlust entzündet.
Ich opfre dir mit allem, was ich bin! —
O Tag des Lichtes, wo zum erstenmal
aus meines Blumentempels Marmorhallen
der Weckedonner ruft — wo aus der Wolke,
die winterlang uns drückend überlastet,
ein Schauer von Juwelen niederrauscht,
wonach Millionen starrer Hände greifen,
die, gleich durchbrannt von Steineszauberkraft,
den Reichtum heim in ihre Hütten tragen:

dort aber fassen sie die seidnen Banner,
die ihrer harren — ach, wie lange schon?! —
und Sonnenpilger, pilgern sie zum Fest.

O Pfarrer, dieses Fest! — Ihr kennt das Gleichnis
von dem verlornen Sohn: die Mutter Sonne
ist's, die es den verirrten Kindern schenkt.
Von seidnen Fahnen flüsternd überbauscht,
so ziehn die Scharen meinem Tempel zu.
Und nun erklingt mein Wunderglockenspiel
in süßen, brünstig süßen Lockelauten,
daß jede Brust erschluchzt vor weher Lust:
es singt ein Lied, verloren und vergessen,
ein Heimatlied, ein Kinderliebeslied,
aus Märchenbrunnentiefen aufgeschöpft,
gekannt von jedem, dennoch unerhört.
Und wie es anhebt, heimlich, zehrend-bang,
bald Nachtigallenschmerz, bald Taubenlachen,
da bricht das Eis in jeder Menschenbrust,
und Haß und Groll und Wut und Qual und Pein
zerschmilzt in heißen, heißen, heißen Tränen.

So aber treten alle wir ans Kreuz,
und noch in Tränen, jubeln wir hinan,
wo endlich, durch der Sonne Kraft erlöst,
der tote Heiland seine Glieder regt
und strahlend, lachend, ew'ger Jugend voll,
ein Jüngling, in den Maien niedersteigt.
Heinrich hat, in sich steigernder Begeisterung, zuletzt ekstatisch
gesprochen, nun geht er bewegt umher.
Rautendelein, bebend vor Rausch und Liebe, Tränen in den
Augen, gleitet an ihm nieder und küßt seine Hände. Der Pfar-
rer ist mit immer mehr überhand nehmenden Zeichen des
Grauens der Rede gefolgt. Am Schluß hält er an sich. Nach
einer Pause beginnt er mit erzwungener Ruhe, die aber schnell
verfliegt.

PFARRER.
Jetzt, lieber Meister, hab' ich Euch gehört,
und ganz aufs Haar bestätigt find' ich alles,
was ehrenwerte Männer der Gemeine

mir sorgenvollen Herzens hinterbracht:
sogar die Mär von diesem Glockenspiel.
Dies tut mir leid, mehr, als ich sagen kann.
Die hohen Worte gänzlich nun beiseit:
wie ich hier stehe, bin ich hergekommen,
nicht, weil es mich nach Euren Wundern dürstet —
nein, um Euch beizustehn in Eurer Not.

HEINRICH.
In meiner Not? So bin ich denn in Not?

PFARRER.
Mann! wacht nun endlich auf! Wacht auf! Ihr träumt
den fürchterlichsten Traum, aus dem man nur
zu ew'ger Pein erwacht. Gelingt es nicht,
Euch aufzuwecken mit dem Worte Gottes,
seid Ihr verloren — ewig, Meister Heinrich!

HEINRICH.
Das denk' ich nicht.

PFARRER. Wie heißt das Bibelwort?
„Wen er verderben will, schlägt Gott mit Blindheit."

HEINRICH.
Ist dies sein Plan, Ihr haltet Gott nicht auf.
Doch nennt' ich jetzt mich blind,
wo ich, von hymnisch reinem Geist erfüllt,
auf eine Morgenwolke hingebettet,
erlösten Auges Himmelsfernen trinke:
ich wäre wert, daß Gottes Zorn mich schlüge
mit ew'ger Finsternis.

PFARRER. Nun, Meister Heinrich,
der Flug, den Ihr da nehmt, ist mir zu hoch.
Ich bin ein schlichter Mann, ein Erdgeborner,
und weiß von überstiegnen Dingen nichts.
Eins aber weiß ich, was Ihr nicht mehr wißt:
was Recht und Unrecht, Gut und Böse ist.

HEINRICH.
Auch Adam wußt' es nicht im Paradiese.

PFARRER.
Das sind nur Redensarten, nichts bedeutend.
Ruchlosigkeiten deckt Ihr nicht damit.
Es tut mir leid, gern hätt' ich's Euch erspart:
Ihr habt ein Weib, habt Kinder . . .

HEINRICH. Und was weiter?

PFARRER.
Die Kirche meidet Ihr, zieht in die Berge,
durch Monde kehrt Ihr nicht in Euer Haus,
wo Euer Weib sich sehnt und Eure Kinder
nur immer ihrer Mutter Tränen trinken.

HEINRICH *nach längerem Stillschweigen, bewegt.*
Könnt' ich sie trocknen, Pfarrer, diese Tränen,
wie gerne wollt' ich's tun! doch kann ich's nicht.
In Kummerstunden grübelnd, fühl' ich ganz:
es jetzt zu lindern, ist mir nicht gegeben.
Der ich ganz Liebe bin, in Lieb' erneut,
darf ich aus meines Reichtums Überfülle
den leeren Kelch nicht füllen, denn mein Wein,
ihr wird er Essig, bittre Gall' und Gift.
Soll der, der Falkenklaun statt Finger hat,
'nes kranken Kindes feuchte Wangen streicheln?
Hier helfe Gott!

PFARRER. Dies muß ich Wahnsinn nennen,
ruchlosen Wahnsinn. Ja, ich hab's gesagt.
Hier steh' ich, Meister, ganz erschüttert noch
von Eures Herzens grauenvoller Härte.
Hier ist dem bösen Feind ein Streich gelungen
in Gottes Fratze . . . ja, so muß ich sagen —
abgründisch, wie er kaum ihm je gelang.
Dies Werk, du großer Gott! von dem Ihr faselt . . .
fühlt Ihr denn nicht: es ist die ärgste Greuel,
die je 'nes Heiden Kopf sich ausgeheckt!
Viel lieber wollt' ich alle bösen Plagen,
mit denen Gott Ägypten heimgesucht,
herniederbeten auf die Christenheit,
als diesen Tempel Eures Beelzebub,
des Baal, Moloch je vollendet sehn.
Kehrt um, kommt zur Besinnung, bleibt ein Christ!
Es ist noch nicht zu spät. Hinaus die Dirne!
Die Buhlerin, die Hexe treibt hinaus!
den Alb, die Drude, den verdammten Geist!
Mit einem Schlage wird der ganze Spuk
in nichts verschwinden, und Ihr seid gerettet.

HEINRICH.
 Als ich im Fieber lag, dem Tod verfallen,
 kam sie und hob mich auf und heilte mich.
PFARRER.
 Viel lieber tot als solcherweis' genesen!
HEINRICH.
 Darüber mögt Ihr denken, wie Ihr wollt.
 Ich aber nahm das neue Leben an!
 Ich leb' es, und so lange dank' ich's ihr,
 bis mich der Tod entbindet.
PFARRER.   Nun — 's ist aus.
 Zu tief, bis an den Hals steckt Ihr im Bösen,
 und Eure Hölle, himmlisch ausgeschmückt,
 sie hält Euch fest. — Ich will nicht weitergehn,
 doch wißt Ihr: Hexen blüht der Scheiterhaufen,
 gleichwie er Ketzern blüht, so heut' wie einst.
 Vox populi, vox dei! Euer Tun,
 heimlich und heidnisch, ist uns nicht verborgen,
 und Graun erregt es, Haß erzeugt es Euch.
 Es kann geschehn, daß die Empörung sich
 nicht ferner zügeln läßt, daß sich das Volk,
 in seinem Heiligsten durch Euch bedroht,
 zur Abwehr rottet, Eure Werkstatt stürmt
 und ohn' Erbarmen rast!
HEINRICH *nach einigem Stillschweigen, gelassen.*
                         Hm! Hört mich denn:
 Ihr schreckt mich nicht! Schlägt mir der Schmachtende,
 dem ich mit Krügen kühlen Weines nahe,
 so Krug als Becher, beides aus der Hand —
 nun denn: verschmachtet er, so ist's sein Wille,
 vielleicht sein Schicksal; ich verschuld' es nicht.
 Auch bin ich selbst nicht durstig, denn ich trank!
 Doch fügt es sich, daß, der sich selbst betrog,
 gen mich, schuldlosen Schenken, der ich war,
 blindhassend wütet, daß der Schlamm
 der Finsternis gen meiner Seele Licht
 sich widerwärtig bäumt und mich bespritzt —
 so bin ich: ich! weiß, was ich will und kann.
 Und hab' ich manche Glockenform zerschlagen,
 so heb' ich auch den Hammer wohl einmal,

'ne Glocke, welche Pöbelkunst gebacken
aus Hoffart, Bosheit, Galle, allem Schlechten —
vielleicht, daß sie die Dummheit grade läutet! —
mit einem Meisterstreich in Staub zu schmettern.

PFARRER.

So fahrt denn hin! lebt wohl, ich bin zu Ende.
Das Tollkraut Eurer Sünden auszurotten,
vermag kein Mensch: erbarme Gott sich deiner!
Eins aber laßt Euch sagen: 's ist ein Wort,
das Reue heißt, und eines Tages, Mann,
wird dich — inmitten deiner Traumgeburten —
ein Pfeil durchbohren, unterm Herzen dicht:
du wirst nicht leben, und du wirst nicht sterben,
und dich und Welt und Gott, dein Werk und alles
wirst du verfluchen! Dann . . . dann denk an mich!

HEINRICH.

Wollt' ich mir, Pfarrer, Schreckgespenste malen,
mir sollt' es trefflicher als Euch gelingen.
Was Ihr da faselt, das wird nie geschehn.
Gen Euren Pfeil bin ich vollauf bewehrt.
So wenig schürft er mir auch nur die Haut,
als jene Glocke, wißt Ihr, jene alte,
die abgrunddurst'ge, die hinunterfiel
und unten liegt im See, je wieder klingt!

PFARRER.

Sie klingt Euch wieder, Meister! Denkt an mich!

VIERTER AKT

*Das Innere der Glashütte, wie im dritten Akt. In die Felsen-
mauer rechts ist ein Tor geschlagen, welches in eine Höhle des
Berges führt. Es befindet sich auf der linken Seite des Raums
ein offener Schmiedeherd mit Blasebalg und Rauchfang: ein
Feuer brennt darauf. Unweit des Herdes steht der Amboß.
Heinrich hält mittels der Zange ein Stück glühendes Eisen auf
dem Amboß fest. Sechs kleine Zwerge im Kostüm von Berg-
leuten sind bei ihm. Der erste Zwerg hat mit Heinrich zugleich
die Zange gefaßt. Der zweite Zwerg schwingt den großen
Schmiedehammer und läßt ihn auf das glühende Eisen nieder-*

*schlagen. Der dritte Zwerg facht mit dem Blasebalg das Feuer
an. Der vierte Zwerg schaut mit schärfster Aufmerksamkeit,
unbeweglich, der Arbeit zu. Der fünfte Zwerg steht abwartend:
er hat eine Keule und scheint bereit, dreinzuschlagen. Der
sechste Zwerg sitzt auf einem erhöhten Thrönchen mit einer
blitzenden Krone auf dem Haupt. Geschmiedete Stücke und
Gußstücke liegen umher: Architektonisches und Figürliches.*

HEINRICH.

Schlag zu, schlag zu, bis dir der Arm erlahmt!
Dein Wimmern rührt mich nicht, du Tagedieb.
Hältst du die vorgeschriebne Zahl nicht aus,
so seng' ich dir den Bart am Schmiedefeuer.
Der zweite Zwerg wirft den Hammer weg.
Dacht' ich mir's doch! wart, liebes Bübchen, wart!
Wenn ich erst drohe, droh' ich nicht im Spaß.
*Der Kleine, welcher zappelt und schreit, wird von Heinrich
über das Schmiedefeuer gehalten. Der Zwerg am Blasebalg
arbeitet heftiger.*

ERSTER ZWERG.

Ich kann nicht mehr! Die Hand erstarrt mir, Meister!

HEINRICH.

Ich komme. — *Zum zweiten Zwerg.*
          Bist du nun bei Kräften, Zwerg?
*Der zweite Zwerg nickt eifrig und fröhlich, ergreift den Ham-
mer aufs neue und hämmert, was er hämmern kann.*
Potz Hahn und Schwan! in Zucht muß man euch halten.
Er faßt wieder die Handgriffe der Zange.
Kein Hufschmied brächte je sein Eisen rund,
macht' er mit solchen Bübchen Federlesens.
Das denkt wohl schon beim allerersten Schlag,
es möchte nimmermehr den zweiten tun,
geschweige, daß es Zuversicht empfände
für jene abertausend Werkeltaten,
wie sie ein ehrenwerter Wurf verlangt.
Schlag zu! Heiß Eisen biegt sich, kaltes nicht.
Was tust du da?

ERSTER ZWERG *ganz im Eifer, versucht das glühende Eisen mit
der Hand zu formen.*
          Ich bild' es mit der Hand.

HEINRICH.

Tollkühnlicher Geselle, der du bist!
Willst du die Hände dir in Asche wandeln?
Was soll ich tun, wo du mir nicht mehr dienst?
Du Welandssproß! Wie, ohne deine Kraft,
gelänge mir's, den hochgetürmten Bau
des Werkes, das ich will, in sich zu stützen,
zu gründen, hoch in einsamfreie Luft
zur Sonnennähe seinen Knauf zu heben?!

ERSTER ZWERG.

Gelungen ist die Form und heil die Hand,
ein wenig müd und tot, doch das ist alles.

HEINRICH.

Zum Wassertroge flugs! Der Nickelmann
soll dir mit grünem Tang die Finger kühlen.
Zum zweiten Zwerg.
Ruh aus nun, Faulpelz! laß verdiente Rast
dir munden. Am Entstandnen will ich mir
sogleich den Meisterlohn behaglich heimsen.
*Er nimmt das frisch geschmiedete Eisen, sitzt nieder und
betrachtet es.*
Ganz trefflich, wahrlich! Liebegüt'ges Walten
hat dieser Stunde Wirkung uns gekrönt.
Ich bin zufrieden, darf es, denk' ich, sein,
da aus der Unform sich die Form gebar
und aus dem Wirrwarr sich das Kleinod löste,
des wir in diesem Augenblick bedürfen:
gerecht nach unten und gerecht nach oben,
es unvollkommnem Ganzen einzufügen.
Was flüsterst du? — *Der vierte Zwerg ist auf einen Sessel gestiegen und flüstert in Heinrichs Ohr.*
                    Laß mich in Frieden, Alb!
sonst bind' ich Händ' und Füße dir zusammen,
verstopfe mit 'nem Knebel dir den Mund . . .
Der Zwerg flieht.
Was denn an diesem Teil dient nicht dem Ganzen?
Was denn mißfällt dir? Rede, wenn man fragt!
Nie ward ich so wie grade jetzt beglückt,
nie stimmten Hand und Herz so überein.
Was mäkelst du? Bin ich der Meister nicht?

Willst du, Gesell, dich mehr zu sein vermessen?
Heran! und sage deutlich, was du meinst!
Der Zwerg kommt wieder und flüstert. Heinrich wird blaß,
seufzt, erhebt sich und legt wütend das fertige Stück wieder auf
den Amboß.
So mag der Satan dieses Werk vollenden!
Kartoffeln will ich legen, Rüben baun,
will essen, trinken, schlafen und dann sterben.
Der fünfte Zwerg schreitet gegen den Amboß vor.
Du, wag es nicht und rühre nicht daran!
Was schiert mich's, wirst du blaurot im Gesicht,
strafft sich dein Haar und schielt dein Blick Zerstörung?!
Wer dir sich untergibt, mit festem Griff
dich nicht daniederhält, du Mordgesell,
dem bleibt zuletzt nur eins: das Haupt zu beugen
und deiner Keule Gnadenstreich erwarten.
Der fünfte Zwerg zerschlägt wütend das geformte Stück auf
dem Amboß. Heinrich knirscht mit den Zähnen.
Nur zu! Was liegt daran?! 's ist Feierabend.
Werft alle Lasten hin! Geht, Zwerge, geht!
Wenn mir der Morgen neue Kräfte schenkt —
ich hoffe, daß er's tut —, so ruf' ich euch.
Geht! Unerbetne Arbeit frommt mir nicht.
Du dort am Blasbalg, schwerlich glühst du mir
noch heut ein neues Eisen — mach dich fort!
Die Zwerge, der gekrönte ausgenommen, verschwinden durch
das Felsentor.
Und du, Gekrönter, der nur einmal spricht,
was stehst du da und wartest? Geh auch du!
Du wirst dein Wort nicht heut, nicht morgen sprechen —
der Himmel weiß, ob du es jemals sprichst!
Der gekrönte Zwerg verschwindet.
Vollbracht! . . . wann ist's vollbracht? Müd bin ich, müd . . .
Dich, abendliche Stunde, lieb' ich nicht,
die, eingezwängt du zwischen Tag und Nacht,
nicht dieser angehörst und jenem nicht.
Du windest mir den Hammer aus der Hand
und gibst mir nicht den Schlummer, der allein
des Rastens Sinn. Ein Herz voll Ungeduld
weiß, daß es harren muß und machtlos harren,

und harrt mit Schmerzen auf den neuen Tag. —
Die Sonne, allen Purpur um sich hüllend,
steigt in die Tiefen ... läßt uns hier allein,
die wir, des Lichts gewohnt, nun hilflos schauern,
uns ganz verarmt der Nacht ergeben müssen:
denn morgens Kön'ge — abends Bettler nur,
sind Lumpen unsre Decke, wenn wir schlummern.
Er hat sich auf ein Ruhebett gestreckt und liegt, mit offenen
Augen träumend. Ein weißer Nebel dringt durch die offene
Tür herein. Nachdem er zergangen ist, sieht man den Nickel-
mann über dem Rande des Wassertroges.

NICKELMANN.

Quorax! Brekekekex! Nun ruht er aus
im Binsenhaus, der Meister Erdenwurm,
und hört und sieht nicht! Bucklige Gespenster
erkriechen grau und wolkig das Gebirg,
bald lautlos droh'nd, gleichwie mit Fäusten, bald
die Hände kläglich ringend. Nichts vernimmt er!
Der Krüppeltanne Seufzen hört er nicht,
das leise, elbisch böse Pfeifen nicht,
davon der ält'sten Fichte Nadeln zittern,
indes sie selber mit den Zweigen schlägt,
erschrocken, wie 'ne Henne mit den Flügeln.
Schon fröstelt's ihn, schon spürt er Wintergraun
in Mark und Bein — doch rastlos wirkt er fort
sein Tagewerk im Schlaf.
Laß ab! Vergeblich ringst du, denn du ringst
mit Gott! Gott rief dich auf, mit ihm zu ringen —
und nun verwarf er dich, denn du bist schwach!
Heinrich wälzt sich ächzend.
Umsonst sind deine Opfer: Schuld bleibt Schuld!
Den Segen Gottes hast du nicht ertrotzt,
Schuld in Verdienst, Strafe in Lohn zu wandeln.
Du bist voll Makel! Blutig starrt dein Kleid!
Es wird die Wäsch'rin, die es waschen könnte,
dir nimmer kommen, wie du sie auch rufst.
Schwarzelfen sammeln sich in Kluft und Gründen,
zur wilden Jagd bereit. Der Meute Bellen
wird bald genug an deine Ohren schlagen —
sie kennt das Wild! Die Nebelriesen bauen

im klaren Luftraum finstre Wolkenburgen
mit droh'nden Türmen, ungeheuren Mauern,
die langsam wider dein Gebirge treiben,
dich und dein Werk und alles zu erdrücken!

HEINRICH.
Mich quält ein Alb! Hilf mir, Rautendelein!

NICKELMANN.
Sie hört dich, kommt — und hilft dir dennoch nicht!
Wär' sie wie Freia, wärst du Balder selbst,
trügst du den Köcher voller Sonnenpfeile
und fehlte keiner, den du schnellst, sein Ziel —
du müßtest doch erliegen! — Hör mich an:
Es ruht eine Glocke im tiefen See
unter Geröll und Steinen.
Sie will in die Höh',
wo die Lichter des Himmels scheinen.
Die Fische schwimmen ein und aus . . .
doch mein jüngstes, grünhaariges Töchterlein
umkreist sie nur furchtsam im Bogen weit —
und manchmal weint es vor Weh und Leid,
weil die alte Glocke so seltsam lallt,
als fülle Blut ihren Mund.
Sie rüttelt, sie lockert und hebt sich vom Grund.
O wehe, du, wenn ihre Stimme dir wieder schallt!
Bim! baum!
Helfe dir Gott aus deinem Traum!
Bim! baum!
Bang und schwer,
wie wenn der Tod in der Glocke wär'!
Bim! baum!
Helfe dir Gott aus deinem Traum!
Nickelmann taucht in den Brunnen.

HEINRICH.
Zu Hilfe! Helft! Der Nachtmahr quält mich! Helft!
Erwacht.
Wo bin ich . . . bin ich denn?
Er reibt sich die Augen und glotzt um sich.
                              Ist jemand hier?

RAUTENDELEIN *in der Tür erscheinend.*
Ich! Riefst du mich?

377

HEINRICH.   Ja, komm! Komm her zu mir!
Leg deine Hand auf meine Stirne — so.
Ich muß dein Haar, dein Herz . . . dich muß ich fühlen.
Komm! So . . . ganz nahe! Waldesfrische bringst du
und Rosmarinduft. Küß mich! Küsse mich!

RAUTENDELEIN.
Was hast du, Liebster?

HEINRICH.   Nichts . . . ich weiß es nicht.
Ich lag wohl hier und fror — gib mir 'ne Decke! —
ohnmächtig, leer an Kraft, mit müdem Herzschlag.
Da drangen finstre Mächte bei mir ein —
ich ward ihr Opfer, und sie quälten mich,
sie würgten mich . . . Doch nun ist's wieder gut.
Laß gut sein, Kind — nun steh' ich wieder fest!
Sie mögen kommen!

RAUTENDELEIN.   Wer?

HEINRICH.   Die Feinde!

RAUTENDELEIN.   Welche?

HEINRICH.
Die namenlosen Feinde allesamt!
Noch steh' ich fest wie je auf meinen Füßen,
das Graun nicht fürchtend, ob es mich im Schlaf
hyänenfeige auch beschlichen hat.

RAUTENDELEIN.
Du fieberst, Heinrich!

HEINRICH.   's ist ein wenig kühl.
Doch tut es nichts. Umschling mich, preß mich an dich!

RAUTENDELEIN.
Du Lieber! Liebster!

HEINRICH.   Sag mir eines, Kind:
glaubst du an mich?

RAUTENDELEIN.   Du Balder, Sonnenheld!
Du Bleicher! Deine weiße Braue küss' ich,
die über deines Auges reinem Blau
sich wölbt . . . *Pause.*

HEINRICH.   Ja — bin ich das? Bin ich wie Balder?
Mach du mich's glauben! Mach's mich wissen, Kind!
Gib meiner Seele den erhabnen Rausch,
des sie bedarf zum Werk! Denn wie die Hand
mit Zang und Hammer mühsam werken muß,

den Marmor spalten und den Meißel führen,
wie dies mißrät und jenes nicht gedeiht
und sich der Fleiß ins Kleinste muß verkriechen,
verliert auch oft sich Rausch und Zuversicht,
verengt sich oft die Brust, der Blick ermattet,
der Seele klares Vorbild schwindet hin:
in all dem Tagelöhner-Werkelkram
dies himmlische Geschenk nicht einzubüßen,
das — sonnenduftig — keine Klammer hält,
ist schwer. Und flieht's, entflieht der Glaube mit.
Betrogen gleichsam stehst du, bist versucht,
die Qualen des Vollbringens abzuschütteln,
die der Empfängnis heitrer Göttertag
mit seinem Siegesjubel dir verbarg.
Genug davon. — Noch ist's ein grader Rauch,
der auf zum Himmel quillt von meinem Opfer.
Will ihn die Hand von oben niederdrücken,
so kann sie's tun. Dann fällt das Priesterkleid
von meiner Schulter — ich nicht warf es ab —,
und der ich hoch wie keiner ward gestellt,
muß stumm gefaßt vom Horeb niedersteigen.
Doch nun bringt Fackeln! Licht! Zeig deine Künste,
du Zauberin! Gib mir von deinem Wein!
Wir wollen, wie's gemeiner Menschen Brauch,
ein flücht'ges Glück mit keckem Mute greifen.
Und besser wollen wir erzwungne Muße
mit Leben füllen, als ratlose Trägheit,
des Pöbels Erbteil, Tag um Tag vergeudend,
es je vermöchte, und mit größrem Fug!
Musik soll klingen!

RAUTENDELEIN.   Durchs Gebirge flog ich,
bald wie ein Spinngeweb im Winde treibend,
bald wie 'ne Hummel schießend, taumelnd dann
von Kelch zu Kelche wie ein Schmetterling.
Und jedem Pflänzlein, Blümchen, Gras und Moos,
Pechnelke, Anemone, Glockenblume,
kurz, allen nahm ich Eid und Schwüre ab:
sie mußten schwören, nichts dir anzutun.
Und so: ein Schwarzelf, noch so bitter feind,
du Weißer, Guter, dir — vergebens ginge

er aus, den Todespfeil für dich zu schneiden!

HEINRICH.

Den Todespfeil? Was für 'nen Todespfeil?
Ich kenne das Gespenst — ich weiß: es kam
im Priesterkleide ein Gespenst zu mir,
das droh'nd die Hand erhub und von 'nem Pfeil,
der unterm Herzen dicht mich sollte treffen ,
mir fabelte. — Wer schnellt ihn denn vom Bogen,
den Pfeil? Wer?

RAUTENDELEIN.   Niemand, Liebster! Niemand!
Du bist gefeit, ich sag' es dir, gefeit.
Und nun: wink mit dem Auge, nicke nur,
und weiche Klänge quellen auf wie Rauch,
umgeben dich, gleich einer kling'nden Mauer,
daß weder Menschenruf noch Glockenschall
noch Lokis tück'sche Künste sie durchdringen.
Gib mir das kleinste Zeichen mit der Hand,
so wölbt sich hoch geräum'ger Felsensaal;
Erdmännlein, scharenweis', umsumsen uns,
die Tafel deckend, Wand und Estrich schmückend...
Weil rauher Geister Treiben rings sich mehrt,
so laß uns in der Erde Innres flüchten;
wo keines Riesen frost'ger Hauch uns trifft.
Von tausend Kerzen soll die Halle schimmern ...

HEINRICH.

Laß, Kind — laß jetzt! Was kann ein Fest mir sein,
solang unfestlich, stumm, ruinengleich
mein Werk der Stunde harrt, wo laut erjubelnd
es selbst das Fest der Feste künden soll?! —
Ich will hinüber, mir den Bau betrachten,
daran mich strenge Fesseln eisern binden!
Nimm eine Fackel, leuchte mir voran!
Mach flugs! — Dieweil sie so geschäftig sind,
die namenlosen Feinde, wie ich fühle,
weil etwas nagt am Fundament des Baus,
so soll der Meister werken, statt zu schwelgen.
Denn ist Vollendung seiner Mühen Frucht,
ist das geheime Wunder offenbar
in Erz und Steinen, Gold und Elfenbein,
ganz ausgesprochen bis zum letzten Laut —:

steht's sieghaft da in alle Ewigkeit!
Ans Unvollkommne heftet sich der Fluch,
der, war er machtlos hier, zum Spotte wird.
Er soll zum Spotte werden!
Er will gehen, bleibt an der Tür stehen.
Kind, was stehst du?
Komm, steh nicht so! Ich weiß, ich tat dir weh.

RAUTENDELEIN.

Nein! Nein!

HEINRICH.　　　Was hast du?

RAUTENDELEIN.　　　　　Nichts!

HEINRICH.　　　　　　　Du armes Ding!
Ich kenne, was dich grämt! Der Kindersinn
fängt mit den Händen bunte Schmetterlinge
und tötet lachend, was er zärtlich liebt.
Ich aber bin was mehr als solch ein Falter.

RAUTENDELEIN.

Und ich? bin ich nicht mehr als solch ein Kind?

HEINRICH.

Ja, wahrlich bist du's! Und vergäß' ich's je —
vergäß' ich meines Daseins Sinn und Glanz.
Komm! Deiner Augen Schimmer, Tau im Licht,
verrät mir Schmerz, den ich dir zugefügt.
Es war mein Mund, nicht ich, der weh dir tat.
Mein Innres weiß von nichts als nur von Liebe.
Komm — schluchze nicht so sehr: zum neuen Spiel
hast du mich ausgerüstet, und durch dich
ward meine leere Hand mit Gold gefüllt,
daß ich mit Göttern um den Preis zu würfeln
mich unterfangen durfte. Doch noch jetzt
fühl' ich mich ganz so namenlos beschenkt,
erschlossen deiner rätselhaften Schöne,
daß, wie ich staunend sie begreifen will,
die unbegreiflich ist, ich was empfinde:
der Qual so nahe, wie dem Glück verwandt. —
Voran! und leuchte weiter!

WALDSCHRAT *schreit von außen.*
Holdrio!
Hinauf! Hinauf! Was, Satan, fackelt ihr?
Der Baalstempel muß zu Asche werden!

381

Voran, Herr Pfarrer! Meister Schaum, voran!
Hier ist das Stroh, das Pech, die Reisigbündel!
Der Meister Heinrich küßt das Elfenkind,
liegt auf dem Lotterbett und denkt an nichts!

HEINRICH.

Mir scheint, Tollkirschen hat der Gauch verschluckt!
Was schreist du da in Nacht und Nebel, Kerl?
Sei auf der Hut!

WALDSCHRAT.   Vor dir?

HEINRICH.   Ich denke wohl!
Am Barte pack' ich dich, bocksbein'ger Flegel!
Mit deinesgleichen weiß ich umzugehn!
Und wenn ich dir gezeigt, wer Meister ist,
gekirrt dich und geschoren, mach' ich dich
zu dem, was du nicht bist: ein Bock und Wanst
soll mir zum Werkmann werden. — Wieherst du?
Hier steht ein Amboß, und der Hammer dort
ist hart genug, dich windelweich zu klopfen!

WALDSCHRAT *ihm den Hintern zukehrend.*

Potz Himmelsziege: da! Hol aus und schlag!
Schon manches Eifrers scharfes Glaubensschwert
ward mir zum Kitzel, eh's zu Spreißeln ging!
Auf diesem Amboß ist dein Eisen Lehm
und spritzt dir als ein Kuhflatsch auseinander!

HEINRICH.

Laß sehn, du Kielkropf, du verdammter Kobold!
Wärst du so alt als wie der Westerwald
und deine Kraft so groß als wie dein Maul,
du sollst mir an die Kette, Wasser schleppen,
die Hütte kehren, große Steine wälzen,
und wenn du faul bist, sollst du Prügel haben!

RAUTENDELEIN.

Heinrich, er warnt dich!

WALDSCHRAT.   Lustig! Drauf und dran!
Das wird ein toller Spaß; ich bin dabei,
wenn sie dich, wie ein Kalb, zum Holzstoß zerren,
will Schwefel, Öl und Pech in Tonnen schleppen,
daß dir ein Feuerlein bereitet werde,
von dessen Qualm der hellste Tag sich schwärzt! *Ab.*
Geschrei und Gejohl vieler Stimmen in der Tiefe.

RAUTENDELEIN.

Hörst du das, Heinrich? Menschen, Menschenstimmen!
Grau'nvolle Laute — und sie gelten dir!
Ein Stein fliegt herein und trifft Rautendelein.
Großmutter, hilf!

HEINRICH.　　　　　Ei, ist es so gemeint?!
Von einer Meute träumt' ich, die mich jagte:
die Meute hör' ich — doch sie jagt mich nicht!
Gelegen, wahrlich, kommt mir ihr Gebell!
Denn nicht ein Engel, der herniederschwebte,
mit Lilien winkend, zur Beharrlichkeit
mit süßen Bitten mahnend,
vermöchte besser mich zu überzeugen
von meines Tuns Gewicht und reinem Wert
als dieser Stimmen widriges Geheul.
Kommt an! Was euer ist, bewahr' ich euch.
Euch schütz' ich wider euch! das ist die Losung. *Ab.*

RAUTENDELEIN *allein, eifrig.*

Hilf, Buschgroßmutter! Hilf ihm, Nickelmann!
Nickelmann steigt auf.
Ach, lieber Nickelmann, ich bitte dich!
Laß Wasser aus dem Felsen niederstäuben
und Sturz auf Sturz! Jag du die Meute heim!
Tu's! Tu's!

NICKELMANN.　　　　Brekekekex! Was soll ich tun?

RAUTENDELEIN.

Peitsch in den Abgrund sie mit Wasserströmen!

NICKELMANN.

Das kann ich nicht!

RAUTENDELEIN.　　Tu's, Nickelmann! Du kannst's!

NICKELMANN.

Nun, tät' ich's, was denn hätt' ich groß davon?
Mir ist's ein unbequemes Meisterlein:
will über Gott und Menschen Herrscher sein!
Köpft sich das dumme Pack und bringt ihn um,
mir ist es recht.

RAUTENDELEIN.　　Geh, hilf — sonst ist's zu spät!

NICKELMANN.

Was gibst du mir?

383

RAUTENDELEIN. Was ich dir gebe?
NICKELMANN. Ja!
RAUTENDELEIN.
Sag, was du willst.
NICKELMANN. Ei: dich! Brekekekex!
Streif ab von deinen braunen Gliederlein
die roten Schuh', den Rock, das Miederlein,
sei, die du bist, und steig herein zu mir:
ich trag dich tausend Meilen fort von hier.
RAUTENDELEIN.
Gelt? sieh doch an! Wie klug er's eingefädelt.
Daß du's nur weißt, und jetzt für allemal:
treib dir die Flausen aus dem Wasserkopf!
Würd'st du so alt und dreimal noch so alt
als wie die Buschgroßmutter, sperrtest du
mich all die Zeit in einer Auster Schalen —
du kirrst mich doch nicht!
NICKELMANN. Ei, so fall' er denn.
RAUTENDELEIN.
Du lügst! Ich fühl's: du lügst! Hör seinen Ruf!
Die alte Stimme ist es, die ihr kennt!
Meinst du, ich sähe nicht, wie du erschauerst?
Nickelmann ab. Heinrich kommt wieder. Er ist vom Kampf er-
regt und lacht wild triumphierend.
HEINRICH.
Wie Hunde griffen sie mich an, gleich Hunden
hab' ich mit Feuerbränden sie gescheucht!
Granitne Blöcke ließ ich niederstolpern;
wer nicht erlag, entfloh. Reich mir 'nen Trunk!
Kampf frischt die Brust, Sieg stählt. Das heiße Blut
rollt hurtig. Lustig hüpfen alle Pulse.
Kampf müdet nicht: Kampf gibt Zehnmännerkraft,
erneut in Lieb' und Haß!
RAUTENDELEIN. Hier, Heinrich, trink!
HEINRICH.
Ja, Kind, gib her! denn wieder durstig bin ich
nach Wein, nach Licht, nach Liebe und nach dir!
Er trinkt.
Dir bring' ich's zu, windleichter Elfengeist!
und neu durch diesen Trunk vermähl' ich mich

mit dir. Ein Schaffender, mit dir entzweit,
er muß dem Durst verfallen, überwindet
die Erdenschwere nicht. — Zerbrich mir nicht:
Du bist die Schwinge meiner Seele, Kind,
zerbrich mir nicht!

RAUTENDELEIN.   Wenn du mich nicht zerbrichst . . .

HEINRICH.
Verhüt es Gott! — Musik!

RAUTENDELEIN.   Herbei! Herbei!
mein kleines Volk! aus Schlüften, Löchern, Spalten:
herbei! das Siegesfest mit uns zu halten.
Rührt eure Instrumentlein! Flöten, Geigen — *Musik* —
spielt auf: ich will im Tanz mich drehn und neigen.
Glühwürmchen, grünlich — ohn' im Drehn zu stocken —
leg' ich mir leicht in meine krausen Locken,
daß ich, gekrönt mit dieser Funkelspange,
nicht Freias Halsband mehr zum Schmuck verlange . . .

HEINRICH.
Schweig still! Mir ist . . .

RAUTENDELEIN.   Was?

HEINRICH.   Hörtest du das nicht?

RAUTENDELEIN.
Was soll ich hören?

HEINRICH.   Nichts.

RAUTENDELEIN.   Was hast du, Liebster?

HEINRICH.
Ich weiß es nicht. In deiner Klänge Rauschen
mischt sich ein Ton . . . ein Laut . . .

RAUTENDELEIN.   Was für ein Laut?

HEINRICH.
Ein Klagelaut . . . ein längst begrabner Ton . . .
Laß gut sein. Laß! 's ist nichts. Komm zu mir her
und reich mir deiner Lippen Purpurkelch,
aus dem man trinkt und trinkt und nie ihn leert —:
reich mir den Taumelkelch, daß ich vergehe!
*Sie küssen sich. Eine lange Pause der Versunkenheit. — Dar-
nach treten sie, eng verschlungen, unter das Tor — vom Anblick
der mächtigen Gebirgswelt allmählich gebannt.*
Sieh: tief und ungeheuer dehnt der Raum
und kühl zur Tiefe sich, wo Menschen wohnen.

Ich bin ein Mensch. Kannst du dies fassen, Kind:
fremd und daheim dort unten — so hier oben
fremd und daheim . . . kannst du das fassen?

RAUTENDELEIN *leise.*   Ja.

HEINRICH.
Du blickst so seltsam, Kind, wie du das sagst.

RAUTENDELEIN.
Mir graut.

HEINRICH.   Vor was?

RAUTENDELEIN.   Vor was? Ich weiß es nicht.

HEINRICH.
's ist nichts. Komm, laß uns ruhn. —
Während er sie dem Felseneingang zuführt, steht er wiederum
plötzlich und wendet sich rückwärts.

                                        Nur daß der Mond,
der kreideweiß von Antlitz drüben hängt,
nicht seiner starren Augen stilles Licht
um alles gieße — nicht die Niederung,
der ich entstieg, mit Klarheit überbreite!!
Denn was des grauen Nebels Decke deckt,
darf ich nicht schaun . . . Horch! — Nichts. — Kind, hörst
                                        du nichts?

RAUTENDELEIN.
Nein! Nichts! — und was du sagst, begreif' ich nicht!

HEINRICH.
Hörst du noch immer nichts?

RAUTENDELEIN.   Was soll ich hören?
Den Herbstwind hör' ich gehn durchs Heidekraut.
Den Rüttelfalken hör' ich Kajak rufen.
Seltsame Worte hör' ich seltsam dich
mit einer fernen, fremden Stimme sprechen!

HEINRICH.
Dort unten, dort, des Mondes blut'ger Schein . . .
siehst du? wo er im Wasser niederleuchtet —

RAUTENDELEIN.
Nichts seh' ich, nichts!

HEINRICH.   Mit deinen Falkenblicken —
und siehst nichts? bist so blind? Was schleppt sich dort
so langsam, mühsam hin?

RAUTENDELEIN.   Trug, nichts als Trug!

386

HEINRICH.
Kein Trug! Sei still, ganz still! Das ist kein Trug —
so wahr ich hoffe, daß mir Gott verzeiht!
Jetzt klimmt es übern Stein, den breiten Stein,
der überm Fußpfad liegt —

RAUTENDELEIN. Blick nicht hinab!
Die Türe schließ' ich, mit Gewalt dich rettend.

HEINRICH.
Laß, sag' ich dir! Ich muß es sehn, ich will!

RAUTENDELEIN.
Sieh: wie in einen Strudel dreht's den Flor
der weißen Wolke in den Felsenkessel —
schwach, wie du bist, tritt nicht in seinen Kreis!

HEINRICH.
Ich bin nicht schwach. 's ist nichts. Nun ist es fort.

RAUTENDELEIN.
So recht! Sei wieder du uns Herr und Meister!
Armsel'gen Spuk zerstreue deine Kraft!
Faß an den Hammer, mach ihn niedersausen . . .

HEINRICH.
Siehst du denn nicht, wie's immer höher klimmt?

RAUTENDELEIN.
Wo?

HEINRICH.
Dort, den schmalen Felsenstieg herauf —
im bloßen Hemdchen . . .

RAUTENDELEIN. Wer?

HEINRICH. Barfüß'ge Bübchen.
Ein Krüglein schleppen sie, und das ist schwer —
bald muß des einen, bald des andern Knie,
das kleine, nackte Knie, es vorwärtsheben . . .

RAUTENDELEIN.
Oh, liebe Mutter, steh dem Armen bei!

HEINRICH.
Um ihre Köpfchen strahlt ein Heil'genschein . . .

RAUTENDELEIN.
Ein Irrlicht äfft dich!

HEINRICH. Nein! Falt deine Hände:
nun, siehst du, siehst du, sind sie da . . .
Er kniet, während zwei Kinder schemenhaft, einen Wasserkrug

tragend, sich hereinbemühen. Sie sind im bloßen Hemdchen.
ERSTES KIND *mit verhallender Stimme.* Papa!
HEINRICH.
Ja, Kind.
ERSTES KIND.
Die liebe Mutter läßt dich grüßen.
HEINRICH.
Hab Dank, mein lieber Junge. Geht's ihr wohl?
ERSTES KIND *langsam und traurig, jedes Wort betonend.*
Es geht ihr wohl.
Kaum vernehmlich Glockentöne aus der Tiefe.
HEINRICH. Was bringt ihr da getragen?
ZWEITES KIND.
Ein Krüglein.
HEINRICH. Ist's für mich?
ZWEITES KIND. Ja, lieber Vater.
HEINRICH.
Was habt ihr in dem Krüglein, liebe Kinder?
ZWEITES KIND.
Was Salziges.
ERSTES KIND. Was Bittres.
ZWEITES KIND. Mutters Tränen.
HEINRICH.
Herrgott im Himmel!
RAUTENDELEIN. Wo denn starrst du hin?
HEINRICH.
Auf sie, auf sie.
RAUTENDELEIN. Auf wen?
HEINRICH. Hast du nicht Augen? —
Auf sie! Wo habt ihr unsre Mutter? sprecht!
ERSTES KIND.
Die Mutter?
HEINRICH. Ja — wo?
ZWEITES KIND. Bei den Wasserrosen.
Starker Glockenklang aus der Tiefe.
HEINRICH.
Die Glocke ... Glocke ...
RAUTENDELEIN. Was denn für 'ne Glocke?
HEINRICH.
Die alte, die begrabne klingt ... sie klingt!

Wer tat mir das? Ich will nicht ... will nicht hören.
Hilf! hilf mir doch!

RAUTENDELEIN.   Komm zu dir, Heinrich! Heinrich!

HEINRICH.

Sie klingt ... Gott helfe mir! Wer tat mir das?
Hör: wie sie dröhnt, wie der begrabne Laut,
das donnernde Gewühle aufwärts schwillt —
ein wenig ebbend, doppelt mächtig flutend. —
Gegen Rautendelein.
Ich hasse dich! ich spei' dich an! Zurück!
Ich schlage dich, elbische Vettel! Fort,
verfluchter Geist! Fluch über dich und mich,
mein Werk und alles! — Hier! hier bin ich, hier!
Ich komme ... komme! Gott, erbarm dich meiner!
*Er rafft sich auf, bricht zusammen, rafft sich wieder auf und
schleppt sich von hinnen.*

RAUTENDELEIN.

Komm zu dir, Heinrich! Bleib! — Vorbei ... vorbei.

FÜNFTER AKT •

*Die Bergwiese mit dem Häuschen der Wittichen, wie im ersten
Akt. Es ist nach Mitternacht. Um den Brunnen haben sich drei
Elfen niedergelassen.*

ERSTE ELFE.

Die Feuer lohen!

ZWEITE ELFE.   Roter Opferwind
von allen Bergen weht ins Tal.

DRITTE ELFE.   Es wölkt
der schwarze Qualm, Bergtannenwipfel streifend,
der Tiefe zu.

ERSTE ELFE.   Und in der Tiefe lagert
ein weißer Rauch. Im weichen Nebelsee
versunken stehn die Rinder bis zum Hals
und brüllen, kläglich rufend, nach den Ställen.

ZWEITE ELFE.

Im Buchengrunde sang 'ne Nachtigall —
so spät es ist — und sang und schluchzte so,

daß ich ins feuchte Laub ganz schmerzgeschüttelt
mich niederwarf und weinte.

DRITTE ELFE.   Seltsam ist's!
Ich lag und schlief auf einer Spinne Netz —
ach, zwischen Gräserrispen hingespannt,
aus Purpurfäden wunderzart gewoben:
so glich's dem Lager einer Königin,
als ich's bestieg. Nun denn, ich ruhte gut.
Der Wiese Funkeltau im Abendglühn
warf klare Flammen mir herauf; und ich,
die Augen bergend unter schweren Lidern,
schlief selig ein. Als ich erwachte, war
das Licht gestorben in den weiten Räumen,
grau war mein Lager. Nur im Osten hob
sich dunkle Brunst und stieg, bis daß der Mond,
ein Klumpen glühenden Metalles, sich
auf des Gebirges stein'gen Rücken legte.
Und von dem schrägen Strahl des blut'gen Lichts
schien — seltsam war's — die Wiese sich zu regen;
und Flüstern hört' ich, Seufzen, feinste Stimmchen,
die durcheinander klagten, weinten, barmten —
recht wahrhaft schauerlich! Ich rief 'nen Käfer,
der ein Laternchen trug mit grünem Licht,
doch flog er mir vorüber. Und ich lag
und wußte nichts, und bange ward mir sehr,
bis daß der lieblichste von allen Elfen,
libellenflüglig — ach, von weitem schon
erhört' ich meines Knäbleins Klirreflug —
geflogen kam und zu mir niederstieg.
Und als wir nun, das Lager teilend, kosten,
da flossen Tränen ihm in unsre Küsse,
und endlich, schluchzend, wild mich an sich pressend,
weint' er, daß meine Brust von Tränen floß,
und sagte: Balder, Balder ist gestorben.

ERSTE ELFE *ist aufgestanden.*
Die Feuer lohen!

ZWEITE ELFE *ist ebenfalls aufgestanden.*
                    Balders Scheiterhaufen!

DRITTE ELFE *ist langsam bis an den Waldrand gegangen.*
Balder ist tot. Mich friert. *Sie verschwindet.*

ERSTE ELFE.   Fluch fällt ins Land,
gleichwie der Rauch von Balders Leichenbrand!
*Nebel hastet über die Bergwiese. Wie es klar wird, sind alle
Elfen verschwunden. Rautendelein kommt matt und abgehärmt
vom Gebirge gestiegen. Sich müde setzend und wieder erhebend, nähert sie sich dem Brunnen. Ihre Stimme ist ersterbend,
verhauchend.*

RAUTENDELEIN.
Wohin? wohin? — Ich saß beim Mahl,
Erdmännlein durchlärmten den Hochzeitssaal,
sie brachten mir ein Becherlein,
darinnen glühte Blut statt Wein:
den Becher mußt' ich trinken.

Und als ich getrunken den Hochzeitstrank,
da ward mir so enge die Brust, so bang,
da griff hinein eine eiserne Hand —
da ward mir das ganze Herze verbrannt.
Das Herze muß ich kühlen!

Ein Krönlein lag auf dem Hochzeitstisch —
zwischen roten Korallen ein Silberfisch —
das zog ich heran, das setzt' ich mir auf:
nun bin ich des Wassermannes Braut.
Mein Herze mußt' ich kühlen ...

Es fielen drei Äpfel in meinen Schoß,
weiß, gold und rosenrot —:
das war die Hochzeitsgabe.
Ich aß den weißen und wurde bleich,
ich aß den goldnen und wurde reich,
zuletzt den rosenroten.

Weiß, bleich und rosenrot
saß ein Mägdlein — und das war tot.
Wassermann! tu nun auf die Tür:
die tote Braut, die bring' ich dir.
Zwischen Silberfischlein, Molch und Gestein
ins Tiefe, Dunkle, Kühle hinein ...
Oh, du verbranntes Herze!

Sie steigt in den Brunnen. Der Schrat kommt aus dem Walde
und tritt an den Brunnen, in den er hineinruft.

WALDSCHRAT.

He, holdrio! Froschkönig, komm herauf!
He, holdrio! Verwünschter Wasserpatscher,
hörst du denn nicht? Du Grünbauch, schläfst du, he?
Ich sag' dir, komm! Und läge neben dir
im Bett von Tang der Wasserjungfern schönste
und kraute dir den Bart — komm! laß sie liegen!
Du wirst es nicht bereu'n, denn was ich weiß
und dir erzählen kann, das ist, potz Pferd!
zehn deiner Liebeswassernächte wert.

NICKELMANN *unsichtbar im Brunnen.*

Brekekekex.

WALDSCHRAT. Herauf! was fackelst du?

NICKELMANN *unsichtbar.*

Hab' keine Zeit. Halt's Maul, laß mich in Ruh'!

WALDSCHRAT.

Ei was: hat keine Zeit?! Du Kaulquapp kannst
genug noch pflegen deinen Krötenwanst.
Ich will dir was erzählen, hörst du nicht?
Was ich geweissagt, Alter, das geschicht:
er ließ sie sitzen! Bist du itzund flink,
so fängst du dir den seltnen Schmetterling —
ein wenig wohl lädiert, ein bißchen matt,
doch was geniert das Nickelmann und Schrat?
Kurzweil genung noch, Alter, sag' ich dir,
mehr als dir lieb ist, findest du an ihr.

NICKELMANN *taucht auf mit schlauem Augenblinzen.*

Warum nicht gar. Er ließ sie sitzen? ach!
So denkst du nun, ich lauf' dem Dingchen nach?
Fällt mir nicht ein.

WALDSCHRAT.　　　　　Du magst sie nun nicht mehr?
Dann wünsch' ich bloß, ich wüßte, wo sie wär'.

NICKELMANN.

Such, Schrätlein, such!

WALDSCHRAT.　　　　　Hab' ich sie nicht gesucht?
Durch Nacht und Nebel mich hindurchgeflucht?
Geklettert bin ich, wo's kein Gemsbock wagt,
ein jedes Murmeltier hab' ich befragt:

doch weder Weih, Bergfalk noch Murmeltier,
Stieglitz und Schlange wußten was von ihr.
Holzfäller traf ich um ein Feuer ruhn;
ich stahl ein brennend Scheit und suchte nun,
bis ich mit meinem qualm'gen Feuerbrand
vor der verlaßnen Bergesschmiede stand —:
nun qualmt auch sie Rauchopfer in die Nacht;
die Flamme saust, Gebälke biegt und kracht —
und mit des Menschleins Meisterherrlichkeit
ist's aus und hin für alle Ewigkeit!

NICKELMANN.

Ich weiß, ich weiß; dies alles ist mir kund.
Störst du mich deshalb auf vom Brunnengrund?
Ich weiß noch mehr, weiß, wie die Glocke klang,
weiß, wer der Glocke toten Klöppel schwang.
Hätt'st du gesehn, was ich da unten sah,
als tief im See geschah, was nie geschah:
als eines toten Weibes starre Hand
die Glocke suchte und die Glocke fand;
und wie die Glocke, kaum berührt, begann
ein Donnerläuten, brausend himmelan,
und rastlos brüllend, einer Löwin gleich,
nach ihrem Meister schrie durchs Bergbereich.
Ich sah das Weib, ertrunken: breit und licht
umschwamm ihr Haar das Dulderangesicht,
und sreiften ihre Knöchel das Metall,
so toste doppelt laut der Droheschall.
Mir — ich bin alt, und manches sah ich schon —,
mir sträubte sich das Haar, wir alle flohn.
Hätt'st du gesehn, was ich da unten sah,
was fragtest du nach jenem Elbchen da;
laß flattern, wo es will, um Blum' und Blatt
das nicht'ge Ding, ich bin des Liebelns satt!

WALDSCHRAT.

Ich nicht, potz Himmelsziege! Gib nur acht!
Ein jeder tut, was ihm Vergnügen macht;
und halt' ich erst den süßlebend'gen Leib,
was schiert mich dann im Teich das tote Weib?!

NICKELMANN.

Quorax, brekekekex! soso! — hoho!

daß du's nur weißt: beißt dich kein andrer Floh,
so knick ihn nur! Such, such, soviel du magst,
und wenn du dich zehn Jährchen drüber plagst:
du kriegst sie nicht. Sie ist auf mich erpicht,
und Bocksgesichter mag sie einmal nicht!
Leb wohl, ich muß hinunter, du verstehst:
sieh, wenn du frei jetzt deiner Wege gehst,
bin ich, als ein geplagter Wassermann,
des jüngsten Weibchens Launen untertan.

WALDSCHRAT *ihm nachschreiend.*

So wahr der Himmel lichterübersternt,
so wahr ich stark von Lenden und gehörnt,
so wahr die Fische schwimmen, Vögel fliegen,
wirst du dereinst ein Menschenkindlein wiegen!!
Gutnacht und gute Ruh' und Holdrio!
hetz, hetz! durch Strauch und Dorn. Tot ist der Floh!

*Der Waldschrat mit lustigen Sprüngen ab. Die Wittichen
kommt aus der Hütte und nimmt die Läden von den Fenstern.*

DIE WITTICHEN.

Zeit ufstihn woarsch. Ma richt a Murga schunn.
's hot ju goar sehr geklappert hinte nacht. *Ein Hahn kräht.*
Nu freilich: kikerikikikiki . . .
Vor mir do brauchst d'r keene Miehe gahn,
du Schlofvertreiber du — mer wissa's schunn,
woas vierfällt, ebs asu a Hahnla kräht:
de Henne hot a guldnes Ei gelät,
und bale sah m'rsch au oam Himmel leuchta.
M'r kriega wieder Licht. — Mach ock dei Lied,
du klenner Finkferling, mach ock dei Lied:
's kimmt a neuer Tag, 's is fer gewiß.
Hot's ne a Irrlicht oader su woas do?
Ich weld ock gern a brinkla im mich sahn —
und a Karfunkelsteen hoa ich vergassa. *Sie sucht in ihren Taschen und zieht den rotleuchtenden Stein hervor.*
Do iis a schunn.

HEINRICHS STIMME.

Rautendelein!

DIE WITTICHEN.   Nu do!

Glei werd se kumma, ruff du immerzu!

HEINRICH.

Rautendelein, hier bin ich! Hörst du nicht?

DIE WITTICHEN.

Ich gleebe, schwerrlich. Schwerrlich werd se hirn!

Heinrich, gejagt, erscheint auf dem Felsen über dem Hüttchen,
bleich und abgerissen. Er wiegt einen Felsstein in der Rechten,
bereit, ihn rückwärts in die Tiefe zu schleudern.

HEINRICH.

Wagt's und versucht's! Sei's Pfarrer, sei's Barbier,
Schulmeister, Küster oder Dütenkrämer:
der erste, der 'nen Schritt nach oben wagt,
muß wie ein Sack mit Sand zur Tiefe kollern.
Ihr stießt mein Weib hinunter! und nicht ich.
Gesindel, taube Nüsse, Bettler, Lumpen!
die dreißig Nächte Paternoster winseln
um 'nen verlornen Dreier, während sie
sich nicht entblöden — aus dem Grunde schlecht —,
wo sie's vermögen, Gottes ew'ge Liebe
dukatenweis' zu prellen. Lügner! Heuchler!
wie 'n Damm von Wackersteinen aufgetürmt,
die trockne Hölle ihrer Niederung
vor Gottes Meer, der Paradiesesflut
und ihren sel'gen Wogen, zu vermauern.
Wann kommt der Schaufler, der den Damm zerreißt?
Ich bin es nicht, nein wahrlich, bin es nicht.

Heinrich legt den Stein weg und dringt aufwärts.

DIE WITTICHEN.

Durt gieht's ni wetter, halt ock, immer langs'm.

HEINRICH.

Alte, was brennt dort oben?

DIE WITTICHEN.   Oh, weeß iich's?

Do iis a Moan gewast, dar hot's gebaut:
hoalb ane Kerche, hoalb a Keenigsschluß.
Nu, do a's hoot verlussa, brennt's danieder.

Heinrich versucht verzweiflungsvoll, aufwärtszudringen.

Iich soa dersch ju, durt kimmt an steile Wand:
war die dersteiga wiil, muuß Fliegel hoan —
und deine Fliegel, Moan, die sein zerbrocha.

HEINRICH.

Zerbrochen oder nicht: ich muß hinauf!

Was dort in Flammen steht, ist mein, mein Werk!
Begreifst du das? Ich bin der, der es baute,
und alles, was ich war und was mir wurde,
warf ich hinein . . . Ich kann nicht, kann nicht mehr!
Pause.

DIE WITTICHEN.
Ruh dich a wing, itzt sein de Wege dunkel.
Durt iis an Banke, setz dich.

HEINRICH.   Ausruhn? ich?
Bötst du ein Bett von Daunen mir und Seide:
ein Haufe Scherben lockt mich just so sehr.
Ja, meiner Mutter Kuß — längst ist sie Staub —,
auf meine kalte Fieberstirn gedrückt:
ohnmächt'ger Segen wär's und Ruhe bringend
wie einer Wespe Stachel.

DIE WITTICHEN.   's wär wull goar!
Do woart a wing. Eim Kaller ha iich noch
a Schlickla Wein.

HEINRICH.   Ich kann nicht warten. Wasser!
Er eilt zum Brunnen und setzt sich auf den Rand.

DIE WITTICHEN.
Gih: schepp und trink!
*Heinrich schöpft und trinkt, auf dem Brunnenrand sitzend. Eine
leise, süße Stimme singt klagend aus dem Brunnen.*

DIE STIMME.
        Heinrich, du lieblicher Buhle mein,
        du sitzest auf meinem Brünnelein.
        Steh auf und geh:
        es tut mir so weh —
Pause.   ade, ade!

HEINRICH.
Alte, was war das? Gib mir Antwort, rede!
Was rief so weh mich an mit meinem Namen?
Wie „Heinrich" haucht' es, aus der Tiefe kam's,
und dann ganz leise sprach's: „Ade, ade!"
Alte, wer bist du? und wo bin ich hier?
Mir ist, als wacht' ich auf. Der Fels, die Hütte,
du selber: alles ist mir wohlbekannt
und doch so fremd. Ist denn, was ich erlebt',
mehr nicht als eines Schalles flücht'ger Hauch,

der ist und nicht mehr ist, noch kaum gewesen?
Alte, wer bist du?

DIE WITTICHEN.   Iich? War bist denn du?

HEINRICH.

Fragst du mich das? Ja, wer denn bin ich, Alte?
Wie oft hab' ich den Himmel drum befragt:
wer ich doch sei? Die Antwort kam mir nicht.
Gewiß ist dies nur: sei ich wer auch immer,
Held oder Schwächling, Halbgott oder Tier —
ich bin der Sonne ausgesetztes Kind,
das heimverlangt; und hilflos ganz und gar,
ein Häuflein Jammer, grein' ich nach der Mutter,
die ihren goldnen Arm sehnsüchtig streckt
und nie mich doch erlangt. Was tust du dort?

DIE WITTICHEN.

Beizeita werscht du's merka.

HEINRICH *sich erhebend*.   Nun, wohlan!
Mit deines Lämpchens Blutlicht zeige mir
den Weg nun weiter, der zur Höhe führt!
Bin ich erst dort, wo ich einst herrschend stand,
will ich, ein Siedler, fürder einsam hausen,
der weder herrscht noch dient.

DIE WITTICHEN.   Doas gleeb ich nich.
Woas du do duba suchst, iis ganz woas andersch.

HEINRICH.

Wie weißt du das?

DIE WITTICHEN.   Ma wiß wull doas und jens.
Se woarn d'r uuf a Fersa, gelt? Juju!
Wenn's gilt, 's lichte Laba joan und treiba,
do sein de Menscha Welfe. Oaber gilt's,
a Tud bestiehn, sein se an Haarde Schoofe,
ei die d'r Wulf gesprunga. 's iis asu.
De Hirta, die se hoan — ojemersch nee —
doas sein irscht Kerle, doas; die schrein ock immer:
„Reißt aus! reißt aus!" und hetza mit a Hunda,
ni ernt a Wulf — nee: ihre eegna Schoofe
'm Wulfe ei a offna Racha nei.
Viel besser wie de andern biste au ni:
's lichte Laba hust du au gejoat
und hust a Tud goar mutig nich bestanda.

HEINRICH.

Ach, Alte, sieh — ich weiß nicht, wie's geschah,
daß ich das lichte Leben von mir stieß
und, Meister der ich war, vom Werke lief,
recht wie ein Lehrbub, und der eignen Glocke,
der Stimme, die ich selber ihr geschenkt,
so hilflos unterlag. Wahr ist's: sie klang
aus erzner Brust gewaltig gen die Berge,
den Widerschall der Wipfel so erweckend,
daß drohnder Hall von allen Seiten wuchs
und auf mich eindrang. Doch ich blieb der Meister!
Und mit derselben Hand, die ich gegossen,
mußt' ich, eh daß ich selbst vor ihr zerbrach,
die Glocke, die ich schuf, in Trümmer schlagen.

DIE WITTICHEN.

Vorbei iis halt vorbei, und aus iis aus:
uf deine Hichte werscht du nimmeh steiga.
Ma koan dersch soan: du woarscht a groader Sproß,
stoark, doch nich stoark genung. Du woarscht berufa,
ock bluß a Auserwählter woarschte nich.
Kumm har und setz dich!

HEINRICH.   Alte, lebe wohl!

DIE WITTICHEN.

Kumm har und setz dich! Woas du siicha gihst,
doas iis beileibe nich ke Häffla Asche.
War labt, dar siicht 's Laba! und ich soa dersch:
do duba find'st du's ni und nimmermeh.

HEINRICH.

So laß mich sterben hier auf diesem Platz!

DIE WITTICHEN.

Doas werscht du au. Wenn enner uffgefläun
wie du, asu ins Lichte nei, wie du,
und fällt hernochert, dar muuß au zerschmettern.

HEINRICH.

Ich fühl's: am Ende bin ich meiner Bahn.
Sei's drum.

DIE WITTICHEN.

            Du bist oam Ende!

HEINRICH.   Nun so sprich,
du, die so seltsam wissend zu mir redet:

ist, was ich suchen muß mit blut'gen Sohlen,
mir noch zu schaun gewährt, bevor ich sterbe? —
Antwortest du mir nicht? Muß ich hinüber
aus tiefer Nacht in allertiefste Nacht,
ohn' einen Nachglanz des verlornen Lichts?
Soll ich sie niemals . . .

DIE WITTICHEN.　　　　　Wan denn willst du sahn?

HEINRICH.

Nun: sie! weißt du das nicht? wen sonst als sie?

DIE WITTICHEN.

Du hust an Wunsch: dan tu — und 's iis dei letzter.

HEINRICH *schnell.*

Er ist getan!

DIE WITTICHEN.
　　　　　Du sullst se wiedersahn.

HEINRICH.

Ach, Mutter! kannst du das? Bist du so mächtig?
Warum ich so dich nenne, weiß ich nicht.
Einst war ich, so wie jetzt, reif für das Ende,
mit jedem Hauch fast ungeduldig wünschend,
daß er der letzte sei. Doch da kam sie:
und wie ein Frühlingswind durchdrang Genesung
die kranken Glieder mir, ich war geheilt . . .
und nun — mir ist so leicht mit einem Mal,
als könnt' ich wiederum zur Höhe fliegen.

DIE WITTICHEN.

Doas iis vorbei. Die Loasta sein zu schwer,
die dich derniederziehn, und deine Tuta
sein dir zu mächtig, du bezwingst se nich. —
Poß uuf! drei Gläser stell ich uf a Tisch:
ei ees, do giß ich weißa — ruta Wein
giß ich eis andre — gelba Wein eis letzte.
Trinkst du 's irschte aus, kimmt no amol
in dich die ale Kroaft. Trinkst du 's zweete,
spürst du zum letztamoal da lichta Geist,
dar dich verlussa hot. War oaber irscht
die beeda Gläser ausgetrunken hot,
dar muß dernocher o 's letzte trinka.
Im Begriff, ins Haus zu gehen, steht sie still und sagt tiefbe-
deutend.

A muuß, hoa iich gesoat! verstieh mich recht! *Ab.*

HEINRICH *war in Ekstase aufgesprungen, bei dem — „vorbei"*
der Alten bleich zurückgewichen; nun erwacht er aus seiner Er-
starrung und sinkt auf die Bank, darauf er, angelehnt, sitzt.

Das ist vorbei. „Vorbei", hat sie gesprochen.
O Herz, ganz wissend, so wie nie zuvor:
warum denn fragst du? Schicksalskünderin!
mit deinem Wort, das wie ein Fallbeil fällt,
des Lebens Schnur durchschneidend —: 's ist geschehn!
Was bleibt, ist Frist — unnützlich nur nicht mir.
Kalt haucht es aus den Schlünden. Jener Tag,
der dort mit erstem Glimmen sich verkündet,
der tiefen Wolke Streifen blaß durchhellend,
ist nicht mehr mein —: so viele Tage lebt' ich,
und dieser erste ist nun nicht für mich.
Greift den ersten Becher.
Komm denn, du Becher — eh das Grauen kommt.
Ein dunkler Tropfen glüht auf deinem Grunde,
ein letzter . . . Alte: hattest du nicht mehr?
Sei's drum! *Er trinkt.* Und nun zu dir, du zweiter! komm.
Er nimmt den zweiten.
Um deinetwillen griff ich nach dem ersten,
und stündest du nicht da, du köstlicher,
mit deinem Rausch und Duft: das Zechgelag,
zu dem uns Gott auf diese Welt geladen,
es wäre gar zu ärmlich und — mich dünkt,
du hehrer Gastfreund — schwerlich deiner würdig.
Nun aber dank' ich dir. *Er trinkt.* Der Trunk ist gut!
Ein Äolsharfenhauch durchschwimmt die Luft, während er
trinkt. Rautendelein steigt müd und ernst aus dem Brunnen,
setzt sich auf den Rand und kämmt ihr langes, offenes Haar.
Mondschein. Sie ist blaß und singt vor sich hin.

RAUTENDELEIN *mit leiser Stimme.*

> In tiefer Nacht mutterseelenallein,
> kämm' ich mein goldenes Haar,
> schön schönes Rautendelein!
> Die Vöglein reisen, die Nebel ziehn,
> die Heidefeuer verlassen glühn . . .

NICKELMANN *unsichtbar im Brunnen.*

Rautendelein!

RAUTENDELEIN. Ich komme!

NICKELMANN.   Komm geschwind!

RAUTENDELEIN.

  Mir ist so weh!
  zu eng ist mein Kleid.
  Ich arme, verwunschne Brunnenmaid.

NICKELMANN.

 Rautendelein!

RAUTENDELEIN. Ich komme.

NICKELMANN.   Komm geschwind!

RAUTENDELEIN.

  Im hellen Monde kämm' ich mein Haar
  und denke des, der mein Buhle einst war.
  Die Glockenblumen läuten.
  Läuten sie Glück? läuten sie Qual?
  Beides zumal,
  dünkt mich, soll es bedeuten. —
  Hinab! hinab! — die Zeit ist um —
  in Wasser und Tang!
  ich blieb schon zu lang.
  Hinab, hinab!

 Im Begriff, hinabzusteigen.
 Wer ruft so leise?

HEINRICH.   Ich!

RAUTENDELEIN.   Wer du?

HEINRICH.   Nun: ich.
 Komm du nur näher, so erkennst du mich!

RAUTENDELEIN.

 Ich kann nicht, und ich kenne dich auch nicht.
 Geh! denn ich töte den, der mit mir spricht.

HEINRICH.

 Du marterst mich! Komm, fühle meine Hand,
 so kennst du mich.

RAUTENDELEIN.   Ich hab' dich nie gekannt.

HEINRICH.

 Du kennst mich nicht ...

RAUTENDELEIN.   Nein.

HEINRICH.   Hast mich nie gesehen?

RAUTENDELEIN.

 Ich wüßte nicht.

HEINRICH.   So laß mich Gott vergehn!
Ich küßte nie dir deine Lippen wund?

RAUTENDELEIN.
  Niemals.

HEINRICH. Und reichtest nie mir deinen Mund?

NICKELMANN *unsichtbar aus dem Brunnen.*
  Rautendelein!

RAUTENDELEIN. Ich komme!

NICKELMANN.   Komm herein!

HEINRICH.
  Wer rief dich?

RAUTENDELEIN. Mein Gemahl im Brunnenstein.

HEINRICH.
  In Qualen siehst du mich, in einem Krampf,
  der furchtbar ist, wie nie des Lebens Kampf!
  Oh, martre du nicht den verlornen Mann:
  erlöse mich!

RAUTENDELEIN.
          Je nun, wie fang' ich's an?

HEINRICH.
  Komm her zu mir!

RAUTENDELEIN.   Ich kann nicht.

HEINRICH.   Kannst nicht?

RAUTENDELEIN.   Nein.

HEINRICH. Warum?

RAUTENDELEIN.   Wir tanzen drunten Ringelreihn.
  Ein lust'ger Tanz — und ist mein Fuß auch schwer,
  bald, wenn ich tanze, brennt er mich nicht mehr.
  Ade, ade!

HEINRICH.
          Wo bist du? geh nicht fort!

RAUTENDELEIN *die hinter den Brunnenrand gewichen ist.*
  In ew'gen Fernen.

HEINRICH.   Dort . . . den Becher dort.
  Magda, den Becher, du . . . oh, wie gebleicht
  du bist — den Becher gib: wer mir ihn reicht,
  den will ich segnen!

RAUTENDELEIN *ganz nah bei ihm.*
              Ich!

HEINRICH.   Du willst es tun?

RAUTENDELEIN.
 Ich will es tun. Und laß die Toten ruhn!

HEINRICH.
 Ich fühle dich, du Himmelsangesicht!

RAUTENDELEIN *fern weichend.*
 Ade, ade! ich bin dein Liebchen nicht.
 Einst war ich wohl dein Schatz: im Mai, im Mai —
 nun aber ist's vorbei . . .

HEINRICH.   Vorbei!

RAUTENDELEIN.   Vorbei!
 Wer sang dich abends in den Schlummer ein?
 Wer weckte dich mit Zaubermelodein?

HEINRICH.
 Wer sonst als du!

RAUTENDELEIN.   Wer, ich?

HEINRICH.   Rautendelein!

RAUTENDELEIN.
 Wer gab dir hin die frischen Gliederlein?
 Wen stießest du hinab den Brunnenstein?

HEINRICH.
 Wen sonst als dich!?

RAUTENDELEIN.   Wer, ich?

HEINRICH.   Rautendelein!

RAUTENDELEIN.
 Ade! Ade!

HEINRICH.   Führt mich hinunter still:
 jetzt kommt die Nacht, die alles fliehen will.

RAUTENDELEIN *zu ihm hinfliegend, seine Knie umschlingend, mit Jauchzen.*
 Die Sonne kommt!

HEINRICH.   Die Sonne!

RAUTENDELEIN *halb schluchzend, halb jauchzend.*
                              Heinrich!!!

HEINRICH.   Dank!

RAUTENDELEIN *umarmt Heinrich und drückt ihre Lippen auf die seinen — darnach den Sterbenden sanft niederlegend.*
 Heinrich!

HEINRICH. Hoch oben: Sonnenglockenklang!
 Die Sonne . . . Sonne kommt! — Die Nacht ist lang.
 Morgenröte.

MICHAEL KRAMER

Drama

Geschrieben: Frühjahr bis Herbst 1900 in Agnetendorf.

Erstveröffentlichung: Buchausgabe 1900.

MICHAEL KRAMER, Maler
  Lehrer an einer königlichen Kunstschule
FRAU KRAMER, seine Gattin
MICHALINE KRAMER, die Tochter, Malerin
ARNOLD KRAMER, der Sohn, Maler
ERNST LACHMANN, Maler
ALWINE LACHMANN, seine Gattin
LIESE BÄNSCH, Tochter des Restaurateurs Bänsch
ASSESSOR SCHNABEL ⎫
BAUMEISTER ZIEHN ⎪ Gäste im Restaurant von Bänsch
VON KRAUTHEIM ⎪
QUANTMEYER ⎭
KRAUSE, Pedell in der Kunstschule
BERTHA, Hausmädchen bei Kramers
FRITZ, Kellner im Restaurant von Bänsch

Ort der Geschehnisse dieses Dramas ist eine Provinzialhauptstadt.

ERSTER AKT

Berliner Zimmer in der Wohnung Kramers. Zeit: Ein Winter-vormittag gegen neun Uhr. Auf dem Tische in der Ecke am großen Hoffenster steht die noch brennende Lampe und das Frühstücksgeschirr. Die Ausstattung des Raumes zeigt nichts Außergewöhnliches. Michaline, interessantes, brünettes Mäd-chen, hat den Stuhl ein wenig vom Tische abgerückt, raucht eine Zigarette und hält ein Buch auf dem Schoß. Frau Kramer kommt durch die Tür der Hinterwand, wirtschaftlich beschäf-tigt. Sie ist eine weißhaarige Frau von etwa sechsundfünfzig Jahren. Ihr Wesen ist unruhig und sorgenvoll.

FRAU KRAMER. Bist du noch immer da, Michaline? Mußt du jetzt nicht fort?

MICHALINE *nicht gleich antwortend.* Nein, Mutter, noch nicht. Es ist ja auch noch ganz vollständig finster draußen.

FRAU KRAMER. Na, wenn du nur nichts versäumst, Michaline.

MICHALINE. Bewahre, Mutter.

FRAU KRAMER. Denn wirklich . . . das magst du dir wirklich sehr wahrnehmen; es bleibt sowieso genug Sorge übrig.

MICHALINE. Ja, Mutter, gewiß! *Sie raucht und sieht ins Buch.*

FRAU KRAMER. Was liest du denn da? Das ewige Schmökern!

MICHALINE. Soll ich nicht lesen?

FRAU KRAMER. Wegen meiner lies! Mich wundert bloß, daß du die Ruhe hast.

MICHALINE. Wenn man darauf warten wollte, o Gott! Wann käme man denn überhaupt zu was?

FRAU KRAMER. Hat Papa nicht noch etwas gesagt, als er fort-ging?

MICHALINE. Nein!

FRAU KRAMER. Das ist immer das Schlimmste, wenn er nichts sagt.

MICHALINE. Ja, richtig! Das hätt' ich beinah vergessen. Arnold soll um Punkt elf Uhr bei ihm im Atelier sein.

FRAU KRAMER *schließt die Ofentür und schraubt sie zu; als sie sich aufrichtet, seufzt sie.* Ach je ja! Du mein Gott, du, du!

MICHALINE. Mach es doch so wie ich, Mutter: lenke dich ab! Das ist ja nichts Neues, das kennen wir doch. Arnold wird sich auch darin nicht ändern.

FRAU KRAMER *nimmt am Tisch Platz, stützt ihren Kopf und*

seufzt. Ach, ihr versteht ja den Jungen nicht! Ihr versteht ihn nicht! Ihr versteht ihn nicht! Und Vater: der richtet ihn noch zugrunde.

MICHALINE. Das find' ich nicht recht, wenn du so was behauptest. Da bist du doch bitter ungerecht. Papa tut sein Allerbestes an Arnold. Auf jede Weise hat er's versucht. Wenn ihr das verkennt, Mutter, um so schlimmer.

FRAU KRAMER. Du bist des Vaters Tochter, das weiß ich schon.

MICHALINE. Ja, deine Tochter und Vaters bin ich!

FRAU KRAMER. Nein, Vaters viel mehr, als du meine bist. Denn wenn du mehr meine Tochter wärst, so würdest du nicht immer zu Vater halten.

MICHALINE. Mutter, wir wollen uns lieber nicht aufregen. Da versucht man ganz einfach gerecht zu sein, gleich heißt es: du hältst es mit dem oder dem. Ihr macht's einem schwer, das könnt ihr mir glauben.

FRAU KRAMER. Ich halte zu meinem Jungen, basta! Und da mögt ihr schon machen, was ihr wollt!

MICHALINE. Wie man so was nur über die Lippen bringt!

FRAU KRAMER. Michaline, du bist eben gar keine Frau! Du bist gar nicht wie 'ne Frau, Michaline! Du sprichst wie 'n Mann! Du denkst wie 'n Mann! Was hat man denn da von seiner Tochter?

MICHALINE *achselzuckend.* Ja, Mutter, wenn das wirklich so ist ... ! Das werd' ich wohl auch nicht ändern können.

FRAU KRAMER. Du kannst es ändern, du willst nur nicht.

MICHALINE. Mama . . . ich muß leider gehn, Mama. Sei gut, Mutter, hörst du, reg dich nicht auf! Du meinst das ja gar nicht, was du jetzt sagst.

FRAU KRAMER. So wahr wie ich hier stehe, Wort für Wort!

MICHALINE. Dann tut es mir leid für uns alle, Mutter!

FRAU KRAMER. Wir leiden auch alle unter Papa.

MICHALINE. Sei doch so gut, ein für allemal. Ich habe nie unter Vater gelitten, ich leide auch jetzt nicht unter ihm. Ich verehre Vater, das weißt du ganz gut! Das wäre die allerverfluchteste Lüge . . .

FRAU KRAMER. Pfui, Michaline, daß du immer fluchst.

MICHALINE. . . . wenn ich sagte, ich litte unter ihm. Es gibt keinen Menschen in der Welt, dem ich so über die Maßen dankbar bin.

FRAU KRAMER. Auch mir nicht?

MICHALINE. Nein. Es tut mir sehr leid. Was Vater ist und was Vater mir ist, das verstehen Fremde eher als ihr, ich meine: du und Arnold, Mutter. Denn das ist geradezu das Verhängnis: die Nächsten stehen Vater am fernsten. Er wäre verloren allein unter euch.

FRAU KRAMER. Als ob ich nicht wüßte, wie oft du geweint hast, wenn Vater . . .

MICHALINE. Das hab' ich. Geweint hab' ich oft. Er hat mir zuweilen weh getan, aber schließlich mußt' ich mir immer sagen: er tat mir weh, aber niemals Unrecht, und ich hatte immer dabei gelernt.

FRAU KRAMER. Und ob du gelernt hast oder nicht, du bist doch nicht glücklich geworden durch Vater. Wenn du deinen gemütlichen Haushalt hätt'st, einen Mann und Kinder . . . und alles das . . .

MICHALINE. Das hat mir doch Vater nicht geraubt!

FRAU KRAMER. Jetzt plagst du dich, wie Papa sich plagt, und es kommt nichts heraus als Mißmut und Sorge.

MICHALINE. Ach, Mutter, wenn ich das alles so höre, da wird mir immer so eng! So eng! So eng und beklommen, du glaubst es kaum. *Bitter wehmütig.* Wenn Arnold nicht eben Arnold wäre — wie dankbar würde Vater sein.

FRAU KRAMER. Als Fünfzehnjährigen schlug er ihn noch!

MICHALINE. Daß Vater hart sein kann, bezweifle ich nicht, und daß er sich manchmal hat hinreißen lassen, beschön'ge ich nicht und entschuld'ge ich nicht. Aber, Mutter, nun denke auch mal daran, ob Arnold auch Vater Anlaß gegeben. Damals hatte er Vaters Handschrift gefälscht.

FRAU KRAMER. Aus Seelenangst! Aus Angst vor Papa.

MICHALINE. Nein, Mutter, das erklärt noch nicht alles.

FRAU KRAMER. Der Junge ist elend, er ist nicht gesund, er steckt in keiner gesunden Haut.

MICHALINE. Das mag immer sein, damit muß er sich abfinden. Sich abfinden, Mutter, ist Menschenlos. Sich halten und zu was Höh'rem durchwinden, das hat jeder gemußt. Da hat er an Vater das beste Beispiel. — Übrigens, Mutter, hier sind zwanzig Mark, ich kann diesen Monat nicht mehr entbehren. Ich habe die Farbenrechnung bezahlt, das macht allein dreiundzwanzig Mark. Das Winterbarett mußt' ich auch nun mal haben. Zwei Schülern habe ich stunden müssen.

FRAU KRAMER. Na ja, da quälst du dich ab mit den Frauenzimmern, und dann prellen sie dich um dein bißchen Verdienst.

MICHALINE. Nein, Mutter, sie prellen mich wirklich nicht. 'ne arme, schiefe Person ohne Mittel! Die Schäffer spart sich's vom Munde ab. *Die Entreeklingel geht.* Es hat eben geklingelt, wer kann denn das sein?

FRAU KRAMER. Ich weiß nicht. Ich will nur die Lampe auslöschen. Ich wünschte, man läge erst anderswo. *Bertha geht durchs Zimmer.*

MICHALINE. Fragen Sie erst nach dem Namen, Bertha!

FRAU KRAMER. Der junge Herr schläft noch?

BERTHA. Der hat sich erscht gar nicht erscht niedergelegt. *Bertha ab.*

MICHALINE. Wer kann denn das aber bloß sein, Mama? *Bertha kommt wieder.*

BERTHA. A Maler Lachmann mit seiner Frau. A war frieher beim Herrn Professor uff Schule.

MICHALINE. Papa ist nicht Professor, das wissen Sie ja, er will, daß Sie einfach Herr Kramer sagen. *Sie geht in das Entree hinaus.*

FRAU KRAMER. Ja, wart nur! Ich will nur ein bißchen abräumen. Fix, Bertha! Ich komme dann später mal rein. *Sie und Bertha, einiges Tischgeschirr mit sich nehmend, ab. Die Geräusche einer Begrüßung im Entree dringen herein. Hierauf erscheinen Maler Ernst Lachmann, seine Frau Alwine und zuletzt wiederum Michaline. Lachmann trägt Zylinder, Paletot und Stock, sie dunkles Federbarett, Federboa usw. Die Kleidung der beiden ist abgetragen.*

MICHALINE. Wo kommst du denn her? Was machst du denn eigentlich?

LACHMANN *vorstellend.* Alwine — und hier: Michaline Kramer!

FRAU LACHMANN *stark überrascht.* I! Ist das denn möglich? Das wären Sie?

MICHALINE. Setzt Sie das wirklich so in Erstaunen?

FRAU LACHMANN. Ja! Offen gestanden! Ein bißchen, ja. Ich habe Sie mir ganz anders gedacht.

MICHALINE. Noch älter? Noch runzeliger, als ich schon bin?

FRAU LACHMANN *schnell.* Nein, ganz im Gegenteil, offen gestanden. *Michaline und Lachmann brechen in Heiterkeit aus.*

LACHMANN. Das kann ja gut werden. Du fängst ja gut an.

FRAU LACHMANN. Wieso? Hab' ich wieder was falsch gemacht?

LACHMANN. Wie geht's deinem Vater, Michaline?

MICHALINE. Gut. Ungefähr wie's ihm immer geht. Du wirst ihn wohl kaum sehr verändert finden. Aber bitte, nimm Platz! Bitte, gnädige Frau! Sie müssen uns schon entschuldigen, nicht wahr? Es sieht noch ein bißchen polnisch hier aus. *Alle setzen sich um den Tisch.* Du rauchst? — *Sie bietet ihm Zigaretten an.* Oder hast du dir's abgewöhnt? Entschuldigen Sie nur, ich habe gequalmt. Ich weiß zwar, daß das nicht weiblich ist, aber leider . . . die Einsicht kommt mir zu spät. Sie rauchen wohl nicht? Nein? Und stört Sie's auch nicht?

FRAU LACHMANN *verneinendes Kopfschütteln.* Ernst lutscht ja zu Hause den ganzen Tag.

LACHMANN *aus Michalines Etui eine Zigarette nehmend.* Danke! Davon verstehst du nun nichts.

FRAU LACHMANN. Was ist denn dabei zu verstehen, Ernst?

LACHMANN. Viel, liebe Alwine.

FRAU LACHMANN. Wieso? Wieso?

MICHALINE. Es spricht sich viel besser, sobald man raucht.

FRAU LACHMANN. Da ist es man gut, Fräulein, daß ich nicht rauche. Ich quatsche ihm sowieso schon zuviel.

LACHMANN. Es kommt immer darauf an, was man redet.

FRAU LACHMANN. Du redest auch manchmal Stuß, lieber Ernst.

LACHMANN *gewaltsam ablenkend.* Ja! Was ich doch sagen wollte! Jaso: Also deinem Vater geht's gut, das freut mich.

MICHALINE. Ja. Wie gesagt: es geht ihm wie immer. Im großen und ganzen jedenfalls. Du kommst wohl hierher deine Mutter besuchen?

FRAU LACHMANN *geschwätzig.* Er wollte sich nämlich mal 'n bißchen hier umschaun: Ob nicht irgend vielleicht hier was zu machen wär'. In Berlin ist nämlich gar rein nichts los. Ist denn hier auch nichts zu machen, Fräulein?

MICHALINE. Inwiefern? Ich weiß nicht . . . wie meinen Sie das?

FRAU LACHMANN. Na, Sie haben doch, denk' ich, 'ne Schule gegründet. Bringt Ihnen das nicht hübsch was ein?

LACHMANN. Du! Wenn du fertig bist, sag mir's. Ja?

MICHALINE. Meine Malschule?! Etwas! O ja! Nicht viel. Aber immerhin etwas, es geht schon an. *Zu Lachmann.* Willst du mir etwa Konkurrenz machen?

FRAU LACHMANN. Ach wo denn! Bewahre! Wo denken Sie hin!

Mein Mann schwärmt ja von Ihnen, kann ich Ihn'n sagen. Das würde mein Mann doch gewiß nicht tun. Aber irgendwas muß der Mensch doch anfangen. Man will doch auch essen und trinken, nicht wahr? Mein Mann . . .

LACHMANN. Mein Mann! Ich bin nicht dein Mann. Der Ausdruck macht mich immer nervös.

FRAU LACHMANN. Na haben Sie so was schon gehört!

LACHMANN. Ernst heiß' ich, Alwine! Merk dir das mal! Meine Kohlenschaufel, das kannst du sagen. Mein Kaffeetrichter, mein falscher Zopf, aber sonst: Sklaverei ist abgeschafft!

FRAU LACHMANN. Aber Männe . . .

LACHMANN. Das ist auch 'n Hundename.

FRAU LACHMANN. Nu sehn Se, da hat man nu so einen Mann. Tun Sie mir den einzigen Gefallen: heiraten Sie um keinen Preis. Die alten Jungfern haben's viel besser. *Michaline lacht herzlich.*

LACHMANN. Alwine, jetzt hat die Sache geschnappt. Du wirst dir gefälligst die Boa umnehmen und irgendwo auf mich warten. Verstanden? Sonst hat ja das alles gar keinen Zweck. Du nimmst dir die Boa um und gehst — dein höchst geschmackvolles Lieblingsmöbel. Fahre gefälligst zur Mutter hinaus oder setz dich hier drüben ins Café, ich will dich meinswegen dann wieder abhol'n.

FRAU LACHMANN. Nein so was! Sehn Sie, so geht's einer Frau. Man darf nicht piep sagen, gleich —: Herrje!!

LACHMANN. Es ist auch nicht nötig, daß du piep sagst, es steckt ja doch immer 'ne Dummheit dahinter.

FRAU LACHMANN. So klug wie du bin ich freilich nicht.

LACHMANN. Geschenkt! Alles Weitere wird dir geschenkt.

MICHALINE. Aber bitte, Frau Lachmann, bleiben Sie doch!

FRAU LACHMANN. Um's Himmels willen! Wo denken Sie hin! Sie brauchen mich wirklich gar nicht bedauern. Er läuft mir schon wieder über den Weg. Adieu! An der Ecke hier drüben ist ein Konditor. Also, Männe, verstehst du? Dort trittst du an. *Ab, von Michaline geleitet.*

LACHMANN. Da iß nur nicht wieder dreizehn Spritzkuchen!

MICHALINE *kommt wieder.* Die alten Jungfern haben's viel besser; sie ist wirklich ein bißchen gradezu.

LACHMANN. Sie sprudelt alles so durcheinander.

MICHALINE *wieder Platz nehmend.* Du machst aber wirklich

kurzen Prozeß. Das läßt sich nicht jede bieten, Lachmann.

LACHMANN. Michaline, sie drückt mich bös an die Wand. Sie wollte dich eben doch nur kennenlernen. Sonst hätt' ich sie gar nicht mitgebracht. Wie geht's dir übrigens?

MICHALINE. Danke! Gut! Und dir?

LACHMANN. Auch ebenso lila.

MICHALINE. Na ja, mir ja auch. Du wirst aber auch schon grau um die Schläfe.

LACHMANN. Der Esel kommt immer mehr heraus. *Beide lachen.*

MICHALINE. Und willst du dich also hier niederlassen?

LACHMANN. Ich denke ja nicht im Schlafe daran. Sie phantasiert sich so Sachen zusammen und behauptet dann absolut steif und fest, ich hätte wer weiß was alles gesagt. *Pause —* Wie geht's deinem Bruder?

MICHALINE Danke, gut.

LACHMANN. Malt er fleißig?

MICHALINE. Im Gegenteil.

LACHMANN. Was tut er denn sonst?

MICHALINE. Er bummelt natürlich. Er bummelt, was sollte er anders tun?

LACHMANN. Warum ist er denn nicht in München geblieben? Da hat er doch das und jenes gemacht.

MICHALINE. Traust du dem Arnold noch irgendwas zu?

LACHMANN. Wieso? Das verstehe ich eigentlich nicht. Das ist doch ganz außer Frage so ziemlich.

MICHALINE. Na, wenn er Talent hat . . . dann ist er's nicht wert. Übrigens, um auf was anderes zu kommen: Vater hat öfter nach dir gefragt. Er wird sich freuen, dich wiederzusehen. Und abgesehen von mir natürlich, freut's mich im Hinblick auf Vater sehr, daß du wieder mal rübergekommen bist. Er kann nämlich eine Auffrischung brauchen.

LACHMANN. Ich auch. Wahrscheinlich ich mehr als er. Und — ebenfalls abgesehen von dir! — was mich sonst ausschließlich gezogen hat — alles andere hätte noch Zeit gehabt! —, das ist ausschließlich der Wunsch gewesen, mal wieder bei deinem Vater zu sein. Allerdings sein Bild möcht' ich auch mal sehn.

MICHALINE. Wer hat dir denn was gesagt von dem Bilde?

LACHMANN. Es heißt ja, die Galerie hat's gekauft.

MICHALINE. Direktor Müring ist hier gewesen, aber ob er's gekauft hat, weiß ich nicht. Papa ist zu peinlich. Ich glaube kaum. Er wird's wohl erst wollen ganz fertigmachen.

LACHMANN. Du kennst doch das Bild? Natürlich doch?

MICHALINE. Es war vor zwei Jahren, als ich's sah. Ich kann es gar nicht mehr recht beurteilen. Papa malt eben schon sehr lange daran. *Pause.*

LACHMANN. Denkst du, daß er mir's zeigen wird? Ich weiß nicht, ich habe das Vorgefühl, es müßte was Exorbitantes sein. Ich kann mir nicht helfen, ich glaube daran. Ich habe ja manchen jetzt kennengelernt, aber keinen, bei dem man so den Wunsch hatte, man möchte ein Stück seines Inneren sehn. Überhaupt du, wenn ich nicht ganz versumpft bin — denn wirklich, ich halte mich immer noch —, hauptsächlich verdank' ich das nur deinem Vater. Was er einem gesagt hat und wie er's tat, das vergißt sich nicht. Einen Lehrer wie ihn, den gibt's gar nicht mehr. Ich behaupte, auf wen dein Vater einwirkt, der kann gar nie gänzlich verflachen im Leben.

MICHALINE. Das sollte man meinen, Lachmann, ja, ja.

LACHMANN. Er wühlt einen bis zum Grunde auf. Man lernt ja von manchem so das und jen's, mir sind auch ganz wackere Leute begegnet. Doch immer dahinter erschien mir dein Vater, und da hielten sie alle nicht mehr recht stand. Er hat uns alle so durchgewalkt, uns Schüler, so gründlich, von vornherein, von innen heraus alles umgekrempelt! Die Kleinbürgerseele so ausgeklopft. Man kann darauf fußen, solange man lebt. Zum Beispiel, wer seinen Ernst gekannt hat, seinen unabirrbaren Ernst zur Kunst, dem erscheint zuerst alles da draußen frivol . . .

MICHALINE. Nun siehst du — und Vaters großer Ernst . . . du sagst es . . . du spürst ihn noch im Blut, mir ist er mein bester Besitz geworden. Auf fadeste Dummköpfe macht er Eindruck, auf Arnold nicht, der nimmt ihn nicht an. *Sie hat sich erhoben.* Ich muß nun zum Korrigieren, Lachmann. Du lachst, du denkst, sie kann selber nichts Rechts.

LACHMANN. Du bist ja doch deines Vaters Tochter. Nur wollt' ich da immer gar nicht ran. Ich denke mir das ganz besonders trostlos, sich so mit malenden Damen herumschlagen.

MICHALINE. Immerhin, es läßt sich schon auch etwas tun. Die ehrlichste Mühe geben sie sich. Das allein schon versöhnt doch. Was will man mehr? Ob sie schließlich und endlich was wirklich erreichen —? Im Ringen danach ist ja schon was erreicht. Und außerdem geht es mir ähnlich wie Vater: auf Menschen zu wirken, macht mir Spaß. Man verjüngt sich auch an den Schülern, Lachmann; das tut einem mit der Zeit ja auch not. *Sie öffnet die Tür und ruft in die hinteren Räume:* Adieu, Mama, wir gehen jetzt fort.

ARNOLDS STIMME *nachäffend.* Adieu, Mama, wir gehen jetzt fort.

LACHMANN. Wer war denn das?

MICHALINE. Arnold. Er tut das nicht anders. Es ist weiter nicht erquicklich. Komm! *Lachmann und Michaline ab. Arnold kommt. Er ist ein häßlicher Mensch mit schwarzen, feurigen Augen unter der Brille, dunklem Haar und dünnem Bart- ansatz, mit schiefer, etwas gebeugter Haltung. Die Farbe seines Gesichts ist schmutzig blaß. Er schlurft in Pantoffeln bis vor den Spiegel, sonst nur noch mit Hose und Rock bekleidet, nimmt die Brille ab und betrachtet, Grimassen schneidend, Unreinlichkeiten seiner Haut. Die ganze Erscheinung ist salopp. Michaline kommt zurück.*

MICHALINE *leicht erschreckend.* Ach, Arnold! Ich hab' meinen Schirm vergessen. Übrigens weißt du: Lachmann ist hier.

ARNOLD *macht abwehrende und sie zur Ruhe weisende Gesten.* Der Biedermann ist mir ganz hochgradig Wurstsuppe.

MICHALINE. Sag mal, was hat dir denn Lachmann getan?

ARNOLD. Er hat mir mal seinen Kitsch gezeigt.

MICHALINE *achselzuckend, ruhig.* Vergiß nicht, um elf Uhr bei Vater zu sein! *Arnold hält sich mit beiden Händen die Ohren zu.*

MICHALINE. Sag mal, Arnold, hältst du das etwa für anständig?

ARNOLD. Ja. Pump mir mal lieber eine Mark!

MICHALINE. Ich kann dir's ja borgen, warum denn nicht. Ich muß mir nur schließlich Vorwürfe machen, daß ich . .

ARNOLD. Schieb ab! Kratz ab, Michaline! Eure Knietschigkeit kennt man ja doch.

Michaline will etwas erwidern, zuckt mit den Achseln und geht. Ab. Arnold schlurft an den Frühstückstisch, ißt ein Stück- chen Zucker und streift nur flüchtig seine Mutter, die eben hereintritt. Hernach tritt er wiederum an den Spiegel.

FRAU KRAMER *trocknet ihre Hände an der Schürze und läßt sich auf irgendeinen Stuhl nieder, zugleich schwer und sorgenvoll seufzend.* I Gott, je ja!

ARNOLD *wendet sich, schiebt die Brille mehr nach der Na-*
senspitze zu, zieht die Schultern hoch und nimmt die dem
Nachfolgenden entsprechende komische Haltung an. Mutter,
seh' ich nicht aus wie'n Marabu?

FRAU KRAMER. Ach, Arnold, mir ist ganz anders zumut! Ich
kann über deinen Unsinn nicht lachen. — Wer hat dir denn
aufgeschlossen heut nacht?

ARNOLD *sich ihr nähernd und immer noch die marabuhafte*
komische Gravität festhaltend. Vater!

FRAU KRAMER. Die drei Treppen ist er heruntergekommen?

ARNOLD *noch immer komisch über die Brille schielend.* Ja!

FRAU KRAMER. Nee, Arnold, das ist mir ganz widerlich! So
hör doch nu endlich auf mit dem Unsinn. Du kannst doch
mal ernst sein. Sei doch vernünftig! Erzähle doch mal, was
Papa gesagt hat!

ARNOLD. Euch ist immer alles widerlich. Ihr seid mir auch
widerlich, derbe mitunter.

FRAU KRAMER. War Vater sehr böse, als er dir aufschloß?
Arnold geistesabwesend. Was hat er dir denn gesagt?

ARNOLD. Nichts!

FRAU KRAMER *nähert sich ihm zärtlich.* Arnold, bessere dich doch!
Tu mir's doch zuliebe! Fang doch ein anderes Leben an!

ARNOLD. Wie leb' ich denn?

FRAU KRAMER. Liederlich lebst du! Faul! Nächtelang bist du
außerm Hause. Du treibst dich herum . . . o Gott, o Gott!
Du führst ein entsetzliches Leben, Arnold!

ARNOLD. Spiel dich doch bloß nicht so schrecklich auf, Mutter!
Was du für 'ne Ahnung hast, möcht' ich bloß wissen.

FRAU KRAMER. Das ist ja recht schön, das muß man wohl sagen:
wie du mit deiner Mutter verkehrst.

ARNOLD. Dann laß mich doch bitte gefälligst in Ruh'! Was
kläfft ihr denn immer auf mich ein! Das ist ja reinwegs gerade
zum Verrücktwerden.

FRAU KRAMER. Das nennst du in dich hineinkläffen, Arnold? Wenn
man zu dir kommt und dein Bestes will? Soll deine Mutter nicht
zu dir kommen? Arnold, Arnold, versündige dich nicht!

ARNOLD. Mutter, das nutzt mir ja alles nichts! Das ewige Gemähre nutzt mir ja nichts. Übrigens habe ich scheußliche Kopfschmerzen! Gebt mir ein bißchen Geld in die Hand, dann
will ich schon sehn, wie ich weiterkomme . . .

FRAU KRAMER. So? Daß du noch völlig zugrunde gehst. *Pause.*

ARNOLD *am Tisch, Semmel in die Hand nehmend.* Semmel! Das Zeug ist wie Stein so hart!

FRAU KRAMER. Steh zeitiger auf, dann wirst du sie frisch haben.

ARNOLD *gähnend.* Ekelhaft öde und lang ist so 'n Tag.

FRAU KRAMER. Das ist kein Wunder, so wie du's treibst. Schlafe die Nacht durch gehörig aus, so wirst du auch tagsüber munter sein. — Arnold, so laß ich dich heute nicht los! Meinetwegen fahre mich an, wie du willst. Ich kann das länger nicht mehr ansehn. *Er hat sich an den Tisch gesetzt, sie gießt ihm Kaffee ein.* Schneide Gesichter, soviel du willst, ich muß hinter deine Schliche kommen. Du hast was! Ich kenne dich doch genau. Du hast irgendwas, was dich drückt und besorgt. Denkst du, ich hab' dich nicht seufzen gehört? Das geht doch in einem fort mit dem Seufzen, du merkst es ja gar nicht mehr, wenn du seufzt.

ARNOLD. Herr Gott, ja! das Aufpassen! Teufel noch mal. Wieviel man geniest hat, und so was Guts. Wie oft man ausspuckt, seufzt und noch was. Zum auf die Bäume Klettern ist das!

FRAU KRAMER. Sag, was du willst, das ist mir ganz gleichgültig. Ich weiß, was ich weiß, und damit gut. Irgendwas, Arnold, lastet auf dir. Das merkt man auch schon deiner Unruhe an. Etwas unruhig bist du ja immer gewesen, aber nicht so wie jetzt: das weiß ich genau.

ARNOLD *schlägt mit der Faust auf den Tisch.* Mutter, laß mich zufrieden, verstehst du? Sonst jagt ihr mich gänzlich zum Tempel naus. Was geht euch das an, was ich treibe, Mutter!? Ich bin aus den Kinderschuhen heraus, und was ich nicht sagen will, sage ich nicht. Die Malträtagen hab' ich satt. Ich bin lange genug von euch malträtiert worden. Für euren Beistand bedank' ich mich auch. Ihr könnt mir nicht helfen, sag' ich euch ja. Ihr könnt höchstens zetermordio schreien.

FRAU KRAMER *weinend, aufgelöst.* Arnold, hast du was Schlimmes getan? Barmherziger Gott im Himmel, Arnold, was hast du um Gottes willen gemacht?

ARNOLD. Einen alten Juden erschlagen, Mama.

FRAU KRAMER. Spotte nicht! Treibe nicht Spott mit mir! Sage mir's, wenn du etwas gemacht hast! Ich weiß ja, du bist kein böser Mensch, aber manchmal bist du gehässig und jähzornig.

Und was du in Wut und im Jähzorn tust . . . wer weiß, was du da noch für Unheil anrichtest.

ARNOLD. Mama! Mama! Beruhige dich! Ich habe den Juden nicht erschlagen. Nicht mal 'n gefälschten Pfandschein verkauft, trotzdem ich sehr nötig 'n bißchen Geld brauchte.

FRAU KRAMER. Ich bleibe dabei, du verhehlst uns was! Du kannst einem nicht in die Augen sehn. Du hast auch früher was Scheues gehabt, jetzt aber, Arnold — du merkst es nur nicht —, jetzt ist es, wie wenn du gezeichnet wärst. Du trinkst! Früher mochtest du Bier nicht sehen. Du trinkst, um dich zu betäuben, Arnold.

ARNOLD *hat am Fenster gestanden und an die Scheibe getrommelt.* Gezeichnet! Gezeichnet! Und was denn nun noch? Meinshalben redet doch, was ihr wollt! — Gezeichnet bin ich, da hast du ja recht, aber daran bin ich doch wirklich, scheint's, unschuldig.

FRAU KRAMER. Immer stichst du um dich und schlägst und schneidest und schneid'st einem manchmal recht tief ins Herz. Wir haben doch unser Bestes getan. Daß du so geworden bist, wie du jetzt bist, das muß man tragen, wie Gott es gibt.

ARNOLD. Na also! Dann tragt es mal auch gefälligst! *Pause.*

FRAU KRAMER. Arnold, hörst du, verstock dich nicht! Sage mir doch mal, was du hast! Man muß sich ja ängstigen Tag und Nacht. Du weißt gar nicht, wie Papa sich herumwälzt. Ich schlafe auch schon viele Tage nicht mehr. Befreie uns doch von dem Alp, der uns drückt, Junge. Vielleicht kannst du es doch durch ein offenes Wort. Du bist ja gebrechlich, das weiß ich ja . . .

ARNOLD. Ach, Mutter, brich die Geschichte doch ab! Ich schlafe sonst künftig im Atelier, auf meinem Heuboden, wollt' ich sagen, und gefriere lieber zu Stein und Bein. Es ist was! Na gut. Das bestreit' ich ja gar nicht. Aber soll ich deswegen etwa Alarm schlagen? Die Geschichte wird bloß noch böser dadurch.

FRAU KRAMER. Arnold, du bist . . . Ist es immer noch das? Vor Wochen hast du dich mal verraten! Da hast du es dann zu vertuschen gesucht. Ist es immer noch das mit dem Mädchen, Arnold?

ARNOLD. Mutter, bist du denn ganz verrückt?

FRAU KRAMER. Junge, tu uns doch das nicht noch an! Verwickle dich nicht noch in Liebesgeschichten! Häng du dein Herz noch an so ein Weibsbild, da wirst du durch alle Pfützen geschleift. Ich weiß ja, wie groß die Verführung hier ist. Diese Fallgruben gibt's ja auf Schritt und Tritt. Man hört ja die Rotten, wenn man vorbeigeht. Die Polizei, die duldet ja das! Und wenn du auf deine Mutter nicht hörst, so wirst du auch sonst mal zu Schaden kommen. Verbrechen geschehen ja täglich genug.

ARNOLD. Es soll mich mal einer anrühren, Mutter! *Mit einem Griff in seine Hosentasche.* Für den Fall hätt' ich doch vorgesorgt.

FRAU KRAMER. Was heißt das?

ARNOLD. Daß ich auf alles gefaßt bin. Da gibt's, Gott sei Dank, ja heut Mittel dazu.

FRAU KRAMER. Ekelt dich das nicht von außen schon an, das Klaviergepauk und die roten Laternen und der ganze, gemeine, eklige Dunst? Arnold, wenn ich das denken sollte, daß du dort — ich meine, in solchen Höhlen, solchen Schmutzlöchern — deine Nächte verbringst, dann lieber wollt' ich doch sterben und tot sein.

ARNOLD. Mutter, ich wünschte, der Tag wär' rum. Ihr macht mich ganz dumm, mir tettern die Ohren. Ich muß immer an mich halten, wahrhaftig, sonst führe ich oben zum Schornstein raus. Ich wer' mir 'n Rucksack kaufen, Mama, und euch alle immer mit mir herumschleppen.

FRAU KRAMER. Gut. Aber das eine sag' ich dir: du gehst heute abend nicht aus dem Hause!

ARNOLD. Nein! Denn ich gehe jetzt gleich, Mama.

FRAU KRAMER. Um elf zu Papa, und dann kommst du wieder.

ARNOLD. Ich denke nicht daran! Das fällt mir nicht ein.

FRAU KRAMER. Wohin gehst du denn dann?

ARNOLD. Das weiß ich noch nicht.

FRAU KRAMER. Du willst also nicht zu Mittag nach Hause kommen?

ARNOLD. Mit euren Gesichtern an einem Tisch? Nein. Und ich esse ja doch nichts, Mama.

FRAU KRAMER. Den Abend willst du dann auch wieder fortbleiben?

ARNOLD. Ich tue und lasse, was mir beliebt.

FRAU KRAMER. Gut, Junge, dann sind wir geschiedene Leute! Und außerdem komm' ich dir auf die Spur! Ich ruhe nicht

eher, verlaß dich darauf! Und wenn ich so 'n Frauenzimmer
ausfindig mache, das schwör' ich dir zu, und Gott ist mein
Zeuge: die übergeb' ich der Polizei.

ARNOLD. Na, Mutter, tu das nur lieber nicht!

FRAU KRAMER. Ich sag' es Vater. Im Gegenteil. Und Vater,
der wird dich schon zur Vernunft bringen. Laß den was merken: er kennt sich nicht mehr.

ARNOLD. Ich kann dir nur sagen, tu's lieber nicht! Wenn Vater
Moral donnert, weißt du ja wohl, so halt' ich mir bloß noch
die Ohren zu. Im übrigen macht es mir keinen Effekt. Herr
Gott, ja! Ihr seid mir so fremd geworden . . . Sag mal: wo
bin ich denn eigentlich hier?

FRAU KRAMER. So?!

ARNOLD. Wo denn? Wo bin ich denn eigentlich, Mutter? Die
Michaline, der Vater, du, was wollt ihr? Was habt ihr mit
mir zu schaffen? Was geht ihr mich alle im Grunde an?

FRAU KRAMER. Wie? Was?

ARNOLD. Ja, was denn? Was wollt ihr denn?

FRAU KRAMER. Was das für empörende Reden sind!

ARNOLD. Ja, ja, empörend: meinswegen auch das. Aber wahr,
Mutter, wahr, diesmal! Nicht gelogen. Ihr könnt mir nicht
helfen, sag' ich euch. Und wenn ihr mir's etwa noch mal zu
bunt macht, dann passiert vielleicht was . . . irgendwas mal,
Mama, daß ihr alle vielleicht 'n verdutztes Gesicht macht!
Da hat dann die liebe Seele Ruh'!

ZWEITER AKT

*Das Atelier des alten Kramer in der Kunstschule. Ein geschlos-
sener, grauer Vorhang verdeckt den eigentlichen Atelierraum.
Vor dem Vorhang rechts eine Tür, zu der ein Treppchen hin-
aufführt. Ebenfalls rechts, weiter vorn, ein altes Ledersofa und
ein kleines, bedecktes Tischchen davor. Links die Hälfte eines
großen Atelierfensters, das sich hinter dem Vorhang fortsetzt.
Darunter ein kleines Tischchen, auf welchem Radierutensilien
und eine angefangene Platte liegen. Auf dem Sofatisch Schreib-
zeug, Papier, ein alter Leuchter mit Licht usw. Gipsabgüsse:
Arm, Fuß, Frauenbusen und auch die Totenmaske Beethovens,
hängen über dem Sofa an der Wand, deren Färbung gleich-*

*mäßig bläulich-grau ist. Über den Vorhang hinweg, der etwa
bis zu zwei Drittel der Höhe des Raumes reicht, sieht man rechts
die Spitze einer großen Staffelei. — Über dem Sofatisch Gas-
rohr. — Zwei einfache Rohrstühle vervollständigen die Einrichtung. Es herrscht überall Sauberkeit und peinliche Ordnung.
Michael Kramer sitzt auf dem Sofa und unterschreibt ächzend
mehrere Dokumente, auf die der Pedell Krause, die Mütze in
der Hand, wartet. Krause ist breit und behäbig, Kramer ein
bärtiger Mann über fünfzig, mit vielen weißen Flocken im
schwarzen Bart und Haupthaar. Sein Kopf sitzt zwischen zu
hohen Schultern. Er trägt den Nacken gebeugt, wie unter einem
Joch. Seine Augen sind tiefliegend, dunkel und brennend, dabei
unruhig. Er hat lange Arme und Beine, sein Gang ist unschön,
mit großen Schritten. Sein Gesicht ist blaß und grüblerisch. Er
ächzt viel. Seine Sprechweise hat etwas ungewollt Grimmiges.
Mit den unförmigen, spiegelblank geputzten Schuhen geht er
sehr auswärts. Sein Anzug besteht in schwarzem Gehrock,
schwarzer Weste, schwarzen Beinkleidern, veraltetem Umlege-
kragen, Oberhemd und schwarzem Schlipsbändchen, tadellos
gewaschen und tadellos gehalten. Die Manschetten hat er aufs
Fensterbrett gestellt. Er ist alles in allem eine absonderliche,
bedeutende, nach dem ersten Blick eher abstoßende als anziehende Erscheinung. Vor dem Fenster links steht Lachmann,
mit dem Rücken gegen das Zimmer. Er wartet und blickt hinaus.*

KRAMER *zu Lachmann.* Sehn Se, wir murksen hier immer so
weiter. *Zu Krause.* So. Grüßen Se den Direktor schön! *Er
steht auf, packt die Papiere zusammen und händigt sie dem
Pedell ein, dann fängt er an, die gestörte Ordnung auf seinem
Tischchen wiederherzustellen.* Sie sehn sich woll meine Pappeln
an?

LACHMANN *der die Kupferplatte angesehen hatte, erschrickt ein
wenig und erhebt sich aus der gebeugten Stellung.* Entschuldigen Sie!

KRAUSE. Gu'n Morgen, Herr Kramer! Gu'n Morgen, Herr
Lachmann!

LACHMANN. Guten Morgen, Herr Krause!

KRAMER. Behüt' Sie Gott! *Krause ab.*

KRAMER. Vor fünf Jahren hat mich Böcklin besucht. Hör'n Se,
der hat vor dem Fenster gestanden . . . der konnte sich gar
nicht satt sehen, hör'n Se.

LACHMANN. Die Pappeln sind wirklich ganz wunderbar schön. Sie haben mir damals schon Eindruck gemacht, vor Jahren, als ich zuerst hierherkam. Sie stehen so würdig in Reih und Glied. Die Schule wirkt ordentlich tempelhaft.

KRAMER. Hör'n Se, das täuscht.

LACHMANN. Aber doch nur zum Teil! Daß Böcklin je hier war, wußte ich gar nicht.

KRAMER. Damals hatten sie doch die Idee gefaßt, da drüben im Provinzialmusium, da sollt' er das Treppenhaus doch ausmalen. Dann hat's aber so'n Professor gemacht. Ach, hör'n Se, es wird zu viel gesündigt.

LACHMANN. In dieser Beziehung ganz grenzenlos.

KRAMER. Aber wissen Sie was, es war niemals anders. Nur tut's einem heut ganz besonders leid. Was für Schätze könnte die Gegenwart aufspeichern mit dem riesigen Aufwand, hör'n Se mal an, der heut so im Lande getrieben wird! So müssen die Besten beiseite stehn. *Lachmann hat ein radiertes Blatt aufgenommen, und Kramer fährt fort in bezug darauf.* Das ist so'n Blatt für mein Formenwerk. Die Platte war aber nicht gut gewischt. Die ganze Geschichte stimmt auch noch nicht. Ich muß erst noch richtig dahinterkommen.

LACHMANN. Ich habe auch mal zu radieren versucht, ich hab's aber bald wieder aufgesteckt.

KRAMER. Was haben Sie denn nu gearbeitet, Lachmann?

LACHMANN. Porträts und Landschaften, das und jen's. Viel ist nicht geworden, leider Gotts.

KRAMER. Immer arbeiten, arbeiten, arbeiten, Lachmann! Hör'n Se, wir müssen arbeiten, Lachmann. Wir schimmeln sonst bei lebendigem Leibe. Sehn Se sich so ein Leben mal an, wie so'n Mann arbeitet, so'n Böcklin. Da wird auch was, da kommt was zustande. Nicht bloß, was er malt: der ganze Kerl. Hör'n Se, Arbeit ist Leben, Lachmann!

LACHMANN. Dessen bin ich mir auch vollkommen bewußt.

KRAMER. Ich bin bloß 'n lumpiger Kerl ohne Arbeit. In der Arbeit werd' ich zu was.

LACHMANN. Bei mir geht leider die Zeit herum, und zum Eigentlichen komm' ich nicht recht.

KRAMER. Wieso, hör'n Se?

LACHMANN. Weil ich anderes zu tun habe: Arbeit, die gar keine Arbeit ist.

KRAMER. Wie soll denn das zu verstehn sein, hör'n Se?

LACHMANN. Ich war früher Maler und weiter nichts. Heut bin ich gezwungen, Zeilen zu schinden.

KRAMER. Was heißt das?

LACHMANN. Ich schreibe für Zeitungen.

KRAMER. So!

LACHMANN. Mit andern Worten heißt das, Herr Kramer, ich verwende die meiste kostbare Zeit, um ein bißchen trockenes Brot zu erschreiben; zu Butter langt es wahrhaftig nicht. Wenn man erst mal Frau und Familie hat ...

KRAMER. 'n Mann muß Familie haben, Lachmann. Das ist ganz gut, das gehört sich. Und was Ihre Schreiberei anbelangt: schreiben Sie nur recht gewissenhaft! Sie haben ja Sinn für das Echte, hör'n Se; da können Sie vielfach förderlich sein.

LACHMANN. Es ist aber alles bloß Sisyphusarbeit. Im Publikum ändert sich wirklich nichts. Da wälzt man täglich den Sisyphusstein ...

KRAMER. Hör'n Se, was wären wir ohne das?

LACHMANN. Aber schließlich opfert man doch sich selbst. Und wenn man schon mit dem Malen nicht durchkommt, so ...

KRAMER. Hör'n Se, das ist ganz einerlei. Wäre mein Sohn 'n Schuster geworden und täte als Schuster seine Pflicht, ich würde ihn ebenso achten, sehn Se. Haben Se Kinder?

LACHMANN. Eins. Einen Sohn.

KRAMER. Na hör'n Se, da haben Se doch was gemacht, was Besseres kann einer doch nicht machen. Da muß das doch gehen wie geschmiert mit Ihren Artikeln, hören Se, was?

LACHMANN. Das kann ich gerade nicht sagen, Herr Kramer.

KRAMER. Pflichten, Pflichten, das ist die Hauptsache. Das macht den Mann erst zum Manne, hör'n Se. Das Leben erkennen im ganzen Ernst, und hernach, sehn Se, mag man sich drüber erheben.

LACHMANN. Das ist aber manchmal wirklich nicht leicht.

KRAMER. Hör'n Se, das muß auch schwer sein, sehn Se. Da zeigt sich's eben, was einer ist. Da kann sich ein Kerl erweisen als Kerl. Die Lotterbuben von heutzutage, die denken, die Welt ist 'n Hurenbett. Der Mann muß Pflichten erkennen, hör'n Se.

LACHMANN. Doch aber auch Pflichten gegen sich selbst.

KRAMER. Ja, hör'n Se, da haben Sie freilich recht. Wer Pflichten gegen sich selbst erkennt, erkennt auch Pflichten gegen die andern. Wie alt ist denn Ihr Sohn?

LACHMANN. Drei Jahre, Herr Kramer.

KRAMER. Hör'n Se, als damals mein Junge zur Welt kam ... ich hatte mir das in den Kopf gesetzt! — ganze vierzehn Jahre hab' ich gewartet, da brachte die Frau den Arnold zur Welt. Hör'n Se, da hab' ich gezittert, hör'n Se. Den hab' ich mir eingewickelt, sehn Se, und hab' mich verschlossen in meine Klause, und hör'n Se, das war wie im Tempel, Lachmann: da hab' ich ihn dargestellt, sehn Se, vor Gott. — Ihr wißt gar nicht, was das ist, so'n Sohn! Ich hab' es, wahrhaftigen Gott, gewußt. Ich hab' mir gedacht: ich nicht, aber du! Ich nicht, dacht' ich bei mir: du vielleicht! — *Bitter.* Mein Sohn ist 'n Taugenichts, sehn Se, Lachmann, und doch würd' ich immer wieder so handeln.

LACHMANN. Herr Kramer, das ist er sicherlich nicht.

KRAMER *heftiger, grimmiger.* Hör'n Se, lassen Se mich in Ruhe, 'n Lotterbube und weiter nichts! Aber sprechen wir lieber nicht davon. Ich will Ihnen mal was sagen, Lachmann, das ist der Wurm meines Lebens, sehn Se. Das frißt mir am Mark! Aber lassen wir das!

LACHMANN. Das wird sich noch alles sicherlich ändern.

KRAMER *immer heftig, bitter und grimmig.* Es ändert sich nicht! Es ist keine gute Faser an ihm. Der Junge ist angefressen im Kern. Ein schlechter Mensch! Ein gemeiner Mensch! Das kann sich nicht ändern, das ändert sich nicht. Hör'n Se, ich könnte alles verzeihn, aber Gemeinheit verzeih' ich nicht. Eine niedrige Seele widert mich an, und sehn Se, die hat er, die niedrige Seele, feige und niedrig: das widert mich an. *Er geht zu einem einfachen, grau gestrichenen Wandschrank.* Ach hör'n Se, der Lump hat so viel Talent, man möchte sich alle Haare ausraufen. Wo unsereiner sich mühen muß, man quält sich Tage und Nächte lang, da fällt dem das alles bloß so in den Schoß. Sehn Se, da haben Se Skizzen und Studien. Ist das nicht wirklich ein Jammer, hör'n Se? Wenn er sich hinsetzt, wird auch was. Was der Mensch anfängt, hat Hand und Fuß. Sehn Se, das sitzt, das ist alles gemacht, da könnte man bittre Tränen vergießen. *Er geht mehrmals im Vorraum auf und ab, während Lachmann die Skizzen und Studien durchsieht. Es klopft.* Herein! *Michaline kommt im Straßenanzug.*

MICHALINE. Vater, ich will nur Lachmann abholen.

KRAMER *über die Brille.* Höre, die Schule läßt du im Stich?

MICHALINE. Ich komme eben vom Korrigieren. Lachmann, ich

hab' deine Frau getroffen; sie wollte nicht anwachsen im Café, sie ginge lieber zu deiner Mutter. *Lachmann und Michaline lachen.*

KRAMER. Warum haben Se se denn nicht mitgebracht?

LACHMANN. Sie ist nicht besonders atelierfähig.

KRAMER. Unsinn. Was heißt das? Verstehe ich nicht!

MICHALINE *ist hinter Lachmann getreten und blickt mit auf eine Studie, die er eben betrachtet.* Die Mühle hier hab' ich auch mal gemalt.

KRAMER. Hm, hm, aber anders.

MICHALINE. Es war nicht die Ansicht.

KRAMER. Nein, nein, der Ansicht bin ich ja auch. *Lachmann lacht.*

MICHALINE. Vater, das ficht mich durchaus nicht an. Wenn einer tut, was er irgend kann, na, so kann man eben nicht mehr verlangen.

KRAMER. Mädel, du weißt ja, wie der Hase läuft.

MICHALINE. Natürlich weiß ich's, und zwar sehr genau. Du hältst nämlich nicht das geringste von mir.

KRAMER. Höre, woraus entnimmst du das? Wenn Arnold nur halb so fleißig wäre und halb so versorgt, hier oben, im Hirnkasten, so wäre der Junge ein ganzer Kerl, da kann er sich gar nicht messen mit dir. Aber sonst: der Funke, den hast du nicht. 'n Mensch muß klar sein über sich selbst. Du bist ja auch klar, und das ist dein Vorzug. Darum kann man auch mit dir reden 'n Wort. Was Zähigkeit macht und Fleiß und Charakter, das hast du aus dir gemacht, Michaline, und damit kannst du zufrieden sein. — *Er sieht nach der Taschenuhr.* Zehn. Lachmann, jetzt wird wohl nicht recht mehr was werden. Ich freue mich, daß Sie gekommen sind. Ich will auch dann gerne mit Ihnen gehn, meinethalben können wir wo 'n Glas Bier trinken. Jetzt muß ich noch mal in die Klasse sehn, und auf elf Uhr hab' ich den Sohn bestellt.

MICHALINE *ernst.* Vater, würdest du Lachmann nicht mal dein Bild zeigen?

KRAMER *schnell herum.* Nein, Michaline! Wie kommst du darauf?

MICHALINE. Ganz einfach: er hat davon gehört und hat mir gesagt, daß er's gerne sehn möchte.

KRAMER. — — — Laßt mich mit solchen Sachen in Ruh'! Da kommen sie alle und wollen mein Bild sehen. Malt euch doch

Bilder, soviel ihr wollt! Ich kann es Ihnen nicht zeigen, Lachmann.

LACHMANN. Herr Kramer, ich dränge Sie sicherlich nicht ...

KRAMER. Sehn Se, das wächst mir über den Kopf. Ich lebe nun sieben Jahr' mit dem Bilde. Erst hat's Michaline einmal gesehn — der Junge hat niemals danach gefragt! —, jetzt ist der Direktor Müring gekommen, und nu wächst mir die Sache über den Kopf. Hör'n Se, das geht nicht, das kann ich nicht. Wenn Sie nu 'ne Geliebte haben, und alle kriechen sie zu ihr ins Bett ... das is ja 'ne Schweinerei, weiter nichts, da muß einem ja die Lust vergehn. Lachmann, es geht nicht! Ich mag das nicht!

MICHALINE. Vater, das Beispiel verstehe ich nicht. Diese Art der Zurückhaltung scheint mir wie eine Schwäche.

KRAMER. Denke darüber ganz, wie du willst. Andrerseits merke dir auch, was ich sage: Das wächst nur aus Einsiedeleien auf! Das Eigne, das Echte, Tiefe und Kräftige, das wird nur in Einsiedeleien geboren. Der Künstler ist immer der wahre Einsiedler. So! Und nun geht und laßt mich in Ruh'!

MICHALINE. Schade, Vater! Mir tut es leid. Wenn du dich so verbarrikadierst, sogar vor Lachmann, das wundert mich. Dann entschlägst du dich eben jeglicher Anregung. Übrigens, wenn du ganz ehrlich bist: seit neulich Direktor Müring hier war ... das hat dich wirklich erfrischt, mußt du sagen. Du warst hinterher ganz aufgekratzt.

KRAMER. Es ist ja nichts dran. Es ist ja noch nichts. Hör'n Se, machen Se mich doch nicht unglücklich! Es muß doch was da sein, eh man was zeigt. Glauben Sie denn, das is 'n Spaß? Hör'n Se, wenn einer die Frechheit hat, den Mann mit der Dornenkrone zu malen — hör'n Se, da braucht er ein Leben dazu. Hör'n Se, kein Leben in Saus und Braus: Einsame Stunden, einsame Tage, einsame Jahre, sehn Se mal an. Hör'n Se, da muß er mit sich allein sein, mit seinem Leiden und seinem Gott. Hör'n Se, da muß er sich täglich heiligen! Nichts Gemeines darf an ihm und in ihm sein. Sehn Se, da kommt dann der heil'ge Geist, wenn man so einsam ringt und wühlt. Da kann einem manchmal was zuteil werden. Da wölbt sich's, sehn Se, da spürt man was. Da ruht man im Ewigen, hör'n Se mal an, und da hat man's vor sich in Ruhe und Schönheit. Da hat man's, ohne daß man's will. Da sieht man den Heiland!

da fühlt man ihn. Aber wenn erst die Türen schlagen, Lachmann, da sieht man ihn nicht, da fühlt man ihn nicht. Da ist
er ganz fort, sehn Se, ganz weit fort.

LACHMANN. Herr Kramer, es tut mir jetzt wirklich sehr leid . . .

KRAMER. Ach hör'n Se, da ist ja nichts leid zu tun, da muß jeder
für sich selber sorgen. Der Ort, wo du stehst, ist heiliges Land,
das muß man sich bei der Arbeit sagen. Ihr andern: draußen
geblieben, verstanden? Da ist Raum genug, für das Jahr-
marktsgetümmel. Kunst ist Religion. Wenn du betest, geh in
dein Kämmerlein. Wechsler und Händler raus aus dem Tempel!
Er dreht den Schlüssel der Eingangstür um.

MICHALINE. Aber Wechsler und Händler sind wir doch nicht.

KRAMER. Das seid ihr nicht. Gott bewahre, nein, aber wenn auch!
Es wächst mir über den Kopf! Ich verstehe das ja ganz gut
von dem Lachmann. Will eben mal sehen, was dahintersteckt.
Hat immer nur große Worte geschluckt, möchte nun wirklich
mal was zu sehn kriegen. Es steckt nichts dahinter! ich sag' es
ihm ja. Es ist nichts los mit dem alten Kerl. Er sieht es manchmal, er fühlt es auch — und dann nimmt er den Spachtel und
kratzt es runter. *Es klopft.* Es klopft. Vielleicht 'nmal später,
Lachmann! — Herein! — Es ist ja nun doch nichts mehr. —
Hör'n Se, es hat doch geklopft! Herein!

MICHALINE. Du hast ja die Tür verschlossen, Vater.

KRAMER. Ich? Wann denn?

MICHALINE. Eben im Augenblick. Eben! Als du noch eben durchs
Zimmer gingst.

KRAMER. Mach auf und sieh nach!

MICHALINE *öffnet ein wenig.* Eine Dame, Papa.

KRAMER. Modell wahrscheinlich. Ich brauche keins!

LIESE BÄNSCH *noch außerhalb.* Könnt' ich den Herrn Professor
sprechen?

MICHALINE. Was wünschen Sie denn, wenn ich fragen darf?

LIESE BÄNSCH. Ich möchte den Herrn Professor selbst sprechen.

MICHALINE. Was soll das für ein Professor sein?

KRAMER. Sag' ihr doch, hier wohnt kein Professor.

LIESE BÄNSCH. Wohnt denn Professor Kramer nicht hier?

KRAMER. Ich heiße Kramer, treten Sie ein!

*Liese Bänsch tritt ein. Schlankes, hübsches Frauenzimmer, ko-
kottenhaft aufgedonnert.*

LIESE BÄNSCH. Ach, wenn Sie erlauben, bin ich so frei.

427

KRAMER. Geht mal in euer Museum, Kinder! Ihr wolltet ja doch ins Museum gehn! Um zwölfe, Lachmann, erwart' ich Sie. *Er geleitet Lachmann und Michaline nach der Tür. Lachmann und Michaline ab.* Mit wem hab' ich die Ehre? Ich stehe zu Diensten.

LIESE BÄNSCH *nicht ohne Verlegenheit, aber mit viel Affektation.* Herr Professor, ich bin die Liese Bänsch. Ich komme in einer heiklen Sache.

KRAMER. Bitte setzen Sie sich. Sie sind Modell?

LIESE BÄNSCH. O nein, Herr Professor, da täuschen Sie sich. Ich habe das, Gott sei Dank, nicht nötig. Gott sei Dank, Herr Professor, ich bin kein Modell.

KRAMER. Und ich, Gott sei Dank, kein Professor, mein Fräulein! Was verschafft mir die Ehre Ihres Besuchs?

LIESE BÄNSCH. Das wollen Sie gleich so wissen, schlankweg? Ich darf wohl ein bißchen verschnaufen, nicht wahr? Ich hatte mich nämlich sehr echauffiert. Erst wollt' ich ja unten schon wieder umkehren, aber schließlich faßt' ich mir doch ein Herz.

KRAMER. Bitte! Sobald es Ihnen beliebt.

LIESE BÄNSCH *hat sich gesetzt, hustet und tupft vorsichtig ihr geschminktes Gesicht unterm Schleier.* Nein, daß Sie auch so was von mir denken! Das ist nur gut, daß das Georg nicht gehört hat. Mein Bräutjam ist nämlich beim Gericht, da gerät er gleich immer außer sich. Seh' ich denn wirklich aus wie'n Modell?

KRAMER *einen Fenstervorhang ziehend.* Das kommt darauf an, wer Sie malen will. Unter Umständen können wir alle Modell sein. Wenn Sie glauben, daß das einen Makel einschließt, so kann das durchaus nur auf Irrtum beruhn.

LIESE BÄNSCH. Nein, wissen Sie was, ich fürchte mich förmlich. Nehmen Sie mir's nicht übel, Herr Kramer, ich hab' förmlich Angst vor Ihnen gehabt.

KRAMER. Und kurz und gut, worum handelt sich's denn?

LIESE BÄNSCH. Ich habe mich so befragt um Sie, und da haben sie alle so getan, als wenn Sie, ja, wer weiß was wären, so'n Gottseibeiuns oder so was.

KRAMER. Aufrichtig verbunden. Was wünschen Sie? Ich kann Ihnen die Versicherung geben, es wird Ihnen hier kein Haar gekrümmt.

LIESE BÄNSCH. Arnold hat auch solche Angst vor Sie.

KRAMER *betroffen und verwirrt.* — — Arnold? — Was heißt das? — Wie heißt der Mensch?

LIESE BÄNSCH *erhebt sich ängstlich.* Nein, aber auch wie Sie gukken, Herr Kramer! Da mach' ich mich lieber schnell wieder fort. Arnold macht auch immer solche Augen und . . .

KRAMER. — — Arnold? — Ich kenne den Menschen nicht. —

LIESE BÄNSCH *ängstlich und beschwichtigend.* Herr Kramer, ich bitte, es tut ja nichts weiter. Dann kann ja die Sache auf sich beruhn. Ich bin ohne Wissen der Eltern hier; es ist, wie gesagt, 'ne heikle Sache. Ich spreche dann lieber gar nicht davon.

KRAMER *gewaltsam beruhigt.* Ich sehe Sie heute zum erstenmal. Sie müssen mich deshalb schon gütigst entschuldigen. Ich habe einen Sohn, der Arnold heißt. Und wenn Sie von Arnold Kramer reden . . .

LIESE BÄNSCH. Ich rede von Arnold Kramer, gewiß.

KRAMER. Nun gut! Das wundert mich . . . wundert mich nicht. Was wissen Sie also von ihm zu berichten?

LIESE BÄNSCH. Ach, daß er so dumm ist und so verrückt und daß er mich immer nicht zu Ruh' läßt.

KRAMER. Hm! So! Inwiefern? Wie meinen Sie das?

LIESE BÄNSCH. Nu weil er mich immer lächerlich macht. Ich kann ihn partout doch nicht zur Vernunft bringen.

KRAMER. So? Ja, das ist schwer. Das glaub' ich wohl.

LIESE BÄNSCH. Ich hab' ihm gesagt: geh nach Hause, Arnold! Is nich. Er hockt die ganze Nacht.

KRAMER. Also war er bei Ihnen die letzte Nacht?

LIESE BÄNSCH. Na es bringt ihn ja eben kein Mensch vom Flecke. Papa hat's versucht, Mama hat's versucht, unsre Herren vom Stammtisch haben's versucht, ich hab' es versucht, es ist aber alles ganz umsonst. Er sitzt nur und glubscht immer so wie Sie, und eh nicht der letzte Gast hinaus ist, rührt und rückt er sich nicht vom Platz.

KRAMER. Ihr Vater ist Gastwirt?

LIESE BÄNSCH. Restaurateur.

KRAMER. Und die Herren vom Stammtisch, wer sind denn die?

LIESE BÄNSCH. Assessor Schnabel, Baumeister Ziehn, mein Bräutjam und mehrere andre Herren.

KRAMER. Und die haben sich auch alle Mühe gegeben, ihn, was man so sagt, hinauszubefördern?

LIESE BÄNSCH. Sie nennen ihn immer den Marabu. *Lachend.* Das

429

ist so'n Vogel, wissen Sie ja. Sie meinen, er sähe genau so aus. Wohl weil er so etwas verwachsen ist . . .

KRAMER. Ja, ja, ganz recht. Die Herren vom Stammtisch sind wohl sehr lustig?

LIESE BÄNSCH. Riesig! Zum Totlachen! Kolossal! Ein Jokus ist das manchmal, nicht zu beschreiben. Zwerchfellerschütternd, sag' ich Ihnen. Arnold ißt immer so viel Brot, das steht doch so gratis herum auf den Tischen; da haben sie neulich 'n Korb aufgehängt, grade über dem Platz, wo er immer sitzt. Verstehn Sie? So von der Decke runter, aber nicht zu erreichen von unten aus. Das ganze Lokal hat gewiehert förmlich.

KRAMER. Und da sitzt mein Sohn an demselben Tisch?

LIESE BÄNSCH. O nein, das duldet mein Bräutjam schon gar nicht. Er hockt immer ganz allein für sich. Aber weil er sich manchmal ein Blättchen herausnimmt und immer so hämisch herüberschielt, da paßt das den Herren manchmal nicht. Und einer ist auch schon mal aufgestanden und hat ihn deswegen zur Rede gestellt.

KRAMER. Er dürfe nicht zeichnen, meinen die Herren?

LIESE BÄNSCH. Ja, weil es bloß immer Fratzen sind. Das muß man sich doch verbieten, Herr Kramer. Er hat mir mal eine Zeichnung gezeigt: so'n kleiner Hund und so viele große, das war so gemein . . . ganz schauderhaft.

KRAMER. Zahlt Arnold, was er bei Ihnen genießt?

LIESE BÄNSCH. Ach schon! Deswegen komme ich nicht. Er trinkt seine zwei, höchstens drei Glas Bier, und wenn es weiter nichts wär', Herr Kramer . . .

KRAMER. Sie sind also ein Gemüt, wie man sagt. Nun, wenn ich Sie recht begreife, mein Fräulein, so ist mein Sohn, ja wie soll ich sagen, in Ihrem Haus so 'ne Art Hanswurst, aber einer, den man doch lieber los ist. Ich gehe wohl ferner nicht darin fehl, wenn ich annehme, daß weder die Herren am Stammtisch — hochachtbare Herren sicherlich! — noch auch das Bier noch das Brot Ihres werten Herrn Vaters es sind, was Arnold bei Ihnen festhält — —?

LIESE BÄNSCH *kokett*. Ich kann aber wirklich nichts dafür.

KRAMER. Nein, nein, gewiß nicht, wie sollten Sie auch! Was soll ich nun aber tun bei der Sache?

LIESE BÄNSCH. Herr Kramer, ich hab' solche Angst vor ihm. Er lauert mir auf an den Ecken, und dann werd' ich ihn stundenlang nicht los, und dann ist mir zumute, wahrhaft'gen Gott, als ob er mir könnte mal was antun.

KRAMER. Hm! Hat er Sie jemals direkt bedroht?

LIESE BÄNSCH. Nein, das gerade nicht, das kann ich nicht sagen. Aber trotzdem, es liegt so in seiner Art. Mir wird manchmal angst, plötzlich, wenn ich ihn anseh'. Auch wenn er so sitzt und sich ganz versinnt . . . so stundenlang sitzt er und spricht keinen Ton, wie gar nicht bei sich, die halbe Nacht. Und auch wenn er seine Geschichten erzählt. Er lügt doch so tolle Geschichten zusammen . . . Hu! Wissen Sie, und dann guckt er mich an . . .

KRAMER. Sie haben auch nichts für ihn übrig, was?

Eine Schelle geht.

LIESE BÄNSCH. Ach du mein Himmel! Sicherlich nicht.

KRAMER. Gut. Wünschen Sie Arnold hier zu begegnen?

LIESE BÄNSCH. Um Christi Willen! Auf keinen Fall.

KRAMER. Es ist Punkt elf, und es hat geklingelt. Auf elf ist er hierher bestellt. *Er öffnet ein Seitenkabinett.* Bitte, treten Sie hier herein! Ich kann Ihnen die Versicherung geben, was irgend an mir liegt, soll geschehen. *Liese Bänsch ab in das Kabinett. Kramer öffnet die Haupttür und läßt Arnold ein. In seinem schlaffen Gesicht kämpfen Trotz, Widerwille und Furcht. Warte hier hinten, ich komme gleich. Er geleitet Arnold durch den Vorhang, schließt diesen hinter ihm zu, öffnet das Kabinett. Liese kommt heraus. Er legt die Hand auf den Mund, weist nach dem Vorhang. Liese tut das gleiche. Er geleitet sie zur Haupttür, sie schlüpft hinaus. Kramer bleibt stehen, ächzt, faßt sich an die Stirn und fängt dann an, im Vorraum auf und ab zu schreiten. Man sieht, er braucht alle Willenskraft, um seiner tiefsten Erregung Herr zu werden und sein Röcheln zu unterdrücken. Nach mehreren Anfällen bezwingt er sich. Er öffnet den Vorhang und spricht hindurch.* Arnold, ich wollte nur mit dir sprechen. *Arnold kommt langsam vor. Bunter Schlips, Anläufe zur Geckerei.* Du bist ja so aufgetakelt.

ARNOLD. Wie?

KRAMER. Ich meine den roten Schlips, den du umhast.

ARNOLD. Wieso?

KRAMER. Man ist das an dir nicht gewöhnt. Du tust auch besser, du läßt das, Arnold. Hast du denn nun die Entwürfe gemacht?

ARNOLD. Welche denn, Vater? Ich weiß ja von nichts!

KRAMER. Hm! So was kann man vergessen!? So, so. Nun, wenn es dir nicht zu viel Mühe macht, vielleicht kannst du gefälligst ein bißchen nachdenken.

ARNOLD. Ach so, für den Tischler, meinst du wohl?

KRAMER. Ja, meinetwegen auch für den Tischler. Das tut nichts zur Sache, wer es ist. Also bist du wohl damit nicht vorwärtsgekommen? Höre, sage ganz einfach nein! Grüble nicht erst nach Redensarten! Was treibst du denn so die ganze Zeit?

ARNOLD *tut erstaunt.* Ich arbeite, Vater.

KRAMER. Was arbeit'st du denn?

ARNOLD. Ich zeichne, ich male, was man so macht.

KRAMER. Ich dachte, du stiehlst unserm Herrgott den Tag ab. Das freut mich doch, daß ich mich täusche darin. Übrigens kümmr' ich mich nicht mehr um dich. Du bist alt genug. Ich bin nicht dein Büttel. Und ich möchte dir auch mal gelegentlich sagen: wenn du irgend mal was auf dem Herzen hast . . . ich bin nämlich, sozusagen, dein Vater! Verstehst du? Erinnere dich bitte daran!

ARNOLD. Ich habe doch nichts auf dem Herzen, Vater.

KRAMER. Das sag' ich ja nicht. Das behaupt' ich ja gar nicht. Ich habe gesagt: wenn du irgendwas hast. Ich könnte dir dann vielleicht irgendwie helfen. Ich kenne die Welt etwas tiefer als du. Für alle Fälle! Verstehst du mich? Du warst letzte Nacht wieder außerm Hause. Du ruinierst dich. Du machst dich krank. Halte dir deine Gesundheit zu Rat. Gesunder Körper, gesunder Geist. Gesundes Leben, gesunde Kunst. Wo hast du denn gestern so lange gesteckt? — Laß nur, es geht mich ja nichts an. Was du nicht sagen willst, will ich nicht wissen. Sag es freiwillig oder schweig!

ARNOLD. Ich war draußen, mit Alfred Fränkel zusammen.

KRAMER. So? Wo denn? In Pirscham oder wo?

ARNOLD. Nein, drüben in Scheitnig und da herum.

KRAMER. Da wart ihr beide die ganze Nacht

ARNOLD. Nein, später dann bei Fränkel zu Haus.

KRAMER. Bis morgens um vier?

ARNOLD. Ja, beinah bis um vier. Dann sind wir noch durch die Straßen gebummelt.

KRAMER. So! Du und Fränkel!? Ihr beiden allein? Da seid ihr ja dick befreundet mitnander. Was nehmt ihr so vor, wenn ihr da so sitzt und andere in ihren Betten liegen?

ARNOLD. Wir rauchen und sprechen über Kunst.

KRAMER. So?! — Arnold, du bist ein verlorner Mensch!

ARNOLD. Wieso denn?

KRAMER. Du bist ein verlorner Mensch! Du bist verdorben bis in den Grund.

ARNOLD. Das hast du schon mehr als einmal gesagt.

KRAMER. Ja, ja, ich hab' es dir sagen müssen. Ich hab' es dir hundertmal sagen müssen, und schlimmer als alles, ich hab' es gefühlt. Arnold, beweise mir, daß ich lüge! Beweise mir, daß ich dir Unrecht tue! Die Füße will ich dir küssen dafür.

ARNOLD. Ich kann eben sagen, was ich will, ich glaube . . .

KRAMER. Was? Daß du verloren bist?

ARNOLD *sehr blaß, zuckt mit den Achseln.*

KRAMER. Und was soll werden, wenn es so ist?

ARNOLD *kalt und feindlich.* Ja, Vater, das weiß ich selber nicht.

KRAMER. Ich aber weiß es, du gehst zugrunde!

Er geht heftig umher, bleibt am Fenster stehn, die Hände auf dem Rücken, nervös mit der Fußsohle klappend.

ARNOLD *mit aschfahlem, böse verzerrtem Gesicht, greift nach seinem Hut und bewegt sich auf die Türe zu. Wie er die Türklinke niederdrückt, wendet sich Kramer.*

KRAMER. Hast du mir weiter nichts zu sagen?

ARNOLD *läßt die Türklinke los und wirft lauernde Blicke, mit verstocktem Ausdruck.*

KRAMER. Arnold, regt sich denn gar nichts in dir? Fühlst du denn nicht, daß wir Martern leiden? Sage etwas! Verteidige dich! Sage doch etwas, wie Mann zu Mann! Sprich meinetwegen wie Freund zu Freund! Tat ich dir Unrecht? Belehre mich doch! Rede! Du kannst doch reden wie wir. Warum kriechst du denn immer vor mir herum? Die Feigheit veracht' ich, das weißt du ja. Sage: mein Vater ist ein Tyrann. Mein Vater quält mich. Mein Vater plagt mich. Er ist wie der Teufel hinter mir her. Sag das und sag es ihm frei heraus. Sage mir, wie ich mich bessern soll! Ich werde mich bessern, auf Ehrenwort. Oder meinst du, ich habe in allem recht?

ARNOLD *seltsam erregungslos und gleichgültig.* Es kann ja meinetwegen sein, daß du recht hast.

KRAMER. Gut, Wenn das deine Meinung ist. Willst du dich denn nicht zu bessern versuchen? Arnold, hier reich' ich dir meine Hand. Da, nimm sie, hier ist sie, ich will dir helfen. Nimm

mich zum Kameraden an, nimm mich zum Freund an in zwölf-
ter Stunde! Aber, Arnold, die zwölfte Stunde ist da. Täusche
dich nicht, daß sie wirklich da ist. Raffe dich, reiße dich über
dich selbst! Du brauchst nur zu wollen, dann ist es geschehen.
Tue den ersten Schritt zum Guten, der zweite und dritte geht
sich von selbst. Ja? Willst du? Willst du dich bessern, Arnold?

ARNOLD *mit gemachtem Befremden.* Ja, wie denn? Worin denn?

KRAMER. In allem, ja?.

ARNOLD *bitter und bezüglich.* Ich hab' nichts dagegen. Warum
denn nicht. Mir ist nicht sehr wohl in meiner Haut.

KRAMER. Das will ich wohl glauben, daß dir nicht wohl ist. Du
hast den Segen der Arbeit nicht. Arnold, den Segen mußt du
erringen. Du hast auf dein Äußeres angespielt. *Er nimmt die
Beethovenmaske.* Da! sieh dir mal hier die Maske an! Sohn
Gottes, grabe dein Inneres aus! Meinst du vielleicht, der ist
schön gewesen? Ist es dein Ehrgeiz, ein Laffe zu sein? Oder
meinst du vielleicht, Gott entzieht sich dir, weil du kurzsichtig
bist und nicht gerade gewachsen? Du kannst so viel Schönheit
in dir haben, daß die Gecken um dich wie Bettler sind. Arnold,
hier hast du meine Hand. Hörst du? Vertraue mir dieses Mal!
Verstecke dich nicht, sei offen mit mir! Sei es um deinetwillen,
Arnold! Mir liegt nichts daran, wo du gestern warst; aber sag
es mir. Hörst du? um deinetwillen. Vielleicht lernst du mich
kennen, wie ich bin. Nun also: Wo warst du gestern nacht?

ARNOLD *nach einer Pause, mit tiefer Blässe, nach sichtbarem
Kampf.* Vater, ich hab's dir ja schon gesagt.

KRAMER. Ich habe vergessen, was du gesagt hast. Wo warst du
also? Verstehst du mich? Ich frage dich nicht, um dich deshalb
zu strafen. Nur um der Wahrhaftigkeit frag' ich dich. Erweise
dich wahrhaft und weiter nichts.

ARNOLD *mit Stirn, trotzig.* Ich war doch bei Alfred Fränkel.

KRAMER. So!

ARNOLD *wieder unsicher.* Wo soll ich denn sonst gewesen sein?

KRAMER. Du bist nicht mein Sohn! Du kannst nicht mein Sohn
sein! Geh! Geh! Mich ekelt's! Du ekelst mich an!!

ARNOLD *drückt sich sogleich hinaus.*

DRITTER AKT

Das Restaurant von Bänsch. Kleineres, altdeutsches Bierlokal, Täfelung. Gebeizte Tische und Stühle. Links sauberes Büfett mit Marmortafel und blank geputzten Bierhähnen. Hinterm Büfett ein Aufbau für Liköre usw., darin ein viereckiges Klappfensterchen nach der Küche. Tür zu den Wirtschaftsräumen hinterm Büfett links. Großes Schaufenster mit sauberen Vorhängen, daneben eine Glastür auf die Straße. Rechts Tür in ein anstoßendes Zimmer. Abenddämmerung. Liese Bänsch, hübsch und proper gekleidet, in einer weißen Schürze, kommt langsam durch die niedrige Tür hinter dem Büfett. Sie blickt flüchtig von der Häkelarbeit auf und gewahrt Arnold, der hinter seinem Glas Bier am vorderen Tisch rechts sitzt. Kopfschüttelnd häkelt sie weiter.

ARNOLD *sehr blaß, leise und nervös mit dem Fuß klappend, starrt lauernd zu ihr hinüber und sagt.* Gut'n Abend!

LIESE BÄNSCH *seufzt ostentativ und wendet sich weg.*

ARNOLD *mit Betonung.* Gut'n Abend! *Liese antwortet nicht.* Na, wenn Sie nicht wollen, auch gut, dann nicht. Ich reiße mich weiter nicht darum. — *Fährt fort, sie stumm und fieberhaft erregt anzublicken.* Warum machen Sie da so 'ne Bude auf, wenn Sie so unhöflich sind zu den Gästen?!

LIESE BÄNSCH. Ich bin nicht unhöflich. Lassen Sie mich!

ARNOLD. Ich habe Ihnen gut'n Abend gesagt.

LIESE BÄNSCH. Ich habe Ihnen darauf geantwortet.

ARNOLD. Das ist nicht wahr.

LIESE BÄNSCH. So?! Also! Mich rührt das im übrigen nicht. *Pause. Arnold schießt mit einem Gummischnepper einen Papierpfeil nach Liese. Liese Bänsch zuckt hochmütig-wegwerfend die Achseln.*

ARNOLD. Denken Sie, daß mir das Eindruck macht?

LIESE BÄNSCH. Ich werde wohl denken, was mir beliebt.

ARNOLD. Ich zahle mein Bier so gut wie die andern. Verstehen Sie mich?! Das bitt' ich mir aus. Oder muß man hier ein Monokel tragen? Was verkehrt denn in Ihrem famosen Lokal? Denken Sie, daß ich da Reißaus nehme? Vor den Spießern noch lange nicht.

LIESE BÄNSCH *drohend.* Na, treiben Sie's bloß nicht zu bunt, Mosje!

ARNOLD. Aha! Das sollte bloß einem mal einfall'n. Der sollte sich wundern, verstehn Se woll! Wenn er nämlich dazu überhaupt noch Zeit hat. *Liese Bänsch lacht.* Wenn einer mich anpackt — verstanden? —, dann knallt's.

LIESE BÄNSCH. Arnold, ich werde Sie bald mal anzeigen, wenn Sie immer mit solchen Sachen drohn.

ARNOLD. Was denn? Ich sage, wie jemand mich anpackt! Und Ohrfeigen knallen doch außerdem auch.

LIESE BÄNSCH. Beleidigen Sie unsere Gäste nicht!

ARNOLD *lacht mehrmals boshaft in sich hinein, trinkt und sagt dann.* Nullen! Was gehn mich die Nullen an?!

LIESE BÄNSCH. Was sind Sie denn, wenn Sie sich so auftun? Was haben denn Sie schon geleistet, was?

ARNOLD. Das verstehen Sie eben leider bloß nicht!

LIESE BÄNSCH. Ach ja doch! Das könnte jeder sagen. Gehn Sie erst mal, und machen Sie was! Und wenn Sie gezeigt haben, daß Sie was können, dann fallen Sie über die andern her! *Pause.*

ARNOLD. Liese, hören Sie mich mal an! Ich will Ihnen das mal erklären richtig.

LIESE BÄNSCH. Ach was denn! Sie machen ja alles schlecht. Herr Quantmeyer wäre kein richtiger Jurist, Herr Baumeister Ziehn kein richtiger Baumeister, das ist ja doch alles der reinste Stuß.

ARNOLD. Im Gegenteil! Reinste Wahrheit ist das. Hier kann so 'n Baukerl wie der sich breitmachen, und wenn er von Kunst keinen Schimmer hat. Wenn der aber unter Künstler kommt, dann gilt er soviel wie 'n Schustergeselle.

LIESE BÄNSCH. Da sind Sie wohl Künstler? *Mitleidig.* Großer Gott!

ARNOLD. Auch noch bin ich Künstler. Gewiß bin ich das. Sie brauchen bloß mal in mein Atelier kommen . . .

LIESE BÄNSCH. Da werd' ich mich freilich hüten, mein Herr.

ARNOLD. Reisen Sie mal nach München hin, und fragen Sie rum bei den Professoren! Weltberühmte Leute sind das! — ob die wohl vor mir verfluchten Respekt haben.

LIESE BÄNSCH. Sie nehmen den Mund voll, nicht Herr Ziehn.

ARNOLD. Die haben Respekt und die wissen, warum. Ich kann mehr als die Kerle alle zusammen. Im kleinen Finger. Zehntausendmal mehr. Mein eigner Vater mit inbegriffen.

LIESE BÄNSCH. Sie nehmen den Mund voll, nicht Herr Ziehn.

Wenn wirklich mit Ihnen so riesig viel los wäre, dann sähen Sie freilich anders aus.

ARNOLD. Wieso?

LIESE BÄNSCH. Wieso? Na, das ist doch ganz einfach: berühmte Maler verdienen doch Geld.

ARNOLD *heftig.* Geld! Hab' ich denn etwa kein Geld verdient? Geld wie Mist, da fragen Sie mal. Da brauchen Sie bloß meinen Vater fragen. Gehn Sie, und fragen Sie: Ehrenwort!

LIESE BÄNSCH. Wo lassen Sie denn das viele Geld?

ARNOLD. Ich? Warten Sie nur, bis ich majorenn bin. Wenn einer so 'n knausrigen Vater hat —? Liese, sei'n Sie mal bißchen anständig.

LIESE BÄNSCH. Fritz!

FRITZ *fährt aus dem Schlafe.* Ja!

LIESE BÄNSCH. Fritz! Gehn Sie mal in die Küche, Fritz! Es sind neue Sektgläser angekommen, ich glaube, die Herren trinken heut Sekt.

FRITZ. Jawohl! Mit Vergnügen, Fräulein Bänsch.

Ab. Liese Bänsch steht am Schanktisch, Arnold den Rücken zugewendet, löst einige Nadeln aus ihrem Haar und bindet es frisch auf.

ARNOLD. Das haben Sie mächtig schneidig gemacht.

LIESE BÄNSCH. Bilden Sie sich nur ein, was Sie wollen. *Plötzlich dreht sie sich um und gewahrt Arnold, der sie über die Brille hin anglotzt.* Herr Jesus, da glotzt er schon wieder so!

ARNOLD. Liese!

LIESE BÄNSCH. Ich bin keine Liese für Sie.

ARNOLD. Ach, Lieschen, wenn Sie vernünftig sein wollten, Sie kleine, nichtsnutzige Bierhebe, Sie! Mir ist ja so jämmerlich scheußlich zumute.

LIESE BÄNSCH *lacht, halb belustigt, halb spöttisch.*

ARNOLD *leidenschaftlicher.* Ja, lachen Sie, wenn Sie lachen können! Lachen Sie, lachen Sie immerzu! Vielleicht bin ich auch wirklich lächerlich. Ich meine äußerlich, innerlich nicht. Denn wenn Sie mich innerlich könnten betrachten, da brenn' ich die Kerls von der Erde weg.

LIESE BÄNSCH. Arnold, regen Sie sich nicht auf! Ich glaub's Ihnen ja, ich will's Ihn'n ja glauben. Aber erstens sind Sie doch viel zu jung, und zweitens — drittens — viertens — fünftens . . . das ist ja doch reinster Wahnsinn, Kind! Na höre, sei mal vernünftig, ja?! Du tust mir ja leid. Was soll ich denn machen?

ARNOLD *schwer ächzend.* Das sitzt einem wie die Pest im Blut.

LIESE BÄNSCH. Dummheiten! Steigen Sie mal auf die Bank, und geben Sie mir mal den Kübel herunter! *Arnold tut es ächzend.* Ich bin doch 'n Mädchen, wie viele sind. Na hopp! Hopp! — *Sie hat ihm die Hand hinaufgereicht, er ergreift sie und springt herunter. Dann hält er die Hand fest, und wie er sich beugt, um sie zu küssen, zieht Liese die Hand weg.* Is nich, Goldchen! So! Sie kriegen noch zehne für eine, mein Schatz.

ARNOLD. Liese, was soll ich denn für Sie tun? Plündern, rauben, stehlen? Sonst was?

LIESE BÄNSCH. Sie sollen mich freundlichst in Frieden lassen. *Die Tür im Nebenraume geht. Liese Bänsch horcht, zieht sich gänzlich verändert hinter das Büfett zurück und ruft durch die Küchenklappe.* Fritz! Gäste! Schnell, beeilen Sie sich! *Die Tür geht wieder, man hört eine lärmende Gesellschaft in das Nebenzimmer eintreten.*

ARNOLD. Bitte, ich wünsche noch ein Glas Bier. Ich setze mich aber ins andre Zimmer.

LIESE BÄNSCH *mit gemachter Fremdheit.* Herr Kramer, Sie sitzen doch hier ganz gut.

ARNOLD. Ja. Aber es zeichnet sich drin viel besser.

LIESE BÄNSCH. Arnold, Sie wissen, es wird wieder Streit setzen. Sei'n Sie vernünftig, bleiben Sie hier!

ARNOLD. Um keinen Preis der Welt, Fräulein Bänsch. — *Baumeister Ziehn tritt ein, sehr lustig.*

BAUMEISTER ZIEHN. Hurra, Fräulein Lisbeth, die Bande ist da, die ganze feucht-fröhliche Brüderschaft. Was machen Sie? Wie geht's Ihnen denn? Ihr Bräutigam schmachtet schon allbereits. *Er gewahrt Arnold.* Potz Donnerwetter, entschuldigen Sie!

LIESE BÄNSCH. Fritz! Fritz! Die Herren vom Stammtisch sind da.

BAUMEISTER ZIEHN *am Apparat eine Zigarre abknipsend.* Fritz, Bier her, Bier her, in Teufels Namen! Wie geht's dem Papa?

LIESE BÄNSCH. Ach gar nicht besonders, wir haben heut zweimal den Arzt geholt. *Assessor Schnabel kommt herein.*

ASSESSOR SCHNABEL. Herr Baumeister, machen wir heut einen Skat?

BAUMEISTER ZIEHN. Ich denke, wir wollten die Gans ausknobeln und wollten dazu mal 'ne Buddel Sekt trinken?

ASSESSOR SCHNABEL *hebt die Arme, singt und tänzelt.*
Lieschen hatte einen Piepmatz
in dem kleinen Vogelhaus.
Lassen Sie doch Ihren Freund nicht verschmachten!

BAUMEISTER ZIEHN *leise, mit Blicken auf Arnold.* Freilich, 'n Gänsebein muß er auch abkriegen.

ASSESSOR SCHNABEL *hat Arnold bemerkt, ebenso verstohlen.* Ach so! das ist ja der steinerne Gast, Raffael in der Westentasche. Bitte um recht viel Brot, Fräulein Lieschen. Zu meiner Portion möcht' ich recht viel Brot.

Fritz ist hereingekommen und hantiert hinterm Büfett.

LIESE BÄNSCH. Was hatten Sie denn bestellt, Herr Assessor?

ASSESSOR SCHNABEL. Ach so! Ein Paprikaschnitzel mit Brot. Mit kolossal viel Brot, liebes Lieschen. Ich esse nämlich gern riesig viel Brot.

BAUMEISTER ZIEHN. Da sollte man Ihnen den Brotkorb hochhängen. — *Von Krautheim kommt, stud. jur., bemoostes Haupt.*

VON KRAUTHEIM. Um Gottes willen, wo bleibt denn der Stoff, Fritz?

FRITZ. Meine Herren, es ist eben frisch angesteckt.

ASSESSOR SCHNABEL *bemonokelt den Bierhahn.* Einstweilen kommt Luft, Luft, Luft, nichts als Luft.

ARNOLD *nimmt seinen Hut, steht auf und begibt sich ins Nebenzimmer. Ab.*

VON KRAUTHEIM. Nun hat sie sich wenigstens doch gereinigt. Luft ist es, doch es ist reine Luft.

ASSESSOR SCHNABEL *singt.*

Du bist verrückt mein Kind,
du mußt nach Berlin.

Gott sei Dank, er entfleucht, er weichet von hinnen.

FRITZ. Das glauben Se nicht, der geht bloß da rein, der will bloß dort sitzen, wo die Herren sitzen.

LIESE BÄNSCH *affektiert.* Ich finde das geradezu ridikül.

BAUMEISTER ZIEHN. Quartieren wir einfach in dieses Zimmer.

VON KRAUTHEIM. Das wär' ja noch schöner, erlauben Sie mal! Vor jedem Pavian werden wir auskneifen!

Quantmeyer kommt, schneidiges Äußeres, Monokel.

QUANTMEYER. Gut'n Abend! Wie geht's dir, mein liebes Kind?

Er faßt Liesens Hände, sie wendet den Kopf ab. Der fatale
Kramer ist auch wieder da.

ASSESSOR SCHNABEL. Und wo sich das Bengelchen sonst überall
rumtreibt! Gestern morgen hab' ich ihn noch gesehn — ein
Anblick für Götter, sage ich euch! — am Ringe, in einem Wei-
berbums, in einer ganz hundsgemeinen Verfassung. Wenn der
hier fertig ist, fängt er erst an.

QUANTMEYER. Schatz, sag mal, bist du wohl böse auf mich?

LIESE BÄNSCH *löst sich los, ruft durchs Küchenfenster.* Ein Paprikaschnitzel für Herrn Assessor.

ASSESSOR SCHNABEL. Aber Brot, viel Brot, vergessen Sie nicht.
Kolossal viel Brot, ungeheuer viel. *Allgemeines Gelächter.*

FRITZ *mit vier gefüllten Bierseideln.* Meine Herren, hier ist Bier.
*Ab ins Nebenzimmer. Baumeister Ziehn, Assessor Schnabel und
von Krautheim dem Kellner folgend.*
Pause.

QUANTMEYER. Sag mal, Mieze, was tückschst du denn so?

LIESE BÄNSCH. Ich tückschen? Tücksch' ich? Ach, was du nicht
sagst!

QUANTMEYER. Komm, Luderchen, maul nicht! Komm, sei vernünftig! Schnell, gib mir dein kleines Fresselchen, rasch —
und übermorgen besuchst du mich wieder. Übermorgen ist
Sonntag, weißt du doch. Da sind meine Wirtsleute beide fort,
keine Katze zu Hause, auf Ehrenwort.

LIESE BÄNSCH *sie sträubt sich immer noch ein wenig.* Sind wir
verlobt oder nicht verlobt?

QUANTMEYER. Gewiß doch! Wie soll'n wir denn nicht verlobt
sein? Ich bin doch ein unabhängiger Mensch. Ich kann doch
heiraten, wen ich will.

LIESE BÄNSCH *läßt sich küssen, gibt ihm einen leichten Backenstreich und entwindet sich ihm.* Ach geh, dir glaub' ich schon
gar nichts mehr.

QUANTMEYER *will ihr nach.* Krabbe, was bist du denn heute so
frech?
Die Glastür geht. Michaline tritt ein.

LIESE BÄNSCH. Pst! —

QUANTMEYER. Donnerwetter, was will denn die hier?
*Michaline tritt tiefer in das Lokal herein und sieht sich um.
Liese Bänsch ist hinter den Schanktisch getreten und beobachtet.*

QUANTMEYER *scheinbar harmlos, indem er seine Zigarre ab-*

knipst. Warte man, Lieschen, ich räche mich noch. *Ab ins Nebenzimmer.*

LIESE BÄNSCH *nach kurzer Pause.* Suchen Sie jemand, meine Dame?

MICHALINE. Das ist hier das Restaurant von Bänsch?

LIESE BÄNSCH. Gewiß.

MICHALINE. Ich danke, dann weiß ich Bescheid, dann werden die Herrschaften sicher noch kommen. *Sie will in das Nebenzimmer.*

LIESE BÄNSCH. Dort sind nur die Herren vom Stammtisch drin.

MICHALINE. So? Ich erwarte ein junges Ehepaar. Da werde ich mich gleich hier irgendwo hinsetzen.

LIESE BÄNSCH. Bitte hier? Oder da? Oder hier vielleicht?

MICHALINE *auf der Wandbank vor dem Büfett Platz nehmend.* Ich danke. Hier werd' ich mich niederlassen. Ein kleines Glas Bier.

LIESE BÄNSCH *zu Fritz, der gerade zurückkommt.* Fritz, ein kleines Glas Bier. — *Sie lehnt sich zurück, tut sehr gesetzt und ordentlich, zupft an ihrer Toilette und beobachtet Michaline mit großem Interesse, dann beginnt sie wieder.* Es ist wohl recht schlechtes Wetter draußen?

MICHALINE *indem sie die Gummischuhe auszieht, hernach den Mantel und schließlich den Hut abnimmt.* Ja. Gott sei Dank hab' ich Gummischuhe. Es sieht in den Straßen recht böse aus. *Sie nimmt Platz, ordnet ihr Haar und trocknet ihr Gesicht.*

LIESE BÄNSCH. Wünschen Sie einen Kamm, meine Dame? Ich kann Ihnen dienen, bitte sehr. *Sie kommt und überreicht Michaline ihren Kamm.*

MICHALINE. Sie sind sehr freundlich, danke recht schön. *Sie nimmt den Kamm und bemüht sich, die Frisur in Ordnung zu bringen.*

LIESE BÄNSCH *steckt ihr einen Haarsträhn zurecht.* Erlauben Sie, daß ich behilflich bin?

MICHALINE. Ich danke. Ich komme nun schon zurecht.

Liese Bänsch geht ans Büfett zurück und fährt fort, Michaline mit Interesse zu betrachten. Fritz bringt das Bier und stellt es vor Michaline hin, dann nimmt er eine Zigarrenkiste und trägt sie ins andere Zimmer. Ab. Gelächter im Nebenzimmer.

MICHALINE. Es geht ja drin sehr lustig zu.

LIESE BÄNSCH *zuckt die Achseln, nicht ohne Affektation.* Tja ja,

das ist nu mal nicht zu ändern, das lassen sie sich nicht nehmen, die Herren. *Sie kommt wieder etwas nach vorn.* Sehn
Sie, ich mag es ja eigentlich nicht, das laute Wesen und alles
das, aber wissen Sie: Vater ist krank geworden, Mutter verträgt den Rauch nicht recht, und außerdem pflegt sie natürlich
Papa. Was bleibt einem da übrig, da muß man halt einspringen.

MICHALINE. Gewiß, das ist ja dann Ihre Pflicht.

LIESE BÄNSCH. Na, außerdem ist man jung, nicht wahr!? Es sind
ja auch nette Herren darunter, wirklich fein gebildete, nette
Herren. Man lernt ja auch dies und jen's unter Menschen.

MICHALINE. Gewiß! Natürlicherweise! Gewiß.

LIESE BÄNSCH. Wissen Sie, was aber eklig ist? *Plötzlich vertraulich.* Wenn sie dann immer das Zanken kriegen. Erst trinken sie, und dann zanken sie sich. Himmel, da muß man
sich so in acht nehmen. Da hat man einen zu freundlich begrüßt, da soll man jenem die Hand nicht geben, den dritten
nicht mit den Armen berühren — man weiß es noch gar nicht
mal, daß man's getan hat! —, den vierten soll man nicht immer ansehen, den fünften soll man hinausbefördern. Man
kann's doch nicht jedem recht machen, gelt? Aber gleich,
hurr, geraten sie sich in die Haare.

STIMMEN *aus dem Nebenzimmer.* Liese, Liese, wo stecken Sie
denn?

LIESE BÄNSCH *zu Michaline.* Ich bleibe bei Ihnen, ich geh' nicht
rein. Es wird mir jetzt immer zu ungemütlich. So'n Bräutjam
zwischen den andern Herren — nu sagen Sie selber, das geht
doch nicht. Natürlich soll man da schön mit ihm tun. Nu frag'
ich doch jeden . . . das kann man doch nicht.

MICHALINE. Das darf er wohl auch nicht verlangen, Ihr Bräutjam.

LIESE BÄNSCH. Nein, nein, das verlangt er natürlich nicht, aber
wenn auch . . . *Sie steht wieder auf, da Fritz mit leeren Bierseideln kommt.* Folgen Sie bloß meinem Rat: nur ja nicht sich
mit Verehrern einlassen!

*Lachmann kommt durch die Glastür, bemerkt Michaline so-
gleich und reicht ihr die Hand.*

LACHMANN *indem er seinen Überzieher und Hut aufhängt.*
Michaline, wir sind recht alt geworden.

MICHALINE *belustigt.* Nanu, damit springst du mir gleich ins
Gesicht?

LACHMANN. Ich wenigstens. Ich. Du nicht, aber ich. Und wenigstens mit deinem Vater verglichen. *Er nimmt Platz.*

MICHALINE. Wieso?

LACHMANN. Aus Gründen! Aus Gründen! Gewiß. Als ich damals in eure Kunstschule eintrat . . . Kottsdonnerwetter! — Und dagegen heut. Da ist man sehr rückwärts avanciert!

MICHALINE. Wieso? Es fragt sich nur immer, wieso?

LACHMANN. Na: Gott und den Teufel wollte man aussöhnen! Was wollte man nicht? Und was konnte man nicht? Wie stand man da vor sich selber damals! Und jetzt? Heut ist man so ziemlich bankerott.

MICHALINE. Wieso bankerott? In bezug auf was?

LACHMANN. In bezug auf manches und noch was dazu. An Illusionen, zum Beispiel.

MICHALINE. Hm! Ich denke, man lebt doch auch so ganz leidlich! Legst du denn da so viel Wert darauf?

LACHMANN. Ja. Alles andere ist zweifelhaft. Die Kraft zur Illusion, Michaline: das ist der beste Besitz in der Welt. Sobald du erst nachdenkst, wirst du das merken.

MICHALINE. Du meinst also eigentlich Phantasie: und ohne die kann ja ein Künstler nicht sein.

LACHMANN. Ja. Phantasie und den Glauben daran. — Einen Schoppen Roten, bitte, wie gestern!

LIESE BÄNSCH *welche den Wein schon vorbereitet und die Flasche entkorkt hat.* Ich habe den Herrn gleich wiedererkannt. *Sie setzt Flasche und Glas vor Lachmann hin.*

LACHMANN. So!? Freut mich! Wenn ich das nötige Geld hätte, so tränken wir heute Champagnerwein. *Pause.*

MICHALINE. Du fällst ja von einem Extrem ins andre. Wie reimt sich denn das zusammen, Lachmann?

LACHMANN. Gar nicht. Das ist ja der Witz von der Sache. Mit mir ist's zu Ende, ganz einfach. Punkt! Nu kann das fidele Leben ja anfangen.

Im Nebenzimmer entsteht wiederum Gelächter und Lärm. Liese Bänsch schüttelt mißbilligend den Kopf und begibt sich hinein. Ab.

MICHALINE. Du bist ja so sonderbar aufgeregt.

LACHMANN. So? Find'st du? Siehst du, sonst schlaf' ich gewöhnlich. Gott sei Dank, ich bin etwas aufgeregt, aber leider . . . lange wird das nicht vorhalten. — Das Alter! Das Alter! Man stirbt sachtchen ab.

MICHALINE. Ich finde dich gar nicht so alt, lieber Lachmann.

LACHMANN. Topp, Michaline! Dann heirate mich!

MICHALINE *überrascht, heiter.* Na, das gerade nicht! Das will ich nicht sagen! Dazu sind wir nun beide wirklich zu alt. — Aber siehst du: solange du so bei Humor bist, steht's wirklich durchaus noch nicht schlimm um dich.

LACHMANN. Ja. Doch! Doch! Doch! Aber lassen wir das.

MICHALINE. Sag mal, was hat dich denn so deprimiert, höre?

LACHMANN. Nichts! Denn ich bin gar nicht deprimiert. Ich habe nur wieder mal Rückschau gehalten und bemerkt, daß man eigentlich gar nicht mehr lebt.

MICHALINE. Wieso? Da frage ich wieder, wieso?

LACHMANN. Der Fisch ist ans Wasser angepaßt. Was leben will, braucht seine Atmosphäre. Das ist im Geistigen ebenso. Ich bin in die falsche hineingedrückt. Ob du willst oder nicht, du mußt sie einatmen. Und siehst du, da wirst du selber erstickt. Du empfindest dich nicht mehr. Du kennst dich nicht mehr. Du weißt überhaupt von dir selber nichts mehr.

MICHALINE. Da bin ich doch besser dran, muß ich sagen, in meiner freiwilligen Einsamkeit.

LACHMANN. Ihr seid überhaupt hier besser dran. Von dem Riesen-Philistercancan der Großstadt seht ihr hier nichts und hört ihr hier nichts. Doch ist man erst mal da hineingeraten, so wirbelt es einen durch dick und dünn. — Man will immer raus in die weite Welt. Ich wünschte, ich wäre zu Hause geblieben. Sie ist gar nicht weit, die Welt, Michaline! Sie ist überall nicht weiter als hier! Und hier auch nicht enger als anderwärts. Und wem sie zu eng ist, der muß sie sich weiten: das hat hier zum Beispiel dein Vater getan. Wie gesagt: als ich hier in die Kunstschule eintrat, im Frühling, damals . . .

MICHALINE. Es war im Herbst.

LACHMANN. Mir ist da nur Frühling erinnerlich. Da trat man heraus aus dem Kleinbürgerpferch. Und da war es wirklich . . . da konnte man sagen . . . da tat sich die Welt auf, groß und weit. Heut ist man ganz wieder hineingeraten. Häuslich und ehelich eingesargt.

MICHALINE. Ich sehe dich immer noch stehen, Lachmann, mit deinem gelben, seidigen Haar: im Gange, du weißt ja, vor Vaters Tür. Vaters Studio war damals noch oben, noch nicht in dem kleinen Flügel für sich. Weißt du's noch, oder hast du's vergessen?

LACHMANN. Ich? Nein, du! So was vergißt sich nicht. Nichts hab' ich vergessen, was damals geschah. Da ist mir der kleinste Zug geblieben. Das war aber auch unsere große Zeit. Man kann das ja nicht im entferntesten ausdrücken: das Mysterium, was sich damals vollzog. Ein geprügelter Lausbub war man gewesen, nun plötzlich empfing man den Ritterschlag.

MICHALINE. Das empfanden nicht alle wie du, lieber Lachmann. Sehr viele hat Vaters Wesen bedrückt.

LACHMANN. Ja. Aber die waren dann auch danach. Wer halbwege etwas in sich hatte, den machte er adlig mit einem Schlag. Denn wie er die Welt der Heroen uns aufschloß . . . schon daß er uns wert hielt der Nacheiferung . . . und überhaupt: er ließ uns was fühlen, gegenüber den Fürsten im Reiche der Kunst, als wär' man mit ihnen eines Bluts. Da kam ein ganz göttlicher Stolz, Michaline. — Na also. Prosit! Es war einmal. *Er bemerkt, daß Michaline kein Glas hat, und wendet sich an Fritz, der eben mit Sekt in das Nebenzimmer will.* Ich bitte noch um ein zweites Glas. *Fritz bringt es schnell, dann ab mit dem Sekt.*

MICHALINE. Was ist dir denn nur so Besonderes passiert, Lachmann?

LACHMANN *gießt ein.* Ich hab' deines Vaters Bild gesehen.

MICHALINE. So!? Kommst du von Vater?

LACHMANN. Ja. Eben. Direkt.

MICHALINE. Na, und hat dir das solchen Eindruck gemacht?

LACHMANN. So tief wie nur irgend möglich. Ja.

MICHALINE. Ganz ehrlich?

LACHMANN. Ehrlich. Ehrlich. Gewiß.

MICHALINE. Und du bist nicht enttäuscht?

LACHMANN. Nein. Nein. Keinesfalls. Ich weiß, wo du hin willst. Weshalb du fragst. Aber fragmentarisch ist alle Kunst. Was da ist, ist schön. Ergreifend und schön. Was erstrebt ist und was man fühlt, Michaline. Der letzte Ausdruck, nach dem alles ringt . . . da erkennt man erst ganz, was dein Vater ist. Das große Mißlingen kann mehr bedeuten — am Allergrößten tritt es hervor — kann stärker ergreifen und höher hinaufführen, ins Ungeheure tiefer hinein, als je das beste Gelingen vermag.

MICHALINE. Wie war denn Vater sonst so gestimmt?

LACHMANN. Er hat mir furchtbar die Kappe gewaschen, was übrigens leider nun zwecklos ist. Aber weißt du, wenn man die Augen so zudrückt und das wieder so über sich herrauschen läßt, da kann man sich einbilden, wenn man Lust hat, als wäre das noch erst der Frühlingsgruß und als sollte man wachsen, wer weiß erst wie hoch.

Baumeister Ziehn und Assessor Schnabel kommen herein. Sie sind angeheitert, sprechen laut und ungeniert und dann plötzlich flüsternd im Tone des Geheimnisses, der aber doch so ist, daß jedermann alles hört. Gelächter im Nebenzimmer.

BAUMEISTER ZIEHN. Fritz, schnell noch 'ne Flasche Geldermann! Acht Mark die Flasche, was kann da sein? Die Sache fängt an, mich zu amüsieren.

ASSESSOR SCHNABEL. 'n gottvoller Kerl, dieser Quantmeyer, was? Hat Einfälle wie so'n altes Haus.

BAUMEISTER ZIEHN *unter Lachen.* Ich denke ja gleich, ich soll untern Tisch kriechen! — *Flüsternd.* Nehm' Se sich mal in acht, Assessor, wenn Sie von alten Häusern reden, alte Schachteln vertragen das nicht. *Er macht Grimassen und deutet mit den Augen auf Michaline.*

ASSESSOR SCHNABEL. Fritz, ist denn der Zirkus Renz wieder hier?

FRITZ *mit dem Champagner beschäftigt.* Wieso, Herr Assessor? Ist mir nichts bekannt.

ASSESSOR SCHNABEL. Wieso, wieso? Das riecht man doch förmlich. Riechen Sie denn die Manege nicht?

BAUMEISTER ZIEHN. Es lebe die leichte Reiterei!

VON KRAUTHEIM *kommt, will zum Büfett und sagt im Vorübergehen zu Ziehn und Schnabel.* Ist das ein Mannsbild oder ein Weibsbild?

BAUMEISTER ZIEHN. Gehn Se, untersuchen Se mal! *Zu Schnabel, flüsternd.* Sagen Sie mal, was ist das mit Quantmeyer? Ist der nu eigentlich auch Jurist? Man wird eigentlich gar nicht klug aus dem Menschen. Wovon lebt er denn?

ASSESSOR SCHNABEL *achselzuckend.* Vom Gelde doch wohl.

BAUMEISTER ZIEHN. Ja, wer gibt's ihm denn?

ASSESSOR SCHNABEL. Na, er scheint doch bei Gelde, das ist doch die Hauptsache.

BAUMEISTER ZIEHN. Na, und mit der Verlobung, glauben Sie das?

ASSESSOR SCHNABEL. Ziehn! Sie haben entschieden 'n Schwips.

BAUMEISTER ZIEHN. Na, dann ist doch das Mädel horrende dumm! 'n bißchen dumm darf'n Mädel ja sein, aber hören Se, wenn sich eine so wegschmeißt . . . *Er spricht ihm etwas ins Ohr, dann lachen beide wüst und rauchen heftig.*

BAUMEISTER ZIEHN. Assessor, sehn Sie sich hier mal um! *Er schiebt seinen Arm in den des Assessors und führt ihn ohne Rücksicht auf Michaline und Lachmann bis dicht an deren Tisch. Ohne um Entschuldigung zu bitten, beengt er sie und zeigt mit weit ausgestreckter Rechten laut und prahlerisch Einzelheiten des Raumes.* Das hab' ich gemacht, die ganze Geschichte. Die ganze Geschichte hab' ich gemacht. Täfelung und Decke, Büfett und alles. Alles selber gezeichnet, alles mein Werk. Deswegen kneip' ich auch hier so gern. Wir haben Geschmack, sehn Se, meinen Sie nicht? Verflucht geschmackvolle Kneipe das. *Er läßt ihn los und zündet seine Zigarre mit einem Streichholz an, das er mit großer Umständlichkeit auf dem Tisch Lachmanns und Michalinens in Brand gerieben. Wieder kommt Gelächter aus dem Nebenzimmer. Fritz trägt den Champagner hinein, Ziehn macht eine Wendung und sagt.* Er wird wohl den Jüngling noch gänzlich verrückt machen. *Assessor Schnabel zuckt die Achseln.* Kommen Sie man, es geht wieder los. *Beide ab ins Nebenzimmer. Michaline und Lachmann sehen einander bedeutsam an. Pause.*

LACHMANN *sein Zigarrenetui aus der Tasche nehmend, trocken.* Diese Typen finde ich mangelhaft. Erlaubst du, daß ich ein bißchen rauche?

MICHALINE *einigermaßen unruhig.* Gewiß.

LACHMANN. Und du?

MICHALINE. Nein, danke. Hier nicht.

LACHMANN. Ja, ja, wir haben's hübsch weit gebracht, wir Tausendsassas von heutzutage. Oder sag mal . . . zweifelst du etwa daran?

MICHALINE. Ich finde es nicht sehr gemütlich hier.

LACHMANN *rauchend.* Und nähmst du Flügel der Morgenröte, so entgehst du doch dieser Sorte nicht. — Himmel, wie fing sich das alles an! Und heut schneidet man Häcksel für diese Gesellschaft. Kein Punkt, in dem man so denkt wie sie. Alles hüllenlos Reine wird runtergezerrt. Der schlechteste Lappen, die schmierigste Hülle, der elendeste Lumpen wird heilig gesprochen. Und unsereiner muß doch das Maul halten und rackert sich doch für die Bande ab. Prost, Michaline, dein Vater soll leben! Und die Kunst, die die Welt erleuchtet, dazu. Trotz alledem und trotz alledem! — *Sie stoßen an.* — Ja, wär' ich noch fünf Jahr' jünger als heut, da hätt' ich mir sonst auch noch etwas gesichert, was mir heute leider verloren ist, und da sähe doch heut manches rosiger aus.

MICHALINE. Weißt du, was manchmal das Schwerste ist?

LACHMANN. Was?

MICHALINE. Unter Freunden?

LACHMANN. Was denn?

MICHALINE. Das: einander nicht stören in seinen Irrwegen! Na also, nochmals: es war einmal. *Sie stößt bedeutsam mit ihm an.*

LACHMANN. Gewiß. Gewiß. Es geschieht mir auch recht. Die Zeit ist unwiederbringlich vorüber. Aber einstmals war es doch nahe daran . . . und wenn du auch noch so sehr heute den Kopf schüttelst, da hätte ich bloß zu nicken gebraucht. *Hallo und Gelächter im Nebenzimmer.*

MICHALINE *wird blaß, fährt auf.* Lachmann . . . was? Hast du das gehört?

LACHMANN. Ja. Regt dich das wirklich auf, Michaline?

MICHALINE. Ich weiß wirklich selbst nicht, woran es liegt. Es hängt wohl wahrscheinlich damit zusammen, daß Arnold und Vater sehr gespannt sind und daß mich das etwas beschäftigt hat.

LACHMANN. Ja, ja. Aber wie denn? Wieso denn jetzt?

MICHALINE. Ich weiß nicht. Möchten wir nicht lieber fortgehn? Ach so, deine Frau! Ja, dann warten wir noch. Aber wirklich, hier ist mir nicht gut zumute.

LACHMANN. Achte doch auf den Pöbel nicht! *Liese Bänsch kommt aus dem Nebenzimmer.*

LIESE BÄNSCH. Ach Gott im Himmel, nein, nein aber auch! Da trinken die Herren so viel Champagner, und dann wissen sie gar nicht mehr, was sie tun. Es ist wirklich ein Elend, meine Herrschaften. *Sie nimmt ungeniert auf einem Stuhl an Lachmanns und Michalinens Tisch Platz. Ihre große Erregung läßt erkennen, daß irgendein Vorfall ihr wirklich unangenehm gewesen ist.*

LACHMANN. Die Herren benehmen sich wohl nicht ganz taktvoll?

LIESE BÄNSCH. Ach schon. Sie sind ja so weit sehr anständig, aber sehn Sie, da ist so ein junger Mensch, den machen sie immer ganz . . . *sie schüttelt andeutend, wie in einer Art Be-*

sinnungslosigkeit, den nach hinten übergelegten Kopf und macht dazu noch fahrige Gesten mit der Hand — ganz . . . na, ich weiß nicht!

LACHMANN. Das ist wohl Ihr Bräutigam?

LIESE BÄNSCH *tut so, als ob sie fröstelte, blickt auf ihren Busen herab und zupft dort Spitzen zurecht.* Ach nein, es ist nur ein dummer Mensch, der sich allerhand Albernes in den Kopf setzt. Was geht mich der dumme Junge denn an? Er soll sich doch scheren in Gottes Namen. *Zu Michaline.* Oder würden Sie sich das gefallen lassen, wenn einer so sitzt wie'n Marabu? Ich kann doch tun, was ich will, nicht wahr? Was geht mich denn so'n Aufpasser an! *Sie steht erregt auf.* Übrigens ist mein Bräutjam betrunken, und wenn er sich betrinken will, dann kann er's gefälligst woanders tun. *Sie hockt sich in die versteckteste Ecke des Büfetts. Pause.*

LACHMANN. Du kannst dir nicht denken, wie das einen anmutet: dein Vater in seinem Atelier und hier diese, sagen wir: noble Gesellschaft. Und wenn man sich dann an das Bild erinnert — das feierlich-ruhige Christusbild! — und sich das hier so vorstellt in all dem Dunst mit seiner erhabenen Ruhe und Reinheit, ganz seltsam wirkt das! Ganz sonderbar. Ich freue mich, daß meine Hälfte nicht da ist, ich hatte geradezu Angst davor.

MICHALINE. Wenn man nur wüßte, ob sie noch herkommt. Sonst würde ich vorschlagen . . . fühlst du dich wohl?

LACHMANN *der seine Zigarrentasche in den Überzieher zurücksteckt.* Ja. Seit unserm Anstoßen vorhin. Trotz alledem! Und trotz alledem! Wenn zweie so sagen: es war einmal, da ist immer auch noch was übriggeblieben, und darauf stoßen wir dann noch mal an.

Im Nebenzimmer entspinnt sich nun, nach einem Lachausbruch, immer lauter werdend, folgender Wortwechsel.

QUANTMEYER. Wie heißen Sie? Was sind Sie? Was sitzen Sie immer hier und glotzen uns an? Und fixieren uns? Wie? Was? Geniert Sie das? Geniert Sie das, wenn ich meiner Braut einen Kuß gebe? So! Denken Sie, ich werde Sie fragen? Sie! Sie! Sie! Sie sind ja meschucke! Meschucke sind Sie!

STIMMEN DER ANDERN *durcheinander unter Gelächter.* Duschen, duschen, 'ne kalte Dusche!

QUANTMEYER. Kann ich nicht hier mein Strumpfband zeigen? Meinen Sie, daß ich das nicht darf? *Gelächter.*

LACHMANN. Das scheint ja 'ne saubere Gesellschaft zu sein.

QUANTMEYER. Meinen Sie, daß ich das nicht darf? Ich trage Damenstrumpfbänder, basta! Und wenn es nicht meins ist, na denn eben nicht! Dann ist es am Ende gar Lieschens gewesen. *Lachen.*

LIESE BÄNSCH *zu Michaline und Lachmann.* Er lügt. Es ist 'ne Gemeinheit! Er lügt! Das will mein Bräutjam sein, der so lügt?

QUANTMEYER. Was? Was? Immer vorwärts, kommen Sie nur! Und wenn Sie zu Kalkmilch werden, mein Junge, das verdirbt mir die Laune noch lange nicht. So'n Kleckser! So'n Anstreicher! So'n Malerstift! Ein Wort noch, dann fliegt er, verlaßt euch drauf!

LIESE BÄNSCH *hastig und sich im Reden überstürzend.* Die Sache ist nämlich so gekommen . . . Sie müssen nicht denken, meine Dame, daß ich Ihnen schuld bin an dem Skandal. Die Sache war so. Das kam nämlich so. Mein Bräutjam ist nämlich angeheitert, und da kniff er mich immer in den Arm, und nun hatten sie sich's in den Kopf gesetzt, sie wollten ihn eifersüchtig machen . . .

LACHMANN. Wen wollten sie eifersüchtig machen?

LIESE BÄNSCH. Den jungen Menschen, von dem ich sprach. Ich bin schon bei seinem Vater gewesen. Was hab' ich nicht da schon alles getan? Es hilft nichts! Er kommt und sitzt in der Ecke und treibt es so lange, bis es so kommt.

LACHMANN. Was treibt er denn eigentlich?

LIESE BÄNSCH. Eigentlich gar nichts. Er sitzt eben nur und paßt immer auf. Das ist aber doch sehr unangenehm. Da kann er sich schließlich doch gar nicht wundern, wenn sie ihn systematisch hinausärgern. *Quantmeyer spricht wieder.* Da sehn Sie's, da fängt es schon wieder an. Ich gehe wirklich zu Vater rauf, ich weiß mir wahrhaftig keinen Rat mehr.

QUANTMEYER. Wissen Sie noch, was ich eben gesagt habe? Nicht? Haben Sie das vergessen? Was? Dann hören sie noch mal Wort für Wort: meine Braut kann ich küssen, wie ich will, wo ich will, wann ich will. Der Deiwel soll kommen und mich daran hindern. So. Nu sagen Sie noch ein Wort — und wenn es gesagt ist, liegen Sie draußen.

LIESE BÄNSCH. Pfui Kuckuck! Das will mein Bräutjam sein? Benimmt sich so und lügt solche Sachen?

Aus einem plötzlichen Aufschreien aller Stimmen zugleich unterscheidet man folgende Worte.

BAUMEISTER ZIEHN. Halt, Bürschchen, halt, so fett speisen wir nicht.

SCHNABEL. Was? Was? Polizei! Ins Loch mit dem Lümmel!

VON KRAUTHEIM. Wegreißen, Quantmeyer! Kurzen Prozeß.

QUANTMEYER. Wagen Sie's! Wagen Sie's! Menschenskind!!

ZIEHN. Wegreißen!

SCHNABEL. Wegreißen! Eins, zwei, drei.

QUANTMEYER. Weglegen! Hören Sie! Weglegen! Weglegen!

ZIEHN. Legen Sie das Ding weg oder nicht?

SCHNABEL. Seht ihr's, der Kerl ist 'n Anarchist!

Es beginnt ein kurzes, stummes Ringen im Nebenzimmer.

MICHALINE *ist in plötzlicher unerklärlicher Angst aufgesprungen und greift nach ihren Sachen.* Lachmann, ich bitte dich, komm! komm hier fort!

ZIEHN. So, Kinder, ich hab's. Nun haben wir dich.

SCHNABEL. Haltet ihn! Haltet den Schurken fest! *Nun stürzt Arnold, tödlich blaß, herein und zur Tür hinaus. Ziehn, Schnabel und von Krautheim verfolgen ihn mit dem Ruf.* Festhalten! Festhalten! Haltet ihn fest! *Sie rennen hinter ihm drein auf die Straße hinaus und verschwinden. Man hört ihre Rufe und die Rufe einiger Passanten, schwächer und schwächer werdend, bis sie in der Ferne verhallen.*

MICHALINE *wie betäubt.* Arnold! War das nicht Arnold?

LACHMANN. Still! *Quantmeyer und der Kellner treten herein.*

QUANTMEYER *einen kleinen Revolver vorzeigend.* Siehst du wohl, Lieschen, da hast du den Schuft! Sieh dir mal an gefälligst das Ding! Kostet zwar höchstens fünf, sechs Mark, hätte doch aber bös können was anrichten.

LIESE BÄNSCH. Lassen Sie mich doch bitte in Ruh'!

FRITZ. Bitt' schön gefälligst! Bitte sehr! Gäste, die einen Revolver herausziehen und neben sich legen — neben ihr Bier —, für solche Gäste bedien' ich nicht.

LIESE BÄNSCH. Wenn Sie nicht wollen, dann lassen Sie's bleiben.

LACHMANN *zu Fritz.* Hat Sie der Herr damit bedroht?

QUANTMEYER *mißt Lachmann mit einem Polizeiblick.* Ja. Hat er! Der Herr! Oder zweifeln Sie dran? Das ist ja noch schöner, wahrhaftigen Gott! Wir werden uns wohl noch verantworten müssen.

LACHMANN. Ich habe mir nur zu fragen erlaubt. Den Kellner! Nicht Sie.

QUANTMEYER. Erlaubt! Erlaubt! Wer sind Sie? Was mischen Sie sich hier ein? Oder sind Sie vielleicht mit dem Früchtchen verwandt? Dann wäre ja das sozusagen ein Aufwaschen. Der Herr! *Auflachend.* Hat für heute wohl, denk' ich, genug, der Herr! Die Lehre dürfte dem Bengel wohl sitzen. Aber denkst du, der Feigling hat sich gewehrt?

MICHALINE *aus der Betäubung erwachend, steht auf, geht wie von Sinnen auf Quantmeyer zu.* Arnold!!! War das nicht Arnold?!

QUANTMEYER. Was?

LIESE BÄNSCH *den Zusammenhang ahnend, tritt blitzschnell zwischen Quantmeyer und Michaline; zu Quantmeyer.* Weg! Lassen Sie unsere Gäste zufrieden . . . ich rufe sonst auf der Stelle Papa.

MICHALINE *mit einem schmerzlich verzweifelten Schrei, wie wenn sie Arnold zurückrufen wollte, in höchster Angst nach der Tür zu.* Arnold!!! War das nicht Arnold?!

LACHMANN *ihr nach, sie festhaltend.* Nein!! Nein, nein, Michaline! Fasse dich!

VIERTER AKT

Das Atelier des alten Kramer, wie im zweiten Akt. Nachmittags gegen fünf Uhr. Der Vorhang, der das eigentliche Atelier abschließt, ist, wie immer, zugezogen. Kramer arbeitet an seinem Radiertischchen. Er ist angezogen wie im zweiten Akt. Schuldiener Krause entnimmt einem Handkorb, den er mitgebracht hat, blaue Pakete mit Stearinkerzen.

KRAMER *ohne vom Arbeiten aufzusehn.* Legen Sie nur dahin die Pakete, dort, zu den Leuchtern, da hinten hin!

KRAUSE *hat die Pakete auf den Tisch gelegt, wo mehrere silberne Armleuchter stehn. Danach bringt er einen Brief zum Vorschein und hält ihn in der Hand.* Sonst wär' wohl jetzt weiter nischt, Herr Professor?

KRAMER. Professor? Was heißt das?

KRAUSE. Na, 's wird wohl so sein; hier is was von der Regierung gekomm. *Er legt den Brief vor Kramer auf das Radiertischchen.*

KRAMER. Hm. So. An mich? *Er seufzt tief.* Allen schuldigen Respekt. *Er läßt den Brief uneröffnet liegen und arbeitet weiter.*

KRAUSE *seinen Korb aufnehmend und im Begriff zu gehen.* Herr Professor, soll ich etwa wachen heut nacht? Sie müßten sich wirklich a bissel ausruhn.

KRAMER. Wir lassen 's beim alten, Krause. Was? Auch in bezug auf das Wachen, hör'n Se! Und übrigens wär' ich da schon versorgt. Ich habe mit Maler Lachmann gesprochen, Sie kennen ja Lachmann von früher her.

KRAUSE *nimmt seine Mütze und seufzt.* Du lieber, barmherziger Vater, du, du! Sonst wäre wohl augenblicklich nichts?

KRAMER. Der Direktor ist drüben?

KRAUSE. Jawohl, Herr Kramer.

KRAMER. Ich danke, 's ist gut. Halt. Warten Sie mal noch 'n Augenblick! Am Montagabend . . . wo war denn das? Wo hat Ihre Frau da den Arnold getroffen?

KRAUSE. Na halt . . . das war, wo die Kähne liegen, halt unter der Ziegelbastion. Wo der Kahnverleiher die Kähne hat.

KRAMER. Auf dem kleinen Gang, der da unten rumführt? Dicht an der Oder?

KRAUSE. Jawohl. Ebens da.

KRAMER. Hat sie ihn da angeredet oder er sie?

KRAUSE. Nee ebens, a saß ebens uf 'm Geländer, so uf der Mauer, wissen Se doch, wo de manchmal de Leute dran stehn und zusehn, wie de Pollacken, wissen Se, uf a Flößen sich abends ihre Kartoffeln kochen. A kam halt der Frau aso merkwürdig vor, und da tat s'm halt ebens gut'n Abend sagen.

KRAMER. Was hat sie denn weiter gesprochen mit ihm?

KRAUSE. Se hat halt gemeent, a wär sich erkälten.

KRAMER. Hm. Und was hat er darauf gesagt?

KRAUSE. Wie ebens de Frau meente, hätt a gelacht. Aber ebens so, sehn Se, meente de Frau, 's hätt' sich sehr schrecklich angehört. Aso verächtlich. Ich weeß weiter nich.

KRAMER. Wer verachten will, alles verachten will, hör'n Se: der findet auch gute Gründe dazu. Ich wünschte, Sie wären zu mir gekommen! Ich glaube, es war wohl auch da schon zu spät.

KRAUSE. Ja, wenn ma's gewußt hätte! Weeß ma's denn? Wer tut denn gleich immer an so was denken!? Wiede. de Michaline kam — se kam doch zu mir mit 'm Herr Lachmann —, da kriegt ich 's ja mit d'r Angst zu tun. Das war aber schon halb eens in d'r Nacht.

KRAMER. Hör'n Se, an die Nacht, da werd' ich gedenken! Als mich meine Tochter weckte, war's eins. Und als wir den armen Jungen dann fanden, da schlug die Domuhr neune bereits. *Krause seufzt, schüttelt den Kopf, öffnet die Tür, um zu gehen, und im gleichen Augenblick erscheinen Michaline und Lachmann. Sie treten herein. Krause ab. Michaline ist dunkel gekleidet, ernst, angegriffen und verweint.*

KRAMER *ruft ihnen entgegen.* Da seid ihr ja, Kinder! Na, kommt mal herein! Also Lachmann, wollen Sie wachen heut nacht? Sie waren ja auch halb und halb sein Freund! Das ist mir sehr lieb, daß Sie wachen wollen, denn hör'n Se, ein Fremder, das möcht' ich nicht! *Er geht auf und ab, bleibt stehn, denkt nach und sagt.* Und nun will ich euch fünf Minuten allein lassen und rüber zum Herrn Direktor gehn. Ihm sagen, was etwa zu sagen ist. Ihr werdet doch wohl inzwischen nicht fortwollen.

MICHALINE. Nein, Vater, Lachmann bleibt jedenfalls hier. Ich muß allerdings noch Besorgungen machen.

KRAMER. Das ist mir sehr lieb, daß Sie bleiben, Lachmann. Ich mache es kurz und bin gleich wieder hier. *Er nimmt einen Schal um, nickt beiden zu und geht ab. Michaline setzt sich, so wie sie ist, nimmt den Schleier zurück und wischt sich die Augen mit dem Taschentuch. Lachmann legt Hut, Paletot und Stock ab.*

MICHALINE. Find'st du Vater verändert?

LACHMANN. Verändert? Nein!

MICHALINE. Herr Gott, ja, das hab' ich doch wieder vergessen! Den Härtels ist wieder nichts angezeigt. Das bißchen Gedächtnis verläßt einen förmlich. Da liegt ja'n Kranz. — *Sie steht auf und nimmt einen ziemlich großen Lorbeerkranz mit Schleife in Augenschein, der auf dem Sofa liegt. Eine daran geheftete Karte aufnehmend, fährt sie fort mit dem Ausdruck der Überraschung.* Von der Schäffer ist der. Ja, siehst du, die ist nun auch verwaist. Die hatte nur einen Gedanken: Arnold. Und Arnold wußte nicht mal was davon.

LACHMANN. Ist das die etwas verwachsene Person, die ich bei dir im Atelier gesehn habe?

MICHALINE. Ja, ja. Sie malte, weil Arnold malte. Und sah in mir eben Arnolds Schwester. So ist das: den Kranz, den hat sie gekauft, dafür wird sie drei Wochen von Tee und von Brot leben.

LACHMANN. Und vielleicht noch dabei sehr glücklich sein. Weißt du auch, wen ich getroffen habe? Und wer nun auch noch einen Kranz schicken wird?

MICHALINE. Wer?

LACHMANN. Liese Bänsch.

MICHALINE. Das — brauchte sie nicht tun. *Pause.*

LACHMANN. Hätte ich reden können mit Arnold! Auch vielleicht über die Liese Bänsch; vielleicht hätte das doch etwas bei ihm gefruchtet.

MICHALINE. Nein, Lachmann, du irrst dich. Das glaube ich nicht.

LACHMANN. Wer weiß? Aber schließlich, er wich mir ja aus. Ich hätte ihm können eines verdeutlichen — ich sage nicht ohne weiteres, was. Und zwar aus Erfahrung, sozusagen. Oft sind uns die brennendsten Wünsche versagt. Weil, würden sie uns erfüllt, Michaline — mir wurde ein ähnlicher Wunsch mal erfüllt, und ich — dir brauch' ich's ja nicht zu verhehlen — war dadurch nachher viel schlimmer dran.

MICHALINE. Erfahrung ist eben nicht mitteilbar, wenigstens nicht im tieferen Sinne.

LACHMANN. Mag sein, aber sonst —: ich weiß schon Bescheid. *Pause.*

MICHALINE. Ja, ja, so geht's! So geht's in der Welt! Sie hatte wohl auch mit dem Feuer gespielt. Und daß es auf so etwas könnte hinauslaufen, das kam ihr natürlich nicht in den Sinn. — *Am Radiertischchen.* Sieh mal, was Vater hier neu radiert hat!

LACHMANN. Ein toter, geharnischter Ritter.

MICHALINE. Hm, hm!

LACHMANN *liest von der Platte:*

> Mit Erzen bin ich angelegt.
> Der Tod war Knappe mir.

MICHALINE *unsicher, dann leise weinend.* Ich hab' Vater niemals weinen gesehen, und siehst du, hier hat Vater darüber geweint.

LACHMANN *unwillkürlich ihre Hand nehmend.* Michaline, wir wollen uns fassen, nicht wahr?

MICHALINE. Ganz feucht ist das Blatt! Ach großer Gott. *Sie ermannt sich, tut einige Schritte und fährt gehobener fort.* Er nimmt sich zusammen, Lachmann, gewiß. Aber wie es eigentlich um ihn steht — um zehn Jahre ist er gealtert, sicher.

LACHMANN. Wem das Leben im tiefsten Ernst sich erschließt, in Schicksalsmomenten mit der Zeit — ich habe auch Vater und Bruder begraben! —, der, wenn er das Schwerste überlebt . . . dessen Schiff wird ruhiger, stetiger segeln, mit seinen Toten tief unten im Raum.

MICHALINE. Aber überleben, das ist wohl das Schwerste.

LACHMANN. Ich hätte das eigentlich nie gedacht.

MICHALINE. Ja! Ja! Wie ein Blitz! Das war wie ein Blitz. Ich fühlte: wenn wir ihn finden, gut! Wenn wir ihn nicht finden, war es aus. Ich kenne Arnold. Ich fühlte das. Es hatte sich alles in ihm so gehäuft, und wie mir die ganze Affäre klar wurde, da wußt' ich, es stand gefährlich um ihn.

LACHMANN. Wir waren ja auch bald hinter ihm drein.

MICHALINE. Zu spät. Erst wie ich mich wieder ermannt hatte. Ein Wort bloß! Ein Wort mit ihm reden! Ein Wort! Das hätte ja alles wahrscheinlich gewendet. Hätten sie ihn gefangen vielleicht, ich meine die Menschen, wie sie ihm nachhetzten, hätten sie ihn zurückgebracht! Ich hätte schrein mögen: Arnold, komm . . . *Sie kann vor Bewegung nicht weitersprechen.*

LACHMANN. Das wär' alles doch gar nicht schlimm geworden. Das bißchen Revolverspielerei.

MICHALINE. Das Mädchen! Die Schmach! Der Vater! Die Mutter! Und sicherlich auch vor den Folgen die Angst! Er gab sich wer weiß wie alt und blasiert und war noch, wenn man ihn kannte wie ich, im Grunde ganz unerfahren und kindisch. Ich wußte ja, daß er die Waffe trug.

LACHMANN. Er hat sie mir auch schon in München gezeigt.

MICHALINE. Ja, weil er sich überall eben verfolgt glaubte. Er sah eben nichts als Feinde ringsum. Und ließ sich das auch absolut nicht ausreden. Das ist alles nur Tünche, sagte er stets. Sie verstecken nur alle die Klauen und Pranken, und wenn du nicht achtgibst, bist du rum. —

LACHMANN. Es ist auch nicht ohne. Es ist auch was dran. In gewissen Momenten fühlt man so was. Er hat ja auch sicher viel durchgemacht in bezug auf Roheiten mancher Art. Und wenn man sich das vergegenwärtigt: von sich aus hatte er wohl da recht.

MICHALINE. Man hätte sich mehr um ihn kümmern müssen. Aber Arnold war nur gleich immer so schroff. Und wenn man's auch noch so gut mit ihm meinte: er stieß einen mit bestem Willen zurück.

LACHMANN. Was hat er denn deinem Vater geschrieben?

MICHALINE. Papa hat den Brief noch niemand gezeigt.

LACHMANN. Mir hat er davon was angedeutet. Nur angedeutet, nichts Rechtes gesagt. Er sprach übrigens gar nicht bitter davon. Ich glaube, es hat so was dringestanden wie: er ertrage das Leben nicht. Er sei dem Leben nun mal nicht gewachsen.

MICHALINE. Warum hat er sich nicht auf Vater gestützt! Gewiß, er ist hart. Aber wer da nicht durchdringt, das Gütige, Menschliche da nicht durchfühlt, an dem ist irgend etwas defekt. Ich, siehst du, als Weib, ich hab' es gekonnt. Wieviel schwerer war es für mich als für Arnold. Um Arnolds Vertrauen hat Vater gebuhlt. Ich mußte um Vaters Vertrauen ringen. Furchtbar wahrhaftig ist Vater, sonst nichts. Mich hat er da stärker als Arnold getroffen, und Arnold war Mann. Ich ertrug es auch.

LACHMANN. Dein Vater könnte mein Beichtiger sein.

MICHALINE. Er hat ja auch Ähnliches durchgekämpft.

LACHMANN. Das fühlt man.

MICHALINE. Ja, und ich weiß es genau. Und er hätte auch Arnold ganz sicher verstanden.

LACHMANN. Aber wer, wer weiß das erlösende Wort?!

MICHALINE. Nun siehst du, Lachmann, wie das so geht: unsere Mutter steht Vater innerlich fern, aber wenn sie mit Arnold irgendwas hatte, da wurde sofort mit Vater gedroht. Auf diese Weise . . . Was hat sie bewirkt? oder wenigstens leider fördern helfen?

Kramer kommt wieder.

KRAMER *hängt seinen Schal auf.* Da bin ich wieder! Was macht die Mama?

MICHALINE. Sie möchte, du solltest dich nicht überanstrengen. Schläfst du heute nacht bei uns oder nicht?

KRAMER *indem er Kondolenzkarten auf dem Tisch zusammenliest.* Nein, Michaline. Doch wenn du nach Hause gehst, nimm der Mama diese Karten mit! *Zu Lachmann.* Sehn Sie, er hat

457

doch auch Freunde gehabt, wir haben das bloß eben nicht so gewußt.

MICHALINE. In der Wohnung war auch viel Besuch untertags.

KRAMER. Ich wünschte, die Leute ließen das, aber wenn sie doch meinen, was Gutes zu tun, so darf man sie freilich nicht dran verhindern. Du willst wieder gehn?

MICHALINE. Ich muß. Diese schrecklichen Scherereien und Umstände!

KRAMER. Das darf uns jetzt alles durchaus nicht verdrießen. Die Stunde fordert das Letzte von uns.

MICHALINE. Adieu, Papa.

KRAMER *sie ein wenig festhaltend.* Leb wohl, gutes Kind! Dich verdrießt's ja auch nicht. Du bist wohl die Nüchternste von uns allen! Nein, nein, Michaline, so mein' ich das nicht. Du hast einen kühlen, gesunden Kopf. Und ihr Herz ist so warm wie irgendeins, Lachmann. *Michaline weint stärker.* Aber höre: bewähre dich nun auch, Kind! Nun müssen wir zeigen, wie weit wir Stich halten.

MICHALINE *faßt sich resolut, drückt ihm die Hand und hernach auch Lachmann, dann geht sie.*

KRAMER. Lachmann, wir wollen die Lichte aufstecken. Machen Sie mal die Pakete auf! — *Sich selber der Arbeit unterziehend.* Leid, Leid, Leid, Leid! Schmecken Sie, was in dem Worte liegt? Sehn Se, das ist mit den Worten so: sie werden auch nur zuzeiten lebendig, im Alltagsleben bleiben sie tot. *Er reicht Lachmann einen Leuchter, auf den er ein Licht gesteckt.* So. Tragen Sie's meinem Jungen hinein! *Lachmann begibt sich mit dem Leuchter in den verhangenen Teil des Raumes. Kramer, nun allein vor dem Vorhang, spricht laut weiter.* Wenn erst das Große ins Leben tritt, hör'n Se, dann ist alles Kleine wie weggefegt. Das Kleine trennt, das Große, das eint, sehn Se. Das heißt, man muß so geartet sein. Der Tod ist immer das Große, hör'n Se: der Tod und die Liebe, sehn Se mal an. *Lachmann kommt wieder nach vorn.* Ich bin unten beim Herrn Direktor gewesen, ich habe dem Manne die Wahrheit gesagt, und weshalb sollt' ich denn lügen, hör'n Se?! Mir ist jetzt durchaus nicht danach zumute. Was geht mich die Welt an, möcht' ich bloß wissen! Er hat sich ja auch drüber weggesetzt. Sehn Se, die Frauen, die wollen das. Der Pastor geht dann nicht mit ans Grab, und da hat's eben nicht seine Richtigkeit. Hör'n Se, mir ist das ganz nebensächlich. Gott ist mir alles. Der Pastor nichts. Wissen Sie, was ich heut morgen gemacht habe? Lieblingswünsche zu Grabe gebracht. Still, stille für mich. Ganz stille für mich, sehn Se. Hör'n Se, das war ein langer Zug. Kleine und große, dick und dünn. Jetzt liegt alles da wie hingemäht, Lachmann.

LACHMANN. Ich habe auch schon einen Freund verloren. Ich meine, durch einen freiwilligen Tod.

KRAMER. Freiwillig, hör'n Se —? Wer weiß, wo das zutrifft! Sehn Se sich diese Skizzen mal an! *Er kramt in seinem Rock und zieht aus seiner Brusttasche ein Skizzenbuch, das er vor Lachmann aufschlägt, nachdem er ihn ans Fenster geführt hat, wo man beim Abendlicht noch zur Not sehen kann.* — Da sind seine Peiniger alle versammelt. Sehn Se, da sind sie, so wie er sie sah. Und hör'n Se, Augen hat er gehabt. Das ist der wahrhaftige böse Blick, aber 's ist doch ein Blick! das will ich doch meinen. — Ich bin vielleicht nicht so zerstört, wie Sie denken, und nicht so trostlos, wie mancher meint. Der Tod, sehn Se, weist ins Erhabne hinaus. Sehn Se, da wird man niedergebeugt. Doch was sich herbeiläßt, uns niederzubeugen, ist herrlich und ungeheuer zugleich. Das fühlen wir dann, das sehen wir fast, und hör'n Se, da wird man aus Leiden groß. — Was ist mir nicht alles gestorben im Leben! Manch einer, Lachmann, der heute noch lebt. Warum bluten die Herzen und schlagen zugleich? Das kommt, Lachmann, weil sie lieben müssen. Das drängt sich zur Einheit überall, und über uns liegt doch der Fluch der Zerstreuung. Wir wollen uns nichts entgleiten lassen, und alles entgleitet doch, wie es kommt!

LACHMANN. Ich hab' das ja auch schon erfahren bereits.

KRAMER. Als Michaline mich weckte die Nacht, da hab' ich mich wohl recht erbärmlich gezeigt. Aber sehn Se, ich hab' es da gleich gewußt. Und wie er dann mußte so liegenbleiben, das waren die bittersten Stunden für mich. In dieser Stunde, wahrhaftigen Gott, Lachmann — war das nun Läuterung oder nicht? — da hab' ich mich selber nicht wiedererkannt. Hör'n Se, da hab' ich so bitter gehadert: ich habe das selber von mir nicht gedacht. Ich habe gehöhnt und gewütet zu Gott. Hör'n Se, wir kennen uns selber nicht. Ich habe gelacht wie ein Fetischist und meinen Fetisch zur Rede gefordert. Da war mir das doch ein verteufelter Spaß, ein verteufelt nichtsnutziger Streich, sehn Se, Lachmann! sehr henkerhaft billig und salzlos und schlecht. — Sehn Se, so war ich. So bäum' ich mich auf. Dann... bis ich ihn dann in der Nähe hier hatte, da kehrte mir erst die Besinnung zurück. So was will einem erst gar nicht in den Kopf. Nun sitzt es. Nun lebt man schon wieder damit. Nun ist er schon bald zwei Tage dahin. Ich war die Hülse, dort liegt der Kern. Hätten sie doch die Hülse genommen!

Michaline kommt, ohne anzuklopfen, leise herein.

MICHALINE. Papa, unten ist Liese Bänsch beim Schuldiener. Sie bringt einen Kranz.

KRAMER. Wer?

MICHALINE. Liese Bänsch. Sie möchte dich sprechen. Soll sie hereinkommen?

KRAMER. Ich verdenk' es ihr nicht und verwehr' es ihr nicht. Ich weiß nichts von Haß. Ich weiß nichts von Rache. Das erscheint mir jetzt alles klein und gering.

Michaline ab.

Sehn Se, es hat mich ja angepackt! Das ist auch kein Wunder, hör'n Se mal an. Da lebt man so hin: das muß alles so sein! Man schlägt sich mit kleinen Sachen herum, und hör'n Se, man nimmt sie wer weiß wie wichtig, man macht sich Sorgen, man ächzt, und man klagt, und hör'n Se, dann kommt das mit einemmal, wie 'n Adler, der in die Spatzen fährt. Hör'n Se, da heißt es: Posto gefaßt! Aber sehn Se, nun bin ich dafür auch entlassen, und was nun etwa noch vor mir liegt, da kann mich nichts freuen, da kann mich nichts schrecken, da gibt's keine Drohung mehr für mich!

LACHMANN. Soll ich vielleicht eine Flamme anstecken?

KRAMER *zieht den Vorhang ganz auseinander. Im Hintergrunde des großen, schon fast dunklen Ateliers ist ein Toter, ganz mit Tüchern bedeckt, aufgebahrt.* Sehn Se, da liegt einer Mutter Sohn! — Grausame Bestien sind doch die Menschen! — *Durch die hohen Atelierfenster links schwaches Abendrot. Ein Armleuchter mit brennenden Kerzen am Kopfende des Sarges. Kramer tritt wieder zum Tische vorn und gießt Wein in Gläser.* Lachmann, kommen Sie, stärken Sie sich! Hier ist etwas Wein, da kann man sich stärken. Trinken wir, Lachmann, opfern wir! Stoßen wir ruhig mitnander an! Und der dort liegt, das bin ich! das sind Sie! das ist eine große Majestät! Was kann der Pastor noch hinzusetzen?

Sie trinken. Pause.

LACHMANN. Ich habe vorhin einen Freund erwähnt, dessen Mutter war eine Pastorstochter, und daß da kein Geistlicher mitging ans Grab, das nahm sie sich ganz besonders zu Herzen. Aber wie wir den Toten hinuntersenkten, da kam, sozusagen, der Geist über sie, und da betete gleichsam Gott selber aus ihr . . . Ich habe so niemals sonst beten gehört.

Michaline führt Liese Bänsch, die einfach und dunkel gekleidet ist, herein. Beide Frauen bleiben gleich bei der Tür stehn. Liese hält das Taschentuch vor den Mund.

KRAMER *scheinbar ohne Liese zu bemerken, entzündet ein Streichholz und steckt Lichter an. Lachmann setzt diese Tätigkeit fort, bis zwei Armleuchter und etwa sechs einzelne Lichter brennen.* Was haben die Gecken von dem da gewußt: diese Stöcke und Klötze in Mannsgestalt!? Von dem und von mir und von unsren Schmerzen!? Sie haben ihn mir zu Tode gehetzt. Erschlagen, Lachmann, wie so'n Hund. Das haben sie, denn das kann ich wohl sagen. Und sehn Se, was konnten sie ihm denn tun? Nun also: Tretet doch her, ihr Herren! Immer seht ihn euch an und beleidigt ihn! Immer tretet herzu und versucht, ob ihr's könnt! Hör'n Se, Lachmann: das ist nun vorbei! — *Er nimmt ein seidenes Tuch vom Angesicht des Toten.* 's ist gut, wie er daliegt! 's ist gut! 's ist gut! — *Im Scheine der Kerzen gewahrt man in der Nähe des Toten eine Staffelei, auf der gemalt worden ist. An diese setzt sich nun Kramer. Er fährt fort, unbeirrt, als ob außer ihm und Lachmann niemand zugegen wäre.* Ich habe den Tag über hier gesessen, ich habe gezeichnet, ich habe gemalt, ich habe auch seine Maske gegossen. Dort liegt sie, dort, in dem seidnen Tuch. Jetzt gibt er dem Größten der Großen nichts nach. *Er deutet auf die Beethovenmaske.* Und will man das festhalten, wird man zum Narren. Was jetzt auf seinem Gesichte liegt, das alles, Lachmann, hat in ihm gelegen. Das fühlt' ich, das wußt' ich, das kannt' ich in ihm und konnte ihn doch nicht heben, den Schatz. Sehn Se, nun hat ihn der Tod gehoben. Nun ist alles voll Klarheit um ihn her, das geht von ihm aus, von dem Antlitz, Lachmann, und hör'n Se, ich buhle um dieses Licht, wie so'n schwarzer, betrunkener Schmetterling. Hör'n Se, man wird überhaupt so klein: Das ganze Leben war ich sein Schulmeister. Ich habe den Jungen malträtiert, und nun ist er mir so ins Erhabene gewachsen. — Ich hab' diese Pflanze vielleicht erstickt. Vielleicht hab' ich ihm seine Sonne verstellt: dann wär' er in meinem Schatten verschmachtet. Aber sehn Se, Lachmann, er nahm mich nicht an, und wenn ihm vielleicht der Freund gefehlt hat — ich, Lachmann, durfte der Freund nicht sein. Als damals das Mädchen bei mir war, da hab' ich . . . da hab' ich mein Bestes versucht. Doch da kriegte das Böse in ihm Gewalt, und wenn das Böse in ihm Gewalt kriegte — da tat es ihm wohl, mir wehe zu tun. Reue? Reue kenne ich nicht! Aber ich bin zusammengeschrumpft. Ich bin ganz erbärmlich vor ihm geworden. Ich sehe zu diesem Jungen hinauf, als wenn es mein ältester Ahnherr wäre!

Liese Bänsch wird von Michaline herangeführt, sie legt ihren Kranz zu den Füßen des Toten nieder, Kramer blickt auf und ihr gerade ins Gesicht.

LIESE BÄNSCH. Herr Kramer, ich, ich, ich . . . Ich, ich bin ja so unglücklich. Die Leute zeigen mit Fingern auf mich . . .

Pause.

KRAMER *halb für sich.* Wo sitzt das nun, was so tödlich ist? Und doch, wer das einmal erfährt und lebt, der behält einen Stachel davon im Handteller, und was er auch anfaßt, so sticht er sich. Aber gehn Sie nur getrost nach Haus! Zwischen dem da und uns ist Friede geworden.

Michaline mit Liese Bänsch ab.

KRAMER *versonnen in den Anblick des Toten und in die Lichter.* Die Lichter! Die Lichter! Wie seltsam das ist! Ich habe schon manches Licht verbrannt! Schon manches Lichtes Flamme gesehen, Lachmann. Aber hör'n Se: das ist ein andres Licht!! — Mach' ich Sie etwa ängstlich, Lachmann?

LACHMANN. Nein. Wovor sollt ich denn ängstlich sein?

KRAMER *sich erhebend.* Es gibt ja Leute, die ängstlich sind. Ich bin aber doch der Meinung, Lachmann, man soll sich nicht ängsten in der Welt. Die Liebe, sagt man, ist stark wie der Tod. Aber kehren Se getrost den Satz mal um: Der Tod ist auch mild wie die Liebe, Lachmann. — Hör'n Se, der Tod ist verleumdet worden, das ist der ärgste Betrug in der Welt!! Der Tod ist die mildeste Form des Lebens: der ewigen Liebe Meisterstück. *Er öffnet das große Atelierfenster, leise Abendglocken.* — *Frostgeschüttelt.* Das große Leben sind Fieberschauer, bald kalt, bald heiß. Bald heiß, bald kalt! — Ihr tatet dasselbe dem Gottessohn! Ihr tut es ihm heut wie dazumal! So wie damals, wird er auch heut nicht sterben! — Die Glocken sprechen, hören Sie nicht? Sie erzählen's hinunter in die Straßen: die Geschichte von mir und meinem Sohn. Und daß keiner von uns ein Verlorener ist! Ganz deutlich versteht man's, Wort für Wort. Heut ist es geschehen, heut ist der Tag! Die Glocke ist mehr als die Kirche, Lachmann! Der Ruf zum Tische ist mehr als das Brot! —

Die Beethovenmaske fällt ihm in die Augen, er nimmt sie herab. Indem er sie betrachtet, fährt er fort.

Wo sollen wir landen, wo treiben wir hin? Warum jauchzen wir manchmal ins Ungewisse? Wir Kleinen, im Ungeheuren verlassen? Als wenn wir wüßten, wohin es geht. So hast du gejauchzt! Und was hast du gewußt? — Von irdischen Festen ist es nichts! Der Himmel der Pfaffen ist es nicht! Das ist es nicht, und jen's ist es nicht, aber was ... *mit gen Himmel erhobenen Händen.* Was wird es wohl sein am Ende?

ROSE BERND

Schauspiel

Geschrieben im Frühjahr und Sommer 1903 in Agnetendorf.

Erstveröffentlichung: Buchausgabe 1903.

Dramatis Personae

BERND

ROSE BERND

MARTHEL

CHRISTOPH FLAMM

FRAU FLAMM

ARTHUR STRECKMANN

AUGUST KEIL

HAHN

HEINZEL

GOLISCH } Arbeiter bei Flamm

KLEINERT

DIE ALTE GOLISCHEN

DIE GROSSMAGD } in Flamms Diensten

DIE KLEINMAGD

EIN GENDARM

ERSTER AKT

Eine ebene, fruchtbare Landschaft. Klarer, sonnig warmer Morgen im Mai. Schräg von links nach rechts und aus dem Mittelgrunde nach vorn verläuft ein Feldweg. Die Felder zur Rechten liegen ein wenig höher als dieser. Am weitesten nach vorn ein kleines Fleckchen Kartoffelland, über dem das grüne Kraut schon sichtbar ist. Ein kleiner blumiger Graben trennt Weg und Feld, links auf der etwa mannshohen Böschung ein alter Kirschbaum, rechts Haselnuß- und Weißdornbüsche; ungefähr parallel mit dem Wege und in ziemlicher Entfernung hinter ihm wird durch Weiden und Erlen der Lauf eines Baches bezeichnet. Vereinzelte Gruppen alter Bäume geben der Landschaft etwas Parkartiges. Links im Hintergrund zeigen sich die Dächer und der Turm eines Kirchdorfes zwischen Büschen und Baumwipfeln. Rechts vorn am Weg Kruzifix. Es ist Sonntag.

Rose Bernd, ein schönes und kräftiges Bauernmädchen von zweiundzwanzig Jahren, kommt erregt und mit geröteten Wangen links hinter Büschen hervor und läßt sich an der Wegböschung nieder, nachdem sie scheue Blicke forschend nach allen Seiten gerichtet hat. Sie geht barfuß; ihr Rock ist geschürzt, Arme und Nacken sind bloß; sie bemüht sich, einen ihrer blonden Zöpfe, der aufgelöst ist, schnell wieder zu flechten. Ganz kurz darauf kommt von der andern Seite aus dem Gebüsch ein Mann geschlichen. Es ist der Erbscholtiseibesitzer Christoph Flamm. Auch Flamm macht einen scheuen, aber auch zugleich belustigten Eindruck. Er ist ein stattlicher, sportlich, aber nicht geckenhaft gekleideter Mann, an Jahren dem vierzigsten nahe. Schnürschuhe, Jagdstrümpfe. Er hat einen Riemen mit Lederflasche umgehängt. Im ganzen ist Flamm eine kernige, frische, lebenslustige, breitschultrig imponierende und durchaus sympathische Erscheinung. Nachdem er sich in gemessener Entfernung von Rose ebenfalls an der Böschung niedergelassen hat, blicken beide sich erst stumm an und brechen dann in ein unaufhaltsames Gelächter aus.

FLAMM *mit steigendem Übermut immer lauter und herzlicher heraussingend und dabei wie ein Kapellmeister Takt schlagend.*
> Im Wald und auf der Heide
> da such' ich meine Freude!

Ich bin ein Jägersmann!
Ich bin ein Jägersmann!

ROSE *hat, durch den Gesang zuerst erschreckt, dann immer mehr belustigt, aus der Verlegenheit heraus mehrmals hineingelacht.* Nee, aber Herr Flamm . . .

FLAMM *forsch.* Immer sing mit, Rosine!

ROSE. Ich kann ja nich singen, Herr Flamm.

FLAMM. Das is ja nich wahr, Rosine! Ich hör' dich doch oft genug singen im Hofe:

Ein Jäger aus Kurpfalz . . . Na!? —
der reitet durch den grünen Wald.

ROSE. Das Lied kenn' ich ja gar nich, Herr Flamm.

FLAMM. Du sollst nich immer Herr Flamm sagen! Na?

Mädel, ruck ruck ruck
an meine grüne Seite!

ROSE *ängstlich.* Die Kirchleute kommen ja gleich, Herr Flamm.

FLAMM. Laß se kommen! — *Er steht auf und nimmt aus dem hohlen Kirschbaum links seine Flinte.* Ich wer mir jedenfalls die Knarre wieder umhängen. So. Hut! Piepe! Nu kenn se kommen wegen mir. *Er hat das Gewehr umgehängt, den Hut mit Spielhahnfedern zurechtgesetzt, die kurze Tabakspfeife aus der Tasche und in den Mund genommen.* Sieh mal: knüppeldick Vogelkirschen. *Er hebt eine Handvoll Kirschen auf und weist sie Rose. Mit Kraft von innen heraus.* Rosine, ich wünschte, du wärst meine Frau!

ROSE. O jemersch, Herr Flamm!

FLAMM. Bei Gott, Rosine!

ROSE *mit ängstlicher Abwehr.* Aber nee, nee!

FLAMM. Rosine! Reich mir mal deine grundtreue, grundbrave Tatze her! *Er hält ihre Hand und läßt sich dabei nieder.* Bei Gott, Rosine! Sieh mal, ich bin ein verflucht eigentümlicher Kerl! Ich hab' meine Mutter ganz verflucht gerne, siehste wohl . . .

ROSE *verbirgt das Gesicht im vorgehaltenen Arm.* Ich tät egelganz in de Erde sinken.

FLAMM. . . . ich hab' meine Frau ganz verflucht gerne, sag' ich dir, aber — *die Geduld reißt ihm* — das geht se gar nichts an!!

ROSE *muß wiederum gegen ihren Willen lachen.* Nee, ieber Ihn aber o, Herr Flamm!

468

FLAMM *herzhaft bewundernd.* Mädel, du bist ein schönes Frauenzimmer! Ach, Mädel, du bist ein bildschönes Frauenzimmer!
Sieh mal an: Mutter . . . das is so 'ne eigentümliche Geschichte
mit Mutter und mir. Das läßt sich gar nich so einfach ausein-
anderpolken. Hennerjette, weißt du ja doch, is krank. Se liegt
seit geschlagenen neun Jahren im Bette oder kriecht vielleicht
mal in den Rollstuhl heraus. Na zum Donnerwetter, was soll
denn das mir nützen?! *Er faßt sie beim Kopf und küßt sie
heftig.*

ROSE *unter den Küssen erschrocken.* Die Kirchleute kommen!

FLAMM. Denkt niemand dran! Warum hast du's denn heute so
mit 'n Kirchleuten?

ROSE. Weil August doch o in der Kirche is.

FLAMM. Die Mucker sind immer in der Kirche! Wo soll'n denn
die Mucker anders sein? Rosine, 's is doch noch nich mal halb
elfe; wenn's aus is, fängt doch ooch's Lauten an. — Nee, nee!
Und um Mutter brauchst du nich Angst haben.

ROSE. Ach Christoph, die sieht een doch manchmal an, 's is
reene zum in de Erde sinken.

FLAMM. Du kennst eben meine Alte nich. Mutter is schlau, die
sieht durch drei Bretter! Aber deshalb . . . sie is ooch so gut
wie 'n Schaf. Und wenn die flugs wißte, was zwischen uns
is: 'n Kopf würde die uns noch lange nich abreißen.

ROSE. Nee! Nee! Ach, um Gottes wille, Herr Flamm!

FLAMM. Ach was, Rosine! 'ne Prise? Hm? *Er schnupft.* Ich sage
nochmal: Is mir alles ganz gleichgültig! *Mit Entrüstung.* Wo
soll schließlich 'n Kerl wie ich hin damit? Na, was denn?
Was is denn nun los, Rosine! Du weißt doch, wie ernst mir
die Sache is. Laß mich doch mal 'n bißchen drauflos pulvern.

ROSE. Herr Christoph, Sie sind aso gutt mit mir! *Sie küßt,
Tränen im Auge, inbrünstig aufwallend Flamms Hand.*
Aber . . .

FLAMM *einigermaßen betroffen.* Gut? Kunststück! Hol' mich der
Schinder, Rosine! Gut zu dir sein is gar nichts gesagt. Wenn
ich frei wäre, würd' ich dich heiraten. Ich bin 'n verfahrner
Kerl, sieh mal an! Von früheren Chosen gar nicht zu reden!
Ich passe vielleicht . . . ja, wer weiß nu, wohin!? Ich könnte
jetzt Oberforstrat sein! Und doch, wie der Alte starb: heidi
nach Hause! Karriere sofort an 'n Nagel gehängt. Ich bin
nu mal nich für den höheren Schwindel. Mir is alles hier noch

viel zu kultiviert. Blockhaus! Flinte! Bärenschinken! Und
wenn eener kommt: Ladung Schrot in 'n Hintern —

ROSE. Aber das geht doch halt nich, Herr Flamm! Und 's muß
doch amal ooch a Ende hab'n.

FLAMM *in sich hinein.* Himmel, Kreuz Schockschwerebrett nich
nochmal! Hat denn der Schwerenotsmucker nich Zeit? Bleibt
für den Kerl denn nich noch zu viel übrig? Nee, Mädel, den
führt' ich gehörig ab.

ROSE. Ich hab'n woll lange genug hingehalten. Über zwee Jahre
wart't a nu schonn. Nu drängt er mich eemal. A wart't ni
mehr! Und's kann o nu wirklich so ni mehr gehn.

FLAMM *wütend.* Das is alles Unsinn, versteht ihr mich! Bis
jetzt hast du für deinen Vater geschuftet, hast gar keine Ahnung, was leben heißt, und jetzt willst du dich noch bei dem
Buchbinder vorspannen. Das is 'ne Gemeinheit, sag' ich bloß:
einen Menschen so bis auf die Knochen ausnützen! Wenn du
weiter nichts willst, dazu is immer noch Zeit.

ROSE. Nee, Christoph . . . Das sagen Sie so, Herr Flamm! Aber
wenn Sie in solchen Umständen wären: Sie möchten woll auch
andrer Meinung sein. Ich weeß, wie wacklig der Vater is! De
Herrschaft hat uns die Wohnung gekindigt. 's soll, gloob ich,
'n neuer Kihschaffer rein! Und dann is das halt o sei Lieblings-
gedanke, daß endlich amal nu ane Ordnung wird.

FLAMM. Da soll doch dein Vater den Keil August heiraten!
Wenn er so vernarrt in den Menschen is. Er is ja förmlich
verbohrt in den Menschen. Das streift ja schon an Besessenheit.

ROSE. Sie sind eben ungerecht, Herr Flamm.

FLAMM. Sag lieber . . . Na was denn? Was sag' ich denn gleich?
Ich kann die Gebetbuchvisage nich riechen. Er kostet mich
Überwindung, der Mensch. Gott verzeih' mir's und dir hauptsächlich, Rosine! Weshalb soll ich vor dir denn nich offen
sein? Kann sein, daß er seine Meriten hat. Er soll sich ja wohl
sechzehn Groschen erspart haben. Deshalb kriecht man doch
nich in den Kleisterpott.

ROSE. Nee, Christoph! Reden Se bloß ni aso! Das darf ich
wahrhaftigen Gott nich mit anheeren! August hat o ausgestan-
den genug! Dem seine Krankheit und dem sei Unglicke, das
tutt een ja in de Seele leid.

FLAMM. Euch Frauenzimmer begreift einer nich! Eine kluge und
resolute Person, und dann plötzlich soll man auf einen Punkt

treffen, da staunt man, wie dumm ihr doch eigentlich seid. So stupide, weiß Gott, wie de Gans, wenn's donnert. In der Seele weh tun: was heißt denn das? Da kannst du ja ooch 'n Zuchthäusler heiraten: aus Mitleid oder aus Blödigkeit. Du sollst deinem Vater geheerig was uffmucken. Was geht denn dem August ab, sag eemal? Er is im Waisenhaus groß gewachsen und hat schließlich doch seinen Weg gemacht. Willst du nich, suchen se dem eene andre. Damit wissen die Brüder im Herrn ja Bescheid.

ROSE *mit Entschluß.* Ich will ni! Und 's muß eemal sein, Herr Flamm! Was de geschehn is, bereu ich nich, wenn ich o hab genug in der Stille mußt leiden. Ich meene, für mich aso in der Zeit. Mag's doch! Das is o jetz nich mehr zu ändern. Aber 's muß eemal nu o sei Ende han — und 's geht und geht nu nimehr asu weiter.

FLAMM. 's geht ni mehr! Sag mal: was heißt denn das?

ROSE. Halt weil's eben eemal ni anderscher is. Hinziehen kann ich 'n nu nimehr länger: das leid o der Vater weiter ni. Und a hat o deswegen ganz recht in der Sache. Ach Gott, Maria und Jesus Christ! 's mag meinethalben ni leichte sein! Aber wenn man's wird von der Seele hab'n . . . ich weeß ni — *sie faßt an ihre Brust* — man heeßt's, gloob ich, Herzgespann. Ich hab ordentlich manchmal richtig Herzschmerzen. Da muß een doch ooch wieder anderscher wern.

FLAMM. Na, dann is jetz weiter nich viel zu machen. 's is Zeit! Ich muß nu nach Hause gehn. *Er steht auf und wirft das Gewehr über die Schulter.* Auf Wiedersehn! Adje, Rosine. — *Rose starrt, ohne zu antworten, vor sich hin.* — Was is denn, Rosine? Auf Wiedersehn! — *Rose schüttelt den Kopf verneinend.* — Nich? Hab' ich dich etwa beleidigt, Rosine?

ROSE. Aber nimehr aso — wie jetz — Herr Flamm.

FLAMM *von plötzlicher Liebesraserei hingerissen.* Mädel, und wenn ich mich unglücklich mache . . . *Er umarmt und küßt sie leidenschaftlich.*

ROSE *nach einigen Augenblicken, jäh erschrocken.* Um Gottes wille! 's kommt eens, Herr Flamm.

FLAMM *bestürzt, springt auf, hinter den Busch und verschwindet. Rose steht schnell auf, streicht hastig das Haar und die Kleider zurecht, sieht sich angstvoll um, bemerkt niemand, nimmt*

alsdann die Hacke und beginnt das Kartoffelland zu bearbei-
ten . . .

Nach einem Weilchen kommt, von ihr nicht bemerkt, der
Lokomobilenmaschinist Arthur Streckmann im Sonntags-
staat. Er ist ein sogenannter schöner Mann, groß, breitschultrig,
in seinem Wesen von einer geckenhaften Gewichtigkeit. Er hat
einen langen, bis auf die Brust reichenden blonden Bart. Man
sieht an seiner Haltung, seiner Kleidung, die, vom rückwärts-
sitzenden Försterhütchen an bis zu den spiegelblank geputzten
Schaftstiefeln, dem Gehrock und der gestickten Weste, tadellos
ist, daß Streckmann außergewöhnlich viel sowohl von sich
hält als auch auf sich hält und daß er sich seiner besonderen
Schönheit vollkommen bewußt ist.

STRECKMANN *als ob er jetzt erst Rose bemerkte, mit geschraubt*
schönem Organ. Tag, Bernd Rosine!

ROSE *wendet sich erschrocken.* Tag, Streckmann! *Unsicher.* Wo
kommst'n du d'nn her? Aus der Kirche?

STRECKMANN. Ich hab' mich zeitlicher fortgemacht.

ROSE *erregt und mit Vorwurf.* Weg'n waas denn? Kunnt'st ni
aushalt'n de Predigt?

STRECKMANN *forsch.* Halt weil's aso scheen heute draußen is!
Ich hab' o mei Weib in der Kirche gelassen. Ma muß o amal
für sich selber sein.

ROSE. Ich tät lieber in der Kirche sein.

STRECKMANN. Weiber geheeren ooch in die Kirche.

ROSE. Du hast wull o Sünd'n genug uff'n Puckel! Du kennst
o deswegen was abbeten gehn.

STRECKMANN. Mit unsern Herrgott steh' ich sehr gutt! A nimmt's
ni sehr genau mit meinen Sinden.

ROSE. Na, na.

STRECKMANN. A bekimmert sich nich viel um mich.

ROSE. A eingebild'ter Laps bist du! — *Streckmann lacht voll*
und affektiert. Wenn du a richtiger Moan bist dahier, da
brauchst du dei Weib derheeme ni durchpriegeln.

STRECKMANN *mit leuchtenden Augen.* Erscht grade! Erscht recht!
Das geheert sich aso! Euch Weibern muß ma a Meister zeigen.

ROSE. Bild d'r ock keene Schwachheiten ein!

STRECKMANN. Jawull! Aso is! Was Recht is, muß Recht bleiben. Und
da bin ich o stets immer zum Ziele gekomm. — *Rose lacht ge-*
zwungen auf. — Die Leute sagen, du willst wegziehn von Flamm?

ROSE. Ich bin doch bei Flamm weiter gar nich im Dienste. Du siehst's ja, ich hab woll ernt andres zu tun.

STRECKMANN. Du hast doch erst gestern bei Flamm geholfen?

ROSE. Meinswegen! Ich helfe, ich helfe ni! Bekimmert ihr euch ock um eure Sachen.

STRECKMANN. Is's wahr, d'r Voter is umgezogen?

ROSE. Zu wem denn?

STRECKMANN. Zu Augusten ins Lachmannsche Haus.

ROSE. Das hat August ersch noch gar nich gekooft! Da wissen se mehr wie ich, de Leute.

STRECKMANN. Se sagen o jetz, ihr wollt balde Huxt machen.

ROSE. O red't ihr meinswegen immerzu!

STRECKMANN *nach einigem Stillschweigen, nachdem er sich ihr einige Schritte genähert hat, breitbeinig aufgepflanzt.* Recht haste! Das kommt o noch immer zurecht! A Prachtmädel wie du hat's ni ängstlich mit Heirat'n: die soll sich irscht richtig ausamisiern! Ich lacht'n ja ooch ins Gesicht nei. Und's mocht's ja dem Kerle a keener nich glooben.

ROSE *schnell.* Wer sagt's denn?

STRECKMANN. Keil August!

ROSE. August sagt's. Das hat a von dem verdammten Rum-red'n.

STRECKMANN *nach einigem Stillschweigen.* August ist zu a kräk-licher Kerl . . .

ROSE. Ich will nischt heern! Laßt ihr mich zufriede! Euer Ge-händel schert mich nischt! Da is eener akrat a soviel wert wie d'r andre.

STRECKMANN. Das heeßt!! Ock bloßig um Forsche nich.

ROSE. O jee! Deine Forsche, die kennt ma schonn. Ma braucht bloß a wing bei a Weibern rumheeren. Asu eener is woll ernt August ni.

STRECKMANN *lacht schwerenöterhaft.* Streit' ich das etwan?

ROSE. Das kennt'st du o ni.

STRECKMANN *scharf durch gekniffene Lider blickend.* Mit mir is eemal schlecht Kirschen essen. Was ich will bei am Weibe, das setz' ich o durch.

ROSE *höhnisch.* Na hee!!

STRECKMANN. Na hee! Was wett mer, Rosine! Du hast woll o oft schonn nach mir geschielt. *Er hat sich ihr genähert und will sie umfassen.*

473

ROSE. Bild d'r nischt ein, Streckmann! Bleib mer vom Leibe!

STRECKMANN. Wersch doch . . .

ROSE *stößt ihn zurück.* Streckmann!! Ich hab dirsch gesagt! Ich will von euch ganzem Mannsvolk nischt wiss'n. Geh deiner Wege!

STRECKMANN. Was tu' ich d'r denn? — *Nach einigem Stillschweigen, mit halb boshaftem, halb verlegenem Lachen.* Nu wart ock! Du kommst mer schonn noch amol! Ich sag' d'rsch: Du mußt mer schonn noch amol kumma! Magst du doch noch so sehr scheinheilig tun. Da steht a Kreuze! Da steht a Baum! Verpucht noch amol! Das sind so 'ne Sachen! Ich hab' manches ausgefressen, jawoll! Aber unter am Kreuze . . . Aso mecht' ma sprechen . . . Ich bin sonst ni aso, aber da schamt ich mich woll. Was wär' wull d'r Voter und August sagen? Zum Beispiel: der Birnbaum dahier, der is hohl. Nu also: hie hat ane Flinte gestand'n.

ROSE *hat unter der Arbeit immer mehr aufgehorcht. Nun unwillkürlich, wachsbleich und bebend.* Woas red'st du?

STRECKMANN. Nischte! Ich sag' weiter nischt. Aber wo eener gar keene Ahnung dran hat und tutt o mit gar keener Ader ni dran denken, da tutt sich aso eene schauderhaft.

ROSE *erschrocken, ihrer nicht mächtig, springt vor ihn hin.* Woas hast du gesoat?

STRECKMANN *ihren furchtbaren Blick aushaltend.* Ich soate: asu eene!

ROSE. Woas heeßt das: asu eene?

STRECKMANN. Das heeßt weiter nischt.

ROSE *ballt die Fäuste, durchbohrt ihn in einer ungeheuren Aufwallung von Wut, Haß, Angst und Bestürzung mit den Augen, bis sie im Gefühle ihrer Ohnmacht die Arme sinken läßt und fast wimmernd die Worte hervorstößt.* Ich wer mir mei Recht schonn verschaffen dahier! — *Den rechten Arm vor die weinenden Augen haltend, mit der Linken die Schürze heraufnehmend und sich schneuzend, begibt sie sich schluchzend und gebrochen an ihre Arbeitsstelle zurück.*

STRECKMANN *blickt ihr noch mit dem alten Ausdruck boshafter Kälte und Entschlossenheit nach. Allmählich aber setzt bei ihm ein unwillkürliches Lachen ein, das sich zu einem lauten Ausbruch Bahn bricht.* Das is ni and'rsch! Mach d'r nischt draus. Was denkst du ock eegentlich von mir, Bernd Rose? Was denn?

Was hat's denn? Das schad't doch ernt nischt!? Warum soll
man a Leuten kee X fer a U machen? Weshalb denn ni? Warum sein s' aso tumm! Die de das kenn, das sein mir de liebsta
Frauvelker! Freilich, enner wie ich bin, der weeß Bescheid!
Gloobste's, ich hab' das schonn immer gewußt.

ROSE *außer sich.* Streckmann! Ich tu mer a Leed's a! Verstanden!
Oder geh von dem Ackerfleckl weg! Iich bin . . . mir is . . .
's passiert a Unglicke! —

STRECKMANN *sitzt am Rain, schlägt sich mit den flachen Händen
auf die Knie.* Nu jemersch, ock jemersch! Jeses, nee nee! Ich
wer woll glei gehn und dich ieberall ausrichten? Dich ieberall
durch a Hechel zerr'n? Was geht denn das mich an, mecht'
ich bloß wissen, was du fer Fahrten und Zicken machst.

ROSE. Ich häng mich d'rheeme an a Stubenbalken! Schubert
Mariele hat's o so gemacht.

STRECKMANN. Mit der, das war a ganz and'r Ding! Die hat
andre Collazien hat die verbrochen! Und ich hab' ieberhaupt
nischt mit'r gehabt. Aso was is lange noch nich zum Uffhängen.
Da gäb's woll längst keene Weiber ni mehr! Das is ebens,
wie's ebens ieberall is: ma sitt, wo man hinsitt, es is eemal
ni andersch. Nu ja . . . ma muß lachen! Mehr is weiter nich.
Wie sitt bloßig dei Voter von oben runter! A schielt een'n ei
Grund und Boden nei! Da is ma . . . da mecht' man sich reene
verkriech'n, weil man manchmol a bißl nischnitzig is. Nu da!
Kehr du ock vor deiner Tiere!

ROSE *zitternd in Angstschweiß.* O Jesus Maria und Joseph, nee
nee!

STRECKMANN. Nu sag mir amol, hab' ich etwa ni recht, ihr hatt
doch's Frommtun mit Leffeln gefressen: Keil August, d'r Vater
und du d'rzu!? Mit der Bigotterie kann ich freilich nich mitmachen.

ROSE *mit neuem, verzweifeltem Anlauf.* Das is an Liiche, du
hast nischt gesehn . . .!

STRECKMANN. Was? nischt gesehn? Nu verknucht noch amol!
Da muß ich getraumt han! Ich weeß nu nich andersch! Wenn
das ni Flamm-Schulze von Dießdorf war! Ich ha heute noch
kee Treppla getrunka. Hoot a dich ni bei a Zeppa kutschiert?
Hoot a dich ni ei de Weida geschmissa? — *Mit unbändigem
Gelächter.* Er hoot dich woll urntlich beim Kuppe gehoat?

ROSE. Streckmann! Ich schlo d'r a Schadel ei!

STRECKMANN *immer noch lachend.* Na heer ock! Was denn? Du werscht doch nich etwan! Weshalb denn ni? Ich verdenk' d'rsch ni. Wer zuerscht kommt, mahlt zuerscht: das is hier ni andersch. Bloß wenn a's ernt wißte, da säh'g ich ni hin.

ROSE *ohnmächtig weinend und wimmernd, dabei krampfhaft arbeitend.* Darf sich asu a Kerl asu was rausnahma?

STRECKMANN *brutal, wütend.* Du nimmst dir was raus! Ich nahm' mir nischt raus! Ich weld' mir ju gerne genug o was rausnahma: wo Flamm-Schulz hiereicht, komm' ich o no mit.

ROSE *fassungslos schreiend und weinend zugleich.* Ich hab mich mei Lebtag orndtlich gehalten! 's soll eener kommen und red't mir was nach! Ich hab drei kleene Geschwister versorgt! Ich bin morgens um drei bin ich uffgestanden! Ich hab mir kee Treppla Milch nich vergönnt! Das wissen de Menschen! Das weeß jedes Kind . . .

STRECKMANN. Deswegen brauchst du kenn suna Lärm macha! De Kirchleute kumma, se läuten schonn. Du kannst umgänglich mit an Mensch'n sein! Ihr tutt ja grade vor Hochmutt platza. Kann sein . . . 's sieht ju o oll's d'rnach aus! Ich wer o das weiter ni etwan verreden, daß du urd'ntlich rackern und knausern kannst. Aber suster seid ihr ni mehr wie mir andern.

ROSE *in höchster Angst in die Ferne blickend.* Is das ni August, der dorte kommt?

STRECKMANN *blickt in der gleichen Richtung gegen das Kirchdorf. Mit Geringschätzung.* Wo denn? Nu freilich! Das sein die zwee beeda! Se stiefeln grade ums Pfarrgartla rum. Nu was denn? Du meenst woll, ich sollde mich furtmacha? Vor den Gebetbichla-Hengsta fürcht' ich mich nich!

ROSE *in fliegender Angst.* Streckmann, ich hoa mir zwelf Toler eriebricht . . .

STRECKMANN. Rosinla, du hust dir viel mehr derspart!

ROSE. Nu gutt! Ich geb d'r mei ganzes Bißla! Ich schmeiß d'r doas ganze Gelumpe hin! Ich bring dirsch uff Heller fer Pfennig, Streckmann, ock hab du Derbarma . . . *Sie sucht flehentlich seine Hände zu ergreifen, die er zurückzieht.*

STRECKMANN. Ich nehme kee Geld.

ROSE. Streckmann!!! Um oall's ei d'r Welt, nee nee . . .

STRECKMANN. Nu mecht' ich bloß sehn, ob du wirscht zur Vernunft kumma.

ROSE. Wenn doas e Mensch im Dorfe derfährt . . .

STRECKMANN. Das leit bei dir. Das braucht kee Mensch wissa. Du brauchst bloß ni druff anlegen, do heert keener nischt. — *Verändert, leidenschaftlich.* Nu was denn? Ich bin ebens vernarrt ei dich . . .

ROSE. In welches•Frovolk tät'st du ni vernorrt sein!

STRECKMANN. Nu gutt! Das kann ich ni ändern dahier. Wo unsereens hinkommt mit d'r Dreschmaschine, uff all den Gietern eim Lande rum, da braucht eener o ni fer Nachrede sorg'n. Ich weeß am best'n, wie's mit mir steht. Eh Flamm kam — vu Augusten red' ich ni! — hatt' ich schon a Auge uff dich geschmissa! Was ich dadran gewirgt hab', das weeß keener nich. *Mit eisernem Eigensinn.* Aber sull mich d'r Teifel ärschlich hull'n . . . mag's doch! 's kommt, wie's kommt, Rosine! Zu spaßa is weiter jetzt mit mir ni! — 's is m'r eemol jitzt ieber a Weg gelauf'n!

ROSE. Was denn?

STRECKMANN. Das wirscht du schonn balde sahn.

Auf dem Feldwege kommt Marthel, die jüngere Schwester Roses, gesprungen, sauber und sonntäglich gekleidet. Sie ist noch ausgesprochen ein Kind.

MARTHEL *ruft.* Rose, bist du's? Was machst du denn hier?

ROSE. Ich muß doch das Fleckel noch fertig hacken. Warum habt ihr's am Sonnabend liegen gelassen!

MARTHEL. O Jeeses nee, Rosla, wenn Vater kommt!

STRECKMANN. Wenn's was einbringt, wird a d'r a Kopp ni abreißen! Da kennt ma doch etwa a alten Bernd.

MARTHEL. Wer is denn das, Rosla?

ROSA. O frag mich ni!

Auf dem Feldwege vom Kirchdorfe her kommt der alte Bernd in Gemeinschaft mit August Keil. Beide, sowohl der alte weißhaarige als auch der jüngere, etwa fünfunddreißigjährige Mann, sind im schwarzen Sonntagsstaat, und jeder trägt in der Hand das Gesangbuch. Der alte Bernd ist weißbärtig, sein Organ ist weich, ähnlich, als ob er früher einmal ein schweres Lungenleiden überstanden hätte. Er sieht ungefähr aus wie ein ausgedienter, würdiger herrschaftlicher Kutscher. August Keil, der Buchbinder ist, hat ein bleiches Gesicht, dünnen, dunklen Schnurrbart und Spitzbart, schon stark gelichtetes Haupthaar und mitunter zuckende Bewegungen. Er ist mager, engbrüstig, und die ganze Gestalt verrät den Stubenhocker.

BERND. Is das ni de Rusla?

AUGUST. Jawohl, Vater Bernd.

BERND. Das is dem Mädel ni auszutreiben: wenn's ieber se kommt, muß se rackern gehn! 's is nu wochentags oder am Feiertage. — *Schon nahe bei ihr.* Is ei der Woche denn ni dazu Zeit?!

AUGUST. Du iebertreibst, Rose! Das is ni neetig.

BERND. Wenn das unser guter Herr Pastor säh'g, das tät'n ja in der Seele bekimmern. A traute gewiß seinen Augen ni.

AUGUST. A hat o wieder gefragt nach dir.

STRECKMANN *anzüglich.* 's heeßt ja o, er will se fer Wirtschaftern annehm!

BERND *sieht ihn jetzt erst.* Das is ja Streckmann!

STRECKMANN. Aso lang wie a iis! Das Mädel is fleißig trotz Omsa und Bien'n! Und wenn ihr de Rippa eim Leiba zerbrecha. Zum ei d'r Kirche schlofa hat die ni Zeit.

BERND. Dorte schloaf'n wir beede a woll schwerlich dahier! Ehnder denk ich, daß and're hier draußen schlafen, die de leider no nich geweckt woll'n sein. D'r Bräutigam is nahe . . .

STRECKMANN. Das stimmt wie geschmiert. Aber de Braut gieht d'rweil ei de Wick'n.

AUGUST. Du bist ju recht spoßig uffgelegt.

STRECKMANN. Das stimmt o: ich kennde an'n Prellsteen umarma . . . meinswegen an'n Klingelbeutelstiel! Mir is ganz verknucht uchsamäßig zumute. Ich lach' m'r de Plautze zum Halse raus.

BERND *zu Rose.* Leg zusamma, mir woll'n zu Hause gehn! Asu nich! Asu geh ich ni heem mit dir! — Leg du de Hacke dort ei a Kirschbaum! Dad'rmit gäb ma a bieses Ärgernis.

AUGUST. Andere laufen sogar mit d'r Flinte rum.

STRECKMANN. Und andre Teifel sogar mit d'r Schnapsflasche. *Er zieht seine Schnapsflasche.*

AUGUST. Das tutt jeder uff eegne Verantwortung.

STRECKMANN. Stimmt! Und derzune uff eegne Kost'n. Kumm, faß d'r a Herze und trink amal mit! *Er reicht die Flasche Augusten, der ihn nicht beachtet.*

BERND. Du weeßt ja, August trinkt nie keenen Schnaps! — Wo steht denn de Dreschmaschine jetzt?

STRECKMANN. Aber Ihr, Vater Bernd, Ihr mißt m'r Bescheid

tun! Wovor seid Ihr denn Branntweinbrenner gewest? — De
Maschine steht uff'n Dominium unten.

BERND *nimmt zögernd die Flasche.* Weil Ihrsch seid, Streckmann,
suster tät ich's ni! Wie ich noch uff'n Dominium war als Verwalter, da mußt ma ja alles machen. Aber gerne hab ich keen
Schnaps ni gebrannt, und ei der Zeit hab ich erscht recht ni
getrunken.

STRECKMANN *zu August, der eine daliegende Schaufel in den
Kirschbaum stellt.* Immer siehch d'r amal den Kirschbaum an!
Piff, paff, puff! Brauchst bloß oanleg'n und lusdricka.

BERND. 's gibt Menscha, die giehn sonntags uff de Jagd.

STRECKMANN. Flamm-Schulze.

BERND. Ebens! Mir hoan a getroffa! 's is schlimm! Um die Leute
tutt's een leed! *Streckmann bewirft Rose mit Maikäfern.*

ROSE *zitternd.* Streckmann!

BERND. Was hat's denn?

AUGUST. Was soll denn das sein?!

STRECKMANN. Nischte! Mir hoan a Hihnla zu pflicka!

AUGUST. Pflick deine Hihnla, mit wem du willst! O assa koanst
se meinswegen alleene.

STRECKMANN *tückisch, feindlich.* Nimm dich in acht, August,
uffgepaßt!

BERND. Friede! Verträglich! In Gottes Namen.

STRECKMANN. Die Kräte pufft immer glei uba raus!

AUGUST. Ane Kräte is der, der im Groba liegt.

STRECKMANN. August, mir wull'n verträglich sein. Der Vater
hat recht, mir wull'n uns beliebt macha! Das is o ni christlich,
wie du glupscht! Kumm her! Trink miit! Mir trinka amal!
Hibsch biste ja ni, das muß d'r d'r Neid lussen, aber mit
Lasen und Schreiben tuste Bescheid wiss'n und hust o dei
Lämmla ins Trockne gebracht. Nu also, ihr sullt balde fröhliche Huxt mach'n! *Bernd nimmt, weil August keine Miene
macht, die Flasche und trinkt.* Das rechn' ich mir aber o, Vater
Bernd.

BERND. Uff an frehliche Huxt, da macht ma ane Ausnahme!

STRECKMANN. Akurat! Das geheert sich! Aso is recht! Das is
ni, als wenn ich noch Anspanner wär', wie dazumal uff'm
Dominium drieben, wo Ihr mich habt unter d'r Fuchtel gehabt.
Heute bin ich woll repetierlich gewor'n. Wer eemal Kopp hat,
der tutt sein'n Weg machen.

BERND. Nu ja, wie Gott ebens Segen verleiht! — *Zu August.*
Trink amal mit uff an fröhliche Huxt!

AUGUST *nimmt die Flasche.* Die soll Gott geben, dadruff braucht
ma nich trinken.

STRECKMANN *mit den Händen seine Schenkel schlagend.* Und
kleene Augustla soll er geb'n! Daß de Großvater kann seine
Freude erleb'n! Und der Ältste von all'n soll Schulze wern! —
Jetze lußt aber Rosla a amal mittrinka.

BERND. Du flennst ja, Rosla, was hat's denn mit dir?

MARTHEL. 's tutt ihr ock immerzu aus a Auga truppa.

AUGUST *zu Rose.* Trink an'n Schluck, doß er a Will'n hat!

ROSE *nimmt mit größter Überwindung und angeekelt die Flasche.*

STRECKMANN. Na hopp! Immer lustig! runder d'rmit!

ROSE *trinkt zitternd und reicht die Flasche in unverhohlenem
Ekel an August zurück.*

BERND *leise mit Vaterstolz zu Streckmann.* Das is a Mädel! Die
soll a sich warm halten.

ZWEITER AKT

*Die große Wohnstube im Hause des Erbscholtiseibesitzers
Flamm. Der große, niedrige Raum, der zu ebner Erde liegt,
hat eine Tür nach rechts in den Hausflur. Eine zweite Tür in
der Hinterwand verbindet das große Zimmer mit einem klei-
neren, das Herr Flamm seine Jagdkammer nennt. Es sind darin
Vorrichtungen zur Anfertigung von Patronen; Kleider und Ge-
wehre hängen an der Wand, ausgestopfte Vögel, die man bemerkt, wenn die Tür geöffnet wird, und der standesamtliche
Aktenschrank. Der große Wohnraum macht mit seinen drei
Fenstern auf der linken Seite, seiner braunen Balkendecke und
seiner übrigen Einrichtung einen wohnlichen und behaglichen
Eindruck. Links in der Ecke steht ein großes, altmodisch ge-
blümtes Sofa, davor ein eichener, dunkel gebeizter Auszieh-
tisch. Über dem Sofa an der Wand, dicht beieinander, Hirsch-
geweihe und Rehgehörne. Über der Jagdkammertür hängt ein
Glaskasten mit einer ausgestopften Rebhuhnfamilie. Weiter
nach rechts zunächst dieser Tür das Schlüsselbrett mit Schlüsseln
daran. Nicht weit davon ein Glasschrank dicht mit Büchern
gefüllt. Auf diesem Glasschrank steht ein ausgestopfter Uhu,*

neben dem Glasschrank hängt an der Wand eine Kuckucksuhr.
Ein großer, bläulich gesprenkelter Kachelofen nimmt die rechte
Ecke des Raumes ein. Vor den drei Fenstern der Linkswand
blühende Blumenstöcke. Das Fenster in der Nähe des Tisches
steht offen. Auch das andere weiter nach vorn. Vor diesem
Fenster sitzt im Rollstuhl Frau Flamm. Die Fensterchen haben
Mullgardinen. Unweit des vordersten Fensters eine alte, ge-
schweifte Kommode mit Spitzendecke, Gläsern und allerhand
Familienerinnerungen, Nippes und dergleichen darauf. An der
Wand darüber Familienphotographien. Zwischen Ofen und
Flureingang, mit der Klaviatur zum Ofen gekehrt, steht ein
alter Flügel mit gesticktem Sessel. Über dem Klavier mehrere
Kästen mit Schmetterlingssammlung. Vorn rechts ein hellpolier-
ter Rollschreibtisch, davor ein einfacher Stuhl. Mehrere solcher
Stühle, dicht bei dem Schreibtisch, an der Wand. Zwischen den
Fenstern ein alter, mit braunem Leder bezogener Großvaterstuhl.
Über den Tisch herab hängt eine große englische Hängelampe
mit breitem Messingrand. Über dem Rollschreibtisch an der
Wand befindet sich die große Photographie eines fünfjährigen
hübschen Knaben in einfachem Holzrahmen. Das Bildchen ist
von einem Kranz frischer Feldblumen eingefaßt. Eine große
gläserne Schale mit Vergißmeinnicht darunter, die in feuchten Sand
gesteckt sind. Herrlicher Spätfrühlingstag gegen elf Uhr früh.
Frau Flamm ist eine matronenhaft aussehende, anziehende Frau
von vierzig Jahren. Sie trägt ein glattes, schwarzes Alpakakleid
mit altmodischem Blusenschnitt, ein weißes Spitzenhäubchen auf
dem Kopf, ein Spitzenkrägelchen um den Hals, und ihre ab-
gezehrten und feinen Hände sind halbbedeckt von Spitzen-
manschetten. Ein Buch und ein dünnes Batisttaschentuch liegen
in ihrem Schoß. Das Gesicht der Frau Flamm hat große, impo-
nierende Verhältnisse. Ihre Augen sind hellblau und durch-
dringend, die Stirn hoch, die Schläfe breit. Ihr Haar ist bereits
grau und dünn, sie trägt es in korrektestem Scheitel. Sie streicht
es zuweilen leicht mit den Fingerspitzen der flachen Hand zu-
rück. Der Ausdruck ihres Gesichtes verrät Wohlwollen. Der
Ernst ist ohne Härte darin. Um Auge, Nase und Mund spielt
viel Schalkhaftigkeit.

FRAU FLAMM *blickt nachdenklich ins Freie, seufzt, vertieft sich*
ins Buch, horcht alsdann, schließt das Buch, nachdem sie ein

Buchzeichen hineingelegt, wendet sich nach der Tür und spricht mit gesteigerter und sympathischer Stimme. Immer wer draußen is ... ock immer rein! — *Es klopft, die Flurtür öffnet sich ein wenig, und der Kopf des alten Bernd wird sichtbar.* Na, wer denn? Das is woll d'r Vater Bernd, unser Waisenrat und Kirchenvorsteher. Immer kommt ock, ich beiße Euch nicht, Vater Bernd.

BERND. Mir wollden gern a Herr Leutnant sprechen. *Er tritt ein, ihm folgt August Keil, beide sind wiederum sonntäglich gekleidet.*

FRAU FLAMM. Na, na! Das sieht ja sehr feierlich aus.

BERND. Gu'n Morg'n, Frau Leutnant!

FRAU FLAMM. Scheen gut'n Tag, Vater Bernd! Mein Mann war vorhin in der Jagdkammer drinne. *Mit Bezug auf August.* Da is ja auch der Herr Schwiegersohn?

BERND. Jawohl, mit Gottes Hilfe, Frau Flamm.

FRAU FLAMM. Nu da nehm Se ock Platz! Da woll'n Se woll anmelden? Nu soll's woll endlich amal vor sich gehn?

BERND. Jawohl, 's is Gott sei Dank nu so weit.

FRAU FLAMM. Das freut mich! Das Warten führt ja zu nischte! Wenn's eemal sein soll, kurzen Prozeß! Da hat se sich nu entschlossen?

BERND. Jawohl! Und mir is auch jetz wirklich a Stein von der Seele. Se hat ja a langes Gewirge gemacht. Jetze drängt se dazu aus freien Sticken. Lieber heute wie morgen soll Hochzeit sein.

FRAU FLAMM. Das freut mich, Herr Keil! Das freut mich ja, Bernd! — Christel! — Ich denke, mein Mann wird gleich komm! — Also wär' das nu o ins Gleise gebracht. Nu, Vater Bernd, da kennt Ihr von Glick sagen! Da mißt Ihr ja nu sehr zufrieden sein.

BERND. Nu 's is auch! Se haben auch recht, Frau Flamm! Vorgestern haben wir gesprochen zusamm. Und da hatt Gott sogar noch mehr Segen gegeben: dann is August beim Gnadauer Freilein gewest, und die is aso ieberaus mildtätig gewesen und hat'n dreitausend Mark geborgt. Dad'rmit hat a nu kenn das Lachmannsche Haus kaufen.

FRAU FLAMM. Ach, wirklich! Is das die Möglichkeit! Nu da haben Sie's wieder amal, Vater Bernd: wie Se von der Herrschaft entlassen wurden ohne a Stickel Gnadenbrot, da war'n Se ver-

zagt und hoffnungslos; 's war ja auch ane richtige Gemeinheit!
— Nu hat Gott doch alles zum Gutten gekehrt.

BERND. Aso is! Der Mensch is halt immer kleinmittig.

FRAU FLAMM. Nu da! Da sein Se ja scheene raus! Erschtlich liegt
ja das Haus direkt vor der Kirche, und dann is auch das scheene
Stick Land ja dabei! Und Rose — das dächt' ich! — versteht
zu wirtschaften. Nee, nee, da kenn Se zufrieden sein.

BERND. Was so eine Dame fer Segen stift! Nächst Gott, wem
hat man's am meisten zu danken? Wär ich beim Gnadauer Freilein im Dienst gestanden und hätt mich für die so rungeniert
wie hier im Dienst von unser Herrschaft, da mecht ich woll ni
zu klagen haben.

FRAU FLAMM. Sie haben jetz nich mehr zu klagen, Bernd.

BERND. Beileibe, gewiß nich! In eener Art ni.

FRAU FLAMM. Uff Dankbarkeit kann man im Leben nich rechnen. Mei Vater war vierzig Jahr Oberferster, und Mutter hat
doch hernachert gedarbt. Sie haben jetz an braven Schwiegersohn! Sie kenn in am netten Hause wohn und haben sogar
Ihre Landarbeit. Daß all's orndlich vorwärts statts rückwärts
geht, dafier lassen Sie ock Ihre Kinder sorgen!

BERND. Das hofft man wahrhaftig o ganz gewiß! Sehn Se, da
zweifle ich mitnichten dran. Wer sich aso hat ruffgearbeit,
erschtlich mit Schriftenkolpotieren . . .

FRAU FLAMM. Wollten Sie nich auch mal Missionar werden?

AUGUST. Da war leider meine Gesundheit zu schwach.

BERND. . . . mit Schreiben und Lesen und Handwerklern, und
dabei asu christlich und rechtschaffen is, da kann ich mei Haupt
ganz geruhigt hinlegen, und wenn's flugs zum letzten Schlafe is.

FRAU FLAMM. Wißt Ihr denn ieberhaupt, Vater Bernd, daß mein
Mann seine Standesamtssachen abgibt? Eure Rose wird a woll
schwerlich noch traun.

BERND. Se sind uff'n Raspe . . .

FRAU FLAMM. Ich weeß woll, ich weeß! Rose hilft ja ooch mitte.
Se is heute morgen schonn bei mir gewesen. Wenn Se mal gehn
woll'n — glei hinterm Hofe. — Christel! Da is a.

FLAMM *unsichtbar, ruft.* Zur Stelle! Sofort!

FRAU FLAMM. Standesamtliche Sachen.

*Flamm, ohne Rock und Weste, erscheint in der Jagdkammertür.
Sein glänzend weißes Hemd steht vorn offen. Er ist damit beschäftigt, den Doppellauf einer Jagdflinte zu reinigen.*

FLAMM. Jawohl. Der Maschinist Streckmann war eben hier. Ich mechte am liebsten gleich ausdreschen lassen. Die Maschine steht auf 'm Dominium. Aber da sind se noch lange nich fertig. Herr Gott, ja! Da is ja d'r Vater Bernd.

BERND. Jawohl, Herr Flamm, wir sind hergekommen. Wir wollten —

FLAMM. Eins nach 'n ander! Geduld! *Indem er die Flintenläufe vor die Augen hält.* Wenn Ihr Standesamtschosen habt, Vater Bernd, da solltet Ihr lieber 'ne Weile noch warten. Mein Nachfolger wird Rendant Steckel sein, der nimmt das bedeutend feierlicher.

FRAU FLAMM *die, ihre Häkelnadel am Kinn, ihren Mann aufmerksam betrachtend, zugehört hat.* Nee, Christel, was red'st 'n du da fier Zeug!

AUGUST *bleich von Anfang an, ist bei Erwähnung Streckmanns noch bleicher geworden, nun erhebt er sich feierlich und erregt.* Herr Leutnant, ich will eine Trauung anmelden. Ich bin mit der Hilfe Gottes bereit, in den Stand der heiligen Ehe zu treten.

FLAMM *nimmt die Gewehrläufe von den Augen, sagt obenhin.* Das is woll nich meeglich! Pressiert d'nn das so?

FRAU FLAMM *mit Humor.* Was geht denn das dich an, Christel, nee, nee! Laß du doch de Menschen geruhigt heiraten! Du bist schon d'r richtige Prediger, du! Wenn's dem Manne nach ginge, Vater Bernd, gäb's nischt wie bloß ledige Mannsen und Weibsbilder.

FLAMM. Die Ehe is auch bloß 'n Gimpelfang. Sie sind doch der Buchbinder August Keil?

AUGUST. Zu dienen!

FLAMM. Sie wohnen in Wandriß drüben? Und hab'n das Lachmannsche Haus gekauft?

AUGUST. Zu dienen!

FLAMM. Sie woll'n einen Buchladen einrichten?

AUGUST. Buch- und Papierladen. Ja. Vielleicht.

BERND. Hauptsächlich denkt a, Erbauungsschriften.

FLAMM. Zu dem Lachmannschen Haus gehört doch auch Land. Das muß doch beim großen Birnbaum sein?

BERND UND AUGUST *gleichzeitig.* Jawohl.

FLAMM. Da grenzen wir ja aneinander. *Er legt die Gewehrläufe weg und sucht in den Taschen nach einem Schlüsselbund, hernach ruft er hinaus.* Minna! Schiebe mal die Frau Leutnant raus!

Er nimmt, einige Unruhe verratend, aber mit Resignation, am Schreibtisch Platz.

FRAU FLAMM. Ein sehr ein chevalresker Mann! A hat aber recht! Ich bin ieberflissig! *Zu dem proppen Stubenmädchen, das hereinkommt und sich hinter sie gestellt hat.* Mädel, schieb mich ock in de Jagdkammer rein. Du kannst d'r dei Haar o amal besser uffstecken. *Frau Flamm und das Mädchen ab in die Jagdkammer.*

FLAMM. Mir tun die Lachmannschen Leute leid! — *Zu Keil.* Sie hatten Ersparnisse auf dem Grundstück? — *Keil hustet erregt und verlegen.* Na schließlich ist das ja einerlei! Wer das Grundstick hat, kann sich gratulieren. Sie wollen also . . .? Da fehlt ja die Braut? Wie denn? Die Braut ist wohl widerspenstig?

AUGUST *sehr erregt und entschlossen.* Mir sein uns einig, soviel ich weiß.

BERND. Ich geh und hol se herzu, Herr Flamm. *Schnell ab.*

FLAMM *der sichtlich zerstreut den Rollschreibtisch geöffnet hat, bemerkt zu spät Bernds Verschwinden.* Unsinn, das eilt ja deswegen noch nich. — *Er blickt konsterniert einige Augenblicke nach der Tür, hinter der Bernd verschwunden ist, dann zuckt er die Achseln.* Macht, was ihr wollt, tut, was ihr sollt! Ich will mir doch aber 'ne Pfeife angokeln. — *Er steht auf, nimmt aus dem Bücherschrank einen Tabaksbeutel, von der Wand eine kurze Pfeife, stopft sie und zündet an. Dabei zu August.* Rauchen Sie?

AUGUST. Nein.

FLAMM. Und auch schnupfen nich?

AUGUST. Nein.

FLAMM. Und Sie trinken kein Bier, keinen Schnaps, keinen Wein?

AUGUST. Nichts außer dem Wein beim Abendmahle.

FLAMM. Eiserne Grundsätze! Musterhaft! — Herein! — Es hat doch geklopft? Oder nich? Das sind die verfluchten Tackel gewesen! Sie quacksalbern manchmal zum Zeitvertreib? — *August schüttelt den Kopf.* Ich dachte, Sie heilen vielleicht durch Gebet! Mir is so, als hätt' ich geheert von der Sache.

AUGUST. Das wär' wohl was anders als Quacksalberei.

FLAMM. Wieso?

AUGUST. Der Glaube kann Berge versetzen. Und was man bittet im rechten Geist, da is der Vater auch heut noch allmächtig.

FLAMM. Herein! — Es hat doch schon wieder geklopft? Herein!

Herein! In Dreideibelsnamen! *Der alte Bernd, selbst sehr bleich, drückt die bleiche und widerstrebende Rose herein. Sie und Flamm sehen einander einen Augenblick lang fest in die Augen. Danach fährt Flamm fort.* Schön! Warten 'n kleinen Augenblick! — *Er geht, wie um etwas zu holen, in die Jagdkammer.*

Die nachfolgende Auseinandersetzung zwischen Bernd, Rose und August geschieht im heftigen Flüstertone.

BERND. Was hat denn Streckmann zu dir gesagt?

ROSE. Wer denn? Nee, Vater . . .

BERND. Streckmann war draußen. A hat immer in se reingered't.

ROSE. Nee, was soll a ock in mich neingered't haben?

BERND. Das frag ich dich eben.

ROSE. Und ich weeß ebens nich.

AUGUST. Du sollst dich mit so an Schubiack nich einlassen!

ROSE. Kann ich was derfier, wenn a mit mir red't?

BERND. Nu da siehst's doch, daß er mit dir gered't hat.

ROSE. Nu wenn o; da hab' ich nich druff geheert —

BERND. Den Streckmann, den wär ich noch miss'n anzeigen. Ich wer'n noch amal miss'n verklagen. Da mer vorhin vorieber ging'n, wo se arbeiten tun mit d'r Dreschmaschine — heert 'rsch, nu fang se wieder an! — *man hört das ferne Summen und Dröhnen der Dreschmaschine —*, da hat er uns irgend was nachgerufen. Was, hab ich bloß ebens nich deutlich geheert.

AUGUST. Wenn a Mädel mit dem zwee Worte red't, da is o ihr guder Ruf schon zuschanden.

ROSE. Da such du d'r ock ane Bessere aus!

FLAMM *tritt wieder ein. Er hat einen Kragen umgelegt und ein Jagdjackett angezogen. Sein Wesen ist fest und gesetzt.* Allerseits guten Morgen! Was steht nu zu Diensten? Wann soll nun also die Trauung sein? Was gibt's denn? Ihr seid wohl nich einig mitnander? Da red' doch mal einer gefälligst ein Wort! Na, Leute, dann seid ihr wohl noch nich so weit!? Ich will euch da mal 'n Vorschlag machen: geht nach Hause, beschlaft's euch noch mal! Und wenn ihr schlüssig seid, kommt ihr wieder.

AUGUST *diktatorisch.* Die Sache wird jetzt ei Ordnung gebracht.

FLAMM. Ich habe gewiß nichts dagegen, Keil! *Im Begriff, mit einem Bleistift die Notizen zu machen.* Also: wann soll dann die Sache stattfinden?

BERND. Aso bald wie's eben meeglich wär, dachten wir halt.

AUGUST. Ei vier, fünf Wochen, jawohl, wenn's sein kennte.

FLAMM. Schon in vier, fünf Wochen?

AUGUST. Jawohl, Herr Flamm!

FLAMM. Dann bitt' ich um den genauen Termin! Es geht ja nicht übers Knie zu brechen, und . . .

ROSE *in peinlicher Erregung, unwillkürlich.* 's hätte o gutt noch a bißl Zeit!

FLAMM. Was meinst du? Was meinen Sie, wollt' ich sagen. Wir kennen uns ja von Kindheit an. Aber wenn eine Braut ist, duzt man nich mehr. Also bitte: Sie ist, scheint's, nich einverstanden.

AUGUST *der bei der Äußerung Roses zusammengefahren ist, hat sie von da ab angestarrt. Jetzt kämpft er seine Erregung nieder und sagt mit unheimlicher Ruhe:* Nu also! Lebt wohl und gesund, Vater Bernd!

BERND. Hier bleibst du, August, sag ich d'r bloßig! *Zu Rose.* Und du! Dir will ich amal was sagen! Entweder — oder! Verstehst du mich! Ich hab lange Geduld gehabt mit dir! Und August ooch mehr, wie neetig is! Wir haben deine Mucken uff uns genommen. Wir dachten immer: Geduld, Geduld! Unser Herrgott wird se schon noch zu Vernunft bring'n. Aber es wird immer schlimmer und schlimmer mit dir. Vor drei Tagen hast du's mir in die Hand gelobt und hast Augusten o de Hand druff gegeben, und du selber konnt'st 's gar ni derwarten dahier. Heute willste davon wieder nischte wiss'n. Was heeßt das? Was denkst du'n eegentlich von dir? Denkst du, du kannst dir alles rausnehmen, weil du a jung proper Mädel bist? Weil du uff dich gehalten hast und arbeitsam bist und weil dir kee Mensch ni kann etwa was nachreden? In der Art bist du die eenzige nich. Das geheert sich! Man braucht sich dadruff nischt einbilden! 's sein noch andere, die nich zum Tanze gehn! 's han andere ooch kleene Geschwister erzogen und an alt'n Vater a Haushalt gefiehrt! Se sind nich alle Schlumpen und Wischhadern, weil du a fromm anständig Mädel bist. Was sollte denn sein, wenn's anderscher wär? Da lägst du längst uff d'r Straße draußen! Aso ane Tochter hätt ich nich. Der Mann hier, der August, brauch dich nich! Aso a Mann brauch a Finger ausstrecken . . . da hat a an'n Haufen Frauenzimmer dran, Frauenzimmer aus a besten Familien.

Ganz andere vielleicht noch, wie du eene bist. Wahrhaftig! Da reißt een woll die Geduld. Da muß een woll die Geduld amal reißen. Hochmutt! Hoffart! Iebermutt! Entweder du wirscht dei Versprechen jetzt einlesen . . .

FLAMM. Na, na, Vater Bernd! Immer sanftmietig sein!

BERND. Herr Leutnant, Sie kenn die Geschichte nich! Will a Mädel an'n Ehrenmann so hinzerren und rumreißen, da kann se nich meine Tochter sein.

AUGUST *dem Weinen nahe.* Rose, was hast du mir vorzuwerfen? Weshalb bist du jetzt aso schlecht gegen mich? Ich hab zwar nie kee Vertrauen in mei Glück nich gehabt, denn warum? Ich bin ebens bestimmt zum Unglicke! Das hab ich o Ihn, Vater Bernd, schon immer gesagt! Jedennoch, ich hab gesorgt und gearbeitet, und in der Art hat Gott ooch Segen gegeben, daß ich nich bin zuschanden geworden. *Ma flennt!* Das kommt asu! 's is eemal nich andersch! Fer mich wär das eemal zuviel gewest! Ma is eim Waisenhaus uffgewachsen! Ma hat keene Häuslichkeit niemals gekannt! Keene Schwester nich und keen'n Bruder nich, nu, ma muß sich halt an a Heiland halten. Mag sein, daß ich nich der Scheenste bin! Ich hab dich gefragt, du hast ja gesagt! Uffs Inwendige kommt's an! Gott sieht uffs Herze! Du wirst's aber noch amal bitter bereun! *Er will fort, Bernd hält ihn zurück.*

BERND. Noch amal, August! Hiergeblieben! — Verstehste, Rosine! Wort fier Wort! Der Mann hier . . . entweder . . . das wer ich nich zugeben. Dahier der is meine Stütze gewest, lange ehb a um dich hat angehalten. Da ich krank war und nischt erwerben konnte und keener sich um uns bekimmern tat: a hat a Bissen Brot mit uns geteelt. *August kann seiner Erregung nicht mehr Herr werden, nimmt seinen Hut und geht ab.* A is wie a Engel vom Himmel gewesen! August!

ROSE. Ich will ja. Ihr kennt mir doch Zeit lassen!

BERND. A hat dir drei Jahre lang Zeit gelassen! D'r Herr Paster hat in dich neingered't . . . Nu hat a genug! Wer will's 'n verdenken! All's hat ane Grenze! Recht hat a dermit! Aber nu sieh du, wo du bleibst, was du willst; ich mag mit dir o keen'n Staat nich mehr mach'n. *Bernd ab.*

FLAMM. Na! Na! Na! Na! Schockschwerebrett nich noch mal! — *Rose ist abwechselnd totenblaß und rot geworden. Man merkt ihrem Wesen schwerste innere Erregungen an, die oft so stark sind, daß es mehrmals den Anschein hat, als wollten sie durchbrechen. Nachdem auch Bernd verschwunden ist, erscheint das Mädchen zu einer unheimlichen Blässe erstarrt. Flamm, nachdem er das Register zugeklappt und den Mut gefunden hat, Rose anzusehen.* Rose! Wach auf! Was ist denn mit dir? Du wirst dir doch aus dem Geschwefel nichts drausmachen!? — *Da sie einen Frostanfall bekommt und ihre starren großen Augen voll Tränen stehen.* Rose! Verständig! Was heißt denn das?

ROSE. Ich weeß, was ich will, und ich wärsch o schon durchsetz'n. Und wenn's ni is, da is ooch weiter nischt!

FLAMM *geht erregt hin und her, lauscht nach der Tür.* Natierlicherweise, warum denn nich! — *Scheinbar nur für das Schlüsselbrett interessiert, von dem er Schlüssel nimmt, flüstert er mit steigender Hast.* Rose! Du! Rose! Rose, heerst du denn nich?! Wir missen uns hinterm Vorwerk treffen! Ich muß alles nochmal bereden mit dir. Pst! Mutter is in der Jagdkammer drin. Hier geht's nich.

ROSE *mühsam hervorgerungen, aber mit Energie.* Nie und nimmer, Herr Flamm!

FLAMM. Du willst uns wohl alle mitnander verrückt machen!? Du bist wohl des Deibels, sage mal an!? Ich laufe dir nun schon vier Wochen nach und will 'n verninftiges Wort mit dir sprechen: du tust ja, als wenn ich aussätzig wär' — — so is's dann! Dann kommen dann solche Geschichten . . .

ROSE *wie vorher.* Und wenn das noch zehnmal so schlimm kommt dahier! Immer schlagt uff mir rum, ich verdien das nich besser! Immer putzt euch an mir eure Stiefeln ab, aber . . .

FLAMM *steht am Tisch, wendet sich mit entrüstetem Staunen jäh nach Rose um. Hält an sich. Plötzlich schlägt er unwillkürlich mit der Faust auf die Tischplatte, daß alles dröhnt.* Kreuzmillionendonnerwetter noch mal!

ROSE. Um's Himmels wille . . .

Frau Flamm in ihrem Rollstuhl, von einem Mädchen geschoben, erscheint in der Jagdkammertür.

FRAU FLAMM. Was gibt's denn, Flamm? *Flamm ist aschfahl geworden, faßt sich mit Entschluß, nimmt Stock und Hut von der Wand, geht durch die Tür rechts ab. Frau Flamm blickt erst ihrem Mann betroffen nach, begleitet sein Verschwinden mit Kopfschütteln und wendet sich dann fragend an Rose.* Was ist denn geschehen? — Was hat denn der Mann?

ROSE *überwältigt von tiefer Erschütterung.* Ach liebe Frau Leutnant, ich bin doch zu unglicklich!! — *Sie bricht vor Frau Flamm zusammen und verbirgt ihr Gesicht in ihrem Schoß.*

FRAU FLAMM. Nu sag m'r amal: ... nu jemersch nee, Mädel ... was is denn in dich gekrochen dahier? Was hat's denn? Du bist ja rein umgeändert. Das versteh' ich im ganzen Leben nich. — *Zu dem Stubenmädchen, das sie hereingeschoben hat.* Ich brauch' dich jetzt nich! Hernach kommste wieder! Mach alles soweit in der Kiche zurecht! *Das Stubenmädchen ab.* — Nu also! Wo fehlt's denn? Was hat's denn gegeben? Immer sprich du dich aus! Erleichtere dich! Was? Wie? Was sagste? Was haste gesagt? Willste den Kleister-August nich heiraten? Oder steckt dir a andres Sehndel im Kopf? I was denn: 's taugt eener soviel wie d'r andre, und richtig was wert is dir keener nich.

ROSE *endlich sich fassend und sich erhebend.* Ich weeß, was ich will, und damit is gutt.

FRAU FLAMM. So?! Siehste, ich dachte, vielleicht tätste das nich wiss'n. D' Weiber wiss'n das manchmal nich. Geschweige in deinen Jahren mitunter. Manchmal kann da an Alte behilflich sein. Aber wenn du's weeßt, nu da is ja gutt! Da wirscht du dich schon alleene rausfind'n. *Mit scharfem Blick, nachdem sie eine Brille aufgesetzt hat.* Rosine! Biste denn etwa krank?

ROSE *erschrocken, verwirrt.* Krank? Wie denn ...?

FRAU FLAMM. Halt krank, wie das ebens so is. Frieher bist du doch ebens anders gewesen.

ROSE. Ich bin doch nich krank?!

FRAU FLAMM. Ich sag's ja ooch nich. Ich frage ja. Deswegen frag' ich ja eben! Mir missen uns recht verstehn, sieh ock amal an! 's is wahr! Mir wollen doch nich um uns rumtanzen! Versteckenspiel'n woll'n mir doch nich. Du denkst doch nich, daß ich's mit dir ni gut meene? *Rose schüttelt energisch den Kopf.* Das wär' woll ooch etwan! Na, abgemacht. Du hast noch mit mein Kurtel gespielt. Ihr seid nebeneinander hergewachsen, bis Gott und a nahm mir mei' eenziges Kind. Und da um die Zeit deine Mutter o starb — ich weeß woll, sie lag uff'n Sterbebette! —, da hat se sogar noch gered't mit mir: ich sollt' mich a bissel, wenn's ging', deiner annehm.

ROSE *starrt vor sich hin.* 's beste wär schon, ins Wasser mit mir! Wenn's aso is ... Gott verzeih mir die Sinde!

FRAU FLAMM. Wenn's aso is? — Was? Ich versteh' dich nich! Du
kennt'st dich vielleicht a wing deutlicher ausdricken. Erschtlich bin ich an Frau, mir verschlägt's weiter nich! Und dann
war ich ooch eine Mutter deswegen, wenn ich o jetzt ohne
Kinder bin. Mädel, wer weeß, was mit dir is! Ich hab' dich
beobachtet seit vielen Wochen, du hast vielleicht nischt nich
gemerkt davon, du sollt'st mit der Wahrheit nu bald amal
rausricken. Schieb mich amal an de Kommode hin! — *Rose
tut es.* — So! Hier in den Schieben sein alte Sachen! Noch die
Kindersachen von Kurtel her . . . Deine Mutter sagte amal
zu mir: meine Rose, das wird ane Kindermutter! Sonste aber,
ihr Blutt is a wing gar zu heeß! Ich weeß ja nich: 's kann immer
sein, daß se recht hatt'. *Sie nimmt eine große Puppe aus einem
der Schübe.* Nu siehste's! Das mag sein, wie's will dahier! Ane
Mutter is auch nich zu verachten! Mit der Puppe hast du und
Kurtel gespielt. Hauptsächlich du hast se groß gezogen, gewaschen, gefittert und trocken gemacht, und eemal is Flamm
derzune gekommen, da hast d'r se gar an de Brust gelegt. —
Du hast heute morgen Blumen gebracht. Nich wahr, die Vergißmeinnicht dorte im Schälchen?! Hast o Kurtels Grab wieder am Sonntag bekränzt. Kinder und Gräber sein Weiber-
sachen. *Sie hat ein Kinderhemdchen aus dem Schube genommen, hält es mit beiden Händen an den Ärmeln auseinander
und spricht darüber hinweg.* Gelt, Rose? Ich dank' dir o scheene
dafier! Dein Vater, der hat's mit der Mission, mit a Bibel-
stunden und all solchen Sachen. A spricht: Alle Menschen sein
Sinder dahier, und a will se alle zu Engeln mach'n. Kann sein,
a hat recht, ich versteh's ebens nich. Ich hab' ane eenzige Sache
gelernt: neemlich was ane Mutter is hier uff der Erde und
wie die mit Schmerzen gesegnet ist. *Rose ist überwältigt und
röchelnd auf die Knie gesunken und küßt zum Bekenntnis und
dankbar unzählige Male die Hände der Frau Flamm. Frau
Flamm verrät durch ein blitzartiges Aufleuchten ihrer Augen,
daß sie die Wahrheit erkannt und das Bekenntnis verstanden
hat, spricht aber ruhig weiter.* Siehste, Mädel, das hab' ich
gelernt. Ich hab's gelernt, und die Welt hat's vergessen. Von
viel andern Sachen da weeß ich nischt; da weeß ich nich mehr,
als was jeder so weeß, und was de jeder so weeß, das nenn'
ich kee Wissen. *Sie legt das Kinderhemdchen vorsichtig auf
den Schoß.* Nu da geh jetzt nach Hause und sei guten Muts!

Ich will mir jetzt alles erscht fer mich ieberlegen. 's is gutt!
Weiter frag' ich dich jetze nich. Du bist jetze niemehr die und
das . . . Und da heeßt das getoppelt behutsam sein. Ich will
nischt wissen! Verlaß dich uff mich! Mir sein ieberhaupt de
Väter ganz gleichgiltig: ob's a Landrat oder a Landstreicher
is. Mir miss'n de Kinder doch selber zur Welt bring'n. Dader-
beine hilft uns doch keener nich. Drei Dinge muß ma sich ieber-
leg'n: mit Vatern, mit Augusten — und manches noch: dazu
hab' ich ja Zeit! Ich will mersch recht durchdenk'n. Wingsten
is ma noch zu was gutt in der Welt.

ROSE *hat sich wieder starr aufgerichtet.* Ach nee, Frau Leutnant,
tun Se das nich! Es geht nich. Sie sollen sich nich meiner annehm! Ich hab's um Ihn und niemanden verdient. Das weeß
ich! Ich muß das alleene durchfress'n! Uff andre verlass'n darf
ich mich nich! 's is . . . deutlicher kann ich mich nich erklären!
Sie sind aso gutt wie a Engel, Frau Leutnant! Gott im Himmel: Sie sein viel zu gutt mit mir! 's geht aber nich! Ich kann's
eben nich annehm. Adje, Frau Leutnant!

FRAU FLAMM. Bleib amal noch! Ich kann dich aso jetzt nich von
mir fortlass'n. Wer weeß, was du noch fier Geschichten machst.

ROSE. Nee, da kenn Se ganz ruhig sein, Frau Flamm: zum Letzten greif ich noch lange nich! Im Notfalle kann ich fiers Kind
ja arbeit'n: d'r Himmel is hoch, und de Welt is weit! Wenn's
uff mich bloß ankäm und Vater nich wär und August tät een
nich gar zu leid tun . . . und a Kind muß eemal an'n Vater
han!

FRAU FLAMM. Gutt! Sei du a resolutes Ding! Du bist ja immer a
forsches Frauvolk gewesen! Um so besser, wenn d' a Kopp oben
behältst! Aber wenn ich dich recht verstanden hab', da kann
ich dich glei wieder nich begreif'n: weshalb de dich gegen de
Hochzeit sperrst.

ROSE *wieder verstockt, bleich und ängstlich.* Was soll ich'n sagen?
Ich weeß ja nich! Ich will mich ja ooch weiter kinftig nich
sperr'n, bloß . . . Streckmann . . .

FRAU FLAMM. Sei off'n, verstehste mich! Meinshalben geh jetze
nach Hause, meinswegen! Komm morgen wieder! Heer du uff
mich! Freu dich! Ma soll sich freun uff sei Kind . . .

ROSE. Das tu' ich, weeß Gott, woll! Ich wärsch o schon durchsetzen, bloß, helfen kann m'r dabei niemand nich. *Schnell ab.*

FRAU FLAMM *allein, blickt ihr nach, seufzt, nimmt das Hemdchen*

vom Schoß, spannt es wie vorhin auseinander und sagt. Nu,
Mädel, 's doch a Glick, was du hast! Fer a Weib gibt's kee gree-
ßeres! Halt du's feste.

DRITTER AKT

*Eine fruchtbare Landschaft. Vorn rechts zwischen Feldern auf
einem dreieckigen, etwas vertieften Rasenplatz ein alter Birnbaum, darunter eine klare Quelle in primitiver Steinfassung.
Der Mittelgrund besteht aus Wiesen. Im Hintergrund liegt,
umgeben von Erlen, Haselnuß-, Weiden- und Buchengebüsch,
ein seeartiger Teich mit Schilfrändern und Wasserpflanzen. Wiesen schließen sich daran und im Halbkreis umher uralte Eichen,
Rüstern, Buchen und Birken. Durch Lücken zwischen Gebüsch
und Bäumen werden die Türme und Dächer ferner Kirchdörfer
sichtbar, links hinter Büschen die Strohdächer eines Vorwerks.
Heißer Sommernachmittag zu Anfang August. Man hört aus der
Ferne das Summen der Dreschmaschine. Von rechts kommen, mit
dem Ausdruck der Arbeitsermüdung und der Erschlaffung durch
Hitze, der alte Bernd und August Keil. Beide Männer sind
nur mit Hemd, Hose, Stiefeln und Mütze bekleidet; jeder trägt
die Hacke über der Schulter, in der Hand eine Sense und am
Ledergurt das Kuhhorn mit Wetzstein.*

BERND. 's is reechlich heeß heute! Ma muß amal ausruhn! Aber
's macht Freede uff so an eegnen Grundstick.

AUGUST. Ma is 'n das Grashaun gar ni gewehnt.

BERND. Du hast dich sehr proper hast du dich gehalt'n.

AUGUST. O jee, nee! Wie lange wird'n das gehn! Mir zuckt's und
reißt's schonn in allen Gliedmaßen.

BERND. Du magst zufrieden sein, Schwiegersohn. Gewehnt will
aso ane Arbeit sein. Und bei dir is ja ieberhaupt bloß ane Ausnahme. Aber wie gesagt, du kennst glei mit a Gärtnern gehn.

AUGUST. Een'n Tag. A zweeten klapp ich zusammen. 's kränkt
een'n! 's is eemal a Leiden mit mir. Ich bin o wieder beim
Kreisphisikusse gewesen. Wie immer. A hat bloß mit a Achseln
gezuckt.

BERND. Du bist gesund und ei Gotteshänden. A paar rostige Nägel heechstens ei Wasser tun und zwee-, dreimal die Woche an'n

Abguß trinken. Das reenigt 's Geblitte und stärkt 's Herz. Wenn ock 's Wetter aushalten mechte dahier!

AUGUST. 's is zu sehr ane brittnige Hitze. Mir warsch undern Haun, 's donnerte schonn.

BERND *am Rand der Quelle niedergekniet, hat mit dem Munde vom Spiegel weggetrunken.* Wasser is doch der beste Trunk!

AUGUST. Wie spät is 'n?

BERND. Viere wird's sein. Mich wundert's, wo Rose bleibt mit der Vesper. *Er erhebt sich und betrachtet die Schneide der aufgestellten Sense, gleichwie August tut.* Mußt du tengeln? Meine geht noch a wing.

AUGUST. Ich kann's o noch amal so versuchen.

BERND *läßt sich unter den Birnbaum ins Gras fallen.* Komm lieber und setz dich neber mich! Und wenn de dei Testament tätst bei dir haben, da kennt'n mer uns glei a bissel erbaun.

AUGUST *sich erschöpft und befreit ebenfalls niederlassend.* Ich sage bloß: Gott sei Lob und Dank.

BERND. Siehste, August, ich hab dir das gleich gesagt: laß se! Das Mädel find sich zurechte! Nu is se o zur Vernunft gekomm. In frieheren Zeiten, vor deiner Zeit, da hab ich mir manchmal a Kopp schon zerbrochen! Da kam manchmal schonn so a Eigensinn! Am besten geruhig laufen lassen! Manchmal war das wirklichen Gott aso, wie wenn se tät gegen an Mauer anloofen: ane unsichtbare, die niemand ni sah, und da mußt se sich erscht reen wie richtig drumrum tappen.

AUGUST. Was de dazumal in se gefahren is — jetze will ich ja Gott uff a Knien danken —, aber dazumal wußt ich mir nich Bescheed! Daß se plötzlich . . . mit was das zusammenhing: da kann ich mir heute noch keen'n Versch nich druff machen.

BERND. Wie war se dasmal gegen vorichtes Mal, da mir nunderging'n zum Standesbeamten!

AUGUST. 's is m'r lieb, daß's ni mehr der Flamm-Schulze is.

BERND. Dasmal hat se ooch nich keene Miene verzogen, und ei vier, fünf Minuten war alles glatt. Asu is se manchmal! Wie de Weiber halt sein.

AUGUST. Ehb das mit Streckmann zusammenhing? A hatte Euch doch was nachgeruffen und vorher o in se neingered't.

BERND. Koan sein, koan o ni sein! Doas weeß ich d'r ni. Man kann ebens manchmal von'r nischt rauskriegen. 's is ni hibsch!

Grade deshalb o freut ma sich, daß se an an'n Mann kommt,
der de kann uff se einwirken und kann 'r das sterrische Wesen
benehm. Ihr beede seid zueinander bestimmt. Se is gutt! Se
braucht ock ane richtige Leitung, und du hast ane gude und
sanfte Hand.

AUGUST. Wenn ich a Maschinist Streckmann seh, da is mersch,
als sähe ich a Gottseibeiuns.

BERND. Dacht se, der Kerl wär an Unfug stiften, a is ja von
Kind uff verderbt genug! Manch liebes Mal hat seine Mutter
geklagt drieber! Kann immer sein! 's is 'n ja zuzutraun.

AUGUST. Wenn ich den Mann seh, kenn ich mich ni. Kalt und
heeß looft mir's da ieber a Ricken, und ich mechte a himmlischen
Vater verklagen . . . ich mechte, a hätt mich zum Simson gemacht! Da, verzeih mersch ock Gott, hab ich beese Gedanken.
— *Man hört den Pfiff der Lokomobile.* — Das is a!

BERND. Kimmer dich nich um den!

AUGUST. Nu gutt! Wenn all's erscht vorieber is, da tu ich mich
in unsere vier Wände einschließen, und da woll'n mer a stilles
Leben fiehren.

BERND. A scheenes stilles Leben, Gott geb's.

AUGUST. Und von der Welt will ich nischt ni meh wissen. Mich
widert das ganze Gemächte an! Ich hab so an'n Ekel vor Welt
und Menscha, doaß ich orndlich . . . ja, Vater, wie sool ich glei
soan? Wenn mir oll's asu bitter bis hierhar stieht, da lach ich!
Da hab ich an Freede, zu sterba! Do freu ich mich orndlich wie
kindisch dadruff.

*Eine Anzahl durstender Feldarbeiter, ein altes Weib und zwei
junge Mädchen, alle vom Gute des Erbscholzen Flamm, kommen eilig über die Felder heran. Es sind Hahn, Heinzel, Golisch, die alte Golischen, seine Frau, der alte Kleinert, die
Großmagd und die Kleinmagd. Die Männer tragen nur Hose
und Hemd, die Frauenzimmer geraffte Röcke, Brusttücher und
bunte Tücher überm Kopf.*

HAHN *dreißigjährig, braun, frisch.* Ich biin ebens doch d'r irschte
am Born! Ihr miegt immer hetza! Ihr kinnt mir nee nach-
kumma! — *Er kniet und beugt sich über den Brunnen.* — Am
liebsta spräng ich gleich mittanei.

KLEINMAGD. Nu untersteh dich! Mir hoan o Durscht. — *Zur
Großmagd.* Hust du a Tippla miete zum Scheppa?

GROSSMAGD. Harr ock. Irscht kimmt de Grußemagd.

HEINZEL *zieht beide Weiber an den Schultern zurück und drängt sich zwischen ihnen durch vor den Brunnen.* Irscht kumma de Manne, hernochert de Weibsbilder.

KLEINERT. Mir han hie olle mitnander Platz! Gelt ja, Vater Bernd? Prost Vasper!

BERND. Ja, ja — mir hab'n bloß ebens noch keene Vesper. Mir wart'n noch immer vergebens druff.

GOLISCH. Ich — ich — ich . . . zum Auswinda bin ich! Meine Zunge leit wie a Stick Hulz ei men Maule.

DIE ALTE GOLISCHEN. Woasser!!

KLEINERT. Hie hat 's 'n fer alle genung.

Alle trinken gierig, teils direkt vom Wasserspiegel, teils aus hohlen Händen, teils aus dem Hut, teils aus Töpfen oder Flaschen. Dabei vernimmt man nichts als das Geräusch des Schluk-kens und wohligen Aufatmens.

HEINZEL *im Aufstehen.* Woasser is gutt, aber Bier wär besser.

HAHN. O a Gläsla Branntwein kennde jetz sein.

GOLISCH. Au — August, kenn'st ju a Quart zum besta gahn.

DIE ALTE GOLISCHEN. A sol uns lieber zur Huchzeit eilada.

GOLISCH. Mir kumma alle zur Huxt. Se soll doch bale sein.

HEINZEL. Ich kumm ni, a gibbt ins bloß Woasser zu saufa. Doas koan ich o hie am Borne hoan. Oder wegen a bißla Koffe-leppern . . .

HAHN. Und bata und singa ubaneï. War weeß, vielleicht kimmt gar dar Jenkauer Pfarr und tutt een die zehn Gebote abhiern.

HEINZEL. Oder die sieba Bitta gor! Das war ni gutt ausfall'n. Ich hab all's vergassa.

KLEINERT. Leute, laßt mir da August zu Ruh. Doas sag ich, wenn ich suster a Madel hätte, a bessern Schwiegersohn winscht ich mir ni: a verstieht seine Sache! A is uff'n Pust'n.

Die Arbeiter und Arbeiterinnen haben sich im Halbkreis gelagert und verzehren ihre Vesper: Kaffee aus Blechkannen und große Keile Brot, von denen sie mit Taschenmessern Bissen abschneiden.

DIE ALTE GOLISCHEN. Do kimmt Bernd Rusla hinga ims Vor-werk rum.

GOLISCH. Nu saht bloaß oa, wie die springa koan!

KLEINERT. Die hebt sich an Weizasaak salber uff und schleppt a biis uf a Oberboden. Heute Morga hab ich se schonn gesahn, da hatt se an Kleederschrank uff d'r Radwer, den karrt se nieber eis neue Haus. Das Madel hat Saft und Kraft dohie, die werd ihre Wertschaft zusammenhalten.

HAHN. Wenn mir das sonste wie Augusten gäng, meiner Seele, ihr Leute, ich tät m'r nischt draus mach'n: ich versucht's amal mit d'r Heiligkeet.

GOLISCH. Ma muß druff zu laufa verstehn, da geht's.

HAHN. Wenn ma denkt, wie a erscht mit d'r Tasche ging und ei a Derfern Schriftla verkoofte, hernoert, wie a a Leuta Briefe schrieb . . . Heut hoat a ei Wandriß 's schiinste Anwesen und koan s' schiinste Madel eim Kreese heirota.

Rose Bernd kommt. Sie bringt in einem Korbe die Vesper für August und den alten Bernd.

ROSE. Prost Vesper!

DIE LEUTE. Prost Vesper! Prost Vesper! Schiin Dank!

GOLISCH. Du läßt ja a Liebsta verhungern, Rusla!

ROSE *heiter auspackend.* Ach, wo ock! Aso leichte verhungert sich's ni!

HEINZEL. Ock gutt fittern, Rusla, suster legt a ni aus.

GOLISCH. Ja, ja, suster bleibt er d'r gar zu derre!

BERND. Wo bleibste denn so lange, hä? Mir worten ja schon ane halbe Stunde.

AUGUST *halblaut, ärgerlich.* Nu is wieder de ganze Menschheet da! Sonste wern mir wer weeß wie lange schon fertig.

DIE ALTE GOLISCHEN. Luß a brumma, Madel, mach d'r nischt draus!

ROSE. Wer brummt denn, Golischen? Wer sol denn hie brumma? August brummt doch eim Leben nich.

DIE ALTE GOLISCHEN. Und wenn o! Ich sag ja: du sollst d'r nischt drausmach'n.

HEINZEL. Wenn a jitz noch nich brummt, das kimmt schonn noch.

ROSE. Da is mir ni Angst, daß das seld amal komm.

GOLISCH. Ihr seid ja uff eemal so betulich dahie.

ROSE. Gelt, mir waren immer schon einig, August!? *Sie küßt August. Gelächter unter den Leuten.* Was lacht ihr denn? Anderscher is das nich.

GOLISCH. Nee, nu hatt ich mir das doch eingebild't, iich . . . ich kennde amal eis Fenster steiga.

KLEINERT. Da trägste de Knoch'n eim Schnupptiechla heem!

GROSSMAGD *anzüglich.* O jeemersch! O jeemersch! O jeemersch nee nee! Derweg'n versucht ich's! Wer will das wiss'n.

BERND *verfinstert, ruhig.* Halt a wing an dich, Großemagd!

KLEINERT. Heerscht's: a sagt d'rsch. Halt a wing an dich! D'r ale Bernd, der versteht manchmal keen'n Spoß.

ROSE. Se sagt ja nischt weiter! Laßt se ock!

KLEINERT *sich die Tabakspfeife anbrennend.* A sitt meinswegen schafgutt jitze aus, oaber wenn a lus lät, das werd't ihr nit glooba. Iich wiß, wie a dieba noch Wirtschafter war, da hotta de Frauvelker nischt ni zu lacha. Dar wurd mit zahn sulcha fertig wie du, do goab's nischte miit a Kerl'n sich rimtreiba.

GROSSMAGD. War treibt sich d'nn mit a Kerln rum?

KLEINERT. Da mißt m'r a Maschinist Streckmann frag'n.

GROSSMAGD *blutrot.* O fragt ihr meinsweg'n a Herrgott salber! *Gelächter unter den Leuten.*

Der Maschinist Streckmann erscheint, bestaubt, so wie er von der Dreschmaschine kommt, und außerdem durch Schnaps leicht angeheitert.

STRECKMANN. Wer redt't was vo Maschinist Streckmann dahie? Hie iis a! Hie stieht a! War will mit mir anbinda? Guda Mittag! Prost Vasper, alle mitsamm!

DIE ALTE GOLISCHEN. Wenn ma vom Teifel red't, iis a schon do.

STRECKMANN. Und dich estimier' ich fer Teifels Großmutter. *Er nimmt die Kokardenmütze ab und wischt den Schweiß von der Stirne.* Ihr Leute, ihr Leute, ich mach' ni meh miit: bei dar Schinderei läßt ma ja Haut und Knucha! Tag, August! Tag, Rusla! Tag, Vater Bernd! Herr Jesus Christus, kinnt ihr ni antworta?

HEINZEL. Luß se! Da Leuta geht's zu gutt.

STRECKMANN. A Seinen gibt's ebens der Herr im Schlaf. Unsereens schind't sich und kann's zu nischt bringa. *Er hat sich zwischen Heinzel und Kleinert niedergelassen und eingequetscht und gibt seine Schnapsflasche an Heinzel.* Luß se amal in d'r Runde gehn!

DIE ALTE GOLISCHEN. Du labst doch's schiinste Laba, Streckmann! Was hätt's du um's Himmels wille zu klag'n. A getuppelt und dreifaches Geld verdient a und brauch bloß a wing bei d'r Maschine stehn.

STRECKMANN. Kopparbeet! Nochmacher! Ma hot ebens Kopp! Do kinn solche Strohschadel freilich ni mitkumma! Macht's ock! Woas weeß a alt Weib d'rvon! Aber suster: was iich o fer Kummer ha . . .

GOLISCH. Jees's, Streckmann hat Kummer.

STRECKMANN. Mehr wie genung! Mir iis im a Steppel, kann ich euch sag'n . . . meinswegen ooch um Bauch oder ums Herze! . . . Mir is aso kotzärschlich zumutt: Ich mechte was recht was Verwerrtes verrichta. Kleenmagd, soll ich mich zu d'r leg'n?

KLEINMAGD. Ich schlag dir a Wetzstein ieber a Schadel.

GOLISCH. Das iis ebens sei ales Leiden dahier: 's wird 'n schwarz vor a Aug'n, a sitt nischt mehr, und uff eemal liegt a bei am Madel im Bette. *Lautes Gelächter.*

STRECKMANN. Lacht ock, ihr Kruppzeug! Lacht euch aus! Bei mir, das sag' ich, gibt's nischt ni zum Lach'n. *Bramarbasierend.* Ich luß mir a Arm ei de Maschine dräh'n! Ich luß mich meinswegen vom Kolb'n d'rstußen! Meinsweg'n, Kleenemagd, schlag mich tut!

HAHN. Da kannste ja o ane Scheuer oazinda.

STRECKMANN *abwehrend.* Beileibe! Feuer iis ei mir genung. August, doas is a glicklicher Mann.

AUGUST. Ehb ich glicklich biin oder ich biin unglicklich — das gieht keen'n andern eim Leben was an.

STRECKMANN. Was tu' ich d'r denn? Da sei doch du umgänglich!

AUGUST. Iich such mer mein Umgang wo anderscher aus.

STRECKMANN *betrachtet ihn lange, gehässig und dumpf, verschluckt dann seine Wut und greift nach der ihm zurückgereichten Schnapsflasche.* Gebt her! Ma muß sich a Kummer versaufa! — *Zu Rose.* Du brauchst mich nich ansehn, 's is abgemacht! — *Er steht auf.* Ich geh'. Ich will nich dazwischentreten.

ROSE. Vor mir kannste gehn, vor mir magste bleib'n.

DIE ALTE GOLISCHEN *Streckmann zurückrufend.* Streckmann, wie is denn das neulich geworn? — Vor drei Woch'n aso bei d'r Dreschmaschine! Da mir a Raps rausmacht'n dohier? — *Mägde und Arbeiter platzen heraus.*

STRECKMANN. Das iis vorbei! Davon weeß ich nischt.

DIE ALTE GOLISCHEN. Da hast du dich doch hoch und teuer vermess'n . . .

KLEINERT. Ihr Leute, heert uff mit der Rederei!

DIE ALTE GOLISCHEN. A soll bloß 's Maul ni immer aso vollnehma.

STRECKMANN *kommt zurück.* Was ich gesagt ha, das tu' ich o durchdrick'n. Ich will sunst ni seelenselig sein! Und nu is gutt! Mehr red' ich nich. *Geht.*

DIE ALTE GOLISCHEN. A tutt sich ebens leichte mit Schweig'n.

STRECKMANN *kommt zurück, will reden, überwindet sich dann.* Nischte! Uff da Leim kriech' ich d'r nich! Aber wenn de willst an'n genauen Bescheid wiss'n: frag August'n dorte und ooch Vater Bernd!

BERND. Was is das dahier? Was soll'n mir wiss'n?

DIE ALTE GOLISCHEN. Ehb ihr dazumal uff'n Standesamt — da ihr dazumal doch voriebergingt und Streckmann tat euch 'n Sache nachbrill'n . . .

KLEINERT. Hust Zeit, doaß de uffhierscht!

DIE ALTE GOLISCHEN. Warum denn ni? Doas sein doch bloßig gespoßige Sach'n. Ehb ihr dazumal seid eis reene gekumm? Oder ob Rusla no ni wollte mietmach'n?

BERND. Gott verzeih euch de Sind'n allen mitsamm! Iich will euch nu aber doch amal fragen, weshalb ihr uns nich kennt mit Fried'n lass'n? Oder hätt'n mir irgendwem hier was getan?

GOLISCH. Mir tun doch auch weiter keen Mensch'n nischt.

ROSE. Ehb ich dazumal wullde oder nich: lußt euch darieber kei graues Haar ni mehr wachsen. Heute will ich, und damit is abgemacht.

KLEINERT. Asu is recht, Rusla! Gutt gegeb'n!

AUGUST *hat bisher scheinbar vertieft in einem Neuen Testamente gelesen, nun klappt er es zu und steht auf.* Komm, Vater, mir woll'n an de Arbeit gehn.

HAHN. Das kost andersch Brust wie Gebatbichla leima und a Mahlkleister durcheinanderrier'n.

HEINZEL. Und nu erscht nach d'r Huchzeit, das werd erscht recht Brust kusta. A Madel wie Rusla beoasprucht woas. *Gelächter.*

STRECKMANN *ebenfalls loslachend.* O je!! Iich hätte beinahe woas gesoat. — *Er tritt wieder in die Reihe.* — Iich war euch amal a Ratsel uffgah'n! Sool ich? Stille Woasser sein tief! 's iis biese: Ma sool ieberhaupt ni erscht Blutt lecka! A werd doch bloß immer schlimmer, d'r Dursch.

DIE ALTE GOLISCHEN. Woas denn? Wo hast du denn Blutt geleckt?

BERND. Er meent wahrscheinlich 's Branntweintrinken.

STRECKMANN. Ich geh' meiner Wege! Hadje! Ich biin gutt! Hadjee, Vater Bernd! Hadjee, August! Hadje, Rusla! *Zu August.* Was iis denn? August, spiel dich ni uff! 's iis gutt! Ich soa's ju! Ihr saht mich ni wieder! Aber du, du hust Grund, mir dankbar zu sein. Du hust immer a hintertick'sch Wesen gehabt! Ich hoa dir die Sache doch bewilligt! Ich hoa's bewilligt, und da ging's glatt. *Streckmann ab.*

ROSE *heftig und energisch.* Luß a red'n, August, kimmer dich ni!

KLEINERT. Flamm kummt. — *Er sieht nach der Uhr.* 's is ieber an halbe Stunde! — *Man hört den Pfiff der Lokomobile.*

HAHN *im allgemeinen Aufbruch.* Vorwärts, Preißen! 's Elend pfeift!

Die Arbeiter mit ihren Sensen und die Mägde eilig ab. Gegenwärtig sind nur noch Rose, der alte Bernd und August.

BERND. Sodom und Gomorra dahier! Was hat bloß d'r Streckmann fier a Geschwatze! Sag amal, Rose, verstehst du das?

ROSE. Nee! Denn ich hab' an was Besseres zu denk'n! *Gibt August ein Kopfstück.* Gelt, August! Mir han fer den Unsinn nich Zeit! Mir miss'n uns federn in da sechs Wuch'n! — *Sie räumt die Vesperüberreste in den Korb.*

AUGUST. Komm ock hernach a wing rieber zu uns!

ROSE. Ich muß waschen, biegeln und Knopplecher mach'n. Wenn's eemal und is nu bald aso weit.

BERND. Mir kumma nach sieb'n zum Abendess'n.

Bernd ab.

AUGUST *bevor er geht, ernst.* Bist du mir gutt, Rosla!?

ROSE. Ich bin d'r gutt! *August ab.*

Rose ist allein. Man hört das Brummen der Dreschmaschine und Gewittermurren am Horizont. Nachdem Rose Brot, Butter, Vesperkannen und Tassen in den Korb zurückgelegt hat, richtet sie sich, den Korb am Arm, auf und scheint in der Ferne etwas zu gewahren, was sie anzieht und bannt. Mit plötzlichem Entschluß rafft sie das ihr entglittene Kopftuch auf und eilt davon. Bevor sie jedoch dem Gesichtskreise entschwunden ist, erscheint Flamm, das Gewehr auf der Schulter, und ruft sie an.

FLAMM. Rose! Stillgestanden! Donnerwetter nochmal! — *Rose steht, das Gesicht abgekehrt.* Du sollst mir amal zu trinken geben — bin ich etwa nich 'n Trunk Wasser wert?

ROSE. Da hat's ja Wasser.

FLAMM. Ich bin ja nicht blind! Ich will aber nich wie de Kälber saufen. Hast du nich Tassen im Korbe, was? *Rose schiebt den Deckel beiseite.* Na also! Sogar einen Bunzeltopp! Aus Bunzlauer Teppen trinkt sich's am best'n. — *Sie reicht ihm den Kaffeetopf, wiederum mit abgekehrtem Gesicht.* Sei so gutt! Etwas mehr Höflichkeit! Du wirst dich woll nochmal bequemen miss'n! — *Rose geht zum Brunnen, spült den Topf aus, füllt ihn mit Wasser, stellt ihn neben den Brunnen, begibt sich zu ihrem Korbe, nimmt ihn auf und wartet, mit dem Rücken gegen Flamm.* Nee, Rose, so geht das noch immer nich! So läßt sich vielleicht 'n Pennbruder abfind'n: mit Pennbrüdern weiß ich nich so Bescheid! Einstweilen bin ich noch immer der Flamm-Schulze! Krieg' ich 'n Trunk, oder krieg' ich 'n nich? Nanu eins! Nanu zwei! Nanu drei und — Schluß! Jetzt bitte mit Anstand! Nich weiter gefackelt! *Rose ist nun wieder an den Quell getreten, hat den Krug aufgenommen und hält ihn Flamm hin; wieder mit abgekehrtem Gesicht.* So! Heeher! Heeher! Geht immer noch nich.

ROSE. Nee, Sie missen's doch halten.

FLAMM. Wer soll denn so trinken?

ROSE *wider Willen erheitert, muß den Kopf herumwenden.* Nee . . .

FLAMM. So is schon besser! So is gutt! — *Gleichsam absichtslos und nur um den Krug zu halten, legt er seine Hände auf Roses Hände und läßt sich, den Mund am Krug, immer tiefer herab, bis er sich auf ein Knie stützen muß.* So! Dank' scheen, Rose! Nu kannste mich loslass'n.

ROSE *macht gelinde Versuche, sich zu lösen.* Ach nee! Lass'n Sie mich ock los, Herr Flamm!

FLAMM. So? Meenste! Du meenst also, ich sollte dich loslassen? Jetzt, wo ich dich endlich jetz hab' amal?! Nee, Mädel, so leichte geht das nich! Es geht ni! Verlang das nich erst von mir! Mach erscht keene Versuche! Du kannst mir nich auswischen! Erschtlich sieh mich amal wieder richtig an! Ich bin noch derselbe! Auge in Auge! Ich weeß! Ich weeß ieber alles Bescheid, ieber alles! Ich hab' mit Rendant Steckel gesprochen, wo ihr euch ja nu geeinigt habt. Gott sei Dank bin ich ja nich mehr Kuppelbeamter! An der Fuchsfalle steht jetz'n andrer Mann. Ich weeß ooch, wenn das Begräbnis is . . . Donnerwetter, die Hochzeit, wollt' ich ja sagen! Und außerdem hab' ich mit mir selber gered't. Rose, 's is 'ne sehr harte Nuß! Hoffentlich wird man sich nich die Zähne dran ausbeißen.

ROSE. Ich darf aso ni mit Ihn hier stehn, Herr Flamm.

FLAMM. Du mußt. Ob du darfst, is mir vollkommen gleichgiltig! Ganz ungeheuer Wurscht is mir das! Wenn das wirklich be-

stimmt is in Gottes Rat, verlangt 'n Soldat den geheerigen
Abschied: so kalt vor die Tier setzen läßt man sich nich. —
Rose, hab' ich dir irgend was abzubitt'n?

ROSE *heftig den Kopf schüttelnd, weich.* Sie hab'n mir nischt abzubitt'n, Herr Flamm.

FLAMM. Nich? Is das ehrlich? — *Rose nickt heftig bejahend.* Das
freut mich wenigstens! So hab' ich mir das auch immer gedacht!
Man kann da doch an was Ganzes zurickdenk'n! Ach, Rose,
das war eine scheene Zeit!

ROSE. Und Sie miss'n zurückgehn zu Ihrer Frau.

FLAMM. Wenn so was bloß nich so vorieberflitzte! Eine scheene
Zeit! Was hat man davon?

ROSE. Sie soll'n gutt sein zu Ihrer Frau, Herr Flamm! Ihre Frau
is a Engel, die hat mich gerettet.

FLAMM. Komm! Wir woll'n mal unter den Birnbaum gehn!
Scheen! Was denn? Ich bin immer gutt zu der Frau. Wir stehen
auf dem besten Fuß miteinander. Komm, Rose! Erzähl mir
das mal genau! Also: wie ist das? Gerettet? Was? Vor was hat
sie dich denn gerettet, Rose? Natierlich doch interessiert mich
das. Was war damals eigentlich los mit dir? Mutter macht allerlei Anspielungen: draus klug geworden bin ich noch nich.

ROSE. Herr Christoph! Herr Flamm! Ich kann mich nich hinsetz'n! Das schad't ja doch nischt! Das fiehrt ja zu nischt: 's is
nu alles vorbei — gutt! 's is alles erledigt. Ich weeß: Gott wird
mir de Sinde verzeih'n. A wird's ooch an unschuldig'n Kindl
ni anrechnen. Dazu is a ja viel zu barmherzig dazu.

FLAMM *mit Bezug auf das lauter vernehmliche Summen der
Dreschmaschine.* Das verfluchte Gesumme in einem fort! Was?
Rose, du sollst dich 'n Augenblick hinsetz'n! Ich tu' dir nichts!
Ich beriehre dich nich! Ehrenwort, Rose! Du sollst dich mal
aussprech'n! — Hab doch 'n bißchen Vertrauen zu mir!

ROSE. Nu ja . . . 's is ebens . . . ich weeß weiter nischt! Wenn
ich amal erscht verheiratet bin, da kenn Se amal die Frau Leutnant frag'n, vielleicht tutt se Ihn sagen, was jetzt mit mir is. Ich
hab Augusten o noch nischt gesagt! Ich weeß, a is gutt! Deshalb is mir ni bange! Weil a weechherzig is und o christlich is.
Und nu hadje, Christoph! Hadje, lebt gesund! Ma hat a Leben-
lang vor sich jetz, da kann eens recht treu sein, sich kastei'n,
recht arbeit'n, Schuld bezahl'n und abverdien.

FLAMM *hält Roses Hand fest.* Rose, bleib noch 'n Augenblick!

Meinswegen bin ich ja einverstand'n! Zu deiner Hochzeit komm' ich weeß Gott nich! Aber wenn ich auch nich zur Hochzeit komme, so seh' ich doch ein, daß du recht hast jetzt. Mädel, ich hab' dich so gerne gehabt . . . so ehrlich . . . ich kann dir's nich sagen, wie gerne! Weiß der Teufel, seit . . . seit ich denken kann. Schon dazumal hast du mir's angetan, wie du als Kind schon immer so ehrlich warst, so offen in tausend kleinen Sachen; wenn man dich fragte, so treuherzig raus! Niemals irgendwie Schwindeleien und Finten, und wenn flugs 'n Spiegel in Scherben ging. Ich hab' ja Weiber genug gekannt in Tharandt und hernach auch in Eberswalde auf der Akademie und beim Militär, wo ich fast meistens 'n blödsinniges Glick hatte, und doch weiß ich von Glick erst jetzt was durch dich.

ROSE. Ach, Christel, ich hab Sie auch gerne gehabt.

FLAMM. Du warst ja von klein auf verliebt in mich! Du hast mich schon manchmal angefunkelt . . . Wirst du noch manchmal denken dran? An den alten verdrehten Sinder Flamm?

ROSE. Das wer ich! Ich hab ja a Unterpfand.

FLAMM. Ach so: das Ringelchen mit dem Steine. Wirst du denn manchmal zu uns kommen?

ROSE. Das geht nich. Das schneid't een zu sehr ins Herze. Das wär bloß gedoppelte Marter und Leed! 's muß aus sein! Ich vergrab mich eis Haus! Ich will fer zwee rackern und arbeiten! 's fängt amal a neues Leben an, und da darf ma uffs alte ooch ni mehr zurickblicken. Uff Erden is halt bloß Jammer und Not, und mir miss'n halt uff a Himmel wart'n.

FLAMM. Soll das nun der letzte Abschied sein, Rose?

ROSE. Vater und August verwundern sich schonn!

FLAMM. Und wenn sich die Fische im Wasser verwundern und die Rohrdommeln auf 'm Kopfe stehn, deshalb wer ich jetzt keine Sekunde wegschmeißen. Es soll also ganz und gar alle sein? Auch Mutter willst du nich mehr besuchen?

ROSE *kopfschüttelnd.* Ich kann ihr nich mehr ins Gesichte sehn! Vielleicht o später amal! Nach zehn Jahren amal! Vielleicht hat man's dann doch noch amal ieberwunden. Hadje, Herr Christoph! Hadje, Herr Flamm!

FLAMM. Schön! Mädel, ich sag' dir, wenn Mutter nich wär', noch jetzt . . . ich wirde erscht gar nich fackeln; da machte ich sehr kurzen Prozeß mit dir.

ROSE. Ja, wenn ock das Wörtel „wenn" nich wär! Ohne August

und Vater, wer weeß, was ich machte! Am liebsten fleeg ich ei
alle Welt.

FLAMM. Ich mit, Rose! Also! So wär' also das! Und da kannste
m'r halt noch amal deine Hand geben ... *Er drückt ihre Hand,
sie blicken einander heiß zum Abschied in die Augen.* 's is so:
was sein muß, muß eemal sein! Und da woll'n mir halt jetzt
auseinandergehn! — *Er wendet sich entschlossen und geht mit
festen Schritten, ohne sich umzublicken.*

ROSE *ihm nachblickend, sich überwindend, mit äußerster Willens-
kraft.* Was sein muß, muß sein! Und nu is gutt! *Sie tut den
Krug wieder in den Korb und ist im Begriff, nach der anderen
Richtung davonzugehen. Streckmann erscheint.*

STRECKMANN *blaß, verzerrt, kriechend, scheu.* Rose! Bernd Rusla!
Heerschte nich? Das war doch wieder der nischnitzige Flamm-
Schulze?! Wo der mir amal ei de Finger kommt, dem tu' ich de
Rippa eim Leib zerbrecha! Was hat's denn? Was wollt' a denn
wieder von dir? Das sag' ich dir aber: das geht nich aso, ich
leid's ni! Eener is aso gutt wie d'r andere! Ich luß mir da ooch
ni a Laufpaß geb'n.

ROSE. Was sag'n Sie? Wer sein Sie denn ieberhaupt?

STRECKMANN. Wer ich bin? Verflucht ja: das werscht du schonn
wiss'n.

ROSE. Wer sein Sie? Wo hätt ich Ihn denn schonn gesehn?

STRECKMANN. Du?? Miich? Wo du mich gesahn hätt'st, Madel?
Fer an'n Aff'n such du d'r an'n andern aus.

ROSE. Was woll'n Sie? Wer sein Sie? Was wull'n Sie von mir?

STRECKMANN. An'n Dreck wiil ich! Nischte! Huste verstand'n!
In Gottes Nam ... prill ni aso!

ROSE. Ich ruffe die ganze Welt zusammen, wenn Sie m'r jetz ni
von a Fers'n giehn.

STRECKMANN. Denk an a Kerschbaum! Denk du ans Kruzifix!

ROSE. Wer sein Sie? Lüge! Was woll'n Sie von mir? Entweder
Sie sehn, doaß Sie weiterkumma ... ich schrei, was ich kann,
um Hilfe dahier.

STRECKMANN. Madel, du hast a Verstand verlorn!

ROSE. Da brauch ich a wengsten nimmeh zu schleppa! Wer sein
Sie? Lüge! Sie hoa nischt gesahn! Ich schrei! Ich prill, was d'r
Odem hält, wenn Sie itze ni uff d'r Stelle lang machen.

STRECKMANN *erschrocken.* Rusla! ich geh! Bis stille, 's gutt.

ROSE. Aber glei! Glei uff d'r Stelle! Verstanda?

STRECKMANN. Glei, glei! Meinswegen! Warum ooch ni! *Er macht eine faxenhafle Bewegung, als ob er sich vor einem Regenschauer flüchtete.*

ROSE *mit wahnsinnigem Ingrimm.* Da leeft a! Aso a nichtswerdiger Schuft! Wenn ma da Kerl von hinga sitt, da ha ma noch immer de beste Seite, und doch muß ma sich vor dam Kerle verfiehr'n! — Pfui, sag ich! Auswendig is a geschniegelt, inwendig is a von Mad'n zerfress'n: d'r Ekel kommt een zum Halse raus.

STRECKMANN *wendet sich, bleich, unheimlich.* Ach! 's is woll ni meeglich!? Was du ni sagst! Das iis kee sehr appetitliches Fress'n! Weshalb warscht d'nn du da asu hitzig druff?

ROSE. Iich? Hitzig uff dich?

STRECKMANN. Du hus's woll vergess'n?

ROSE. Schuft!

STRECKMANN. Ich biin au eener.

ROSE. Schubiack! Schuft! Was hust du jetzt noch um mich rumzuschnuppern? Wer bist du? Wer sein Sie? Was hätt ich gemacht? Du hast dich an meine Fersen gehängt! Du hast mich gehetzt . . . ei de Heechsen gebissa. Schuft! Schlimmer als wie a Fleescherhund!

STRECKMANN. Du bist m i r nachgelauf'n dahie!

ROSE. Was?

STRECKMANN. Bist in meine Wohnung gekomm'n und hast mir de Helle heeß gemacht.

ROSE. Und du . . .

STRECKMANN. Nu was denn?

ROSE. Und du? Und du?

STRECKMANN. A Kostverächter biin ich halt ni.

ROSE. Streckmann! Du mußt amal sterben dahier! Hierscht es! Denk an dei letztes Stindla! Du mußt amol o vor am Richter stehn! Ich biin zu dir gelaufa in Himmelsangst! Ich hoa dich um's Himmels willa gebattelt . . . du sullst m'r mit August'n a Weg frei gahn. Ich biin uff a Knien gekruchen vor dir, und du sagst itz, ich wär dir nachgelaufa? Asu is: Du hust a Verbrecha geton!! Du hast an mir a Verbrecha beganga!! Das is mehr als an Niederträchtigkeet! Getuppelt, gedreifacht a Verbrecha! D'r Herrgott wird dich bestrofa d'rfier.

STRECKMANN. Nu hiert ock! Da lassen mirsch ebens druff akumma.

ROSE. Das sagst du? Das willst du druff akumma loon? Teifel!!
Do spuck ich dir ins Gesichte.

STRECKMANN. Denk an a Kerschbaum! Denk ock ans Kruzifix!

ROSE. Du hust mir geschworen, du wulld'st ni davon red'n! Du
hust mir heilige Eide geschworen! Du hust deine Hand uffs
Kreuze gelegt und hust mir an Eid uffs Kreuz geleistet, und
itze fängst die Hetzjagd von frischen an! Was willst du?

STRECKMANN: Ich bin aso gutt wie Flamm. Und du sollst dich
mit dem ebens o ni mehr einlass'n.

ROSE. Ich spring ei sei Bette, Karnallje du! Das tät dich ooch
nich keen'n Pfifferling angehn.

STRECKMANN. Das werd sich ja rausstell'n, wie das kommt.

ROSE. Was? Du hust mir Gewalt agetan! Du hast mich verwerrt!
Hust mich niedergebrocha! Wie a Raubvogel bist du gestoßa
uff mich! Ich wiß! Ich wullde zum Tierla rauskumma! Du
hust mir Jacke und Rock zerzaust! Ich hoa geblutt! Ich wullde
no rauskumma! Do hatt'st du a Riegel virgelegt! Das iis a
Verbrecha! Ich bring's zur Oanzeige . . .

*Bernd und August treten hintereinander auf. Nach ihnen Klei-
nert und Golisch und die anderen Arbeiter.*

BERND *dicht vor Streckmann.* Was iis hier? Was hast du mein
Mädel getan?

AUGUST *zieht Bernd zurück, er drängt sich vor.* Ich, Vater! A
fragt, was du Roslan getan hast?

STRECKMANN. Nischte!

BERND *sich wieder vordrängend.* Was hast du dem Mädel getan?

STRECKMANN. Nischte!

AUGUST *sich vordrängend.* Itz sagst du, was du'r getan hast!

STRECKMANN. Nischte! An'n Teifel hab' ich'r getan!

AUGUST. Entweder du sagst itze, was du 'r getan hust — oder . . .

STRECKMANN. Oder? Na, was denn, hä, „oder" dohie? Hände
weg! Hand von d'r Gurgel!

KLEINERT *versucht zu trennen.* Halt!

STRECKMANN. Hand von d'r Gurgel!

BERND. Jetze muß du droa gleeba. Entweder . . .

AUGUST. Was hast du dem Mädel getan?!

STRECKMANN *in plötzlicher Angst, an den Birnbaum sich reti-
rierend, schreit.* Hilfe!

AUGUST. Was hast du dem Madel getan? Antwort! Antwort!
Iich will das wiss'n.

507

Er hat sich losgemacht und stellt Streckmann.

STRECKMANN *holt aus, schlägt ihm mit der Faust ins Gesicht.* Das is meine Antwort! Das hab' iich getan!

KLEINERT. Streckma —

DIE ALTE GOLISCHEN. Halt Augustn uff! A fällt.

GROSSMAGD *fängt den taumelnden August auf.* August!

BERND *ohne auf August zu achten, zu Streckmann.* Du werscht Rechenschaft geb'n! Jetze muß dir das heemkumma!

STRECKMANN. Die Schweinerei! Wegen dem Frovolke da, die mit all'r Welt a Gestecke hat · . . *Er geht ab.*

BERND. Was war das vor a Wort?

KLEINERT *der mit Golisch und der Großmagd, Hahn und der alten Golischen zusammen den fast besinnungslosen August aufrecht erhält.* 's Auge is 'raus!

DIE ALTE GOLISCHEN. Vater Bernd! Augusten is ni sehr gutt gegangen.

KLEINERT. Der Mensch hat an beese Brautschaft dahier.

BERND. Was? Wie denn? Du lieber Heiland eim Himmel! *Bei ihm.* August?!

AUGUST. Mir tut's linke Auge aso weh.

BERND. Rose, bring Wasser!

DIE ALTE GOLISCHEN. Doas iis a Unglicke.

BERND. Rose, bring Wasser, heerschte denn nich?

GOLISCH. Doas werd wull a Jährla Gefängnis kust'n.

ROSE *gleichsam jetzt erst aufwachend.* A soat . . . A soat . . . Ja, was heeßt denn nu das? . . . Ich hoa doch . . . an Puppe gekriegt zu Weihnachta.

KLEINMAGD *zu Rose.* Du schläfst woll?

ROSE. Ma koan das niemanda soan! Nee, Kleenemagd. 's gieht ni! 's läßt sich ni mach'n! Ma sellde vielleicht . . . doch ane Mutter han . . .

VIERTER AKT

Das gleiche Zimmer im Hause Flamms wie im zweiten Akt. Ein Sonnabendnachmittag zu Anfang des Monats September. Am Rollschreibtisch sitzt Flamm über Rechnungen. Nicht weit von der Flurtür steht Streckmann.

FLAMM. Demnach hätten Sie also noch zweihundert und sechs Mark und dreißig Pfennig zu bekommen.

STRECKMANN. Jawohl, Herr Flamm.

FLAMM. Was war denn an der Maschine los? Einen Vormittag haben Sie doch feiern missen.

STRECKMANN. Ich hatte Termin auf 'n Landgericht. Die Maschine is ganz in Ordnung gewesen.

FLAMM. War das in der Sache mit . . . mit dem Keil?

STRECKMANN. Ja. Und außerdem hatt' mich doch Bernd verklagt, ich soll doch die Tochter beleidigt haben.

FLAMM *hat aus einem besonderen Fach Geld genommen und zählt es auf den großen Tisch.* Hier sind also zweihundert . . . zweihundert sechs Mark und finfzig, bekäm' ich noch zwanzig Pfennig.

STRECKMANN *streicht das Geld ein und legt dagegen zwanzig Pfennige auf den Tisch.* Da soll ich 'm Herrn Oberamtmann sagen: gegen Mitte Dezember wärsch wieder so weit.

FLAMM. Zwei Tage! Sagen wir, Anfang Dezember. Da mecht' ich die große Scheuer leer mach'n.

STRECKMANN. Anfang Dezember. Jawohl, Herr Flamm. Adje!

FLAMM. Adje, Streckmann! . . . Sagen Sie mal: wie wird's denn nu werden mit Ihrer Geschichte?

STRECKMANN *bleibt stehen, zuckt mit den Achseln.* Da wird woll ni gar viel werden, Herr Flamm.

FLAMM. Wieso?

STRECKMANN. Ma wird halt dran glooben missen.

FLAMM. Was 'ne Kleinigkeit manchmal für Folgen hat. Wie kamt ihr denn eigentlich so an'nander?

STRECKMANN. Ich bin m'r reen gar nischt mehr bewußt. Ich bin damals . . . Ich muß sein reen kullrig gewest! Aber ich kann mich an gar nischt nich mehr erinnern.

FLAMM. Der Buchbinder gilt doch für äußerst friedfertig.

STRECKMANN. Mit mir fängt a immer Händel an! Aber sunster wie ausgelescht is m'r das! Ich weeß bloß, se sein ieber mich hergefall'n, grade als wie zwee reißnige Welfe! Ich dachte, 's wär m'r ans Leben gehn! Wenn ich das dahier nich gedacht hätte, da wär' m'r de Hand o ni ausgerutscht.

FLAMM. Und das Auge war nich mehr zu retten?

STRECKMANN. Nein! 's tutt een leed. Und . . . Nu, es is ni zu ändern! Schuld an dem Unglick bin ich nich!

FLAMM. So 'ne Sache is an sich beese genug! Wenn erst das Gericht eingreift, wird se noch schlimmer! Hauptsächlich tut mir das Mädel leid.

STRECKMANN. Mir schlottert's Zeug ock am Leibe rum, so is mir de Sache zu Herzen gegangen. Was Schlaf is, Herr Leutnant, das weeß ich ni mehr. Ich hab' o im Grunde mit Augusten nischt! Mir is ebens reen wie nich gegenwärtig!

FLAMM. Sie sollten doch mal zu Bernd riebergehn. Wenn Sie die Tochter beleidigt haben und auch gar nich recht bei sich gewesen sind, so kennten Sie doch das ganz einfach zuricknehm.

STRECKMANN. Das geht mich nischt an! Das is seine Sache! Wenn a freilich wißte, wonaus das geht, da tät' a woll seine Klage zuricknehm! das mißt'n freilich 'n andrer sagen, daß a dem Mädel kein'n Dienst tutt damit. Aso is! Adjes, Herr Leutnant!

FLAMM. Adieu! *Streckmann ab.*

FLAMM *für sich, erregt.* Wenn man so 'm Kerl an die Gurgel könnte! *Frau Flamm wird aus der Jagdkammer von dem Hausmädchen hereingeschoben.*

FRAU FLAMM. Was brummelste denn da wieder, Flamm? — *Auf ihren Wink entfernt sich das Mädchen.* — Haste Ärger gehabt?

FLAMM. Ja, danke, es geht!

FRAU FLAMM. War das nich Streckmann?

FLAMM. Der schöne Streckmann! Das war der schöne Streckmann, jawohl!

FRAU FLAMM. Wie steht's d'nn nu eigentlich damit, Flamm? Habt ihr ni ieber Keil gered't?

FLAMM *kritzelnd.* I, was, ich hab' Rechnereien im Kopf!

FRAU FLAMM. Steer' ich dich etwa, Christel?

FLAMM. Nee! Du mußt dich bloß etwas ruhig verhalten.

FRAU FLAMM. Wenn ich sonst nischt nich kann: da bürg' ich für mich. *Stillschweigen.*

FLAMM *aufbrausend.* Himmelkreuzschockschwerebrett nich nochmal! Manchmal mechte man bloß in die Jagdkammer laufen und so'n lausigen Kerl einfach niederknall'n! Das wär' bloß 'n Spaß, so was zu verantwort'n.

FRAU FLAMM. Nee, Christel, was du een'n erschrickst dahier!

FLAMM. Ich kann nischt dafier! Ich bin selber erschrocken! So gemein is der Mensch, Mutter, sag' ich dir, so unter aller Kanallje nichtswirdig — ich sage, so kann er wenigstens sein! —, daß einem Kerl wie mir, der seinen Tabak verträgt, sich manchmal de Därme im Leibe umwenden. In der Sache lernt unsereiner nich aus. Man kann alle vier Fakultäten verschluckt haben, Hanfstricke und Kieselsteine verdauen, aber so was . . . in Niederträchtigkeiten kommt man ieber Propädeutik nich raus!

FRAU FLAMM. Was hat dich d'nn wieder so aufgebracht?

FLAMM *wieder schreibend.* Ich spreche nur so ganz im allgemeinen.

FRAU FLAMM. Ich dachte, das hing' mit dem Streckmann zusamm! Nämlich, Christel, mich tutt die Geschichte nich loslass'n! Und wenn dirsch amal mehr gelegen wird sein, da mecht' ich mich wirklich amal mit dir aussprechen.

FLAMM. Mit mir? Was geht mich denn Streckmann an?

FRAU FLAMM. Wenn o Streckmann nich grade: der Mann ja nich! Aber doch d'r alte Bernd und o Bernd Rose. Sieh amal: was das Mädel betrifft, das is ane bitter ernste Geschichte! Und wenn ich ni aso gefesselt wär', da wär' ich schonn längst amal bei 'ner gewesen. Blicken lassen tutt se sich nich.

FLAMM. Du? Bei der Rose? Was willst du denn dort?

FRAU FLAMM. Nu heer amal zu, Christel! Sieh amal an, es is ja nich so bloß de erschte beste! Ich muß halt amal doch zum Rechten sehn.

FLAMM. Na ja, Mutter! Tu, was de nich lassen kannst! Du wirst bei dem Mädel bloß schwerlich was ausrichten.

FRAU FLAMM. Wie denn, Christel? Wie meenste denn das?

FLAMM. Man soll sich in fremde Sachen nich einmischen! Man hat doch bloß Ärger und Undank davon.

FRAU FLAMM. Wenn schonn! An'n Ärger muß ma vertragen! Und Undank is eemal der Welt Lohn! Und was gerade die Bernd Rose anbetrifft, ich weeß ni, mir is das halt immer gewesen, halb und halb, als wär' se mei Kind. Sieh ock, Christel, solange ich denken kann . . . wie Vater noch Oberferster war, da wusch ihre Mutter schonn bei uns im Hause. Hernach uff'm Kirchhof an Kurtels Grab, da seh' ich das Mädel noch stehn wie heute, wenn ich o selber mehr tot wie lebendig war. Außer mir und dir, das kann ich dir sagen, is keener wie die so untreestlich gewest.

FLAMM. Meinswegen! Was haste denn aber fer Absichten? Ich kann m'r dabei gar nischt denken, Kind!

FRAU FLAMM. Erscht will ich jetzt erscht amal neugierig sein.

FLAMM. Wieso?

FRAU FLAMM. Wegen nischt und wieder nischt! Ich meng' mich ja o sonst nich in deine Sachen. Aber jetzt . . . nu mecht' ich amal doch Bescheid wiss'n! Was hat's denn mit dir in der letzten Zeit?

FLAMM. Mit mir? Ich denke, du red'st von der Bernd Rose!

FRAU FLAMM. Jetze red' ich ebens amal von dir.

FLAMM. Das kannst du dir aber ersparen, Mutter! Meine Angelegenheiten kümmern dich nicht.

FRAU FLAMM. Das sagst du aso! Das is leichte gesagt! Aber wenn man so sitzt, wie ich sitzen muß, und sieht, wie a Mensch immer unruhig is, und weeß, daß a nachts ni schlaffen tutt, und heert'n in eenem Biegen seufzen, und 's is zufälligerweise d'r eegne Mann, da macht man sich halt ebens seine Gedanken.

FLAMM. Nee, Mutter, du bist woll ganz verrickt. Du willst mich woll ganz und gar lächerlich machen! Seufzen! Da mißt ich ja blödsinnig sein. Was d'nn noch? Ich bin doch keen Schneidergeselle!

FRAU FLAMM. Nee, Christel, aso entwischst du mir nich.

FLAMM. Mutter, was bezweckst du denn nu damit? Du willst mich woll öden? Was? Willst mich woll langweil'n? Aus dem Hause rausgraulen? Oder so was? Da kannst du's, weiß Gott, gar nich schlauer anfangen.

FRAU FLAMM. Ich bleibe dabei, du verheimlichst mir was!

FLAMM *achselzuckend.* Wenn du meinst! Nu dann wer ich dir wohl was verheimlichen! Nimm aber mal an, Mutter, daß es so is! Du kennst mich. In der Hinsicht kennst du mich doch! Da mag sich die ganze Welt auf'n Kopp stell'n, da kriegt keiner auch noch nich mal so viel raus! *Er schnippt mit den Fingern.* Ärger hat jeder genug in der Welt! Gestern hab' ich 'n Brauknecht missen rausschmeißen, vorgestern hab' ich 'n Brenner zum Teufel gejagt. Und schließlich, ganz abgesehen davon, so 'n Leben, wie man's hier führen muß, is wirklich ausreichend fade genug, einen anständigen Menschen spleenig zu machen.

FRAU FLAMM. Such d'r doch Umgang! Fahr in de Stadt!

FLAMM. Richtig! Im Roß mit den Rössern Skat dreschen oder mit 'n Herrn Landrat auf Stelzen gehn! Gott bewahre, die Scherze habe ich dick! Das kann mich noch nich vor de Haus-

türe locken! Hätt' man nich noch das bißchen Jagd und könnte
sich nich seine Knarre mal umhäng', da . . . Seemann mißt' man
geworden sein!

FRAU FLAMM. Na siehst es, da hast es! Das sag' ich ja! Du bist
ebens ganz von Grund aus verwechselt! Bis vor zwee, drei
Monaten warste vergniegt, hast Vegel geschossen und aus-
gebalgt, hast botanisiert und Eier gesammelt und gesungen a
lieben langen Tag. 's war ane Freude, dich anzusehen, und
jetzt biste uff eemal wie ausgewechselt.

FLAMM. Wenn uns wenigstens Kurtel geblieben wär'!

FRAU FLAMM. Wie wärsch denn, wenn mir a Kind täten annehmen?

FLAMM. Jetzt uff eemal!? Nee, Mutter! Jetzt mag ich nich!
Frieher hast du dich nich kenn entschließen; heute is der Moment ooch bei mir verpaßt.

FRAU FLAMM. 's is leichte gesagt, a Kind ins Haus nehm! Erscht
kommt 's een natierlich vor wie a Verrat! Mir kam's wie
Verrat am Kurtel vor, bloß ock aus d'r Ferne so a Gedanke.
Asu war mir's . . . wie soll ich denn sagen, Flamm! Als wenn
ma da Jungen nu gänzlich ausstieße, aus'm Haus, aus'm Stiebel
und Bettel raus und ni zuletzt o aus unsen Herzen. Hauptsächlich aber: wo gleich a Kind hernehmen, wo ma hoffen kann,
daß ma Freude erlebt? Aber laß das amal uff sich beruh'n!
Nu woll'n w'r amal uff de Rose zurickgreifen! Und ob de
denn weeßt, Flamm, was mit ihr los is!

FLAMM. Ja, nu . . . Ja, freilich! Weshalb denn nich! Streckmann
hat ihren Lebenswandel verdächtigt, und das leid't der alte
Bernd eben nich. 's is freilich 'ne Dummheit, klagbar zu werden. De Kosten trägt immer die Frau zuletzt.

FRAU FLAMM. Ich hab' a paar Briefe an de Rose geschrieben und
hab' m'r das Mädel herbestellt. Wahrhaftig in ihrer Lage,
Flamm, die kann jetzt wahrhaftig nich aus und nich ein wiss'n!

FLAMM. Wieso?

FRAU FLAMM. Weil Streckmann im Rechte is!

FLAMM *stutzig, dumm.* Was, Mutter? Du mußt dich deutlich ausdrücken.

FRAU FLAMM. Aber Christel, nich gleich wieder jähzornig sein!
Ich hab' d'r die Sache bis jetzt verheimlicht, weil ich weeß,
wie du in den Sachen bist; erinner dich ock an die kleene
Magd, die de Knall und Fall hast aus 'n Hause geschmissen,

und a Täschner, den de gepriegelt hast! Das Mädel hat m'r a Bekenntnis gemacht vor langer Zeit, schonn vor ieber acht Wochen, und da is se nich bloß mehr de Rose Bernd, sondern es kommt ooch a zweetes Wesen in Frage, halt ebens das, was unterwegens is . . . Flamm, haste verstanden!? Verstehste mich?

FLAMM *gepreßt.* Nee! Nich so ganz, Mutter, offen gestanden. Ich hab' neemlich . . . hier neemlich . . . heut neemlich . . . jetzt . . . mir steigt jetzt manchmal das Blut so zu Kopfe. Das is wie so 'n — scheußlich — Schwindelanfall! Aber ja, aber nee . . . ich muß doch woll Luft schepfen. 's is weiter nichts, Mutter, beunruhige dich nich!

FRAU FLAMM *mit der Brille.* Wo willst denn du mit der Patronentasche hin?

FLAMM. Gar nichts. Was mach' ich denn mit der Patronentasche? *Er schleudert die Patronentasche fort, die er unwillkürlich in die Hände bekommen hat.* Man weiß von nichts! Man erfährt von nichts! Und da wird eenem manchmal ganz blöde zumute. Da fühlt man sich manchmal ganz fremd in der Welt.

FRAU FLAMM *mißtrauisch.* Nu sag amal, Christel, was heeßt denn das?

FLAMM. Nichts, Mutter! Gar nichts! Durchaus weiter nichts! Mir is auch schon wieder ganz frei im Kopfe! Aber manchmal kommt so 'n Gefühl ieber mich, so 'ne Angst, ich weeß nich, mit einem Male, als wenn nirgend was Festes mehr unter mir wär' und man sollte sich gleich 's Genick abstirzen.

FRAU FLAMM. Du red'st ja seltsame Sachen dahier. *Es wird an die Tür gepocht.* Wer pocht denn? Herein!

AUGUST *noch unsicher.* Ich bin's bloß, Frau Flamm! *Flamm schnell in die Jagdkammer.*

FRAU FLAMM. Ach Sie sein's, Herr Keil. Sie kenn immer eintreten. *Keil August wird ganz sichtbar; er ist bleicher als früher, auch abgezehrter und trägt eine dunkle Brille. Das linke Auge ist mit einem schwarzen Verband bedeckt.*

AUGUST. Ich soll um Entschuldigung bitten, Frau Leutnant! Gut'n Tag, Frau Leutnant!

FRAU FLAMM. Scheen'n Dank, Herr Keil.

AUGUST. Meine Braut hat Termin uff 'n Landgericht, Frau Leutnant, sonst wär se selber gekomm. Vielleicht kommt se aber am Abend noch!

FRAU FLAMM. 's is m'r lieb, daß ich Ihn wenigstens amal zu sehn kriege. Wie geht's Ihn denn iebrigens? Setzen Sie sich!

AUGUST. Gottes Wege sein wunderbar! Und wie a een'n heimsucht, darf man nich murren. Im Gegenteil, ma soll sich freun. Und sehn Se, Frau Flamm, so geht mirsch beinahe jetze. Mir is recht! Um so besser, je schlimmer 's kommt. Um so mehr wächst der Schatz in der Ewigkeit.

FRAU FLAMM *schwer atmend.* Ich winschte, Se hätten recht, Herr Keil. Hat Rose denn meine Briefe gekriegt?

AUGUST. Se hat m'r se o zu lesen gegeben. Und ich hab ihr o ganz bestimmt gesagt: 's ging nich. Sie mißte jetzt zu Ihn gehn.

FRAU FLAMM. Ich muß Ihn sagen, 's wundert mich, Keil, daß se nach all den letzten Geschichten noch nich amal zu mir gefunden hat. Daß ma Anteil nimmt, das weeß se ja doch.

AUGUST. Se is ebens reen scheu in a letzten Zeit'n. Und, Frau Leutnant, wenn ich was sagen derf: Sie sollten'r das nicht übelnehm: erschtlich hatte se immer mit mir zu tun, weil ich doch sehr aner Pflege bedurfte — und se hat sich an'n Gotteslohn um mich verdient! Und dann, seit se der Mensch aso gräßlich beschimpft hat, da wagt se sich kaum aus d'r Stube raus.

FRAU FLAMM. Ich nehm's'r o weiter nich iebel, Keil! Wie geht's 'r denn sonst? Was treibt se denn so?

AUGUST. O jee, nee, das is . . . was sag ich d'nn glei . . . wie se heut um a elf uffs Gerichte sollte — das war Ihn a richtiger Tanz dahier! Reen war das, Frau Flamm . . . ma konnte fast Angst kriegen, aso eigentiemlich hat se gered't. Erscht wollde se ieberhaupt nich gehn, dann meente se, daß se mich wollte mitnehm, uff de letzte war se dann fort wie a Licht und schrieg m'r zu, daß ich nich sollte nachkomm. Manchmal hat se geflennt a ganzen Tag! Man macht sich natierlich seine Gedanken.

FRAU FLAMM. Was denn für welche?

AUGUST. So allerhand! Erschtlich, daß mich das Unglick betroffen hat! Das hat se mir mehrmal ausgesprochen! Das schneid 'r woll sehr in de Seele dahier! Und o was a Vater Bernd betrifft und daß a sich's hat so zu Herzen genomm.

FRAU FLAMM. Mir sein ja hier unter uns, Herr Keil. Warum soll'n wir denn nich amal deutlich reden: is Ihn das nie durch a Kopp gegangen — ich meene mit Streckmann die Geschichte —, Ihn oder 'n Vater Bernd vielleicht? Daß daran etwa kennte was Wahres sein.

AUGUST. Ich mach mir darieber keene Gedank'n.

FRAU FLAMM. Das is recht! Das tadle ich durchaus weiter nich! Ma kann manchmal wirklich nischt Besseres tun, als wie a Strauß a Kopp in a Sand steck'n. Fer an'n Vater aber geheert sich das nich.

AUGUST. Nu, Frau Flamm, was a alten Bernd anbetrifft, aso himmelweit is der von solchen Gedanken, daß da irgend was kennte nich richtig sein, aso felsenfest in der Sache dahier: der ließ sich d'rfier beede Hände abhacken. A is aso strenge, das gloobt eener nich. D'r Herr Leutnant Flamm is o bei 'm gewest und hat 'n woll'n von d'r Klage abbringen ...

FRAU FLAMM *erregt.* Wer is bei 'm gewest?

AUGUST. D'r Herr Leutnant!

FRAU FLAMM. Mei Mann?

AUGUST. Jawohl! A hat lange mit 'm gered't. Sehn Se, mir — ich hab zwar a Auge verloren! — mir liegt nischte daran, daß der Streckmann bestraft wird! Mein is das Gerichte, spricht ja der Herr! Aber Vater, der is ni versehnlich zu kriegen, a spricht: Verlangt all's, aber das nich von mir!

FRAU FLAMM. Mei Mann is beim alten Bernd gewest?

AUGUST. Ja, wie a die Vorladung hatte bekommen.

FRAU FLAMM. Was fier 'ne Vorladung war denn das?

AUGUST. Halt o vor a Untersuchungsrichter.

FRAU FLAMM *erregter.* D'r alte Bernd?

AUGUST. D'r Herr Leutnant Flamm.

FRAU FLAMM. Ja, is denn mei Mann auch vernommen worden? Was hat denn der mit der Sache zu tun?

AUGUST. A is auch vernommen worden, jawoll.

FRAU FLAMM *erschüttert.* So!? Das is mir ganz neu! Davon wußt' ich nichts! Auch daß Christel beim alten Bernd is gewesen! Wo bloß meine Odekolonje is! Nee, August, da gehn Se ock nach Hause jetzt! Ich bin a bissel ... ich weeß nich, wie! An'n besondern Rat kann ich Ihn so ni mehr geben! Mir is was sehr in de Glieder gefahren. Gehn Se nach Hause, und tun Se's abwarten! Wenn Se aber das Mädel liebhan dahier, da ... sehn Se uff mich, ich kann a Lied sing'n! Wenn eemal a Mensch so geartet is: 's is nu a Mann, dem de Weiber nachlaufen, oder 's kann o meinsweg'n a Weibsbild sein, dem de Männer wie nerrsch uff a Hacken liegen — da heeßt's dulden! dulden! geduldig sein! Ich hab' zwelf Jahre lang so gelebt. *Sie hält die*

Hand vor die Augen und sieht durch die Finger. Und wenn ich ieberhaupt noch was seh'n wollte, da hab' ich mußt durch de Finger sehn.

AUGUST. Ich kann das halt nimmermehr glooben, Frau Flamm!

FRAU FLAMM. Ja, ob Sie mir das glooben oder nich; dad'rnach wird nich gefragt im Leben. 's geht m'r wie Ihn; ich begreif's ooch fast ni; mir miss'n halt sehn, wie mir uns damit abfinden. Ich hab' Rosen a Versprechen gegeben! Ma verspricht manchmal leichte, und halten is schwer! Nu all's, was in meinen Kräften steht. Adje! Ich kann Ihn ja freilich nich zumuten ... D'r Himmel muß ebens gnädig sein. *August ergreift bewegt die dargebotene Hand der Frau Flamm und entfernt sich dann schweigend.*

Frau Flamm lehnt den Kopf weit im Stuhl zurück, blickt versonnen gen Himmel und seufzt zweimal schwer. — Flamm kommt herein, sehr bleich, wirft Seitenblicke auf Frau Flamm und fängt an, leise zu pfeifen, während er den Bücherschrank öffnet und angelegentlich etwas zu suchen scheint.

FRAU FLAMM. Ja, ja, du pfeifst eben auf alles, Flamm! Und das hätt' ich dir doch nich zugetraut. — *Flamm kehrt sich um, schweigt, sieht sie gerade an, hebt beide Hände ein wenig, beide Achseln sehr hoch und läßt alles wiederum schlaff heruntersinken, während er einfach und ohne Verlegenheit mehr nachdenklich als beschämt zu Boden blickt. —* Ihr macht euch das eben leichte, ihr Männer. Was soll d'nn nu werden?

FLAMM *die Bewegung wie vorher, nur schwächer.* Das weiß ich nich. Ich will jetzt amal vollständig ruhig bleiben. Ich will mal erzählen, wie das kam. Vielleicht kannst du mich da etwas milder beurteilen. Wo nich, na, dann tu' ich mir eben sehr leid.

FRAU FLAMM. So an'n Leichtsinn kann ma nich milde beurteilen.

FLAMM. Leichtsinn? Bloß Leichtsinn war das wohl nich! Was is dir denn aber lieber, Mutter, wenn's a Leichtsinn oder wenn's ernster is?

FRAU FLAMM. Grade so a'm Mädel die Zukunft zersteeren, wo mir hier . . . wo ma alle Verantwortung hat! Wo ma se hat ins Haus gezogen! Wo se haben a blindes Vertrauen gehabt! O nee, 's is zum ei de Erde sink'n! Als hätt' man's reen heimlich druff angelegt.

FLAMM. Bist du fertig, Mutter?

FRAU FLAMM. Noch lange nich!

FLAMM. Nu, da kann ich ja noch a bissel wart'n!

FRAU FLAMM. Christel, was hab' ich dir damals gesagt, da du rausgerickt kamst und du woll'st mich heiraten?

FLAMM. Was?

FRAU FLAMM. Ich bin viel zu alt fer dich. A Weib kann sechzehn Jahre jinger sein, aber ni drei oder vier Jahre älter. Hätt'st du mir ock gefolgt dahier!

FLAMM. Sind das nich recht mießige Sachen, jetz, von solchen alten Geschichten zu reden? Haben wir jetz gar nichts Wichtigeres zu tun? Ich kann mir nich helfen, mir scheint's so, Mutter. Davon, was mit Rose eigentlich is, hab' ich bis heute keine Ahnung gehabt. Sonst hätt' ich natierlich doch anders gehandelt. Nu heißt's sehn, ob was nachzuholen is. Und eben aus diesem Grunde, Mutter, wollt' ich dich bitten, nich kleinlich zu sein, und wollte zunächst den Versuch mal machen, ob du für den Fall wohl 'n Verständnis kriegst. So lange, bis zu dem Augenblick, wo es hieß, der Veitstänzer soll Rose heiraten, ist alles in allen Ehren gewest. Wie das aber fest stand, hernach war's aus. Kann sein, meine Begriffe verwirren sich. Ich hatte das Mädel aufwachsen sehn, es hing was von der Liebe zu Kurtel dran. Erstlich wollt' ich sie nur von dem Unglück zurickhalten, und schließlich, ganz plötzlich mal, wie das so is — das hat ja schon Plato so richtig geschrieben — von den zwei Rossen, im Phaidros steht's: da ging eben der schlechte Gaul mit mir durch, und da sind eben alle Dämme gebrochen. *Längeres Stillschweigen.*

FRAU FLAMM. Du hast ja recht scheene Geschichten erzählt — und sogar mit gelehrten Sachen durchflochten —, danach tut ihr dann immer im Rechte sein! A armes Weib mag dann sehn, wo se hinkommt! Womöglich hast du se bloß glicklich gemacht und hast dich dabei selber noch uffgeopfert. Fer so was gibt 's keene Entschuldigung.

FLAMM. Gut, Mutter, also vertagen wir das! Erinner dich aber, wie Kurtel starb, da konnt' ich das Mädel nich sehn mehr im Hause. Wer hat se gehalten und hergelockt?

FRAU FLAMM. Weil's ebens ni sollte zu tot um uns werden. Um meinetwillen braucht' ich se nich.

FLAMM. Und ich hab' nischt gesagt um deinetwillen.

FRAU FLAMM. Schade für jede Träne dahier, die eens etwa sollte um euch vergissen! Deine Reden kannst d'r ersparen, Flamm! *Das Hausmädchen bringt den Kaffee herein.*

DAS HAUSMÄDCHEN. De Bernd Rose is in d'r Kiche draußen.

FRAU FLAMM. Komm, Mädel! Schieb mich! Faß amal an! — *Zu Flamm.* Du kannst mich ja helfen beiseite dricken. Irgendwo wird woll fer mich ane Kammer noch sein! Ich bin ni im Wege. Hernach kannst se ja reinrufen.

FLAMM *zum Hausmädchen, streng.* Das Mädel soll wart'n 'n Augenblick! *Das Hausmädchen ab.* — Mutter, du mußt mit ihr reden a Wort! Ich kann nich! Mir sind de Hände gebunden.

FRAU FLAMM. Was soll ich d'nn mit'r reden, Flamm?

FLAMM. Mutter, du weißt das besser wie ich! Du weißt das selbst ... du hast selber gesagt ... bloß jetzt nich erbärmlich um's Himmels will'n! So darf sie nich von der Schwelle gehn.

FRAU FLAMM. Ich kann ihr die Schuhe nich putzen, Flamm!

FLAMM. Das sollst du auch nich! Davon is nich die Rede! Aber du hast se herbestellt. Du kannst dich so nich verändern plötzlich, daß du alles Erbarmen und Mitleid vergißt. Was hast du vorher zu mir gesagt? So is das Mädel zugrunde gerichtet! Und wenn das Mädel zugrunde geht, fer so 'ne Kanallje hältst du mich nich, daß ich dann noch mechte mei Leben fristen. Entweder — oder, vergiß das nich!

FRAU FLAMM. Na, Christel, wert seid ihr das freilich ni, jedennoch im Grunde: was will ma machen!? 's Herz blutt een! 's is unsere eegene Schuld. Warum tutt man sich immer wieder was weismachen, wo ma alt genug is und verständig is, und sitt a Wald vor a Bäumen nich. Ock darieber, Christel, täusch dich ni ... 's is gutt! Meinswegen! Ich rede mit ihr! Ni um deinetwillen, sondern weil's richtig is! Aber bild d'r nich ein, ich kennte jetz ganz machen, was du verbrochen und was du zerbrochen hast. Ihr Männer seid wie de Kinder dahier ... *Das Hausmädchen kommt wieder.*

DAS HAUSMÄDCHEN. Sie will ni mehr wart'n!

FRAU FLAMM. Schick se rein! — *Das Hausmädchen ab.*

FLAMM. Verständig, Mutter, auf Ehrenwort ...

FRAU FLAMM. Du brauchst's ni geben! Da brauchst's ni brechen. *Flamm ab. Frau Flamm seufzt, nimmt die Häkelei auf. Darnach tritt Bernd Rose ein.*

ROSE *im Sonntagsstaat, aufgedonnert, von verfallenen Gesichtszügen, im Auge einen krankhaften Glanz.* Gu'n Tag, Madam!

FRAU FLAMM. Setz dich! Gut'n Tag! Nu, Rose, ich hab' dich hergebeten . . . Was wir damals mitnander gesprochen haben, das
wird dir woll noch in Erinnerung sein. Inzwischen hat sich ja
manches geändert! In vieler Beziehung jedenfalls! Nu, da
wollt' ich erscht recht mit dir amal sprechen. Du sagt'st zwar
damals, ich kennt' d'r nich helfen: du wollt'st alles alleene
durchfechten dahier! Heute is m'r ja o manches klargeworden.
Damals dei sonderbares Verhalten und daß de von mir keene
Hilfe wollt'st haben. Wie de aber selber willst durchkommen,
das seh' ich noch nich. Komm, trink ane Tasse Kaffee mit! *Rose
nimmt in der Nähe des Kaffeetisches auf einer Stuhlecke Platz.*
August war eben hier bei mir. Wenn ich wie du gewesen wär',
Mädel, ich hätt's längst gewagt und 'm de Wahrheit gesagt.
Ihr scharf in die Augen sehend. Jetzt darf ich d'r dazu nich
amal mehr raten. Hab' ich nich recht?

ROSE. Ach, warum denn, Madam?

FRAU FLAMM. 's is ja wahr, je älter a Mensch eemal wird, um so
weniger kann a de Menschheet begreifen! A jedes is uff de
Welt gekomm uff de nämliche Art und Weise dahier, aber dadervon darf ni die Rede sein. Wodurch se doch alle leben dahier, vom Kaiser und Erzbischof angefangen bis runter zum
Pferdejungen dahier, das kenn se gar nich genug gemein machen. Und wo ock a Storch ieber a Schornstein fliegt, da is de
Verwirrung riesengroß. Da reißen se aus nach allen Richtungen. Aso a Gast kommt niemals zu paß.

ROSE. Ach, Madam, das wär' längst ins reene gebracht, wenn
so a Verbrecher und Schurke dahier, aso a Lügner, wie Streckmann is . . .

FRAU FLAMM. Nee, Mädel, da begreif' ich dich nich. Wie kannst
du bloß sagen, der Mann tut liigen? Ma sieht dirsch doch fast
schonn von außen an.

ROSE. A liigt! A liigt! Ich weeß eben ni andersch.

FRAU FLAMM. In welcher Art liigt er denn aber da?

ROSE. Ei jeder Art und ei jeder Richtung.

FRAU FLAMM. Du scheinst mir nich ganz bei d'r Sache zu sein!
Wen haste denn vor dir? Besinn dich a wing! Erschtlich hast
du mir all's ja hinlänglich gestand'n, und außerdem weeß ich
jetzt mehr als das, auch das, was du mir verschwiegen hast.

ROSE *fröstelnd, zitternd, verstockt.* Und wenn Se mich totschlagen, ich weeß weiter nischt.

FRAU FLAMM. So?! Ach! Das sein deine Springe jetzt!? Nach der Richtung hätt' ich dich andersch beurteilt. Das kommt mir doch unerwartet dahier! Hoffentlich, wenn de vernommen worden bist, haste da a wing weniger konfuse gesprochen.

ROSE. Da hab' ich o ock das gleiche gesagt.

FRAU FLAMM. Mädel, komm zu Verstande dahier! Du red'st ja hier hellen Unsinn zusammen; aso schwindelt man doch vorm Richter nich! Heer amal zu, was ich sagen tu'! Trink an'n Schluck Kaffee, du brauchst nee erschrecken! 's verfolgt dich ja keener, und ich fress' dich o nich! — Du hast zwar an mir ni zum besten gehandelt, das kann keener weiter behaupt'n dahier! Hättste mir wingsten damals de Wahrheet gesagt, vielleicht hätt' ma da leichter an'n Ausweg gefund'n; was jetzt ane schwere Sache is. Jedennoch mer woll'n nich mießig sein und woll'n o heut noch ane Rettung versuchen! Irgendwo kann's vielleicht noch meeglich sein. Nu also . . . hauptsächlich . . . so viel is gewiß — und da kannst de dich o dadruff ganz fest verlassen —, keene Not sollt ihr niemals nich leiden dahier! Ooch wenn Vater sollte de Hand von dir abziehen und August vielleicht seiner Wege gehn! Fer dich und o fer dei Kind wird gesorgt sein.

ROSE. Ich weeß halt ni, was Sie meenen, Madam.

FRAU FLAMM. Na Mädel, da sag' ich dirsch uff a Kopp druff: wenn du das ni weeßt und vergessen hast, da hast du ganz einfach a beeses Gewissen! Da hast du noch andre Sachen gebahnt! Und wenn du noch a Geheimnis hast, da hängt das mit nischt wie mit dem Streckmann zusammen; da is das der Kerl, der dich unglicklich macht.

ROSE *heftig*. Nee, wie kenn Sie aso was denn denken, Madam! Das sagen Sie . . . nee, ach, um Gottes will'n, wie hab ich ock das um Ihn verdient! Wenn das bloß mei Kurtel, mei liebes Kind... *Sie ringt die Hände hysterisch vor dem Bilde des Knaben.*

FRAU FLAMM. Rose, ock das nich, das bitt' ich dich! Kann sein, daß du o was um mich verdient hast! Dadrieber streiten wir aber jetzt nich. Du bist ja aso verändert dahier; das is ja schonn gar nich mehr zu begreifen, wie du dich aso sehr verändert hast.

ROSE. Warum hat mich mei Mutterle ni geholt! Se sagte, ich hol' dich nach, wenn ich sterbe.

FRAU FLAMM. Jetzt komm zu Verstande, Mädel! Du lebst! Was hast du?

ROSE. Mit Streckmann ha ich nischt! Der Lump hat's Blaue vom Himmel gelogen.

FRAU FLAMM. Was hat a gelogen? Hat er's beschworen?

ROSE. Ob a's schweert oder nich, mir is das gleichgiltig.

FRAU FLAMM. Hast du o missen schweeren?

ROSE. Das weeß ich nich. — Ma is doch kee schlechter Mensch dahier! Suster hätt ich ja a Verbrechen begangen! Daß August sei Auge hat verloren, das hat ma, das hoa ich ni angestift! 's verfolgt een'n vorher o Tag und Nacht, was der Mann fer Schmerzen hat missen leiden . . . suster mißt a mich ja oaspein dahier. Nu hält ma immer a Arm ei de Hieh, ma will immer was aus'm Feuer rett'n, da brechen se een alle Knoch'n entzwee. *Flamm erregt herein.*

FLAMM. Wer zerbricht dir de Knochen? Sieh Mutter doch an! Im Gegenteil, wir woll'n dich rett'n.

ROSE. Das is jetzt zu spät! Das geht jetzt ni mehr!

FLAMM. Was heeßt das?

ROSE. Nischte! Ich kann ni mehr warten. Adje! Ich will meiner Wege gehn.

FLAMM. Hierbleiben!! Nich von de Stelle geriehrt!! Ich hab' an der Tiere alles geheert, und jetzt will ich die ganze Wahrheit wiss'n.

ROSE. Ich sag' ja die Wahrheet!

FLAMM. Mit Streckmann die!

ROSE. 's is nischt zwischen uns gewest, a liigt!

FLAMM. Sagt a, daß zwischen euch was gewest ist!?

ROSE. Ich sag' weiter nischte, als daß a liigt!

FLAMM. Hat a de Liige beschworen? — *Rose schweigt. Flamm, Rose scharf und lange betrachtend, hernach.* Nu, Mutter, da nimm mir nu alles nich übel, verzeih mir nur, was du verzeihen kannst! Von der Sache weiß ich nu klipp und klar, daß sie mich nu auch ganz und gar nichts mehr angeht! Ich lache drie- ber! Ich niese drauf.

FRAU FLAMM *zu Rose*. Hast du denn alles ganz abgeleugnet? —

ROSE. — — —

FLAMM. Ich habe natierlich die Wahrheit gesagt. Und Streck- mann liigt auch nicht in solchen Momenten! Auf Meineid steht Zuchthaus, da liigt einer nich!

FRAU FLAMM. Mädel, du hast nich die Wahrheit gesagt? Du hast unterm Eide womöglich gelogen? Hast du denn gar keine

Ahnung davon, was du damit getan und begangen hast? Wie kommt dir denn so ein unsinniger Gedanke? Wie kommst du auf so was?

ROSE *gebrochen, schreit heraus.* Ich hoa mich geschaamt!

FRAU FLAMM. Aber Rose . . .

FLAMM. Schade fer jedes Wort! Weshalb hätt'st du a Richter angelogen?

ROSE. Ich hoa mich geschaamt! Ich hoa mich geschaamt!

FLAMM. Und mich? Und Mutter? Und August dahier? Weshalb hast du uns alle mitnander beschwindelt? Und wahrscheinlich o Streckmann zu guter Letzt? Und mit wem du sonst noch dei Gestecke hast? Ja, ja, du hast a treuherzig Gesichte, aber dennoch, du hast dich mit Recht geschaamt!

ROSE. A hat mich verfolgt und gehetzt wie a Hund.

FLAMM *lachend.* Nu, was denn, ihr Weiber macht uns zu Hunden. Heute der, morgen der, 's is bitter genug! Tutt ihr, was ihr wollt jetzt! Macht, was d'r wollt! Wenn ich noch an'n Finger riehr' in der Sache, da such' ich mir selber an'n Strick dahier und hau' m'r den um meine Eselsohren, bis ich de Hand vor a Augen ni seh'!

Rose starrt Flamm groß und entsetzt an.

FRAU FLAMM. Es bleibt dabei, Rose, was ich gesagt habe: es wird immer gesorgt sein für euch zwei.

ROSE *wie vorher und mechanisch flüsternd.* Ich hoa mich geschaamt! Ich hoa mich geschaamt!

FRAU FLAMM. Heerst du, Rose? — *Rose schnell ab.* Rose! Das Mädel is fort! Da mecht' ma an'n Engel im Himmel bitten . . .

FLAMM *im tiefsten Grunde erschüttert, bricht in verhaltenes Schluchzen aus.* Gott verzeih' mir's, Mutter, ich kann nich anders.

FÜNFTER AKT

Die Wohnstube im Häuschen des alten Bernd. Sie ist ziemlich geräumig, hat graue Wände und eine alte geweißte Balkendecke. Eine Tür im Hintergrund führt zur Küche, eine Tür links zum Hausflur, rechts sind zwei Fensterchen. Zwischen diesen Fensterchen steht eine gelbe Kommode, auf ihr eine Petroleumlampe, unangezündet, darüber an der Wand hängt ein Spiegel.

*In der Ecke links ein Bauernofen. In der Ecke rechts Wachs-
leinwandsofa, Tisch mit Tischdecke und Hängelampe darüber.
Über dem Sofa an der Wand ein biblisches Bild: „Lasset die
Kindlein zu mir kommen!", darunter Photographien Bernds
aus seiner Militärzeit und einige: er und seine Frau gemeinschaftlich. Vorn links steht ein Glasschrank, angefüllt mit ge-
malten Tassen und Gläsern usw. Auf dem Tisch steht ein Kruzifix. Auf der Kommode liegt eine Bibel, über der Flurtür hängt
ein Ölbild „Christus mit der Dornenkrone". Auf der Diele
liegen Fleckeldecken. Die Fenster haben Mullgardinen. Vier
bis fünf gelbe Holzstühle sind jeder auf seinen Platz geordnet.
Alles macht einen sauberen und sehr frostigen Eindruck. Einige
Bibeln und Gesangbücher liegen auf dem Schrank. Am Türpfosten der Flurtür hängt eine Sammelbüchse.*
*Es ist abends gegen sieben Uhr des gleichen Tages, an dem die
Vorgänge des vierten Aktes stattgefunden haben. Die Tür zum
Flur steht offen, ebenso die in den Küchenraum. Es herrscht tiefe
Dämmerung.*

*Man hört außer dem Hause Stimmen, danach wird mehrmals
an das Fenster geklopft. Danach sagt eine Stimme durchs Fenster.* Bernd! — Is denn gar kee Mensch nich d'rheeme? — M'r
gehn amal an de Hingertier! —
*Nun wird es still, bald aber geht die Hintertür und man hört
Stimmen und Schritte im Hausflur. Jetzt erscheinen in der Flurtür Kleinert und Rose Bernd, diese sichtlich erschöpft und von
Kleinert gestützt.*

ROSE *schwach, mühsam.* 's is niemand d'rheeme! 's is alles finster.

KLEINERT. So kann ich dich jetzt ni alleene lass'n!

ROSE. Weshalb denn ni, Kleinert! Mir fehlt ja nischt.

KLEINERT. Das gloob ock a andrer, daß dir nischt fehlt! Suster
hätt ich dich woll ni uffgelasa.

ROSE. Nee — ich bin doch bloß a wing schwindlig geword'n.
Wirklich! 's geht jetzt! Ich brauch Euch ni weiter.

KLEINERT. Nee, nee, Madel, nee, das geht ni asu.

ROSE. Ja, ja, Vater Kleinert! Ich dank scheen! 's is gutt! Mir
fehlt nischt! Ich biin wieder ganz eim Stande. Das kommt aso
manchmal, das is weiter nischt.

KLEINERT. Du lagst ja halb tot dahier hinger a Weida! Du hast
dich ja wie a Wurm gekrimmt.

ROSE. Kleinert, gieht Eurer Wege, ich mache glei Licht! Ich muß Feuer uffzinda . . . gieht Eurer Wege! Se wern glei kumma zum Abendbrot! . . . Ach nee, Kleinert, Kleinert, ich bin aso miede! Aso schauderhaft miede, das gleebt eener nich!

KLEINERT. Und da willste no Feuer uffzind'n dahier? Das is nischt fer diich, du gehiirscht eis Bette.

ROSE. Kleinert, gieht Eurer Wege, gieht! Wenn Vater . . . wenn August . . . die derfen nischt wiss'n! Tutt m'r die Liebe — tutt m'r das ni oa!

KLEINERT. Will ich d'r etwa was Biises oatun?

ROSE. Nee, nee, ich wiß schunn. Ihr wart immer gutt! *Hat sich von dem Stuhl rechts an der Tür, auf den sie hingesunken war, erhoben und ein Licht hinterm Ofen vorgezogen und angesteckt.* — Jedennoch, ich bin gutt zuwege jetzt wieder. Mir fehlt nischt! Da kennt Ihr ganz ruhig sein.

KLEINERT. Das sagst du aso!

ROSE. Weil's werklich so is. *Marthel kommt mit bloßen Armen und barfuß vom Felde herein.* Da is ja ooch Marthel!

MARTHEL. Rose, bist du's? Wo bist'n a ganzen Tag gewesen?

ROSE. Mir hat getraumt, ich war uff'n Gericht.

KLEINERT. Nee, nee, sie war wirklich uff'n Gerichte! Paß a wing uff, uff de Schwester, Marthla, zum wingsten aso lange, bis Vater kommt; 's is mit dam Madel ni all's ganz richtig.

ROSE. Marthla, feder! Zind Feuer uff! Daß m'r schnell de Kartoffeln kenn zusetzen. — Wo is denn Vater?

MARTHEL. Uff Augustens Land.

ROSE. Und August?

MARTHEL. Das weeß ich nich, wo a is. A war heute nich uff'n Felde draußen.

ROSE. Hast du neue Kartoffeln?

MARTHEL. De Scherze vull! *Sie schüttet Kartoffeln gleich hinterm Kücheneingang auf den Boden.*

ROSE. Bring ane Schissel und an'n Topp, da kann ich glei mit Schälen anfang'n. Selber hol'n kann ich mirsch nich.

KLEINERT. Sool ich etwa was bestell'n ergendwo?

ROSE. Wo denn? Beim Totengräber vielleicht? Nee, nee, Pate Kleinert, wegen meiner nich! Ich kumm uff a ganz besondres Fleckla.

KLEINERT. Na adje!

ROSE. Na adje!

MARTHEL *frisch.* Komm Se wieder, Pate Kleinert! *Kleinert, wie immer die Pfeife im Mund, kopfschüttelnd ab. Marthel, das Feuer anzündend.* Is dir ni gutt, Rusla?

ROSE. O ja, mir is gutt! — *Leise, mit gerungenen Händen zum Kruzifix.* Jesus, Maria, erbarm dich ock meiner!

MARTHEL. Rose?

ROSE. Was denn?

MARTHEL. Was hat's denn mit dir?

ROSE. Nischte! Bring mir a Topp und Kartoffeln!

MARTHEL *hat das Feuer in Gang gebracht, kommt nun mit einer irdenen Schüssel voll Kartoffeln, auch ein Messer liegt darin.* Ach nee, Rusla, ich ängst mich, wie siehst du ock aus!

ROSE. Wie säh ich d'nn aus, hä, sag m'r amal? Wie denn? Hoa ich ernt was oa a Händen? Is m'r ernt was ieber de Augen gebrannt? 's kommt m'r oll's aso wie gespenstig vor! *Unheimlich lachend.* Nee, Jeses! Jetze säh ich von dir kee Gesichte! Jetze säh ich an Hand! Jetze säh ich zwee Augen! Jetze Punkte! Marthla, ich wer woll blind.

MARTHEL. Rosla, dir is woll ernt was passiert?

ROSE. Behitt dich ock Gott davor, was mir passiert is. Winsch du d'r lieber an friehzeitigen Tod. Denn 's heeßt ja, wenn eener o zeitlich stirbt, da is a doch, heeßt's ja, ei d'r Ruhe. Da braucht a nich leben und Oden hull'n. Wie is mit 'n kleenen Kurt Flamm gewest? Ich wiß nee! Mir schwindelt! Ich ha's vergess'n! Ich ha alles vergess'n. 's Leben is schwer! Wenn's ock aso bliebe! Wenn ma ock ni mehr uffwachte! Fer was das ock alles mag vorfall'n dahier!?

MARTHEL *ängstlich.* Wenn ock Vater bloß heemkäm . . .

ROSE. Marthla, kumm, heer uff mich! Du derfst Vater nischt sag'n, daß ich hier war . . . hier biin. Gelt, Marthla, gelt, das versprichst du mir?! Ich ha dir o manches zuliebe getan . . . gelt, Marthla? Das hast du no ni vergess'n, wenn's jetze um mich gar aso dunkel is!

MARTHEL. Willste a Neegel Kaffee haben, 's steht noch a Neegel in d'r Rehre. Ich ängst mich aso, Rusla.

ROSE. Ängst dich ock ni! Ich will a wing nuff in de Kammer gehn! Ich will mich a wing ock a bissel hinlegen! Sonste is m'r ganz wohl — sonste is weiter nischt.

MARTHEL. Vatern soll ich nischt sagen?

ROSE. Kee Sterbenswort!

MARTHEL. Und Augusten o nischt?

ROSE. Mit keener Silbe! Mädel, du hast keene Mutter gekannt, und ich hab dich ei Ängsten großgezogen. Wie manche Nacht hab ich durchgewacht ei Sorgen um dich in schwerer Krankheet. Aso alt wie du war ich no nich, da hatt ich mich an dir fast schief geschleppt, da kamst du dahier von dem Arm ni runter! Verrätst du mich jetze, is 's aus zwischen uns.

MARTHEL. Rosla, 's werd doch nischt Bieses sein? Nischt Gefährliches, meen ich?

ROSE. Das gloob ich ni! Kumm, Marthla, greif a wing, stitz mich a wing! Ma is halt zu sehr ei d'r Welt verlass'n! Ma is eemal zu sehr alleene dahier! Wenn ma bloß nich aso alleene wäre! Ma is zu sehr alleene hier uff d'r Erde!

Rose und Marthel ab durch die Hausflurtür. Einige Sekunden bleibt das Zimmer leer, hernach erscheint in der Küche der alte Bernd, er setzt einen Korb und eine Kartoffelharke ab und guckt dann mit ernstem Gesicht forschend herein. Inzwischen tritt wieder Marthel vom Flur aus ins Wohnzimmer.

MARTHEL. Sein Sie's, Vater?

BERND. 's is ja kee heeßes Wasser! Du weeß doch, ich muß doch mei Fußbad haben. Is Rose ni da? —

MARTHEL. Se is noch ni da, Vater!

BERND. Was? Is se noch ni vom Gerichte zurück? Das is ja ni meeglich, 's is ja bald achte. — War August ni hier?

MARTHEL. Noch ni!

BERND. O noch ni? Nu, da wird se vielleicht bei Augusten sein. Haste de große Wolke gesehn, Marthel? So gegen sechse vom Streitberge her?

MARTHEL. Ja, Vater. 's war ganz finster geworden.

BERND. 's wird amal noch viel finsterer werden! Zind m'r amal de Tischlampe an und leg m'r de Heilige Schrift zurechte! Hauptsache is: in Bereitschaft sein. Marthel, denkst du o immer ans ewige Leben? Daß du kannst vorn ewigen Richter stehen? De wenigsten Menschen denken dran. Eben wie ich am Wasser nach Hause ging, da heert ich mir wieder amal eenen nachschimpfen. Wo wär ich a Leuteschinder gewest? A brillte und schrie nämlich: Leuteschinder! Ich hab nischt als bloß meine Pflicht getan. De Rotte Korah lebt immer noch! Durchstechereien! Zwee Augen zudricken! Ruhig zusehen, wie ma betriegt! Da is ma unter a Menschen gelitten. — An a Herrn Jesus halt

ich mich. Wir Menschen brauchen alle die Stitze! Bloß gute
Werke tun, macht's eben nich! Hätte Rose das mehr in Gedanken gefaßt, vielleicht wären wir um allerlei Heimsuchung
und um manches Schwere und Bittre gekomm. *Der Gendarm
erscheint im Türrahmen.* Wer kommt denn?

DER GENDARM. Ich hab eine Zustellung, ich mechte amal Ihre
Tochter sprechen.

BERND Meine älteste Tochter?

DER GENDARM *liest.* An Rose Bernd.

BERND. Meine Tochter is noch nich zurücke vom Gerichte. Kann
ich den Brief ni abgeben?

DER GENDARM. Nein. Ich muß auch persönlich amal recherchieren.
Morgen gegen acht wer ich da wiederkomm. *August erscheint
eilig.*

BERND. Da is ja o August.

AUGUST. Is Rose nich hier?

BERND. Nee. Der Herr Wachtmeester frägt ooch nach'r; ich
dachte, ihr wärt miteinander sein.

DER GENDARM. Ich muß ieber an'n Punkt noch Recherchen anstellen, und dann hab' ich o hier ane Zustellung.

AUGUST. Ewig und immer die Streckmann-Geschichte. Ni bloß
daß ma sei Auge hat eingebießt, aber nu noch die Scherereien
dazu. Das nimmt ja, Gott verzeih mir's, kee Ende!

DER GENDARM. Gu'n Abend! Morgen vormittag um acht. *Ab.*

AUGUST. Marthel, geh amal in de Kiche jetzt! Vater, ich hab
was mit Ihn zu sprechen. Geh, Marthel, geh, mach de Tiere
zu! — Marthel, hast du nischt von Rose bemerkt?

MARTHEL. Nee, nischte. — *Sie winkt ihm verstohlen mit dem
Zeigefinger.* Ich wer d'r was sagen, August.

AUGUST. Mach de Tiere zu, Mädel, ich hab keene Zeit. *Er
schließt selbst die Küchentür.* Vater, Ihr mißt Eure Klage
zuricknehm!

BERND. Alles, August! Das kann ich nich.

AUGUST. Es is nich christlich. Ihr mißt se zuricknehm.

BERND. Ich gloobe ni, daß das ni christlich is! Denn warum? Das
bleibt eine Ruchlosigkeit, aso a'm Mädel de Ehre abschneiden.
Das is a Verbrechen, das Strafe verdient.

AUGUST. Wie soll ich ock anfang. Vater Bernd, Ihr seid in der
Sache zu hitzig gewesen.

BERND. Das beansprucht mei Weib, das im Grabe liegt! O meine

Ehre beansprucht das! Meine Hausehre und meines Mädels
Ehre! Und o deine Ehre zu guter Letzt.

AUGUST. Vater Bernd, Vater Bernd, wie soll ich da anfang, wenn
Ihr gar so unversehnlich seid! Ihr habt von so vieler Ehre gered't. Ma soll aber seine Ehre ni suchen, sondern Gottes Ehre
und sonst keene nich!

BERND. In der Sache is das a ander Ding: da is Weibes Ehre o
Gottes Ehre! Oder kannst du dich ieber Rose beklagen?

AUGUST. Ich hab d'rsch gesagt, ich beklag mich nich.

BERND. Oder hast du dir mit ihr was vorzuwerfen?

AUGUST. In der Sache da kennt Ihr mich woll, Vater Bernd.
Ehb ich da eim geringsten vom Wege abwiche . . .

BERND. Nu also! Das weeß ich! Das hab ich gewußt! Und da
soll die Gerechtigkeit o ihren Gang gehn.

AUGUST *den Schweiß von der Stirn wischend.* Wenn ma ock
wißte, wo Rose is.

BERND. Wer weeß, is se schonn von Striegau zurick!

AUGUST. So ane Vernehmung, die dauert ni lange. Um Uhre fünf
wollt se d'rheeme sein.

BERND. Se wird haben die Einkäufe gleich mitgemacht. Sollt se
nich das und jenes noch einkoofen? Ich denke, 's fehlt euch noch
dies und das?

AUGUST. Kee Geld hat se aber nich mitgenommen. Und was wir
noch for a Laden brauchten: Stoff forsch Schaufenster und an
der Eingangstier, da wollten wir ja miteinander gehn.

BERND. Ich war ja der Meinung, se käm mit dir.

AUGUST. Ich bin ihr ieber ane Meile entgegengelaufen, aber nischt
ni gesehn und geheert von ihr. Statts dessen hab ich a Streckmann begegnet.

BERND. Das nenn ich 'm Teifel begegnet sein!

AUGUST. Ach Vater, der Mann hat o Weib und Kind! Was kenn
die fer dessen seine Sind'n! Was habe ich davon, daß a sitzen
muß! Wenn eener bereut . . . mehr will ich nich.

BERND. Der schlechte Kerl und bereun! O jee.

AUGUST. 's hat aber doch's Aussehen dernach.

BERND. Hast du mit 'n gesprochen?

AUGUST. A ließ ni nach. A lief neben mir her und tat in mich
neinsprech'n. 's war weit und breit keene Seele zu sehn. Uff
d'r Jenker Schussee! Zuletzt tat a m'r leed. Ich kunnde ni
andersch.

BERND. Du hast'n geantwort? Was sagt er denn?

AUGUST. A sagte, Ihr sullt de Klage zuricknehm.

BERND. Eender kann ich ni seel'nselig sein! 's wär wetter nischt, wenn's mich beträf! Ich kann's ertragen, ich lache drieber! Ich bin a Mann und a Christ obendrein! Bei an Kinde is das ane andre Geschichte! Wie sold ich denn dir ins Gesichte sehn, wenn ich das an ihr sitzen ließ dahier! Und nu erscht gar nach dem schrecklichen Unglicke! Sieh ock, August, das geht ni, das darf ni sein! — Alle sein se uns uff a Fersen gewest, weil mir anderscher lebten wie andere Leute! Alle han se uns Mucker und Heuchler genannt! Und Leisetreter und was aso is! Und wollten uns stets was am Zeuge flicken! Was wär das fier die fer a Fressen sein. Und o sonst . . . das Mädel ist so er- zogen: ei der Furcht Gottes und arbeitsam, daß, wenn a christ- licher Mann die heirat, a auch a christliches Haus kann uff- richt'n! Aso is das! Aso geb ich se aus d'r Hand! Und ließ ich den Gift an ihr hängen dahier? Liebersch wollt ich da Salz und Kartoffeln essen, als da noch an'n Pfennig annehmen von dir.

AUGUST. Vater Bernd, Gottes Wege sind wunderbar! A kann ee'm täglich Priefungen schicken! Selbstgerecht darf eemal der Mensch ni sein! Und wenn ich o wollte, 's geht eemol ni! Ich kann's Euch ni länger ersparen, Vater! Unse Rose war o ock a Menschenkind.

BERND. Wie meenst du das, August?

AUGUST. Vater, fragt weiter nich!

BERND *hat an der Seite des Tisches auf einem Stuhl so Platz genommen, daß sein Gesicht der Wand zugekehrt ist. Auf die letzte Äußerung hin blickt er August groß und fremd einige Sekunden lang an, alsdann wendet er sich dem Tische zu und schlägt mit zitternden Händen das Bibelbuch auf, dessen Blät- ter er in steigender Erregung bald so, bald so herumwirft. Damit innehaltend, blickt er wiederum August an. Schließlich faltet er die Hände über dem Buche und läßt den Kopf darauf niedersinken, während sein Körper mehrmals konvulsivisch zuckt. So bleibt er eine Weile, dann richtet er sich wieder auf.* Aber nee! Ich hab dich ni richtig verstanden! Sieh ock, wenn ich dich richtig verstanden hoa, da wär das ja wirklich . . . da wißt ich ja nich . . . da geht m'r de ganze Stube im Kreise, da mißt ich ja taub und blind mißt ich ja sein. Nee, August!

Taub und blind bin ich ja ni! Laß du dir ni etwan von Streckmann was uffbinden. Dam Streckmann is jetz jedes Mittel
recht! A sitzt ei d'r Falle! Es kommt 'n heem! Nu will a sich
— irgendwie will a sich rausschwindeln! Und da bringt a dich
gegen dich das Mädel uff. Nee, August, bloß, August, uff die Bricke
ni! Uff die Bricke muß du beileibe nich treten! Da durchschaut
ma die Niederträchtigkeit! Nachgestellt hat a dem Mädel
genug. Geht's uff jene ni, geht's uff 'n andre Weise! Nu will
a 's uff die Art versuchen dahier! Kann sein, daß a euch aus-
nanderbringt! Mehr wie eemal is das schonn vorgekommen,
daß Leute aso getrennt worden sein, durch a Teifel und seine
nichtsnutzigen Ränke, die de Gott fiereinander geschaffen hat.
Se han dich dem Mädel so niemals vergennt. Meinswegen!
Ich wer d'r de Rose nich nachschmeißen. Mir sein ja bis jetzt
o so satt geworden! Wenn de aber von mir a Wort willst
heeren: da leg ich dir hier meine Rechte eis Feuer . . .

AUGUST. Herr Flamm hat aber 'n Eid geschworen.

BERND. Zehn Eide vor mir! Zwanzig Eide vor mir! Da hat a
falsche Eide geschwor'n! Sich zeitlich und ewig zugrunde
gericht!!

AUGUST. Vater Bernd . . .

BERND. Itze wart amal eene Sekunde — eh du weiter ee Wort
zu der Sach red'st! Hier nehm ich de Bücher! Hier nehm ich
a Hutt! Hier nehm ich o de Missionsbichse runter. Das stell
ich hier alles zusammen dahier. Und wenn das richtig is, was
du sagst, da geh ich jetzt zum Herr Paster nieber — wenn
bloß a Funke wahrer dran is! — und spreche: Herr Paster,
so und so . . . ich kann ni mehr Kirchenvorsteher sein! Ich kann
die Missionskasse nich meh verwalten! Adje! Und dann sitt
mich kee Mensch hier ni meh! Nee, nee, nee, um's Himmels
wille ni! — Nu red du weiter! Sag, was de zu sagen hast!
Ock quäl mich weiter ni unnitz lange.

AUGUST. Ich hab o denselben Gedanken gehabt! Ich will o Haus
und Land wieder verkoofen! Man kann ja vielleicht woandersch sehn.

BERND *in unsäglichem Staunen.* Haus und Land willste verkoofen, August? Woher kommt denn das alles uff eemal dahier!
Das is ja . . . Da mecht ma sich ja fast bekreuzigen, gleichwoll
ma kee Katholike is. Is denn de Welt gar ringlich geword'n?
Oder stieht gar der Jingste Tag vor der Tiere! — 's kann

o mei letztes Stindla sein! Itze antwort, August, mehr will ich ni wiss'n! Antwort uff Seelenseligkeit!

AUGUST. Wie's o is, Vater Bernd, ich verlaß se nich!

BERND. Das magst du halen, wie du willst dahier! Das geht mich nischt an! Das brauch ich ni wiss'n, ob a Mann so a Mensch ei sen Hause mag hab'n. Ich nich! Denn aso a Mann bin ich nich! Nu also . . . ?

AUGUST. Ich kann weiter nischt ni sagen — als daß amal irgendwie was muß mit'r gewest sein! Ehb das nu mit Flamm oder mit Streckmann is —

BERND. Das wern glei zwee!

AUGUST. Ich kann's ja ni wiss'n.

BERND. Nu, da wär ich ock zum Herrn Paster gehn! Birscht mich ab, August, putz mich ab! Mir is, als hätt ich de Kretze am Leibe! *Er geht in den Hausflur, im gleichen Augenblick kommt Marthel aus der Küche gestürzt und redet in höchster Angst zu August.*

MARTHEL. Mit Rose is, gloob ich, a Unglück passiert! Rose is oben! Se is längst zu Hause.

BERND *kommt wieder, durch einen gelinden Schreck verändert.* 's muß jemand uff'n Boden sein.

AUGUST. Marthel sagt eben, Rose is da.

MARTHEL. Ich heer se! Se kommt schonn de Treppe runter.

BERND. Gott verzeih mir de Sinde! Ich mag se ni sehn! *Er setzt sich wie vorher an den Tisch, hält mit den Daumen die Ohren zu und senkt den Kopf tief in die Bibel. Rose wird in der Tür sichtbar. Sie hat den Hausrock und eine lose Kattunbluse an. Ihre Haltung ist krampfhaft aufrecht. Das Haar hängt aufgelöst zur Hälfte herunter, zur Hälfte in einen Zopf geflochten. Etwas furchtbar Gefaßtes, Bitter-Trotziges liegt in Roses Gesicht. Sie überschaut einige Augenblicke lang das Zimmer: den Alten über der Bibel, August, der sich langsam auch von der Tür abgewandt hat und sich stellt, als blicke er angelegentlich durchs Fenster. Dann beginnt sie, eine Stütze suchend, mit erzwungener Energie zu reden.*

ROSE. Gut'n Abend mitnander! — —? — Gut'n Abend!

AUGUST *nach einigem Kilstern.* Scheen'n Dank!

ROSE *bitter, eisig.* Meegt ihr mich hier nich, da geh ich wieder.

AUGUST *nüchtern.* Wo willst'n noch hin? Wo bist'n gewest?

ROSE. Wer viel frägt, der derfährt viel! Manchmal mehr, als'n

lieb is. Marthel, komm amal rieber zu mir! — *Marthel kommt.*
Rose hat unweit des Ofens Platz genommen und faßt ihre
Hand. Dann laut. Was hat's denn mit Vatern?

MARTHEL *betreten, ängstlich, halblaut.* Das weeß ich doch nich.

ROSE. Was hat's denn mit Vatern? Du kannst immer laut
sprechen! Und, August, mit dir o, was hat's denn mit dir?
Du hätt'st Grund, August, wirklich, du kennt'st mich veracht'n!
Das kennt'st du! Jawull! Das bestreit ich nich!

AUGUST. Ich verachte niemanda hier ei d'r Welt!

ROSE. Ich aber! Alle! Alle miteinander!

AUGUST. Das is mir dunkel, waș du da red'st!

ROSE. 's is dunkel! Jawull! Ich geb's zu! 's is dunkel! Und
reißende Tiere heert ma schrein! Hernachert aber uff eemal,
hernachert wird's helle! Do kann eens spieren, wie de Helle
brennt. — Marthla . . .

BERND *hat ein wenig gehorcht, erhebt sich und macht Marthels*
Handgelenk von Roses Hand frei. Vergift m'r ni noch das
Kind! Hand weg! — Marsch in de Kammer, schlafen! —
Marthel weinend ab. Nischt heeren! Nischt sehen! Tot mechte
man sein! — *Er vertieft sich wie vorher ins Bibelbuch.*

ROSE. Voater! Ich lebe! Ich sitze hier! Das iis was! Das heeßt
was, daß ich hier sitze! Ich dächte, Voater, Sie mißten das
sehn! Das iis ane Welt . . . da sein Sie versunka . . . da kinn
Sie m'r nischt nimeh antun dahier! O Jees, ei een kleen Käm-
merla lebt ihr mitnander! Ihr wißt nischt, was außern der
Kammer geschieht! Ich wiß! Ei Krämpfen hab' ich's gelernt!
Da is . . . ich weeß ni . . . all's von mir gewichen . . . als wie
Mauer um Mauer immerzu — und da stand ich drauß'n, im
ganz'n Gewitter — und nischt mehr war unter und ieber
mir — da seid ihr de reenst'n kleen Kinder dagegen.

AUGUST *angstvoll.* Nu, Rose, wenn's wahr is, was Streckmann
sagt, da hätt'st du ja falsche Eide geschworen . . .

ROSE *bitter lachend.* Ich weeß ni! Das kann ja all's meeglich
sein — ich kann mich dadruff ni besinnen jetzunder: aus Liig'n
und Triig'n besteht de Welt.

BERND *seufzt.* Herr Gott, meine Zuflucht fier und fier.

AUGUST. Aso nimmst du's falsche Eide Schweeren?

ROSE. Das iis gar nischt! Nischte! Was soll das denn sein? Da
liegt was! Das is was! Das liegt bei a Weida! Das is was!
Das andre schiert mich ni. Da hoa ich wull ernt in de Sterne

533

gesehn! Da hoa ich wull ernt geschrien und geruffa! Kee himmlischer Vater hat sich geriehrt.

BERND *erschrocken, zitternd.* Du lästerst a himmlischen Vater dahier? Is das aso weit, da kenn ich dich ni!

ROSE *nähert sich ihm auf den Knien.* Aso weit is! Und ihr kennt mich o, Vater, Ihr hat mich ja uff a Knien gewiegt, und ich hoa Euch ja au manchmal beigestand'n! Itze is halt was ieber uns alle gekomm — ma hat sich dagegen gewohrt und gewohrt . . .

BERND *betroffen.* Was is das?

ROSE. Ich weeß ni! Ich weeß das ni! —
Sie bleibt zitternd, in die Knie gesunken, vor sich hinstarrend auf der Erde hocken.

AUGUST *von dem Anblick überwältigt, hingerissen.* Rosla, steh uff, ich verluß dich ni! Steh uff, ich kann dich ni daliegen sehn! Mir sein alle mitnander sein mir Sinder! Wer aso bereut, dem wird o verziehn. Steh uff, Rose! Vater, hebt Ihr se uff! Mir sein ni von den'n, ich wenigstens nich! Ich kann a Pharisäer ni machen! Ihr seht ja, wie's 'r zu Herzen geht! Mag kumma, was will, ich halte zu dir! Ich bin kee Richter! Ich richte ni! Unse Heiland eim Himmel hat o ni gerichtet! Fierwahr, a hat unsre Krankheet getragen, mir aber hielten ihn fier den, der von Gott geschlagen und gemartert were! Vielleicht habt Ihr o manchen Fehler begangen! Ich hab nachgedacht. Ich sprech mich ni frei! Eh se mich hat recht richtig gekannt, hat se schunn missen ihr Amen sagen! Was geht mich de Welt an? Nach der frag ich nich!

ROSE. August, se han sich an mich wie de Klett'n gehang'n! — ich konnte nee ieber de Straße laufen! Alle Männer war'n hinter mir her! Ich hab mich versteckt! Ich hab mich gefircht! Ich hab solche Angst vor a Männer gehabt! 's half nischt, 's ward immer schlimmer dahier! Hernach bin ich von Schlinge zu Schlinge getreten, daß ich gar ni bin mehr zur Besinnung gekomm.

BERND. Du hast frieher de strengste Meinung gehabt! Du hast de Leichnern verdammt und de Kaisern veracht! Du hast geprahlt, dir soll eener kumma! Hust a Müllerknecht ei de Fresse geschlag'n! A Madel, die das tut, haste gesoat, die verdient kee Mitleed, die soll sich uffhenka! Jetzt red'st du von Schlingen.

ROSE. Itze weeß ich Bescheid.

AUGUST. Mag kumma, was will, ich halte zu dir, Rose! Ich verkoofe mei Land! Mer ziehn ei de Welt! A Onkel von mir is ei Brasilien drieben. Mir wern mitnander a Auskumma hoan! Ei jeder Beziehung aso und aso. Itze sein mer vielleicht erst reif dazu.

ROSE. O Jesus, o Jesus, was is denn mit mir? Warum bin ich denn irschte heemgekrucha? Warum bin ich denn ni bi mein Kindla geblieben?

AUGUST. Bei wem geblieben?

ROSE *steht auf:* August, mit mir is aus! Erst hat's een'n wie rasnig eim Kerper gebrannt! Hernach wurd ma nei a Taumel geschmissen! Hernoernt kam ane Hoffnung: da is ma gerannt wie ane Katzenmutter, 's Kitschla eim Maule! Nu han's een de Hunde abgejoat.

BERND. Verstehst du a Wort, August?

AUGUST. Nee! Von dem ni . . .

BERND. Weeßt du, wie mir jetzt zumute is? Das is, das tutt sich ock immer uffreißa, immer ee Abgrund underm andern dahier. Was wird ma ock hier noch miss'n heern!

ROSE. An'n Fluch! An'n Fluch werd Ihr missa hiern! Dich sah ich! Dich treff ich! Am Jingsten Gerichte! Dir reiß ich a Schlunk mit a Kiefern raus! Du stiehst mir Rede! Du sollst mir antworta!

AUGUST. Wen meenste denn, Rosla?

ROSE. War's is, der wiß's! *Eine Erschöpfung überkommt sie und fast ohnmächtig sinkt sie auf einen Stuhl nieder. Längeres Stillschweigen.*

AUGUST *um sie bemüht.* Wie is denn das ieber dich gekumma? Du bist ja uff eemal . . .

ROSE. Das weeß ich nich! Hätt ihr mich ock frieher d'rnach gefragt, verleichte . . . heute kann ich's ne wissa! 's hat een kee Mensch ne genung liebgehat.

AUGUST. Wer weeß, welche Liebe stärker is: ob nu de glickliche oder de unglickliche.

ROSE. Ich bin stark! Ich bin stark! Ich bin stark gewest! Nu bin ich schwach! Itze bin ich am Ende.

Der Gendarm erscheint.

DER GENDARM *mit ruhiger Stimme.* De Tochter soll doch im Hause sein! Der alte Kleinert sagte: se wär schonn zu Hause.

AUGUST. 's is so, wir haben's nich gewußt vorhin.

DER GENDARM. Da wollt ich's doch lieber gleich mit abmachen. 's is was zu unterschreiben hier. — *Er legt, ohne Rose in dem schlecht beleuchteten Raum zu bemerken, einige Papiere auf den Tisch.*

AUGUST. Rose, du sollst hier was unterschreiben. — *Rose lacht heraus mit grausig hysterischer Ironie.*

DER GENDARM. Sein Sie die, da gibt's nischt zu lachen, Freilein. — Bitte!

ROSE. Sie kenn . . . noch an'n Augenblick . . . bleiben.

AUGUST. Nu weshalb denn?

ROSE *mit brennenden Augen, tückisch.* Ihr hott mei Kind derwergt.

AUGUST. Was spricht se? Was sagst du, um Himmels willen?

DER GENDARM *richtet sich auf, betrachtet sie prüfend, fährt aber fort, als ob er nichts gehört hätte.* 's wird wegen der Streckmann-Sache sein.

ROSE *wie vorher, kurz, bellend.* Streckmann? Der hat mei Kind derwergt!

BERND. Mädel, schweig stille, du bist ja unsinnig!

DER GENDARM. Sie haben doch ieberhaupt kein Kind — —?

ROSE. Was? Hätt' ich's sonst kenn'n mit a Hända derwerga? Ich ha mei Kind mit a Hända derwergt!!

DER GENDARM. Sie sind woll besessen? Was fehlt Ihnen denn?

ROSE. Ich bin ganz klar! Ich bin ni besessen! Ich bin ganz klar bin ich uffgewacht! *Kalt, wild, grausam fest:* 's sullde ni laba! Ich wullte 's ni!! 's sullde ni meine Martern derleida! 's sullde durt bleib'n, wo's hiegeheert.

AUGUST. Rose, besinn dich! Zermartre dich ni! Du weeßt woll nich, was du sprichst dahier! Du machst uns ja alle miteinander unglicklich.

ROSE. Ihr wißt ebens nischt! Ihr seht ebens nischt! Ihr habt nischt gesehn mit offnen Augen. A kann hinger de große Weide sehn . . . bei a Erlen . . . hinten am Pfarrfelde draußen . . . am Teiche . . . da kann a das Dingelchen sehn.

BERND. Aso was Furchtbares hätt'st du getan?

AUGUST. Aso was Unsägliches hätt'st du verbrochen? *Sie wird ohnmächtig, die Männer sehn sich bestürzt und ratlos an, August stützt Rose und bemüht sich um sie.*

DER GENDARM. 's beste is, Sie komm mit ihr uffs Amt. Da kann se a freies Geständnis ablegen. Wenn das ni bloß Phantasien sind, da wird ihr das sehr zugute komm.

AUGUST *ernst aus der Tiefe.* Das sein keene Phantasien, Herr Wachtmeester. Das Mädel . . . was muß die gelitten han!

UND PIPPA TANZT!

Ein Glashüttenmärchen

Geschrieben im Oktober und November 1905 in Berlin.

Erstveröffentlichung: Buchausgabe 1906.

TAGLIAZONI, italienischer Glastechniker

PIPPA, seine Tochter

DER GLASHÜTTENDIREKTOR

DER ALTE HUHN, ein ehemaliger Glasbläser

MICHEL HELLRIEGEL, ein reisender Handwerksbursche

WANN, eine mythische Persönlichkeit

WENDE, Wirt in der Schenke im Rotwassergrund

DIE KELLNERIN in der gleichen Schenke

SCHÄDLER
ANTON } Glasmalermeister

WALDARBEITER

JONATHAN, Diener bei Wann, stumm

EINIGE GLASBLÄSER UND MALER, Gäste bei Wende

EIN KROPFIGER OKARINASPIELER

Das Märchen spielt im schlesischen Gebirge zur Zeit des Hochwinters.

ERSTER AKT

*Das Gastzimmer in der Schenke des alten Wende im Rotwasser-
grund. Rechts und im Hintergrund je eine Tür, die letztere auf
den Hausflur führend. Im Winkel rechts der Kachelofen, links
das Schenksims. Kleine Fensterchen, Wandbänke, dunkle Balkendecke. Drei besetzte Tische links. Den ersten, am Schenksims,
nehmen Waldarbeiter ein. Sie trinken Schnaps und Bier und
rauchen Pfeifen. Um den zweiten Tisch, mehr nach vorn, sitzen
bessergekleidete Leute: die Glasmalermeister Schädler und Anton, einige andere und ein Italiener von etwa fünfzig Jahren,
namens Tagliazoni, der sehr verwogen aussieht. Sie spielen
Karten. Am vordersten Tisch hat sich der Glashüttendirektor
niedergelassen: ein hoher Vierziger mit kleinem Kopf, schlank
und schneidig in der Erscheinung. Er trägt Reitstiefel, Reithose
und Reitjackett. Eine halbe Flasche Champagner steht vor ihm
und ein feines, vollgeschenktes Spitzglas. Daneben auf dem
Tisch liegt eine Reitpeitsche. Es ist nachts nach zwölf. Draußen
herrscht starker Winter. Einige Lampen verbreiten karges Licht.
Durch die Fenster dringt Mondschein in den dunstigen Raum.
Der alte Wirt Wende und eine ländliche Kellnerin bedienen.*

WENDE *grauhaarig, von unbeweglich ernstem Gesichtsausdruck.*
Noch eine Halbe, Herr Direktor?

DIREKTOR. Was denn sonst, Wende? — Ganze! — Ist die Stute
gut abgerieben?

WENDE. War selber dabei. So'n Tier verdient's! Sah wie'n
Schimmel aus, so voller Schaum.

DIREKTOR. Stramm geritten!

WENDE. Staatspferd!

DIREKTOR. Hat Blut. Stak manchmal bis an den Bauch im
Schnee. Immer durch!

WENDE *schwach ironisch.* Treuer Stammgast, der Herr Direktor.

DIREKTOR *trommelt auf den Tisch, lacht flott.* Eigentlich sonderbar, was? Januar, zweistündiger Ritt durch den Wald, alter
Kerl — spaßhafte Anhänglichkeit! Sind meine Forellen schon
im Gang?

WENDE. Gut Ding will Weile!

DIREKTOR. Jawoll, woll, woll! Werden Sie bloß nicht ungemütlich! Kann ich was dafür, daß Sie hier in dieser halb böh-

misch, halb deutschen verlassenen Kaschemme sitzen, Wende?

WENDE. Das nich, Herr Direktor! Höchstens wenn ich raus muß!

DIREKTOR. Sie oller Griesgram, reden Sie nich!

WENDE. Gucken Se mal zum Fenster naus!

DIREKTOR. Weiß schon, die olle, verfallene Konkurrenzhütte. Die wird mal nächstens auf Abbruch verkauft, bloß daß Sie nich immer wieder von anfangen. — Was klagen Sie denn? Es geht doch sehr gut! Sie kommen doch zwei, drei Stunden her und lassen das Geld sitzen, haufenweise.

WENDE. Wie lange wird denn der Rummel dauern? Als die Glashütte hier nebenan ihre zwei Öfen noch brannte, da war das 'n ruhiges, sicheres Brot — jetz is man uff Schweinerei angewiesen.

DIREKTOR. I, Sie Querkopp! Machen Sie mal, daß ich Wein kriege! *Wende entfernt sich achselzuckend. An dem Spielertisch ist ein Wortwechsel entstanden.*

TAGLIAZONI *heftig.* No, signore! no, signore! impossibile! Ich haben ein Goldstück hingelegt. No, signore! Sie täuschen sich! No, signore . . .

MEISTER SCHÄDLER. Halt! verpuchte Liega sein doas!

TAGLIAZONI. No, signore! Per Bacco noch mal! Ladri! Ladri! Assassini! Ti ammazzo!

MEISTER ANTON *zu Schädler.* Do leit ju dei Geld!

MEISTER SCHÄDLER *entdeckt das gesuchte Goldstück.* Das war dei Glicke, verdammter Lausigel!

DIREKTOR *zu den Spielern hinüber.* Na, ihr Liedriane! wann hört ihr denn auf?

MEISTER ANTON. Wenn der Herr Direktor nach Hause reit't.

DIREKTOR. Da könnt ihr ja nackt hinterm Gaule herlaufen! Bis dahin habt ihr doch's Hemde vom Leibe verspielt!

MEISTER ANTON. Das wollen wir doch erst mal sehn, Herr Direktor!

DIREKTOR. Das kommt davon, daß euch der Graf so sündhaft viel Gelder verdienen läßt. Ich wer euch mal müssen das Stücklohn herabsetzen. Je mehr ihr habt, je mehr bringt ihr durch!

MEISTER ANTON. Der Graf verdient Geld, der Direktor verdient Geld, die Malermeester woll'n ooch nich verhungern!

TAGLIAZONI *hat die Karten gemischt, beginnt ein neues Spiel; neben jedem Spieler liegen veritable Goldhäufchen.* Basta! Incominciamo adesso!

DIREKTOR. Dove è vostra figlia oggi?

TAGLIAZONI. Dorme, signore! È ora, mi pare.

DIREKTOR. Altro che!

Er schweigt, unter Zeichen leichter Verlegenheit. Inzwischen setzt ihm Wende selbst die Forellen vor und leitet die Kellnerin an, die gleichzeitig die Flasche Sekt und Kartoffeln herbeibringt.

DIREKTOR *mit einem Seufzer.* Scheußlich langweilig ist's heute bei Ihnen, Wende! Man läßt sich's was kosten und hat nichts davon.

WENDE *stockt in dem eifrigen Bemühen um seinen Gast und sagt grob.* Da gehn Se doch künftig anderswohin!

DIREKTOR *kehrt sich und guckt durch das Fensterchen hinter seinem Rücken.* Wer kommt denn da noch übern Schnee geklimpert? — Wie über Scherben trampelt ja das!

WENDE. Scherben gibt's woll genug um die Glasbaracke.

DIREKTOR. Ein riesiger Schatten! Wer ist denn das!

WENDE *haucht gegen das Fenster.* Höchstens der alte Glasbläser Huhn wird das sein. Auch so'n Gespenst aus der alten Glashütte, das weder leben noch sterben kann! — Haben Se mit Ihrer Sophienau die Geschichte schon mal kaputtgemacht, warum führen Sie se nich als Filiale weiter?

DIREKTOR. Weil's nischt bringt und 'n riesigen Deibel kost't. — *Immer noch durchs Fenster blickend.* Achtzehn Grad! Klar! hell wie am lichten Tag! Zum Wahnsinnigwerden der Sternenhimmel! blau, alles blau! — *Er wendet sich über seinen Teller.* Die Forellen sogar. Gott, wie die Luder die Mäuler aufreißen! *Ein riesiger Mensch mit langen roten Haaren, roten buschigen Brauen und rotem Bart, von oben bis unten mit Lumpen bedeckt, tritt ein. Er stellt seine schweren Holzpantinen ab, glotzt mit wäßrigen, rot umränderten Augen, wobei er die feuchten, wulstigen Lippen brummelnd öffnet und schließt.*

DIREKTOR *sichtlich ohne Appetit von den Forellen genießend.* Der alte Huhn! Er brummelt sich was! Dem alten Huhn einen steifen Grog, Wende! Na, was nehmen Sie mich denn so aufs Korn?

Der alte Huhn hat sich, immer murmelnd und den Direktor anglotzend, hinter einen leeren Tisch an der rechten Wand geschoben, der zwischen Ofen und Türe steht.

ERSTER WALDARBEITER. A will's ni glooben, daß hier im Rotwassergrund keene Arbeit mehr is.

ZWEITER WALDARBEITER. 's heeßt, a kummt moanchmol bei d'r Nacht und geistert alleene drieba rim.

ERSTER WALDARBEITER. Do macht a sich Feuer im kahla Glasufa und stellt sich vor sei ahles Ufaloch und bläst großmächtige Glaskugeln uff.

ZWEITER WALDARBEITER. Dam seine Lunge is wie a Blaseboalg. Ich wiß! Do kunnde kee andrer ni mitkomm.

DRITTER WALDARBEITER. Was macht d'nn d'r ahle Jakub, Huhn? Aso is 's: mit an Menscha red't a ni, oaber anne Dohle hot 'r daheeme, und mit der spricht 'r a ganzen Tag.

DIREKTOR. Warum feiert der Kerl, warum kommt er nicht? Könnte ja in der Sophienau Arbeit haben!

ERSTER WALDARBEITER. Das is dem zu sehr ei d'r großen Welt.

DIREKTOR. Wenn man den Alten ansieht und denkt an Paris, da glaubt man nich an Paris.

WENDE *nimmt bescheiden am Tisch des Direktors Platz.* Sind Sie wieder mal in Paris gewesen?

DIREKTOR. Erst vor drei Tagen zurück. Riesige Aufträge eingeheimst!

WENDE. Na, da lohnt sich's!

DIREKTOR. Lohnt sich! Kost Geld und bringt welches: aber mehr! — Is es nicht verrückt, Wende, wenn man nach Paris kommt: erleuchtete Restaurants! Herzoginnen in Gold und Seide und Brüsseler Kanten! die Damen vom Palais-Royal! unsere Gläser, das feinste Kristall auf den Tischen: Sachen, die vielleicht so'n haariger Riese gemacht hat! — Donnerwetter, wie sieht das da aus, wenn so 'ne richtige feine Hand eine solche Glasblume, so 'ne köstliche Eisblume, so über den blanken Busen herauf an die heißen, geschminkten Lippen hebt, unter Glutblicken — man wundert sich, daß sie nicht abschmelzen vor so einem sündigen Weiberblick! Prost! — *Er trinkt.* Prost, Wende! Nicht zum Wiedererkennen, was aus unseren Fabrikaten geworden ist!

KELLNERIN *dem alten Huhn Grog vorsetzend.* Nicht anfassen! Heiß! *Der alte Huhn nimmt das Glas und stürzt es ohne Umstände hinunter.*

DIREKTOR *es bemerkend.* Kreuzhimmeldonnerwetter nochmal! *Die Waldarbeiter brechen in Lachen aus.*

ERSTER WALDARBEITER. Bezahl'n S'm amal a halbes Quart; da kenn Se den sehn glienige Kohl'n schlucken.

ZWEITER WALDARBEITER. Der schlägt . . . anne Bierkuffe haut a azwee und knorpelt de Scherben wie Zucker runder.

DRITTER WALDARBEITER. Aber den sullten Se erscht amal sehn mit dem klen'n italjenscha Madel tanza, wenn d'r blinde Franze de Okarina spielt.

DIREKTOR. Franze, ran mit der Okarina! — *Zuruf, an Tagliazoni gerichtet.* Dieci lire, wenn Pippa tanzt!

TAGLIAZONI *im Spiel.* Non va. Impossibile, signor padrone.

DIREKTOR. Venti lire! Trental?

TAGLIAZONI. No.

WENDE. Sie liegt im besten Schlaf, Herr Direktor.

DIREKTOR *unbeirrt, gleich leidenschaftlich.* Quaranta!? — Laßt doch mal bißchen den Deibel los! Ledern! Wozu kommt man denn her?! Nich mal 'n verlaustes Zigeunermädchen! Keinen Fuß setz' ich mehr in das Paschernest! — Cinquanta!

TAGLIAZONI *im Spiel, eigensinnig über die Schulter.* No! no! no! no! no! no!

DIREKTOR. Cento lire!

TAGLIAZONI *kurz.* Per cento, sì!
Er beugt sich herum und fängt mit Gewandtheit einen blauen Schein auf, den der Direktor ihm zugeworfen hat.

DIREKTOR *etwas aus dem Gleichgewicht.* Hat meine Löwin zu fressen gekriegt?

KELLNERIN. Jawohl, Herr Direktor, der Hund hat gefressen!

DIREKTOR *schroff.* Rede nicht!

KELLNERIN. Wenn Sie mich fragen, muß ich doch antworten!

DIREKTOR *kurz, unterdrückt, grimmig.* Schweig, halt dein Un- gewaschnes! — Raucht nicht solchen assafetida, ihr Pack! Wie soll denn die Kleine sonst hier atmen?!

TAGLIAZONI *aufgestanden, ruft von der Flurtür aus mit wilder Stimme in das obere Haus hinauf.* Pippa! Pippa! Vien giù, presto! Pippa! Sempre avanti!

DIREKTOR *erhebt sich indigniert.* Halt's Maul, laß sie schlafen, du welscher Schuft!

TAGLIAZONI. Pippa!

DIREKTOR. Behalt dein Geld, Kerl, und laß sie schlafen! Behalt dein Geld, Kerl, ich brauche sie nicht!

TAGLIAZONI. Come vuole. Grazie, signore, be! — *Mit einem fatalistischen Achselzucken nimmt er gleichmütig wieder am Spieltisch Platz.*

DIREKTOR. Satteln, Wende, Gaul aus dem Stall!

PIPPA *erscheint in der Tür; sie schmiegt sich verschlafen und schüchtern an den Türpfosten.*

DIREKTOR *bemerkt sie und sagt betroffen.* Da ist sie ja! — Ach was, leg dich aufs Ohr, Pippa! Oder hast du noch gar nicht geschlafen? Komm, netz dir die Lippen, mach dir die Lippen feucht, hier ist was für dich!

PIPPA *kommt folgsam bis an den Tisch und nippt am Champagnerglas.*

DIREKTOR *das edle Zierglas, aus dem er trinkt, hinhaltend.* Schlanke Winde! Schlanke Winde! Auch eine Venezianerin! — Schmeckt es dir, Kleine?

PIPPA. Danke, süß!

DIREKTOR. Willst du nun wieder schlafen?

PIPPA. Nein.

DIREKTOR. Frierst du?

PIPPA. Hier meistens.

DIREKTOR. So kachelt doch ein! — Es wundert mich übrigens nicht, daß du frierst, du feine, zierliche Ranke du! Komm, setz dich, nimm meinen Mantel um! Du stammst ja doch eigentlich aus dem Glasofen: mir hat das nämlich gestern geträumt.

PIPPA. Brr! Gerne sitze ich dicht am Glasofen.

DIREKTOR. Wie mir träumte, am liebsten mittendrin. Siehst du, ich bin ein verrückter Kerl! Ein alter Esel von Hüttendirektor, der, statt zu rechnen, Träume hat. Wenn die Weißglut aus dem Ofen bricht, seh' ich dich oft ganz salamanderhaft in den glühenden Lüften mit hervorzittern. Erst langsam im Dunkeln zergehst du dann.

DER ALTE HUHN. Vo dar hoa iich o schunn Träume gehott.

DIREKTOR. Was murmelt da wieder das Ungeheuer?

Pippa dreht nachdenklich ihr Köpfchen herum und betrachtet den Alten, wobei sie das offene, blonde und schwere Haar mit der Rechten hinter die Schultern streicht.

DER ALTE HUHN. Wullen m'r wieder tanza, klenner Geist?

DIREKTOR *schroff.* Ach was! Es liegt mir jetzt nichts am Tanzen! *Nur für Pippa.* Mir genügt's, wenn du nur da bist, reizendes Kind!

KELLNERIN *hinterm Schenksims zum Wirt.* Nu is 'm Direktor wieder lamper!

WENDE. Na, und was geht etwa dich das an?

546

DIREKTOR. Müde! Geh schlafen, armes Ding! Du gehörst in Höfe mit Wasserkünsten! — Nun mußt du in dieser Spelunke sein. Soll ich dich nehmen, wie du bist, auf den Rappen heben und mit dir davonreiten?

PIPPA *schüttelt langsam und verneinend den Kopf.*

DIREKTOR. Also gefällt's dir besser hier? Da schüttelst du ebenfalls wieder das Köpfchen! Wie lange wohnt ihr jetzt schon hier im Haus?

PIPPA *sinnt nach, starrt ihn groß an.* Ich weiß nicht!

DIREKTOR. Und eh ihr hierherkamt — wo wohntest du da?

PIPPA *sinnt nach, lacht über ihre Unwissenheit.* Das war . . . ja, war ich nicht immer hier?

DIREKTOR. Du? Zwischen stummen und redenden Baumstämmen?

PIPPA. Cosa?

DIREKTOR. Im vereisten, verschneiten Barbarenland? — *Zu Tagliazoni hinüber.* Wo, sagtest du, stammt ihre Mutter her?

TAGLIAZONI *über die Achsel.* Sì, signore! Pieve di Cadore.

DIREKTOR. Pieve di Cadore, nicht wahr, das ist jenseits der großen Wasserscheide?

TAGLIAZONI *lachend.* Siamo parenti del divino Tiziano, signore!

DIREKTOR. Na, Kleine, dann sind wir vielleicht auch verwandt: denn der sieht wie mein Onkel Forstmeister aus. Also hast du auch hier halb und halb Heimatsrechte! Aber der Wind weht dein Goldhaar woanders hin!

Ein kleiner, kropfiger, zerlumpter Mensch kommt herein, Okarina spielend, und pflanzt sich mitten im Zimmer auf. Von Waldarbeitern, die rauchend und Schnaps trinkend um einen Tisch sitzen, wird er mit einem Hallo begrüßt.

ERSTER WALDARBEITER. Huhn soll tanzen!

ZWEITER WALDARBEITER. De Kleene sull tanzen!

DRITTER WALDARBEITER. Bal se tanzt, iich gah o an Bihma derzu.

VIERTER WALDARBEITER. Satt ock, woas Huhn schunn fer Fratzen schneid't!

DIREKTOR. Daraus kann nichts werden, ihr Rodehacken! Versteht ihr mich!

ERSTER WALDARBEITER. Sie wollten's ja selber, Herr Direktor!

DIREKTOR. Hol mich der Teufel, jetzt will ich's nicht!

HUHN *erhebt sich in seiner ganzen Größe, macht Miene, hinter dem Tisch hervorzukommen, wobei er, fieberisch glotzend, Pippa nicht aus den Augen läßt.*

DIREKTOR. Hinsetzen, Huhn!

WENDE *dringlich und bestimmt herzutretend und Huhns Arme fassend.* Hinsetzen! Keene Zicken nich! Ihr trampelt mir noch meine Diele durch. *Zum Okarinaspieler.* Heer uff mit dem dämlichen Feifengedudel!

Huhn bleibt stumpfsinnig glotzend, ohne sich zu setzen. Die Okarina schweigt.

Die Spieler haben wieder ein Spiel beendet. Tagliazoni streicht Häufchen Gold ein. Malermeister Anton springt plötzlich auf und haut mit der Faust auf den Tisch, daß die Goldstücke im Zimmer herumrollen.

ANTON. Hier is enner drunter, dar de betriegt!!

TAGLIAZONI. Wer? Io? Io? Dica! Wer?

ANTON. Ich sage ni, wer! Ich sage bloß, enner! Das gieht ni mit richt'gen Dingen zu.

ERSTER WALDARBEITER. Ja, wer mit dam Italiener spielt, dar mag o a Brinkla Schwarzkunst in Kauf nahma.

MALERMEISTER SCHÄDLER. Mir fahlt Geld, mir fahlt anne Neege Geld.

ERSTER WALDARBEITER. Satt 'rsch, nu werd glei de Lampe auslöschen. Dar hoat wull a Kunststickla bei d'r Hand.

DIREKTOR. Laßt doch den Spitzbuben nicht die Bank halten!

TAGLIAZONI *gleichmütig Gold einstreichend, mit halber Wendung zum Direktor.* Altro! Spitzbub sein andere, io no. Basta! Andiamoa etto! Pippa, avanti! Vien qua!

ANTON. Woas, itze wiel a eis Bette gehn, wu a ins hoot's Geld obgenumma? Do blein! Itze werd weitergespielt!

TAGLIAZONI. E altro! Worum nicht? Ich spielen mit! Come vuole! Come vuole, signor mio!

Die Kellnerin, der Wirt, der Okarinaspieler, ein Glasmaler und ein Waldarbeiter suchen das Gold auf den Dielen zusammen.

ZWEITER WALDARBEITER *am Tisch.* Hernort heeßt's, 's fahlt woas, ich suche ni mit.

Vom Hausflur herein tritt Michel Hellriegel, ein etwa dreiundzwanzigjähriger Handwerksbursch; er trägt eine dünne Schildmütze, ein Ränzel mit aufgeschnallter Bürste; Rock sowie Weste und Hose sind noch halbwegs anständig, die Schuhe dagegen zerlaufen. Die Folgen einer langen, beschwerlichen Wanderung sind in den bleichen, erschöpften Mienen und Bewegungen des Jünglings ausgedrückt. Sein Gesicht zeigt feine, nicht gewöhnliche, ja fast edle Züge. Auf der Oberlippe erster weicher Bartflaum. Ein Anflug von Phantastik liegt über der schlanken Erscheinung und ein Anflug von Kränklichkeit.

DIE KELLNERIN. Herrjees, aso spät noch a Handwerksbursche!

HELLRIEGEL *steht geblendet, zwinkernd vom beizenden Rauch, fieberisch unter den langen Wimpern hervorblickend, im Lichtkreis der Lampen; mit den Händen dreht er die Mütze und ist bemüht, zu verbergen, wie sehr ihn Hände und Füße schmerzen vor Frost.* Is hier für an'n reisenden Handwerksgesellen Nachtquartier?

WENDE. Warum nich? Fer Geld und gute Worte. — *Da sich der Bursche umsieht und keinen leeren Platz findet.* Setzen Se sich uff das Schnapsfässel hier, und zählen Se Ihr Geld uff de Ofenbank! Wenn Se sonst noch was wollen . . . da hat's Platz genug.

ERSTER WALDARBEITER. Wo willst'n so spät noch hin, Bruder Straubinger?

DIREKTOR. Ins Land, wo Milch und Honig fließt!

HELLRIEGEL *mit demütiger Verbeugung erst gegen den Waldarbeiter, dann gegen den Direktor.* Ich wollte gern ieber a Kamm ins Böhmsche.

DIREKTOR. Was ist denn Ihr Handwerk?

HELLRIEGEL. Glasmacherkunst.

ZWEITER WALDARBEITER. Der scheint ni ganz richtig im Koppe zu sein! Bei der Kälde iebers Gebirge steiga und hie, wu kee Weg und kee Steg ni is? A will wohl zum Schneemoane warn dohie und duba elend zugrunde gihn?

WENDE. Das is seine Sache, das geht uns nischt an!

DRITTER WALDARBEITER. Du bist wohl ni aus'm Gebirge, Nazla? Du kennst woll a hichta Winter ni?

Hellriegel hat mit Bescheidenheit höflich zugehört; nun hängt er mit Anstand seine Mütze auf, nimmt das Ränzel ab und legt es zugleich mit dem Stock beiseite. Darauf nimmt er auf dem bezeichneten Schnapsfäßchen Platz, erschauert, beißt die Zähne zusammen und fährt mit der gespreizten Hand durchs Haar.

DIREKTOR. Wenn Ihre Papiere in Ordnung sind, warum wollen Sie denn da nach Böhmen rüber? Wir in Schlesien machen auch Glas.

HELLRIEGEL *schnellt empor.* Ich möchte was ganz Besondres erlernen!

DIREKTOR. Ach, was Sie sagen! Was wäre denn das? Etwa klares Wasser mit bloßen Händen zu Kugeln ballen?

HELLRIEGEL *zuckt die Achseln.*

DIREKTOR. Übrigens machen wir das mit Schnee hier auch!

HELLRIEGEL. Schnee ist nicht Wasser! Ich will in die Welt.

DIREKTOR. Sind Sie hier bei uns nicht in der Welt?

HELLRIEGEL. Ich suche was.

DIREKTOR. Haben Sie was verloren?

HELLRIEGEL. Nein! Ich denke, es kommt was zu! — *Halb aufrecht und mühsam gestützt, blickt er mit weiten, erstaunten Augen umher.* Ich weiß eigentlich gar nicht recht, wo ich bin.

DIREKTOR. Ja, ja, so geht's. Morgens den Himmel voller Geigen, am Abend kein heiler Knochen im Leib.

HELLRIEGEL. Is man . . . is man hier schon in Böhmen, Herr Wirt?

ERSTER WALDARBEITER *lachend.* Gelt? 's kommt d'r a bissel böhm'sch hier vor? *Hellriegel ist auf das Fäßchen zurückgesunken, seine Arme liegen breit auf der Ofenbank; die Hände unter die Stirn geschoben, verbirgt er heimlich ächzend sein Gesicht.*

DRITTER WALDARBEITER. Der iis noch keene drei Tage vo Muttern weg!

Pippa hat, am Tisch des Direktors stehend, den Ankömmling unausgesetzt beobachtet. Jetzt ist sie, wie in Gedanken, zu ihm gelangt und sitzt unweit der Stelle, wo sein Kopf aufliegt, auf der Bank, die Hände im Schoß, nachdenklich mit den Beinen pendelnd, die Augen schräg auf ihn niedergerichtet.

DIREKTOR. Ein seltsamer Heiliger, Pippa, was? *Ironisch trällernd.* Wem Gott will rechte Gunst erweisen, den schickt er . . . und so weiter. Der singt auch, wenn er beisammen ist. Ich wette um dreizehn Flaschen Sekt, der hat sogar selbstverfaßte Gedichte im Ränzel!

PIPPA *erhebt sich unwillkürlich mit einer gewissen Betretenheit, bald den Burschen, bald hilflos ihre Umgebung betrachtend; plötzlich läuft sie dicht zum Direktor hin.* Padrone! Padrone! Der Fremde weint!

DIREKTOR.

> Süß und schwach
> ist nicht mein Fach!

MALERMEISTER SCHÄDLER *kommt vom Spieltisch, stellt sich militärisch vor den Direktor.* Herr Direktor, ich bin ein Ehrenmann!

DIREKTOR. Na, und? Warum sagen Sie mir das jetzt, nach Mitternacht in der Iserschenke?

MALERMEISTER SCHÄDLER *wischt sich den kalten Schweiß von der Stirn.* Ein tadelloser Meester bin ich.

DIREKTOR. Na, und?

MALERMEISTER SCHÄDLER. Ich möchte an'n Vorschuß han!

DIREKTOR. Glauben Sie, daß ich den Kassenschrank immer in meiner Reitjacke mitschleppe?

MALERMEISTER SCHÄDLER. Privatim!

DIREKTOR. Privatim denke ich nicht dran! Ich wer helfen, Sie vollends zugrunde zu richten.

MALERMEISTER SCHÄDLER. Der Hund begaunert uns alle mitsamm.

DIREKTOR. Warum spielt ihr mit ihm? Macht Schluß mit dem Schuft!

MALERMEISTER SCHÄDLER. Mit dem wern m'r ooch ganz gewiß noch amol Schluß machen!

DIREKTOR. Sie haben Frau und Kinder zu Haus.

MALERMEISTER SCHÄDLER. Das ham m'r woll alle, Herr Direktor! Aber wenn hier der Teufel nu eemol los iis . . .

DIREKTOR. Nein! Solchen Wahnsinn unterstütze ich nicht. *Schädler zuckt mit den Achseln und begibt sich zu Wende hinter das Schenksims. Man sieht, daß er ihn bedrängt, ihm Geld vorzustrecken, was Wende lange abschlägt, endlich tut. Der Handwerksbursche trinkt inzwischen gierig heißen Grog, den ihm die Kellnerin auf die Bank gestellt hat. Nun bringt sie ihm Essen, und er ißt.*

DIREKTOR *hebt sein Glas gegen den Burschen.* Na, Sie verspätete Schwalbe! Prost!

HELLRIEGEL *erhebt sich, höflich dankend, mit dem Glase, trinkt und setzt sich wieder.*

DIREKTOR. Wolkenkuckucksheim ist noch ziemlich weit.

HELLRIEGEL *im Begriff, sich zu setzen, schnellt wiederum auf.* Aber ich habe Lust und Ausdauer!

DIREKTOR. Und Blutspucken!

HELLRIEGEL. Ein bißchen schadet nicht!

DIREKTOR. Nein. Wenn Sie nur wüßten, zu was Sie Lust hätten! Warum ruckst es Sie eigentlich immer so, daß Sie immer so überraschend aufschnellen?

HELLRIEGEL. Manchmal schleudert's mich förmlich vor Ungeduld.

DIREKTOR. Wie das Kind in der dunklen Stube, was, wenn die

liebe Mammi hinter der Tür schon die ersten Lichter am Christ-
baum ansteckt? Gleich, gleich! So schnell fährt die Kalesche
nicht.

HELLRIEGEL. Es muß alles anders werden! Die ganze Welt!

DIREKTOR. Und zuallererst Euer Hochwohlgeboren! *Zu Pippa.*
Das ist so ein Dummer, Kind, von den ganz Gescheiten, die
man sonst nur noch in Einmachegläsern sieht! — *Zu Hellriegel.*
Und nähmest du Flügel der Morgenröte ... kurz: deine Reise
hat ihre Schwierigkeit! — *Zu Pippa.* Galopp, Galopp, über
Stock und Stein ... *Er will sie aufs Knie ziehen, sie wehrt ab,
blickt nach Hellriegel. Dieser schnellt auf, bekommt roten Kopf.*

HELLRIEGEL. Ich möchte mir eine unmittelbare Bemerkung erlauben!

DIREKTOR. Fällt Ihnen noch was Neues ein?

HELLRIEGEL. Im Augenblick nicht!

DIREKTOR. Na, vielleicht der Himmel.

*Michel sieht den Direktor entgeistert an und vergißt sich zu
setzen.*

PIPPA *hat ein kleines Riemchen erfaßt und haut dem Direktor
empfindlich über die Hand.*

DIREKTOR. Au!

PIPPA *lacht Hellriegel an, der seine Blicke, alles um sich verges-
send, in ihre senkt. Seine Lippen bewegen sich dabei lautlos.*

DIREKTOR *schiebt seine Hand vor.* Jetzt noch mal, Pippa! *Pippa
haut zu.* Au, das war aber stark! Aller guten Dinge sind drei:
nun zum drittenmal! *Sie haut lachend mit aller Kraft.* So! nun
bin ich belehrt und bestraft. Wenn nun mal wieder ein Vögelchen aus dem Neste fällt, da weiß ich wenigstens, was ich zu
tun habe.

*Der alte Huhn, der sich inzwischen wieder gesetzt hatte, liegt
über den Tisch gebeugt, den Arm weit ausgestreckt, und winkt
mit dem dicken, behaarten Finger Pippa zu sich. Da sie nicht
folgt oder ihn nicht beachtet, erhebt er sich jetzt, nachdem er
das Spiel zwischen ihr, dem Direktor und Hellriegel genugsam
beobachtet hat, tritt schleifenden Schritts vor den Handwerksgesellen, glotzt ihn an, erhebt seine langen, schlaff herabbau-
melnden Gorillaarme und legt ihm die Hände flach vor die
Brust, ihn so langsam bis auf sein Fäßchen zurückdrängend;
dann wendet er sich, winkt schlau zu Pippa hinüber und hebt
seine Ellbogen in eigentümlicher Weise hoch, an einen Adler*

erinnernd, der auf einer Käfigstange balanciert, damit gleich-
sam zum Tanz antretend und auffordernd.

DIREKTOR. Was fällt denn dir ein, altes Trampeltier?

DIE WALDARBEITER *rufen durcheinander.* De Kleene soll tanzen!
de Kleene soll tanzen!

KELLNERIN *hat ein kleines Tamburin vom Regal, wo die Schnaps-*
flaschen stehen, genommen und wirft es Pippa zu, die es auf-
fängt. Balg, laß dich ni bitten, zier dich ni; du bist o keene
Marzipanprinzess'n!

Pippa sieht zuerst den Direktor, dann Hellriegel an, und
schließlich mißt sie mit einem gehässigen Blick den Riesen von
oben bis unten. Plötzlich läßt sie, mit einem Schlag beginnend,
das Trommelchen klirren und schiebt tanzend auf Huhn zu,
in der Absicht gleichsam, ihm zu entgehen und an ihm vorüber-
zutanzen. Die Okarina setzt ein, und auch der Alte beginnt
den Tanz. Er besteht darin, daß etwas Täppisches, Riesenhaftes
etwas Schönes, Flinkes zu haschen sucht; etwa wie ein Bär
einen Schmetterling, der ihn, buntschillernd, umgaukelt. Sooft
die Kleine ihm entgeht, lacht sie laut und wie ein Glöckchen.
Sie entwindet sich manchmal, sich um sich selbst drehend, wo-
bei ihr rötlich goldenes Haar sie umwickelt. Verfolgt, klingen
die Laute ihrer Kehle wie aï und sind ein kindliches Quieken.
Der Alte hüpft so grotesk und lächerlich wie ein gefangener
Raubvogel. Er lauert, greift fehl und keucht, mehr und mehr
erregt, lauter und lauter brummelnd. Pippa tanzt immer ek-
statischer. — Die Waldarbeiter sind aufgestanden. Die Spieler
haben ihr Spiel unterbrochen und sehen gespannt zu. Taglia-
zoni, den der Vorgang nicht berührt, benutzt die Gelegenheit,
Geld einzusacken und mit seinen Karten zu manipulieren. Ohne
es zu merken, wird er dabei von Meister Schädler genau be-
obachtet. Jetzt scheint es, als könne Pippa dem Unhold nicht
mehr entgehen; sie kreischt laut auf, und in diesem Augenblick
packt Schädler den linken Arm Tagliazonis mit beiden Fäusten
am Handgelenk.

MALERMEISTER SCHÄDLER *alles übertönend.* Halt!

TAGLIAZONI. Cosa, signore?

MALERMEISTER SCHÄDLER. Hosa hie, Hosa har: hie werd falsch
gespielt! Jetze ham mir da Gauner amal im Fuchseisa!

TAGLIAZONI. È matto! è matto! Diavolo! Son fiol di Muran.
Conosce la casa de Coltelli?

MALERMEISTER SCHÄDLER. Kase, Butter und Brud hilft alles hie nischt! Anton, halt'n dort drieb'n feste, jetze wird'm das Ding amal heemgezahlt! *Malermeister Anton hält Tagliazonis andre Hand fest.* A hat falsche Kart'n untergeschmuggelt, und ei die zwee hier hat a sich Zeechen gemacht.

Alle Anwesenden, ausgenommen Hellriegel und Pippa, die, hoch aufatmend, bleich in der Ecke steht, drängen um den Spieltisch.

DIREKTOR. Tagliazoni, was hab' ich Ihnen gesagt, treiben Sie's nicht zu sehr auf die Spitze!

TAGLIAZONI. Los, oder ich beißen dir ins Gesicht!

MALERMEISTER SCHÄDLER. Spucke und beiße, soviel du willst, aber du mußt unser Geld wieda rausgahn, Kanallje!

ALLE SPIELER. Jawoll, jeden Pfennig, 's ganze Geld!

TAGLIAZONI. Cazzo, werde was niesen; verfluchte deutsche Bestien, ihr irrsinniges, schlechtes, niedrige Bestien! Was haben ich mit euch tedeschi zu tun?

ERSTER WALDARBEITER. Haut doch dem Oas 'n Schädel ein!

ZWEITER WALDARBEITER. Mit der Wagenrunge ieber a Pepel! Doaß'm schwiefelbloo vor a Augen wird! Anders koan ma dan Welscha uff deutsch ni antworta!

WENDE. Ruhe, ihr Leute; das duld' ich ni!

MALERMEISTER SCHÄDLER. Wende, reiß'm die Koarte aus'n Fingern!

TAGLIAZONI. Ich ermorden euch allen mitnander!

ANTON *unnachgiebig.* 's is gutt!

ZWEITER WALDARBEITER. Woas der Lump an a Händen bloß Ringe hat!

TAGLIAZONI. Padrone, ich rufen zum Zeugen auf! Ich werden hier meuchlings überfallen; ich machen keinen neuen Vertrag! Lavoro niente, niente più. Lasse Arbeit stehen und liegen, sofort! — Carabinieri! Polizei! Pazzia bestialissima!

ERSTER WALDARBEITER. Immer brill du; hier hat's keene Polizei!

ZWEITER WALDARBEITER. Hie is weit und breit nischt wie Schnee und Fichten!

TAGLIAZONI. Chiama . . . chiamate i carabinieri! Briganti! Signore Wende! Pippa, lauf!

DIREKTOR. Mensch, ich rate Ihnen, fügen Sie sich! Sonst kann ich für keine Folgen einstehen.

TAGLIAZONI. Brutte bestie! Basta così!

Unerwartet, blitzschnell hat sich Tagliazoni befreit, einen Dolch gezogen und sich hinter einen Tisch geflüchtet. Die Angreifer sind einen Moment verdutzt.

DRITTER WALDARBEITER. A Masser! Macht a kahlt, da Hund!

ALLE *durcheinander, wie eine Person.* Itz muß a hie wern! itz iis's aus!

DIREKTOR. Demoliert mir den Tagliazoni nicht! Den brauch' ich zu nötig in der Glashütte! Macht nich Sachen, die ihr morgen bereut!

Tagliazoni erkennt nun instinktiv die furchtbare Gefahr des Augenblicks und flüchtet, an den Angreifern vorüber, zur Tür hinaus. Die Spieler und Waldarbeiter stürzen ihm nach mit dem Ruf. Nieder, nieder, nieder mit ihm! *Man sieht dabei einige Messer blinken.*

DIREKTOR. Die wern mir den Kerl doch nich am Ende abmurksen!

WENDE. Da mach'n se mir meine Bude zu.

KELLNERIN *am geöffneten Fenster spähend.* 's geht ieber a Schlag rieber in a Wald; a fällt! a steht uff! Immer hinterher!

DIREKTOR. Ich mache die dänische Dogge los und sprenge die Bande auseinander.

WENDE. Ich stehe fer nischt! Ich garantiere fer nischt!

DIREKTOR. Was ist denn das?

KELLNERIN. Eener bleibt im Schnee liegen! Die andern renn weiter in a Wald.

Man vernimmt einen furchtbaren, durch die Ferne gedämpften, markdurchdringenden Schrei.

WENDE. Fenster zu, de Lampe geht aus!

Die Lampe ist in der Tat ausgegangen; die Kellnerin schlägt das Fenster zu.

DIREKTOR. Das hört sich nicht gut an! Kommen Sie mit, Wende!

WENDE. Ich stehe fer nischt! Ich garantiere fer nischt!

Er und der Direktor, dieser voran, ab.

KELLNERIN *in ihrer Ratlosigkeit heftig zu Hellriegel.* Immer uffstehn, helfen, helfen! Helfen, zugreifen! Da kennte jeder kommen, dahier! — Das gottverfluchtigte Kartenspiel. *Sie hat die Karten vom Tisch zusammengerafft und schleudert sie ins Ofenloch.* Se sollen gehen, se hab'n eenen umgebracht! Er bringt Unglück und will's ni helfen guttmachen!

Hellriegel ist aufgesprungen; halb selbst gehend, halb von der

*Kellnerin gezogen, halb gestoßen, taumelt er durch die Flurtür.
Mit der Kellnerin ab.*

*Huhn steht noch beinahe so, wie ihn der Ausbruch des Streits
im Tanz überrascht hat. Seine Augen sind unruhig lauernd den
Vorgängen gefolgt. Jetzt sucht er, sich langsam um und um
wendend, die Dunkelheit zu durchdringen, ohne Pippa zu
entdecken, die, entsetzt zusammengekauert, in einen Winkel
gequetscht, auf der Erde sitzt. Er zieht Schwefelhölzchen hervor, streicht sie und zündet die Lampe an. Nun sucht er wiederum und entdeckt die Kleine. In der Mitte des Zimmers stehend, winkt er ihr mit grausiger Freundlichkeit. Stumm blickt
Pippa ihn an, wie ein aus dem Nest gefallener, gefangener
Vogel. Als er ihr näher kommt, wimmert sie nur leis. Das
kleine Fensterchen wird von außen aufgestoßen, und die
Stimme des Direktors ruft herein.*

STIMME DES DIREKTORS. Pippa, Pippa! Sie kann nicht hierbleiben.
Ich nehme sie mit.

*Kaum ist der Direktor vom Fenster weg, so stürzt sich Huhn
auf das emporschnellende Kind, umfaßt es, nimmt es auf die
Arme, wobei Pippa mit einem kurzen, seufzerartigen Schrei
ohnmächtig wird, und sagt dabei:*

HUHN. A hat dich zu guter Letzt doch no gefangt!

Damit flieht er zur Tür hinaus.

STMME DES DIREKTORS *wiederum am Fenster.* Pippa, Pippa, bist
du noch drin? Hab keine Angst, dir soll keiner ein Haar
krümmen! *Die Kellnerin kommt wieder.*

KELLNERIN. Kee Mensch mehr hie? Kee Mensch kommt zurück,
und draußen liegt eener und will verbluten.

ZWEITER AKT

*Das Innere einer einzelstehenden Hütte in den Bergen. Die
große und niedere Stube ist in einem nicht zu überbietenden
Maße verwahrlost. Die Decke ist schwarz von Rauch und Alter.
Ein Balken geborsten, die übrigen gebogen und auf notdürftige
Weise durch unbehauene Pfähle gestützt. Den Pfählen sind
kleine Brettchen untergeschoben. Der Fußboden besteht aus
Lehm und zeigt Vertiefungen und Erhöhungen; nur um die
Ofenruine herum ist er mit Ziegeln gepflastert. Von den drei*

kleinen, viereckigen Fensteröffnungen, unter denen eine schwarz-
verkohlte Wandbank hinläuft, sind zwei mit Stroh, Moos, Laub
und Brettern versetzt; das dritte enthält ein Fenster mit drei
trüben Scheiben, statt der vierten wiederum Bretter und Moos.
An der gleichen Wand im Winkel der Ofen, weiter nach vorn
zu der geflickte Tisch. In der Hinterwand eine Tür. Man sieht
durch sie in den finsteren Hausflur, dessen Balken wie die des
Zimmers gestützt sind, und auf eine schräge, leiterartige Stiege,
die nach dem Dachboden führt. — Ein Verschlag von Brettern
im Zimmer, mit Birken-, Buchen- und Eichenlaub gefüllt, darauf
einige alte Lumpen von Kleidungsstücken und Decken liegen,
ist das Nachtlager des alten Huhn, dem die Hütte gehört. An
der Wand hängen ein altes Feuergewehr, ein zerlumpter Schlapp-
hut, Kleidungsstücke und mehrere, aus Journalen geschnittene
Bildchen. Viel Laub liegt auf der Diele. In der Ecke ein Schober
Kartoffeln; Zwiebelbündel und getrocknete Pilze hängen an
der Decke. Ein einziger heller Lichtstreif dringt aus der klaren
Mondnacht draußen durchs Fenster herein.
Im Hausflur wird es plötzlich ebenfalls hell. Man hört prusten
und stark atmen. Darauf wird der alte Huhn sichtbar, Pippa
noch auf den Armen tragend. Er betritt die Stube und bettet
Pippa auf das Laublager, sie mit den vorhandenen Lumpen
bedeckend. Darauf holt er aus einem Winkel ein altes Kien-
spangestell, darin der Span steckt, und entzündet ihn, dabei
sogleich sehr erregt nach der Kleinen hinglotzend. Die ersten
Stöße eines beginnenden Sturmes werden hörbar. Schnee wir-
belt in den Hausflur herein. Huhn nimmt jetzt eine Flasche
von irgendeinem Regal und flößt Pippa Branntwein ein. Sie
atmet tief auf; er bedeckt sie noch sorgfältiger, rennt zum Ofen
und macht aus einem Haufen Reisig ein Feuer an.

HUHN *steht unvermittelt auf, horcht an der Tür und ruft mit*
irrsinniger Hast und Heimlichkeit. Kumm runder, kumm runder, ahler Jakob! — ahler Jakob, ich hoa dir woas mitgebrucht!
Er lauscht auf Antwort und lacht in sich hinein.
PIPPA *ächzt, durch das geistige Getränk belebt; plötzlich reißt*
sie den Oberkörper empor, blickt entsetzt um sich, drückt die
Hände vor die Augen, entfernt sie wieder, ächzt, springt auf
und flieht, wie ein geängstigter Vogel, blind gegen die Stuben-
wand. Frau Wende, Frau Wende, wo bin ich denn? *Entsetzt*

an der Wand herumkrallend, blickt sie hinter sich, gewahrt
Huhn und irrt in einem neuen Anfalle von verzweifelter Angst,
bald da, bald dort, blind gegen die Wände. Ich ersticke! zu
Hilfe! Begrabt mich nicht! Padre! Padrone! ach, ach! Hilfe!
Frau Wende, mir träumt!

HUHN *trottet auf sie zu, worauf sie sogleich in sprachlos ent-*
setzter Abwehr die Hände reckt. Bis stille, bis; der ahle Huhn
tutt d'r nischt, und der ahle Jakob is derwegen o umgänglich!
— *Da Pippa, vollkommen erstarrt, ihre abwehrende Stellung*
nicht ändert, macht er unsicher noch einige Schritte auf sie zu,
steht aber plötzlich wieder von dem Ausdruck besinnungs-
losen Entsetzens gebannt. — Aso geht's nich! Nu? — sprich a
Wort! — zerstoß dich nich an a Wända! — bei mir iis's scheen,
draußen lau'rt d'r Tod! — *Er glotzt eine Weile forschend und*
abwartend; plötzlich kommt ihm ein Gedanke. Halt! Jakob,
bringe de Ziege runder! — Jakob! Ziegamilch wärmt! Ziegamilch wird gutt sein. — *Er ahmt das laute und leise Blöken*
von Ziegen und Schafen nach, wie von einer verschlafenen
Herde im Stall. — Bä, böö, bä! Horch, es kommt ieber de
Stiege runder. Jakob, Jakob, bring se rein!

Pippa hat die Tür ins Auge gefaßt und erkannt; unwillkürlich
erhebt sich und stürzt darauf zu, um zu entschlüpfen. Huhn
vertritt ihr den Weg.

HUHN. Ich greif dich ni oa! ich rühr dich ni oa, Madla! Ock
bei mir mußte . . . ock bei mir bleib'n.

PIPPA. Frau Wende! Frau Wende! — *Sie steht und schlägt die*
Hände vors Gesicht.

HUHN. Ängst dich ni! — 's is woas gewest — und woas wird
sein! Ees stellt manchmal im Friehjohre Sprenkel uff . . .
und manchmal im Winter kumma de Goldammern! *Er nimmt*
einen tiefen Zug aus der Schnapsflasche. Jetzt steckt eine Ziege
den Kopf in die Tür. — Halt, Jakob, luß Liesla drußa stiehn!
Se wird mir an'n Troppa Milch wird se mehr ablossa! — *Er*
ergreift einen kleinen Schemel, trottet in den Hausflur und
milkt die Ziege, so daß er gleichzeitig die Tür verstellt. In-
zwischen scheint ein wenig mehr Fassung in das Wesen Pippas
gekommen zu sein. Aus ihrem Wimmern und Ächzen spricht
ohnmächtige Ergebenheit; sie empfindet den Frost wieder und
wird unwillkürlich von der hellen Stelle der Wand angezogen,
dem Reflex des Feuers im Ofenloch; dort scheint sie zu einigem

*Nachdenken aufzutauen und starrt, an der Erde kniend, in die
knackende Lohe hinein.*

PIPPA. O santa Maria, madre di dio! O madre Maria! O santa
Anna! O Maria, madre santa!

*Der alte Huhn hat gemolken und tritt wiederum ein. Pippas
Furcht und Angst steigt sogleich; aber er tritt zu ihr, stellt das
Töpfchen mit Milch in einem Abstand von ihr hin und weicht
zurück.*

HUHN. Trink Ziegamilch, kleene Goldmuhme du!

PIPPA *sieht Huhn zweifelnd an und ermannt sich so weit, mit
gieriger Hast die Milch aus dem dargebotenen Töpfchen zu
trinken.*

HUHN. A so schloappern de Tuta au ihre Milch! *Der alte Huhn
bricht, mit beiden Händen seine Knie schlagend, in ein hei-
seres, triumphierendes Gelächter aus. Satt'rsch, nu koan se zu
Kräften kumma! Damit trollt er sich, zieht hinterm Ofen ein
Säckchen hervor, schüttet daraus Brotkrusten auf den Tisch,
zieht eine eiserne Topfscherbe aus dem Röhr, in welcher Kartoffeln sind, und stellt sie dazu, trinkt, setzt die Schnapsflasche
ebenfalls auf den Tisch und sich dahinter auf die Bank zur
Mahlzeit. Ein neuer Windstoß wuchtet gegen das Haus: wild
herausfordernd, antwortet ihm Huhn gleichsam:* Nanu koanst
de kumma, vor mir immerzu; versucht's, versucht's, ob se enner
wird rauskriega!

PIPPA. Huhn, alter Huhn, ach laß mich doch fort! Ich kenn'
Euch ja doch: Ihr seid Vater Huhn! Was ist denn passiert?
Weshalb bin ich denn hier bei Euch?

HUHN. Weil's eemal asu muß gehn eï der Welt.

PIPPA. Was muß so gehen? Was meint Ihr denn?

HUHN. Was enner ni hat, das muß a sich nahma!

PIPPA. Was meint Ihr denn? Ich versteh' Euch ja nicht.

HUHN. Riehr mich ni an, sonste derschlägt mich mei Herze!
— *Er ist bleich geworden, zittert, atmet tief und rückt fort,
weil Pippa mit den Lippen seine Hand berührt hat.*

PIPPA *stutzt, flieht und wirft sich gegen die verschlossene Tür.*
Zu Hilfe! Zu Hilfe!

HUHN. Nischte! dort iis kee Durchkumma! Du bleibst bei mir,
und bei mir iis scheen! Du hust's bei am Kaiser . . . hätt'st
du's ni scheener! Ock folga mußte, folgs'm sein.

PIPPA. Vater Huhn, Vater Huhn, du tust mir doch nichts?

HUHN *entschieden das Haupt schüttelnd.* Und o kee andrer soll dir kee Haar krimma! kee Voater und kee Direkter nich. Hie bist du sicher, und meine biste.

PIPPA. Hier soll ich für immer begraben sein?

HUHN. A Raupla, a Puppla, a Schmatterling! Harr ock: du werscht ins de Grube schunn uffmachen. — Horch, horch, der Nachtjäger kommt! duck dich! d'r Nachtjäger kommt von a Bergen! Heerscht's, draußen de Kinderla wimmern schon! Se stehn nackta uff a kahla Sten'n im Hausflur und winseln. Sie sein tut! Weil se tut sein, ängsta se sich. Duck dich, setzt d'r a Kappla uff; sonste greift a d'r mit d'r Faust in a Schohp, und gnade dir Gott, mußt du rei in a Wirbel. Kumm her, ich versteck diich! iich wickel dich ein! hiehr ock, wie's heult und faucht und miaut; voll'ns runder vom Dache mit da poar Strohwischen! Vor mir, immer runder vom Schädel d'rmit! — Nu is a vorbei: gelt, doas woar a Spuk? Iich bin a Spuk, und du bist a Spuk, de ganze Welt iis a Spuk, nischt weiter! Aber eemal wird's vielleicht anderscher sein.

Es ist eine rasende Sturmwelle vorübergetobt. Pippa zeigt wieder den Ausdruck fast bewußtlosen Entsetzens. Huhn steht mitten im Zimmer, auch noch, als tiefe, unheimliche Stille herrscht. Nun wird draußen eine Stimme vernehmlich und deutliches Klopfen; zuerst an eins der vernagelten Fenster, hernach an die Scheibe, die durch einen Schatten verdunkelt wird. Huhn zuckt in sich zusammen und glotzt auf die neue Erscheinung hin.

EINE STIMME *gedämpft von außen.* Huhu, schuhu! Donnerlittchen noch mal, das ist ja ein höllisches Morgenlüftchen, was? Wohnt jemand hier? Meinen allerschönsten Vergelt's Euch Gott! Tut mir nichts, so tu' ich Euch nichts! Schenkt mir nur etwas heißen Kaffee und laßt mich, bis es Tag wird, vorm Ofenloch sitzen! Ein ergebenst zerfrorener Handwerksbursch!

HUHN *in stierer Wut.* Wer wiel hie was? Wer lungert ums Häusla vom ahla Huhn? woas Mensch? woas Gespenst? ich wer dir forthelfa. — *Er ergreift einen schweren Knüppel und stürzt zur Tür hinaus.*

Mit einem Seufzer schließt Pippa die Augen. Nun ist es, als ob etwas wie ein klingender Luftzug durch den finsteren Raum hauchte. Dann erscheint, während die Musik noch immer zunehmend ebbt und flutet, Michel Hellriegel in der Tür. Ge-

spannt und vorsichtig bewegt er sich in den Lichtkreis des Kien-
spans, die Augen mißtrauisch forschend ins Dunkle gerichtet.

HELLRIEGEL. Das ist ja eine ziemlich harmonische Mordspelunke!
He, Wirtschaft! Da spielt wohl ein Mehlwurm Harmonika?
He, Wirtschaft! *Er niest.* — Das scheint musikalischer Nieswurz
zu sein. — *Pippa niest ebenfalls.* War ich das, oder war das
ein anderer?

PIPPA *im Halbschlaf.* Hier — spielt wohl — jemand Harmonika?

HELLRIEGEL *horchend, ohne Pippa zu sehen.* Ganz recht, ein
Mehlwurm, nach meiner Ansicht! — ? Sause, liebe Ninne, was
raschelt im Stroh? — Wenn nachts eine Ratte nagt, so denkt
man, es ist eine Sägemühle, und wenn ein bißchen Zugluft
durch eine Türspalte dringt und zwei trockne Buchenblättchen
reibt, so meint man gleich, ein schönes Mädchen lispeln zu
hören oder nach seinem Retter seufzen! — Michel Hellriegel,
du bist sehr klug, du hörst sogar im Winter das Gras wachsen!
Aber ich sage dir, halte deine sieben Sachen zusammen im
Kopf! Deine Mutter hat recht! laß dein phantastisches Gemüte
nicht überlaufen wie einen Milchtopf! Glaube nicht steif und
fest an alles, was nicht wahr ist, und laufe nicht einem fliegenden Spinngewebe hundert Meilen und weiter nach! — Guten Abend! mein Name ist Michael Lebrecht Hellriegel! — *Er*
horcht eine Weile, es erfolgt keine Antwort. — Jetzt wundert
mich, daß mir niemand antwortet, weil doch 'n richt'ges Feuer
im Ofen ist und weil man hier eigentlich wirklich was ganz Besonderes beanspruchen muß: so sieht's hier aus! Wenn ich zum
Beispiel hier einen Papagei auf dem Ofentopf sitzen sähe, der
mit dem Kochlöffel eine Metzelsuppe rührt und der mich dabei
anschrie: Halunke! Spitzbube! Pferdedieb!, das wäre doch
eigentlich das wenigste hier. Auf 'n Menschenfresser verzichte
ich, oder wenn schon, dann auch 'ne verwunschene Prinzessin,
die ein Unmensch, verfluchter, im Käfig hält; zum Beispiel
das kleine niedliche Tanzjungferchen, — halt, da fällt mir was
Kluges ein: ich hab' eine Okarina gekauft! ich habe dem alten
Lausepeter, der in der Schenke zum Tanz gespielt hat, für
meinen letzten Taler — was auch sehr klug war! — die Okarina hier abgehandelt. Warum — weiß ich eigentlich selber
nicht! vielleicht, weil der Name so seltsam klingt! Oder bild'
ich mir ein, daß die kleine, rothaarige Nixe drinsteckt und
womöglich herausfährt und tanzt, wenn man darauf spielt? —

Und da will ich wahrhaftig mal den Versuch machen. *Michel Hellriegel setzt die Okarina an den Mund, sieht sich forschend um und spielt. Bei den ersten Tönen erhebt sich Pippa mit geschlossenen Augen, trippelt mitten in die Stube und nimmt eine Tanzstellung ein.*

PIPPA. Ja, Vater, ich komme! ich bin schon hier!

Michel Hellriegel läßt die Okarina sinken und starrt mit offenem Munde, entgeistert vor Überraschung.

HELLRIEGEL. Siehst du, Michel, das hast du von der Geschichte: jetzt bist du tatsächlich übergeschnappt!

PIPPA *schlägt, wie erwachend, die Augen auf.* Ist jemand hier?

HELLRIEGEL. Nein, nämlich außer mir niemand, wenn Sie erlauben.

PIPPA. Wer spricht denn da? Wo bin ich denn?

HELLRIEGEL. In meinem übernächtigen Kopfe!

PIPPA *erinnert sich Hellriegels aus der Waldschenke und fliegt ihm in die Arme.* Hilf mir! hilf mir! errette mich!

Hellriegel blickt starr an sich herunter auf das herrliche, tizianblonde Haar des Köpfchens, das sich an seiner Schulter birgt. Er rührt die Arme nicht, die ihm Pippa fest umschlungen hält.

HELLRIEGEL. Wenn ich jetzt, wenn ich jetzt . . . zum Beispiel: ich setze den Fall, und ich hätte jetzt meine Arme frei, so würde ich jetzt, trotzdem es die Mutter nicht gerne sieht, ein kurzes Memorial in mein Büchelchen setzen, möglicherweise in Versen sogar. — Aber ich kann meine Hände nicht freikriegen! Die Phantasie hat mich eingeschnürt! sie hat mich auf eine — hol' mich der Teufel! — eine verwünscht eigentümliche Art und Weise festgeschnürt, daß mir das Herz im Halse bumpert, und vorn einen blonden Knoten gemacht!

PIPPA. Hilf mir, hilf mir! befreie mich! errette mich von dem alten Untier und Scheusal!

HELLRIEGEL. Wie heißt du denn?

PIPPA. Pippa!

HELLRIEGEL. Richtig, jawohl. Den Kerl mit den Reitstiefeln hört' ich so rufen. Dann war der Kerl fort: er drückte sich. Als sie den welschen Hund massakrierten, wollte er lieber woanders sein. Und auch du warst fort, als ich wiederkam . . . das heißt wir, mit dem sterbenden Italiener, wenigstens unten fand ich dich nicht, und in sein Schlafquartier stieg ich nicht mit. —

Ich hätte ihn gern noch nach dir gefragt, aber er hatte sein Italienisch vergessen!

PIPPA. Komm fort, komm hier fort! Ach, verlaß mich nicht!

HELLRIEGEL. Nein! Da magst du ganz ruhig sein, wir zwei beiden verlassen einander nicht mehr. Wer einmal, wie ich, einen Vogel hat, der läßt ihn auch nicht so leicht wieder fortfliegen. Also Pippa, setz dich, beruhige dich! und wir wollen die Sachlage nun mal ernst nehmen! Als wenn keine Schraube nicht locker wär'! *Er macht sich sanft los, faßt Pippas kleinen Finger mit ritterlicher Ziererei und Bescheidenheit zwischen Zeigefinger und Daumen und führt sie an ein Schemelchen im Lichtbereich des Ofens, auf das sie sich niederläßt.*

HELLRIEGEL *vor Pippa stehend, mit phantastischem Gestus.* Also, ein Drache hat dich geraubt — ich dachte mir das sofort in der Waldschenke —, dem welschen Zauberer wegstibitzt, und weil ich ein fahrender Künstler bin, stand es sogleich fest bei mir, dich zu befreien, und sofort rannte ich auch ganz ziellos ins Blaue.

PIPPA. Wo kamst du denn her? Wer bist du denn?

HELLRIEGEL. Ein Sohn der verwitweten Obstfrau Hellriegel.

PIPPA. Und woher kommst du?

HELLRIEGEL. Aus dem großen Wurstkessel unseres Herrn!

PIPPA *lacht herzlich.* Aber du sprichst ja so sonderbar!

HELLRIEGEL. Darin hab' ich mich immer ausgezeichnet.

PIPPA. Aber sieh doch, ich bin doch von Fleisch und Blut! und der alte wahnsinnige Huhn ist ein alter entlassener Glasbläser, weiter nichts; davon hat er den Kropf doch und seine Ballonbacken; feurige Drachen gibt es doch nicht!

HELLRIEGEL. Gott soll mich bewahren, warum denn nicht?

PIPPA. Schnell!! bring mich zu Mutter Wende zurück! komm mit mir mit: ich kenne den Weg zur Rotwasserschenke. Ich führe dich! wir verirren uns nicht! *Da Hellriegel ablehnend den Kopf schüttelt.* Oder willst du mich wirklich wieder allein lassen?

HELLRIEGEL *heftig verneinend.* Meine Okarina verkaufe ich nicht!

PIPPA *lacht, schmollt, drängt sich ängstlich an ihn.* Was du nur mit der Okarina hast? Warum willst du denn kein vernünftiges Wort sprechen? Du redest ja immer dummes Zeug! Du bist ja so dumm, signore Hellriegel! *Ihn innig küssend, halb weinerlich.* Ich weiß ja gar nicht, wie dumm du bist!

HELLRIEGEL. Halt, nun geht mir ein Seifensieder auf! — *Er*

nimmt sie beim Kopf, sieht nahe in ihre Augen und drückt seine Lippen mit ruhigem Entschluß lange und inbrünstig in die ihren. — Dumm machen läßt sich der Michel nicht! *Ohne sich loszulassen, sehen beide einander betroffen und einigermaßen unsicher an.* Es geht etwas in mir vor, kleine Pippa: eine sonderbare Veränderung!

PIPPA. Ach, guter . . .

HELLRIEGEL *ergänzend.* Michel.

PIPPA. Michel, was tust du denn?

HELLRIEGEL. Ich bin selbst ganz verwirrt! bitte, erlaß mir die Antwort! Bist du nicht böse deswegen?

PIPPA. Nein.

HELLRIEGEL. Könnten wir das denn vielleicht gleich noch mal machen?

PIPPA. Warum denn?

HELLRIEGEL. Weil es so einfach ist! Es ist so einfach und ist so verrückt und so . . . so allerliebst, zum Unsinnigwerden.

PIPPA. Ich denke, Michel, das bist du schon.

HELLRIEGEL *sich hinterm Ohr kratzend.* Wenn sich einer bloß darauf verlassen könnte! Ich sage, es ist kein Verlaß in der Welt! — Weißt du, da kommt mir mal wieder 'n Einfall! Nehmen wir uns mal richtig Zeit! gehen wir der Sache mal auf den Grund! Komm, setz dich hierher, hier neben mich! Also erstlich ist das hier eine Hand! Erlaube mal, kommen wir gleich mal zur Hauptsache: ob eine Feder im Uhrwerk ist? — *Er behorcht ihre Brust, wie ein Arzt.* Du bist ja lebendig. Du hast ja ein Herz, Pippa!

PIPPA. Aber Michel, zweifelst du denn daran?

HELLRIEGEL. Nein, Pippa! — Doch wenn du lebendig bist — dann muß ich erst mal zu Atem kommen! *Wirklich nach Atem ringend, tritt er von ihr zurück.*

PIPPA. Michel, wir haben ja keine Zeit! Hör doch mal, wie es draußen schnauft und wer immer herum um die Hütte trampelt! schon dreimal ist er am Fenster vorbei. Er schlägt dich tot, Michel, wenn er uns findet. Siehst du, da stiert er wieder herein!

HELLRIEGEL. O du armes Prinzeßchen Fürchtemich! Ei, du kennst meiner Mutter Sohn noch nicht! Den alten Gorilla laß dich nicht anfechten! Wenn du willst, fliegt ihm ein Stiefel an den Kopf!

PIPPA. Michel, nein, Michel, tu das nicht!

HELLRIEGEL. Gewiß! — oder fangen wir meinethalben das neue Leben auch anders an! richten wir uns mal erst ganz gelassen und nüchtern ein in der Welt! klammern wir uns an die Wirklichkeit, Pippa! gelt? Du an mich und ich an dich! Doch nein: das wag' ich kaum auszusprechen, weil du ja nur, wie eine Blüte auf biegsamem Stengel, so duftig und so zerbrechlich bist! Genug, Kind, keine Phantasterei! — *Nimmt sein Ränzel ab und schnürt es auf.* — Hier im Ränzel ist ein Etui. Paß auf, der Michel Hellriegel hat eine reelle Erbschaft an Mutterwitz für alle Fälle mit auf die Welt gebracht. — *Er hält ein kleines Kästchen hin.* Praktisch! hierdrin sind praktische Dinge! Erstlich hier: das ist ein verzauberter Zahnstocher, siehst du: gestaltet wie ein Schwert; damit kannst du Riesen und Drachen totstechen! — Hier im Fläschchen hab' ich ein Elixier, und davon wollen wir dann dem Unflat was einträncken; ein sogenannter Schlaftrunk ist das, wider Riesen und Zauberer unentbehrlich! — Hier dem kleinen Zwirnsknäuel sieht man's nicht an, aber wenn du das eine Ende hier festbindest, so purzelt das Röllchen sogleich vor dir hin und hüpft dir voran, wie ein weißes Mäuschen, und gehst du nur immer dem Garne nach, so kommst du direkt ins Gelobte Land. — Noch ein kleines Puppentischchen ist hier: aber das, Pippa, hat nicht viel zu bedeuten; das ist bloß ein Tischlein-deck-dich. Gelt, ich bin ein Kerl, und du hast nun Zutrauen?

PIPPA. Michel, ich seh' ja das alles nicht!

HELLRIEGEL. Wart nur, dann muß ich dir erst noch den Star stechen!

PIPPA. Ich glaub's ja! Versteck dich, der Alte kommt!

HELLRIEGEL. Sag mal, wo bist du geboren, Pippa?

PIPPA. Ich glaube, in einer Wasserstadt!

HELLRIEGEL. Siehst du, das hab' ich mir gleich gedacht! War es dort auch so pfiffig wie hier, und waren dort auch meistens Wolken am Himmel?

PIPPA. Nie, Michel, hab' ich dort eine gesehen, und Tag für Tag scheint die liebe Sonne!

HELLRIEGEL. Also! siehst du wohl, wie du bist! denkst du, die Mutter wollte das glauben? — Jetzt sage du mir mal: glaubst du an mich?

PIPPA. Zehntausendmal, Michel, in allen Dingen.

HELLRIEGEL. Schön, dann wollen wir übers Gebirge gehen —
und das ist eigentlich bloß eine Kleinigkeit! Ich kenne hier
jeden Weg und Steg, und drüben fängt gleich der Frühling an!

PIPPA. O no, no, no! Ich kann nicht mit! Mio padre è tanto
cattivo! Er sperrt mich wieder drei Tage ein und gibt mir
nur Wasser und Brot zu essen!

HELLRIEGEL. Nun, Pippa, dein Vater ist jetzt recht umgänglich!
seine Art und Weise ist jetzt recht gesetzt! er ist auf erstaun-
liche Weise demütig! Es hat mich gewundert, wie duldsam er
ist! ganz kaltblütig! gar nicht wie ein Italiener: sanft! er tut
keiner Fliege mehr was — verstehst du, was ich eigentlich
sagen will, kleine Pippa? — Dein Vater hat so lange gespielt
und gewonnen, bis er verloren hat. Am Ende verliert schließlich jeder, Pippa! Nämlich, sozusagen — dein Vater ist tot.

PIPPA *indem sie Michel Hellriegel mehr lachend als weinend
um den Hals fliegt.* Ach, so hab' ich ja niemand mehr in der
Welt! niemand als dich!

HELLRIEGEL. Das ist auch genug, Pippa! ich verkaufe mich dir
mit Haut und Knochen, vom Kopf bis zur Sohle, wie ich bin!
— und heißa, heißa, nun wollen wir loswandern!

PIPPA. Du nimmst mich mit, du verläßt mich nicht?

HELLRIEGEL. Ich dich verlassen? ich dich nicht mitnehmen? Und
jetzt führ' ich dich, jetzt verlaß dich auf mich! Du sollst deinen
Fuß nicht an einen Stein stoßen! — Horch, wie das Glas an
den Bergfichten klingt! Hörst du? die langen Zapfen klirren.
Es ist kurz vor Tage, doch bitter kalt. Ich wickle dich ein,
ich trage dich! wir wärmen eins das andre, nicht? und du
sollst erstaunen, wie schnell wir fortkommen! Es kriecht schon
ein bißchen Licht herein! Sieh dir mal meine Fingerspitze an:
da ist schon ein bißchen Sonne dran. Die kann man essen!
die muß man ablecken! da steht man nicht ab und behält heiß
Blut! — Hörst du auch Vögel singen, Pippa?

PIPPA. Ja, Michel!

HELLRIEGEL. Ziep, ziep! das kann eine Maus, eine Goldammer
oder eine Türangel sein! — Einerlei! alle merken was! das
alte Haus knistert durch und durch! Manchmal wird mir geradezu ganz erhaben zumut: wenn das ungeheure Ereignis
kommt und der Lichtozean aus dem heißen, goldenen Krug
sich ergießt! —

PIPPA. Michel, hörst du nicht Stimmen rufen?

HELLRIEGEL. Nein, eine Stimme hör' ich nur! so, als wenn ein Stier auf der Weide brüllt!

PIPPA. Der alte Huhn ist es! Schauerlich!

HELLRIEGEL. Es ist aber seltsam, was er ruft!

PIPPA. Dort steht er, Michel, siehst du ihn nicht?

HELLRIEGEL *mit Pippa am Fenster.* Ja! das scheint ja ein furchtbarer Waldgott zu sein! Den Bart und die Wimpern voller Eiszapfen, die Hände gespreizt emporgestreckt: so steht er da und rührt sich nicht — die geschlossenen Augen nach Osten gerichtet!

PIPPA. Jetzt bestrahlt ihn das erste Morgenlicht.

HELLRIEGEL. Und er schreit wieder!

PIPPA. Verstehst du denn, was er ruft?

HELLRIEGEL. Es klingt wie . . . es klingt wie . . . wie eine Verkündigung.

Es wird ein eigentümlicher, langsam und mächtig anschwellender Ruf hörbar, den der alte Huhn ausstößt und der wie Jumalaï! *klingt.*

HELLRIEGEL. Wie Ju . . . Jumalaï klingt es mir.

PIPPA. Jumalaï? Was bedeutet denn das?

HELLRIEGEL. Ganz bestimmt, kleine Pippa, weiß ich das nicht. Aber wie mir deucht, heißt es: Freude für alle!

Der Ruf Jumalaï *wiederholt sich stärker, während es heller im Zimmer wird.*

PIPPA. Weinst du, Michel?

HELLRIEGEL. Komm, kleine Pippa, du täuschest dich!

Innig verschlungen bewegen sich Pippa und Hellriegel zur Tür hinaus. Die Szene schließt sich, und Musik, die mit dem Licht auf Hellriegels Finger begonnen hat, schwillt an und schildert, anwachsend, den mächtigen Aufgang der Wintersonne.

DRITTER AKT

Im Innern einer verschneiten Baude auf dem Kamm des Gebirges. Man blickt in ein niedriges, großes und freundliches Zimmer mit Balkendecke, von Balkenwänden umschlossen. Drei kleine, wohlverwahrte Doppelfensterchen sind an der Wand links; darunter hin läuft eine befestigte Bank. Die Rückwand ist von einer kleinen Tür durchbrochen, die zum Hausflur führt.

Buntbemalte Bauernschränke bilden links einen wohnlichen Winkel. Sauber geordnetes Küchengerät und bunte Teller schmücken die obere, offene Hälfte des einen Schrankes. Rechts von der Tür ist der übliche große Kachelofen mit Bank. Das Feuer knackt darin lebhaft. Die Ofenbank geht in die feste Bank der rechten Wand über. In dem so gebildeten Winkel steht ein massiver, brauner und großer Bauerntisch; darüber hängt eine Lampe; buntbemalte Holzstühle umgeben ihn. Eine große Schwarzwälder Uhr bewegt ihren Messingpendel langsam neben der Tür. So weit zeigt der Raum einen Charakter, wie er den Wohnungen des bessergestellten Gebirglers eigen ist. Ungewöhnlich ist ein Tisch vorn links mit einem Lesepult, einem alten, aufgeschlagenen Buche darauf, und mit mancherlei anderen Büchern und seltsamen Gegenständen bedeckt, als da sind: eine Lampe zwischen Schusterkugeln, eine Glasbläserlampe mit Glasröhren, alte Apothekerflaschen, ein ausgestopfter Eisvogel usw.; ferner eine Anzahl Ausgrabungsobjekte, Steinmesser, Hämmer und Speerspitzen der sogenannten Steinzeit, an den Wänden und eine Sammlung gewöhnlicher Hämmer zu geologischen Zwecken. Ungewöhnlicher noch ist ein fein gearbeitetes venezianisches Gondelmodell, das vor dem Lesepult auf einem Gestell ruht, sowie andere altertümliche, mittelalterliche und moderne Schiffsmodelle der See- und Flußschiffahrt, die von der Decke herabhängen, und ein großes Fernrohr mit Stativ. Auf der Diele liegen edle orientalische Teppiche. Die Fensterchen des Zimmers glühen vom Licht der untergehenden Sonne, das auch die Gegenstände im Innern grell und phantastisch zur Erscheinung bringt. In der rechten Wand eine Tür. Jonathan, ein stummer, struppiger Kerl von etwa dreißig Jahren, spült Teller in einem Holzschäffchen ab, das auf zwei Schemeln nahe dem Ofen steht.

Es wird mehrmals an die Flurtür geklopft. Der Stumme kehrt sich nicht daran, und so wird die Tür geöffnet, und der Direktor, in einer gebirgsmäßigen Vermummung, das Gewehr übergeworfen, Schneeschuhe unterm Arm, erscheint.

DIREKTOR. Jonathan, ist dein Herr im Hause? Jonathan! Lümmel, antworte mir? Hol' euch der Teufel, wenn er nicht zu Hause ist! Was? Ist er vielleicht Eisblümchen pflücken gegangen? oder weiße Motten fangen mit dem Schmetterlingsnetz? Brr, es ist eine hundsgemeine Kälte draußen! Jonathan!

JONATHAN *wendet sich, schlägt vor Freude und Schreck die Hände überm Kopf zusammen, trocknet sie in die blaue Schürze und küßt die Rechte des Direktors.*

DIREKTOR. Ist der Alte zu Hause, Jonathan? der alte Wann? — *Jonathan gibt Laute von sich und macht Gesten.* — Blöde Kanallje, drücke dich deutlicher aus! — *Jonathan gibt sich größere Mühe, zeigt leidenschaftlich durch das Fenster, zum Zeichen, daß sein Herr ausgegangen sei, läuft dann zur Uhr, die auf dreiviertel fünf zeigt, deutet mit dem Finger an, daß sein Herr um halb fünf hätte wollen zurück sein, zuckt verwundert die Achseln darüber, daß er noch nicht heimgekehrt sei, eilt zum Fenster zurück, drückt die Nase daran, beschattet die Augen mit der Hand und hält Umschau.* Also gut, ich habe kapiert: er ist auswärts und wird gleich wiederkommen, sollte eigentlich bereits wieder zurück sein! *Der Stumme ahmt mit wau, wau einen Hund nach.* Richtig, er hat seine beiden Bernhardiner mitgenommen. Begriffen! Schön! Will sich und den Hunden ein bißchen Motion schaffen! — Putze mich ab, Schuft, ich bleibe hier!

Da er völlig wie ein Schneemann aussieht, tritt er in den Flur zurück, tritt und schlägt sich ab, wobei ihm der Stumme eifrig behilflich ist.

Mittlerweile kommt fast lautlos ein alter, ehrwürdiger Mann durch die Tür rechts herein. Er ist hoch, breitschultrig, und sein mächtiges Haupt umgibt langwallendes, weißes Haar. Sein bartloses, strenges Gesicht ist gleichsam mit Runen überdeckt. Buschige Wimpern überschatten die großen, hervortretenden Augen. Der Mann scheint neunzig und mehr Jahre alt zu sein, aber so, als wenn Alter potenzierte Kraft, Schönheit und Jugend wäre. Seine Kleidung ist ein Kittel aus grober Leinwand mit weiten Ärmeln und bis unter die Knie reichend. Er trägt runde, rotwollene Schnürschuhe und einen Ledergurt um die Lenden. In diesem Gurt ruht, als er eintritt, seine große, edelgeformte rechte Hand. Es ist Wann.

Wann richtet einen aufmerksamen und lächelnden Blick in den Flur, schreitet ruhig durchs Zimmer und läßt sich hinter dem Tisch am Lesepult nieder. Er stützt sich auf, mit den Fingern sinnend das Haar durchwühlend, dessen weiße Locken den offenen Folianten überfließen, auf den er die Augen ge-

richtet hält. Aus seinem Überzug geschält, tritt der Direktor
wieder ein. Er gewahrt Wann zuerst nicht.

DIREKTOR. O ihr Gazellen! Süße Zwillinge! — So! jetzt wollen
wir's uns bei dem alten Pfiffikus einstweilen so gemütlich als
möglich machen!

WANN. Das denk' ich auch! Und dazu wollen wir schwarzen
Falerner trinken!

DIREKTOR *überrascht*. Verdammt! Wo kommen denn Sie plötzlich her?

WANN *lächelnd*. Ja, wer das nur so genau wüßte, Direktor! —
Willkommen im Grünen! — Jonathan!

DIREKTOR. Jawoll! es wird einem grün und blau vor den Augen, wenn man so seine vier Stunden gerutscht und gekraxelt
ist! Ich hatte 'ne schwarze Brille auf! Aber trotzdem kommt
mir mein Sehorgan vor wie ein Teich, auf dessen Grund ich
gesunken bin und über den oben fortwährend farbige Insel-
chen schwimmen!

WANN. Und Sie möchten gern auf eine hinauf? Soll ich vielleicht
eine Angel hervorsuchen?

DIREKTOR. Wieso?

WANN. Na, es schoß mir nur eben so durch den Kopf. Jedenfalls sind Sie ein Meister im Schneeschuhlaufen und so wag-
halsig, wie es zum Beispiel ein Hirsch meistens nur im November ist und der Sperber nur dann, wenn er in der Ver-
folgung einer Beute begriffen ist und seine Jagdwut ihn gegen
alle Gefahren blind und taub gemacht hat; das fiel mir auf, als
ich Sie vogelartig von der Spitze der Sturmhaube niedergleiten
sah! Und da Sie ein Mensch sind, riet ich auf eine dritte
menschliche Möglichkeit: Sie möchten vielleicht irgendwas
Krankhaftes ausschwitzen.

DIREKTOR. Auf was der Mensch nicht alles verfällt, wenn er
in aller Welt nichts mehr zu tun hat, als Sommer und Winter
bei jedem Wetter auf der Milchstraße spazierenzugehen!

WANN *lachend*. Ich gebe zu, daß ich mein Steckenpferd oftmals
ein bißchen hochhinaus spazierenreite und daß ich dadurch
etwas fernsichtig geworden bin; aber ich sehe auch noch in der
Nähe ganz gut! — Zum Beispiel dies liebliche Kind von Murano hier und den schönen Kristall voll schwarzen Weins, den
Jonathan uns zum Troste bringt!

Jonathan hat zwei edle, alte, große venezianische Kelchgläser und eine geschliffene Karaffe voll Wein auf einem großen Silbertablett hereingebracht und auf den Tisch gestellt, Wann schenkt die Gläser vorsichtig selbst voll. Jeder der Männer ergreift eines und hebt es andächtig gegen die noch matt glimmenden Fenster.

DIREKTOR. Montes chrysocreos fecerunt nos dominos! Wissen Sie, wie Sie mir manchmal vorkommen, Wann? Wie einer von jenen sagenhaften Goldsucherkerlen, die das sauerkrautfressende, schweinsborstenrüdige Rüpelgesindel in unsern Bergen Walen nennt.

WANN. So?! Wie wäre denn das, bester Direktor?

DIREKTOR. Wie einer, der in Venedig mitten im Wasser einen arabischen Feenpalast aus Gold und Jaspis besitzt, der sich aber bei uns hier anstellt und tut, als könnte er nicht auf dreie zählen, und jede verschimmelte Brotkruste frißt.

WANN. Salute! darauf trinken wir, liebster Direktor! *Sie trinken einander zu und lachen dann herzlich.* Also für so etwas halten Sie mich! Die Brotkrusten übrigens abgerechnet, denn dieser Heuchelei bin ich mir nicht bewußt, ist vielleicht sogar ein Gran Wahrheit in der Vermutung! Wenn ich auch nicht geradezu eins von jenen zaubermächtigen Venezianermännerchen bin, die den Holzfällern und anderen Phantasten zuweilen erscheinen und die Goldhöhlen, Grotten und Schlösser im Innern der Erde besitzen, so leugne ich nicht, daß mir diese Berge auf eine gewisse Weise wirklich goldhaltig sind!

DIREKTOR. Ach, wer doch auch so stillvergnügt in Schnee und Eis resignieren könnte wie Sie, Meister Wann! Keine Nahrungssorgen, kein Geschäft, keine Frau — über allerlei Torheiten weit hinaus, die unsereinem noch Kopfschmerzen machen, und in gelehrte Studien so vertieft, daß man den Wald vor Bäumen nicht sieht: das ist wirklich ein idealer Zustand!

WANN. Ich sehe, mein Charakterbild schwankt einstweilen in Ihrer direktorialen Seele noch. Erst bin ich Ihnen eine sagenhafte Persönlichkeit, die ein Haus in Venedig hat, dann wieder ein alter Major a. D., der harmlos seine Altersrenten verzehrt.

DIREKTOR. Ja, es ist eben weiß Gott nicht leicht, sich von Ihnen den rechten Begriff zu machen!

WANN. Jonathan, zünde die Lampen an! Hoffentlich durchschauen Sie mich bei Lichte etwas besser!

Eine kurze Pause tritt ein, die Unruhe des Direktors steigt.

DIREKTOR. Auf was warten Sie eigentlich jahraus, jahrein hier oben, Wann?

WANN. Auf mancherlei!

DIREKTOR. Das wäre zum Beispiel?

WANN. Alles, was die Windrose bringt: Gewölke, Düfte, Kristalle von Eis! auf die lautlosen Doppelblitze der großen Panfeuer! auf die kleine Flamme, die aus dem Herde schlägt! auf die Gesänge der Toten im Wasserfall! auf mein seliges Ende! auf den neuen Anfang und Eintritt in eine andere musikalisch-kosmische Brüderschaft.

DIREKTOR. Und wird Ihnen das nicht mitunter langweilig, so allein?

WANN. Wieso: Se tu sarai solo, tu sarai tutto tuo. Und Langeweile ist, wo Gott nicht ist!

DIREKTOR. Das würde mir nicht genügen, Meister! Ich brauche immer den äußeren Reiz.

WANN. Nun, was die Wollust der großen Ehrfurcht in Schwingungen hält, das, denk' ich, ist auch einer.

DIREKTOR. Ja, ja, schon gut! Bei mir indessen, so alt wie ich bin, muß immer wieder was Junges, Lustiges, Lebendiges im Spiele sein.

WANN. Wie zum Beispiel hier diese Marienkäferchen. Den ganzen Winter durch hab' ich sie hier auf dem Tisch, zwischen allerlei Spielzeug, zur Gesellschaft. Sehen Sie sich so ein Tierchen mal an! Wenn ich es tue — so höre ich förmlich die Sphären donnern! Trifft es euch, so seid ihr taub.

DIREKTOR. Diese Wendung verstehe ich nicht.

WANN. Ganz einfach: das Tierchen auf meinem Finger ahnt mich nicht und ahnt Sie nicht. Und doch sind wir da und die Welt um uns her, die es, eingeschränkt in sein Bereich, nicht zu fassen vermag. Unsere Welt liegt außerhalb seiner Sinne. Bedenken Sie, was jenseits der unsern liegt! — Vermöchte Ihnen zum Beispiel das Auge zu sagen, wie der Bach rauscht und die Wolke grollt? Daß es so ist, würden Sie nie erfahren, hätten sie nicht den Sinn des Gehörs. Und hätten Sie wieder das feinste Gehör: Sie wüßten doch von den herrlichen Lichtausbrüchen am Firmamente in Ewigkeit nichts!

DIREKTOR. Danke fürs Privatissimum! Lieber ein anderes Mal! habe heute kein Sitzefleisch. Ich spielte auf ganz was anderes an . . .

WANN *hebt sein Glas.* Auf das liebliche Kind von Murano wahrscheinlich!

DIREKTOR. Meinethalben! Woher wissen Sie das?

WANN. Wofür hat man sein tausend Meter hohes mitteldeut-
sches Observatorium? Wofür hat man ein Fernglas mit der
selbstverfertigten Linse darin? Soll man nicht manchmal auf
die sublunarische Welt runtergucken und den Kindern auf die
Finger sehen? Und wen schließlich der Schuh nicht drückt, der
kommt nicht zum Schuster!

DIREKTOR. Gut! Wenn Sie wirklich ein so verteufelter Physiker
sind — Ihre Schusterei einstweilen beiseite! ich gebe zu, daß
mich der Schuh an mehreren Stellen drückt —, so sagen Sie
mir doch gefälligst mal: was ist heute nacht in der Schenke
des alten Wende geschehn?

Wann blättert im Buch auf dem Lesepult.

WANN. Man hat einen Italiener erstochen!

DIREKTOR. Warum schlagen Sie denn im Buche nach?

WANN. Einen Registrator braucht man doch schließlich!

DIREKTOR. Und ist auch das Nähere darin notiert?

WANN. Vorläufig nein.

DIREKTOR. Nun, dann ist es mit Ihrem Fernrohr und Ihrem
protzigen Folianten nichts! — Ich verzeihe mir diese Geschichte
nicht! Warum hab' ich nicht besser aufgepaßt! Ich wollte sie
zehnmal dem Hunde abkaufen. So kommt's, wenn man wirklich mal zartfühlend ist! *Er springt auf und geht erregt im
Zimmer umher; endlich bleibt er hinter dem Fenster stehen,
dreht es auf dem Stativ und richtet es nacheinander
auf die verschiedenen nachtschwarzen Fenster. Der Wind
pfeift.* Toll, wie einem hier oben bei Ihnen immer wie in
einer Schiffskabine zumute wird, im Sturm auf dem großen
Ozean!

WANN. Und drückt das nicht auch die Situation am richtigsten
aus, in die wir hineingeboren sind?

DIREKTOR. Das mag sein! Aber mit Phrasen von dieser Art läßt
sich nichts anfangen. Aus meiner besonderen Klemme reißt
mich das nicht! Anders wär's, wenn man durch Ihr Fernrohr
was sehen könnte! Leider aber merk' ich, daß das auch Vor-
spiegelung falscher Tatsachen ist.

WANN. Es ist ja doch stockfinstere Nacht, Direktor!

DIREKTOR. Bei Tage brauch' ich so'n Dings doch nicht!

Er läßt ab von dem Fernrohr, geht wieder hin und her und bleibt schließlich vor Wann stehen.

WANN. Nun heraus mit der Sprache: wen suchen Sie denn?

DIREKTOR. Sie.

WANN. Sie ist Ihnen demnach verlorengegangen?

DIREKTOR. Ich jage ihr nach und finde sie nicht! — Ich habe den Unsinn satt, Meister Wann! Ziehen Sie mir den Stachel heraus, wenn Sie so'n toller Quacksalber sind! Ich kann nicht leben und kann nicht sterben. Nehmen Sie ein Skalpell in die Hand, und suchen Sie die vergiftete Pfeilspitze, die mir irgendwo im Kadaver sitzt und mit jeder Minute tiefer dringt. Ich habe die Angst und das Jucken satt, den schlechten Schlaf und den schlechten Appetit; meinethalben: ich will päpstlicher Sänger werden, nur um den verzweifelten Schmacht, der mich plagt, für eine Minute los zu sein.

Er ist schwer atmend auf einen Stuhl gesunken und wischt sich den Schweiß von der Stirn. Wann erhebt sich mit einiger Umständlichkeit.

WANN. Und es ist Ihnen wahrhaft ernst mit der Kur? Sie wollen sich wirklich in meine Hand geben?

DIREKTOR. Natürlich! ja! Wozu käme ich denn!?

WANN. Und auch dann stillhalten, wenn es notwendig ist, das böse Gewächs mit dem ganzen, bis in die Zehenspitzen verzweigten Wurzelsystem mit einem Ruck aus der Seele zu reißen?

DIREKTOR. Und wenn es eine Pferdekur ist!

WANN. Nun, dann geben Sie freundlichst acht, lieber Direktor! Jetzt klatsch' ich das erste Mal in die Hand! — *Er tut es.* — Wenn der Greis nicht mehr könnte als der Mann, was wäre dann wohl der Sinn des Alters? — *Er zieht ein langes seidenes Tuch hervor.* — Jetzt klatsch' ich das zweite Mal in die Hand! — *Er tut es.* — Hernach binde ich mir dies Tuch vor den Mund, wie der Parse es beim Gebete tut . . .

DIREKTOR *ungläubig.* Und dann werde ich meiner Wege gehen, denn ich merke, Sie uzen mich, Meister Wann!

WANN. Und dann: incipit vita nova, Direktor! *Er schiebt die Binde vor den Mund und klatscht stark in die Hände. Sogleich stürzt, wie durch Zauber gerufen, Pippa halb erfroren und nach Atem ringend herein; eine Nebelwolke dringt hinter ihr her.*

PIPPA *hervorstoßend, heiser schreiend.* Rettet, rettet! Ihr Männer, helft! Dreißig Schritt von hier stirbt der Michel im Schnee! er

574

liegt und erstickt! er kann sich nicht aufrichten! bringt Licht!
er erfriert! er kann nicht weiter! die Nacht ist furchtbar!
Kommt mit, kommt mit!

DIREKTOR *starrt in grenzenloser Betroffenheit bald Pippa, bald
seinen Gastgeber an.* Was! sind Sie der Teufel selber, Wann?

WANN. Die Kur beginnt. Keine Müdigkeit vorschützen! Ein Seil!
Binde das Ende hier fest, Jonathan!

*Pippa hat Wann bei der Hand gefaßt und zerrt ihn hinaus.
Der Direktor folgt wie betäubt. Das Zimmer ist leer, der Sturm
braust durch den Hausflur, Schneewolken hindurchfegend.
Plötzlich wird der Kopf des alten Huhn in der Flurtür sichtbar.
Nachdem sich der Alte vergewissert hat, daß niemand im Zim-
mer ist, schleicht er sich ein. Er beglotzt die Gegenstände im
Zimmer, und als die Stimme des wiederkehrenden Wann hör-
bar wird, verbirgt er sich hinterm Ofen.*

WANN *noch im Hausflur, am Seil die andern nach sich ziehend.*
Bewahre die Türen fest, Jonathan!

*Nun wird, von Wann und dem Direktor gestützt, der halb-
erfrorene Michel Hellriegel sichtbar. Man bringt ihn ins Zimmer, legt ihn auf die Ofenbank; Pippa zieht ihm die Schuhe
aus, und der Direktor reibt ihm die Brust.*

WANN *zu Jonathan.* Einen Tassenkopf voll heißen schwarzen
Kaffees, mit Kognak vermischt!

DIREKTOR. Donner und Hagel, das Maul friert einem ja zu!
Das sticht ja da draußen mit Nadeln und Schlachtermessern!

WANN. Ja, es ist was! Man weiß wenigstens, wenn man in
diesen schwarzen Hadesbränden nach Atem schnappt, daß man
ein Kämpfer und noch weit entfernt von den Paradiesen des
Lichtes ist. Nur ein Fünkchen daraus hat den Weg gefunden!
Wacker, Kleine, hast du dich durchgekämpft!

PIPPA. Der Michel, signore, der Michel, ich nicht.

WANN. Wie ist Ihnen denn zumute, Direktor?

DIREKTOR. Was Sie für einer sind, weiß ich nicht! Aber sonst
geht's mir galgenmäßig vergnügt! Es ist schließlich ebenso
wunderbar, wenn eine Fliege auf meinen Hemdkragen
schmitzt, als daß Sie oder sonstwer solche Geschichten machen.

WANN. Statt eines sind ihrer zweie geworden!

DIREKTOR. Danke! so weit reicht mein Grips eben noch! Meine
Vermutung ging zwar auf Huhn, was weiter? Statt dessen
ist es ein Gimpel! — Jonathan, meine Schneeschuhe, fix!

WANN. Schon fort?

DIREKTOR. Zwei sind genug. Der dritte zu viel. Es ist mir zwar einigermaßen neu, Edelmut in der höchsten Potenz exekutieren, aber auf Dauer ist das doch kein rechter Beruf für mich! — meinst du nicht auch, kleine Pippa?

PIPPA *die leise weinend Michels Füße mit ihrem Haar trocknet und reibt.* Cosa, signore?

DIREKTOR. Du kennst mich doch noch? — *Pippa schüttelt verneinend den Kopf.* — Hast du mich nicht irgendwo mal gesehen? — *Pippa schüttelt abermals verneinend den Kopf.* — Brachte dir nicht irgendein guter Onkel während drei, vier Jahren Zuckerzeug, hübsche Korallen und seidene Bänderchen mit? — *Pippa verneint überzeugt durch Kopfschütteln.* — Bravo, so hab' ich mir's gedacht! — Hast du nicht einen Vater gehabt, der gestorben ist? — *Pippa verneint.*

WANN. Merken Sie was, Direktor . . .

DIREKTOR. Und ob ich was merke!

WANN. . . . was für ein alter, mächtiger Zauber hier im Spiele ist?

DIREKTOR. Versteht sich am Rande, ganz gewiß! Fideles Vexierspiel in der Welt! — *Mit dem dritten Finger auf Michels Stirn klopfend.* Du, wenn du aufwachst, klopf doch mal an den Himmel, vielleicht sagt der liebe Herrgott herein! — Adieu! Reiben Sie Michel ins Dasein zurück! — *Schon im Flur.* — Wünsche allerseits wohl zu speisen! Es hat geholfen! Ich bin kuriert! — Juhu! Jockele, schließe den Abgrund auf! *Man hört die Haustür öffnen und im Freien noch mehrmals das Juhu des Direktor.*

HELLRIEGEL *schlägt die Augen auf, springt in die Höhe und ruft ebenfalls.* Juhu! Juhu, da haben wir's, kleine Pippa!

WANN *tritt erstaunt und belustigt zurück.* Ei! was, wenn ich fragen darf, haben wir denn?

HELLRIEGEL. Ach so; kleine Pippa, wir sind nicht allein. Sag mal, woher kommt der Alte so plötzlich?

PIPPA *schüchtern, leise.* Ach, ich wußte mir keinen andern Rat!

HELLRIEGEL. Aber war es nicht herrlich! Freust du dich nicht, so durch Sturm und Winter aufwärtszuklettern? so lustig vorwärts und Hand in Hand?

WANN. Wohin reist ihr denn, wenn man fragen darf?

HELLRIEGEL. Ei, Alter! wer wird so neugierig sein? Frag' denn ich dich, warum du hier oben muffelst, dich wärmst und gebratene Äpfel ißt?

WANN. Da hast du ja einen Tausendsassa, liebes Kind!

HELLRIEGEL. Immer wandern und an das Ziel nicht denken! Man schätzt es zu nah oder schätzt es zu weit. — Übrigens fühle ich doch meine Knochen summen.

PIPPA *ängstlich*. Michel, könnten wir nicht dem alten freundlichen Mann gegenüber vielleicht doch ein bißchen dankbar sein? Oder meinst du nicht?

HELLRIEGEL. Wieso?

PIPPA. Er hat uns doch vor dem Erfrieren gerettet!

HELLRIEGEL. Erfrieren? Das tut jetzt der Michel beileibe nicht! — Hätten wir just das Asyl hier verfehlt, nun so wären wir jetzt gute zehn Meilen weiter. Denke, Pippa, zehn Meilen näher am Ziel! Wenn einer den Wunderknäuel besitzt und unzweideutige höhere Winke in großer Menge bekommen hat, daß er zu etwas berufen ist . . . mindestens knetbares Glas zu erfinden!

WANN. Du lachst, meine Kleine: glaubst du ihm das? — *Pippa sieht gläubig zu Wann auf und nickt entschieden bejahend mit dem Kopfe.* — So!? allerdings, er spricht recht vertrauenerweckend! Nun, sprecht euch nur aus, ich geniere euch nicht! — *Er nimmt hinter seinem Büchertische Platz, doch die beiden verstohlen beobachtend; dabei blättert er in dem großen Buch.*

PIPPA *geheimnisvoll*. Sieh dich mal um, Michel, wo wir sind!

HELLRIEGEL. Ganz am rechten Platz, wie mir eben jetzt einfällt! Ganz recht hat das Garn uns geleitet. Merktest du nicht, wie es uns immer vorwärts und heraus aus dem Unwetter zog?

PIPPA. Das war ja das Seil des Alten, Michel!

HELLRIEGEL. I, wie du dir das denkst, Kleinchen, ist es nicht! Hier zunächst mußten wir jedenfalls hin. Erstlich sah ich im Steigen immer das Licht. Hätt' ich aber das Licht auch nicht gesehen, es zog und sog eine unwiderstehliche Kraft in mir nach diesem schützenden Dache hin!

PIPPA. Ich bin so froh, daß wir sicher sind, und doch: ich fürchte mich noch immer ein bißchen!

HELLRIEGEL. Vor was fürchtest du dich?

PIPPA. Ich weiß nicht, vor was! — ob die Türen fest zu sind?

WANN *der es gehört hat*. Sind fest verschlossen!

PIPPA *einfach und unschuldig auf Wann zu*. Ach, Herr, Ihr seid gut, man sieht's Euch an! aber dennoch, gelt, Michel, wir müssen wohl weiter?

WANN. Warum denn? Wer ist denn auf eurer Spur?

HELLRIEGEL. Niemand! keiner wenigstens, der uns Sorgen macht!
Aber wenn du fortwillst, so komm, kleine Pippa!

WANN. Meint ihr wirklich, ich ließe euch fort?

HELLRIEGEL. Allerdings! Womit wolltet Ihr uns denn festhalten?

WANN. An solchen Mitteln fehlt es mir nicht! — Ich frage dich
nicht, wohin du gehst, wohin du mit dieser kleinen gescheuchten
Motte, die an meine Lampe geflogen ist, unterwegens bist! Aber
die Nacht hindurch werdet ihr hierbleiben!

HELLRIEGEL *breitbeinig in der Mitte des Zimmers aufgepflanzt.*
Holla! holla! hier ist auch noch einer!

WANN. Wer weiß, was du für ein Vogel bist! vielleicht einer, der
auszog, das Gruseln zu lernen; dann hab' nur Geduld, du
lernst es schon noch!

HELLRIEGEL. Immer gemütlich, Onkelchen, das Haus steht noch,
wie mein Mutterchen sagt. Ob wir aber gehn oder bleiben, ist
unsere Sache!

WANN. Du hast wohl sehr große Rosinen im Sack!

HELLRIEGEL. So? seh' ich so aus, als ob ich welche im Sack hätte?
Das ist wohl auch möglich, denke mal an! — Nun, Punktum!
mein Ranzen tut sich so ziemlich, wenn es auch andere
Dinge als gerade nur lump'ge Rosinen sind. Falls mir also
die Kappe so sitzt, dann gehen wir, und dann kannst du
uns ebensowenig zurückhalten wie zwei Schwäne, die unter
dem Lämmergewölkchen hinreisen und wie zwei Punkte gen
Süden ziehn.

WANN. Das geb' ich dir zu, junger Wolkenmann! Doch gelingt
es mir zuweilen einmal, solche Vögel an meine Tröglein zu
locken, und das hab' ich zum Beispiel mit euch getan.

Jonathan bestellt die Tafel neben dem Ofen mit Südfrüchten,
dampfendem Wein und Gebäck.

HELLRIEGEL. Was, Tröglein! Wir sind nicht hungrig, wir essen
nicht! Auf so was ist Michel nicht angewiesen!

WANN. Seit wann denn nicht mehr?

HELLRIEGEL. Seit . . . seit er das Freigold im Schlamme fand!

WANN *zu Pippa.* Und du?

PIPPA. Ich bin auch nicht hungrig!

WANN. Nein?

PIPPA *leise zu Michel.* Du hast ja dein Tischlein-deck-dich!

WANN. So wollt ihr mir nicht die Ehre antun?

HELLRIEGEL. Ich merke, du bist wieder mal einer, der nicht die leiseste Ahnung davon hat, wer Michel Hellriegel ist. Was geht's mich an, und was hülfe es auch, es dir auseinanderzusetzen! Zwar weißt du, daß der Erzengel Michael ein Held und Drachenbezwinger ist: daran zweifelst du nicht. Ich brauche nun aber bloß weiterzugehen und meinethalben zehn Schwüre zu leisten, daß ich seit gestern Wunder auf Wunder erlebt und ein Abenteuer sieghaft bestanden habe, das ebenso ungeheuer ist, so wirst du sagen: warum denn nicht? das ist einer, der Okarina spielt. — Ich brauche von meinem Ranzen erzählen ...

WANN. O Michel, du köstliches Gotteskind, hätt' ich geahnt, daß du es bist, den ich heute seit Tagesanbruch mit meinem Fernrohr verfolgt und an meine Seelenfutternäpfchen voll heißen Blutes gelockt habe: ich hätte die Hütte festlich geschmückt und dich — damit du siehst, daß ich auch so was wie ein Musikante bin — und dich mit Quintetten und Rosen empfangen! — Sei friedlich, Michel, vertrage dich! Und ich rate dir, iß eine Kleinigkeit! So gesättigt himmelblau du auch sein magst, davon kann nur die Seele, kein Körper satt werden eines langen Lümmels, wie du einer bist!

HELLRIEGEL *tritt an den Tisch, nimmt einen Teller herauf, ißt eifrig und spricht leise und grimmig zu Pippa.* Der Fraß widersteht mir, ich mag ihn nicht! Bloß um mit guter Art loszukommen ...

WANN. Iß, iß, Michel, räsoniere nicht! Es nutzt nichts, mit deinem Herrgott zu hadern, weil du atmen und schlingen und schlukken mußt! Dann schwebt sich's und schaukelt sich's um so schöner!

PIPPA *hat sich zu Wann geschlichen, während Michel ins Essen vertieft ist, und flüstert ihm zu in voller Freude.* Ich freu' mich so, daß der Michel ißt!

WANN. Er wandelt nacht, also weck ihn nicht! Sonst läßt er Gabel und Messer fallen, stürzt tausend Meter hoch in die Luft und bricht sich womöglich Hals und Beine. *Er nimmt sorgfältig mit zwei Händen ein venezianisches Gondelmodell vom Tisch.*

WANN. Kannst du mir sagen, was das vorstellt?

PIPPA. Nein.

WANN. Denk nach! Ist niemals durch deinen Traum ein schwarzes Fahrzeug wie dieses geglitten?

PIPPA *schnell.* Ja, früher, ganz früher, erinnere ich mich!

WANN. Weißt du auch, was für ein mächtiges Werkzeug es eigentlich ist?

PIPPA *nachdenklich.* Ich weiß nur, daß ich nachts einmal zwischen Häusern auf einer solchen Barke geglitten bin.

WANN. So ist es! — *Zu Michel hinüber.* Nun meinethalb spitze auch du deine Ohren, damit du nach und nach zur Erkenntnis gelangst, daß auch hier einer sitzt, der sich etwas auf Äronautik und manches andere versteht.

HELLRIEGEL. Immer raus mit der Zicke auf den Markt!

WANN. Also dies kleine Fahrzeug hier hat die Märchenstadt zwischen zwei Himmeln geschaffen, nämlich jene, darin auch du, gutes Kind, ans Herz der Erde geboren bist. Denn du bist aus dem Märchen und willst wieder hinein.

HELLRIEGEL. Hopp! da kommt was geflogen! Hopp! wieder ein ander Bild! eine Ratte! ein Salzhering, ein Mädchen! ein Wunder! Immer auffangen! eine Okarina! immer hopp, hopp, hopp! — Sosehr ich, als ich von Mutter fort auf die Walze ging, auf allerlei Hokuspokus gefaßt war und ihm hüpfend vor Freude entgegengegangen bin, tritt mir jetzt doch manchmal kalter Schweiß auf die Stirne. *Er starrt, Gabel und Messer in den Fäusten, tiefsinnig vor sich hin.* Also Er kennt die Stadt wo wir hinwollen!

WANN. Freilich kenne ich sie, — und sofern ihr Vertrauen zu mir faßt, könnte ich etwas übriges tun und euch mit Rat und Wink den Weg dorthin weisen. Am Ende, wer weiß, noch etwas mehr als das! — Denn, offen gestanden, wenn man euch ganz genau betrachtet, so kommen einen doch Zweifel an, ob ihr wirklich so sicher und hoch und zielbewußt durch den Himmel schwebt! Ihr habt etwas an euch, wie soll ich sagen, von aus der Flugbahn geschleuderten Vögeln, die hilflos irgendwohin an den Nordpol verschlagen sind. Sozusagen auf Gnade und Ungnade! — Michel, fahre nicht auf! Ereifre dich nicht! Du willst es nicht Wort haben, daß du entsetzlich mürbe und müde bist, und auch nicht die unbestimmte Angst, das Grauen, das euch mitunter noch anpackt, obgleich ihr den Schauern der winternächtigen Flucht doch einigermaßen entronnen seid.

Bei Erwähnung der Flucht und Angst ist Hellriegel aufgesprungen, und Pippa und er haben einander ängstlich ange-

sehen. Jetzt bewegt er sich unruhig an die Stubentür und horcht in den Flur hinaus.

HELLRIEGEL. Nur ruhig, Michel! Es käme drauf an! — Ich nehme doch an, daß die Türen genügend verwahrt und verriegelt sind? Dann haben wir jedenfalls nichts zu fürchten! — *Er kommt zurück.* — Meinethalben! Es kann ja sein, daß Ihr vielleicht etwas Rares seid — wir werden zwar sowieso in der schönen Wasser- und Glasmacherstadt, wo das Wasser zu gläsernen Blumen sprießt und von der ich zeit meines Lebens ganz genau jedes Brückchen, Treppchen und Gäßchen geträumt habe . . . zwar sowieso morgen nachmittag Apfelsinen essen, aber meinethalb: wie weit ist's noch dahin?

WANN. Das kommt darauf an, Michel, wie man reist.

HELLRIEGEL. Auf praktische Weise, will ich mal sagen.

WANN *lächelnd.* Dann kommst du wahrscheinlich niemals hin. Aber wenn du mit diesem Schiffchen reist, mit dem schon die ersten Pfahlbauern in die Lagunen hinausfuhren und aus dem, wie aus einer schwimmenden Räucherschale, phantastischer Rauch: der Künstlertraum Venedig, quoll, daraus sich die prunkende, steinerne Stadt, wie der Kristall aus der Lauge, niederschlug . . . ja, wenn du mit diesem Schiffchen reist und mittels des Wunders, das dir geworden ist, so kannst du mit einemmal alles erblicken, wonach deine schmachtende Seele strebt.

HELLRIEGEL. Halt! ich will mal erst eine stille und in mich gekehrte Überlegung anstellen. Gebt mir doch mal das Ding in die Hand! — *Er nimmt und hält das Schiffchen.* — So? mit diesem Nußschälchen soll ich reisen? Ach! was doch der alte Herbergsvater klug und der Michel ein Esel ist! Wie macht man das bloß, hier einzusteigen? O bitte! ich bin kein Spaßverderber! jetzt leuchtet mir die Geschichte ein; ich fürchte nur, ich verlaufe mich in dem Schiffchen! Wenn es wirklich sein muß, so nehm' ich doch lieber meine zwei Schwestern, meine sechs älteren Brüder, meine Onkels und meine sonstigen Anverwandten, die Gott sei Dank alle Schneider sind, mit.

WANN. Mut, Michel! Wenn einer aus dem Hafen ist, so gilt kein Zurück: er muß in die hohen Wogen hinaus. Und du — *zu Pippa.* gib ihm den Zauberwind in die Segel!

HELLRIEGEL. Das gefällt mir, das wird eine schnurrige Fahrt!

WANN *indem er Pippas Fingerchen um den Rand eines venezianischen Glases führt.*

Fahre hin, fahre hin, kleines Gondelschiffchen! — sprich nach!

PIPPA.

Fahre hin, fahre hin, kleines Gondelschiffchen!

WANN.

Aus Winternacht und aus Schnee und Eis,
aus sturmgerüttelter Hütte Kreis —

PIPPA *lachend.*

Aus Winternacht und aus Schnee und Eis,
aus sturmgerüttelter Hütte Kreis —

WANN.

Fahre hin, fahre hin, kleines Gondelschiffchen!

*Aus dem Glase, dessen Rand Pippa reibt, dringt ein leiser Ton,
der stärker und stärker wird, bis sich ihm Töne zu Harmonien
angliedern, die schwellend zu einem kurzen, aber mächtigen
musikalischen Sturm anwachsen, der jäh zurückebbt und verstummt. Michel Hellriegel verfällt offenen Auges in einen hyp-
notischen Schlaf.*

WANN.

Jetzt reist der Michel einsam über Wolken hin;
stumm ist die Reise, denn in jener Region
erstirbt der Schall. Er findet keinen Widerstand.
Wo bist du?

HELLRIEGEL.

Herrlich fahr' ich her durchs Morgenrot!

WANN.

Was alles siehst du?

HELLRIEGEL.

Oh, ich habe mehr gesehn,
als eines Menschen Seele je erfassen kann,
und über hyazinthene Meere geht mein Flug!

WANN.

Jetzt aber senkt dein Schiff sich nieder! — oder nicht?

HELLRIEGEL.

Ich weiß es nicht. Nur steigt das Erdgebirge mir entgegen.
Riesenmäßig türmt die Welt sich auf.

WANN.

Und nun?

HELLRIEGEL.

Nun hab' ich lautlos mich hinabgesenkt,
und zwischen Gärten rauscht mein Nachen still dahin.

WANN.

Du nennst es Gärten, was du siehst?

HELLRIEGEL.

Ja! doch von Stein.
In blauen Fluten spiegeln Marmorblumen sich,
und weiße Säulen zittern im smaragdnen Grund.

WANN.

Halt inne, Fährmann! — Und du sage, wo du bist!

HELLRIEGEL.

Auf Stufen setz' ich meinen Fuß, auf Teppiche,
und eine Halle aus Korallen nimmt mich auf!
An eine goldne Pforte poch' ich dreimal nun!

WANN.

Und auf dem Klopfer, welche Worte liesest du?

HELLRIEGEL.

Montes chrysocreos fecerunt nos dominos!

WANN.

Und was geschieht, nachdem des Klopfens Laut verhallt?
*Michel Hellriegel antwortet nicht und beginnt vielmehr, wie
unterm Alpdruck, zu ächzen.*

PIPPA.

Weck ihn, ach weck ihn, lieber alter weiser Mann!

WANN

indem er Michel das Schiffchen aus den Händen nimmt.
Genug! In die verlorne Hütte wiederum
zu den Verbannten, Schneeverwehten kehre heim
und rüttle dich und schüttle goldnes Reisegut
in unsern Schoß, dieweil wir schlimm verschmachtet sind!

*Michel Hellriegel erwacht, blickt bestürzt um sich und sucht sich
zu besinnen.*

HELLRIEGEL. Hallo! Warum steht der alte, verteufelte Grunzochs
Huhn vor der Pforte und droht und läßt mich nicht eintreten?
Pippa! so steck doch den goldnen Schlüssel zum Gitter heraus!
Ich schleiche mich durch ein Seitentürchen! — Wo? — Pippa! —
Verflucht! nein, wo bin ich denn? — Entschuldige, Alter, man
soll lieber nicht fluchen, wenn man so etwas einmal . . . wenn
man auch zuletzt der Gefoppte ist! — In was für ein ver-
wünschtes Futteral ist man denn gerutscht?! — Donnerwetter
noch mal, was geht hier vor? — Wo ist Pippa? Hast du den

goldenen Schlüssel noch bei dir? — Her! gib ihn her! Wir wollen schnell aufmachen!

PIPPA. Wache doch auf, Michel! Du träumst doch! Besinne dich!

HELLRIEGEL. Da will ich doch lieber ein Träumer sein, als auf eine so niederträchtige Weise aufwachen, vierzehn Meilen tief in der Patsche drin. Man sieht ja nicht mehr die Hand vor den Augen! Was heißt das? wer drückt mir den Daumen in die Gurgel? wer quetscht mir mit einer Berglast von Angst das Glück aus der Brust?

WANN. Keine Angst! Nur keine Angst, bester Michel! Es ist alles in diesem Hause in meiner Gewalt, und nichts ist drin, was dir schaden kann.

HELLRIEGEL. Ach, Meister, warum riefst du mich denn so schnell in diese Grabeshöhle zurück? Warum ließ mich das alte wilde zerlumpte Tier nicht in mein Wasser- und Zauberschlößchen hinein! Es war ja das, was ich mir immer gewünscht habe! es war ja dasselbe! ich hab' es ja ganz genau wiedererkannt, was ich mir, vor dem Ofenloch sitzend, als kleiner Knabe erträumt habe! Und Pippa guckte zum Fenster heraus, und das Wasser spielt wie Flötenläufe wohlig unter ihr um die Mauer herum! Laß uns die Reise noch einmal tun! schenke uns dein entzückendes Gondelchen, und ich stehe nicht an . . . ich biete dir hier mein ganzes Ränzel mit seinem gesamten köstlichen Inhalt dafür.

WANN. Nein, Michel, noch nicht! Geduldе dich! Du bist mir fürs erste noch viel zu hitzig! Und ich bitt' euch beide, beruhigt doch eure klopfenden Herzen und ängstet euch nicht! Laßt gut sein: morgen ist auch noch ein Tag! In meinem Hause sind viele Gastkammern! Verziehet, ich bitt' euch, bis morgen bei mir! Eine Nacht durch vergönnt mir, die Hoffnung, die volle, die junge, zu beherbergen! Morgen fahret denn weiter, mit Gott! Jonathan, führe den Fremden hinauf!

HELLRIEGEL. Wir gehören zusammen, wir trennen uns nicht!

WANN. Wende dich, wie du willst oder magst, braver Michel: immer nimmt sie der Schlaf dir aus der Hand, und du mußt sie dem Schicksal und Gott überlassen!

Hellriegel hat Pippa in die Arme genommen. Er betrachtet sie und gewahrt, daß sie vor großer Übermüdung fast bewußtlos ist: so läßt er die Entschlummerte auf die Wandbank gleiten.

HELLRIEGEL. Und bürgst du für sie?

WANN. Mit Mund und Hand!

HELLRIEGEL *küßt Pippa auf die Stirn.* Bis morgen also!

WANN. Schlaf wohl! gute Nacht! — und fern in der Adria träumt
ein Haus, das wartet auf neue und junge Gäste.

*Jonathan steht in der Tür mit Licht; Hellriegel reißt sich los
und verschwindet mit ihm im Hausflur.*

WANN

betrachtet Pippa eineWeile tief und nachdenklich; alsdann sagt er.
In meine Winterhütte brach der Zauber ein.
Der Weisheit Eiswall räuberisch durchbrach er mir,
der Goldgelockte. Obdach hab' ich ihm gewährt
aus väterlicher Seele, alter Tücke voll.
Wer ist der Fant, daß er dies Kind besitzen will,
das göttliche, das meine Schiffe segeln macht! —
Sie knacken, knistern, schaukeln leise hin und her,
die alten Rümpfe, antiquarisch aufgehängt! —
Warum denn setz' ich diesen Michel in mein Schiff,
anstatt mit ganzer Flottenmacht aussegelnd mir,
und im Triumph, verlaßne Himmel wiederum
zu unterwerfen, und als Galeone sie voran!
O Eis auf meinem Scheitel, Eis in meinem Blut!
Du taust hinweg vor einem jähen Hauch des Glücks.
Du heiliger Hauch, o zünde nicht in meiner Brust
die Feuersbrunst der Gier und wilden Lüste auf,
daß ich, Saturn gleich, nicht die eignen Kinder schlucken muß!
Schlaft! Euren Schlaf bewach' ich und bewahr' euch das,
was flüchtig ist. Als Bilder schwebet mir vorbei,
solang noch Bild, nicht Wesen, meine Seele ist,
nicht klares, unsichtbares Element allein!
Modert, ihr Rümpfe! Und nach neuen Fahrten dürst' ich nicht.
*Er hat die Schlafende erhoben, gestützt und langsam mit väter-
licher Sorgfalt in die Kammer rechts geführt. Während er und
Pippa verschwunden sind, kommt Huhn hinterm Ofen hervor
und bleibt, stieren Blicks auf die Kammertür glotzend, mitten
im Zimmer stehen. Wann kommt rückwärts aus der Kammer,
zieht die Tür nach sich ins Schloß und spricht, ohne Huhn zu
bemerken. Er hat sich nach den Schiffsmodellen umgewendet
und erblickt dabei Huhn. Zunächst an der Wirklichkeit der Erscheinung zweifelnd, hält er forschend die Hand über die Augen; dann läßt er sie sinken, jede Muskel strafft sich an ihm,
und beide Männer messen einander voll Haß.*

WANN *langsam, bebend.* Hier — geht — kein — Weg!

HUHN *ebenso.* Hie — gilt —kee Wort!

WANN. Komm an!

Huhn dringt an, und sie stehen einander in Kämpferstellung
gegenüber.

HUHN. Das is oall's meins! — oall's meins, oall's meins, oall's
meins!

WANN.

Du schwarzes Bündel Mordsucht! Nachtgeborner Klumpen Gier,
keuchst du nun doch noch etwas, das wie Worte klingt!

Der alte Huhn hat ihn angefallen, und sie ringen miteinander;
dabei stößt plötzlich der alte Huhn einen furchtbaren Schrei
aus und hängt gleich darauf wehrlos in Wanns Armen. Wann
läßt den Röchelnden leise niedergleiten.

So muß es kommen, ungeschlachter Riese!

Krankes, starkes, wildes Tier! —

Brich du in Ställe! Raubtierfraß

birgt diese eingeschneite Hütte Gottes nicht!

VIERTER AKT

Die Vorgänge sind in unmittelbarem Anschluß an den dritten
Akt, im gleichen Zimmer. Der alte Huhn liegt, ein starkes,
schreckliches Röcheln ausstoßend, auf der Ofenbank. Seine Brust
ist bloß; das lange, rostrote Haar fällt bis auf die Erde. Der
alte Wann steht aufrecht bei ihm, die linke Hand auf die Brust
des Hünen gelegt.

Pippa kommt scheu und zitternd mit dem Ausdruck großer
Angst aus der Kammertür rechts.

WANN. Komm nur herein, du kleine, zitternde Flamme du!
Komm nur herein! Es hat jetzt, wenn du einigermaßen vorsichtig bist, keine Gefahr mehr für dich!

PIPPA. Ich habe es gewußt! Oh, ich habe es gewußt und gefühlt,
signore! Halte ihn nieder! Binde ihn fest!

WANN. Soweit er gebunden, kann ich ihn binden.

PIPPA. Ist es der alte Huhn, oder ist er's nicht?

WANN. Die Folter entstellt sein Angesicht. Aber wenn du ihn
dir genauer betrachtest . . .

PIPPA. . . . so sieht er fast wie du selber aus!

WANN. Ich bin ein Mensch, und der will es werden: wie kommst du darauf?

PIPPA. Non so, signore!

Hellriegel erscheint aufgeschreckt in der Flurtür.

HELLRIEGEL. Wo ist Pippa? Ich habe es geahnt, daß der lausige Trottel auf unsern Fersen ist. Pippa! Gott sei Dank, daß du nun wieder in meinem Schutze bist!

WANN. Es hat ihr auch niemand, als du nicht hier warst, ein Haar gekrümmt.

HELLRIEGEL. Es ist aber besser, daß ich hier bin!

WANN. Das wolle der Himmel! — Hole mir einen Eimer voll Schnee herein! Bring Schnee! Wir wollen ihm Schnee auf die Herzgrube legen, damit sich das arme gefangene flügelschlagende Tier in der Brust beruhigen mag.

HELLRIEGEL. Ist er verwundet?

WANN. Das mag wohl sein!

HELLRIEGEL. Was haben wir denn davon, wenn er wieder zu Kräften kommt? Er wird mit den Fäusten um sich schlagen und uns alle drei in die Pfanne hauen!

WANN. Mich nicht! Und auch niemand sonst, wenn du verständig bist.

PIPPA. Er ist es ja doch! Es ist ja der alte Glasbläser Huhn!

WANN. Erkennst du ihn jetzt, den Gast, der so spät noch gekommen ist, um hier einen Höheren zu erwarten!? Tritt nur nahe heran, Kleine, fürchte dich nicht! Dein Verfolger ist nun selbst der Verfolgte! — *Hellriegel bringt einen Eimer voll Schnee.* — Was hast du draußen gesehen, Michel, daß du so bleich wie ein Handtuch bist?

HELLRIEGEL. Ich wüßte nicht — *Während des Eisauflegens.* Es ist ja gar nicht das alte Haarwaldgebirge, das in der Schenke mit dir getanzt hat und gesprungen ist und dem ich dich glücklicherweise entführt habe.

PIPPA. Sieh nur genau hin, er ist es doch!

WANN. Aber er ist unser Bruder geworden!

PIPPA. Was ist dir, Michel? Wie siehst du denn aus?

WANN. Was hast du draußen gesehen, daß du so weiß wie ein Handtuch bist?

HELLRIEGEL. Nun, meinethalben: ich habe niedliche Dinge gesehen! Es war sozusagen wie eine Wand von fischmaulschnappenden Weibsvisagen, hübsch Entsetzen erregend, hübsch grausenhaft! Ich möchte sie nicht hier im Zimmer haben. So ist's, wenn man vom Hellen ins Dunkle kommt!

WANN. Am Ende lernst du das Gruseln noch!

HELLRIEGEL. Es ist allerdings kein Vergnügen, draußen zu sein. Augenscheinlich haben die Damen Halsschmerzen — man sieht es den zuckenden, schwarzviolett geschwollenen Gurgeln an! —, wozu wären sie sonst mit einem dicken Halstuch von langen, geifernden Würmern umknotet!

WANN. Gelt, Michel, du blickst dich nach Beistand um!

HELLRIEGEL. Wenn nur die spaßhaften Engelchen nicht durch die Wand drücken!

WANN. Michel, könntest du nicht noch einmal ins Freie gehen und mit lauter Stimme ins Dunkel rufen, daß Er kommt?

HELLRIEGEL. Nein, das geht mir zu weit, das tue ich nicht!

WANN. Du fürchtest den Blitz, der erlösen soll? So mach dich gefaßt, Gottes Lob auf eine markerstarrende Weise heulen zu hören, da anders dem Einbruch der Meute nicht zu steuern ist!

Der alte Huhn stößt einen solchen Schmerzensschrei aus, daß Pippa und Hellriegel in mitleidiges Wimmern ausbrechen und willenlos hingerissen auf ihn zueilen, um ihm Hilfe zu bringen.

WANN. Keine Übereilung! Es hilft euch nichts! Hier ist keine Gnade! Hier rast der giftige Zahn und der weißglühende Wind, solange er rast! Hier keltern typhonische Mächte den gellenden Qualschrei rasender Gotteserkenntnis. Blind, ohne Erbarmen, stampfen sie ihn aus der heulenden und vor Entsetzen sprachlosen Seele aus.

HELLRIEGEL. Kannst du ihm denn nicht beistehen, Alter?

WANN. Nicht ohne ihn, den du nicht rufen magst.

PIPPA *zitternd.* Warum wird er so auf die Folter gestreckt? Ich hab' ihn gefürchtet und hab' ihn gehaßt! Aber warum wird er mit einer solchen Wut und einem so unbarmherzigen Haß verfolgt? . . . Ich fordere es nicht!

HUHN. Was denn? lußt los! lußt los, lußt los! schlagt mir de Fangzähne nee ei a Nacka! lußt los, lußt los! reißt m'r die Schenkel nee vo a Knocha! reißt mir a Leib ni uff! zerreißt mich nee! zerreißt mir de Seele nee ei Sticke azwee!

HELLRIEGEL. Himmeldonnerwetter noch mal, wenn das eine Kraftprobe sein soll, wenn der große Fischblütige damit jemand

zu imponieren gedenkt — mir imponiert das jedenfalls
nicht! Höchstens zwangsweise. Hat er denn vor seiner Schöp-
fung nicht mehr Respekt, oder kann er nichts, daß er alle
Augenblicke mal was kurz und klein haut? Und zwar auf
diese besondere Manier, die ihm doch hoffentlich nicht der
einzige Spaß von der Sache ist!

WANN. Die Hauptsache wäre doch eigentlich, Michel, daß einer
von uns geht und nachsieht, wo der, den wir sehnlich erwarten,
bleibt. Dein Reden bringt uns nämlich nicht weiter.

HELLRIEGEL. Geh du hinaus! Ich bleibe hier.

WANN. Gut! — *Zu Pippa.* Aber tanze du nicht etwa mit ihm!

HELLRIEGEL. O Himmel, wenn einer in solcher verzwickten
Lage noch Witze macht, was soll man da zu dem Unglück
sagen?!

WANN. Trau, schau, wem! Gib jedenfalls acht auf das Kind! —
Wann entfernt sich durch den Flur.

PIPPA. Ach, wenn wir bloß hier fort wären, Michel!

HELLRIEGEL. Das wünschte ich auch! Gott sei Dank, daß wir
jedenfalls jetzt auf der Höhe sind! Wir können morgen mit
Tagesanbruch — meinethalben auf Schlitten, das geht sehr
gut! — den südlichen Abhang hinuntersausen. Dann sind wir
aus dieser Gegend der Walchen und Kugelblitze und grun-
zenden Paviane für immer heraus!

PIPPA. Ach, wenn er bloß nicht wieder schreien wollte!

HELLRIEGEL. Laß ihn schreien! Es ist immer besser hier: die
Stille draußen schreit noch entsetzlicher.

HUHN *mit schwerer Zunge.* Mörder! Mörder!

PIPPA. Er hat wieder gesprochen! Ich glaube, der alte Spielzeug-
händler hat ihm etwas zuleide getan!

HELLRIEGEL. Klammere dich an mich! Drücke dich fest an mein
Herz!

PIPPA. O Michel, du stellst dich so ruhig, und es pocht so wild!

HELLRIEGEL. Wie deins!

PIPPA. Und seins! Ich höre seins auch pochen! — Wie mächtig
es arbeitet! wie schwer es sich müht!

HELLRIEGEL. So? Ist es wirklich ein Herz, das so pocht?

PIPPA. Was denn sonst? so horch doch, was soll denn so pochen?!
Ich weiß nicht, es zuckt immer so schmerzlich durch mich . . .
es reißt mich immer so bis in die Zehenspitzen — bei jedem
Schlage, als müßt' ich mit.

589

HELLRIEGEL. Sieh mal, ein kannibalischer Brustkasten! Sieht er nicht aus wie ein mit roten Zottelhaaren besetzter Blasebalg und als müßte er immer etwas wie'n Schmiedefeuerchen aufblasen?

PIPPA. Oh, wie ihm das arme gefangene Vögelchen immer so angstvoll gegen die Rippen hüpft! — Michel, ob ich ihm meine Hand einmal auflege?

HELLRIEGEL. Mit meiner Erlaubnis! Es kann nichts geben in aller Welt, was von einer so wundertätigen Wirkung ist!

PIPPA *legt Huhn die Hand aufs Herz.* Ich wußte ja gar nicht, daß der alte Huhn unter seinen Lumpen so weiß wie ein Mädchen ist!

HELLRIEGEL. Siehst du, es wirkt: er ist schon ruhiger! — Und nun geben wir ihm noch ein wenig Wein; damit mag er dann friedlich hinüberschlummern.

Er tritt an den Tisch, um Wein einzugießen, Pippa läßt ihre Hand auf seiner Brust ruhen.

HUHN. Wer legt m'r sei Poatschla auf de Brust? Ich soaß ei mir drinne — im Finstern — wir soaßa im Finstern! die Welt woar kalt! 's wurde kee Tag nimeh, kee Murga nimeh! do soaßa mir um a kahla Glasufa rim! und do kama de Menscha, ju ju . . . do kama se vu weit her durch a Schnee gekrocha! se koama vu weit her, weil se hungrig woarn: se wullten a Brinkla Licht uff die Zunge han; se wullta a klee bißla Wärme ei ihre verstarrte Knocha eitrinka. Asu is's! — und do loga se ei d'r Nacht im de Gloashitte rum! — mir heerta se ächza! mir herrta se wimmern. Und do stonda mir uff und schierta eim Aschenluche rum — uff eemol stieg noch e eenzigstes Fünkla . . . a Fünkla stieg aus der Asche uff! — o Jees, woas stell ich ock mit dem Fünkla uff, doas uff eemal wieder aus d'r Asche gestiega iis? — Sohl ich an'n Diener macha, Fünkla? sohl ich dich eifanga? sohl ich nach dir schloon, Fünkla? — sohl ich mit dir tanza, kleenes Fünkla?

HELLRIEGEL. Sag ja, sag ja, widersprich ihm nicht! Du, sage doch mal, wie das weitergeht! Hier, trinke zuerst mal einen Schluck, alter Urian! Heute dir — morgen mir! Wir wollen zusammenhalten, weil ich im innersten Herzen doch auch so was wie so'n verschneiter, gespenstischer Glasmacher bin.

HUHN *nachdem er getrunken.* Blutt! schwarzes Blutt schmeckt gutt! oaber, woas der sichte macht, mach ich ooch! ich mache

oo Glasla! o jee, woas hoa ich ni schun oall's aus'm Glasufa
rausgebracht! Perl'n! Edelsteene! großmächt'ge Humpa! —
immer nei mit 'm Feifla ei a Satz! — Luß gutt sein, ich tanz
mit dir, kleenes Fünkla! wart ock: ich zind m'r a Gloasufa
wieder uff! wie de Weißglut aus a Löchern bricht! mit 'm ahla
Huhn kommt kenner ni mit! satt ihr se ei d'r Feuerluft rum-
tanza?

HELLRIEGEL. Wen meinst du denn?

HUHN. Wan? woas denn? dar wiß woll no nee, daß das Madl
aus'm Gloasufa stammt!

HELLRIEGEL *kichernd*. Hör doch mal, Pippa, du stammst aus
dem Glasofen!

PIPPA. Ach, Michel, mir ist zum Weinen zumut.

HUHN. Tanze, tanze! doaß a weng lichter wird! foahr hie,
foahr her, doaß die Leute Licht kriega! zind uff! zind uff!
m'r wulln oa de Arbeit giehn!

HELLRIEGEL. Hör mal, bei so 'ner Gelegenheit möcht' ich wirklich mal mitmachen! Teufel noch mal! und nicht bloß ein Ge-
sellenstück . . .

HUHN. Mir stoanda im unsern Gloasufa rum, und ringsum aus
d'r sternlosa Nacht kruch de Angst! — *Er röchelt stärker.* —
Mäuse, Hunde, Tiere und Veegel krucha eis Feuerla. 's woard
klenner und klenner und wullte auslöscha! mir soaga uns oa
und soaga immer — o Jees, die Angst! ins Feuerla nei! —
Da fiel's zusamma! da schriega mir uff! und wieder kam a
blau Lichtla! da schriega mir wieder! und dann woarsch aus! —
Ich soaß ei mir, ieber me'm kahla Feuerla! ich sah nischt! ich
wiehlte ock ei d'r Asche rum! Uff eemal stieg noch a Fünkla,
a eenzigstes Fünkla vor m'r uff. Wolln m'r wieder tanza,
kleenes Fünkla?

PIPPA *zu Michel flüsternd*. Michel, bist du noch da?

HELLRIEGEL. Nu freilich! glaubst du denn, daß der Michel womöglich ein Drückeberger ist? Aber dieser Alte, weiß Gott,
ist mehr als ein ausrangierter Glasmacher! Sieh doch, was für
ein blutiger, qualvoller Krampf in seinen Mienen verbreitet ist!

PIPPA. Und wie sein Herz ringt, und wie es stampft!

HELLRIEGEL. Wie ein ewiger Schmiedetanz mit dem Schmiedehammer.

PIPPA. Und es ruckt und brennt mir bei jedem Schlag in der
eigenen Brust!

HELLRIEGEL. Mir auch! Es fährt mir mit Macht durchs Gebein
und reißt mich, als sollte ich mittun und mitstampfen!

PIPPA. Horch, Michel! es ist, als schlüge der gleiche Schlag tief
unten und pochte an den Erdboden.

HELLRIEGEL. Tief unten, jawohl, schlägt der gleiche, furchtbare
Schmiedeschlag!

HUHN. Sohl ich mit dir tanza, klenner Geist?

Unterirdisches, gewitterartiges Rollen.

PIPPA. Michel, hast du das unterirdische Rollen gehört?

HELLRIEGEL. Nein! kommt! das Beste ist, du nimmst ihm die
Hand von der Herzgrube! Wenn alles schwankt und die Erde
schüttert und wir schießen, wer weiß wohin, wie ein unfrei-
williges Meteor in den Weltraum hinaus, so ist es doch besser,
daß wir uns bald zu einem unauflöslichen Knäuel verklam-
mern. Ich spaße nur!

PIPPA. Ach, Michel, spaße jetzt nicht!

HELLRIEGEL. Morgen spaßen wir beide darüber!

PIPPA. Weißt du, es ist mir fast so zumute, als wär' ich nur noch
ein einziger Funke und schwebte ganz einsam verloren hin
im unendlichen Raum!

HELLRIEGEL. Ein tanzendes Sternchen am Himmel, Pippa!
warum denn nicht!

PIPPA *flüsternd.* Michel, Michel, tanze mit mir! Michel, halte
mich fest, ich will nicht tanzen! Michel, Michel, tanze mit mir!

HELLRIEGEL. Das will ich, so wahr mir Gott helfe, tun, wenn
wir nur erst hier aus der Klemme sind! Denke an etwas Herrliches! Wenn diese Nacht erst vorüber ist, habe ich mir vorgenommen, sollst du fortan nur noch über Rosen und Teppiche
gehn. Dann lachen wir, wenn wir erst unten sind, in dem
Wasserschlößchen — wir kommen hin, versichere ich dich —,
und dann leg' ich dich in dein seidenes Bettchen ... und dann
bring' ich dir immerzu Konfekt ... und dann deck' ich dich
zu und erzähl' dir die Gruselgeschichten noch mal ... und
dann lachst du aus voller Kehle noch mal, so süß, daß der
Wohllaut mir Schmerzen macht. Und dann schläfst du! Und
ich spiele die ganze Nacht, leise, leise, auf einer gläsernen
Harfe.

PIPPA. Michel!

HELLRIEGEL. Ja, Pippa!

PIPPA. Wo bist du denn?

HELLRIEGEL. Hier bei dir! ich halte dich fest umschlungen!

HUHN. Woll'n wir wieder tanza, kleener Geist?

PIPPA. Michel, halte mich, laß mich nicht los! er reißt mich!
. . . es reißt mich! sonst muß ich tanzen! ich muß tanzen! sonst
sterb' ich! laß mich los!

HELLRIEGEL. So!? Nun ich denke, es wird das beste sein, man
besinnt sich in diesen wirklich einigermaßen alpdruckartigen
Dingen auf sein altes tapferes Schwabenblut! Wenn es einem
in allen Gliedern zuckt, warum soll man nicht einem armen
Schlucker, der darauf Wert legt, den Kehraus tanzen? Das
kann meines Erachtens so schlimm nicht sein. — Es hat nicht
umsonst lustige Brüder gegeben, die haben dem Satan den
Höllenbrand unterm Zagel wegeskamotiert und die Tabakspfeife damit in Brand gesteckt. Warum soll man ihm nicht zum
Tanze aufspielen?! — *Er nimmt seine Okarina hervor.* Rumpumpum, rumpumpum! wie geht denn der Takt? Jawohl,
tritt meinetwegen zum Tanze an, süße Pippa! Wenn es einmal
sein muß, des Orts und der Stunde wegen darf man auf dieser
Erde nicht wählerisch sein! *Triller und Lauf auf der Okarina.*
— Tanze drauflos und tanze dich aus! Es ist noch lange das
Schlimmste nicht: froh sein mit den zum Tode Betrübten!
*Pippa macht zu den Tönen der Okarina, die Michel spielt,
schmerzlich gedehnte Tanzbewegungen, die etwas Konvul-
sivisches an sich haben. Nach und nach wird der Tanz wilder
und bacchantischer. Ein rhythmisches Zittern bewegt den Körper des alten Huhn. Dabei trommelt er mit den Fäusten tob-
suchtsartig den Tanzrhythmus Pippas nach. Gleichzeitig scheint
er von einer ungeheuren Frostempfindung geschüttelt, wie jemand, der aus schneidendster Kälte in Wärme kommt. Aus
der Tiefe der Erde dringen gedämpfte Geräusche: Donnerrollen,
Triangel-, Becken- und Paukenschläge. Endlich tritt der alte
Wann in die Flurtür.*

HUHN. Ich mache o Glasla! ich mach se . . . *mit starrem, gehäs-
sigem Blicke auf Wann.* Ich mach se und schloa se wieder azwee!
kumm — mit — mir — eis — Dunkel, — klennes Fünkla.
— *Er zerdrückt das Trinkglas, das er noch in der Hand hält;
die Scherben klirren. Pippa durchzuckt es, und eine plötzliche
Starre befällt sie.*

PIPPA. Michel!
Sie wankt, und Wann fängt sie mit den Armen auf. Sie ist tot.

WANN. Hast du doch deinen Willen durchgesetzt, alter Korybant?!

HELLRIEGEL *unterbricht für einige Augenblicke sein Okarinaspiel.* Gut! Verschnaufe dich einen Augenblick, Pippa!

HUHN *starrt krampfhaft und mit machtvollem Triumph Wann in die Augen; dann löst sich von seinen Lippen mühsam, aber gewaltig der Ruf:* Jumalaï! — *Hierauf sinkt er zurück und stirbt.*

HELLRIEGEL *wollte eben wieder die Okarina ansetzen.* Was ist denn das? richtig! ich habe den Ruf gestern morgen auch gehört! — Was sagst du dazu, alter Hexenmeister? Es ist übrigens wirklich gut, daß du kommst! denn wir wären sonst immerfort, wer weiß wo noch hin, über Messer und Scherben ins Unbekannte fortgaloppiert! Hast du ihn denn nun endlich gefunden?

WANN. Allerdings!

HELLRIEGEL *nach einem Triller.* Wo fandest du ihn denn?

WANN. Hinter einer Schneewehe fand ich ihn. Er war müde. Er sagte, er hätte eine zu übermäßige Arbeitslast. Ich mußte ihn lange überreden. *Auf Pippa niederblickend.* Und nun scheint's, daß er mich mißverstanden hat.

HELLRIEGEL *nach einem Triller.* Und kommt er nun wenigstens?

WANN. Sahst du ihn nicht? Er ist eben vor mir her eingetreten!

HELLRIEGEL. Ich sah zwar nichts, doch ich fühlte was, als der Alte sein närrisches Fremdwort schrie, was mir übrigens noch in den Knochen summt.

WANN. Hörst du noch draußen das Echo rumoren?

HELLRIEGEL *tritt neugierig zu Huhn.* Richtig! der alte Pferdefuß stampft nicht mehr. Ich muß sagen, daß mir ein Stein von der Seele gefallen ist, daß doch nun endlich das alte Nilpferd auf Nummer Sicher ist! — Sag mal, du hast ihm wahrscheinlich das Rückgrat lädiert. Aber eigentlich war das vielleicht nicht nötig, obgleich es uns möglicherweise gerettet hat.

WANN. Ja, Michel, wenn du gerettet bist, so war es auf andere Weise schwerlich wohl durchzusetzen.

HELLRIEGEL. Gott sei Dank, ja ich fühl's, wir sind aus dem Schneider raus. Deshalb will ich auch nicht weiter kopfhängerisch sein, weil der Alte — er ist ja über die Zeit der Jugendstreiche wirklich hinaus! — weil der Alte an seinem Johannistriebchen verschieden ist und, was ich besitze, nicht haben kann. Jeder für sich und Gott für uns alle! was geht mich die Sache eigentlich an?! — Pippa!! Woher kommt es denn eigentlich, daß du zwei Lichter, rechts und links je eines, auf der Schulter hast?

WANN *Pippa im Arm.* Ecce deus fortior me, qui veniens dominabitur mihi!

HELLRIEGEL. Das versteh' ich nicht! *Mit vorgebeugtem Kopf sieht er einige Sekunden lang die im Arme Wanns hängende Pippa forschend an.* Ach, nun reißt es mich wieder so in der Brust! nun durchzuckt es mich wieder so ungeduldig! so peinvoll süß, als müßt' ich zugleich an dieser Stelle und Millionen von Jahren weiter sein. Es ist ja alles rosenrot rings um mich! *Er spielt, unterbricht sich und sagt.* Tanze, Kind! Freude! Freue dich, denn wir haben mit Hilfe des ewigen Lichtes in meiner Brust den Weg durch das nächtliche Labyrinth gefunden! — und wenn du dich ausgesprungen hast und in sicherem Glücke beruhigt bist, so rutschen wir wohl sofort — *zu Wann* — mit deiner Erlaubnis! über den klaren Schnee, wie mit Extrapost, in den Frühlingsabgrund dort unten hinein.

WANN. Ja. Wenn du einen Frühlingsabgrund siehst, braver Michel: gewiß!

HELLRIEGEL *mit den Bewegungen eines Blinden, der nur noch nach innen sieht, am stockdunklen Fenster.* Ho, ich sehe ihn gut, den Frühlingsabgrund! ich bin doch nicht blind! ein Kind kann ihn sehen! Man übersieht ja von deiner Hütte aus, du uriger Herbergsvater, alles Land, über fünfzig Meilen weit! Ich sitze durchaus nicht mehr wie der Geist in der Glasflasche drin und liege verkorkt am Grunde des Meeres. Das war einmal — gib uns nur noch den Goldschlüssel und laß uns abreisen!

WANN. Wenn der Winter plötzlich aufleuchtet, wird man leicht blind!

HELLRIEGEL. Oder kriegt den allsehenden Blick! — Man könnte fast glauben, in einem Traume zu sein: so geheimnisvoll mutet der weiße, im Lichte des Morgens flammende Prunk der Berge und der lockende Duft der Halbinseln, Buchten und Gärten der Tiefe mich an, und was du sagst: man ist wie auf einem anderen Stern!

WANN. So ist's, wenn die Berge in den Elmsfeuerspielen des großen Pan gebadet sind.

HELLRIEGEL. Pippa!

WANN. Sie ist bereits wiederum weit von uns auf ihrer eigenen Wanderschaft! Und er, der alte, rastlose, ungeschlachte Riese, wiederum hinter ihr drein. *Er läßt Pippa auf die Bank niedergleiten. Darnach ruft er.* Jonathan! — Es hat wieder einmal die unsichtbare Hand, die durch Mauern und Dächer langt, meine Pläne durchkreuzt und Beute gemacht. — Jonathan! — Es ist schon kalt! der glühende Krater erloschen. Was jagt der Jäger? das Tier, das er mordet, ist es nicht! Was jagt der Jäger? Wer kann mir antworten?

HELLRIEGEL *am schwarzen Fenster.* Pippa, sieh doch nur unten, die Landzungen sind mit goldnen Kuppeln bedeckt; und siehst du: dort ist unser Wasserpalast — und goldne Stufen, die hinaufleiten!

WANN. So freue dich! Freue dich über das, was du siehst, und über das, Michel, was dir verborgen ist!

HELLRIEGEL. Das Meer! — oh, noch ein anderes, oberes Meer tut sich auf: das andere Meer gibt dem unteren Meer Millionen wankender Sternchen zurück! oh, Pippa . . . und sieh, noch ein drittes Meer tut sich auf! es gibt ein unendliches Spiegeln und Tauchen von Licht in Licht! wir schwimmen hindurch, zwischen Ozean und Ozean, auf unserer rauschenden Goldgaleere!

WANN. Dann brauchst du ja wohl nun mein Schiffchen nicht mehr! — Schlage die Läden zurück, Jonathan! *Jonathan, der hereingeblickt hat, öffnet die Haustür, und schwaches, erstes Morgenlicht dringt in den Flur.*

HELLRIEGEL. Pippa!

WANN. Hier ist sie, faßt euch an! *Er ist zu Michel getreten, der mit dem Ausdruck eines blinden Sehers dasteht, und tut so, als ob Pippa neben ihm stünde und er Michels Hand in ihre legte.* So! Ich vermähle euch! ich vermähle dich mit dem Schatten! der mit Schatten Vermählte vermählt dich mit ihm!

HELLRIEGEL. Nicht übel, Pippa, du bist ein Schatten!

WANN. Ziehe aus, ziehe mit ihr in alle Welt . . . nach eurem Wasserpalast, wollt' ich sagen! — wozu du hier auch den Schlüssel hast! der Unhold kann dir den Eingang nicht mehr verwehren! und draußen steht schon ein Schlitten mit zwei gebogenen Hörnern bereit.

HELLRIEGEL *mit großen Tränen auf den Wangen.* Und dort werde ich Wasser zu Kugeln ballen!

WANN. Mit deinen Augen tust du es schon! — So, nun geht! Vergiß deine Okarina nicht!

HELLRIEGEL. O nein, mein kleines, süßes, vertrautes Weibchen vergesse ich nicht!

WANN. Denn es kann doch am Ende möglich sein, du mußt hie und da einmal vor den Türen der Leute spielen und singen. Aber deshalb verliere nur nicht den Mut. Erstlich hast du das Schlüsselchen zum Palast und, wenn es dunkel wird, diese Fackel, die Pippa vor dir hintragen mag; und dann kommst du gewiß und wahrhaftig dorthin, wo Friede und Freude deiner warten. Singe und spiele nur wacker und zweifle nicht!

HELLRIEGEL. Juchhe! ich singe das Blindenlied!

WANN. Wie meinst du das?

HELLRIEGEL. Ich singe das Lied von den blinden Leuten, die die große, goldene Treppe nicht sehen!

WANN. Um so höher steigst du die Scala d'Oro, die Scala dei Giganti hinan!

HELLRIEGEL. Und das Lied von den Tauben singe ich!

WANN. Die den Strom des Weltalls nicht fließen hören!

HELLRIEGEL. Ja!

WANN. Das tu nur gewiß! Aber Michel, wenn es sie nicht erweicht und sie dir mit harten Worten drohen oder mit Steinwürfen, was ja auch vorkommt, dann erzähle ihnen, wie reich du bist . . . ein Prinz auf Reisen, mit seiner Prinzessin! Sprich ihnen von deinem Wasserpalast und flehe sie an, euch um Gottes willen einen Meilenstein weiter des Weges zu leiten!

HELLRIEGEL *kichernd.* Und Pippa soll tanzen!

WANN. Und Pippa tanzt!

Es ist ganz hell geworden. Wann gibt dem blinden und hilflosen Michel einen Stock in die Hand, setzt ihm den Hut auf und führt den Tastenden, aber leise und glücklich Kichernden nach der Ausgangstür. Nun setzt Michel die Okarina an den Mund und spielt eine herzbrechend traurige Weise. Im Flur übernimmt Jonathan den Blinden, und Wann kommt zurück. Er horcht auf die fern und ferner verklingenden Melodien der Okarina, nimmt die kleine Gondel vom Tisch, betrachtet sie und spricht mit schmerzlicher Entsagung im Ton.

Fahre hin, fahre hin, kleines Gondelschiffchen!

DIE RATTEN

Berliner Tragikomödie

Begonnen im Frühjahr 1909 in Sestri Levante und Portofina,
fortgeführt im Sommer 1909 und Winter 1909/10,
beendet im Sommer 1910 in Agnetendorf.
Erstveröffentlichung: Buchausgabe 1911.

HARRO HASSENREUTER, ehemaliger Theaterdirektor

SEINE FRAU

WALBURGA, seine Tochter

PASTOR SPITTA

ERICH SPITTA, Kandidat der Theologie, sein Sohn

ALICE RÜTTERBUSCH, Schauspielerin

NATHANAEL JETTEL, Hofschauspieler

KÄFERSTEIN
DR. KEGEL } Schüler Hassenreuters

JOHN, Maurerpolier

FRAU JOHN

BRUNO MECHELKE, ihr Bruder

PAULINE PIPERKARCKA, Dienstmädchen

FRAU SIDONIE KNOBBE

SELMA, ihre Tochter

QUAQUARO, Hausmeister

FRAU KIELBACKE

SCHUTZMANN SCHIERKE

ZWEI SÄUGLINGE

ERSTER AKT

Im Dachgeschoß einer ehemaligen Kavalleriekaserne zu Berlin. Ein fensterloses Zimmer, das sein Licht von einer brennenden Lampe erhält, die von der Mitte der Decke über einen runden Tisch herunterhängt. In die Hinterwand mündet ein gerader Gang, der den Raum mit der Entreetür verbindet, einer eisenbeschlagenen Tür mit einer primitiven Schelle, die der Eintritt Begehrende von außen durch einen Drahtzug in Bewegung setzt. Eine Tür in der Wand links schließt ein Nebengemach ab. An der Wand rechts führt eine Treppe auf den Dachboden.

Auf diesem Dachboden sowie in den sichtbaren Räumlichkeiten hat der Extheaterdirektor Harro Hassenreuter seinen Theaterfundus untergebracht.

Man kann bei dem ungewissen Licht im Zweifel sein, ob man sich in der Rüstkammer eines alten Schlosses, in einem Antiquitätenmagazin oder bei einem Maskenverleiher befindet.

Zu beiden Seiten des Ganges sind auf Ständern Helme und Brustharnische Pappenheimscher Kürassiere aufgestellt, ebenso in je einer Reihe an der rechten und linken Wand des vorderen Raumes. Die Dachbodentreppe steht zwischen zwei Geharnischten. Die Decke darüber schließt die übliche Bodenklappe ab. Ein Stehpult ist vorn links an die Wand gerückt. Tinte, Federn, alte Geschäftsbücher und ein Kontorbock sowie einige Stühle mit hohen Lehnen um den runden Mitteltisch lassen erkennen, daß der Raum zu Bürozwecken dienen muß. Wasserflasche mit Gläsern auf dem Tisch und einige Photographien über dem Stehpult. Die Photographien zeigen Direktor Hassenreuter als Karl Moor sowie in verschiedenen anderen Rollen. Einer der Pappenheimschen Kürassiere trägt einen ungeheuren Lorbeerkranz um den Nacken gehängt mit einer Schleife, deren Enden in goldenen Lettern die Worte tragen: „Unserem genialen Direktor Hassenreuter! Die dankbaren Mitglieder." Eine Serie mächtiger roter Schleifen trägt nur die Aufschriften: „Dem genialen Karl Moor" . . . „Dem unvergleichlichen, unvergeßlichen Karl Moor" . . . usw. usw. Der Raum ist nach Möglichkeit zu Magazinzwecken ausgenutzt. Wo irgend angängig, hängen an Kleiderhaken deutsche, spanische und englische Kostümstücke aus verschiedenen Jahrhunderten. Man sieht schwedische Reiterstiefel,

601

spanische Degen und deutsche Flamberge. Die Tür links hat die
Aufschrift: Bibliothek.
Das ganze Gemach zeigt eine malerische Unordnung. Alte
Scharteken und Waffen, Pokale, Becher usw. liegen umher.
Es ist eines Sonntags, Ende Mai.
Frau John, über Mitte der Dreißig hinaus, und das blutjunge
Dienstmädchen Piperkarcka sitzen am Mitteltisch. Die John,
den Oberkörper weit über den Tisch gelehnt, redet lebhaft auf
das Dienstmädchen ein. Die Piperkarcka, dienstmädchenhaft
aufgedonnert, mit Jackett, Hut und Schirm, sitzt aufrecht. Ihr
hübsches rundes Lärvchen ist verweint. Ihre Gestalt zeigt Spuren
noch nicht vollendeter Mutterschaft. Sie malt mit der Schirm-
spitze auf der Diele.

FRAU JOHN. Na ja doch! Freilich! Ick sag't ja, Pauline.

DIE PIPERKARCKA. Nu ja. Ick will nu also Schlachtensee oder
Halensee. Muß jehn un muß nachsehn, ob ich ihm treffe! *Sie*
trocknet ihre Tränen und will sich erheben.

FRAU JOHN *verhindert die Piperkarcka am Aufstehen.* Pauline!
Um Jottes willen, bloß det nich! Det nich, um keenen Preis
von de Welt. Det macht Skandal, kost Jeld und bringt nischt.
Wat woll'n Se woll, und wo Se noch in den Zustande sind,
dem schlechten Halunken noch weiter nachloofen!?

DIE PIPERKARCKA. Denn soll meine Wirtin heute soll warten
umsonst verjeblich auf mir. Ick spring im Landwehrkanal und
versaufe.

FRAU JOHN. Pauline! Warum denn? warum denn, Pauline? Jeben
Se Obacht, heeren Se jetzt bloß um Jottes willen 'n janz 'n
eenziges . . . bloß ma 'n janzen kleenen Oojenblick uff mir,
und passen Se dadruff uff, wat ich Ihn vorstelle! Det wissen
Se doch, ick hab et Ihn doch bei de Normaluhr, wo ick an
Alexanderplatz aus den Marchthalle bin jekomm, jleich anjesehn und hab et Ihn uff'n Kopp druff jesacht. Wat hab ick
jesacht? Jeld, hab ick Ihn uff'n Kopp druff jefragt, Jeld, kleenet
Aas, er will nischt von wissen! Det jeht hier vielen, det jeht
hier allen, det jeht hier vielen Millionen Mächens so! Und
denn hab ick jesacht . . . wat hab ick jesacht? Komm, hab ick
jesacht, ick will dir helfen.

DIE PIPERKARCKA. Zu Hause darf ick mir nu janz natürlich nich
blicken lassen, wie ick verändert bin. Mutter schreit doch auf'n

ersten Blick! Vater haut mir Kopf an die Wand und schmeißt mir Straße. Jeld hab ick nu ebenfalls ooch weiter nu weiter keens nich, als wie Stücker zwei Joldstücke, was ick mich Jackettfutter einjenäht. Hätte mich schlechter Mensch nich Mark nich Pfennig übriggelassen.

FRAU JOHN. Freilein, mein Mann ist Maurerpolier. Freilein, wenn Se bloß wollten Obacht jebn . . . jebn Se doch um Jottes willen Obacht, wat ick for Vorschläge unterbreiten tu. Freilein, denn is doch uns beede jeholfen. Ihn is jeholfen und so desselbijenjleichen ooch mir. Außerdem is Pauln, wat mein Mann is, jeholfen, wo sterbensjerne een Kindeken will, weil det uns doch unser eenziget, unser Adelbertchen, an de Bräune jestorben is. Ihr Kind hat et jut wie'n eejnet Kind. Denn kenn Se jehn Ihrem Schatz wieder uffsuchen, kenn wieder in'n Dienst, kenn wieder bei Ihre Eltern jehn, det Kind hat et jut, und keen Mensch uff die janze Welt nich braucht wat von wissen.

DIE PIPERKARCKA. I jrade! Ick stürze mir Landwehrkanal! — *Sie steht auf.* — Ick schreibe Zettel, ick lasse Zettel in mein Jackett zurück: du hast mit deine verfluchte Schlechtigkeit deine Pauline im Wasser jetrieben! Dann setze vollen Namen Alois Theophil Brunner, Instrumentenmacher, zu. Denn soll er sehn, wie er mit sein Mord auf Jewissen man meinswegen fertig wird.

FRAU JOHN. Warten Se, Freilein, ick muß erst uffschließen! *Frau John stellt sich, als wolle sie die Piperkarcka hinausbegleiten. Noch bevor beide Frauen den Gang erreichen, tritt Bruno Mechelke langsam forschend aus der Tür links und bleibt stehen. Bruno Mechelke ist eher klein als groß, hat einen kurzen Stiernacken und athletische Schultern. Niedrige, weichende Stirn, bürstenförmiges Haar, kleiner runder Schädel, brutales Gesicht mit eingerissenem und vernarbtem linkem Nasenflügel. Die Haltung des etwa neunzehnjährigen Menschen ist vornübergebeugt. Große plumpe Hände hängen an langen, muskulösen Armen. Die Pupillen seiner Augen sind schwarz, klein und stechend. Er bastelt an einer Mausefalle herum.*

BRUNO *pfeift seiner Schwester wie einem Hunde.*

FRAU JOHN. Ick komme jleich, Bruno. Wat wiste denn?

BRUNO *scheinbar in die Falle vertieft.* Ick denke, ick soll hier Fallen uffstellen.

FRAU JOHN. Haste dem Speck denn rinjemacht? — *Zur Piperkarcka.* 't is bloß mein Bruder. Erschrecken sich nicht, Freilein!

BRUNO *wie vorher.* Ick ha heute Kaisa Willem jesehn, Jette. Ick war mit de Wachparade jejang.

FRAU JOHN *zur Piperkarcka, die durch Brunos Erscheinung angstvoll gebannt ist.* Et is bloß mein Bruder, bleiben Se man! — *Zu Bruno.* Junge, wie siehst du bloß wieder aus? Det Freilein muß sich ja von dich Angst kriejen.

BRUNO *wie vorher. Ohne aufzublicken.* Schuberle buberle, ich bin 'n Jespenst.

FRAU JOHN. Mach uff'n Boden und stell deine Mausefallen!

BRUNO *wie vorher. Tritt langsam an den Tisch.* Jawoll, det is ooch man wieder so'n Jeschäft zum Vahungern. Wenn ick mit Streichhölzer handeln du, dann ha ick wahrhaftig mehr Pinke von.

DIE PIPERKARCKA. Atje, Frau John.

FRAU JOHN *wütend auf den Bruder los.* Wiste woll jehn und wist mir in Frieden lassen!

BRUNO *geduckt.* Hab dir man nich. Ick jeh ja schonn.

Er zieht sich folgsam wieder in das anstoßende Zimmer zurück, dessen Tür Frau John resolut hinter ihm schließt.

DIE PIPERKARCKA. Den mecht ick Tierjarten Jrunewald nicht bejejnen. Bei Nacht nich und nich ma bei Dage nich.

FRAU JOHN. Jnade Jott, wo ick Brunon hetze und der ma hinter een hinter is!

DIE PIPERKARCKA. Atje. Hier jefällt mir nich. Wenn mich wieder sprechen wollen, lieber Bank bei Wasserkunst Kreuzberg, Frau John.

FRAU JOHN. Pauline, ick ha Brunon mit Sorje un Kummer Tag un Nacht jroßjebracht. Ihr Kindeken hat et noch zwanzigmal besser. Also Pauline, wenn et jeboren is, nehm ick det Kind, un bei meine in Jott vastorbene Eltern, wo ick an Totensonntag immer noch und keen Mensch mich zurückhält nach Rüdersdorf jeh und Lichter uff beede Jräber anstecke: det kleene Wurm soll et madich jut habn, wie et besser keen jeborener Prinz und keene jeborene Prinzessin haben tut.

DIE PIPERKARCKA. Ick jeh, mit meine letzten Pfennig kaufen mir Vitriol — trefft, wen trefft! — und jießen dem Weibsbild, wo mit ihm jeht — trefft, wen trefft! — mitten in Jesicht! Trefft, wen trefft! Brennt ihm janze verfluchte hübsche Visage kaputt! Mir jleich! Brennt ihm Bart kaputt! Brennt ihm Augen kaputt, wenn er mit andres Frauenzimmer jeht. Trefft, wen trefft! Hat mir betrogen, zujrunde jerichtet, hat mir Jeld jeraubt, hat mich Ehre jeraubt! hat mich verfluchtiger Hund verführt, verlassen, belogen, betrogen, in Elend jestoßen! Trefft, wen trefft! Soll blind sein. Nase soll wegjefressen sein! Soll jar nich mehr überhaupt auf Erde sein!

FRAU JOHN. Freilein Pauline, bei meine ewige Seligkeit, von Stund an, wo det kleene Wurm erst ma uff de Welt is — von den Augenblick an — det soll et haben, als wenn et, ick weeß nich wo — in Samt und Seide jeboren wär. Bloß jutes Zutrauen und, det Se ja sachen! — Ick habe mir allens ausjedacht. Et jeht zu machen, Pauline, et jeht, et jeht, sach ick Ihn! Und weder 'n Dokter noch Polizei noch Ihre Wirtin merkt wat von. — Und denn kriejen Se erst ma hundertunddreiundzwanzig Mark, wat ick mir von det Reinmachen hier beim Direktor Hassenreuter abjespart habe, ausjezahlt.

DIE PIPERKARCKA. Denn lieber bei die Jeburt erwürgen! Verkaufen nich!

FRAU JOHN. Wer redet denn von verkoofen, Pauline?

DIE PIPERKARCKA. Wat hab ick Oktober vorijen Jahr bis heutijen Tag for Himmelsangst ausjestanden. Bräutijam steßt mir fort! Mietsfrau steßt mir fort. Schlafbodenstelle is mir jekindigt. Wat du ick denn, daß man mir so verachtet und von die Leute verflucht un ausstoßen muß?

FRAU JOHN. Det sach ick ja, det kommt, weil der Deibel unsern Herrn Christus Heiland noch immer ieber is.

Ohne bemerkt zu werden, ist Bruno, bastelnd wie vorher, geräuschlos wiederum in die Tür getreten.

BRUNO *sagt in eigentümlicher Weise, scharf, aber wie nebenbei.* Lampen!

DIE PIPERKARCKA. Der Mensch erschrickt mir. Lassen mir fort!

FRAU JOHN *geht heftig auf Bruno los.* Willst du woll jehn, wo de hinjeheerst! Ick ha dir jesacht, ick wer dir rufen.

BRUNO *wie vorher.* Na Jette, ick ha doch bloß Lampen jesacht.

FRAU JOHN. Biste verrickt? Wat heeßt denn det: Lampen?

BRUNO. Na, klinkt et denn nich an de Einjangstir?

FRAU JOHN *erschrickt, horcht, hält die Piperkarcka zurück, die im Begriff ist, davonzugehen.* Pst, Freilein! Halt! Warten Se man noch 'n Oojenblick!

Bruno schnitzelt weiter. Die beiden Frauen horchen.

FRAU JOHN *leise, angstvoll, zu Bruno.* Ick heer nischt.

BRUNO. Du ollet vatrockentes Kichenspinde, dann schaff da man bessare Lauscha an!

FRAU JOHN. Det wär in det janze Vierteljahr det erstema, det der Direktor kommt, wenn Sonntag is.

BRUNO. Wenn der Theaterfritze kommt, kann a mir meinswejen jleich angaschieren.

FRAU JOHN *heftig.* Quatsch nich!

BRUNO *grinsend zur Piperkarcka.* Jlobens et, Freilein, ick ha bei Zirkus Schumann 'n dummen Aujust sein Esel dreimal rum die Manesche jebracht. Det mach ick allens! Ick wer mir woll furchten.

DIE PIPERKARCKA *scheint die phantastische Sonderbarkeit der Umgebung erst jetzt zu bemerken, erschrocken, stark beunruhigt.* Josef Maria, wo bin ick denn?

FRAU JOHN. Wer kann denn det sind?

BRUNO. Da Direkta nich, Jette. Det is eha 'ne Tülle, wo elejante Trittlinge hat.

FRAU JOHN. Freilein, jehn Se man zwee Minuten, sein so jut, hier uff'n Oberboden! 's kommt eener, kann sind, der bloß wat wissen will.

In ihrer zunehmenden Angst tut die Piperkarcka das Verlangte. Sie klettert über die Treppe auf den Oberboden, dessen Klappe geöffnet ist. Frau John hat sich so gestellt, daß im Notfalle die Piperkarcka gegen die Entreetür gedeckt ist. Die Piperkarcka verschwindet. Frau John und Bruno bleiben allein.

BRUNO. Wat wiste denn mit die barmherzige Schwester?

FRAU JOHN. Det jeht dir nischt an, verstehste mich.

BRUNO. Ick frage ja man, weil det de vor der Mächen so ängstlich 'ne Wand machen dust. Sonst is et mich doch wahaftig Pomade.

FRAU JOHN. Det soll dir ooch immer Pomade sind.

BRUNO. Danke Komma, denn kann ick woll abtippeln.

FRAU JOHN. Lump, weeßt du woll, wat du mir schuldig bist?

BRUNO *pomadig.* Wat regste dir denn uff? Wo stoß ick dir denn? Wat wiste? Ick muß jetzt zu meine Braut. Mir schläfert. Vorichte Nacht hab ick unter Sträucher in Tierjarten plattjemacht. Und juterletzt is Kohlmarcht bei mich. — *Er kehrt seine Hosentaschen um.* — Foljedessen muß ick jehn 'n Stück Brot verdienen.

FRAU JOHN. Hier jeblieben und nich von de Stelle! oder du

krist, und wenn det de jaulst wie 'n kleener Hund, kriste nimmermehr, wenn't bloß 'n Pfennig is, krist de von mich! Bruno, du jehst uf schlechte Weeje.

BRUNO. Ick wer woll immer jejen de janze Welt — noch wat! — wer ick der Potsdammer sind. Soll ick etwa nich jehn, wo ick scheen bei Hulda'n zu leben krieje? — *Er zieht eine schmutzige Brieftasche.* — Nich ma 'n dreckigen Pfandschein ha ick mehr in de Plattmullje drin. Wat wiste von mich, un denn laß mir abschrenken.

FRAU JOHN. Von dir? Wat ick will? For wat wärst du woll nitze? Du bist zu nischt weiter nitze, als det eene Schwester, wo nich richtig im Koppe is, mit so'n Lump und Tagedieb Mitleid hat.

BRUNO. Kann sind, det de in Koppe manchmal nich richtig bist.

FRAU JOHN. Unser Vater hat oft zu mich jesacht, wo du schonn mit fünf, sechs Jahre alt schlechte Dinge jetrieben hast, det mit dir in Leben keen Staat weiter nich zu machen is un det ick dir sollte loofen lassen. Un mein Mann, wo richtig un orndlich is . . . vor so'n juten Mann darfst du dir nich blicken lassen.

BRUNO. Jewiß doch, det weeß ick ja allens, Jette! Aber so eenfach schiebt sich det nu eemal nu eben nich. Wat wiste? Ick weeß, ick bin mit 'n Ast uff'n Puckel, wenn det'n ooch det'n keener sieht, un nich in Zangzuzih uff de Welt jekomm. Ick muß sehn un mir mit mein Ast mangmang helfen. Na jut so! wat wiste? Von wejen de Ratten brauchst du mir nich. Du wist bloß wat mit die Dohle vertussen.

FRAU JOHN *die Faust drohend unter Brunos Nase.* Verrat du een eenziget kleenet Sterbenswort, denn mach ick dir kalt. Denn bist du 'ne Leiche!

BRUNO. Na weeßte, vastehste, ich mache mir dinne. — *Er steigt die Treppe hinauf.* — Womeeglich komm ick, mir nischt dir nischt, noch ma in Schokoladenkasten rin. — *Er verschwindet durch die Bodenklappe. Frau John löscht eilig die Lampe und tappt sich zur Bibliothekstür. Sie geht in die Bibliothek, schließt aber die Tür hinter sich nicht ganz. Die Geräusche eines verrosteten Schlosses und Schlüssels, der darin umgedreht wurde, sind vernehmlich gewesen. Ein leichter Schritt kommt nun den Gang herauf. Vorübergehend war der Berliner Straßenlärm, auch Kindergeschrei aus den Hausfluren, vernehmlich geworden. Leierkastenmusik vom Hof herauf.*
Mit scheuen Bewegungen erscheint Walburga Hassenreuter.

*Das Mädchen ist noch nicht sechzehn Jahre alt und sieht hübsch
und unschuldig aus. Sonnenschirm, fußfreies helles Sommer-
kleidchen.*

WALBURGA *stutzt, horcht, sagt dann ängstlich.* Papa! Ist schon
jemand hier oben? Papa! Papa! *Sie horcht lange gespannt und
sagt dann:* Es riecht ja hier so nach Petroleum! — *Sie findet
Streichhölzer, entzündet eines davon, will die Lampe anstecken
und verbrennt sich an dem noch heißen Zylinder.* — Au! Donnerwetter, wer ist denn hier? — *Sie hat aufgeschrien und will
fortlaufen. Frau John erscheint wieder.*

FRAU JOHN. I, Freilein Walburga, wer wird denn jleich Lärm
machen! Sein Se man friedlich! Det bin ja bloß ick.

WALBURGA. Gott, hab ich aber einen ganz entsetzlichen Schreck
bekommen, Frau John.

FRAU JOHN. Weshalb denn, Freilein? Wat suchen Se denn heit
an Sonntag hier?

WALBURGA *Hand auf dem Herzen.* Mir steht noch immer das
Herz ganz still, Frau John.

FRAU JOHN. Wat hat's denn, Freilein Walburga? Wer ängstigt
Se denn? Sie missen det doch von Ihren Herrn Vater wissen,
det ick Sonntag und Wochentag hier oben mang die Kisten
und Kasten zu tun habe, mit Staub abbürsten und Motten
auskloppen. In drei, vier Wochen, wenn ick jlicklich mit die
zwölf- oder achtzehnhundert Theaterlumpen eemal rum bin
und fertig bin, fängt et doch immer wieder von frischen an.

WALBURGA. Ich hab' mich erschrocken, weil sich der Lampenzylinder noch ganz heiß anfaßte, Frau John.

FRAU JOHN. Nu ja, de Lampe hat ebent jebrannt, un ick hab
se vor eene halbe Minute ausjepustet. — *Sie hebt den Zylinder
ab.* — Mir brennt et nich! Ick hab harte Hände! — *Sie zündet
den Docht an.* — Na, nu wird Licht! Nu hab ick se wieder
anjestochen. Wat is nu Jefährliches los? Ick sehe nischt.

WALBURGA. Hu, Sie sehen ja aus wie ein Geist, Frau John.

FRAU JOHN. Wie soll ick aussehn?

WALBURGA. Das ist, wenn man so aus der prallen Sonne ins
Finstere kommt . . . in diese muffigen Kammern hinein, da
ist man wie von Gespenstern umgeben.

FRAU JOHN. Na, kleenet Jespenst, weshalb kommen Se denn?
— Sind Se alleene, oder is noch jemand? Kommt am Ende
Papa noch nach?

WALBURGA. Nein! Papa ist heute zu einer wichtigen Audienz nach Potsdam hinaus.

FRAU JOHN. Und wat suchen denn also Sie nu woll hier?

WALBURGA. Ich? Ich bin einfach spazieren gewesen.

FRAU JOHN. Na, denn sehn Se man wieder, det Se fortkomm! In Papa'n seine Rumpelkammer scheint keene Pfingstsonne nich.

WALBURGA. Sie sollten auch, so grau wie Sie aussehen, mal lieber raus an die Sonne gehn.

FRAU JOHN. I, Sonne is bloß for feine Leite! Wenn ick man alle Dache meine paar Pfund Staub und Dreck uff de Lunge krieje — jeh man, Kindken, ick muß an de Arbeet! — mehr brauche ick nich: ick lebe von Müllstoob und Mottenpulver. — *Sie hustet.*

WALBURGA *ängstlich.* Sie brauchen Papa nicht sagen, daß ich hier oben gewesen bin.

FRAU JOHN. Ick? Ick habe woll sonst nischt Besseret zu tun.

WALBURGA *scheinbar leichthin.* Und sollte Herr Spitta nach mir fragen . . .

FRAU JOHN. Wer?

WALBURGA. Der junge Herr, der bei uns im Hause Privatstunde gibt . . .

FRAU JOHN. Na, und?

WALBURGA. Sind Sie so freundlich, und sagen Sie ihm, daß ich hier gewesen, aber gleich wieder gegangen bin.

FRAU JOHN. Also Herrn Spitta soll ick et sagen, Papa'n nich?

WALBURGA *unwillkürlich.* Um Gottes willen nicht, liebste Frau John!

FRAU JOHN. Na wacht du, wacht! Jib du bloß man Obacht! Manch eene hat ausjesehn wie du und is aus die Jejend jekomm wie du, wo nachher in de Drajonerstraße in Rinnsteen oder jar in de Barnimstraße hinter schwedsche Jardinen zujrunde jejangen is.

WALBURGA. Sie werden doch damit nicht sagen wollen, Frau John, oder glauben wollen, daß in meiner Beziehung zu Herrn Spitta etwas Unerlaubtes oder Ungehöriges ist?

FRAU JOHN *in höchstem Schreck.* Mund zu! — Et hat jemand dem Schlüssel im Schloß jestochen.

WALBURGA. Auslöschen!

FRAU JOHN *bläst schnell die Lampe aus.*

WALBURGA. Papa!

FRAU JOHN. Freilein, ruff uff'n Oberboden!

Sie und Walburga verschwinden über die Treppe durch den Bodenverschlag, der verschlossen wird.

Zwei Herren, der Direktor Harro Hassenreuter und der Hofschauspieler Nathanael Jettel, erscheinen durch die Flurtür im Gange. Der Direktor ist mittelgroß, glattrasiert, fünfzig Jahre alt. Er pflegt große Schritte zu nehmen und bekundet ein lebhaftes Temperament. Sein Gesichtsschnitt ist edel, das Auge von kühnem Ausdruck. Sein Betragen ist laut. Sein Wesen überhaupt durchaus feurig. Er trägt einen hellen Sommerüberzieher, den Zylinder nach hinten gerückt, und übrigens Frackanzug und Lackschuhe. Der leger geöffnete Paletot enthüllt eine mit Ordenssternen überdeckte Brust. — Hofschauspieler Jettel trägt unter dem leichtesten Sommerüberzieher einen weißen Flanellanzug. Er hat einen Strohhut nebst elegantem Stock in der linken Hand, gelbe Schuhe an den Füßen. Er ist ebenfalls glattrasiert und über die Fünfzig alt.

DIREKTOR HASSENREUTER *ruft.* John! Frau John! Ja, das sind nun hier meine Katakomben, lieber Jettel! Sic transit gloria mundi! Hier hab' ich nun alles, mutatis mutandis, untergebracht, was von meiner ganzen Theaterherrlichkeit übriggeblieben ist: alte Scharteken, alte Lappen und Lumpen! — John! John! Sie ist hier gewesen, denn der Lampenzylinder ist heiß! — *Er zündet mit einem Streichholz die Lampe an.* — Fiat lux, pereat mundus! So! Jetzt können Sie mein Motten-, Ratten- und Flohparadies bei Lichte besehen.

NATHANAEL JETTEL. Haben Sie also meine Karte bekommen, bester Direktor?

DIREKTOR HASSENREUTER. Frau John! Ich werde mal sehn, ob sie auf dem Boden ist. — *Er steigt sehr gewandt die Treppe hinauf und rüttelt an der Bodenklappe.* — Verschlossen! Den Schlüssel hat die Canaille natürlich wieder am Schürzenband. — *Er pocht wütend mit der Faust gegen die Klappe.* — John! John!

NATHANAEL JETTEL *etwas ungeduldig.* Direktor, geht es nicht ohne die John?

DIREKTOR HASSENREUTER. Was? Glauben Sie, daß ich Ihnen den miserablen Lappen, den Sie gerade da für Ihr Gastspiel brauchen, aus meinen dreihundert Kisten und Kasten ohne die

John, im Frack und mit sämtlichen Orden, so wie ich vom Prinzen komme, selber heraussuchen kann?

NATHANAEL JETTEL. Erlauben Sie mal! In Lappen absolviere ich meine Gastreisen nicht.

DIREKTOR HASSENREUTER. Mensch, spielen Sie doch in Unterhosen! Meinethalben! Mich stört das nicht! Nur vergessen Sie nicht, wer vor Ihnen steht! Deshalb, wenn der Hofschauspieler Jettel — na wenn schon! — gnädigst zu pfeifen geruhen, springt der Direktor Harro Hassenreuter noch lange nicht. Sapristi! Wenn irgendein Komödiant einen schäbigen Turban oder zwei alte Transtiefel braucht, muß sich ein pater familias, ein Familienvater, den einzigen Sonntagnachmittag unter den Seinen abknapsen? Soll womöglich wie 'n Tackel auf allen vieren in alle Bodenwinkel hinein? Nein, Freundchen, da müßt ihr euch andere aussuchen.

NATHANAEL JETTEL *sehr ruhig*. Könnten Sie mir nicht sagen, Direktor, wer Ihnen in Gottes Namen auf die Krawatte getreten hat?

DIREKTOR HASSENREUTER. Mein Junge, ich habe noch vor kaum einer Stunde die Beine unterm Tisch eines Prinzen gehabt: post hoc, ergo propter hoc! Ich setze mich Ihretwegen in einen verfluchten Omnibus und kutsche in diese verfluchte Gegend ... wenn Sie meine Gefälligkeit nicht zu würdigen wissen: scheren Sie sich!

NATHANAEL JETTEL. Sie haben mich auf vier Uhr hierher bestellt. Sie haben mich eine volle geschlagene Stunde in dieser entsetzlichen Mietskaserne, auf diesem lieblichen Korridore unter dem Kinderpöbel warten lassen ... Ich habe gewartet, Ihnen nicht den geringsten Vorwurf gemacht! Und jetzt sind Sie geschmackvoll genug, mich als eine Art Spucknapf zu betrachten.

DIREKTOR HASSENREUTER. Mein Junge ...

NATHANAEL JETTEL. In's Teufels Namen, der bin ich nicht! Eher mache ich Sie zu meinem Hanswurst und lasse Sie für sechs Groschen Purzelbaum schießen!

Er nimmt entrüstet Hut und Stock und geht.

DIREKTOR HASSENREUTER *stutzt, bricht dann in ein tolles Gelächter aus und schreit hinter Jettel her.* Machen Sie sich nicht lächerlich! — Und übrigens bin ich kein Maskenverleiher! — *Man hört die Flurtür ins Schloß knallen. Direktor Hassenreuter zieht die Uhr.* Rindvieh verdammtes! Schafskopf verfluchter! Ein Segen, daß das Rindvieh, verdammte, gegangen ist!

Er steckt die Uhr ein, zieht sie gleich darauf wiederum und lauscht. Hierauf geht er ruhig hin und her, bleibt stehen, blickt in den Zylinderhut, dessen Inneres einen Spiegel enthält, und kämmt sich sorgfältig. Er tritt an den Mitteltisch und öffnet einige von den Briefschaften, die dort gehäuft liegen. Dazu singt er trällernd:

> O Straßburg, o Straßburg,
> du wunderschöne Stadt.

Abermals sieht er nach der Uhr. Plötzlich geht die Türschelle über seinem Kopf. — Auf die Minute! Was doch die Dinger, wenn es drauf ankommt, pünktlich sind! — *Er eilt und öffnet die Flurtür, jemand laut und fröhlich begrüßend. Die Trompetentöne seiner Stimme werden bald von glöckchenartigem Lachen einer weiblichen akkompagniert. Sehr bald erscheint der Direktor wieder, von einer eleganten, jungen Dame begleitet, Alice Rütterbusch.* — Alice! Kleine Alice! Komm erst mal näher, kleine Alice! Komm mal ans Licht! Ich muß doch sehen, ob du noch dieselbe kleine, schockscharmante, tolle Alice aus den besten Tagen meiner reichsländischen Direktionsperiode bist!? Mädel, ich hab' dich ja gehen gelehrt! ich hab' deine ersten Schritte gegängelt — das Sprechen! Du sagtest ja immer Cheef statt Chef! Ha ha ha! Hoffentlich hast du das nicht vergessen.

ALICE RÜTTERBUSCH. Schaun's, Direktor, Sie glauben doch net, daß i undankbar bin?

DIREKTOR HASSENREUTER *nimmt ihr den Schleier ab.* Mädel, du bist ja noch jünger geworden!

ALICE RÜTTERBUSCH *hochrot, beglückt.* Da müßt' einer auch gehörig daher lügen, wenn einer behaupten wollt', daß du dich zum Nachteil verändert hast. Aber weißt, arg finster hast's bei dir oben und a bissel — Harro, wenn's d' mechst a Fenster aufmachen! — so a bissel a schwere Luft.

DIREKTOR HASSENREUTER.

> Pillicock saß auf Pillicocks Berg!

— — — —

> Doch Mäus' und Ratten und solch Getier
> aß Thoms sieben Jahr lang für und für.

Im Ernst, ich hab' finstere und schwere Zeiten durchgemacht!

Du wirst ja schließlich, trotzdem ich dir lieber nichts geschrieben habe, liebe Alice, davon unterrichtet sein.

ALICE RÜTTERBUSCH. Das war aber net grad, weißt, sehr freindschaftlich, daß d' mir auf alle die sauberen und langen Brief kein Wörtel geantwortet hast.

DIREKTOR HASSENREUTER. Wozu, ha ha ha, einem kleinen Mädchen antworten, wenn man genug mit sich selber zu tun hat und in keiner Beziehung was nützen kann? Sessa! Ex nihilo nihil fit! Das heißt auf Deutsch: aus nichts kann nichts werden! Motten und Staub! Staub und Motten! Ha ha ha! Das ist alles, was ich von meiner deutschen Kulturarbeit an der westlichen Grenze geerntet habe.

ALICE RÜTTERBUSCH. Du hast also den Fundus net an den Direktor Kurz abgetreten?

DIREKTOR HASSENREUTER. „O Straßburg, o Straßburg, du wunderschöne Stadt." Nein, meine Kleine, ich habe den Fundus nicht in Straßburg gelassen! Dieser ehemalige Kellner, Kneipwirt und Pächter von anrüchigen Tanzlokalen, der mein Nachfolger wurde — dieser Kretin, diese bête imbécile —, wollte den Fundus nicht! — Sessa, den Fundus hab' ich nicht dort gelassen: dafür aber vierzigtausend Mark sauerverdientes Geld, von Gastspielreisen aus meiner Mimenzeit! Außerdem fünfzigtausend Mark zugebrachtes Vermögen meiner braven Frau. Sessa! — Übrigens, daß ich den Fundus behielt, war ein Glück für mich. — Da! Ha ha ha! Diese Kerle hier — *er berührt einige der Geharnischten* — du kennst sie doch?

ALICE RÜTTERBUSCH. I kenn' doch meine Pappenheimer.

DIREKTOR HASSENREUTER. Nun also: diese Pappenheimschen Kerle hier, und was drum und dran baumelt, haben den alten Lumpensammler und Maskenverleiher Harro Eberhard Hassenreuter nach seiner Hedschra tatsächlich über Wasser gehalten! — Aber reden wir lieber von heiteren Dingen: ich habe mit Vergnügen aus der Zeitung ersehen, daß du von Exzellenz für Berlin engagiert werden wirst.

ALICE RÜTTERBUSCH. I mach' mir nix draus! I möcht' lieber bei dir spielen, und das mußt mir versprechen, wann's du wieder eine Direktion übernehmen tuşt . . . das versprichst mir, daß i augenblickli kontraktbrüchig werden kann! — *Der Direktor bricht in Lachen aus.* — I hab' mi drei Jahre lang gnua auf die Provinzschmieren rumgeärgert. Berlin mag i net! Und a Hof-

theater schon lang net. Jessas die Leit! das Komödiespielen! --
Weißt, i g'hör' zum Fundus, i hab' immer bloß daher g'hört!
Sie nimmt unter den Pappenheimern Aufstellung.

DIREKTOR HASSENREUTER. Ha ha ha ha! Also komm, du ge-
treuer Pappenheimer.
*Er öffnet die Arme weit, sie fliegt hinein, und beide begrüßen
einander mit einigen lange anhaltenden Küssen.*

ALICE RÜTTERBUSCH. Geh, Harro, jetzt sagst mir: was macht
deine Frau?

DIREKTOR HASSENREUTER. Therese geht's gut, außer daß sie trotz
Kummer und Sorgen von Tag zu Tag dicker wird. — Mädel,
Mädel, wie du duftest! — *Er drückt sie an sich.* — Weißt du
auch, daß du teufelsmäßig gefährlich bist?

ALICE RÜTTERBUSCH. Meinst, daß i blöd bin? Freili bin i gefährlich.

DIREKTOR HASSENREUTER. Sakra!

ALICE RÜTTERBUSCH. Meinst, i sollt' mir in der schönen Gegend,
drei Stiegen hoch, unter an muffigen Dach, mit dir a Rendezvous geben, wann ich net wißt, daß das für uns zwei, ans
wie's andere, gefährlich is? Ibrigens hab' i ja, Gott sei Dank,
weil i halt immer a Glück haben muß, wann i schon amal auf
Schleichwegen geh', auf der Treppen den Nathanael Jettel
troffen, bin dem Herrn Hofschauspieler bei ei'm Haar direkt
in die Arme g'rannt. Wird schon sorgen, daß das nicht unter
uns bleibt, daß i di b'sucht hab'.

DIREKTOR HASSENREUTER. Ich muß das Datum verschrieben
haben: der Mensch behauptet, ha ha ha, ich hätte ihn ganz
ausdrücklich für heut nachmittag herbestellt.

ALICE RÜTTERBUSCH. Das war aber net etwa die einzige Bas-
sermannsche Gestalt, der i auf die sechs Treppenabsätz begegnet
bin, und was mir die lieben kleinen Kinderln, die auf die
Stufen rumkugeln, nachgeschrien haben, das is dermaßen un-
parlamentarisch, das is von solche Kröten, noch net drei Käs'
hoch sind's, schon die allergrößte Gemeinheit, die mir noch
vorkommen is.

DIREKTOR HASSENREUTER *lacht, wird dann ernst.* Ja, siehst du:
daran gewöhnt man sich; was so hier in diesem alten Kasten
mit schmutzigen Unterröcken die Treppe fegt und überhaupt
schleicht, kriecht, ächzt, seufzt, schwitzt, schreit, flucht, lallt,
hämmert, hobelt, stichelt, stiehlt, treppauf treppab allerhand

dunkle Gewerbe treibt, was hier an lichtscheuem Volke nistet, Zither klimpert, Harmonika spielt — was hier an Not, Hunger, Elend existiert und an lasterhaftem Lebenswandel geleistet wird, das ist auf keine Kuhhaut zu schreiben. Und dein alter Direktor, last not least, rennt, ächzt, seufzt, schwitzt, schreit und flucht, ha ha ha, wie der Berliner sagt, immer mittenmang mit. Ha ha ha, Mädel, mir ist es recht dreckig gegangen.

ALICE RÜTTERBUSCH. Weißt ibrigens, wen i, wie i grad auf den Bahnhof Zoologischer Garten zusteur', troffen hab'? Den alten guten Fürst Statthalter hab i troffen. Und sixt, unverfroren wie i amal bin, bin i zwanzig Minuten lang neben ihm hergeschwenkt und hab' ihn in an langen Diskurs verwickelt, und auf Ehre, Harro, wie ich dir sag', so is es buchstäblich tatsächlich g'schegn. Auf'n Reitweg is plötzlich Majestät mit großer Suite vorübergeritten. I denk', i versink! Und hat übers ganze Gesicht gelacht und Durchlaucht so mit dem Finger gedroht. Aber g'freit hab' i mi, das kannst mir glauben. Aber jetzt kommt d' Hauptsach'. Jetzt paß auf! — Ob i mi freun tät', hat mi Durchlaucht plötzli g'fragt, und ob i wieder nach Straßburg mecht', wann der Direktor Hassenreuter das Theater tät' wieder übernehmen. Na weißt: beinah hab' i an Sprung getan!

DIREKTOR HASSENREUTER. *Er wirft seinen Überzieher ab und steht in seinen Orden da.* Du hast wahrscheinlich bemerken müssen, daß die kleine Durchlaucht vorzüglich gefrühstückt hat. Sessa! Wir haben zusammen gefrühstückt. Wir haben ein exquisites kleines Herrenfrühstück beim Prinzen Ruprecht draußen in Potsdam gehabt. Ich leugne nicht, daß sich vielleicht eine Wendung zum Guten im miserablen Geschicke deines Freundes vorbereitet.

ALICE RÜTTERBUSCH. Liebster, wie a Staatsmann, wie a Gesandter siehst du ja aus.

DIREKTOR HASSENREUTER. Ah, du kennst diese Brust voll hoher und höchster Orden noch nicht!? Klärchen und Egmont! Hier magst du dich satt trinken! — *Neue Umarmung.* Carpe diem! Genieße den Tag! Sekt, kleine Naive, steht allerdings auf dem jetzigen Repertoire deines alten Direktors, Erweckers und Freundes nicht! — *Er öffnet die Truhe und entnimmt ihr eine Flasche Wein.* — Aber dieser Stiftswein ist auch nicht von Pappe! — *Er zieht den Korken. Die Türschelle geht.* — Was?

615

Pst! Wer hat denn die ungeheure Dreistigkeit, am Sonntagnachmittag hier anzuklingeln? — *Es klingelt stärker.* — Kleine, zieh dich mal in die Bibliothek zurück! — *Alice eilt in die Bibliothek ab. Es klingelt wieder.* — Donnerwetter noch mal, der Kerl ist ja irrsinnig. — *Er eilt nach der Tür.* — Gedulden Sie sich, oder scheren Sie sich! *Man hört ihn die Tür öffnen.* — Wer? Wie? „Ich bin's, Fräulein Walburga?" Was? Fräulein Walburga bin ich nicht. Ich bin nicht die Tochter! Ich bin der Vater! Ach, Sie sind's, Herr Spitta! Gehorsamer Diener, ich bin der Vater! Ich bin der Vater! Was wünschen Sie denn? *Im Gange erscheint wiederum der Direktor, geleitet von Erich Spitta, einem einundzwanzigjährigen jungen Menschen, der Brille und Zwicker trägt und übrigens scharfe und nicht unbedeutende Züge hat. Spitta gilt als Kandidat der Theologie und ist entsprechend gekleidet. Er hält sich nicht gerade, und seiner Körperentwicklung ist die Studierstube und mangelhafte Ernährung anzumerken.* Wollten Sie meiner Tochter Walburga hier auf dem Speicher Privatstunden geben?

SPITTA. Ich fuhr im Pferdebahnwagen vorüber und glaubte wirklich, ich hätte Fräulein Walburga unten durch das Portal ins Haus eilen sehen.

DIREKTOR HASSENREUTER. Gar keine Ahnung, mein lieber Spitta. Meine Tochter Walburga ist augenblicklich mit ihrer Mutter in der englischen Kirche, ich glaube, zu einem liturgischen Gottesdienst.

SPITTA. Dann verzeihen Sie vielmals, wenn ich gestört habe. Ich nahm mir die Freiheit, heraufzukommen, weil ich mir sagte: eine Begleitung in dieser Gegend, vielleicht auf dem Rückwege nach dem Westen, wäre Fräulein Walburga am Ende nicht unangenehm.

DIREKTOR HASSENREUTER. Wohl, wohl, aber sie ist nicht hier, bester Spitta. Ich bedaure sehr. Ich selber bin nur zufällig hier, der Post wegen! Und ich habe auch leider andere dringende Sachen vor. — Wünschen Sie sonst was, mein guter Spitta?

Spitta putzt seinen Kneifer und gibt Zeichen von Verlegenheit.

SPITTA. Man gewöhnt sich nicht gleich an die Dunkelheit.

DIREKTOR HASSENREUTER. Sie benötigen vielleicht Ihr Stundengeld. Schade: ich habe leider die Gewohnheit, nur mit einem Notpfennig in der Westentasche auf die Straße zu gehn. Ich muß Sie schon bitten, sich zu gedulden, bis ich wieder in meiner Wohnung bin.

SPITTA. Hat durchaus keine Eile, Herr Direktor.

DIREKTOR HASSENREUTER. Ja, das sagen Sie so: aber ich bin ein gehetztes Wild, guter Spitta . . .

SPITTA. Und doch möchte ich, da ich dieses Zusammentreffen wirklich als eine Art höhere Fügung ansehen muß, um eine Minute Ihrer kostbaren Zeit bitten. Dürfte ich, kurz, eine Frage tun?

DIREKTOR HASSENREUTER *mit den Augen auf der Uhr, die er gezogen hat.* Genau eine Minute. Die Uhr in der Hand, bester Spitta.

SPITTA. Frage und Antwort wird, denk' ich, kaum von so langer Dauer sein.

DIREKTOR HASSENREUTER. Also los!

SPITTA. Habe ich wohl Talent zum Schauspieler?

DIREKTOR HASSENREUTER. Um Gottes willen, Mensch, sind Sie denn irrsinnig? Verzeihen Sie, bester Herr Kandidat, wenn ich in einem solchen Fall bis zur Unhöflichkeit außer dem Häuschen bin. Es heißt zwar: natura non facit saltus, aber Sie haben da einen unnatürlichen Sprung gemacht. Da muß ich mal erst zu Atem kommen. Und nun Schluß davon! Denn glauben Sie mir, wenn wir beide jetzt über diese Frage zu diskutieren anfangen, so würden wir in drei bis vier Wochen, sagen wir Jahren, darüber noch nicht zum Schluß gekommen sein. Sie sind Theologe, mein Bester, und stammen aus einem Pastorenhaus: wie kommen Sie denn auf solche Gedanken? Wo Sie doch Konnexionen haben und Ihnen die Wege zu einer behaglichen Existenz geebnet sind.

SPITTA. Ja, das ist eine lange, innere Geschichte, eine lange Geschichte schwerer innerer Kämpfe, Herr Direktor, die allerdings bis zu dieser Stunde nur mir bekannt und also absolutes Geheimnis gewesen sind. Da hat mich das Glück in Ihr Haus geführt, und von diesem Augenblick an fühlte ich, wie ich dem wahren Ziel meines Lebens näher und näher kam.

DIREKTOR HASSENREUTER *mit peinlicher Ungeduld.* Das ehrt mich. Das ehrt mich und meine Familie! — *Er legt ihm die Hände auf die Schulter.* — Dennoch muß ich Ihnen jetzt die ganz inständige Bitte vortragen, von der Erörterung dieser Angelegenheit im Augenblicke abzusehen. Meine Geschäfte sind unaufschieblich.

SPITTA. Dann möchte ich nur noch so viel hinzusetzen — damit Sie's wissen! —, daß ich absolut fest entschlossen bin.

DIREKTOR HASSENREUTER. Aber mein lieber Herr Kandidat: wer hat Ihnen denn diese Raupen in den Kopf gesetzt? Ich habe mich über Sie gefreut. Habe Sie schon im Geist Ihres friedlichen Pfarrhauses wegen beneidet. Gewissen literarischen Ambitionen, die einem hier in der Großstadt anfliegen, habe ich keinen Wert beigelegt. Das ist nur so nebenbei und verliert sich zweifellos wieder bei ihm, dachte ich mir! — Mensch, und nun wollen Sie Komödiant werden? Kurz: Gnade Gott, wenn ich Ihr Vater wäre! Ich würde Sie bei Wasser und Brot einsperren und Sie nicht eher herauslassen, als bis Ihnen jede Erinnerung an diese Torheit entschwunden wäre. Dixi! Und nun adieu, guter Spitta.

SPITTA. Einsperren oder irgendeine andere Gewaltmaßregel würde bei mir durchaus nichts helfen, fürcht' ich.

DIREKTOR HASSENREUTER. Aber Mensch: Sie wollen Schauspieler werden! Mit Ihrer schiefen Haltung, mit Ihrer Brille und vor allem mit Ihrem heiseren und scharfen Organ geht das doch nicht.

SPITTA. Wenn es im Leben solche Käuze gibt wie mich, warum soll es nicht auch auf der Bühne solche Käuze geben! Und ich bin der Ansicht, ein wohlklingendes Organ, womöglich verbunden mit der Schillerisch-Goethisch-Weimarischen Schule der Unnatur, ist eher schädlich als förderlich. Die Frage ist nur: würden Sie mich, wie ich nun einmal bin, als Schüler annehmen?

DIREKTOR HASSENREUTER *zieht hastig seinen Sommerpaletot über.* Nein! Denn erstens ist meine Schule auch nur eine Schule Schillerisch-Goethisch-Weimarischer Unnatur! Zweitens könnte ich es vor Ihrem Herrn Vater nicht verantworten! Und drittens zanken wir uns so schon genug, jedesmal nach den Privatstunden, die Sie in meinem Hause geben, beim Abendbrot. Das würde dann bis zur Prügelei ausarten. Und nun, Spitta: ich muß auf die Pferdebahn.

SPITTA. Mein Vater ist bereits informiert. Ich habe ihm in einem zwölf Seiten langen Brief Punkt für Punkt die Geschichte meiner inneren Wandlung eröffnet . . .

DIREKTOR HASSENREUTER. Sicherlich wird der alte Herr äußerst davon geschmeichelt sein! Mensch, und nun kommen Sie mit mir, ich werde sonst wahnsinnig!

Der Direktor zieht Spitta gewaltsam mit sich fort und hinaus.
Man hört die Tür ins Schloß fallen.
Es wird still bis auf das ununterbrochene Rauschen Berlins,
das nun lauter hervortritt. Nun wird die Bodenklappe geöff-
net, und Walburga Hassenreuter steigt in wahnsinniger Hast,
gefolgt von Frau John, die Treppe herunter.

FRAU JOHN *flüsternd, heftig.* Wat is denn? Et is doch jar nischt
jeschehn.

WALBURGA. Frau John, ich schreie! Ich muß gleich losschreien!
Um Gottes willen, ich kann gar nicht an mich halten, Frau
John.

FRAU JOHN. Taschentuch mang die Zähne, Mächen! Et is ja jar
nischt! Wat haste dir denn?

WALBURGA *zähneklappernd, ihr Röcheln gewaltsam bezwingend.*
Ich bin ja des Todes . . . ich bin ja des Todes erschrocken, Frau
John!

FRAU JOHN. Wenn ick man wißte, for wat du erschrocken bist?

WALBURGA. Haben Sie nicht diesen schrecklichen Menschen
gesehn?

FRAU JOHN. Wat is denn da schrecklich? Det is doch mein Bruder,
wo mich manchmal bei Papans seine Sachen auskloppen helfen
dut.

WALBURGA. Und das Mädchen, das mit dem Rücken am Schornstein sitzt und wimmert.

FRAU JOHN. Det is deine Mutter nich anders jejangen, eh det du
zur Welt jekommen bist.

WALBURGA. Ich bin hin. Ich bin tot, wenn Papa wiederkommt.

FRAU JOHN. Nu denn sieh, det de fortkommst, und fackel nich
lange! — *Frau John begleitet die entsetzte Walburga den Gang*
hinunter und läßt sie hinaus. Dann kommt sie wieder. Det
Mächen weeß, Jott sei Dank, von hellichten Dache nischt.
Sie nimmt die entkorkte Weinflasche, gießt einen der Römer
voll und nimmt ihn mit auf den Boden, wo sie verschwindet.
Kaum ist das Zimmer leer, so erscheint der Direktor wieder.

DIREKTOR HASSENREUTER *noch an der Tür, singend.* „Komm
herab, o Madonna Teresa!" — *Er ruft.* Alice! — *Noch immer*
an der Tür. Komm mal! Hilf mir mal die eiserne Stange mit
dem doppelten Schloß vor die Tür legen. Alice! — *Er kommt*
nach vorn. — Wer jetzt noch unsere Sonntagsruhe zu stören
wagt: anathema sit! — Heda! Kobold! Wo steckst du, Alice? —

619

Er wird auf die Weinflasche aufmerksam und hebt sie in die Höhe. — Was? Halb leer? Schlingel! — Man hört eine hübsche weibliche Singstimme hinter der Bibliothekstür sich in Koloraturen ergehen. — Ha ha ha ha! Himmel! Sie hat sich schon einen Schwips angetrunken.

ZWEITER AKT

Die Wohnung der Frau John im zweiten Stock des gleichen Hauses, in dessen Dachgeschoß der Fundus des Direktors Hassenreuter untergebracht ist: ein weitläufiges, ziemlich hohes, graugetünchtes Zimmer, das seine frühere Bestimmung als Kasernenraum verrät. Die Hinterwand enthält eine zweiflügelige Tür nach dem Flur. Über ihr ist eine Schelle angebracht, die von außen an einem Draht gezogen werden kann. Rechts von der Tür beginnt eine etwas mehr als mannshohe Tapetenwand, die geradlinig nach vorn geht, hier einen rechten Winkel macht und wiederum geradlinig mit der rechten Seitenwand verbunden ist. So ist eine Art von Verschlag abgeteilt, über den einige Schrankgesimse hervorragen und der das Schlafzimmer der Familie ist.

Tritt man durch die Flurtüre ein, so hat man zur Linken ein Sofa, überzogen mit Wachsleinwand. Es ist mit der Rücklehne an die Tapetenwand geschoben. Diese ist über dem Sofa mit kleinen Familienbildchen geschmückt: Maurerpolier John als Soldat, John und Frau als Brautpaar usw. Vor dem Sofa steht ein ovaler Tisch, mit einer verblichenen Baumwolldecke. Man muß von der Tür aus an Tisch und Sofa vorübergehen, um den Zugang zum Schlafraum zu erreichen. Dieser ist mit einem Vorhang aus buntem Kattun verschlossen.

An der nach vorn gekehrten Schmalwand des Verschlages steht ein freundlich ausgestatteter Küchenschrank. Rechts davon, an der wirklichen Wand, der Herd. Wie denn der hier verfügbare kleine Raum vornehmlich zu Küchen- und Wirtschaftszwecken dienen muß.

Ein etwa auf dem Sofa Sitzender blickt gerade gegen die linke Zimmerwand und zu den beiden Fenstern hinaus. Am vorderen Fenster ist ein saubergehobeltes Brett als eine Art Arbeitstisch angebracht. Hier liegen zusammengerollte Kartons (Baupläne),

Pausen, Zollstock, Zirkel, Winkelmaß usw. Am hinteren Fen-
ster ein Fenstertritt, darauf ein Stuhl und ein Tischchen mit
Gläsern. Die Fenster haben keine Gardinen, sind aber einige
Fuß hoch mit buntem Kattun bespannt.
Das ganze Gelaß, dessen dürftige Einrichtung ein alter Lehn-
stuhl aus Rohr und eine Anzahl von Holzstühlen vervollstän-
digen, macht übrigens einen sauberen und gepflegten Eindruck,
wie man es bei kinderlosen Ehepaaren des öfteren trifft. Es ist
gegen fünf Uhr am Nachmittag, Ende Mai. Die warme Sonne
scheint durch die Fenster. Maurerpolier John, ein vierzigjähriger
bärtiger, gutmütig aussehender Mann, steht behaglich am vor-
deren Fenstertisch und macht sich Notizen aus den Bauplänen.
Frau John sitzt mit einer Näharbeit auf dem Fenstertritt des
anderen Fensters. Sie ist sehr bleich, hat etwas Weiches und
Leidendes an sich, zugleich aber einen Ausdruck tiefer Zufrieden-
heit, der nur zuweilen von einem flüchtigen Blick der Unruhe
und der lauernden Angst unterbrochen wird. An ihrer Seite
steht ein Kinderwagen — sauber, neu und nett —, darin ein
Säugling gebettet ist.

JOHN *bescheiden.* Mutter, wie wär det, wenn ick det Fenster 'n
Ritzen uffmachen däte und ick machte mir dann 'n bißken de
Pipe an?

FRAU JOHN. Mußte denn rauchen? Sonst laß et man lieber!

JOHN. I, ick muß ja nich, Mutter! Ick mechte bloß jern! Aber
laß man! 'n Priem, Mutter, tut et am Ende in selbijenjleichen
ooch.

Er präpariert sich mit behaglicher Umständlichkeit einen neuen
Priem.

FRAU JOHN *nach einigem Stillschweigen.* Wat? Du mußt noch ma
hin ufft Standesamt?

JOHN. Det hat er jesacht, det ick noch ma hin müßte und janz
jenau anjeben . . . det ick det müßte janz jenau anjeben Ort
und Stunde, wo det Kindchen jeboren is. ʻ

FRAU JOHN *Nadel am Mund.* Warum haste denn det nich
anjeben?

JOHN. Weeß ick et denn? Ick weeß et doch nich.

FRAU JOHN. Det weeßte nich?

JOHN. Bin ick dabeijewesen?

FRAU JOHN. Na, wenn de mir hier in meine Berliner Wohnung

sitzen läßt und liechst det janze jeschlagene Jahr in Altona, kommst hechstens ma monatlich mir besuchen: wat wiste denn wissen, wat in deine Behausung vorjehn dut?

JOHN. Wo soll ick nich jehn, wo der Meester de mehrschte Arbeet hat? Ick jeh dorthin, wo ick scheen verdiene.

FRAU JOHN. Ick ha et dir doch in Briefe jeschrieben, det unser Jungeken hier in de Wohnung jeboren is.

JOHN. Det weeß ick. Det hab ick ihm ooch jesacht! Det is doch janz natierlich, hab ick jesacht, det et in meine Wohnung jeboren is. Da hat er jesacht: det is jar nich natierlich! Na denn, sach ick, mag et meinswegen uff'n Oberboden bei de Ratten und Mäuse jewesen sind! So kreppte ick mir, weil er doch sagte, det et womeechlich jar nich sollte in meine eijene Wohnung sind jewesen. Denn schrie er: wat sind det for Redensarten! Wat? sag ick: ick bin for Lohn un Brot; for Redensarten, Herr Standesbeamter, bin ick nich! Un nu sollte ick Tag und Stunde anjeben . . .

FRAU JOHN. Ick hab et dir doch sojar jenau uff'n Zettel jeschrieben, Paul.

JOHN. Wenn eener jekreppt is, denn is er verjeßlich. Ick jloobe, wenn er mir hätte jefragt: sind Sie Paul John, der Maurerpolier?, ick hätte jeantwortet: ick weeß et nich. Na, nu war ick doch 'n bißken verjnügt jewesen un hatte mit Fritzen eenen jekippt; denn war noch Schubert und Schindlerkarl zujekomm; denn hieß et: ick muß nu 'ne Lage jeben, weil ick doch Vater jeworden bin! — Na! und die Brieder wollten mir ooch nich loslassen und warteten unten an de Tür von't Standesamt. Und nu dachte ick, det se unten stehen! Und wo er mir frachte, an welchen Dache det meine Frau entbunden is, denn wußte ick nischt un mußte laut loslachen.

FRAU JOHN. Häste man nachher jetrunken, Paul, un häste vorher besorcht, wat neetig is!

JOHN. Det sachste so? Aber wenn du uff deine ollen Dache noch so 'ne Zicken machst, denn wa ick verjnügt, denn freut ick mir, Mutter.

FRAU JOHN. Nu jehste und sachst bein Standesamt, det dein Kindeken an fünfundzwanzigsten Mai von deine Ehefrau in deine Wohnung jeboren is.

JOHN. War et denn nich an sechsundzwanzigsten? Ick ha nämlich schlankweg dem sechsundzwanzigsten Mai jesacht! Denn hieß et, weil er doch merkte, det ick an Ende nich so janz sicher war: stimmt's, denn is jut; sonst komm Se wieder!

FRAU JOHN. I, denn laß et man, wie et is! — *Die Tür wird geöffnet, und Selma Knobbe schiebt einen elenden Kinderwagen herein, der im traurigsten Gegensatz zu dem der Frau John steht, darin liegt, in jämmerlichsten Lumpen, ebenfalls ein Säugling.* — Nee nee, Selma, mit det kranke Kind bei uns in de Stube rieber, det jing woll vordem, nu jeht det nich.

SELMA. Er keucht so ville mit sein Husten. Drieben bei uns wird zu ville jeroocht, Frau John.

FRAU JOHN. Ich ha dir jesacht, Selma, du kannst immer komm, ma Milch un ma Brot holen. Aber wo hier mein Adelbertchen womeechlich mit Auszehrung oder derjleichen anfliejen dut, laß du det arme Wurm drieben bei seine feine Mama drieben!

SELMA *weinerlich*. Mutter is jestern und heut nich zu Hause jekomm. Ick kann nachts nich schlafen mit det Kind. Helfjottchen quarrt de janze Nacht ieber. Ick muß doch ma schlafen. Ick spring zum Fenster raus, oder ick laß Helfjottchen mitten uff de Straße und nehme Reißaus, det mir keen Polizist nich mehr finden kann.

JOHN *betrachtet das fremde Kind*. Sieht beese aus! Mutter, nimm dich ma mit det Häufchen Unglick 'n bißken an!

FRAU JOHN *resolut, drängt Selma mit dem Kinderwagen hinaus*. Marsch, fort aus der Stube! Det jeht nich, Paul. Wer eejnet hat, kann sich mit fremde nich abjeben. Soll de Knobben sehn, wo se bleiben dut. Wat anders is Selma! Du kannst immer rieber komm. Du kannst dir hier ooch hernach 'n bißken uff's Ohr leejen.

Selma mit dem Kinderwagen ab. Frau John verschließt die Tür hinter ihr.

JOHN. Hast dir doch frieher mit die Knobbeschen Rotznäsen immer bekümmert!

FRAU JOHN. Det vastehste nich. Det sich Adelbertchen womeechlich mit schlimme Oojen un Krämpfe von een andret anstecken dut.

JOHN. Det mag sind. Bloß nenn ihm nich Adelbertchen, Mutter! Det dut nich jut, 'n Kind 'n selbichten Namen zu jeben wie een anderet, det mit acht Dache, unjedooft, mit Dot abjejang'n ist. Det laß man! Davor ha ick Manschetten, Mutter.

Es wird an die Tür geklopft. John will öffnen.

FRAU JOHN. Wat denn?

JOHN. Na, Jette, 't will eener rin.

FRAU JOHN *dreht hastig den Schlüssel herum.* Ick wer mir woll, wo ick marode bin, von alle Welt ieberloofen lassen! — *Sie horcht und ruft dann.* Ick kann nich uffmachen: wat wollen Se denn?

EINE FRAUENSTIMME *aber tief und männlich.* Ich bin Frau Direktor Hassenreuter.

FRAU JOHN *überrascht.* Ach Jott nee! — *Sie öffnet die Tür.* — Nehm Se't nich iebel, Frau Direkter! Ick ha ja nich ma jewußt, wer 't is.

Frau Direktor Hassenreuter ist nun, gefolgt von Walburga, eingetreten. Sie ist eine kolossale, asthmatische Dame, älter als fünfzig. Walburga ist ein wenig unscheinbarer gekleidet als im ersten Akt. Sie trägt ein ziemlich umfangreiches Paket.

FRAU DIREKTOR HASSENREUTER. Guten Tag, Frau John! Ich wollte doch nun — obgleich mir das Treppensteigen schwer wird —, wollt doch nun mal sehen, wie's nach dem frohen Ereignis . . . ja . . . Ereignis mit Ihnen beschaffen ist.

FRAU JOHN. Et jeht mir, Jott sei Dank, wieder so hallweeje, Frau Direktor.

FRAU DIREKTOR HASSENREUTER. Das ist doch wahrscheinlich Ihr Mann, Frau John? Das muß man sagen . . . muß man sagen — daß Ihre liebe Frau sich in der langen Wartezeit niemals beklagt und immer . . . immer fröhlich und guter Dinge ihre Arbeit oben bei meinem Mann im Theatermagazin verrichtet hat.

JOHN. Det is ooch. Se hat ihr mächtig jefreit, Frau Direkter.

FRAU DIREKTOR HASSENREUTER. Nun, da wird man wohl auch . . . da wird Ihre Frau wohl die Freude haben, Sie öfters . . . öfters als wie bisher — zu Hause zu sehn!

FRAU JOHN. Ick ha'n juten Mann, Frau Direkter, wo sorjen dut und solide is. Und deshalb, weil Paul auswärts uff Arbeet jeht, denn hat er mir längst nich sitzen lassen. Aber for so'n Mann, wo 'n Bruder schon 'n Jungen von zwölf in de Unteroffiziersschule hat . . . det is ooch keen Leben ohne Kinder! Denn kricht er Jedanken! Denn macht er in Hamburg schenet Jeld! Denn is alle Dache Jelejenheet, un denn will er fort nach Amerika auswandern.

JOHN. I, Jette, det war ja man bloß so'n Jedanke.

FRAU JOHN. Sehn Se, det is mit uns kleene Leite . . . det is 'n sauer verdientes Durchkommen, wo unsereens hat, aber jedennoch . . . *Sie fährt John schnell mit der Hand durchs Haar.* — Wenn ooch eener mehr is un Sorjen mehr sin — sehn Se, det Wasser läuft ihm de Backen runter! — denn freut er sich.

JOHN. Det is, wir haben schon vor drei Jahre 'n Jungchen jehabt, und det is mit acht Dache einjejang.

FRAU DIREKTOR HASSENREUTER. Das hat mir mein Mann . . . mein Mann bereits . . . hat mir mein Mann bereits gesagt, wie sehr Sie sich um den Sohn gegrämt haben. Sie wissen ja . . . wissen ja, wie mein braver Mann Aug' und Herz . . . Herz und Auge für alles hat. Und wenn es sich gar . . . gar um Leute handelt, die um ihn sind und ihm Dienste leisten, da ist alles Gute . . . und Schlimme . . . alles Gute und Schlimme . . . was ihnen zustößt . . . zustößt, so, als wär' es ihm selbst passiert.

FRAU JOHN *klopft John auf die Schulter.* Ick seh ihm noch, wie er mit det kleene Kindersärjiken uff beede Knie dazumal in Kinderleichenwaachen jesessen hat. Det durfte d'r Dotenjräber nich anrihren.

JOHN *wischt sich Wasser aus den Augen.* Det war ooch so. Det jing ooch nich.

FRAU DIREKTOR HASSENREUTER. Denken Sie . . . denken Sie, heute mittag bei Tisch — mußten wir . . . mußten wir plötzlich Wein trinken. Wein! Wo Leitungswasser in den letzten Jahren . . . Karaffen mit Leitungswasser — unser einziges . . . einziges Getränk bei Tische ist. Liebe Kinder, sagte mein Mann. — Er ist, wie Sie wissen, elf oder zwölf Tage ins Elsaß verreist gewesen! . . . Also ich trinke, sagte mein Mann, auf meine gute, brave Frau John, weil . . . rief er mit seiner schönen Stimme! . . . weil sie ein sichtbares Zeichen dafür ist, daß unserem Herrgott . . . Herrgott der Schrei eines Mutterherzens nicht gleichgültig ist. — Und da haben wir auf Sie angestoßen! — So! Und nun bringe ich . . . bringe ich Ihnen hier im ganz besonderen . . . ganz besonderen Auftrage meines Mannes einen sogenannten Soxhlet-Kinder-Milchapparat. — Walburga, du magst den Kessel mal auspacken!

Direktor Hassenreuter tritt ohne Umstände durch die nur angelehnte Flurtür herein. Er trägt Zylinder, Sommerpaletot, Handschuhe, spanisches Rohr mit Silbergriff, im ganzen die etwas abgeschabte Garnitur des Wochentages. Er spricht hastig und fast ohne Pausen.

DIREKTOR HASSENREUTER *sich den Schweiß von der Stirn wischend.* Heiß! Berlin macht heiß, meine Herrschaften! In Petersburg ist die Cholera! Sie haben meinen Schülern Spitta und Käferstein gegenüber geklagt, daß Ihr Kindchen nicht zunehmen will, Frau John. Eigentlich ist es ja ein Verfallssymptom unserer Zeit, daß die meisten Mütter ihre Kinder selber zu nähren nicht mehr fähig oder nicht willens sind. Sie haben schon einmal einen Jungen am Brechdurchfall eingebüßt, Mutter John. Hilft alles nichts: wir müssen hier deutsch reden! Damit Sie nun diesmal nicht wieder Pech haben und nicht etwa gar in die Scheren von allerlei alten Basen fallen, deren gute Ratschläge meistens für Säuglinge tödlich sind, hat Ihnen meine Frau auf meine Veranlassung diesen Milchkochapparat mitgebracht. Ich habe damit meine ganz kleine Gesellschaft, auch die Walburga, großgezogen . . . Sapristi, da sieht man ja auch mal wieder den Herrn John! Bravo! Der Kaiser braucht Soldaten, und Sie hatten einen Stammhalter nötig, Herr John! Gratuliere Ihnen von ganzem Herzen! *Er schüttelt John kräftig die Hand.*

FRAU DIREKTOR HASSENREUTER *am Kinderwagen.* Wieviel . . . wieviel hat es gewogen bei der Geburt?

FRAU JOHN. Et hat jenau acht Pfund und zehn Jramm jewogen.

DIREKTOR HASSENREUTER *jovial, laut und lärmig.* Ha ha ha, strammes Produkt! Acht Pfund zehn Gramm frisches deutschnationales Menschenfleisch!

FRAU DIREKTOR HASSENREUTER. Die Augen, das Näschen: der ganze Vater! — Das Kerlchen ist Ihnen wirklich . . . wirklich wie aus dem Gesicht geschnitten, Herr John.

DIREKTOR HASSENREUTER. Sie werden den Bengel doch hoffentlich in die Gemeinschaft der christlichen Kirche aufnehmen lassen.

FRAU JOHN *glücklich und gewichtig.* Det wird richtig in de Parochialkirche, richtig am Taufstein, richtig von Jeistlichen wird et jetauft.

DIREKTOR HASSENREUTER. Sessa! Und welche sind seine Taufnamen?

FRAU JOHN. Det hat natierlich, wie Männer nu eemal sind, 'n langet Jerede abjesetzt. Ich dachte Bruno! Det will er nich.

DIREKTOR HASSENREUTER. Aber Bruno ist doch kein übler Name.

JOHN. Det mag immer sind, det Bruno weiter keen iebler Name is. Da will ick mir weiter drieber nich ausdricken.

FRAU JOHN. Wat sachste nich, det ick 'n Bruder habe, wo Bruno heeßt und wo zwölf Jahre jünger is: und jeht manchmal 'n bißken uff leichte Weeje. Det is bloß de Verführung! Der Junge is jut! Det jloobste nich!

JOHN *bekommt einen roten Kopf.* Jette, du weeßt, wat det mit Brunon for 'n Kreuz jewesen is! Wat wiste?! Soll unser Jungeken so'n Patron kriejen? Et is 'n Patron! Aber eener, ick kann et nich ändern . . . eener, wo unter polizeiliche Uffsicht is.

DIREKTOR HASSENREUTER *lachend.* Um's Himmels willen, dann suchen Sie ihm einen anderen Patron!

JOHN. Jott soll mir bewahren . . . ick ha mir bei Brunon anjenommen, in de Maschinschlosserei Stellung verschafft, nischt davon jehat als Ärjer un Schande! Jott soll bewahren, det er womeechlich kommt un mein Jungeken anfassen dut! — *Er krampft die Faust* — Denn, Jette, denn kennt' ick nich for mir jut sachen!

FRAU JOHN. Immerzu doch, Paul. Bruno kommt ja nich! — So viel kann ick dir aber jewißlich sachen, det mein Bruder mich in die schweren Stunden redlich beiseite jewesen is.

JOHN. Warum haste mir nich kommen lassen, Jette?

FRAU JOHN. So 'n Mann, wo Angst hat, mocht' ick nich.

DIREKTOR HASSENREUTER. Sind Sie nicht Bismarckverehrer, John?

JOHN *kratzt sich hinter den Ohren.* Det kann ick nu so jenau nich sachen; aber wat meine Jenossen in't Mauerjewerbe sind, die sind et nich.

DIREKTOR HASSENREUTER. Dann habt ihr kein deutsches Herz im Leibe! Ich habe meinen ältesten Sohn, der bei der Kaiserlichen Marine ist, Otto genannt! Und glauben Sie mir — *er weist auf das Kindchen* —, diese neue künftige Generation wird wissen, was sie dem Schmiede der deutschen Einheit, dem gewaltigen Heros, schuldig ist. — *Er nimmt den Blechkessel des Milchapparates, den Walburga ausgepackt hat, in die Hände und hebt ihn hoch.* — Also, die ganze Geschichte mit diesem Milchapparat ist kinderleicht: das ganze Gestell mit sämtlichen Flaschen — jede Flasche zunächst ein Drittel mit Milch und zwei Drittel mit Wasser gefüllt! — wird in diesen Kessel mit kochendem Wasser gestellt. Auf diese Weise, wenn man das Wasser im Kessel anderthalb Stunden lang auf dem Siedegrade hält, wird der Inhalt der Flaschen keimfrei gemacht: die Chemiker nennen das sterilisieren.

JOHN. Jette, bei de Frau Mauermeester ihre Milch, womit sie die Zwillinge uffziehen dut, wird et ooch sterilililililisiert. *Die Schüler des Direktors Hassenreuter, Käferstein und Dr. Kegel, zwei junge Leute im Alter zwischen zwanzig und fünfundzwanzig, haben angeklopft und die Tür geöffnet.*

DIREKTOR HASSENREUTER *der seine Schüler bemerkt hat.* Geduld, meine Herren, ich komme gleich! Ich arbeite hier einstweilen noch im Fache der Säuglingsernährung und Kinderfürsorge.

KÄFERSTEIN *ausgesprochener Kopf, große Nase, bleich, ernster Gesichtsausdruck, bartlos, einen immer schalkhaften Zug um den Mund. Mit Grabesstimme, weich, zurückhaltend.* Wir sind nämlich die drei Könige aus dem Morgenlande.

DIREKTOR HASSENREUTER *der noch immer den Milchkochapparat hoch in den Händen hält.* Was sind Sie?

KÄFERSTEIN *wie vorher.* Wir wollen das Kindelein grüßen.

DIREKTOR HASSENREUTER. Ha ha ha ha! Wenn Sie schon Könige aus dem Morgenlande sind, meine Herren, dann fehlt doch, soweit ich sehen kann, der dritte.

KÄFERSTEIN. Der dritte ist unser neuer Mitschüler auf dem Felde dramaturgischer Tätigkeit, Kandidat der Theologie Erich Spitta, der durch einen gesellschafts-psychologischen Zwischenfall einstweilen noch Ecke Blumen- und Wallnertheaterstraße festgehalten ist.

DR. KEGEL. Wir machten uns eiligst aus dem Staube.

DIREKTOR HASSENREUTER. Sehen Sie, es steht ein Stern über Ihrem Hause, Frau John! — Aber sagen Sie mal, hat sich etwa unser braver Kurpfuscher Spitta wieder mal öffentlich an die Heilung sogenannter sozialer Schäden gemacht? Ha ha ha ha! Semper idem! Das ist ja ein wahres Kreuz mit dem Menschen.

KÄFERSTEIN. Es war ein Auflauf, und da hat er wohl, wie es scheint, in der Volksmenge eine Freundin wiedererkannt.

DIREKTOR HASSENREUTER. Meiner unmaßgeblichen Meinung nach würde der junge Spitta viel besser zum Sanitätsgehilfen oder zum Heilsarmeeoffizier geeignet sein. Aber so ist es: der Mensch wird Schauspieler.

FRAU DIREKTOR HASSENREUTER. Der Lehrer der Kinder, Herr
Spitta, wird Schauspieler?

DIREKTOR HASSENREUTER. Wenn du erlaubst, Mama, hat er mir
die Eröffnung gemacht. — Aber nun, wenn Sie Weihrauch und
Myrrhen bringen, packen Sie aus, lieber Käferstein! Sie sehen,
Ihr Direktor ist vielseitig. Bald verhelfe ich meinen Schülern,
die ihr nach dem Inhalt der Brüste der Musen durstig seid,
zu geistiger Nahrung, nutrimentum spiritus! Bald . . .

KÄFERSTEIN *klappert mit der Sparkasse.* Nun, ich stelle also das
Ding, es ist eine feuersichere Sparkasse, hier neben die Equipage des jungen Herrn Maurerpoliers, mit dem Wunsche, daß er
es mindestens mal bis zum Regierungsbaumeister bringen möge.

JOHN *hat Schnapsgläschen auf den Tisch gestellt, nimmt und
entkorkt eine unangebrochene Likörflasche.* Na, nu muß ick
det Danziger Joldwasser uffmachen.

DIREKTOR HASSENREUTER. Wer da hat, Sie sehen, dem wird
gegeben, Frau John.

JOHN *während er eingießt.* Det is nich jesacht, det for Mauerpolier John sein Kind nich jesorcht wäre, meine Herrn! Aber
ick rechen et mir an, meine Herrn. — *Frau Direktor und
Walburga ausgenommen, ergreifen alle die Gläser.* — Wohl-
sein! — Mutter, nu komm, wir wolln ooch ma anstoßen!
Es geschieht, sie trinken.

DIREKTOR HASSENREUTER *im Ton der Rüge.* Mama, du mußt
selbstverständlich mittrinken.

JOHN *nachdem er getrunken hat, aufgeräumt.* Ick jeh nu ooch
nich mehr nach Hamburg hin. D'r Meester mag ma 'n andern
hinschicken. Ick zerjle mir schonn mit 'n Meester desweejen
drei Dache rum. Ick muß mir nu wieder jleich mein Hut
nehmen; hat mir wieder ma jejen sechs uffs Büro bestellt!
Wenn er nich will, denn laßt er't bleiben: det jeht nich, det 'n
Familienvater immer un ewich wech von seine Familie is. Ick
ha 'n Kollegen . . . et kost mir een Wort, da wer ick, wo se
de Fundamente lejen, bei't neue Reichstagsjebäude einjestellt.
Zwölf Jahre bin ick bei meinen Meester! Et kann ja ooch ma
woanders sind.

DIREKTOR HASSENREUTER *klopft John ebenfalls auf die Schulter.*
Sessa! Ganz Ihrer Ansicht, Herr Maurerpolier. Unser Fa-
milienleben ist eine Sache, die man uns mit Geld und guten
Worten nicht abkaufen kann.

Kandidat Erich Spitta tritt ein. Sein Hut ist beschmutzt, sein Anzug trägt Schmutzflecken. Er ist ohne Schlips. Er sieht bleich und erregt aus und säubert mit dem Taschentuch seine Hände.

SPITTA. Verzeihung. Könnte ich mich bei Ihnen mal eben 'n bißchen säubern, Frau John?

DIREKTOR HASSENREUTER. Ha ha ha! Um Gottes willen, was haben Sie denn angebahnt, guter Spitta?

SPITTA. Ich habe nur eine Dame nach Hause begleitet, Herr Direktor, weiter nichts.

DIREKTOR HASSENREUTER *der an einem allgemeinen Lachausbruch ob der Worte Spittas teilgenommen hat.* Na hören Sie mal an! Und da setzen Sie noch hinzu: weiter nichts? Und verkünden es offen vor allen Leuten?

SPITTA *verblüfft.* Wieso nicht? Es handelte sich um eine gutgekleidete Dame, die ich hier im Hause auf der Treppe schon öfters gesehen hatte und die leider auf der Straße verunglückt ist.

DIREKTOR HASSENREUTER. Ach, was Sie sagen: erzählen Sie mal, bester Spitta. Augenscheinlich hat die Dame Ihnen Flecke auf den Anzug und Schrammen auf die Hände gemacht.

SPITTA. Ach nein. Das war wohl höchstens der Janhagel. Die Dame erlitt einen Anfall. Ein Schutzmann griff sie dabei so ungeschickt, daß sie auf den Straßendamm, und zwar dicht vor einem Paar Omnibuspferden, niederfiel. Ich konnte das absolut nicht mit ansehen, obgleich der Samariterdienst auf der Straße im allgemeinen, wie ich zugebe, unter der Würde gutgekleideter Leute ist.

Frau John schiebt den Kinderwagen hinter den Verschlag und kommt wieder mit einem Waschbecken voll Wasser, das sie auf einen Stuhl setzt.

DIREKTOR HASSENREUTER. Gehörte die Dame vielleicht jener internationalen guten Gesellschaft an, die man je nachdem nur reglementiert oder auch kaserniert?

SPITTA. Das war mir in diesem Falle ebenso gleichgültig, wie ich sagen muß, Herr Direktor, wie dem Omnibusgaul, der seinen linken Vorderhuf geschlagene fünf, sechs oder acht Minuten lang, um die Frau nicht zu treten, die unter ihm lag, in der Schwebe gehalten hat. — *Spitta erhält eine Lachsalve zur Antwort.* — Sie lachen! Für mich ist das Verhalten des Gauls nicht lächerlich. Ich konnte ganz gut verstehen, daß einige Leute ihm Bravo zuriefen, Beifall klatschten, andre eine Bäckerei stürmten und Semmeln herausholten, womit sie ihn fütterten.

FRAU JOHN *fanatisch.* I, hätt' er man feste zujetreten! — *Die Bemerkung der John löst wieder allgemeines Gelächter aus.* — Und ieberhaupt, wat die Knobben is: die jehört öffentlich uff'n Schandarmenmarkt, öffentlich uff de Bank jeschnallt und jehörig mit Riemen durchjefuchtelt! Stockhiebe, det det Blut man so spritzt.

SPITTA. Ich habe mir niemals eingebildet, daß das sogenannte Mittelalter eine überwundene Sache ist. Es ist noch nicht lange her. Man hat eine Witwe Mayer noch im Jahre achtzehnhundertsiebenunddreißig hier in Berlin, auf dem Hausvogteiplatz, von unten herauf geradebrecht. — *Er zieht Scherben einer Brille hervor.* — Übrigens muß ich sofort zum Optiker.

JOHN *zu Spitta.* Entschuldijen Se man! Se haben die feine Dame doch hier am Flur jejenieber rinjebracht? Na ja! Det hat Mutter ja jleich jemerkt, det det keen andrer Mensch wie de Knobben jewesen is, wo bekannt for is, det se Mädel mit zwölf uff de Jasse schickt, selber fortbleibt, trinkt und allerhand Kundschaft hat, um Kinder nich kümmert, und wo berauscht is und uffwachen dut, allens mit Fäuste und Schirme durchprijelt.

DIREKTOR HASSENREUTER *sich raffend und besinnend.* Allons, meine Herren, wir müssen zum Unterricht. Es fehlt uns schon eine Viertelstunde. Meine Zeit ist gemessen. Unser Stundenschluß muß leider heute ganz pünktlich sein. Komm, Mama! Auf Wiedersehn, meine Herrschaften!

Der Direktor gibt seiner Frau den Arm und geht, gefolgt von Käferstein und Dr. Kegel, ab. Auch John nimmt seinen Kalabreser.

JOHN *zu seiner Frau.* Adje, ick muß ooch zum Meester hin. *Auch John geht.*

SPITTA. Könnten Sie mir mal einen Schlips leihen?

FRAU JOHN. Ick will mal sehn, wat sich bei Paul in de Schublade vorfinden dut. — *Sie öffnet den Tischschub und verfärbt sich.* — Jesus! — *Sie nimmt ein durch ein buntes Band zusammengehaltenes Büschelchen Kinderhaar aus der Schublade.* — Da hab ick ja 'n Büschelchen Haar jefunden, wo mein Jungeken, wo mein Adelbertchen schon in Sarch mit Vaters Papierschere abjeschnitten is. — *Tiefe, kummervolle Traurigkeit zieht sich plötzlich über ihr Gesicht, das sich aber ebenso plötzlich wieder aufhellt.* — Un nu liecht et et doch wieder in Kinderwaachen! — *Sie geht mit eigentümlicher Fröhlichkeit, das Haar-büschel in der Hand den jungen Leuten vorweisend, zur Tür des Verschlages, wo der Kinderwagen, zwei Drittel sichtbar, sich befindet. Dort angelangt, hält sie das Haarbüschel an das Kinderköpfchen.* Na nu kommt mal, kommt mal! — *Sie winkt mit seltsamer Heimlichkeit Walburga und Spitta, die auch neben sie an den Kinderwagen treten.* Seht mal det Häärchen und det! —? ob det nich detselbichte . . . ob det nich janz und jänzlich een und detselbichte Häärchen is.

SPITTA. Richtig! Bis auf die kleinste Nuance, Frau John.

FRAU JOHN. Jut so! jut so! Mehr wollt ick nich!

Sie verschwindet mit dem Kinde hinter dem Verschlag.

WALBURGA. Findest du nicht, Erich, daß das Betragen der John eigentümlich ist?

SPITTA *faßt Walburgas Hände und küßt sie scheu und inbrünstig.* Ich weiß nicht, weiß nicht! Oder ich zähle heut nicht mit, weil ich alles von vornherein subjektiv düster gefärbt sehe. Hast du den Brief bekommen?

WALBURGA. Jawohl. Aber ich konnte nicht herausfinden, warum du so lange nicht bei uns gewesen bist.

SPITTA. Verzeih, Walburga, ich konnte nicht kommen.

WALBURGA. Warum nicht?

SPITTA. Weil ich innerlich zu zerrissen bin.

WALBURGA. Du willst Schauspieler werden? Ist's wahr? Du willst umsatteln?

SPITTA. Was schließlich noch mal aus mir wird, steht bei Gott! Nur niemals ein Pastor, niemals ein Landpfarrer!

WALBURGA. Du, ich habe mir lassen die Karten legen.

SPITTA. Das ist Unsinn, Walburga. Das sollst du nicht.

WALBURGA. Ich schwöre dir, Erich, es ist kein Unsinn. Sie hat mir gesagt, ich hätte einen heimlichen Bräutigam, und der sei Schauspieler. Natürlich hab' ich sie ausgelacht, und gleich dar-auf sagt Mama, du wirst Schauspieler.

SPITTA. Tatsächlich?

WALBURGA. Tatsächlich! Und dann hat mir die Kartenlegerin noch gesagt, wir würden durch einen Besuch viel Not haben.

SPITTA. Mein Vater kommt nach Berlin, Walburga, und das ist allerdings wahr, daß uns der alte Herr etwas zu schaffen machen wird. — Vater weiß das nicht, aber ich bin mit ihm innerlich längst zerfallen, auch ohne diese Briefe, die mir

hier in der Tasche brennen und mit denen er meine Beichte
beantwortet hat.

WALBURGA. Über unserm verunglückten Rendezvous hat wirklich ein böser, neidischer, giftiger Stern geschwebt. Wie habe
ich meinen Papa bewundert! Aber seit jenem Sonntag werde
ich aller Augenblick' rot für ihn, und so sehr ich mir Mühe
gebe, ich kann ihm seitdem nicht mehr gerade und frei ins
Auge sehn.

SPITTA. Hast du mit deinem Papa auch Differenzen gehabt?

WALBURGA. Ach, wenn es bloß das wäre! Ich war stolz auf
Papa! Und jetzt muß ich zittern; wenn du es wüßtest, ob du
uns überhaupt noch achten kannst.

SPITTA. Ich, und verachten! Ich wüßte nicht, was mir weniger
zukäme, gutes Kind. Sieh mal: ich will mit Offenheit gleich
mal vorangehn. Eine sechs Jahre ältere Schwester von mir
war Erzieherin, und zwar in einem adeligen Hause. Da ist
etwas passiert . . . und als sie im Elternhaus Zuflucht suchte,
stieß mein christlicher Vater sie vor die Tür. Er dachte wohl:
Jesus hätte nicht anders gehandelt! Da ist meine Schwester
allmählich gesunken, und nächstens werden wir beide mal
nach dem kleinen sogenannten Selbstmörderfriedhof bei
Schildhorn gehn, wo sie schließlich gelandet ist.

WALBURGA *umarmt Spitta.* Armer Erich, davon hast du ja nie
ein Wort gesagt.

SPITTA. Das ist eben nun anders: ich spreche davon. Ich werde
auch hier mit Papa davon sprechen, und wenn es darüber
zum Bruche kommt. — Du wunderst dich immer, wenn ich
erregt werde und wenn ich mich manchmal nicht halten kann,
wo ich sehe, wie irgendein armer Schlucker mit Füßen gestoßen wird, oder wenn der Mob etwa eine arme Dirne mißhandelt. Ich habe dann manchmal Halluzinationen und glaube
am hellichten Tage Gespenster, ja meine leibhaftige Schwester
wiederzusehn.

*Pauline Piperkarcka, ebenso wie früher gekleidet, tritt ein. Ihr
Gesichtchen erscheint bleicher und hübscher geworden.*

DIE PIPERKARCKA. Jun Morjen!

FRAU JOHN *hinter dem Verschlage.* Wer ist denn da?

DIE PIPERKARCKA. Pauline, Frau John.

FRAU JOHN. Pauline? — Ick kenne keene Pauline.

DIE PIPERKARCKA. Pauline Piperkarcka, Frau John.

FRAU JOHN. Wer? — Denn wachten Se man 'ne Minute, Pauline!

WALBURGA. Adieu, Frau John.

FRAU JOHN *erscheint vor dem Verschlage, schließt sorgfältig den Vorhang hinter sich.* Jawoll! Ick ha mit det Freilein wat zu verabreden. Seht ma, det ihr naus uff de Straße kommt! *Spitta und Walburga schnell ab. Frau John schließt die Tür hinter beiden.* Sie sind et, Pauline? Wat wollen Se denn?

DIE PIPERKARCKA. Wat werde wollen? Et hat mir herjetrieben. Habe nich länger warten können. Muß sehn, wie steht.

FRAU JOHN. Wat denn? Wat soll denn stehn, Pauline?

DIE PIPERKARCKA *mit etwas schlechtem Gewissen.* Na, ob jesund is, ob jut in Stand.

FRAU JOHN. Wat soll denn jesund, wat soll denn in Stande sind?

DIE PIPERKARCKA. Dat sollen woll wissen von janz alleine.

FRAU JOHN. Wat soll ick denn von alleene wissen?

DIE PIPERKARCKA. Ob Kind auch nich zujestoßen is.

FRAU JOHN. Wat for 'n Kind? Un wat zujestoßen? Reden Se deitsch! Se blubbern ja man keen eenziget richtiget deitsches Wort aus de Fresse raus.

DIE PIPERKARCKA. Wenn ick nur sagen, was wahr is, Frau John.

FRAU JOHN. Na wat denn?

DIE PIPERKARCKA. Mein Kind . . .

FRAU JOHN *haut ihr eine gewaltige Backpfeife.* Det sache noch mal, un denn kriste so lange den Schuh um de Ohren, bis et dir vorkommt, det du 'ne Mutter von Drillinge bist. Nu raus! Un nu laß dir nich wieder blicken!

DIE PIPERKARCKA *will fort. Rüttelt an der Tür, die aber verschlossen ist.* Hat mir jeschlagen, zu Hilfe, zu Hilfe! Brauche mir nich jefallen zu lassen! — *Weinend.* Aufmachen! Hat mir mißhandelt, Frau John!

FRAU JOHN *vollkommen umgewandelt, umarmt Pauline, sie so zurückhaltend.* Pauline, um Jottet willen, Pauline! Ick weeß nich, wat in mir jefahren hat! Sein Se man jut, ick leiste ja Abbitte! Wat soll ick tun? Pauline, soll ick fußfällig uff de Knie, Pauline, Pauline, Abbitte tun?

DIE PIPERKARCKA. Was haben mir ins Jesicht jeschlagen? Ick jehe zu Wache und zeigen an, det mir hier ins Jesicht jeschlagen hat. Ick zeigen an, ick gehen zu Wache.

FRAU JOHN *hält ihr Gesicht hin.* Da, hauste mir wieder in't Jesicht! Denn is et jut! denn is et verjlichen.

DIE PIPERKARCKA. Ick jehe zu Wache . . .

FRAU JOHN. Denn is et verjlichen. Ick sache, Mächen, denn is et, Mächen, sag ick, akkurat mit de Waage verjlichen! Wat wiste nu, Mächen? Nu jeradezu!

DIE PIPERKARCKA. Wat soll mich nützen, wenn Backe jeschwollen is.

FRAU JOHN *haut sich selbst einen Backenstreich.* Da! Meine Backe is ooch jeschwollen. Mächen, hau zu, und jeniere dir nich! — Und denn komm, denn raus, watte uff 'n Herzen hast. Ick will mittlerweile . . . ick koche inzwischen for Sie und for mir, Freilein Pauline, 'n rechten juten Bohnenkaffee, Jott weeß et, und keene Zichorientunke.

DIE PIPERKARCKA *weicher.* Warum sin denn auf einmal so niederträchtig und jrob zu mich armes Mächen, Frau John?

FRAU JOHN. Det is et! det mecht ick alleene wissen! Komm Se, Pauline, setzen sich! So! Scheeneken, sag ick! Setzen sich! Scheen, det Se mich ma besuchen komm! Wat ha ick von meine Mutter desweejen schon for Schmisse jekriecht, ick bin doch aus Brickenberch jebürtig! weil ick mir manchmal ja nich jekannt habe. Die hat mehr wie eemal zu mich jesacht: Mädel, paß uff: du machst dir ma unglücklich. Det kann ooch sin, det se recht haben dut. Wie jeht's, Pauline, wat machen Se denn?

DIE PIPERKARCKA *legt Scheine und Silbergeld, die Handvoll, ohne zu zählen, auf den Tisch.* Hier is det Jeld: ick brauchen ihm nicht.

FRAU JOHN. Ick weeß doch von keenen Jelde, Pauline.

DIE PIPERKARCKA. Oh, werden woll janz jut wissen von Jeld! Et hat mir jebrannt. Et war mich wie Schlange unter Kopfkissen . . .

FRAU JOHN. I wo denn . . .?

DIE PIPERKARCKA. Is vorjekrochen, wo ick müde bin einjeschlafen. Hat mir jepeinigt, hat mir umringt, hat mir jequetscht, wo ick habe laut aufjeschrien, und meine Wirtin hat mir jefunden, wo ick fast abjestorben, längelang auf Diele jelegen bin.

FRAU JOHN. Lassen Se det man jut sind, Pauline! Trinken Se erst ma 'n kleenen Schnaps! — *Sie gießt ihr Kognak ein.* — Un dann essen Se erst ma 'n Happenpappen: mein Mann hat jestern Jeburtstag jehat.

Sie holt einen Streuselkuchen, von dem sie Streifen schneidet.

DIE PIPERKARCKA. I wo denn, ick mag nich essen, Frau John.

FRAU JOHN. Det stärkt, det dut jut, det müssen Se essen! Aber ick muß mir doch freuen, Pauline, det Se doch wieder mit Ihre jute Natur bei Ihre Kräfte jekommen sin.

DIE PIPERKARCKA. Nu will ick et aber mal sehn, Frau John.

FRAU JOHN. Wat denn, Pauline? Wat woll'n Se denn sehn?

DIE PIPERKARCKA. Hätt ick laufen jekonnt, wär ick früher jekomm. Das will jetzt sehn, warum jekommen bin.

Frau John, deren fast kriechende Freundlichkeiten von angstvoll bebenden Lippen gekommen sind, erbleicht auf eine unheilverkündende Weise und schweigt. Sie geht nach dem Küchenschrank, reißt die Kaffeemühle heraus und schüttelt heftig Kaffeebohnen hinein. Sie setzt sich, quetscht die Kaffeemühle energisch zwischen die Knie, faßt die Kurbel und starrt mit einem verzehrenden Ausdruck namenlosen Hasses zur Piperkarcka hinüber.

FRAU JOHN. So? — Ach! — Wat wiste sehen? Wat wiste nu jetzt uff eemal sehn? — Det, det wat de hast mit deine zwee Hände erwürjen jewollt.

DIE PIPERKARCKA. Ich? —

FRAU JOHN. Wiste noch liijen? Ick werde dir anzeijen.

DIE PIPERKARCKA. Nu haben mir aber jenug jequält und bis auf't Blut jemartert, Frau John. Mir nachjestellt, mir Schritt und Tritt nich Ruhe jelassen. Bis haben Kind auf Oberboden auf Haufen alter Lumpen zu Welt jebracht. Mich Hoffnung jemacht, mit schlechten Spitzbubenjungen angst jemacht. Mich Karten jelegt von wegen mein Bräutigam un weiterjehetzt, bis bin wie verrückt jeworden.

FRAU JOHN. Det bist du ooch noch! Jawoll: du bist janz und jar verrückt! Wat, ick hab dir jequält? Wat hab ick? Ick habe dir aus 'n Rinnstein jelesen! Ick hab dir jeholt bei Schneejestöber, bei de Normaluhr, wo de hast mit verzweifelten Oochen — un wie de hast ausjesehen! — hintern Laternanzünder herjestarrt. Jawoll: denn ha ick dir nachjestellt, det dir der Schutzmann, det dir der jrüne Waachen, det dir der Deibel nich hat holen jekonnt! Ick habe dir keene Ruhe jelassen, ick ha dir jemartert, bis det de nich sollst mit dein Kind unterm Herzen in't Wasser jehn. — *Äfft ihr nach.* Ick jeh im Landwehrkanal, Mutter John! Ick erwürje det Kind! Ick ersteche det Wurm mit meine Hutnadel! Ick jeh, ick lauf, wo der Lump von Vater sitzen un Zither spielen dut, mitten in't Lokal, und schmeiß ihn det tote Kind vor die Fiße. Det haste jesacht, so haste jesprochen, so jing et den lieben langen Dach, un manchmal de halbe Nacht noch dazu, bis ick dir hab hier ins Bette jebracht un so lange jestreichelt, det de bist endlich injeschlafen un bist mittags um zwölf, wie die Glocken von alle Kirchen jeläut't haben, an andern Dache erst wieder uffjewacht. Jawoll, so ha ick dir Angst jemacht, wieder Hoffnung jemacht, so ha ick dir keene Ruhe jelassen! Haste det allens verjessen, wat?

DIE PIPERKARCKA. Aber et is doch mein Kind, Mutter John . . .

FRAU JOHN *schreit.* Denn hol et dir aus'n Landwehrkanale! *Sie springt auf, läuft umher und nimmt bald diesen, bald jenen Gegenstand in die Hand, um ihn sogleich wieder wegzuwerfen.*

DIE PIPERKARCKA. Soll ick mein Kind nich ma sehen dürfen?

FRAU JOHN. Spring in't Wasser un such et! Denn haste et! Weeß Jott, ick halte dir nu weiter nich.

DIE PIPERKARCKA. Jut! Mejen mich schlajen, mejen mir prügeln, mejen mir schmeißen Wasserflasche an Kopp: eh nich weiß, wo Kind is, eh nich haben mit Augen jesehen, bringen mich keiner und niemand von Stelle fort.

FRAU JOHN *einlenkend.* Pauline, ick ha et in Flege jejeben.

DIE PIPERKARCKA. Liije! Ick hör et doch schmatzen, wo et janz jenau hintern Vorhang is! — *Das Kind hinter dem Tapetenverschlag beginnt zu schreien. Die Piperkarcka eilt auf den Vorhang zu, dabei, nicht ohne falsche Note, ein wenig pathetisch weinerlich rufend.* Weine nicht, armes, armes Jungchen, jutes Mutterchen kommen schon! — *Frau John, fast von Sinnen, ist vor den Eingang gesprungen, den sie der Piperkarcka verstellt. — Die Piperkarcka, ohnmächtig wimmernd, mit geballten Fäusten.* Soll mir jetzt zu mein Kinde reinlassen!

FRAU JOHN *furchtbar verändert.* Sieh mir ma an, Mächen! Mächen, sieh mir ma in't Jesicht! — Jloobst du, det mit eene, die aussieht wie ich . . . det mit mir noch zu spaßen is? — *Die Piperkarcka hat wimmernd Platz genommen.* Setz dir! flenne! wimmere! bis dir, ick weeß nich wat . . . jammere, bis det dir die Jurgel verschwollen is! Det, wenn de hier rinwillst — denn bist du tot, oder ich bin tot — un denn is ooch det Jungchen nich mehr am Leben!

DIE PIPERKARCKA *erhebt sich entschlossen*. Denn jeben acht, was jeschehen, Frau John!

FRAU JOHN *wiederum einlenkend*. Pauline, die Sache is zwischen uns richtig un abjemacht. Wat wollen Se sich mit det Kindchen behängen, wo jetzt mein Kindeken und in beste Hände jeborgen is? Wat wollen Se denn mit det Kindeken uffstellen? Jehn Se zu Ihrem Breitijm! Da sollen Se woll mit den Besseres zu tun haben als Kinderjeschrei, Kindersorjen und Kimmernis.

DIE PIPERKARCKA. Erst recht! Nu jerade! Nu muß er mir heiraten! — Haben alle . . . hat Frau Kielbacke, als ick mir mussen haben behandeln lassen, zu mich jesacht. Soll nich nachjeben! Muß mir heiraten. Auch Standesbeamte gab mich Rat. Hat jesacht, janz wütend, als ick haben erzählt, wohin jekrochen un habe Kind auf Dachboden Welt jebracht . . . schreit janz wütend: ick muß nich nachlassen. Hat jesacht arme jeschundene Kreatur zu mich, Tasche jejriffen, Taler zwei Jroschen Jeld jeschenkt. Jut! Lasse mir weiter nich ein, Frau John. Adje! Bin bloß jekommen, sowieso, daß morjen nachmittag fünf zu Hause sind! Warum? Weil morjen einjesetzter Pfleger von Jemeinde nachsehn kommt. Ick werde mir weiter hier noch rumärgern.

FRAU JOHN *starr, entgeistert*. Wat, du hast et jemeldt uff't Standesamt?

DIE PIPERKARCKA. Etwa nich? Ick soll woll Jefängnis komm?

FRAU JOHN. Wat hast du jemeldet beim Standesbeamten?

DIE PIPERKARCKA. Sonst janischt, als det mit Knaben niederjekommen bin. Ick hab mir jeschämt, o Jott, bin über un über rot jeworden! Mir is, ick sink jleich in de Erde rin.

FRAU JOHN. So! — Wenn de dir so jeschämt hast, Mächen, warum haste's denn aber anjezeigt?

DIE PIPERKARCKA. Weil mich meine Wirtin und ooch Frau Kielbacke, wo mich hinjeführt hat, mich partout nich Ruhe jejeben.

FRAU JOHN. So! — Denn wissen se't also uff't Standesamt?

DIE PIPERKARCKA. Na ja, det mussen se wissen, Frau John.

FRAU JOHN. Aber ha ick dir dat nich einjeschärft . . .?

DIE PIPERKARCKA. Det muß man melden! Soll ick denn abjeführt Untersuchung und Plötzensee gesteckt?

FRAU JOHN. Ick ha doch jesacht: ick jeh et anmelden.

DIE PIPERKARCKA. Habe jleich bei Standesbeamte jefracht. Is keene jekommen, hat anjemeldt.

FRAU JOHN. Un wat haste nu also anjejeben?

DIE PIPERKARCKA. Daß Aloisius Theophil heißen soll un daß bei Sie, Frau John, in Pflege is.

FRAU JOHN. Un morjen will eener nachsehn komm?

DIE PIPERKARCKA. Det is een Herr von de Vormundschaft. Was is denn weiter? Nun sin doch ruhig un sin vernünftig! Haben mich wirklich vorher Schrecken in alle Jlieder jejagt.

FRAU JOHN *abwesend.* Nu freilich: det is nu nich mehr zu ändern. Det is ja nu ooch in Jottesnamen nu jroß weiter nischt.

DIE PIPERKARCKA. Gelt, un kann nu mein Kindchen auch sehn, Frau John?

FRAU JOHN. Heute nich! Morjen, morjen, Pauline.

DIE PIPERKARCKA. Warum nich heut?

FRAU JOHN. Weil det det Beschreien nich jut dut, Pauline! Also morjen, um Uhre fünfen nachmittag?

DIE PIPERKARCKA. Steht jeschrieben, sagt mir Wirtin, daß Herr von die Stadt Uhren fünfen morjen nachsehn kommt.

FRAU JOHN *indem sie die Piperkarcka hinausschiebt und selbst mit hinausgeht, im Tone der Abwesenheit.* Jut so. Laß er man kommen, Mächen!

Frau John ist einen Augenblick auf den Flur hinausgetreten und kommt ohne die Piperkarcka wieder herein. Sie ist seltsam verändert und geistesabwesend. Sie tut einige hastige Schritte gegen die Verschlagstür, steht jedoch plötzlich wieder still mit einem Gesichtsausdruck vergeblichen Nachsinnens. Dieses Grübeln unterbricht sie, heftig gegen das Fenster zu eilend. Hier wendet sie sich, und wieder erscheint der hilflose Ausdruck schwerer Bewußtlosigkeit. Langsam, wie eine Nachtwandlerin, tritt sie an den Tisch und läßt sich daran nieder, das Kinn in die Hand stützend.

Nun erscheint Selma Knobbe in der Tür.

SELMA. Mutter schläft, Frau John. Ick ha solchen Hunger. Kann ick 'n Happen Brot kriejen? *Frau John erhebt sich mechanisch und schneidet ein Stück von einem Laib Brot, wie unter dem Einfluß einer Suggestion. — Selma, der die Verfassung der Frau auffällt.* Ick bin's! — Wat is denn? Schneiden sich man bloß nich etwa mit Brotmesser!

FRAU JOHN *mit trockenem Röcheln, das sie mehr und mehr über-*

*wältigt, indem sie Brot und Brotmesser willenlos auf den Tisch
gleiten läßt. Angst! Sorge! — Da wißt ihr nischt von!* Sie
zittert und sucht einen Halt, um nicht umzusinken.

DRITTER AKT

*Alles wie im ersten Akt. Die Lampe brennt. Auf dem Gange
schwaches Ampellicht.
Direktor Hassenreuter gibt seinen drei Schülern, Spitta, Dr.
Kegel und Käferstein, dramatischen Unterricht. Er selbst sitzt
am Tisch, öffnet fortgesetzt Briefe und schlägt skandierend mit
dem Falzbein auf den Tisch. Vorn stehen auf der einen Seite
Kegel und Käferstein, auf der anderen Spitta, einander als
beide Chöre der Braut von Messina gegenüber. Ihre Füße befinden sich innerhalb eines Schemas aufgestellt, das mit Kreide
auf den Fußboden gezeichnet ist und diesen in die vierundsechzig
Felder des Schachbretts einteilt. Auf dem Kontorbock am Stehpult sitzt Walburga, in ein großes Kontobuch eintragend. Im
Hintergrund, wartend, steht der Vizewirt oder Hausmeister
Quaquaro, ein vierzigjähriger, vierschrötiger Mensch, der In-
haber eines wandernden Zirkus und, als Athlet, Hauptmitglied
desselben sein könnte. Seine Sprache ist tenorhaft guttural. Er
trägt Schlafschuhe. Die Beinkleider durch einen gestickten Gürtel gehalten. Ein offenes Hemd, nicht unsauber, ein leichtes
Jackett und die Mütze in der Hand.*

DR. KEGEL UND KÄFERSTEIN *mit gewaltiger Pathetik.*

> Dich begrüß' ich in Ehrfurcht,
> prangende Halle,
> dich, meiner Herrscher
> fürstliche Wiege,
> säulengetragenes herrliches Dach.
>   Tief in der Scheide . . .

DIREKTOR HASSENREUTER *schreit wütend.* Pause! Punkt! Punkt!
Pause! Punkt! Sie drehen doch keinen Leierkasten! Der Chor
aus der Braut von Messina ist doch kein Leierkastenstück!
„Dich begrüß' ich in Ehrfurcht" noch mal von Anfang an,
meine Herren! „Dich begrüß' ich in Ehrfurcht, prangende
Halle!" Etwa so, meine Herren! „Tief in der Scheide ruhe

das Schwert." Punktum! „Herrliches Dach", wollt' ich sagen: punktum! Meinethalben fahren Sie fort!

DR. KEGEL UND KÄFERSTEIN.

>Tief in der Scheide
>ruhe das Schwert,
>vor den Toren gefesselt
>liege des Streits schlangenhaarigtes Scheusal.
>Denn . . .

DIREKTOR HASSENREUTER *wie vorher.* Halt! Wissen Sie nicht, was ein Punkt bedeutet, meine Herren? Haben Sie denn keine Elementarkenntnisse? „Schlangenhaarigtes Scheusal." Punkt! Denken Sie sich einen Pfahl eingerammt: halt! Punkt! Alles ist totenstille! Als wenn Sie gar nicht mehr in der Welt wären, Käferstein! Und dann raus mit der Posaunenstimme aus der Brust! Halt! Um Gottes willen nicht lispeln! — „Denn . . ." Weiter! los!

DR. KEGEL UND KÄFERSTEIN.

>Denn des gastlichen Hauses
>unverletzliche Schwelle
>hütet der Eid, der Erinnyen Sohn . . .

DIREKTOR HASSENREUTER *springt auf, brüllt, läuft umher.* Eid, Eid, Eid, Eid!! Halt! Wissen Sie nicht, was ein Eid ist, Käferstein? „Hütet der Eid!! — der Erinnyen Sohn." Der Eid ist der Erinnyen Sohn, Doktor Kegel! Stimme heben! Tot! Das Publikum, bis zum letzten Logenschließer, ist eine einzige Gänsehaut! Schauer durchrieselt alle Gebeine! Passen Sie auf: „Denn des Hauses Schwelle hütet der Eid!!! — der Erinnyen Sohn, der furchtbarste unter den Göttern der Hölle!" — Nicht wiederholen, weiter im Text! Sie können sich aber jedenfalls merken, daß ein Eid und ein Münchner Bierrettich zwei verschiedene Dinge sind.

SPITTA *deklamiert.*

>Zürnend ergrimmt mir das Herz im Busen . . .

DIREKTOR HASSENREUTER. Halt! — *Er läuft zu Spitta und biegt an seinen Armen und Beinen herum, um eine gewünschte tragische Pose zu erzielen.* — Erstlich fehlt die statuarische Haltung, mein lieber Spitta. Die Würde einer tragischen Person ist bei Ihnen auf keine Weise ausgedrückt. Dann sind Sie nicht, wie ich ausdrücklich verlangt habe, von Feld I D mit dem rechten Fuß auf II C getreten. Endlich wartet Herr

Quaquaro: unterbrechen wir einen Augenblick! — *Er wendet sich an Quaquaro.* So, jetzt steh' ich zu Diensten, Herr Vizewirt; das heißt, ich habe Sie bitten lassen, weil mir leider, wie sich bei der Inventur herausstellt, mehrere Kisten mit Kostümen abhanden gekommen, mit andern Worten gestohlen sind. Bevor ich nun meine Anzeige mache, wozu ich natürlich entschlossen bin, wollte ich erst mal Ihren Rat hören. Um so mehr, da sich auch sonst noch etwas, wie soll ich sagen, eine sonderbare Bescherung statt der verlornen Kleiderkisten in einem Winkel des Bodens angefunden hat: ein Fund, um Virchow zu benachrichtigen. Erstlich ein blaukariertes Plumeau, wahrhaft prähistorisch, und eine unaussprechliche Scherbe, deren Bestimmung im ganzen harmlos, aber ebenfalls unaussprechlich ist.

QUAQUARO. Herr Direkter, ick kann ja ma oben steigen.

DIREKTOR HASSENREUTER. Tun Sie das! Sie finden oben Frau John, die durch den Fund eigentlich noch mehr als ich selbst beunruhigt ist. Diese drei Herren, die meine Schüler sind, lassen es sich partout nicht ausreden, daß da oben etwas wie eine Mordgeschichte vorgefallen ist. Aber bitte: wir wollen keinen Skandal schlagen!

KÄFERSTEIN. Wenn bei meiner Mutter in Schneidemühl im Laden irgend etwas abhanden kam, hieß es immer, das hätten die Ratten gefressen. Und wirklich, was man in diesem Hause von Ratten und Mäusen sieht — auf der Treppe hätt' ich beinahe eine totgetreten! — warum sollten Kisten und Theatergarderobe — Seide schmeckt süß — nicht ebenfalls von ihnen vertilgt worden sein!

DIREKTOR HASSENREUTER. Geschenkt, geschenkt! Alle weiteren Schnittwarenladenphantasien, ha ha ha ha! sind Ihnen geschenkt, bester Käferstein. Es fehlt nur noch, daß Sie uns Ihre Gespenstergeschichten nochmals auftischen, vom Kavalleristen Sorgenfrei, der sich nach Ihrer Behauptung seinerzeit, als das Haus noch Reiterkaserne war, mit Sporen und Schleppsäbel auf meinem Boden erhängt hat. Und daß Sie den noch in Verdacht nehmen.

KÄFERSTEIN. Sie können den Nagel noch sehn, Herr Direktor.

QUAQUARO. Det wird in janzen Hause rum erzählt von den Soldat, namens Sorjenfrei, der sich irgendwo hier oben in Dachstuhl mit 'ne Schlinge jeendigt hat.

KÄFERSTEIN. Die Tischlersfrau auf dem Hof und eine Mäntel-
näherin aus dem zweiten Stock haben ihn wiederholt bei hel-
lichtem Tage aus dem Dachfenster nicken und militärisch
stramm heruntergrüßen sehn.

QUAQUARO. Een Unteroffizier hat dem Soldaten Sorjenfrei ja
woll eene Dunstkiepe jenannt un 'n aus Feez eene rinjelangt.
Det hat sich der Dämlack zu Herzen jenomm.

DIREKTOR HASSENREUTER. Ha ha ha! Militärmißhandlungen und
Geistergeschichten! Diese Verquickung ist originell, aber zur
Sache gehört sie nicht. Ich nehme an, der Diebstahl, oder was
sonst in Frage kommt, ist während jener elf oder zwölf Tage
vor sich gegangen, als ich in Geschäften im Elsaß gewesen bin.
Also sehen Sie sich die Geschichte mal an, und bitte, Sie werden
mir nachher Bescheid sagen! *Der Direktor wendet sich seinen
Schülern zu. Quaquaro steigt über die Bodentreppe und verschwindet in der Bodenluke.* Allright, bester Spitta, schießen Sie los!

SPITTA *rezitiert nur sinngemäß und ohne Pathos.*

 Zürnend ergrimmt mir das Herz im Busen,
 zu dem Kampf ist die Faust geballt,
 denn ich sehe das Haupt der Medusen,
 meines Feindes verhaßte Gestalt.
 Kaum gebiet' ich dem kochenden Blute.
 Gönn' ich ihm die Ehre des Worts?
 Oder gehorch' ich dem zürnenden Mute?
 Aber mich schreckt die Eumenide,
 die Beschirmerin dieses Orts,
 und der waltende Gottesfriede.

DIREKTOR HASSENREUTER *hat sich niedergelassen und lauscht, den
Kopf in die Hand gestützt, voll Ergebenheit. Erst einige Sekunden, nachdem Spitta geendet hat, blickt er wie zu sich kommend auf.* Sind Sie fertig, Spitta?! Ich danke sehr! Sehen Sie,
lieber Spitta, ich bin nun Ihnen gegenüber wieder mal in die
allerverzwickteste Lage geraten: entweder ich sage Ihnen frech
ins Gesicht, daß ich Ihre Vortragsart schön finde — und dann
habe ich mich der allerniederträchtigsten Lüge schuldig gemacht — oder ich sage, ich finde sie scheußlich, und dann haben
wir wieder den schönsten Krach.

SPITTA *erbleichend.* Ja, alles Gestelzte, alles Rhetorische liegt
mir nicht. Deshalb bin ich ja von der Theologie abgesprungen,
weil mir der Predigerton zuwider ist.

DIREKTOR HASSENREUTER. Da wollen Sie wohl die tragischen Chöre wie der Gerichtsschreiber ein Gerichtsprotokoll oder wie der Kellner die Speisekarte herunterhaspeln?

SPITTA. Ich liebe überhaupt den ganzen sonoren Bombast der Braut von Messina nicht.

DIREKTOR HASSENREUTER. Sagen Sie das noch mal, lieber Spitta!

SPITTA. Es ist nicht zu ändern, Herr Direktor: unsre Begriffe von dramatischer Kunst divergieren in mancher Beziehung total.

DIREKTOR HASSENREUTER. Mensch, Ihr Gesicht in diesem Augenblick ist ja geradezu ein Monogramm des Größenwahns und der Dreistigkeit. Pardon! Aber jetzt sind sie mein Schüler und nicht mehr mein Hauslehrer! Ich! und Sie!? Sie blutiger Anfänger! Sie und Schiller! Friedrich Schiller! Ich habe Ihnen schon zehnmal gesagt, daß Ihr pueriles bißchen Kunstanschauung nichts weiter als eine Paraphrase des Willens zum Blödsinn ist.

SPITTA. Das müßte mir erst bewiesen werden.

DIREKTOR HASSENREUTER. Sie beweisen es selbst, wenn Sie den Mund auftun! — Sie leugnen die Kunst des Sprechens, das Organ, und wollen die Kunst des organlosen Quäkens dafür einsetzen! Sie leugnen die Handlung im Drama und behaupten, daß sie ein wertloses Akzidens, eine Sache für Gründlinge ist. Sie negieren die poetische Gerechtigkeit, Schuld und Sühne, die Sie als pöbelhafte Erfindung bezeichnen: eine Tatsache, wodurch die sittliche Weltordnung durch Euer Hochwohlgeboren gelehrten und verkehrten Verstand aufgehoben ist. Von den Höhen der Menschheit wissen Sie nichts. Sie haben neulich behauptet, daß unter Umständen ein Barbier oder eine Reinmachefrau aus der Mulackstraße ebensogut ein Objekt der Tragödie sein könnte als Lady Macbeth und König Lear.

SPITTA *bleich, putzt seine Brille.* Vor der Kunst wie vor dem Gesetz sind alle Menschen gleich, Herr Direktor.

DIREKTOR HASSENREUTER. So? Ach? Wo haben Sie diesen hübschen Gemeinplatz her?

SPITTA *unbeirrt.* Dieser Satz ist mir zur zweiten Natur geworden. Ich befinde mich dabei vielleicht mit Schiller und Gustav Freytag, aber keinesfalls mit Lessing und Diderot im Gegensatz. Ich habe die letzten zwei Semester mit dem Studium dieser wahrhaft großen Dramaturgen zugebracht, und der gestelzte

französische Pseudoklassizismus bleibt mir durch sie endgültig
totgeschlagen, sowohl in der Dichtkunst als in den grenzenlos
läppischen späteren Goetheschen Schauspielervorschriften, die
durch und durch mumifizierter Unsinn sind.

DIREKTOR HASSENREUTER. So!

SPITTA. Und wenn sich das deutsche Theater erholen will, so
muß es auf den jungen Schiller, den jungen Goethe des Götz
und immer wieder auf Gotthold Ephraim Lessing zurückgrei-
fen: dort stehen Sätze, die der Fülle der Kunst und dem Reichtum des Lebens angepaßt, die der Natur gewachsen sind.

DIREKTOR HASSENREUTER. Walburga! Ich glaube, Herr Spitta
verwechselt mich. Herr Spitta, Sie wollen Privatstunden halten.
Bitte, zieh dich doch mit Herrn Spitta zur Privatstunde in
die Bibliothek zurück! — Wenn die menschliche Arroganz und
besonders die der jungen Leute kristallisiert werden könnte,
die Menschheit würde darunter wie eine Ameise unter den
Granitmassen eines Urgebirges begraben sein.

SPITTA. Ich würde dadurch aber nicht widerlegt werden.

DIREKTOR HASSENREUTER. Mensch! Ich habe nicht nur zwei Semester königliche Bibliothek hinter mir, sondern ich bin ein
ergrauter Praktiker, und ich sage Ihnen, daß der Goethesche
Schauspielerkatechismus A und O meiner künstlerischen Überzeugung ist. Paßt Ihnen das nicht, so suchen Sie sich einen anderen Lehrmeister!

SPITTA *unbeirrt*. Goethe setzt sich mit seinen senilen Schauspieler-
regeln, meiner Ansicht nach, zu sich selbst und zu seiner eigenen
Natur in kleinlichsten Gegensatz. Und was soll man sagen,
wenn er dekretiert: jede spielende Person, gleichviel welchen
Charakter sie darstellen soll — wörtlich! —, müsse etwas Men-
schenfresserartiges in der Physiognomie zeigen — wörtlich —,
wodurch man sogleich an ein hohes Trauerspiel erinnert werde.
Käferstein und Kegel versuchen Menschenfresserphysiognomien.

DIREKTOR HASSENREUTER. Ziehen Sie doch das Notizbuch, mein
guter Spitta, und schreiben Sie, bitte, hinein, daß Direktor
Hassenreuter ein Esel ist! Schiller ein Esel! Goethe ein Esel!
Natürlich auch Aristoteles — *er fängt plötzlich wie toll zu
lachen an* — und, ha ha ha! ein gewisser Spitta ein Nacht-
wächter.

SPITTA. Es freut mich, Herr Direktor, daß Sie doch wenigstens
wieder bei guter Laune sind.

DIREKTOR HASSENREUTER. Nein, Teufel, ich bin bei sehr schlechter Laune! Sie sind ein Symptom. Also nehmen Sie sich nicht etwa wichtig! — Sie sind eine Ratte! Aber diese Ratten fangen auf dem Gebiete der Politik — Rattenplage! — unser herrliches neues geeinigtes Deutsches Reich zu unterminieren an. Sie betrügen uns um den Lohn unserer Mühe, und im Garten der deutschen Kunst — Rattenplage! — fressen sie die Wurzeln des Baumes des Idealismus ab: sie wollen die Krone durchaus in den Dreck reißen. — In den Staub, in den Staub, in den Staub mit euch.

Käferstein und Dr. Kegel wollen ernst bleiben, brechen indessen bald in lautes Gelächter aus, in das der Direktor hineingerissen wird. Walburga macht große Augen. Spitta behält seinen Ernst.

Nun steigt Frau John über die Leiter vom Boden herunter, nach einiger Zeit folgt ihr Quaquaro, der Vizewirt.

DIREKTOR HASSENREUTER *bemerkt Frau John, weist heftig mit beiden Armen auf sie, wie wenn er eine Entdeckung gemacht hätte.* Da kommt Ihre tragische Muse, Spitta!

FRAU JOHN *die sich unter dem Gelächter des Direktors, Kegels und Käfersteins genähert hat, verdutzt.* Wat ha ick denn an mir, Herr Direkter?

DIREKTOR HASSENREUTER. Alles Gute und Schöne, beste Frau John! Danken Sie Gott, wenn Ihr stilles, eingezogenes, friedliches Leben Sie zur tragischen Heldin ungeeignet macht! — Aber sagen Sie, haben Sie etwa Gespenster gesehen?

FRAU JOHN *mit unnatürlicher Blässe.* I, weshalb denn nu det?

DIREKTOR HASSENREUTER. Etwa gar wieder den famosen Soldaten Sorgenfrei, der dort oben als Deserteur ins bessere Jenseits seine Militärkarriere beschlossen hat?

FRAU JOHN. I, wenn't 'n lebendicher Mensch wär, det kennte sind: vor tote Jeister furcht ick mir nich.

DIREKTOR HASSENREUTER. Na, wie war's, Herr Quaquaro, unter den Bleidächern?

QUAQUARO *der einen schwedischen Reiterstiefel mitbringt.* Ich habe mir allens jut umjesehen un bin zur Ieberzeijung jekomm, det mindestens obdachloses Jesindel oben, durch wat for'n Zujang, weeß ick noch nich, jenächtigt hat. Un denn hab ick det hier in Stiefel jefunden. — *Er zieht aus dem Reiterstiefel ein Kinderfläschchen mit Gummipfropfen, halb mit Milch gefüllt.*

FRAU JOHN. Det erklärt sich: ick ha oben zu'n Rechten jesehn und ha Adelbertchen bei mich jehat. — Ick bin an die janze Jeschichte unschuldig!

DIREKTOR HASSENREUTER. Das Gegenteil hat wohl auch niemand behauptet, Frau John.

FRAU JOHN. Wo Adelbertchen zur Welt kam . . . wo Adelbertchen jestorben war . . . der soll ma komm und soll mir sachen, wat eene richtije Mutter is . . . aber nu muß ick fort, Herr Direkter . . . Nu kann ick zweer Tage, och drei nich oben komm. Atje! Ick muß mich ma bißken mit Adelbertchen bei meine Schwäjern zeijen uff Sommerfrische.
Sie trottet durch die Flurtür ab.

DIREKTOR HASSENREUTER. Was hat sie da durcheinander gefaselt?

QUAQUARO. Schon wo se det erste Kindeken hatte, nu jar nachdem, wie et jestorben is, wa eene Schraube los bei die John. Seit se nu jar det zweete hat, wackeln zwee. Hinjejen, desweejen, rechnen kann se. Die hat manchen juten Jroschen bei scheene Prozente uff Fänder ausjeborcht.

DIREKTOR HASSENREUTER. Was soll ich nun als Bestohlener tun?

QUAQUARO. Det kommt druff an, wo Verdacht hin is.

DIREKTOR HASSENREUTER. In diesem Hause? — Sagen Sie selbst, Herr Quaquaro . . .

QUAQUARO. Det is ja nu wahr, aber et is nu doch ooch so weit, det nächstens bißken jesäubert wird. De Witwe Knobbe mit ihren Anhang wird rausjeschmissen! Und denn is eene Blase uf Fliejel B, wo Schutzmann Schierke mir hat jesacht, det sich schwere Jungen mangmang befinden: wo de Polizei nächstens ausheben wird.

DIREKTOR HASSENREUTER. Irgendwo hier im Hause ist doch ein Gesangverein. Ich höre wenigstens manchmal wirklich hübsche Männerstimmen „Deutschland, Deutschland über alles“, „Wer hat dich, du schöner Wald“, „In einem kühlen Grunde“ und dergleichen absingen.

QUAQUARO. Det sind se! Det sind se! Die singen so jut wie de blaue Zwiebel! Det sind se, jewiß! Wo man singt, da laß dir jeruhig nieder, heeßt et zwar, aber det wollt ick keenen raten... Ick wage mir ooch man bloß mit mein Prinz, wat meine Bulldogge is, mang die feine Jesellschaft rin. Immer anzeijen, Herr Direkter! *Quaquaro geht ab.*

DIREKTOR HASSENREUTER. Sein Auge blitzt Kaution. Sein Wort

heischt Preußisch-Kurant. Seine Faust bedeutet Kündigung. Wer um Ultimo nicht von ihm träumt, kann von Glück sagen. Wer von ihm träumt, der brüllt nach Hilfe. Ein scheußlicher, schmalziger Kerl! Aber ohne ihn bekämen die Pächter dieser Staatsbaracke die Miete nicht, und der Militärfiskus könnte die Pacht in den Rauchfang schreiben. — *Die Türschelle geht.*
— Das ist Fräulein Alice Rütterbusch, die junge Naive, die ich leider bei dem Hangen und Bangen auf die Entscheidung der Straßburger Stadtväter mir noch immer kontraktlich nicht sichern kann. Nach meiner Ernennung, zu der mir Gott helfe, wird ihr Engagement meine erste direktoriale Handlung sein. — Walburga und Spitta, marsch auf den Oberboden! Zählt die sechs Kisten durch, wo der Vermerk Journalisten steht, daß wir im geeigneten Augenblick mit der Inventur fertig sind. — *Zu Käferstein und Dr. Kegel.* Sie mögen derweil in die Bibliothek treten. *Er geht, um die Flurtür zu öffnen. Walburga und Spitta verschwinden eilig und sehr bereitwillig auf den Oberboden. Käferstein und Kegel gehen in die Bibliothek. Direktor Hassenreuter im Hintergrund.* Bitte, kommen Sie nur herein, meine Gnädige! Pardon! Bitte sehr um Pardon! mein Herr! Ich erwartete eine Dame . . . ich erwartete eine junge Dame . . . Aber bitte, treten Sie doch herein! *Der Direktor kommt mit Pastor Spitta wieder nach vorn. Pastor Spitta, sechzig Jahre alt, ist ein etwas verbauerter kleiner Landpfarrer. Man könnte ihn ebensogut für einen Feldmesser oder kleinen Gutsbesitzer nehmen. Er ist von kräftiger Erscheinung, kurznackig, wohlgenährt, und hat ein etwas zusammengequetschtes, breites Luthergesicht. Er trägt Schlapphut, Brille, Stock, einen Lodenmantel überm Arm; ungeschlachte Stiefel und die Verfassung seiner übrigen Kleidung zeigen, daß sie an Wetter und Wind schon seit lange gewöhnt sind.*

PASTOR SPITTA. Wissen Sie, wer ich bin, Herr Direktor?

DIREKTOR HASSENREUTER. Nicht durchaus bestimmt, aber . . .

PASTOR SPITTA. Wagen Sie's nur daraufhin, Herr Direktor: nennen Sie mich bis auf weiteres Pastor Spitta aus Schwoiz in der Uckermark, dessen Sohn Erich Spitta, jawohl, in Ihrer Familie als Hauslehrer oder so ähnlich tätig gewesen ist. Erich Spitta: das ist mein Sohn. Das sag' ich mit schwerer Bekümmernis.

DIREKTOR HASSENREUTER. Zunächst freue ich mich, Sie begrüßen zu können. Ich möchte Sie aber im gleichen Atem bitten, Herr Pastor, des bewußten Seitensprunges wegen, den Ihr Sohn sich leistet, nicht allzu bekümmert, nicht allzu besorgt zu sein.

PASTOR SPITTA. O ich bin sehr besorgt! Ich bin sehr bekümmert! — *Er sieht sich mit großem Interesse, auf einem Stuhl sitzend, in dem seltsamen Raume um.* — Es ist schwer zu sagen, äußerst schwer begreiflich zu machen, bis zu welchem hohen Grade ich bekümmert bin. Aber verzeihen Sie eine Frage, Verehrtester: ich war im Zeughaus. — *Er berührt mit dem Stock einen der Pappenheimschen Kürassiere.* — Was sind das für Rüstungen?

DIREKTOR HASSENREUTER. Das sind Pappenheimsche Kürassiere

PASTOR SPITTA. Ah, ah, ich stellte mir Schiller ganz anders vor! — *Sich sammelnd.* O dieses Berlin! Es verwirrt mich ganz! Sie sehen in mir einen Mann, Herr Direktor, der nicht nur bekümmert, nicht nur durch dieses Sodom Berlin im Innersten aufgewühlt, sondern geradezu durch die Tat seines Sohnes gebrochen ist.

DIREKTOR HASSENREUTER. Eine Tat? Welche Tat?

PASTOR SPITTA. Das fragen Sie noch? Der Sohn eines redlichen Mannes und . . . und . . . Schauspieler!

DIREKTOR HASSENREUTER *gereckt, mit Haltung.* Mein Herr, ich billige den Entschluß Ihres Sohnes nicht. Aber ich selbst, der ich, honny soit qui mal y pense, der Sohn eines redlichen Mannes und selber, will ich hoffen, ein Mann von Ehre bin, ich, wie ich hier stehe, ich war selbst Schauspieler und habe noch vor kaum sechs Wochen bei einem Lutherfestspiel in Merseburg — ich bin Kulturkämpfer! — nicht nur als Regisseur, sondern auch als Schauspieler meinen Fuß auf die weltbedeutenden Bretter gestellt. In bezug auf bürgerliche Ehre und vom Standpunkt der allgemeinen Ehrenhaftigkeit dürfte also, nach meinen Begriffen wenigstens, der Entschluß Ihres Herrn Sohnes nicht zu beanstanden sein. Aber es ist ein schwerer Beruf, und man muß auch außerdem dazu sehr viel Talent haben. Auch geb' ich zu: für schwache Charaktere ist es ein Beruf, der besonders gefährlich ist. Und schließlich habe ich selbst die ungeheure Mühsal meines Standes so bis auf die Nagelprobe kennengelernt, daß ich jeden davor behüten möchte. Deshalb gebe ich meinen Töchtern Ohrfeigen, sobald auch nur der leiseste Gedanke, zur Bühne zu gehen, sich geltend macht, und eh ich sie an einen Mimen verheirate, würde ich jeder von ihnen einen Stein um den Hals hängen und sie ertränken im Meer, wo es am tiefsten ist.

PASTOR SPITTA. Ich wollte niemand zu nahe treten. Ich gebe auch zu, ich habe als schlichter Landpfarrer von alledem keine Vorstellung. Aber denken Sie sich einen Vater an, eben einen solchen armen Landpfarrer, der seine Pfennige mühsam zusammenkratzt, um seinem Sohne das Studium zu ermöglichen. Denken Sie, daß dieser Sohn kurz vor seinem Examen steht und daß Vater und Mutter — ich hab' eine kranke Frau zu Haus! — mit Schmerzen oder mit Sehnsucht, wie Sie wollen, auf den Augenblick warten, jawohl, wo er in irgendeiner Pfarre seiner Bestimmung von der Kanzel die Probepredigt halten wird. Und nun kommt dieser Brief! Der Junge ist wahnsinnig.

Die Erregung des Pastors ist nicht gerade gespielt, aber beherrscht. Das Zittern, womit er nach seinem Briefe in die Brusttasche greift und ihn dem Direktor hinhält, ist nicht ganz überzeugend.

DIREKTOR HASSENREUTER. Junge Leute suchen. Allzusehr dürfen wir uns nicht wundern, wenn eine Krise im Leben eines jungen Mannes zuweilen nicht zu vermeiden ist.

PASTOR SPITTA. Nun, diese Krise war zu vermeiden. Sie werden aus diesem Briefe unschwer erkennen, wer verantwortlich für den verderblichen Umschwung in der Seele eines so jungen, braven und immer durchaus gehorsamen Menschen zu machen ist. Ich hätte ihn nie sollen nach Berlin schicken. Jawohl: die sogenannte wissenschaftliche Theologie, die mit allen heidnischen Philosophen liebäugelt und die uns den lieben Herrgott in Rauch, den Herrn und Heiland in Luft verwandeln will, die mache ich für den schweren Fehltritt meines Kindes verantwortlich. Und nun kommen dazu die anderen Verführungen: Herr Direktor, ich habe Dinge gesehen, wovon zu sprechen mir ganz unmöglich ist! Hier habe ich Zettel in allen Taschen: Elite-Ball! Fesche Damenbedienung! und so fort. Ich gehe halb ein Uhr nachts ganz ruhig durch die Passage zwischen Linden und Friedrichstraße, schmeißt sich ein scheußlicher Kerl an mich an, halbwüchsig, und fragt mit einer schmierigen, scheuen Dreistigkeit: ob der Herr vielleicht etwas Pikantes will? Und nun diese Schaufenster, wo neben den Bildern der hohen und allerhöchsten Herrschaften nackte Schauspielerinnen, Tänzerin-

nen, kurz die anstößigsten Nuditäten zu sehen sind! Und dann
dieser Korso, dieser Korso, wo die geschminkte, aufgedonnerte
Sünde die Bürgersfrau vom Bürgersteig auf die Straße drängt!
Das ist einfach Weltuntergang, Herr Direktor!

DIREKTOR HASSENREUTER. Ach Herr Pastor, die Welt, die geht
nicht unter! Nicht wegen der Nuditäten und ebensowenig der
heimlichen Sünde wegen, die nachts durch die Straßen schleicht.
Sie wird mich und wahrscheinlich das ganze skurrile Mensch-
heitsintermezzo noch überleben.

PASTOR SPITTA. Was diese jungen Leute vom rechten Wege ab-
lenkt, ist das böse Beispiel, ist die Gelegenheit.

DIREKTOR HASSENREUTER. Mit Erlaubnis, Herr Pastor: ich habe
eigentlich eine Neigung zum Leichtsinn in Ihrem Sohne niemals bemerkt. Er hat einen Zug zur Literatur, und er ist nicht
der erste Pastorensohn — Lessing, Herder et cetera —, der in den
Weg der Literatur und Poeterei eingebogen ist. Möglicherweise
hat er schon Stücke im Schubfach liegen. Allerdings muß ich
sagen: die Ansichten, die Ihr Herr Sohn auch auf dem Felde der
Literatur vertritt, sind selbst für mich mitunter beängstigend.

PASTOR SPITTA. Das ist ja furchtbar, das ist ja entsetzlich und
geht über meine schlimmsten Befürchtungen weit hinaus! Und
so sind mir die Augen denn aufgegangen. — Mein Herr, ich
habe acht Kinder gehabt, von denen Erich unsre schönste Hoffnung, seine nächstälteste Schwester unsre schwerste Prüfung
von Gott bedeutete und die nun, dem Anschein nach, beide
von der gleichen verruchten Stadt als Opfer gefordert worden
sind. Das Mädchen war früh entwickelt, war schön — doch . . .
Jetzt muß ich zu etwas anderem kommen. — Ich bin seit drei
Tagen in Berlin und habe Erich noch nicht gesehen. Als ich
ihn heute aufsuchen wollte, war er in seiner Wohnung nicht
anwesend. Ich habe eine Weile gewartet und mich natürlich
dabei in seiner Behausung umgesehen. Nun: betrachten Sie
dieses Bild, Herr Direktor!

*Er hat eine kleine Photographie, indem er Erichs Brief zurück-
legt, aus der Brusttasche genommen und hält sie dem Direktor
unter die Augen.*

DIREKTOR HASSENREUTER *nimmt und betrachtet das Bild, bald
wie ein Kurzsichtiger, bald wie ein Weitsichtiger, stutzt.* Wieso?

PASTOR SPITTA. An dem albernen Lärvchen liegt weiter nichts.
Aber lesen Sie bitte die Unterschrift!

DIREKTOR HASSENREUTER. Wo?

PASTOR SPITTA *liest*. „Ihrem einzigen Liebsten seine Walburga."

DIREKTOR HASSENREUTER. Erlauben Sie mal! — Was heißt das, Herr Pastor?

PASTOR SPITTA. Irgendein Nähmädchen, heißt das! Wenn nicht gar irgendeine obskure Kellnerin!

DIREKTOR HASSENREUTER *sehr bleich*. Hm. *Steckt das Bild ein.* — Ich werde das Bild behalten, Herr Pastor.

PASTOR SPITTA. In solchem Schmutz wälzt sich dieser Sohn. Und nun denken Sie sich in meine Lage: mit welchen Gefühlen, mit welcher Stirn soll ich künftig vor meiner Gemeinde auf der Kanzel stehn . . .?

DIREKTOR HASSENREUTER. Donnerwetter, was geht mich das an, Herr Pastor! Was habe ich mit Ihrem Sprengel, mit Ihren verlorenen Söhnen und Töchtern und dergleichen zu tun? *Er zieht wieder die Photographie.* — Und übrigens, was dieses kernige, tüchtige Mädchen betrifft, „Kellnerin und dergleichen", so irren Sie sich! Weiter sage ich nichts! Alles Weitere wird sich finden, Herr Pastor. Adieu.

PASTOR SPITTA. Ich gestehe frei, ich begreife Sie nicht. Wahrscheinlich ist das der Ton, der in Ihren Kreisen der übliche ist. Ich gehe und werde Sie nicht mehr belästigen. Aber ich habe als Vater das Recht vor Gott, Sie, Herr Direktor, zu verpflichten: verweigern Sie künftig — oder ich werde Mittel und Wege zu finden wissen — meinem verblendeten Sohne diesen sogenannten dramatischen Unterricht!

DIREKTOR HASSENREUTER. Nicht nur das, Herr Pastor: sondern ich werde ihm ganz direkt den Stuhl vor die Tür setzen. *Er geleitet den Pastor hinaus, schlägt die Tür zu und kommt ohne ihn wieder — schleudert die Arme in die Luft.* Hier kann man nur sagen: Neandertaler! — *Er stürmt die Bodentreppe hinauf.* Spitta, Walburga, kommt mal herab! — *Walburga und Spitta kommen. — Direktor Hassenreuter zu Walburga, die ihn fragend ansieht.* Geh auf deinen Kontorbock! Setz dich auf deinen humoristischen Körperteil! — Na, und Sie, lieber Spitta, was wollen Sie noch?

SPITTA. Sie hatten gerufen, Herr Direktor.

DIREKTOR HASSENREUTER. Gut. Sehen Sie mir ins Angesicht!

SPITTA. Bitte. *Er tut es.*

DIREKTOR HASSENREUTER. Ihr macht einen dumm! Aber mich

sollt ihr nicht dumm machen! Still! Kein Wort! Ich hätte mich von Ihnen eines anderen versehen als eines so exemplarischen Beweises von Undankbarkeit! — Still! — Im übrigen war ein Herr hier! Er fürchtet sich! Vorwärts! Gehen Sie ihm nach! — Begleiten Sie ihn auf die Straße hinunter! Suchen Sie ihm begreiflich zu machen, daß ich nicht euer Schuhputzer bin!

SPITTA *zuckt die Achseln, nimmt seinen Hut, geht ab.*

DIREKTOR HASSENREUTER *schreitet energisch auf Walburga zu und zieht sie am Ohr.* Und du, meine Liebe, du bekommst Ohrfeigen, wenn du mit diesem Schlingel von verkrachtem Theologen noch jemals ohne meine Erlaubnis zwei Worte sprichst.

WALBURGA. Au, au, Papa.

DIREKTOR HASSENREUTER. Dieser Wicht, der mit Vorliebe schafsdumme Gesichter macht, als ob er kein Wässerchen trüben könnte, und dem ich den Zutritt in mein Haus zu eröffnen so unvorsichtig war, ist leider ein Mensch, hinter dessen Maske die unverschämteste Frechheit lauert. Ich und mein Haus, wir dienen dem Geiste der Wohlanständigkeit. Willst du den Schild unserer Ehre beflecken, etwa wie die Schwester von diesem Burschen, die zur Schande ihrer Eltern, wie es scheint, in Gasse und Gosse geendigt ist?

WALBURGA. Über Erich bin ich nicht deiner Ansicht, Papa.

DIREKTOR HASSENREUTER. Was?! Nun, jedenfalls kennst du meine Ansicht und weißt, einen Appell gegen meine Ansichten gibt es nicht! Du gibst ihm den Laufpaß oder siehst selber zu, wo du außerhalb deines Elternhauses mit deinem ehr- und pflichtvergessenen lockeren Lebenswandel durchkommen wirst! Dann fort mit dir! Von solchen Töchtern mag ich nichts wissen!

WALBURGA *bleich, finster.* Du sagst ja immer, Papa, du hast dir deinen Weg auch ohne deine Eltern selbständig suchen müssen.

DIREKTOR HASSENREUTER. Du bist kein Mann.

WALBURGA. Gewiß nicht. Aber denke doch mal an Alice Rütterbusch.

Vater und Tochter sehen einander fest in die Augen.

DIREKTOR HASSENREUTER. Wieso? — Bist du heiß? Was? Oder bist du irrsinnig? — *Er lenkt ab, merklich aus dem Konzept, und pocht an die Bibliothek. Kegel und Käferstein erscheinen.* — Wo blieben wir stehen? Setzen Sie ein!

KEGEL, KÄFERSTEIN *deklamieren.*

        Weisere Fassung
        ziemet dem Alter.
        Ich, der Vernünftige, grüße zuerst.

Geführt von Spitta, erscheint die Piperkarcka, straßenmäßig gekleidet, und Frau Kielbacke, die einen Säugling im Steck-kissen trägt.

DIREKTOR HASSENREUTER. Was wollen Sie? Mit was für Weibsleuten überlaufen Sie mich?

SPITTA. Es ist nicht meine Schuld, Herr Direktor, die Frauen wollten zu Ihnen hinein.

FRAU KIELBACKE. Nee. Wir wollen man bloß Frau Mauerpolier John sprechen.

DIE PIPERKARCKA. Ist doch immer bei Sie hier oben, Frau John?!

DIREKTOR HASSENREUTER. Ja! Aber ich fange an zu bedauern, daß das so ist, und wünschte jedenfalls, daß sie ihre privaten Empfänge nicht hier bei mir, sondern unten bei sich erledigt. Sonst richte ich nächstens vor der Tür Selbstschüsse oder Fußangeln ein. — Wo fehlt's Ihnen eigentlich, bester Spitta? Sie müssen jetzt schon die Gnade haben und diese Damen nach unten zurechtweisen.

DIE PIPERKARCKA. Unten in ihre Wohnung war nich zu finden Frau John.

DIREKTOR HASSENREUTER. Hier oben bei uns ist sie auch nicht zu finden.

FRAU KIELBACKE. Det junge Freilein hat nämlich ihr Söhneken bei die Frau Mauerpolier John in Flege jehat.

DIREKTOR HASSENREUTER. Freut mich! Ohne Umstände los! Retten Sie mich, Käferstein!

FRAU KIELBACKE. Nun is 'n Herr von de Stadt als wie vormundschaftsweejen nachsehn jekomm: wie't steht mit det Kind und det jut versorcht und in Stande is. Und denn is er, denn sind wir bei Frau John mitsamt den Herrn sind wir rinjejang. Denn stand det Kind und 'n Zettel bei, det Frau John hier oben uff Arbeet is.

DIREKTOR HASSENREUTER. Wo ist das Kind in Pflege gewesen?

FRAU KIELBACKE. Bei de Frau Mauerpolier John.

DIREKTOR HASSENREUTER *ungeduldig.* Das ist vollkommen blödsinnig! Das ist unrichtig! — Hätten Sie doch lieber den alten humorvollen Herrn begleitet, dem ich Sie nachgesendet habe,

Spitta, statt mir diese Damen hier auf den Hals zu ziehn!

SPITTA. Ich suchte den Herrn, aber er war schon verschwunden.

DIREKTOR HASSENREUTER. Die Damen scheinen mir nicht zu trauen. Sagen Sie ihnen doch, meine Herren, daß Frau John kein Kind in Pflege hat und daß sie also bezüglich des Namens im Irrtum sind!

KÄFERSTEIN. Ich soll Ihnen sagen, meine Damen, daß Sie wahrscheinlich bezüglich des Namens im Irrtum sind.

DIE PIPERKARCKA *heftig, verweint.* Hat Kindchen in Flege! Hat mein Kindchen in Flege jehabt. Is Herr von die Stadt jekommen, hat jesacht, daß Kindchen in schlechte Hände, verwahrlost is. Hat mich mein Kindeken zujrunde jerichtet.

DIREKTOR HASSENREUTER. Sie müssen unbedingt, meine Damen, bezüglich des Namens der Frau, von der Sie reden, im Irrtum sein. Frau Maurerpolier John hat kein Kind in Pflege.

DIE PIPERKARCKA. Hat mein Kindchen in Klauen gehabt, hat verhungern lassen, zujrunde jerichtet. Will sehn Frau John! Will auf Kopf draufsagen! Soll mich jesund machen kleinet Kind! Muß vor Jericht! Herr hat jesacht, mussen jehn an Jerichtsstelle anzeijen.

DIREKTOR HASSENREUTER. Ich bitte Sie, sich nicht aufzuregen. Tatsache ist: Sie irren sich! Wie kommen Sie nur auf den Gedanken, meine Damen, daß Frau John ein Kindchen in Pflege hat?

DIE PIPERKARCKA. Weil ick ihr selbst überjeben habe.

DIREKTOR HASSENREUTER. Frau John hat aber doch ihr eigenes Kind, mit dem sie, wie mir jetzt einfällt, auf Besuch zu der Schwester ihres Gatten zu gehen beabsichtigte.

DIE PIPERKARCKA. Hat kein Kind. Janz und jar nich, Frau John. Ick jeh unten auf Polizeibüro. Hat jelogen, betrogen. Hat kein Kind. Hat mich mein Aloischen zujrunde jerichtet.

DIREKTOR HASSENREUTER. Bei Gott, meine Damen, Sie irren sich.

DIE PIPERKARCKA. Glaubt mich kein Mensch, daß ich Kindchen jehabt habe. Hat mich mein Bräutjam Brief jeschrieben, daß nich wahr is, daß schlechtes, verlogenes Frauenzimmer bin. — *Sie berührt das Tragbettchen.* — Is mein! Will nachweisen vor Jericht! Will schwören bei heilige Mutter Jottes.

DIREKTOR HASSENREUTER. Decken Sie doch mal auf, das Kind! — *Es geschieht. Direktor Hassenreuter betrachtet den Säugling aufmerksam.* — Hm! Die Sache wird sich bald aufklären, sicherlich! Erstens — ich kenne Frau John —, hätte Frau John diesen Säugling in Pflege gehabt, er könnte ganz unmöglich so aussehn! Ganz einfach, weil Frau John, soweit Kinder in Frage kommen, das Herz auf dem rechten Flecke hat.

DIE PIPERKARCKA. Will sprechen Frau John. Weiter sagen nichts. Brauche mir nicht vor alle Welt aufdecken. Alles will haarklein voor Jericht will aussag, Tag, Stunde, auch janz jenau Ort, wo jeboren is. Jlauben mir: sollten wohl Augen aufreißen!

DIREKTOR HASSENREUTER. Sie meinen also, mein Fräulein, wenn ich Sie recht verstehe, die Frau John besitze kein eigenes Kind, und das, was dafür gegolten hat, wäre das Ihre.

DIE PIPERKARCKA. Schlag Blitz mich nieder, wenn nich so is!

DIREKTOR HASSENREUTER. Und dies hier sei eben das strittige Kind? Gott möge Sie diesmal nicht beim Wort nehmen! — Nämlich, wie Sie mich sehen, ich bin der Direktor Hassenreuter, und ich habe persönlich das Kind meiner Aufwartefrau, der Frau John, drei- oder viermal in Händen gehabt. Ich hab' es sogar auf der Waage gewogen. Es wiegt über acht Pfund. Dieses arme Wurm hier dürfte noch nicht zwei Kilo wiegen. Auf Grund dieses Umstandes versichere ich Ihnen, dies hier ist in der Tat nicht das Kind der Frau John. Es mag richtig sein, daß es das Ihre ist. Ich könnte das schlechterdings nicht bezweifeln. Das Kind der Frau John aber kenne ich und bin sicher, daß es mit diesem durchaus nicht identisch ist.

FRAU KIELBACKE *respektvoll.* Nee, nee, det muß wahr sind: et is nich identisch.

DIE PIPERKARCKA. Det Kindken is janz jenug identisch, wenn ooch bißchen schlecht jenährt und schwächlich is. Det is janz richtig hier mit det Kind. Will Eid schwören, daß richtig identisch is.

DIREKTOR HASSENREUTER. Ich bin sprachlos. — *Zu den Schülern.* Unser Unterricht steht heute unter einem feindlichen Stern, werte Jünglinge! Ich weiß nicht, wieso, aber der Irrtum der Damen beschäftigt mich. — *Zu den Frauen.* Sie werden sich in der Tür geirrt haben.

FRAU KIELBACKE. Ick ha selbst mit det Freilein und mit den Herrn von die Vormundschaft det Kindeken aus die Stube mit Schild Frau Mauerpolier John uff'n Hausflur jeholt. Frau John war nicht da, und Mauerpolier John ist in Altona abwesend. *Schutzmann Schierke kommt, behäbig und gemütlich.*

DIREKTOR HASSENREUTER. Ah, da ist ja Herr Schierke! Was wünschen Sie denn?

SCHIERKE. Herr Direktor, ick habe erfahren, det zwee Frauensleute hier oben jeflichtet sind.

DIREKTOR HASSENREUTER. Zwei Frauen sind hier. Aber wieso denn geflüchtet?

FRAU KIELBACKE. Wir sind nich jeflichtet.

DIREKTOR HASSENREUTER. Sie fragten nach meiner Aufwärterin.

SCHIERKE. Erlauben Se, det ich se ooch mal wat frache!

DIREKTOR HASSENREUTER. Bitte.

DIE PIPERKARCKA. Laß er man frachen. Desweejen kann ruhig sind.

SCHIERKE *zu Frau Kielbacke.* Wie heißen Sie?

FRAU KIELBACKE. Ich bin Frau Kielbacke.

SCHIERKE. Woll von det Landeskindererziehungsheim. Wo wohnen Sie?

FRAU KIELBACKE. In de Linienstraße neun.

SCHIERKE. Ist das Ihr Kind, was Sie bei sich haben?

FRAU KIELBACKE. Det is Freilein von Piperkarcka ihr Kind.

SCHIERKE *zur Piperkarcka.* Ihr Name?

DIE PIPERKARCKA. Paula von Piperkarcka aus Skorzenin.

SCHIERKE. Die Frau will behaupten, das wäre Ihr Kind. Wollen Sie das also auch behaupten?

DIE PIPERKARCKA. Herr Schutzmann, ich muß erjebenst um Schutz bitten, weil hier unrechtmäßigerweise verdächtigt bin. Is Herr von die Stadt mit mich hier jewesen. Haben mein Kind aus Stube Frau John, wo in Flege jewesen, rausjeholt . . .

SCHIERKE *mit durchbohrendem Blick.* Et kann ooch die Tire jejenüber bei de Restaurateurswitwe Knobbe jewesen sind. Wer weeß, wat Sie mit det Kindeken vorhaben, wovon Sie abjesandt und bestochen sind. 'n jutes Jewissen haben Se nich. Jenommen un denn hier ruffjeschlichen, weil det die rechtmäßige Mutter, Witwe Knobbe, wo bestohlen is, Treppen und Jänge absuchen, und weil schräg jejenüber Polizeiwache is.

DIE PIPERKARCKA. Is mich janz jleichgiltig Polizeiwache, bin . . .

DIREKTOR HASSENREUTER. Sie sind widerlegt, meine beste Person! Wollen Sie denn das gar nicht begreifen? Sie sagen, unsere John hätte kein Kind. Sie sagen, wollen Sie bitte gefälligst aufpassen, Sie hätten Ihr Kind, das angeblich für das von Frau John gegolten habe, aus Frau Johns Zimmer herausgeholt!

Nun also: wir alle hier kennen Frau Johns Kind, und das, was Sie da haben, ist ein anderes! Verstanden?! Was Sie behaupten also, kann, nach Adam Riese, unter gar keinen Umständen zutreffend sein! — Übrigens wär' mir's jetzt lieb, Herr Schierke, Sie nehmen die Damen mit sich fort, und ich könnte hier meinen Unterricht fortsetzen.

SCHIERKE. Ja, denn kommen wir bloß mang die Knobben mit ihren Anhang rin. Nämlich das Kind ist jestohlen worden.

DIE PIPERKARCKA. Aber nich von mich. Is jeraubt von Frau John.

SCHIERKE. Schon jut! — *Unbeirrt zum Direktor.* Und es soll ja, wie't heeßt, von Vaters Seite blaublütig sind. Die Knobbe meent ja, et is 'n Komplott von Feinde, weil man ihr die Rente un womeechlich Kadettenerziehung in 'ne jewisse Jejend nich jennen dut. — *Es wird mit Fäusten an die Tür geschlagen.* — Det is de Knobbe. Da is se schonn.

DIREKTOR HASSENREUTER. Herr Schierke, Sie sind mir verantwortlich: dringen die Leute bei mir ein, und erleide ich eine Schädigung, so wende ich mich an den Polizeipräsidenten: ich bin mit Herrn Maddai gut bekannt. Keine Furcht, liebe Kinder, ihr seid meine Kronzeugen!

SCHIERKE *an der Tür.* Draußen jeblieben! Hier rin kommen Se nich.

Ein kleiner Janhagel heult auf.

DIE PIPERKARCKA. Soll schreien, was will, bloß mein Kindchen nich nah kommen.

DIREKTOR HASSENREUTER. Es ist besser so. Treten Sie einstweilen hier in die Bibliothek hinein! — *Er bringt die Piperkarcka, die Kielbacke und das Kind in die Bibliothek.* — Und jetzt, Herr Schierke, wollen wir meinetwegen diese Megäre da draußen hereinlassen.

SCHIERKE *der die Tür ein wenig öffnet.* So! Aber bloß de Knobben! Kommen Se mal rin!

Frau Sidonie Knobbe erscheint. Sie ist eine hohe, abgezehrte Erscheinung mit stark ramponierter modischer Sommertoilette. Ihr Gesicht trägt die Stigmata der Straße, zeugt aber übrigens nicht von schlechter Abkunft. Ihre Allüren sind merkwürdig damenhaft. Sie redet mit Affektation, ihre Augen deuten auf Alkohol und Morphium.

FRAU KNOBBE *indem sie hereingesegelt kommt.* Es ist keine Ursache zur Besorgnis, Herr Direktor. Vorwiegend sind es kleine

Jungens und kleine Mädchen, da ich kinderlieb bin, wie Sie wissen, die mit mir gekommen sind. Verzeihen Sie gütigst, wenn ich hier eindringe! Eines der Kinder sagte mir, es hätten sich zwei Frauen mit meinem Söhnchen zu Ihnen heraufgeschlichen. Ich suche mein Söhnchen, genannt Helfgott Gundofried, da es tatsächlich aus meiner Wohnung verschwunden ist. Ich möchte Sie aber nicht inkommodieren.

SCHIERKE. Darum wollt ich ooch janz jehorsamst bitten, verstehn Se mich!

FRAU KNOBBE *diese Worte mit hochmütiger Kopfbewegung übergehend.* Ich habe unten im Hof zu meinem Leidwesen einen gewissen Lärm erregt. Man überblickt von da aus die Fenster, und ich habe mich bei den Leuten erkundigt, bei der armen Zigarettenarbeiterin im zweiten Stock, bei der kleinen schwindsüchtigen Näherin am Fenster im dritten Stock, ob meine Selma mit meinem Söhnchen etwa bei ihnen ist. Es liegt mir fern, Skandal zu erregen. — Sie müssen wissen, Herr Direktor — ich weiß sehr wohl, daß ich hier unter den Augen eines Mannes von Bedeutung, ja, eines berühmten Mannes bin! —, Sie müssen wissen, ich bin, was Helfgott Gundofried angeht, gezwungen, auf meiner Hut zu sein! — *Mit schwankender Stimme, das Taschentuch zuweilen an die Augen führend.* Ich bin eine arme, vom Schicksal verfolgte Frau, mein Herr, die gesunken ist und die bessere Tage gesehen hat. Aber ich will Sie damit nicht langweilen. Ich werde verfolgt! Man will mir die letzte Hoffnung nun auch rauben.

SCHIERKE. Sagen Se kurz, wat Se wünschen! Sputen Se sich!

FRAU KNOBBE *wie vorher.* Nicht genug: man hat mich veranlaßt, hat mich gezwungen, meinen ehrlichen Namen abzulegen. Ich habe dann in Paris gelebt und schließlich einen brutalen Menschen geheiratet, den Pächter von einem süddeutschen Schützenhaus, weil ich den blöden Gedanken hatte, in meinen Angelegenheiten dadurch gebessert zu sein. O diese Schurken von Männern, Herr Direktor!!

SCHIERKE. Det fihrt zu weit. Menagieren Se sich!

FRAU KNOBBE. Es freut mich, daß ich Gelegenheit finde, endlich mal wieder einem Manne von Bildung und Geist in die Augen zu sehn. Mein Herr, ich könnte Ihnen eine Geschichte vortragen . . . im Volksmund heiße ich hier die „Gräfin", und Gott ist mein Zeuge, in meiner frühen Jugend war ich nicht weit entfernt davon! Eine Zeitlang war ich auch Schauspielerin! Wie sagte ich: eine Geschichte vortragen aus meinem Leben, aus meiner Vergangenheit, die den Vorzug hat, nicht erfunden zu sein.

SCHIERKE. Na wer weeß ooch!

FRAU KNOBBE *mit Emphase.* Mein Elend ist nicht erfunden. Trotzdem es erfunden klingt, wenn ich sage, wie ich eines Nachts im tiefsten Abgrund meiner Schande einen Vetter, einen Jugendgespielen, der jetzt Garderittmeister ist, nachts auf der Straße traf. Er lebt oberirdisch, ich unterirdisch, seit mich mein adelsstolzer Herr Vater verstieß, nachdem ich als junges Ding einen Fall getan hatte. O Sie ahnen nicht, welcher Stumpfsinn, welche Roheit, welche Gemeinheit in meinen Kreisen üblich ist! Ich bin ein zertretener Wurm, Herr Direktor, und doch, dorthin, nach diesem glänzenden Elend, sehne ich mich nicht eine Sekunde zurück.

SCHIERKE. Nun woll'n wir jefälligst zur Sache kommen!

DIREKTOR HASSENREUTER. Bitte, Herr Schierke, mich interessiert das! Unterbrechen Sie zunächst mal die Dame nicht! — *zur Knobbe.* Sie hatten von Ihrem Vetter gesprochen. Sagten Sie nicht, daß er Garderittmeister ist?

FRAU KNOBBE. Er war in Zivil. Er ist Garderittmeister. Er erkannte mich, und wir feierten schmerzlich selige Stunden alter Erinnerung. In seiner Begleitung befand sich — ich nenne den Namen nicht! — ein blutjunger Leutnant. Kerlchen wie Milch und Blut, aber zart und schwermütig. Herr Direktor, ich habe die Scham verlernt! Man hat mich neulich sogar aus einer Kirche herausgewiesen: warum soll eine so zertretene, entehrte, verlassene, mehrmals vorbestrafte Person vor Ihnen nicht offen bekennen, daß er der Vater meines Helfgott Gundofried geworden ist.

DIREKTOR HASSENREUTER. Des Kindes, das Ihnen entwendet wurde?

FRAU KNOBBE. Wie die Leute sagen. Es kann ja sein! Ich selbst, obgleich meine Feinde mächtig sind und jedwedes Mittel in der Hand haben, ich bin noch nicht ganz überzeugt davon. Vielleicht ist es aber doch ein Komplott, von den Eltern des Vaters angezettelt, Menschen, die, Sie würden erstaunen, Träger eines der ältesten und berühmtesten Namen und Geschlechter sind. Adieu! Herr Direktor, was Sie auch von mir hören sollten, denken Sie nicht, mein besseres Fühlen ist in dem Sumpfe total erstickt, in den ich mich stürzen muß! Ich brauche den Sumpf, wo ich gleich und gleich mit dem Abschaum der Menschheit bin. Da, hier. — *Sie weist ihren nackten Arm vor.* Vergessen! Betäubung! Ich verschaffe es mir mittels Chloral, mittels Morphium! Ich finde es in den menschlichen Abgründen. Warum nicht? Wem bin ich verantwortlich? Einst wurde meine geliebte Mama meinetwegen von meinem Vater heruntergemacht! Die Bonne bekam meinetwegen Krampfanfälle! Mademoiselle und eine englische Miß rissen sich, weil jede behauptete, daß ich sie mehr liebte, in der Wut gegenseitig die Chignons vom Kopf. Jetzt . . .

SCHIERKE. . . . sage ick Ihnen, jetzt hören Se uff: wir kenn hier Leute nich Freiheit berauben. — *Er öffnet die Bibliothekstür.* — Jetzt sagen Se, ob det hier Ihr Kindeken is!
Zuerst tritt die Piperkarcka mit haßerfüllten Augen, Frau Knobbe anstarrend, aus der Tür. Die Kielbacke mit dem Kinde folgt. Schierke nimmt das Tuch von dem Kindchen.

DIE PIPERKARCKA. Was wollen von mich? Was kommen mir nachsetzen? Bin ick Zijeuner? Sollen wohl Kinder stehlen in Häuser jehn? Was? Sind nich gescheit! Werden mich schön hüten! Hab selber für mich und mein Kind kaum Essen jenug! Wer rumjehn, wer fremde Kinder auflesen und jroß füttern, wo eijnes mir schon jenug Kummer und Ärjer macht! — *Frau Knobbe glotzt, sieht sich fragend und hilfesuchend um. Holt dann schnell ein Flakon aus der Tasche und gießt den Inhalt auf ihr Schnupftuch. Das Schnupftuch führt sie dann an Mund und Nase und saugt den Duft des Parfüms, um nicht ohnmächtig zu werden. Hierauf glotzt sie wie vorher.*

DIREKTOR HASSENREUTER. Ja, warum sprechen Sie nicht, Frau Knobbe? Das Mädchen behauptet, daß sie selbst und nicht Sie, Frau Knobbe, Mutter des kleinen Kindes ist. *Frau Knobbe erhebt den Schirm, um damit zu schlagen. Man fällt ihr in den Arm.*

SCHIERKE. Det jibt's nich! Det is hier nich Kindererziehung! Det machen Se, wenn Se unter sich in de Kinderstube alleene sind! — Die Hauptsache bleibt, wen jeheert hier det Kind? — Und nun . . . und jetzt . . . Frau verwitwete Knobbe, ieberlejen Se sich, det Se hier reenste Wahrheit sachen! So! Is et Ihret oder 'n fremdet Kind?

FRAU KNOBBE *bricht los.* Ich schwöre bei der heiligen Mutter Gottes, bei Jesus Christus, Vater, Sohn und Heiliger Geist, daß ich Mutter von diesem Kinde bin.

DIE PIPERKARCKA. Und ich schwöre bei heilije Mutter Jottes . . .

DIREKTOR HASSENREUTER. Halt, Fräulein, retten Sie Ihre Seele! — Es mag meinethalben ein Fall von allerverwickeltsten Umständen sein! Sie schwören dabei vielleicht vollständig gutgläubig, aber Sie werden mir das gewiß zugeben: jede von Ihnen könnte zwar die Mutter von Zwillingen sein — ein Kind mit zwei Müttern ist nicht zu denken!

WALBURGA *die unverwandt und starr aus der Nähe das Kind betrachtet.* Papa! Papa! So sieh doch mal erst das Kind!

FRAU KIELBACKE *weinerlich, entsetzt.* Ja, det Kindeken stirbt schon, jloob ick, seit ick hier drin im Zimmer jewesen bin.

SCHIERKE. Wat?

DIREKTOR HASSENREUTER. Wie? — *Er tritt energisch näher und betrachtet einige Zeit ebenfalls das Kind.* — Das Kindchen ist tot! Das ist ohne Frage! — Hier ist ohne Zweifel einer gewesen, unsichtbar, der über das unbeteiligte arme, kleine Streitobjekt ein wahrhaft salomonisches Urteil gesprochen hat.

DIE PIPERKARCKA *versteht nicht.* Wat jiebt denn?

SCHIERKE. Ruhe! — Komm Sie mit!

Frau Knobbe scheint die Sprache verloren zu haben. Sie steckt ihr Taschentuch in den Mund. Tief in ihrer Brust röchelt es. Schierke, die Kielbacke mit dem toten Kinde, gefolgt von Frau Knobbe und der Piperkarcka, ab. Man hört Gemurmel auf dem Flur.

Der Direktor kommt wieder, nachdem er hinter den Abgehenden die Tür verschlossen hat.

DIREKTOR HASSENREUTER. Sic eunt fata hominum. Erfinden Sie so was mal, guter Spitta!

VIERTER AKT

Die Wohnung des Maurerpoliers John, wie im zweiten Akt. Es ist früh gegen acht Uhr sonntags.

Maurerpolier John befindet sich unsichtbar hinter dem Verschlage. Man kann aus seinem Planschen und Prusten entnehmen, daß er bei der Morgenwäsche ist. Quaquaro ist eben eingetreten und hat die Klinke der Flurtür in der Hand.

QUAQUARO. Sache ma, is deine Frau zu Hause, Paul?

JOHN *hinterm Verschlag.* Noch nich, Emil. Meine Frau is mit den Jungen bei meine verheirate Schwester in Hangelsberg. Will aber heut morjen noch wiederkomm. — *John erscheint, sich abtrocknend, in der Tür des Verschlags.* Scheen juten Morgen, Emil!

QUAQUARO. Morjen, Paul!

JOHN. Na wat jibt et Neies? Ick bin vor 'ne halbe Stunde erst von de Bahn aus Hamburch gekomm.

QUAQUARO. Ick sah dir ins Haus jehn un Treppe ruffsteijen.

JOHN *aufgeräumt.* Na ja, Emil, du bist eben so 'n richtijer Zerberus.

QUAQUARO. Sache ma, Paul: wie lange is deine Frau mit det Kleene in Hangelsberg?

JOHN. I, det muß so um die acht Dache so rum sind, Emil. Wiste wat von ehr? Miete hat se doch woll richtig abjeführt. Ibrigens kann ick jleich kindigen, Emil. Denn et is nu so weit: wir ziehn an erschten Oktober. Ick ha Muttern nu endlich breit jekriecht, det wir aus det olle wachlige Staatsjebäude raus und in 'ne beßre Jejend ziehn.

QUAQUARO. Nach Altona wiste nu nich mehr zurick?

JOHN. Nee! Bleibe im Lande und nähre dir redlich! Ick jeh nich mehr auswärts! Nich in die Hand! — Schon erstlich: immer uff Schlafstelle rumdricken! Und denn ooch jinger wird eener nich! De Mächens wolln ooch all nich mehr recht mehr so anbeißen . . . Nee nee, et is jut so, det ma det ewije Wanderleben zu Ende is.

QUAQUARO. Deine Frau hat et jut anjeschlachen, Paul.

JOHN *gut gelaunt.* Na, junge Ehe, wo ebent erst Kindchen jekomm is!? Ick ha zum Meester jesacht: ick bin jung verheirat! Denn hat er jefracht, ob meine erschte Frau jestorben is? O konträr! Janz int Jejenteil, hab ick jeantwort: die is so lebendig und quietschfidel, die hat sojar noch 'n quietschfidelen kleenen Berliner zujekricht! — Wie ick heute morjen, Berlin—Hamburg—Stendal—Ülzen, zum letztenmal uff'n Lehrter Bahnhof mit mein janzes Zeug aus de vierte Klasse jestiegen bin, hab ick 'n lieben Jott, der Deibel hol mir! so alt wie ick bin, mit een Seufzer jedankt. Er wird ihm wohl bei den Lärm uff'n Lehrter nich jeheert haben.

QUAQUARO. Haste jeheert, Paul, det drieben de Knobben ihr Jüngstes ooch wieder mit Dot abjejang is?

JOHN. Nee! Wie soll ick davon wat jeheert haben. Aber wenn et dot is, denn is et doch jut, Emil. Als ick det Wurm vor acht Dache jesehn habe, wo Krämpfe hatte und Selma jekomm is und ick und Mutter haben ihm noch'n Löffel Zuckerwasser injejossen, da war et doch schon reichlich reif for't Himmelreich.

QUAQUARO. Sache ma, haste denn von die Umstände jar nich jeheert, wie und wo det Kindchen zu Dode jekomm is?

JOHN. Nee! — *Er zieht eine lange Tabakspfeife hinter dem Sofa hervor.* — Wart ma! ick brenne mir erst ma 'ne Pipe an. Nee! Wo soll ick davon wat jeheert haben.

QUAQUARO. Ich verwunder mir aber doch, det deine Frau dir nischt von jeschrieben hat.

JOHN. I, mit Jette und mit die Knobbekinder is det, seit det mir 'n eejnet Kind haben, bei Muttern uff eema wie abjeschnappt.

QUAQUARO *lauernd.* Deine Frau wollte ja doch immer brennend jerne 'n Sohn haben.

JOHN. Na det is ooch! Meenste woll etwa, ick nich? For wat rackert eens denn? For wat schind ick mir denn? Det is doch wat anders, wenn 'n scheenet rundet Stück Jeld for'n eejnen Sohn oder for Schwesterkinder uffjespart bleiben dut.

QUAQUARO. Weeste denn nich, det 'n fremdet Mächen jekomm is, Paul, und hat behauptet, det det Kind von de Knobbe jar nich ihr eejnet, sondern det Kind von det fremde Mächen jewesen is?

JOHN. Nanu? De Knobben und Kinderstehlen? Wenn't Mutter wär! Aber de Knobben doch nich. Sach ma, Emil, wat is denn det for 'ne Jeschichte?

QUAQUARO. Na, nu, d'r eene sagt so, d'r andre sagt so. De Knobben sagt, det von een Komplott mit Dektektivs aus jewisse Kreise det kleene Balch nachjestellt worden is. Un det is nu ja ooch richtig janz festjestellt: et war det Kind von de Knobben jewesen! — Kannst du mich irgendeenen Wink jeben, wo de letzten Dache dein Schwager is?

JOHN. Meenste dem Schlachtermeester in Hangelsberg?

QUAQUARO. I nee, durchaus nich, wat der Mann von deine Schwester, sondern von deine Frau der Bruder is.

JOHN. Da meenst du Brunon?

QUAQUARO. Jewiß doch.

JOHN. Na, noch wat, da kimmere ick mir noch wat eher drum,

ob de Hunde noch immer bei Prellsteine jehn. Von Brunon will ick weiter nischt wissen.

QUAQUARO. Heer mich ma zu, Paul! Ärjer dir nich! Nämlich uff Polizeistelle is bekannt, det Bruno mit det polnische Mächen, wo uff det Kindeken Anspruch machen wollte, jleich neulich hier vor de Haustür und dann ooch an eene jewisse Stelle von de Uferstraße, wo de Jerber de Felle wegschwimmen, jemeinsam jesichtet is. Nu ist det Mächen janz jänzlich verschwunden. Weiter wat Näheres weeß ick nu freilich nich! Bloß det se von Polizei wejen det Mächen suchen.

JOHN *stellt entschlossen die lange Pfeife weg, die er sich angesteckt hatte.* Ick weeß nich, ick ha keen Justo heut morjen! — Ick weeß nich, wat in mir jefahren hat, ick war so verjnügt wie'n Eckensteher. Uff eemal is mich so kodderig zumut, det ick an liebsten jleich wieder nach Hamburg mechte un jar nischt weiter heeren und sehn! — Wat kommst de denn mir, Emil, mit so 'ne Jeschichten?

QUAQUARO. Ick wollte dir man bloß bißken uffklären, wat inzwischen, wo ja du un wohl ja ooch deine Frau auswärts jewesen is, in deine Behausung jeschehn is.

JOHN. In meine Behausung?

QUAQUARO. Det is ja! Jawoll! Selma hatte ja, heeßt et, det Knobbesche Jungchen in Kinderwachen hier rieberjeschoben, wo et det fremde Frauenzimmer mit ihre Begleitung aus deine Wohnung jenommen und wechjetragen hat. Oben bei de Kamedienspieler is se ja dann noch jlicklich jestellt worden.

JOHN. Wat is se?

QUAQUARO. Und da haben sich ooch de Knobbe un det fremde Mächen ieber det dote Kind bei de Haare jekriecht.

JOHN. Wenn ick man wißte, wat mir det soll, Emil, wo doch alle Oojenblicke hier mit Frauenzimmer een Jewürge is. Laß se man kampeln! Mir is det jleichjiltig! Nämlich, Emil, wenn da nich sonst wat dahinter is!?

QUAQUARO. Deshalb komm ick ja, Paul! Et is wat dahinter! Det Mächen hat nämlich mehrmals vor Zeujen ausjesacht: erstlich, det Wurm von de Knobbe, det wär ihr Kind und det hätt se ausdricklich bei deine Frau, Paul, in de Fleje jejeben.

JOHN *stutzt, lacht befreit.* Der pickt et! Der is woll ma nich janz unwohl jeworden!

Erich Spitta kommt.

SPITTA. Guten Morgen, Herr John!

JOHN. Juten Morjen, Herr Spitta! — *Zu Quaquaro, der noch in der geöffneten Tür steht:* 's jut, Emil! Ick wer mir wissen zu richten nach. — *Quaquaro ab.* — *John fährt fort:* Nu sehn Se ma so'n Männeken, Herr Spitta! Mit een Fuß steht er in't Jefängnis, mit 'n andern is er Liebkind beim Bezirkskommissar uff't Polizeibüro! Und denn jeht er bei ehrliche Leute rum-schnüffeln.

SPITTA. Hat Fräulein Walburga Hassenreuter nach mir gefragt, Herr John?

JOHN. Bis jetzt noch nich. Nee, det ick nich wißte! — *Er öffnet die Flurtür.* — Selma! —Entschuldjen Se mir ma 'n Oojenblick! — Selma! — Ick muß ma det Mächen wat aushorchen. *Selma Knobbe kommt.*

SELMA *noch in der Tür.* Wat is?

JOHN. Mach ma de Tir zu, komm ma 'n bißken rin! Un nu sach mal, Mächen, wat det hier in de Stube mit dein kleenet verstorbenet Briderchen und mit det fremde Weibsbild jewesen is!

SELMA *die, mit merkbar schlechtem Gewissen, lauernd näher getreten ist, jetzt sehr wortgewandt.* Ick hatte den Kinder-wachen hier rieber jeschoben. Ihre Frau war nich da, und da dacht ick, det hier drieben, wo doch det Briderken sowieso krank war und immer schrie, det hier drieben bei Sie mehr Ruhe is. Nu kam een Herr un kam eene Dame un noch 'ne Frau kam uff eemal hier rin. Und denn ha'm se det Kindeken hier aus'n Wachen raus, frische Wäsche jewickelt un mit fort-jenomm.

JOHN. Und denn hat die Dame jesacht, et wär ihr Kind und se hätt et bei Muttern, als wie det meine Olle is, hätt se's, sagt se, in Fleje jejeben?

SELMA *lügt.* I, jar keene Ahnung, da wißt ick wat von.

JOHN *schlägt auf den Tisch.* Na zum Kreuzdonnerwetter, det wär ja ooch bleedsinnig!

SPITTA. Erlauben Sie mal, das hat sie gesagt: wenn nämlich von dem Vorfall zwischen den beiden Frauen oben bei Direktor Hassenreuter die Rede ist.

JOHN. Det haben Se mit anjesehn, Herr Spitta, wo de Knobben und de andere um det Würmchen jezerjelt hat?

SPITTA. Allerdings. Das hab' ich mit angesehn.

SELMA. Weiter kann ick nischt sachen, und wenn mir ooch Schutzmann Schierke und meinswejen der lange Polizeileitnam janzem zwee Stunden und länger verhören dut. Ick weeß eben nischt. Ick kann eben nischt sachen.

JOHN. 'n Polizeileitnam hat dir ausjefracht?

SELMA *knutscht.* Se wollen doch Maman in Kasten bringen, weil et Leute anjezeicht un jelogen haben, det unser Kindeken vahungert is.

JOHN. Ach so! — Na Selma, jeh, laß ma 'n Kaffee durchloofen! *Selma begibt sich an den Herd, wo sie den Kaffee für John zubereitet. John selbst geht an den Arbeitstisch, nimmt den Zirkel und zieht dann mit der Schiene einige Linien.*

SPITTA *mit Überwindung.* Eigentlich hoffte ich Ihre Frau hier zu treffen, Herr John. Mir hat jemand gesagt, Ihre Frau hätte gegen Sicherheit mitunter kleine Beträge an Studenten geliehen. Ich bin nämlich in Verlegenheit.

JOHN. Det mag sind. Aber det is Mutterns Sache, Herr Spitta.

SPITTA. Ganz offen gesagt, wenn ich bis heute abend kein Geld schaffe, werden meine paar Bücher und Habseligkeiten von meiner Zimmerwirtin mit Beschlag belegt, und man setzt mich eigentlich auf die Straße.

JOHN. Ick denke, Ihr Vater ist Paster, Herr Spitta.

SPITTA. Das ist er. Aber gerade deshalb, und weil ich selber nicht Pastor werden mag, habe ich gestern abend einen furchtbaren Krach mit meinem Vater gehabt. Ich werde von ihm keinen Pfennig mehr annehmen.

JOHN *arbeitend.* Det jeschieht Vatern recht, wenn ick verhungern tu oder 'n Hals breche.

SPITTA. Ein Mensch wie ich wird nicht verhungern, Herr John. Geh' ich aber zugrunde, so ist mir's auch gleichgültig.

JOHN. Det jloobt eener nich, wat unter euch Studenten for ausjehungerte arme Ludersch sind. Aber keener will wat Reelles anfassen. — *Ferner Donner. John blickt durchs Fenster.* — Heute wird schwule. Et donnert schon.

SPITTA. Von mir dürfen Sie das nicht sagen, Herr John, daß ich etwas Reelles nicht anfassen möchte: Stunden geben! für Geschäfte Adressen schreiben! Ich habe das alles schon durchgemacht und damit, wie mit manchem anderen Versuch, nicht nur Tage, sondern auch Nächte um die Ohren geschlagen. Dabei hab' ich gebüffelt und Bücher gewälzt.

JOHN. Mensch, jeh nach Hamburg und laß dir als Maurer instellen! Wie ick so alt war wie Sie, ha ick in Altona in Akkord schon bis zwelf Mark täglich verdient.

SPITTA. Das mag sein. Aber ich bin Geistesarbeiter.

JOHN. Det kennt man.

SPITTA. So?! Mir scheint nicht, daß Sie das kennen, Herr John. Vergessen Sie aber bitte nicht: Ihre Herrn Bebel und Liebknecht sind auch Geistesarbeiter.

JOHN. Na jut! Denn komm Se! Denn wollen wir man wenigstens frühstücken. Allens sieht sich janz andersch an, wenn det eener 'n Happenpappen jefrühstückt hat. Se haben woll noch nicht jefrühstückt, Herr Spitta?

SPITTA. Nein, offen gestanden, heute noch nicht.

JOHN. Na denn machen Se man, det Se wat Warmes in Leib kriejen!

SPITTA. Das hat Zeit.

JOHN. I nee, Se sehen sehr vakatert aus. Und ick ha ooch die Nacht uff de Bahn jelejen. — *Zu Selma, die ein Leinwandsäckchen mit Semmeln hereingeholt hat.* — Bring ma schnell noch 'ne Tasse ran! *Er hat breit auf dem Sofa Platz genommen, tunkt Semmel ein und trinkt Kaffee.*

SPITTA *der noch nicht Platz nimmt.* Eine Sommernacht bringt man doch lieber im Freien zu, wenn man im übrigen doch nicht schlafen kann. Und ich habe nicht eine Minute geschlafen.

JOHN. Dem wollt ick ma sehn, der in Dalles is und jut schlafen kann! Wer in Dalles is, hat ooch in Freien de meeste Jesellschaft. — *Er vergißt plötzlich zu kauen.* — Komm ma her, Selma, sache noch ma janz jenau, wie det mit det fremde Mächen und det fremde Kind, det se hier aus de Stube jeholt hat, jewesen is!

SELMA. Ick weeß nich, det frächt mich 'n jeder, frächt mir Mama jetzt 'n lieben langen Dach! Ob ick Brunon Mechelke jesehn habe! Ob ick wissen soll, wer oben uff'n Boden bei de Kamedienspieler Kleider jestohlen hat! Wenn det so fortjeht . . .

JOHN *energisch.* Mächen, wat haste nich Lärm jeschlagen, wie der Herr und det Freilein dir dein Brüderken aus'n Wachen jenommen hat?

SELMA. Jeschieht ihm ja nischt, dacht ick! Krist ma reene Wäsche.

JOHN *faßt Selma beim Handgelenk.* Na nu komm ma mit, wollen ma rieber bei deine Mutter jehn.

John mit Selma an der Hand ab.
Sobald John verschwunden ist, fällt Spitta über das Frühstück
her. Bald darauf erscheint Walburga. Sie ist in großer Eile und
sehr aufgeregt.

WALBURGA. Bist du allein?

SPITTA. Augenblicklich ja. Guten Morgen, Walburga!

WALBURGA. Komm' ich zu spät? Ich habe mich ja nur mit der
allergrößten Schlauheit, mit der allergrößten Entschlossenheit,
mit der allergrößten Rücksichtslosigkeit, komme was wolle,
von Hause losgemacht. Meine jüngere Schwester hat mir die
Tür vertreten. Das Dienstmädchen! Ich sagte aber zu Mama,
wenn sie mich nicht durch das Entree hinausließen, so möchten
sie nur die Fenster vergittern: sonst würde ich drei Stock hoch
durchs Fenster direkt auf die Straße gehn. Ich fliege. Ich bin
mehr tot als lebendig. Aber ich bin zum Letzten bereit. Wie
war es mit deinem Vater, Erich?

SPITTA. Wir sind auseinander. Er meinte, ich würde Treber
fressen wie weiland der verlorene Sohn, und ich möchte mir
ja nicht einfallen lassen, als Luftspringer oder Kunstreiter,
wie er sich auszudrücken beliebt, jemals wieder die Schwelle
des Vaterhauses betreten zu wollen. Für Gesindel öffne sich
seine Haustür nicht. Ich werd's verwinden! Nur meine arme
gute Mutter bedaure ich. — Du kannst dir nicht denken, mit
welchem abgrundtiefen Haß ein solcher Mann gegen alles und
alles, was mit dem Theater zusammenhängt, geladen ist! Der
schrecklichste Fluch ist ihm nicht stark genug. Ein Schauspieler
ist in seinen Augen von vornherein der allerverächtlichste,
schlechteste Lumpenhund, der sich denken läßt.

WALBURGA. Ich habe auch nun herausgekriegt, wie Papa da-
hintergekommen ist.

SPITTA. Mein Vater hat ihm dein Bild gegeben.

WALBURGA. Erich, Erich, wenn du wüßtest, mit welchen schrecklichen, mit welchen grauenvollen Ausdrücken mich Papa in
der Wut überschüttet hat, und ich mußte zu allem stillschweigen! Ich hätte ihm etwas sagen können, das hätte ihn vielleicht mit seinen Tiraden von hoher Moral stumm und hilflos
vor mir gemacht. Beinahe wollt' ich es auch: doch ich schämte
mich so entsetzlich für ihn! Meine Zunge versagte! Ich konnte
nicht, Erich! Mama mußte schließlich dazwischentreten. Er hat
mich geschlagen. Er hat mich acht oder neun Stunden lang in

den finsteren Alkoven eingesperrt, um meinen Trotz zu brechen, wie er sagt, Erich. Nun, das gelingt ihm nicht, Erich! Er bricht ihn nicht.

SPITTA *nimmt Walburga in den Arm.* Du Brave, du Tapfere! Siehst du, jetzt weiß ich erst, was ich an dir besitze, weiß ich erst, was für ein Schatz du eigentlich bist. — *Heiß.* Und wie schön du aussiehst, Walburga.

WALBURGA. Nicht! Nicht! — Ich vertraue dir, Erich, weiter ist es doch nichts.

SPITTA. Und du sollst dich nicht täuschen, süße Walburga. Sieh mal, ein Mensch wie ich, in dem es gärt und der was Besonderes, Dunkles, Großes will, was er einstweilen noch nicht recht deutlich machen kann, hat mit zwanzig Jahren die ganze Welt gegen sich und ist aller Welt lästig und lächerlich. Aber glaub mir: einst wird das anders werden. In uns liegen die Keime. Der Boden lockert sich schon! Wir sind, wenn auch noch unterirdisch, die künftige Ernte! Wir sind die Zukunft! Die Zeit muß kommen, da wird die ganze weite, schöne Welt unser sein.

WALBURGA. Sprich weiter, Erich, das ist mir so wohltätig!

SPITTA. Walburga, ich habe gestern abend meinem Vater auch von der Leber weg die Anklage des Verbrechens an meiner Schwester ins Gesicht geschleudert. Das hat den Bruch unheilbar gemacht. Er sagte verstockt: von einer Tochter wie der von mir geschilderten wisse er nichts. Sie existiere in seiner Seele nicht, und wie es den Anschein habe, werde auch bald sein Sohn dort nicht mehr existieren. O diese Christen! O diese Diener des guten Hirten, der das verlorene Schaf doppelt zärtlich in seine Arme nahm! O du lieber Heiland, wie sind deine Worte verkehrt, deine ewigen Lehren in ihr Gegenteil umgefälscht worden. Aber als ich heute nacht bei Donnerrollen und Wetterleuchten auf einer Bank im Tiergarten saß und gewisse Berliner Hyänen um mich herumschlichen, da fühlte ich die ruhelose und zertretene Seele meiner Schwester neben mir. Wie oft mag sie selbst im Leben Nächte hindurch obdachlos auf solchen Bänken und vielleicht auf derselben Tiergartenbank gesessen haben, um in ihrer Verlassenheit, Ausgestoßenheit und Entwürdigung darüber nachzudenken, wie triefend von Menschenliebe, triefend von Christentum zweitausend Jahre nach Christi Geburt diese allerchristlichste Welt sich manifestiert. Aber was sie auch dachte, ich denke so: die arme Dirne, die Sünderin, die vor neunundneunzig Gerechten geht, die von dem Drucke der Sünde der Welt belastet ist, die arme Aussätzige und ihre fürchterliche Anklage soll in meinem Inneren lebendig sein! Und alles Elend, allen Jammer der Gemißhandelten und Entrechteten werfen wir mit in die Flamme hinein! Und so soll die Schwester leben, Walburga, und soll Herrlicheres wirken vor Gott durch das Ethos, das meine Seele beflügelt, als die ganze kalte, herzlos böse Moralpfafferei der Welt vermag.

WALBURGA. Du warst die Nacht im Tiergarten, Erich? Deshalb sind deine Finger noch so eiskalt, und du siehst so entsetzlich müde aus. Erich, du mußt mein Portemonnaie nehmen! Erich! Nein bitte, du mußt! Ich versichere dich! Was mein ist, ist dein! Sonst liebst du mich nicht, Erich! Erich, du darbst! Wenn du meine paar Groschen nicht nimmst, verweigere ich zu Hause jede Nahrung — bei Gott, ich tu's —, bis du vernünftig wirst.

SPITTA *würgt Tränen hinunter. Muß sich setzen.* Ich bin nur nervös. Ich bin abgespannt.

WALBURGA *steckt ihr Portemonnaie in seine Hosentasche.* Nun sieh mal, Erich, deshalb habe ich dich eigentlich hier zu Frau John bestellt. Zu allem Unglück bekomme ich gestern noch hier diese gerichtliche Vorladung.

SPITTA *betrachtet ein Schriftstück, das sie ihm gereicht hat.* Du? Und weshalb denn das, sag mal, Walburga?

WALBURGA. Ich bin mir sicher, daß es mit den gestohlenen Sachen auf dem Oberboden zusammenhängt. Aber es macht mich furchtbar unruhig. Wenn Papa das erfährt . . . ja, was tu' ich dann?

Frau John, das Kind auf dem Arm, straßenmäßig angezogen, sehr gehetzt, sehr verstaubt, kommt herein.

FRAU JOHN *erschrocken, mißtrauisch, halblaut.* Nu? Wat wollt ihr hier? Is Paul schon zu Hause? Ick war eben ma 'n bißken mit det Kindken uff de Jasse jejangn. *Sie trägt das Kind hinter den Verschlag.*

WALBURGA. Bitte, Erich, sprich doch mal über meine Vorladung mit Frau John!

FRAU JOHN. Paul is ja zu Hause, da liejen ja seine Sachen.

SPITTA. Fräulein Hassenreuter wollte Sie gern mal sprechen. Sie hat nämlich, wahrscheinlich wegen der gestohlenen Sachen, Sie wissen ja, auf dem Oberboden, eine gerichtliche Vorladung.

FRAU JOHN *tritt aus dem Verschlage.* Wat? Eene Vorladung ham Sie jekriecht, Freilein Walburga? Na, denn nehm sich in Obacht! Ick spaße nich! Un phantasieren Se womeechlich von Schwarzen Mann!

SPITTA. Was sie da sagen, Frau John, ist unverständlich.

FRAU JOHN *zur häuslichen Beschäftigung übergehend.* Habt ihr jeheert, det draußen in eene Laubenkolonie vor't Hallesche Tor der Blitz heute morjen Mann, Frau und 'n Mächen von sieben unter eene hohe Pappel erschlagen hat?

SPITTA. Nein, Frau John.

FRAU JOHN. Et pladdert schon wieder.

Man hört, wie ein Regenschauer niedergeht.

WALBURGA *ängstlich.* Komm, Erich, wir wollen trotzdem ins Freie gehn!

FRAU JOHN *lauter und lauter werdend.* Und wissen Se wat: ick habe die Frau kurz vorher noch jesprochen, wo nachher von Blitze erschlachen is. Die hat jesacht — nu heern Se ma zu, Herr Spitta —, een dotet Kindeken, det man in Kinderwachen legt und raus in die warme Sonne rickt — det muß aber Sommersonne und Mittagssonne sind, Herr Spitta! — det zieht Atem! det schreit! det is wieder lebendig! — Det jlooben Se nich? Wat? Det ha ick mit meine Oojen jesehn. *Sie geht in eigentümlicher Weise im Kreise herum, ohne scheinbar mehr etwas von der Gegenwart der beiden jungen Leute zu wissen.*

WALBURGA. Du, die John ist unheimlich, komm!

FRAU JOHN *noch lauter.* Det jlooben Se nich, det det wieder lebendig is? Denn kann Mutter kommen und nehmen. Denn muß et jleich Brust kriejen.

SPITTA. Adieu, Frau John.

FRAU JOHN *noch lauter. Bringt seltsam aufgeregt die beiden jungen Leute bis zur Tür.* Sie jlooben det nich! Det is aber heilig so, Herr Spitta. — *Spitta und Walburga ab. Frau John hält die Tür in der Hand, ruft noch auf den Flur hinaus.* Wer det nich jloobt, der weeß von det janze Jeheimnis, wo ick entdeckt habe, nischt.

Maurerpolier John steht in der Tür und tritt gleich darauf ein.

JOHN. I, da bist du ja, Mutter! Scheen willkomm! Von wat for'n Jeheimnis sprichst du denn?

FRAU JOHN *wie aufwachend, faßt sich an den Kopf.* Ick? — Ha ick denn von 'n Jeheimnis jesprochen?

JOHN. Na ick denke doch, wenn ick nich schwerheerig bin. Biste nu 'n Jeist oder bist et wirklich?

FRAU JOHN *befremdet, ängstlich.* Woso soll ick 'n Jeist sind?

JOHN *schlägt seine Frau gutmütig auf den Rücken.* Jette, beiß mir man nich! Ick freu mir ja reichlich desweejen, det de nu wieder mit dein Patengeschenk bei mich bist! — *Er geht hinter den Verschlag.* — Er sieht aber 'n bißken miserich aus, Jette.

FRAU JOHN. Et vertrug de Milch nich. Det kommt, weil draußen uff'n Lande de Kühe schon jrienet Futter kriejen. Hier von de vereinichte Molkerei ha ick wieder welche, wo trocken jefüttert is.

JOHN *erscheint wieder.* Ick sag's ja, was biste erst mit det Kind uff de Bahn und raus aus de Stadt jeturnt! Ick spreche, die Stadt is an allerjesindsten.

FRAU JOHN. Nu bleib ick ooch wieder zu Hause, Paul.

JOHN. In Altona, Jette, is ooch nu allet in't reene jebracht. Jejen Mittag treff ick mit Karln zusamm, und denn will er mir sachen, wenn ick beim neuen Meester antreten kann! — Hör ma: ich ha ooch wat mitjebracht. *Er schüttelt eine kleine Kinderklapper, die er aus der Hosentasche nimmt.*

FRAU JOHN. Wat denn?

JOHN. Det Leben wird in de Kinderstube, weil et doch in Berlin manchma immer 'n bißken zu stille is! — Horch ma, wie't kräht! — *Man hört das Kindchen allerlei vergnügte Geräusche machen.* Nee, Mutter, wenn so 'n Kindeken kräht, dafür jeb ick Amerika.

FRAU JOHN. Haste schonn jemand jesprochen, Paul?

JOHN. Nee! — Ick ha hechstens heut morjen Quaquaron jesprochen.

FRAU JOHN *scheu, gespannt.* Nu, und?

JOHN. I, laß man, jar nischt, et war weiter nischt.

FRAU JOHN *wie vorher.* Wat hat er jesacht?

JOHN. Wat soll er jesacht haben? — Na, wenn de schon keene Ruhe jeben dust — wat soll det nitzen an Sonntag morjen? —, er hat mir ma wieder nach Brunon jefracht.

FRAU JOHN *hastig und bleich.* Wat soll denn Bruno wieder jemacht haben?

JOHN. Jar nischt! — Hier komm und trink 'n Schluck Kaffee,

Jette, und ärjer dir nich! — Wat kannst de dafür, wenn eener so 'n sauberet Brüderken hat? — Wat brauchen wir uns um andre bekimmern?

FRAU JOHN. Det mecht ick wissen, wat so 'ne olle dußliche Dromlade, wo 'n janzen Tag spionieren dut, immer von Brunon zu quasseln hat.

JOHN. Jette, mit Brunon laß mir in Frieden! — Sieh ma . . . i wat denn? . . . lieber nich! . . . Aber wenn ick da wieder wat sollte von sachen: det soll mir nich wundern, wo mit Bruno ma jelejentlich in Jefängnishof, haste nich jesehn, ma 'n schnellet Ende is. — *Frau John läßt sich am Tisch nieder, wird grau im Gesicht, stützt sich auf beide Ellbogen und atmet schwer.* — Vielleicht ooch nich! Nimm et dir man nich jleich so zu Herzen! — Wat macht denn de Schwester?

FRAU JOHN. Ick weeß et nich.

JOHN. Na ick denke, de bist bei se draußen jewesen.

FRAU JOHN *sieht ihn geistesabwesend an.* Wo bin ick jewesen?

JOHN. Siehste woll, Jette, det is mit euch Weiber! De schudderst ja! Bein Arzt und bein Doktor wiste nich hinjehn! Womeechlich det de noch nachträglich zum Liejen kommst. Det is, wenn eens die Natur vernachlässigt.

FRAU JOHN *fällt ihrem Mann um den Hals.* Paul, du wist mir verlassen! Jott im Himmel, Paul, sach et, sach et bloß, tu mir nich hinters Licht fihren! Sach et! Fihr mir nich hinters Licht.

JOHN. Wat is mit dich heute los, Henerjette?

FRAU JOHN *plötzlich verändert.* Hör man nich druff, Paul, wat ick so herschwatze. Ick ha wieder die Nacht keene Ruhe jehat! Und denn war ick früh uff, und denn is et nich anders, als wie det ick n' bißken von Kräfte bin.

JOHN. Denn leg dir man lang und ruh dir 'n bißken. — *Frau John wirft sich lang auf das Sofa und starrt gegen die Decke.* — Kannst dir dann ooch ma 'n bißken kämmen, Jette! Uff de Bahn war et wohl sehr staubig jewesen, det de so ieber und ieber mit Sand injepulvert bist? — *Frau John antwortet nicht, sie starrt gegen die Decke.* — Ick muß ma det Bengelchen 'n bißken an't Licht holen. *Er begibt sich hinter den Verschlag.*

FRAU JOHN. Wie lange sind wir verheirat, Paul?

JOHN *die Kinderklapper geht hinterm Verschlag, dann.* Det war achtzehnhundertundzweeundsiebzig, jleich wie ick bin aus'n Kriege jekomm.

FRAU JOHN. Nich, denn kamst de zu Vater hin? — und denn hast de in Positur jestanden? — und denn hast de't Eiserne Kreuz an de linke Brust jehat.

JOHN *erscheint, das Kind im Steckkissen auf dem Arme, die Kinderklapper schwingend. Er sagt lustig.* Jawoll! Det ha ick ooch heute noch, Mutter! Und wenn de't sehn willst, denn stech ick's mir an.

FRAU JOHN *noch immer lang ausgestreckt.* Und denn kamst de zu mich, und denn hast de jesacht: ick sollte nich immer so fleißig . . . nich immer so hin und her, treppuff, treppab . . . ick sollte ma 'n bißken pomadich sind.

JOHN. Det sach ick so jut ooch heute noch, Jette.

FRAU JOHN. Und denn haste mir mit dein Schnurrbart jekitzelt und hast mir links hinter't Ohr jeküßt! — Und denn . . .

JOHN. Denn sind wir wohl einig jeworden?

FRAU JOHN. Denn ha ick jelacht und ha mir nach und nach, apee apee von oben bis unten in alle Uniformknöppe abjespielt. Und da ha ick noch anders ausjesehn! — Und denn haste jesacht . . .

JOHN. I Mutter, de kannst dir wahrhaftig sehn lassen, det jloobt eener nich, wat du for'n Jedächtnis hast.

FRAU JOHN. Und denn haste jesacht: wenn ick nu bald 'n Jungen krieje, der soll ooch ma mit Jott für Keenich und Vaterland und Wacht am Rhein hinter de Fahne her zu Felde ziehn.

JOHN *singt, über das Kindchen, zur Klapper.*
    Er blickt hinauf in Himmels Aun,
    wo Heldenväter niederschaun:
    zum Rhein, zum Rhein, zum deutschen Rhein! . . .
Nu ha ick so'n Kerlchen, und nun bin ick wahrhaftig jar nich so wilde druff, det ick ihm mechte womeechlich als Kanonenfutter in Krieg schicken. *Er geht mit dem Kindchen in den Verschlag.*

FRAU JOHN *wie vorher.* Paulicken, Paulicken, det allens is hundert Jahre her!

JOHN *kommt, ohne das Kind, wieder aus dem Verschlag.* Janz so lange woll doch nich, Jette.

FRAU JOHN. Sach ma, wie wär det? Du nähmst mir mit und jingst mit mich und mein Kindeken jingst du fort nach Amerika?

JOHN. Na nu heer ma, Jette: wat is mit dich? Wat is det? Bin ick denn hier von Jespenster umjeben? Du weeßt, det ick uff'n

Bau, und wenn de Arbeeter mit Klamotten iebereinander her
sind, ieberhaupt mir nich uffreje und, wat se mir nennen, Paul
is immer jemitlich, bin! Aber nu: wat is det? De Sonne scheint,
et is hellichter Tag! Ick weeß nich: sehen kann ick et nich! Det
kichert, det wispert, det kommt jeschlichen, und wenn ick nach
jreife, denn is et nischt. Nu will ick ma wissen, wat an die
Jeschichte mit det fremde Mächen hier in de Stube Wahret is!
FRAU JOHN. Paul, du hast jeheert, det Freilein is ieberhaupt jar
nich mehr wiederjekomm. Da draus kannst de sehn . .
JOHN. Det sachst du zu mich mit blaue Lippen und machst Augen,
wie wennste jerädert bist.
FRAU JOHN *verändert.* Jawoll! Wat läßte mir jahrelang alleene,
Paul, wo ick in mein Käfije sitzen muß und keen Mensch nich
is, mir ma auszusprechen? Manch liebet Mal hab ick hier jesessen und jefracht, warum det ick immer rackern du, warum det
mir abdarbe, Jroschens mühsam zusammenscharre, dein Verdienst jut anleje und wie ick uf jede Art wat zuzuverdien mir
abjrübeln du. Warum denn? Det soll allens for fremde Leite
sind? Paul, du hast mir zujrunde jerichtet!
*Sie legt den Kopf auf den Tisch und bricht in Schluchzen aus.
In diesem Augenblick ist, katzenartig leise, Bruno Mechelke
eingetreten. Er hat seine Sonntagskluft an, hat Flieder an der
Mütze und einen großen Fliederzweig in der Hand. John trommelt ans Fenster und bemerkt ihn nicht.*
FRAU JOHN *hat Bruno wie eine Geistererscheinung nach und nach
ins Auge gefaßt.* Bruno, bist du's?
BRUNO *der blitzschnell den Maurerpolier erkannt hat, leise.* Na
jewiß doch, Jette.
FRAU JOHN. Wo kommst de denn her? Wat wiste denn?
BRUNO. Na, ick habe de Nacht durchjescherbelt, Jette. Det siehste
doch, det ick bei jute Laune bin.
JOHN *hat Bruno bis jetzt unverwandt angesehen, wobei eine
gefährliche Blässe sein Gesicht überzogen hat. Jetzt geht er
langsam zu einem kleinen Schrank und zieht einen alten Kom-
mißrevolver hervor, den er ladet. Dies wird von Frau John
nicht beobachtet.* Du! Hör ma! Nu will ick dir ma wat sachen
— wat, wat de vielleicht verjessen hast —, det de weiter nu
keene Ausrede hast, wenn ick det Dinges hier uff dir abdricke!
— Du Lump! Unter Menschen jeheerst du nich! Ick ha dir
jesacht, det ick dir niederknalle, det war vorichten Herbst,

wo du mich jemals wieder uff meine Schwelle unter de Oogen
trittst. — Nu jeh! Sonst kracht et! Hast de verstanden?

BRUNO. Vor deine Musspritze furcht ick mir nich.

FRAU JOHN *die bemerkt, daß John, seiner selbst nicht mächtig,
den Revolver langsam gegen Bruno erhebt.* Denn mach mir
dot, Paul! Et is mein Bruder! *Sie ist John in den Arm gefallen,
so daß sein Revolver gegen sie gerichtet ist.*

JOHN *sieht sie lange an, scheint zu erwachen, wird anderen Sinnes.*
Jut! — *Er legt den Revolver wieder sorgfältig in das Schränk-
chen.* — Hast ooch recht, Jette! — Pfui Deibel, Jette, det dein
Name ooch in de Fresse von so 'n Schubiack is! Jut! Det Pulver
wär ooch zu schade! Det Dinges hat Blut von zwee franzesche
Reiter jekost! Zwee Helden! Nu soll et am Ende Dreck saufen.

BRUNO. Det kann immer sind, det Dreck in dein Schädel is! Und
wenn du nich jerade, det de bei meine Schwester uff Schlafstelle
wärscht, denn hätt ick dir woll ma wat Luft jemacht, Rotz-
junge, det de häst vierzehn Dache 't Loofen jekriecht.

JOHN *gewaltsam ruhig.* Sach noch ma, Jette, det det dein Bruder
is!

FRAU JOHN. Paul, jeh man, ick wer ihm schon wieder fortschaffen!
Det weeßt de doch, det ick et nu ma doch nich ändern kann, det
Bruno von mich der Bruder is.

JOHN. Na, denn bin ick hier iebrig, denn schnäbelt euch man!
— *Er ist fertig gekleidet und schickt sich zum Gehen an. Dicht
bei Bruno steht er still.* — Schuft! du hast deinem Vater im
Jrabe jeärgert! Deine Schwester hätte dir sollen hinterm Zaune
in Jraben verhungern lassen, statt jroßjezogen, und det eene
Lumpenkanaille mehr uff de Erde is. In eene halbe Stunde
komm ick zurück! Aber nich alleene! Ick komm mit'n Wachtmeester! *John geht durch die Flurtür ab, seinen Kalabreser
aufstülpend. Bruno wendet sich, sowie John hinaus ist, und
spuckt ihm nach, gegen die Eingangstür.*

BRUNO. Wenn ick dir ma in de Wuhlheide hätte!

FRAU JOHN. Woso kommste nu, Bruno? Sache, wat is!

BRUNO. Pinke mußte mich jeben, sonst jeh ick verschütt, Jette.

FRAU JOHN *verschließt und verriegelt die Flurtür.* Wacht ma,
ick schließe die Diere zu! — Nanu, wat is? Wo kommste her?
Wo biste jewesen?

BRUNO. Jetanzt ha ick, Jette, de halbe Nacht, und denn wa' ick
'n bißken jejen Morjenjrauen in't Jrüne jejang.

FRAU JOHN. Hat dir Quaquaro sehn reinkomm, Bruno? Denn nimm dir in Obacht, det de nich in de Falle sitzt!

BRUNO. I Jott bewahre. Ick bin iebern Hof, denn bei mein Freind durch'n Knochenkeller und hernach iebern Oberboden rinjekomm.

FRAU JOHN. Na? Und wat is nu jewesen, Bruno?

BRUNO. Wuddel nich, Jette! Jieb Reisejeld! Ick jeh verschütt, oder ick muß abtippeln.

FRAU JOHN. Und wat haste nu mit det Mächen jemacht?

BRUNO. I, et hat Rat jejeben, Jette.

FRAU JOHN. Wat heeßt det?

BRUNO. Ick ha ihr soweit wenigstens bißken jefiege jemacht.

FRAU JOHN. Und det se nich wiederkommt, is nu sicher!

BRUNO. Jawoll! Det se nu nochma kommt, jloob ick nich! Aber det wa keen leichtet Stick Arbeet, Jette. Du hast mich mit deine verdammte Pillenkrajerei — ick ha Durscht, Jette, jieb mich zu saufen, Jette! — hast du mir kochend heeß jemacht. *Er trinkt eine Wasserflasche leer.*

FRAU JOHN. Se haben dir vor de Diere jesehn mit det Mächen.

BRUNO. Ick ha mir mit Artur verabred, Jette. Von mich wollt se nischt wissen. Denn is Artur in feine Kluft anjetänzelt jekomm und hat ihr ooch richtig verschleppt in Bolljongkeller. Det hat se jejloobt, uff dem Leim is se jekrochen, det ihr Breitjam dort warten tut! *Er trällert und tänzelt krampfhaft.*

> Unser janzet Leben lang
> von det eene Ristorang
> in det andre Ristorang!

FRAU JOHN. Na und denn?

BRUNO. Denn wollt se fort, weil Adolf jesacht hat, det ihr Breitjam jejangen is! Denn ha ick wollen ihr noch 'n Stickchen bejleiten, Artur und Adolf sind mitjejang. Denn sind wir bei Kalinich in de Hinterstube injefallen, und denn is se ja ooch von den vielen Nippen an Groch und Schnäpse molum jeworn. Und denn hat se in'n Bullenwinkel bei eene jenächtigt, wo Arturn seine Jeliebte is. Den nächsten Dach sind wir immer zwee, drei Jungs hinterher jewesen, nich losjelassen, immer von frischen Quinten jemacht, und in de Schublade is et ja nu ooch lustig zujejang. — *Die Kirchenglocken des Sonntagmorgen beginnen zu läuten. — Bruno fährt fort.* Aber 't Jeld is futsch. Ick brauche Märker und Pfenniche, Jette.

FRAU JOHN *kramt nach Geld.* Wieviel mußte haben?

BRUNO *lauscht den Glocken.* Wat denn?

FRAU JOHN. Jeld!

BRUNO. Der olle Verkümmler unten in Knochenkeller meent, det ick an liebsten muß ieber de russische Jrenze jehn! — Her ma, Jette, de Jlocken läuten!

FRAU JOHN. Weshalb mußte denn ieber de Jrenze jehn?

BRUNO. Nimm ma 'n nasses Handtuch, Jette, un du ooch 'n bißken Essig druff. Ick weeß nich, wat mich det Nasenbluten janze Nacht schon jeärjert hat. *Er drückt sein Taschentuch an die Nase.*

FRAU JOHN *holt ein Handtuch, atmet krampfhaft.* Wer hat dir an Handjelenk so 'ne Striemen jekratzt, Bruno?

BRUNO *lauscht den Glocken.* Heute morjen halb viere hätt se det Jlockenläuten noch heeren jekonnt.

FRAU JOHN. O Jesus, mein Heiland, det is ja nich wahr! Det kann ja nich menschenmeechlich sein! Det ha ick dir nich jeheeßen, Bruno! Bruno! Ick muß mir setzen, Bruno. — *Sie tut es.* — Det hat ja Vater noch uff'n Sterbebette zu mich vorausjesacht.

BRUNO. Mit Brunon is nich zu spaßen, Jette. Wenn de zu Minnan hinjehst, denn sache, det ick ma ooch uff sowat vastehe und det mit Karln und Fritzen det Jehänsel 'n Ende hat.

FRAU JOHN. Bruno, wenn se dir aber festsetzen.

BRUNO. Na jut, denn mache ick Bammelmann, und denn ha'm se uff Charité wieder ma wat zum Sezieren.

FRAU JOHN *gibt ihm Geld.* Det is ja nich wahr! Wat hast du jetan, Bruno?

BRUNO. Du bist 'ne olle verdrehte Person, Jette. — *Er faßt sie nicht ohne Gemütsanwandlung.* Ihr sagt immer, det ick zu ja nischt nitze bin, aber wenn't jar nich mehr jeht, denn braucht ihr mir, Jette.

FRAU JOHN. Na, und wie denn? Haste den Mächen jedroht, det se soll nich mehr blicken lassen? — Det haste jesollt, Bruno. Haste det nich?

BRUNO. De halbe Nacht hab ick mit ihr jetanzt. Nu sind wir uff de Straße jejang. Denn war 'n Herr mitjekomm, vastehste! Und wie det ick jesacht habe, det ick von meinsweejen mit die Dame 'n Hihnchen zu pflicken habe und 'n Schneiderring aus de Bucksen jezogen, hat er natierlich Reißaus jenomm. — Nu ha ick zu ihr jesacht: ängsten sich nich, Freilein! wo jutwillig

sind und wo keen Lärm schlachen und nie nich mehr bei meine
Schwester nachfrachen nach ihr Kind, soll allet janz jietlich in
juten vereinigt sind! Und denn is se mit mich jejondelt 'n
Sticksken.

FRAU JOHN. Na und?

BRUNO. Na und? — Und da wollte se nich! — Und da fuhr se
mit eemal nach meine Jurjel, det ick denke . . . wie 'n Beller,
der toll jeworden is! und hat noch Saft in de Knochen jehat . . .
det ick jleich denke, det ick soll alle werden! Na, und da . . .
da war ick nu ooch 'n bißken frisch — und denn war et —
denn war et halt so jekomm.

FRAU JOHN *in Grauen versunken.* Um welche Zeit war et?

BRUNO. So rum zwischen vier und drei. Der Mond hat 'n jroßen
Hof jehat. Uff'n Zimmerplatz hinter de Planken is een Luder
von Hund immer ruffjesprung und anjeschlagen. Denn drep-
pelte et, und denn is 'n Jewitter niederjejang.

FRAU JOHN *verändert, gefaßt.* 's jut! Nu jeh! Die verdient et
nich besser.

BRUNO. Atje! Na nu sehn wa uns ville Jahre nich.

FRAU JOHN. Wo wiste denn hin?

BRUNO. Erst muß ick ma Stunde zwee längelang uff'n Ricken
liejen. Ick ooch! Ick jeh zu Fritzen, wo eene Kammer in't
olle Polizeijefängnis jejenieber de Fischerbrücke zu Miete hat.
Dort bin ick sicher. Wo Uffstoß is, kannste mich Nachrich
zukomm lassen.

FRAU JOHN. Wiste det Kindeken noch ma ankieken?

BRUNO *zittert.* Nee.

FRAU JOHN. Warum nich?

BRUNO. Nee, Jette, in diesen Leben nich! Atje, Jette! — Wacht
ma, Jette: hier is noch 'n Hufeisen! — *Er legt ein Hufeisen
auf den Tisch.* — Det ha ick jefunden! Det bringt Glick! Ick
brauche ihm nich.

*Bruno Mechelke, katzenartig, wie er gekommen, ab. Frau John
blickt mit entsetzt aufgerissenen Augen nach der Stelle, wo er
verschwunden ist, wankt dann einige Schritte zurück, preßt
die wie zum Gebet verkrampften Hände gegen den Mund und
sinkt in sich zusammen, immer mit dem vergeblichen Versuch,
Gebetsworte gegen den Himmel zu richten.*

FRAU JOHN. Ick bin keen Merder! Ick bin keen Merder! Det
wollt ick nich!

FÜNFTER AKT

Zimmer bei Johns. Frau John liegt schlafend auf dem Sofa.
Walburga und Spitta treten vom Flur her ein. Man vernimmt
von der Straße herauf laute Militärmusik.

SPITTA. Es ist niemand hier.

WALBURGA. Frau John! Doch, Erich! Hier liegt ja Frau John!

SPITTA *mit Walburga an das Sofa tretend.* Schläft sie? Wahrhaftig! Das begreife einer, wie man bei diesem Lärm schlafen
kann. —

Die Militärmusik ist verklungen.

WALBURGA. Ach Erich, pst! Diese Frau ist mir grausenvoll. Verstehst du denn übrigens, weshalb unten am Eingang Polizei-
posten stehn, und weshalb sie uns nicht auf die Straße lassen?
Ich hab' eine solche furchtbare Angst, daß man womöglich
arretiert wird und mit zur Wache muß.

SPITTA. Aber gar keine Idee! Du siehst ja Gespenster, Walburga.

WALBURGA. Als der Mann in Zivil auf dich zutrat und uns
anblickte und du ihn fragtest, wer er sei, und er seine Legiti-
mationsmarke aus der Tasche nahm, wahrhaftig, da fing sich
Treppe und Flur auf einmal um mich im Kreise zu drehen an.

SPITTA. Sie suchen einen Verbrecher, Walburga. Das ist eben
eine sogenannte Razzia, eine Art Kesseltreiben auf Menschen,
wie die Kriminalpolizei sie zuweilen veranstalten muß.

WALBURGA. Und außerdem kannst du mir glauben, Erich, ich
habe Papans Stimme gehört, der laut mit jemand geredet hat.

SPITTA. Du bist nervös. Du kannst dich getäuscht haben.

Die John spricht im Schlaf, Walburga erschrickt.

WALBURGA. Horch mal, die John!

SPITTA. Große Schweißtropfen stehen ihr auf der Stirn. Komm
mal, sieh mal das alte rostige Hufeisen, das sie mit beiden Händen umklammert hat!

WALBURGA *horcht und erschrickt wieder.* Papa!

SPITTA. Ich verstehe dich nicht. Laß ihn doch kommen, Walburga! Die Hauptsache ist, daß man weiß, was man will, und
daß man ein reines Gewissen hat. Ich bin bereit. Ich ersehne
die Aussprache. *Es wird laut an die Tür geklopft. Spitta, fest.*
Herein!

Frau Direktor Hassenreuter erscheint, mehr als sonst außer

*Atem. Über ihr Gesicht geht ein Ausdruck der Befreiung, als
sie ihrer Tochter ansichtig wird.*

FRAU DIREKTOR HASSENREUTER. Gott sei gelobt! Da seid ihr ja,
Kinder. — *Walburga fliegt zitternd in ihre Arme.* — Mädel,
wie du deine alte Mutter geängstet hast! —
Längeres Atmen und Stillschweigen.

WALBURGA. Verzeih, Mama: ich konnte nicht anders.

FRAU DIREKTOR HASSENREUTER. Nein! Solche Briefe mit solchen
Gedanken schreibt man an eine Mutter nicht. Besonders an
eine Mutter wie mich nicht, Walburga! Hast du Seelennöte,
so weißt du auch, daß du mich noch immer mit Rat und Tat
dir zur Seite hast. Ich bin kein Unmensch und auch früher
mal jung gewesen. Aber ins Wasser springen . . . ins Wasser
springen und so dergleichen, mit solchen Drohungen spielt man
nicht. Ich habe doch hoffentlich recht, Herr Spitta. Und nun
auf der Stelle — wie seht ihr denn aus? —, auf der Stelle
kommt mit mir beide nach Hause mit! — Was hat denn Frau
John?

WALBURGA. Ja, hilf uns! Steh uns bei! Nimm uns mit, Mama!
Ich bin so froh, daß du da bist. Ich hab' plötzlich eine so
lähmende Angst gehabt.

FRAU DIREKTOR HASSENREUTER. Also kommt, das wäre noch
schöner, daß man sich von Ihnen, Herr Spitta, und diesem
Kinde solcher verzweifelter Torheiten zu gewärtigen hat. Man
hat Mut in Ihren Jahren! Man verfällt nicht auf Ausflüchte,
wenn alles nicht gleich nach dem Schnürchen geht, bei denen
man nur — man lebt ja nur einmal — zu verlieren und nichts
zu gewinnen hat.

SPITTA. Oh, ich habe Mut! Ich denke auch nicht daran, etwa
als Lebensmüder feige zu endigen — außer wenn mir Walburga
verweigert wird. Dann freilich ist mein Entschluß gefaßt! Daß
ich vorläufig arm bin und meine Suppe hie und da in der
Volksküche essen muß, untergräbt meinen Glauben an mich und
eine bessere Zukunft nicht. Auch Walburga ist sicherlich überzeugt, es muß ein Tag kommen, der uns für alle trüben und
schweren Stunden entschädigt.

FRAU DIREKTOR HASSENREUTER. Das Leben ist lang. Und ihr seid
heut noch Kinder. Es ist vielleicht nicht so schlimm, wenn ein
Student oder Kandidat in der Volksküche essen muß. Für Walburga als Ehefrau wäre das ärgerlich. Und ich möchte doch

für euch beide hoffen, daß da erst etwas vorher wie ein eigner Herd mit dem nötigen Holz und der nötigen Kohle und so weiter geschaffen wird. Im übrigen habe ich bei Papa eine Art Waffenstillstand für euch ausgewirkt. Es war nicht leicht und wäre vielleicht unmöglich gewesen, wenn nicht die Morgenpost seine definitive Ernennung und Wahl zum Direktor in Straßburg gebracht hätte.

WALBURGA *freudig.* Mama! ach Mama! Das ist ja ein Sonnenblick.

FRAU JOHN *hat sich mit einem Ruck emporgerichtet.* Bruno!

FRAU DIREKTOR HASSENREUTER *entschuldigend.* Wir haben Sie aufgeweckt, Frau John.

FRAU JOHN. Is Bruno wech?

FRAU DIREKTOR HASSENREUTER. Wer? Welcher Bruno?

FRAU JOHN. Na Bruno! Kenn Se denn Brunon nich?

FRAU DIREKTOR HASSENREUTER. Richtig, so heißt ja Ihr jüngerer Bruder.

FRAU JOHN. Ha ick jeschlafen?

SPITTA. Fest! Aber Sie haben eben im Schlaf laut aufgeschrien, Frau John.

FRAU JOHN. Ham Se jesehn, Herr Spitta, wo Jungs in Hof . . . ham Se jesehn, wo Jungs in Hof Adelbertchen sein Jräbken jesteenicht ham? Aber ick war zwischen, wat? Und da rechts und links jar nich schlecht Maulschellen ausjeteilt.

FRAU DIREKTOR HASSENREUTER. Demnach haben Sie also von Ihrem ersten verstorbenen Kindchen geträumt, Frau John?

FRAU JOHN. Nee nee, det war wahr, ick ha nich jeträumt, Frau Direkter. Und denn jing ick mit Adelbertchen, jing ick bein Standesbeamten hin.

FRAU DIREKTOR HASSENREUTER. Aber wenn Adelbertchen nicht mehr am Leben ist . . . wie können Sie denn . . .

FRAU JOHN. I, wenn een Kindchen meinsweejen jeboren is, denn is et jedennoch noch in de Mutter, und wenn es meinsweejen jestorben is, denn is et immer noch in de Mutter. Ham Se den Hund jeheert hintern Plankenzaun? Der Mond hat'n jroßen Hof jehat! Bruno, du jehst uff schlechte Weeje.

FRAU DIREKTOR HASSENREUTER *rüttelt Frau John.* Wachen Sie auf, gute Frau! Frau John! Frau John! Sie sind krank! Ihr Mann soll mit Ihnen zum Arzt gehen.

FRAU JOHN. Bruno, du jehst uff schlechte Weeje. — *Die Glocken beginnen wieder zu läuten.* — Sind det de Jlocken?

683

FRAU DIREKTOR HASSENREUTER. Der Gottesdienst ist zu Ende, Frau John.

FRAU JOHN *erwacht völlig, starrt um sich.* Warum wach ick denn uff? Warum habt ihr mir denn in Schlaf nich mit de Axt iebern Kopp jehaut? — — Wat ha ick jesacht? Pst! Bloß zu niemand een Sterbenswort, Frau Direkter! —

Sie ist aufgesprungen und ordnet ihr Haar mit vielen Haarnadeln.

Der Direktor erscheint durch die Flurtür.

DIREKTOR HASSENREUTER *stutzt beim Anblick der Seinigen.* Sieh da, sieh da, Timotheus, die Kraniche des Ibykus! — Sagten Sie nicht, es wohne hier ganz in der Nähe ein Spediteur, Frau John? — *Zu Walburga.* Jawohl, mein Kind, während du in deinem jugendlichen Leichtsinn auf dein Vergnügen und wieder auf dein Vergnügen denkst, ist dein Papa schon wieder drei Stunden lang in Geschäften herumgelaufen. — *Zu Spitta.* Sie würden es nicht so eilig haben, junger Mann, eine Familie zu begründen, wenn Sie auch nur die geringste Ahnung davon hätten, wie schwer es ist, es durchzusetzen, von Tag zu Tag mit Weib und Kind wenigstens nicht ohne das elende und verschimmelte bißchen täglichen Brotes dazustehn. Möge das Schicksal jeden davor bewahren, sich eines Tages mittellos in die Subura Berlins geschleudert zu finden, um mit andern Verzweifelten, Brust an Brust, in unterirdischen Löchern und Röhren um das nackte Leben für sich und die Seinen zu ringen. Gratuliert mir! In acht Tagen sind wir in Straßburg. — *Frau Direktor, Walburga und Spitta drücken ihm die Hand.* — Alles übrige findet sich.

FRAU DIREKTOR HASSENREUTER. Papa, du hast wirklich für uns, und zwar ohne dir etwas zu vergeben, die Jahre einen heroischen Kampf gekämpft.

DIREKTOR HASSENREUTER. Wie bei Schiffbruch, wenn der Kampf um die Balken im Wasser beginnt. Meine edlen Kostüme, gemacht, um die Träume der Dichter zu veranschaulichen, in welchen Lasterhöhlen, auf welchen schwitzenden Leibern haben sie nicht — odi profanum vulgus —, damit nur der Groschen Leihgebühr im Kasten klang, ihre Nächte zugebracht! Sessa! Wenden wir uns zu heiteren Bildern! Der Rollwagen, alias Thespiskarren, ist schon angeschirrt, um den Transport unsrer Penaten in hoffentlich glücklichere Gefilde zu bewerkstelligen.

— *Plötzlich zu Spitta.* Und daß ihr beide nicht etwa aus sogenannter Verzweiflung irreparable Dummheiten macht, darauf
verlang' ich Ihr Ehrenwort, werter Herr Spitta. Zur Kompen-
sation verspreche ich Ihnen, jeder wirklich vernünftigen Äußerung Ihrerseits gegenüber nicht taub zu sein. — Im übrigen
komme ich zu Frau John: erstlich weil Schutzleute in den
Eingängen niemanden auf die Straße lassen, ferner, weil ich
gerne von Ihnen wissen will, weshalb ein Mann wie ich,
gerade in diesem Augenblick, wo seine Wimpel wieder
flattern, Gegenstand einer niederträchtigen Zeitungskampagne
geworden ist.

FRAU DIREKTOR HASSENREUTER. Lieber Harro, Frau John versteht dich nicht.

DIREKTOR HASSENREUTER. Dann wollen wir also ab ovo anfangen. Hier habe ich Briefe — *er zeigt einen Stoß Briefschaften* —, eins, zwei, drei, fünf, zirka ein Dutzend Stück!
Darin wird mir in boshafter Weise von Unbekannten zu
einem Ereignis gratuliert, das angeblich oben auf meinem
Magazinboden vor sich gegangen ist. Ich würde die Sache nicht
beachten, wenn nicht gleichzeitig diese Lokalnotiz, wonach
in der Bodenkammer eines Maskenverleihers, sic! . . . eines
Maskenverleihers in der Vorstadt ein neugeborenes Kindchen
gefunden worden ist! . . . ich sage, wenn diese Lokalnotiz mich
nicht stutzig machte. Zweifellos handelt sich's hier um eine
Verwechslung. Dennoch mag ich die Sache nicht auf mir sitzen
lassen. Besonders da dieser Lümmel von einem Reporter von
dem Herrn Maskenverleiher auch noch als einem verkrachten
Schmierendirektor spricht. Lies, Mama: Adebar beim Maskenverleiher! Der Kerl bekommt Ohrfeigen! Heut abend soll meine
Ernennung in Straßburg durch die Zeitungen gehn, und gleichzeitig werde ich urbi et orbi als humoristischer Bissen ausge-
liefert. Als ob man nicht wüßte, daß von allen Flüchen der
Fluch der Lächerlichkeit der schlimmste ist.

FRAU JOHN. An Hauseingang stehn Schutzleute, Herr Direkter?

DIREKTOR HASSENREUTER. Ja! Und zwar so, daß sogar das
Kinderbegräbnis der Witfrau Knobbe ins Stocken gekommen
ist. Man läßt sogar den kleinen Sarg mit dem greulichen Kerl
von der Pietät, der ihn trägt, nicht in den Wagen hinaus.

FRAU JOHN. Wat wär denn det for'n Kinderbejängnis?

DIREKTOR HASSENREUTER. Wissen Sie das nicht? Das Söhnchen

der Knobbe, das auf eine mysteriöse Weise von zwei fremden Weibsbildern zu mir heraufgebracht wurde und förmlich unter meinen Augen, wahrscheinlich an Entkräftung, gestorben ist. Apropos . . .

FRAU JOHN. Det Kind von de Knobbe is jestorben?

DIREKTOR HASSENREUTER. Apropos, Frau John, wollt' ich sagen, Sie sollten doch eigentlich wissen, wie die Sache mit den beiden übergeschnappten Frauenspersonen, die sich des Kindchens bemächtigt hatten, schließlich verlaufen ist?

FRAU JOHN. Nu sachen Se, is det nich Jottes Finger, det se womeechlich nich Adelbertchen erwischt haben und det nich mein Adelbertchen mit Dot abjejang is?

DIREKTOR HASSENREUTER. Wieso? Diese Logik verstehe ich nicht. Dagegen habe ich mich schon gefragt, ob nicht die wirren Reden des polnischen Mädchens, der Kleiderdiebstahl auf meinem Boden und das Milchfläschchen, das Quaquaro im Stiefel herunterbrachte, irgendwie mit der Zeitungsnotiz zusammenzubringen sind.

FRAU JOHN. Da mang, Herr Direkter, is jar keen Zusammenhang. Haben Sie Pauln jesehn, Herr Direkter?

DIREKTOR HASSENREUTER. Paul? Ach so: Ihren Mann! Jawohl, und zwar, wenn ich recht gesehen habe, im Gespräch mit dem fetten Kriminalinspektor Puppe, der wegen des Diebstahls auch schon mal bei mir gewesen ist.

Maurerpolier John tritt ein.

JOHN. Na, Jette, ha ick nu recht? Det is schnell jekomm.

FRAU JOHN. Wat denn?

JOHN. Soll ick mich tausend Marcht verdien, wo mit Anschläje von Polizeipräsidium an de Lichtfaßsäulen als Belohnung for Denungsiation is bekannt jejeben?

FRAU JOHN. Woso denn?

JOHN. Weeßte denn nich, det det janze Manöver mit Schutzleute und Jeheimpolizisten Brunos weejen in Jange is?

FRAU JOHN. Wie denn? Wo denn? Wat denn? Warum denn in Jange?

JOHN. Det Kinderbejängnis is sistiert und zwee Burschen von de Leidtrajenden, wat richtig dufte Kunden sind, festjenomm! Jawoll! Det is nu so weit, Herr Direkter! Ick bin nu'n Mann, wo mit eene Frau verkuppelt is, wo een Bruder hat, wo hinterher sind, mit Rejierungsräte und Mordkommission, weil er draußen, nich weit von de Spree, unter een Fliederstrauch eene hat umjebracht.

DIREKTOR HASSENREUTER. Aber werter Herr John, das mag Gott verhüten.

FRAU JOHN. Det is jelochen! Mein Bruder tut so wat nich.

JOHN. I, det is det Neieste, Jette. Herr Direkter, ick ha neilich schonn jesacht, wat det for'ne Sorte Bruder is. — *Er bemerkt und nimmt einen Fliederstrauß vom Tisch.* — Sehen Se ma det hier! Det Unjeheuer is hier jewesen. Wo wiederkommt, bin ick der erschte, wo ihm, Hände und Füße jebunden, an der Jerechtigkeet ausliefern dut. *Er sucht den Raum ab.*

FRAU JOHN. Mach du Rotznäsen wat wees von Jerechtigkeet. Jerechtigkeet is noch nich ma oben in Himmel. Keen Mensch nich war hier! Und det bißken Flieder ha ick von Hangelsberg mitjebracht, wo'n jroßer Strauch hintern Hause bei deine Schwester is.

JOHN. Du warst ja jar nich bei meine Schwester, Jette. Det hat mich Quaquaro ja eben jesacht! Det ham se uff Polizei ja festjestellt. Se ham dir jesehn bei de Spree in die Anlachen . . .

FRAU JOHN. Lüje!

JOHN. Und ooch in de Laubenkolonie, wo du in 'ne Laube jenächtigt hast.

FRAU JOHN. Wat? Kommst du in dein eejnet Haus allens kurz und kleen demolieren?

JOHN. Jut so! recht so, det so weit jekommen is! Nu is det mit uns weiter keen Verstecken! Det ha ick allens vorausjewußt.

DIREKTOR HASSENREUTER *mit Spannung.* Hat sich das polnische Mädchen wieder gezeigt, das neulich wie eine Löwin um das Knobbesche Kindchen gestritten hat?

JOHN. Eben det is et. Det ham se heut morjen dot jefunden. Und det sach ick so hin, ohne det mir de Zunge im Maule absterben dut: det Mächen hat Bruno Mechelke ums Leben jebracht.

DIREKTOR HASSENREUTER *schnell.* Dann ist es wohl seine Geliebte gewesen.

JOHN. Fragen Se Muttern! Det weeß ick nich! Det war meine Angst, deshalb bin ick schonn lieber jar nich zu Hause jekomm, det mein eejnet Weib mit so'ne Jesellschaft behaftet is und hat keene Kraft nich abzuschütteln.

DIREKTOR HASSENREUTER. Kommt, Kinder!

JOHN. Warum denn? Immer bleiben Se man!

FRAU JOHN. De brauchst nich jehn und Fenster uffreißen und alle Welt uff de Jasse schrein! Det is schlimm jenug, wenn uns Schicksal mit so'n Unjlück jetroffen hat. Plärr! Aber dann siehste mir bald nich mehr wieder.

JOHN. Jerade! Nu jerade! Ick rufe, wer't wissen will, von de Jasse, von Flur, dem Tischler vom Hof, de Jungs, de Mächens, wo in de Konfirmationsstunde jehn, die ruf ick rin und erzähle, wie weit eene Frau mit ihre Affenliebe zu ihrem Lump von Bruder jekommen is.

DIREKTOR HASSENREUTER. Diese hübsche junge Person, die das Kind beanspruchte, ist heute tatsächlich tot, Herr John?

JOHN. Kann sind, det se hibsch is, ick weeß et nich, ob se hibsch oder häßlich jewesen is. Aber det se in Schauhaus liecht, det is sicher.

FRAU JOHN. Ick weeß et, wat se jewesen is! Een schlechtet jemeinet Weibstück is et jewesen! Wo mit Kerle hat abjejeben und von een Tiroler, der nischt hat von wissen jewollt, hat Kind jehat! Det hat se an liebsten in Mutterleibe schon umjebracht. Denn is se 't holen jekomm mit de Kielbacke, wo als Engelmachersche schon ma anderthalb Jahre Plötzensee abjesessen hat. Ob se mit Brunon ooch wat jehabt hat, wo soll ick det wissen? Kann sind, kann ooch nich sind! Und wat soll mir det allens ieberhaupt anjehn, wat Bruno meinsweejen verbrochen hat.

DIREKTOR HASSENREUTER. Also haben Sie doch das Mädchen gekannt, Frau John.

FRAU JOHN. Woso? Ick ha jar nich jekannt, Herr Direkter! Ick sache bloß, wat'n jeder, wie'n jeder von det Mächen jeäußert hat.

DIREKTOR HASSENREUTER. Sie sind eine ehrenhafte Frau, Sie ein ehrenhafter Mann, Herr John. Die Sache mit Ihrem mißratenen Schwager und Bruder ist schließlich etwas, was meinethalben eine furchtbare Tatsache ist, aber Ihr Familienleben doch im Grunde nicht ernstlich erschüttert . . . aber bleiben Sie ehrlich . . .

JOHN. Nich in de Hand! In so'ne Nähe, bei solchet Jesindel bleib ick nich. — *Er schlägt mit der Faust auf den Tisch, klopft an die Wände, stampft auf den Fußboden.* — Horchen Se ma, wie det knackt, wie Putz hinter de Tapete runterjeschoddert

kommt! Allens is hier morsch! Allens faulet Holz! Allens
unterminiert, von Unjeziefer, von Ratten und Mäuse zerfres-
sen! — *Er wippt auf der Diele.* — Allens schwankt! Allens
kann jeden Oojenblick bis in Keller durchbrechen. — *Er öffnet
die Tür.* — Selma! Selma! — Hier mach ick mir fort, eh det
allens een Schutthaufen drunter und drieber zusammenbricht.

FRAU JOHN. Wat wißte mit Selma?

JOHN. Selma nimmt det Kind, und ick reise mit Selma und det
Kind und bringe mein Kind zu meine Schwester.

FRAU JOHN. Denn soßte Bescheid kriejen! Versuch det man!

JOHN. Soll mein Kind in so'ne Umjebung jroßwachsen, womeechlich det ma wie Bruno ieber Dächer jehetzt und det ma ooch
womeechlich in Zuchthaus endet?

FRAU JOHN *schreit ihn an.* Det is jar nich dein Kind! Vastehste
mich?

JOHN. So? Det wolln wir ma sehn, ob een rechtlicher Mann nich
Herr sollte sind ieber sein eejnet Kind, wo Mutter nich bei
Verstande is und in de Hände von Mordsjesindel. Det will ick
ma sehn, wer in Rechte is und wer stärker is! Selma!

FRAU JOHN. Ick schrei! Ick reiße det Fenster uff! Frau Direkter,
se wollen eene Mutter ihr Kind rauben! Det is mein Recht, det
ick Mutter von mein Kindeken bin! Det is doch mein Recht? Ha
ick nich recht, Frau Direkter? Se umzingeln mir! Se wollen mir
mein Recht versetzen! Soll mir det nich jeheern, wat ick vor
Wechwurf uffjelesen, wo vor dot in Lumpen jelejen hat und
wo ick ha miehsam erscht missen reiben und kneten, bis bißken
Atem jeholt und langsam lebendig jeworden is? Wo ick nich
war, det wäre schonn vor drei Wochen längst in de Erde verscharrt jewesen.

DIREKTOR HASSENREUTER. Herr John, zwischen Eheleuten den
Schiedsmann spielen, ist meine Sache im allgemeinen nicht.
Dazu ist dies Geschäft zu undankbar, und man macht dabei
meistens böse Erfahrungen. Sie sollten aber in Ihrem zweifellos
mit Recht verwundeten Ehrgefühl sich nicht zu Übereilungen
hinreißen lassen. Denn schließlich ist doch Ihre Frau für die
Tat ihres Bruders nicht verantwortlich. Lassen Sie ihr das Kind!
Machen Sie nicht das Unglück schlimmer durch eine überflüs-
sige Härte, die Ihre Frau aufs empfindlichste kränken muß.

FRAU JOHN. Paul, det Kind is aus meinen Leibe jeschnitten! Det
Kind is mit meinen Blute erkooft. Nich jenug, alle Welt is

hinter mich her und will et mich abjagen! Nu kommst ooch du noch und machst et nich anders, det is der Dank! Als wenn det ick ringsum von hungrige Welfe umjeben bin. Mir kannste dotmachen! Mein Kindeken soßte nich anfassen.

JOHN. Ick komme zu Hause, Herr Direkter! Ick bin heut morjen erst mit mein janzes Zeug quietschverjnügt von de Bahn jekomm! Hamburg, Altona, allens abjebrochen. Wenn ooch Verdienst jeringer is, dachte ick, wist lieber bei deine Familie sind! Bißken Kind uff'n Arm nehmen! Bißken Kind uff'n Knie nehmen! Det war unjefähr so meine Inbildung . . .

FRAU JOHN. Paul! Hier, Paul! — *Sie tritt ihm ganz nahe.* — Reiß mir det Herz aus'n Leibe! — *Sie starrt ihn lange an, dann läuft sie in den Verschlag, wo man sie laut weinen hört. Selma kommt vom Flur. Sie trägt Trauerkleidung und einen kleinen Grabkranz in der Hand.*

SELMA. Wat soll ick? Se ham mir jeruft, Herr John.

JOHN. Zieh dir an, Selma! Frach deine Mutter, ob det de kannst mit mir jehn zu meine Schwester nach Hangelsberg. Kannst dir'n Jroschen Jeld bei verdienen. Nimmst mein Kindeken uff'n Arm und bejleitest mir.

SELMA. Nee! Det Kind faß ick nu nich mehr an, Herr John.

JOHN. Woso nich?

SELMA. Nee, ick furcht mir, Herr John. Ick ha so'ne Angst, so hat mir Mama und Polizeileutnam anjeschrien.

FRAU JOHN *erscheint.* I, weshalb ham se dir anjeschrien?

SELMA *heult los.* Schutzmann Schierke hat mich sojar eene runterjehaut.

FRAU JOHN. I, dem wer ick noch ma . . . det soll der noch ma versuchen.

SELMA. Wat soll ick denn wissen, warum mich det polsche Mächen hat mein Brüderken wegjenomm. Hätt ick jewußt, det mein Brüderken sterben soll, ick hätt ihr ja lieber an Hals jesprung. Nu steht Jundofriedchen in Särjiken uff de Treppe. Ick jloobe, Mama hat Krämpfe jekricht und liecht bei Quaquaron hinten in Alkoven. Mir wolln se in Fiersorje schaffen, Frau John. — *Sie flennt.*

FRAU JOHN. Denn freu dir! Schlimmer kann et nich komm, als et bei dich zu Hause is.

SELMA. Ick komm vor Jericht! Womeechlich wer Moabit jeschafft.

FRAU JOHN. Woso det?

SELMA. Weil ick soll haben det Kindeken, wat det polsche Freilein jeboren hat, von Oberboden runter bei Sie, Frau John,
in de Wohnung jetrachen.

DIREKTOR HASSENREUTER. Also ist tatsächlich oben ein Kindchen
geboren worden?

SELMA. Jewiß.

DIREKTOR HASSENREUTER. Auf welchem Boden?

SELMA. Na, bei de Kamedienspieler doch! Wat jeht det mich
an? Wat soll ick von wissen? Ick kann bloß sachen . . .

FRAU JOHN. Nu mach, det de fortkommst! Selma, du hast'n
reenet Jewissen! Wat de Leute quasseln, kimmert dir nich.

SELMA. Ick will ja ooch nischt verraten, Frau John.

JOHN packt Selma, die fortlaufen will, und hält sie fest. Et wird
nich jejang, et wird herjekomm! — Wahrheet! Ick verrate
nischt, hast du jesacht: det ham Se doch ooch jeheert, Frau
Direkter? Hat Herr Spitta und hat det Freilein jeheert! —
Wahrheet! — Bevor ick nich weeß, wat mit Bruno und seine
Jeliebte is und wo ihr womeechlich det Kindchen habt wechjeschafft, det is mich ejal, kommst du nich von de Stelle!

FRAU JOHN. Paul, ick schweere vor Jott, wechjeschafft ha ick et
nich.

JOHN. Na, und? . . . Raus, wat du weeßt, Mächen! Det ha ick
schon lange jemerkt, det zwischen dich und meine Frau een
jeheimet Jestecke is. Det Zwinkern und Anplinkern is jetzt
verjebliche Miehe. Is det Kind tot, oder lebt et noch?

SELMA. Nee, det Kind is lebendich, Herr John.

DIREKTOR HASSENREUTER. Was du unter deiner Schürze oder
sonstwie hier hast heruntergebracht?

JOHN. Wenn et dot is, denn rechne druff, denn wirst du wie
Bruno een Kopp kürzer jemacht.

SELMA. Ick sach't ja: det Kindeken is lebendich.

DIREKTOR HASSENREUTER. Ich denke, du hast gar kein Kind vom
Boden heruntergebracht?

JOHN. Und von die janze Jeschichte, Mutter, wißt du nischt
wissen? — Frau John sieht ihn starr an, Selma blickt hilflos
und verwirrt auf Frau John. — Mutter, du hast det Kindchen
von Brunon und die polsche Person beiseite jeschafft, und
denn, wo se jekomm is, haste det Würmiken von de Knobbe
unterjeschoben.

WALBURGA sehr bleich, mit Überwindung. Sagen Sie mal, Frau

John, was ist denn an jenem Tage geschehen, wo ich dummerweise, als Papa kam, mit Ihnen auf den Boden geflüchtet bin? Ich will dir das später erklären, Papa. Damals habe ich, wie mir nach und nach deutlich geworden ist, das polnische Mädchen, und zwar erst mit Frau John und dann mit ihrem Bruder, zusammengesehn.

DIREKTOR HASSENREUTER. Du, Walburga?

WALBURGA. Ja, Papa. Bei dir war damals Alice Rütterbusch, und ich hatte mich mit Erich verabredet, der dann auch, aber ohne mich zu treffen, denn ich blieb versteckt, zu dir gekommen ist.

DIREKTOR HASSENREUTER. Ich kann mich dessen nicht mehr erinnern.

FRAU DIREKTOR HASSENREUTER *zum Direktor.* Das Mädel hat um dieser Sache willen, Papa, wirklich schon schlaflose Nächte gehabt.

DIREKTOR HASSENREUTER. Wenn Ihnen an dem Rate eines ehemaligen Juristen, der durchs Referendarexamen gepurzelt und dann erst zur Kunst abgesprungen ist ... wenn Ihnen an dem Rat eines solchen Mannes irgendwie etwas liegt, so lassen Sie sich jetzt sagen, Frau John, daß in Ihrem Fall ganz rücksichtslose Offenheit die beste Verteidigung ist.

JOHN. Jette, wo habt ihr dem Kindeken hinjeschafft? Kriminalinspektor hat mich jesacht, det fällt mir jetzt in, det se nach det Kind von de dote Person suchen. Jette, um Jottet Himmels willen! Mag sind, wat will, bloß det du dir nich in Verdacht kommen dust, det du, um Foljen von Liederlichkeit von dein Bruder womeechlich aus de Welt zu schaffen, dir an det Neujeborne vergriffen hast.

FRAU JOHN *lacht.* Ick — und mir an Adelbertchen verjreifen, Paul?

JOHN. Hier redet keener von Adelbertchen. — *Zu Selma.* Ick dreh dir den Hals um, oder du sachst, wo det Kleene von Brunon und det polsche Mächen — uff de Stelle! — jeblieben is.

SELMA. Et is doch bei Sie in Verschlage, Herr John.

JOHN. Wo is et, Jette?

FRAU JOHN. Det sach ick nich. —
Das Kind beginnt zu schreien.

JOHN *zu Selma.* Wahrheet! oder ick ieberliefer dir uff de Polizei, vastehst de — siehste dem Strick? — an Hände und Fieße zusammenjebunden.

SELMA *in höchster Angst, unwillkürlich.* Et schreit doch! Se kenn doch det Kindeken janz jut, Herr John.

JOHN. Ick? —

Er sieht verständnislos erst Selma, dann den Direktor an. Ihn durchblitzt eine Ahnung, als er seine Frau ins Auge faßt. Er glaubt zu begreifen und gerät ins Wanken.

FRAU JOHN. Laß dir von so'ne niederträchtije Liije nich umjarnen, Paul! Det is allens von ihre feine Mutter aus Rache bloß mit det Mächen anjestellt! Paul, wat dust du mir denn so ankieken?

SELMA. Det is Jemeenheet, det Se mich nu ooch noch wolln schlecht machen, Mutter John. Dann wer ick mir hieten, noch Blatt vorn Mund nehmen. Wissen janz jut, det ick ha det Kindchen von det Freilein runterjetragen und ha bei Ihn hier in frisch jemachte Bettchen jelegt. Det kann ick beschwören, det will ick beeidijen!

FRAU JOHN. Liije! Du sagst, det mein Kind nich mein Kindeken is?

SELMA. Sie haben ieberhaupt jar keen Kind nich jehat, Frau John.

FRAU JOHN *umklammert Johns Knie.* Det is ja nich wahr.

JOHN. Laß mich in Ruh! Beschmutze mir nich, Hennerjette!

FRAU JOHN. Paul, ick konnte nich anders, ick mußte det tun. Ick war selber betroochen, denn hat ick dir in Brief nach Hamburg Bescheed jesacht. Denn warste vajnügt, und denn mocht ick nich mehr zurick und denn dacht ick, et muß sind! Et kann ooch uff andere Weise sind, und denn . . .

JOHN *unheimlich ruhig.* Laß mir man ieberlejen, Jette! — *Er geht an eine Kommode, zieht einen Schub auf und schleudert allerlei Kinderwäsche und Kinderkleidungsstücke, die er daraus nimmt, mitten in die Stube.* — Versteht eener det, wat se Woche um Woche, Monat um Monat, janze Tage und halbe Nächte lang mit blutige Finger jestichelt hat?

FRAU JOHN *sammelt in wahnsinniger Hast die Wäsche und Kleidungsstücke auf und versteckt sie sorgfältig im Tischschub oder wo sonst.* Paul, det nich! Allens kannste dun! Aber reiß mich nich Fetzen von nackten Leibe!

JOHN *hält inne, faßt sich an die Stirn, sinkt auf einen Stuhl.* Wenn det wahr is, Mutter, da schäm ick mir ja in Abjrund rin. — *Er kriecht in sich zusammen, legt die Arme über den Kopf und verbirgt sein Gesicht. Es tritt eine Stille ein.*

DIREKTOR HASSENREUTER. Wie konnten Sie sich nur auf einen solchen Weg des Irrtums und des Betruges drängen lassen, Frau John? Sie haben sich ja verstrickt auf das allerfurchtbarste! Kommt, Kinder! Wir können hier leider nichts weiter tun.

JOHN *steht auf.* Nehm Se mir man mit, Herr Direkter!

FRAU JOHN. Jeh! Immer jeh! Ick brauche dir nich!

JOHN *wendet sich, kalt.* Also det Kind haste dich beschafft, und wie Mutter hat wieder haben jewollt, hast se lassen von Brunon umbringen?

FRAU JOHN. Du bist nich mein Mann! Wat soll det heeßen? Du bist von de Polizei jekooft! Du hast Jeld jekriecht, mir an't Messer zu liefern! Jeh, Paul! du bist jar keen Mensch! Du bist eener, wo Jift in de Oogen und Hauer wie Welfe hat! Immer pfeif, det se kommen und det se mir festnehmen! Immer zu doch! Nu seh ick dir, wie det du bist! Ick verachte dir bis zun Jüngsten Dache.

Frau John will durch die Tür davonlaufen. Da erscheinen Schutzmann Schierke und Quaquaro.

SCHIERKE. Halt! Aus die Stube raus kommt keener nich!

JOHN. Immer komm rin, Emil! Herr Schutzmann, immer komm Se ruhig rin! Et is allens in Ordnung! Allens is richtich.

QUAQUARO. Reg dir nich uff, Paul, dir betrifft et ja nich.

JOHN *mit aufsteigendem Jähzorn.* Hast du jelacht, Emil?

QUAQUARO. I, Menschenskind! Herr Schierke soll bloß det Kleene per Droschke in't Waisenhaus wechschaffen.

SCHIERKE. Jawoll. So is et. Wo steckt det Kind?

JOHN. Soll ick wissen, wo jedet ausgestoppte Balch von Lumpenspeicher, womit olle Hexen mit Besen Feez treiben, an Ende hinjekomm is? Paßt ma uff Schornstein uff, det se nich oben rausfliejen!

FRAU JOHN. Paul!! — Nu soll et nich leben! Nu jerade! Nu ooch nich! Nu brauch et nich leben! Nu muß et mit mich mit unter de Erde komm.

Frau John war blitzschnell hinter den Verschlag gelaufen. Sie kommt mit dem Kinde wieder und will mit ihm zur Tür hinaus. Der Direktor und Spitta werfen sich der Verzweifelten entgegen, in der Absicht, das Kind zu retten.

DIREKTOR HASSENREUTER. Halt! Hier greife ich ein! Hier bin ich zuständig! Wem das Knäblein hier auch immer gehören mag — um so schlimmer, wenn seine Mutter ermordet ist! —, es ist in meinem Fundus geboren! Vorwärts, Spitta! Kämpfen Sie, Spitta! Hier sind Ihre Eigenschaften am Platz! Vorwärts! Vorsicht! So! Bravo! Als wär' es das Jesuskind! Bravo! Sie selber sind frei, Frau John! Wir halten Sie nicht. Sie brauchen uns nur das Jungchen hier lassen.

Frau John stürzt hinaus.

SCHIERKE. Hierjeblieben!

FRAU DIREKTOR HASSENREUTER. Die Frau ist verzweifelt! Aufhalten! Festhalten!

JOHN *plötzlich verändert.* Jebt uff Muttern ach! Mutter! Uffhalten! Festhalten! — Mutter! Mutter!

Selma, Schierke und John eilen Frau John nach. Spitta, der Direktor, Frau Direktor und Walburga sind um das Kind bemüht, das auf den Tisch gebettet wird.

DIREKTOR HASSENREUTER *der das Kind sorgfältig auf den Tisch bettet.* Meinethalben mag diese entsetzliche Frau doch verzweifelt sein! Deshalb braucht sie das Kind nicht zugrunde richten.

FRAU DIREKTOR HASSENREUTER. Aber liebster Papa, das merkt man doch, daß diese Frau ihre Liebe, närrisch bis zum Wahnsinn, gerade an diesen Säugling geheftet hat. Unbedachtsame harte Worte, Papa, können die unglückselige Person in den Tod treiben.

DIREKTOR HASSENREUTER. Harte Worte habe ich nicht gebraucht, Mama.

SPITTA. Mir sagt ein ganz bestimmtes Gefühl: erst jetzt hat das Kind seine Mutter verloren.

QUAQUARO. Det stimmt. Vater is nich, will nischt von wissen, hat jestern in de Hasenheide mit eene Karusselbesitzerswitwe Hochzeit jemacht! Mutter war liederlich! Und bei de Kielbacken, wo Kinder in Fleje hat, sterben von's Dutzend mehrschtens zehn. Nu is et so weit: det jeht jetzt ooch zujrunde.

DIREKTOR HASSENREUTER. Sofern es nämlich bei dem Vater dort oben, der alles sieht, nicht anders beschlossen ist.

QUAQUARO. Meen Se Pauln? den Mauerpolier! Nu nich mehr! Dem kenn ick, wo der uff'n Ehrenpunkt kitzlich is.

FRAU DIREKTOR HASSENREUTER. Wie das Kindchen da liegt! Es ist unbegreiflich. Feine Leinwand! Spitzen sogar! Schmuck und frisch wie ein Püppchen. Es wendet sich einem das Herz um, zu denken, wie es so plötzlich zu einer von aller Welt verlassenen Waise geworden ist.

SPITTA. Wär ich Richter in Israel . . .

DIREKTOR HASSENREUTER. Sie würden der John ein Denkmal
setzen! Mag sein, daß in diesen verkrochenen Kämpfen und
Schicksalen manches heroisch und manches verborgen Verdienst-
liche ist. Aber Kohlhaas von Kohlhaasenbrück konnte da mit
seinem Gerechtigkeitswahnsinn auch nicht durchkommen. Treiben wir praktisches Christentum! Vielleicht können wir uns des
Kindchens annehmen.

QUAQUARO. Lassen Se da bloß de Finger von!

DIREKTOR HASSENREUTER. Warum?

QUAQUARO. Außer det Se Jeld wollen los werden und uff de
Quengeleien und Scherereien mit de Armenverwaltung, mit
Polizei und Jericht womeechlich happich sind.

DIREKTOR HASSENREUTER. Dazu hätte ich allerdings keine Zeit
übrig.

SPITTA. Finden Sie nicht, daß hier ein wahrhaft tragisches Verhängnis wirksam gewesen ist?

DIREKTOR HASSENREUTER. Die Tragik ist nicht an Stände gebunden. Ich habe Ihnen das stets gesagt.

Selma, atemlos, öffnet die Flurtür.

SELMA. Herr John, Herr John, Herr Mauerpolier!

FRAU DIREKTOR HASSENREUTER. Herr John ist nicht hier. Was
willst du denn, Selma?

SELMA. Herr John. Se solln uff de Straße komm'n!

DIREKTOR HASSENREUTER. Nur Ruhe, Ruhe! Was gibt's denn,
Selma?

SELMA *atemlos*. Ihre Frau . . . Ihre Frau . . . Janze Straße steht
voll . . . Omnibus, Pferdebahnwagen . . . is jar keen Durchkommen . . . Arme ausjestreckt . . . Ihre Frau liecht lang uff
Jesichte unten.

FRAU DIREKTOR HASSENREUTER. Was ist denn geschehen?

SELMA. Herrjott, Herrjott in Himmel, Mutter John hat sich
umjebracht.

VOR SONNENUNTERGANG

Schauspiel

Begonnen Oktober 1928,
fortgeführt März bis November 1931 in Rapallo, Bad Eilsen, Kloster auf
Hiddensee und Locarno,
beendet am 29. November 1931 in Locarno.
Erstveröffentlichung: 1932.

MATTHIAS CLAUSEN, Geheimer Kommerzienrat, soignierter Herr von siebzig Jahren

WOLFGANG CLAUSEN, sein Sohn, Professor der Philologie, ungefähr zweiundvierzig Jahre alt, ein etwas steifer Professorentyp

EGMONT CLAUSEN, genannt Egert, des Geheimrats jüngster Sohn, zwanzig Jahre alt, schlanker, hübscher, sportlicher Junge

BETTINA CLAUSEN, Tochter des Geheimrats, sechsunddreißig Jahre alt, etwas verwachsen, eine mehr sentimentale als kluge Persönlichkeit

OTTILIE KLAMROTH, Tochter des Geheimrats, siebenundzwanzig Jahre alt, hübsche, anziehende Frau ohne Eigenart

ERICH KLAMROTH, Ottiliens Mann, siebenunddreißig Jahre alt, Direktor in den Clausenschen Betrieben, vierschrötig, tüchtig, provinziell

PAULA CLOTHILDE CLAUSEN, geborene von Rübsamen, fünfunddreißig Jahre alt. Sie hat scharfe, nicht angenehme Züge, einen Geierhals, dabei eine entschieden sinnlich-brutale Körperlichkeit

DR. STEYNITZ, Sanitätsrat, etwa fünfzig Jahre alt, Hausarzt und Hausfreund bei Clausens. Er ist Junggeselle, wohlhabend, hat seine Praxis eingeschränkt

HANEFELDT, Justizrat, geschmeidiger Herr, vierundvierzig Jahre alt

IMMOOS, Pastor

GEIGER, Professor an der Universität Cambridge, alter Freund des Geheimrats Clausen

DR. WUTTKE, Privatsekretär des Geheimrats, klein, rundlich, bebrillt

EBISCH, Gärtner, über fünfzig Jahre alt

FRAU PETERS, geborene Ebisch, dessen Schwester, etwa fünfundvierzig Jahre alt

INKEN PETERS, deren Tochter, nordischer Typ

WINTER, Diener bei Geheimrat Clausen

DER OBERBÜRGERMEISTER

DER STADTVERORDNETENVORSTEHER

STADTVERORDNETE, STADTRÄTE

Ort der Handlung: eine größere deutsche Stadt

ERSTER AKT

Das Bibliotheks- und Arbeitszimmer des Geheimrats Matthias Clausen in dessen Stadthaus. Über dem Kamin links das Bildnis eines schönen jungen Mädchens, von Fritz August Kaulbach gemalt. An den Wänden bis zu der Decke hinauf Bücher. In einer Ecke Bronzeabguß einer Büste des Kaisers Marc Aurel. Zwei gegenüberliegende Türen zu den übrigen Räumen stehen offen, ebenso die Flügel einer breiten Glastür vor einem steinernen Balkon in der Hinterwand. Einige große Globen stehen auf der Erde, auf einem der Tische ein Mikroskop. Hinter dem Balkon sind die Wipfel eines Parkes sichtbar; von dort dringt Jazzmusik herauf.
Heißer Julitag, mittags gegen ein Uhr.
Es treten ein: Bettina Clausen, begleitet von Professor Geiger.

PROFESSOR GEIGER. Es ist nun drei Jahre her, ich bin seit dem Tode Ihrer Mutter nicht hier gewesen.

BETTINA. Es war furchtbar schwer mit Vater, besonders im ersten Jahr. Er konnte sich gar nicht mehr zurechtfinden.

PROFESSOR GEIGER. Ihre Briefe, liebe Bettina, haben mir oft Sorge gemacht. Fast mußte man glauben, er würde nicht aufkommen.

BETTINA. Ich glaubte felsenfest daran. Und weil ich es glaubte, ist es geschehen! *Mit schwärmerischem, gleichsam verklärtem Ausdruck.* Aber ich hatte ja freilich auch das Vermächtnis von Mama: sie hat ihn mir geradezu übergeben, sein Schicksal mir geradezu überantwortet, Vater geradezu an mein Herz gelegt. Zwei Tage vor ihrem Tode sagte Mama: „Ein solcher Mann hat noch viel zu tun auf der Welt, er muß ihr noch lange erhalten bleiben, und du, Bettina, sorge dafür! In dem Augenblick, wo ich die Augen schließe, beginnt deine Aufgabe."

PROFESSOR GEIGER. Diese schwere Aufgabe haben Sie treulich erfüllt.

BETTINA. Sie war zugleich schwer und leicht, diese Aufgabe. Und dann, Herr Professor, Sie sind ja der beste Freund von Papa, Sie kannten ihn lange vor mir und besser als ich — mir war es erst in den letzten Jahren vergönnt, ihm wahrhaft verstehend nahezutreten —, so mögen Sie vielleicht ahnen, was mir diese Zeit bedeutet hat. Und schließlich das Glück, die Belohnung dieses Erfolges!

PROFESSOR GEIGER. Er ist wieder ganz der alte geworden?

BETTINA. Er war nach Mamas Tod gleichsam erblindet, wie er mir gestanden hat, und mußte sich langsam ins Leben zurücktappen.

PROFESSOR GEIGER *tritt an die offenstehende Balkontür, blickt in den Garten hinunter, aus dem jetzt die Klänge einer Jazzband heraufdringen.* Und nun auf einmal das Leben im Haus — unten die Gardenparty mit Drinks, Bowle und Limonade im Gang, wie es in den glücklichsten Zeiten des Hauses gewesen ist!

BETTINA. Er ist dem Dasein wiedergegeben.

Gleichsam um sich in den Garten zu begeben, gehen beide im Gespräch zur gegenüberliegenden Tür hinaus.

Durch ebendie Tür wie die Vorigen erscheinen Professor Wolfgang Clausen und seine Gattin Paula Clothilde.

PROFESSOR WOLFGANG CLAUSEN. Eben ist Papa der Ehrenbürgerbrief überreicht worden.

PAULA CLOTHILDE *mit gemachter Gleichgültigkeit.* Man hört ja munkeln ... warum denn nicht?!

PROFESSOR WOLFGANG CLAUSEN. Heute abend bringen ihm zwei- bis dreitausend Menschen aus allen Parteien einen Fackelzug.

PAULA CLOTHILDE. Na, ja, das muß überstanden werden.

PROFESSOR WOLFGANG CLAUSEN. Überstanden werden? Wie meinst du das?

PAULA CLOTHILDE. Was ist denn schließlich ein Fackelzug? Alle naselang mußte mein Vater als Korpskommandeur so 'nen Fez über sich ergehen lassen. Er stand schließlich kaum noch von Tische auf.

PROFESSOR WOLFGANG CLAUSEN *leicht gereizt.* Dein Vater natürlich war so was gewohnt. Aber da es Papa etwas Neues ist und für seine Beliebtheit zeugt, wird er sich sehr darüber freuen.

PAULA CLOTHILDE. Ich verstehe die ganze Sache nicht. Erst kriecht euer Vater ins Mauseloch, versteckt sich, läßt sich von niemandem sprechen; dann plötzlich wird dieser Riesenrummel in Bewegung gesetzt. Da muß irgend etwas dahinterstecken.

PROFESSOR WOLFGANG CLAUSEN. Papa hat den Bitten seiner Kinder, meinen, Ottiliens und Bettinens Bitten, nachgegeben und ist zu seinem Geburtstag nicht fortgereist. Nach Schwager Klamroths und unserer Ansicht war das notwendig: wer so wie Papa mit dem städtischen Leben verbunden ist, darf weite Kreise nicht vor den Kopf stoßen.

PAULA CLOTHILDE. Früher hat er das leider sehr oft getan.

PROFESSOR WOLFGANG CLAUSEN. Was willst du nun eigentlich sagen, Paula? Gönnst du Vater vielleicht die ihm so in Hülle und Fülle dargebrachten Ehren nicht?

PAULA CLOTHILDE. Gönnen, gönnen: was heißt denn das? Was hätte denn ich als verarmte Adlige noch für Ansprüche? Und schließlich bringen dir auch mal nach dreißig, vierzig Jahren die Studenten einen Fackelzug. *Sie ist auf den Balkon getreten und nimmt das Lorgnon vor die Augen.* Wer ist denn die blonde Bohnenstange, mit der sich Schwager Klamroth im Kreise dreht?

PROFESSOR WOLFGANG CLAUSEN *tritt neben sie.* Die lange Blonde? Das weiß ich nicht. Ich kenne kaum diesen und jenen unter den Angestellten.

PAULA CLOTHILDE. Na siehst du, Wolfgang, ich weiß, wer sie ist: die Mutter ist Witwe, sie wohnen in Broich, der Onkel ist Schloßgärtner, sie heißt Inken Peters oder so, — man muß seine Augen da und dort haben . . .

PROFESSOR WOLFGANG CLAUSEN. Und? — woher stammt deine Wissenschaft?

PAULA CLOTHILDE. Sie stammt von Justizrat Hanefeldt, er verwaltet die Herrschaft Broich. — Euer Vater soll übrigens manchmal draußen Besuch machen . . .

PROFESSOR WOLFGANG CLAUSEN. Weshalb nicht?! Warum erzählst du mir das? —

Das Ehepaar geht ab.
Sanitätsrat Dr. Steynitz und Privatsekretär Dr. Wuttke kommen.

SANITÄTSRAT STEYNITZ *mit Bezug auf Paula Clothilde, der er nachblickt.* Diese Dame hat Haare auf den Zähnen.

WUTTKE *stellt sich unwissend.* Welche Dame meinen Sie wohl?

SANITÄTSRAT STEYNITZ. Eine gewisse, mit der nicht gut Kirschen essen ist.

WUTTKE. Mit welcher gewissen ist nicht gut Kirschen essen?

SANITÄTSRAT STEYNITZ. Mit einer gewissen geborenen von Rübsamen. Oder meinen Sie, daß mit ihr gut Kirschen essen ist?

WUTTKE *lacht.* Nein, das könnte wohl niemand behaupten. Über Geschmäcker ist nicht zu streiten — aber diese beiden Ehen, die von Wolfgang und die von Ottilie Clausen, verstehe ich nicht. Der brave Wolfgang und diese Paprikaschote einerseits —

und diese verwöhnte Glashauspflanze Ottilie, die sich einem richtigen Bierkutscher an den Hals geworfen hat!

Direktor Erich Klamroth, etwas hastig, aus der entgegengesetzten Tür.

KLAMROTH *wischt sich den Schweiß von der Stirn.* Bullenhitze! Haben Sie meine Frau gesehen?

WUTTKE. Nein, aber Ihr Schwager Wolfgang und seine Frau sind eben durchs Zimmer gegangen.

KLAMROTH. Das Wölfchen mit der geborenen von Rübsamen. Diese Frau kommt sich immer vor wie die Direktrice vons Janze.

WUTTKE. Wenn sie es noch nicht ist, liegt es nicht an ihr . . .

KLAMROTH. Unter anderem dürfte das dann wohl auch an mir liegen. Übrigens hält sich der Seniorchef ausgezeichnet. Man sagt ja, der Ehrenbürgerbrief wird ihm überreicht. Alles klappt ja so ziemlich, wie mir scheint. Wo residieren denn jetzt die Hauptperson? Ich möchte den Aktus nicht versäumen.

SANITÄTSRAT STEYNITZ. Dann hätten Sie müssen früher zur Stelle sein, wenn das Ihre Absicht gewesen ist.

KLAMROTH *wird dunkelrot.* Was? *Zu Wuttke.* Konnten Sie mich denn nicht davon verständigen, hören Sie mal? Oder gehört das nicht zu Ihren Aufgaben?

WUTTKE. Nein, meine Aufgabe war das nicht.

KLAMROTH. Ihr Lapidarstil ist manchmal recht aufreizend!

WUTTKE. Ganz ohne Absicht meinerseits.

KLAMROTH. Aber es ist nicht zu leugnen, daß er es ist. Was haben Sie übrigens in der Mappe?

WUTTKE. Allerlei für den Herrn Jubilar.

KLAMROTH. Machen Sie sich nicht wichtig, Wuttke, ich erfahre nämlich auch ohne Sie alles, aber auch alles, was ich wissen muß.

WUTTKE. Es steht mir nicht an, daran zu zweifeln.

KLAMROTH. Sie drehen den Zeiger der Uhr nicht zurück! *Klamroth schnell ab.*

SANITÄTSRAT STEYNITZ. Der gute Klamroth hat mystische Wallungen.

WUTTKE. Rutschen Sie mir den Buckel lang, Herr Direktor!

SANITÄTSRAT STEYNITZ. Ein seltsames Wort, das den Weg für allerlei Konjekturen offenläßt.

WUTTKE. Was hat er gesagt?

702

SANITÄTSRAT STEYNITZ. Sie werden den Zeiger der Uhr nicht zurückdrehen.

WUTTKE. Will ich den Zeiger der Uhr zurückdrehen?

SANITÄTSRAT STEYNITZ. Wahrscheinlich hat er uns beide gemeint: mich, weil ich den Seniorchef schließlich doch wieder auf die Beine gestellt habe, Sie, weil Sie ebenfalls dem Geheimrat verschworen und noch nicht mit fliegenden Fahnen ins Lager Klamroth übergegangen sind.

WUTTKE. Und solange ich lebe, soll der Geheimrat das Heft nicht aus der Hand geben!

Egmont Clausen ist mit lebhaften Bewegungen eingetreten, legt die Hände gleichzeitig über die rechte Schulter des Sanitätsrats und über die linke Wuttkes und steckt von rückwärts zwischen beider Köpfe seinen Kopf.

EGMONT. So, das bedeutet zwei Fliegen mit einer Klappe! Wissen Sie, warum ich das sage, meine Herren?

SANITÄTSRAT STEYNITZ. Nein, wenn Sie uns nicht totschlagen wollen, Sie Klappe.

WUTTKE. Ich weiß es ebensowenig, Klappe!

EGMONT. Soll ich von vorn sprechen, meine Herren, oder meinen Sie, daß ich von rückwärts mehr Erfolg hätte?

WUTTKE. Je nachdem Sie Duell oder Meuchelmord vorziehen.

SANITÄTSRAT STEYNITZ. Taschendiebe kommen von hinten am besten zum Ziel.

Egmont geht nach vorn, packt aber sogleich beide Herren beim Arm.

EGMONT. Auge um Auge, Zahn um Zahn! Nur ein Anliegen, meine Herren: Sie sollen mir nur mal das Geburtstagsgedicht abhören, das ich Papa aufsagen möchte.

SANITÄTSRAT STEYNITZ. Also bitte, legen Sie los!

EGMONT *bedeutsam, nah und eindringlich, aber einigermaßen wie ein Geheimnis.*

> Habe nun, ach, Philosophie,
> Juristerei und Medizin
> und leider auch Theologie
> durchaus studiert mit heißem Bemühn.
> Da steh' ich nun, ich armer Tor — — —
> und habe Schulden wie ein Major!

Beide Herren brechen unwillkürlich in ein Gelächter aus.

SANITÄTSRAT STEYNITZ. Sagen Sie das Ihrem Alten Herrn lieber nicht auf, lieber Egert! Diese bittre Pille, noch dazu in eine Goethe-Beleidigung eingewickelt, vertrüge er nicht.

EGMONT. Deshalb brauche ich Protektion: Sanitätsrat, sanieren Sie mich! Legen Sie ein Wort für mich ein bei diesem allmächtigen Mann mit der Aktenmappe!

WUTTKE. Ich werde, wie immer, sehn, was sich machen läßt. Sie hatten mir übrigens fest versprochen, mit dem Automobiltausch bis nächstes Frühjahr zu warten. Erinnern Sie sich?

EGMONT. Das hab' ich, das hab' ich, sicherlich. Auch wäre ich Ihnen im Wort geblieben, wenn nicht diese Gelegenheit — Gelegenheit ist Gelegenheit! — mir den Strich durch die Rechnung gemacht hätte. Und dann hat Papa neulich selbst gesagt, ich sollte mal Spanien kennenlernen: mit dem alten Klapperkasten, den ich bisher gefahren habe, geht das nicht. — Also, Doktor, wann kann ich auf Antwort rechnen?

WUTTKE. In einigen Tagen, heute natürlich nicht. Kein Tröpflein Wermut darf heute in seinen Wein fallen.

Es treten ein: Geheimrat Matthias Clausen, der Oberbürgermeister, der Stadtverordnetenvorsteher mit der Kette, einige Stadtverordnete und Stadträte, Professor Geiger, Professor Wolfgang Clausen, Erich Klamroth, Bettina, die sich an den Vater schmiegt, Paula Clothilde Clausen, Ottilie Klamroth und Justizrat Hanefeldt.

EGMONT *tritt mit schneller Wendung vor den Vater.* Gratuliere, Papa, zum Ehrenbürger!

Er küßt den Vater ungeniert auf die Stirn.

GEHEIMRAT CLAUSEN. Ja, lieber Egert, diese Herren haben mir wirklich die höchste Auszeichnung überbracht, die unser städtisches Gemeinwesen zu verleihen hat. Das Bewußtsein meiner geringen Verdienste sträubt sich noch immer gegen die Tatsache. Wäre ich jünger, Magnifizenz und verehrte Herren, so könnte ich hoffen, mich Ihrer unbegründet hohen Meinung langsam mehr und mehr würdig zu machen. Leider hämmert mir dieser festliche Tag zugleich die Erkenntnis ein, wie alt ich bin. Die schwindende Kraft, die schwindende Zeit legen mir andere Dinge nahe, als eine jugendliche drängende Kraft und eine werdende, chaotisch peinliche Zeit zu fordern haben — man wird da ganz anderer Steuermänner bedürfen —

OBERBÜRGERMEISTER. Sie sind ein Jüngling geblieben, Herr Geheimrat!

GEHEIMRAT CLAUSEN. Dieses Kompliment gebe ich an meinen Freund Geiger weiter, Herr Oberbürgermeister! Er ist extra zu meinem Geburtstag aus Cambridge herübergekommen.

PROFESSOR GEIGER *jovial.* Tui tui tui — wir wollen auf Holz klopfen!

OBERBÜRGERMEISTER *sich umsehend.* Man würde nicht glauben, hier im Zimmer eines Geschäftsmannes zu sein, viel eher im Zimmer eines Gelehrten.

GEHEIMRAT CLAUSEN. Ich habe allerlei Schwächen, die man einem Geschäftsmann für gewöhnlich nicht zubilligt: Autographen, Erstdrucke und so fort. Ich besitze zum Beispiel eine Fust-Bibel und von Lessings eigener Hand das Manuskript des „Laokoon". — Ich denke, Sie kennen meine Kinder. *Mit Bezug auf Wolfgang.* Er hat es weiter gebracht als ich, der Junge ist heute bereits Professor.

PAULA CLOTHILDE *halblaut zu Hanefeldt.* „Der Junge" ist wirklich gut. Oder meinen Sie nicht?!

GEHEIMRAT CLAUSEN. Das ist Egmont, kurzweg Egert geheißen, der mit seinen zwanzig Jahren den vollen Ernst des Lebens noch nicht recht begriffen hat. Trotzdem ist mir einstweilen nicht bange um ihn — es kommt die Stunde, wo jedem von uns die Augen aufgehen.

OBERBÜRGERMEISTER. Unser Stadtbild wäre nicht vollständig ohne Ihren Sohn. Man sieht ihn gern in seinem Mercedes vorbeiflitzen.

EIN STADTVERORDNETER. Und zwar unter allgemeinem Hälseverrenken der Damenwelt.

EGMONT. Ich habe schon auch meine dunklen Stunden. Aber ich kann das Grau in Grau unserer Nachkriegsepoche auf die Dauer nicht aushalten, und da fass' ich eben jeden Zipfel des lebendigsten Lebens, wo er irgend zu packen ist.

EIN STADTVERORDNETER. „Freude, schöner Götterfunken . . ."

PROFESSOR GEIGER. O freilich — „Tochter aus Elysium . . ."

OBERBÜRGERMEISTER. Ohne die Tochter aus Elysium geht's bei den jungen Herren natürlich nicht.

Gemäßigte Belustigung aller.

GEHEIMRAT CLAUSEN. Vielleicht ist es falsch, wenn wir das psychologische Moment in der öffentlichen Diskussion so ganz vernachlässigen. Früher sprachen die Soziologen von Glückseligkeit. Heute redet man nur von Fertigfabrikaten, Halbfabrikaten und Rohstoffen . . . Diese hier ist meine Tochter Bettina.

EIN STADTVERORDNETER. In den Kreisen der Wohlfahrtspflege rühmlich bekannt.

GEHEIMRAT CLAUSEN. Sie hat ein gutes Herz, meine Bettine, das auch mir über manche Krise hinweggeholfen hat. — Hier hätten wir dann meine Tochter Ottilie. Sie hat ihrer Mutter und mir in den ersten Jahren ihres Lebens viel Sorge gemacht, in den späteren um so mehr Freude. Und das ist ihr Mann, mein Herr Schwiegersohn. — Ich brauche Ihnen Herrn Klamroth nicht vorzustellen.

KLAMROTH *mit leicht gereizter Freundlichkeit.* Als den Mann seiner Frau jedenfalls wohl nicht. *Ottilie faßt Klamroth erschrocken unwillkürlich am Handgelenk.* Wieso? Ich sage die Wahrheit, Ottilie.

GEHEIMRAT CLAUSEN. Das tun Sie ja stets.

OBERBÜRGERMEISTER. Der herzerquickende Freimut des Herrn Direktors Klamroth ist stadtbekannt.

EIN STADTRAT. Sie haben nur einen Fehler, Herr Klamroth: daß Sie trotz unserer Bitten sich immer noch hartnäckig im Magistrat vermissen lassen.

KLAMROTH. Geduld, Herr Stadtrat, kommt Zeit, kommt Rat.

OBERBÜRGERMEISTER. Da haben Sie ja ein wundervolles Bild hängen, Herr Geheimrat.

GEHEIMRAT CLAUSEN. Sie waren noch nicht in diesem Zimmer? Meine verstorbene Frau als Mädchen, von Fritz August Kaulbach gemalt.

PROFESSOR GEIGER. Sie war wohl die schönste junge Dame, die mir zeit meines Lebens zu Gesicht gekommen ist.

BETTINA. Sehen die Herren hier rechts auf dem langen schwedischen Handschuh den Schmetterling? Der Maler hat zu Mama gesagt, das sei er, der sie in dieser Gestalt ewig durchs Leben begleiten wolle.

GEHEIMRAT CLAUSEN. Stürzen wir uns in das Festgewühl, wenn es beliebt! Steigen wir in den Garten hinunter!

OBERBÜRGERMEISTER *auf dem Balkon, in den Garten hinunterblickend.* Ein Wunder ist dieser Garten inmitten der Stadt. Man ist auf dem Lande, man hört keine Automobilhupe. Jedesmal fällt es mir wieder auf.

WUTTKE *tritt auf den Geheimrat zu.* Herr Geheimrat, ich störe Sie nur einen kurzen Augenblick.

GEHEIMRAT CLAUSEN. Was haben Sie denn?

WUTTKE *mit flehenden Augen.* Eine Unterschrift.

GEHEIMRAT CLAUSEN. Ein wahres Kreuz, dieser Doktor Wuttke! *Er gibt seine Unterschrift und entfernt sich mit der ganzen Gesellschaft, um in den Garten zu gehen.*

Dr. Wuttke und Sanitätsrat Steynitz sind zurückgeblieben.

WUTTKE *hat Unterschrift in Mappe geborgen.* Leben Sie wohl, ich will mich zurückziehen. — Was halten Sie eigentlich in der Hand?

SANITÄTSRAT STEYNITZ *betrachtet ein mikroskopisches Präparat.* Was ich hier halte, ist eine Blutprobe.

WUTTKE. Hoffentlich doch nicht positiver Wassermann.

SANITÄTSRAT STEYNITZ. Schlichte Chlorosis, einfache Sache.

WUTTKE. Bleichsucht also. Wer ist denn der Glückliche?

SANITÄTSRAT STEYNITZ. Es ist kein Er, es ist eine Sie. Es ist Inken Peters, gebürtig aus Husum oder Itzehoe, die unser alter Herr so ins Herz geschlossen hat.

WUTTKE. Nanu? Und da nimmt er gleich die Blutprobe?

SANITÄTSRAT STEYNITZ. Das ist mehr so meine eigne Idee, da er sie meiner Obhut überantwortet hat.

WUTTKE. Was halten Sie eigentlich von der Geschichte?

SANITÄTSRAT STEYNITZ. Eine kleine Ablenkung, weiter nichts, die man dem wiedergenesenen Manne doch wohl zu gönnen hat.

WUTTKE. Aber doch schon für diesen und jenen besorgniserregend.

SANITÄTSRAT STEYNITZ. Wieso? Weil der Geheimrat manchmal in Broich zu finden ist und den Kindern — sie hält einen Kindergarten, oder eigentlich mehr die Mutter hält einen Kindergarten — Schokolade bringt? Was werden die Schnüffler nicht noch alles ausschnüffeln!

WUTTKE. Bin weit entfernt. Ich jedenfalls nicht! Ich wüßte nicht, was mir gründlicher Wurst wäre.

Er winkt und geht schnell ab.

Der Sanitätsrat tritt an die Balustrade des Balkons und schaut in den Garten hinunter. Ohne daß sie ihn bemerkt, tritt Inken Peters, gefolgt von ihrer Mutter, ein.

INKEN *stutzt, sieht sich um.* Sag mal, Mutter, wo ist man hier?

FRAU PETERS. Eil doch nicht so, man kann ja kaum nachkommen!

INKEN. Es scheint doch, sie gehen alle, Mutter.

FRAU PETERS. Du tust ja gerade, als ob du gehetzt würdest. Und überhaupt ist es ein bißchen merkwürdig: der Geheimrat tritt mit großem Gefolge in den Garten ein, und du läufst im gleichen Moment davon.

INKEN. Es sind genug junge Damen da, die Hofknickse machen. Was habe ich von dem Geheimrat, wenn er von einem Wall umgeben ist?!

FRAU PETERS. Es war unsere Pflicht, ihm zu gratulieren. So mir nichts, dir nichts davonzurennen, ist eine Ungezogenheit. Von Fräulein Bettina hättest du dich zum allermindesten müssen verabschieden, da sie doch so lange und herzlich mit dir gesprochen hat.

INKEN. Ich hatte nichts anderes zu tun, als kopfüber wie in einem Examen zu antworten. Ich bekam auch Zensuren, ich wurde gelobt, weil ich ein so resolutes und tüchtiges Mädchen wäre: Stenotypistin, Nähterin, Kindergärtnerin; jeder neue Beruf brachte mir neue Ehren. Wohl aber wurde mir trotzdem nicht.

FRAU PETERS. Inken, du hast wieder deine Zustände.

INKEN. Und wie dieser Herr Direktor Klamroth mit einem zu tanzen geruht, ist widerlich. Und was er einem alles ins Ohr flüstert, indes seine ahnungslose Frau ihn anhimmelt! Egert Clausen ist der einzige, mit dem man anständig tanzen und sprechen kann. — Sage mir nur, wo der Ausgang ist — es wird mir erst wieder wohl auf der Straße!

Inken, im Begriff, durch irgendeine Tür zu flüchten, stößt auf Frau Paula Clothilde Clausen in Begleitung von Justizrat Hanefeldt, die eben eintreten.

JUSTIZRAT HANEFELDT. Wohin denn so eilig, schönes Kind?

INKEN. Oh, Herr Justizrat Hanefeldt! Ich wußte ja gar nicht, daß Sie auch bei dem Feste sind.

JUSTIZRAT HANEFELDT. Die ganze Stadt ist ja bei dem Feste. Meine Beziehungen zur Familie Clausen sind außerdem alt und vielfältig. Zum Beispiel in diesem Zimmer — das wissen auch vielleicht Sie nicht, gnädige Frau — haben wir beide, Ihr Gatte Wolfgang und ich, als Kinder bereits miteinander gespielt. *Zu Inken.* Haben Sie sich denn gut unterhalten?

PAULA CLOTHILDE *mit Blick durchs Lorgnon.* Sicherlich doch?! — Flotte Tänzerin, was?! Habe Sie mit Interesse beobachtet.

INKEN. Ich tanze nur so für den Hausbedarf.

JUSTIZRAT HANEFELDT. Sie wissen, vor wem Sie stehen, Inken? Frau Professor Doktor Wolfgang Clausen, die Frau Schwiegertochter des Herrn Geheimen Rats, deren Tante einmal die

Herrschaft Broich, in der Sie jetzt Unterschlupf gefunden haben und die ich verwalte, besessen hat.

PAULA CLOTHILDE. Mein Vater war allzusehr General. Es sind von ihm, besonders im Alter, unverzeihliche Fehler gemacht worden, sonst müßten wir heut noch Eigentümer der Herrschaft sein. Auf alte Herren muß man achtgeben!

JUSTIZRAT HANEFELDT *zu Paula Clothilde.* Ich darf Ihnen diese Kleine vorstellen: Inken Peters, die ein ordentliches und fleißiges Mädchen ist! Greift alles mutig an, was ihr vor die Finger kommt. Und hier ihre ehrenwerte Frau Mutter.

PAULA CLOTHILDE. Es heißt eben: friß, Vogel, oder stirb! Wer heut wählerisch sein will, geht vor die Hunde.

JUSTIZRAT HANEFELDT. Sagt man zuviel von dieser Familie? Waren die Herrschaften Clausen nicht wieder von einer ganz allgemein empfundenen Herzlichkeit und Leutseligkeit?

FRAU PETERS. Über alles Lob, Herr Administrator.

JUSTIZRAT HANEFELDT. Und haben Sie sich denn amüsiert?

FRAU PETERS. Ein herrliches Fest! Jahrelang wird man davon zehren.

PAULA CLOTHILDE *zu Frau Peters.* Wo arbeitet Ihre Tochter jetzt?

INKEN. Mutter, ich will dir die Antwort abnehmen. Wenn die Dame es wissen will — eine Stellung bekleide ich augenblicklich nicht. Aber dank der Unterstützung des Herrn Administrators Hanefeldt halten wir einen Kindergarten — mein guter Onkel ist Gärtner in Broich — in einem der großen leeren Glashäuser.

PAULA CLOTHILDE. Sie sind also auch Kindergärtnerin?

INKEN. Ich mache pro forma mein Examen.

PAULA CLOTHILDE. Wieviel bringt das etwa ein, monatlich?

INKEN *lachend, leicht amüsiert und gereizt.* Sechzehn Dummköpfe, pro Dummkopf zwei Mark die Woche.

JUSTIZRAT HANEFELDT. Sie sind heute recht ungeduldig, Kind.

INKEN. Ich möchte mich, wenn es erlaubt, ist, verabschieden. *Sie will, nach einer leichten Kopfsenkung, davon. In der Tür aber steht plötzlich Egert Clausen und vertritt ihr den Weg.*

EGMONT. Auf keinen Fall, bevor Sie nicht noch diesen Tango mit mir getanzt haben.

INKEN *lacht auf.* Geh voraus, Mutter! Man ist eben eine Gefangene. Am Hauptportal, bitte, warte auf mich! *Inken mit Egmont ab.*

JUSTIZRAT HANEFELDT. Wie gefällt sie Ihnen?

PAULA CLOTHILDE. Das wär am Ende auch gleichgültig. Aber nein! Sie gefällt mir nicht.

JUSTIZRAT HANEFELDT. Und, Paula, was hätten Sie auszusetzen?

PAULA CLOTHILDE. Zum mindesten, daß sie unweiblich ist.

JUSTIZRAT HANEFELDT. So? Sie finden die Kleine unweiblich? Und doch kann sie sich weich und weiblich geben wie wenige.

PAULA CLOTHILDE. Haben Sie diese Erfahrung gemacht?

JUSTIZRAT HANEFELDT. Ja, aber gewiß nicht so, wie Sie meinen. Denn in puncto puncti ist ihr Verhalten musterhaft. Irgendwie war sie heut etwas gereizt. Sonst hat man, sooft man sie in ihrer Umgebung sieht, jedesmal den Eindruck zwar eines erquickenden Freimuts, aber auch der größten Liebenswürdigkeit.

PAULA CLOTHILDE. Und doch hat sie es faustdick hinter den Ohren.

JUSTIZRAT HANEFELDT. Sie wollen vielleicht damit nur sagen, daß sie kein Dümmchen ist, und damit, Paula, würden Sie recht haben. Übrigens weiß das arme Ding nicht, welches Verhängnis ihre Familie vor Jahren betroffen hat: ihr Vater hat sich das Leben genommen, und zwar wegen eines Verdachtes, der auf ihm lastete, während der Untersuchungshaft.

SANITÄTSRAT STEYNITZ *der unbemerkt geblieben war.* Ein armer Narr, da sich seine Unschuld später mit neunzig Prozent Wahrscheinlichkeit erwiesen hat.

JUSTIZRAT HANEFELDT *leicht überrascht.* Ach, Sie sind hier?

SANITÄTSRAT STEYNITZ. Ich mache hier Studien.

PAULA CLOTHILDE *entsetzt.* Das Leben genommen? In Untersuchungshaft? Das wäre ja eine gräßliche Sache! Meinen Sie, daß mein Schwiegervater davon Kenntnis hat? Sonst müßte man ihn denn doch wohl ins Bild setzen.

SANITÄTSRAT STEYNITZ. Sehr wichtig scheint mir das eigentlich nicht.

Geheimrat Clausen mit Bettina, wie vorher, Professor Geiger, Professor Wolfgang Clausen, Egmont Clausen, Klamroth mit seiner Frau Ottilie geb. Clausen. Wolfgang hat seinen achtjährigen Sohn an der Hand, Ottilie einen anderthalbjährigen Sohn auf dem Arm und ebenfalls an der Hand ein vierjähriges Töchterchen. Im Hintergrund der alte Diener Winter.

GEHEIMRAT CLAUSEN. Ich danke euch allen, danke euch allen,

liebe Freunde, liebe Kinder und Kindeskinder, für diese sehr gelungene Geburtstagsfestlichkeit.

BETTINA *bewegt, laut genug, daß alle sie hören, aber nur für den Vater bestimmt.* Ich bin gewiß, daß Mutter von oben auf uns herniedersieht.

OTTILIE *dicht am Papa.* Lenchen, gib Opapa einen Patsch und sprich vernehmlich: Ich gratuliere.

GEHEIMRAT CLAUSEN. Ich nehme es für genossen, Ottilie.

DIE VIERJÄHRIGE *tritt zu Geiger.* Ich gratuliere dir zum Geburtstag, lieber Großvater.

PROFESSOR GEIGER. Was Tausend! das wußt' ich ja gar nicht: ich bin dein Großvater? *Er lacht herzlich.* Ich bin ja überhaupt noch nicht Großvater. Wie kommst du darauf? Man behauptet doch allgemein, daß ich noch wie ein Jüngling aussähe.

OTTILIE. Lenchen, du kennst den Großvater nicht?

GEHEIMRAT CLAUSEN. Sie versteht es nicht besser, lieber Geiger.

GEIGER. Die Kleine beschämt mich, weiter nichts. Deine herrliche Patriarchenrolle zu spielen, geziemt mir nicht.

JUSTIZRAT HANEFELDT. Wie steht in der Bibel? Ich will dich zum großen Volke machen.

PAULA CLOTHILDE *boshaft, dem Justizrat ins Ohr.* Nun sagen Sie bloß noch: ich will deinen Namen mehren wie Sand am Meere . . .

GEHEIMRAT CLAUSEN. Also nochmals Dank, Dank, Dank! Wir sehen uns alle zum Abendbrot.

BETTINA. Verzeih, Papa, heut abend ist das Bankett im Stadthause.

GEHEIMRAT CLAUSEN. Richtig! Nun also, wir treffen uns irgendwo.

BETTINA. Ich bringe dir jetzt deine Limonade.

GEHEIMRAT CLAUSEN. Nein, beste Bettine, heut nicht Limonade. Winter, machen Sie uns einen recht netten, behaglichen Tisch zurecht, stellen Sie eine oder zwei Flaschen Pommery darauf, und dann wollen wir plaudern, lieber Geiger, und zwar von der guten alten Zeit. Auf Wiedersehen, auf Wiedersehen, ihr guten Kinder!

Die ganze Gesellschaft entfernt sich wohl oder übel. Außer Geheimrat Clausen und Professor Geiger ist nur Bettina zurückgeblieben. Winter, in Ausführung des Befehls, geht ab und zu.

BETTINA *etwas betreten.* Ich wollte nur fragen — störe ich?

GEHEIMRAT CLAUSEN. Du weißt ja, niemals störst du, Bettine.

Aber ich fürchte, du würdest nicht recht auf die Kosten kommen bei dem, was uns beiden alten Kommilitonen Gewohnheit ist. Unsere Gespräche werden dich langweilen.

BETTINA. Aber nein, Papa, das fürchte ich nicht.

GEHEIMRAT CLAUSEN. Nun, du kannst uns getrost ein halbes Stündchen allein lassen. Es ruht immerhin aus, wenn man einmal auf bequeme Art über dies und das und noch etwas unter vier Augen plauschen kann.

BETTINA. Wäre sonst irgend etwas für dich zu tun, Vater?

GEHEIMRAT CLAUSEN. Absolut gar nichts im Augenblick.

BETTINA *geht*. Wenn du mich brauchst, ich bin im Musikzimmer. *Ab.*

Es ist still geworden im Hause. Man spürt, das Gartenfest ist zu Ende. Die Jazzmusik schweigt.

Einige der davoneilenden Gäste haben das Zimmer gekreuzt, darunter ein Musikus mit seinem Instrument.

Winter serviert den Sekt.

GEHEIMRAT CLAUSEN. Winter, verschließen Sie alle Türen, und machen Sie vor der einen, die offen bleiben kann, den Zerberus!

WINTER. Es sind nur noch einige Musikanten im Hause.

GEHEIMRAT CLAUSEN *lächelnd*. Einige gute und einige schlechte.

PROFESSOR GEIGER. Solche Feste sind meist mehr für die andern da als für den Jubilar. — Du hast deine Bücherei sehr vermehrt, Matthias.

GEHEIMRAT CLAUSEN. Oben im zweiten Stock liegt die Hauptmasse. Ich halte sogar einen Bibliothekar. Er ist nach Arth-Goldau zu seiner Mutter gereist, er ist Schweizer.

PROFESSOR GEIGER *betrachtet eine große Photographie*. Das Reiterstandbild des Marc Aurel.

GEHEIMRAT CLAUSEN. Das schönste und bedeutendste Reiterstandbild der Welt, zu Rom auf dem Kapitol. On revient toujours à ses premiers amours . . . Nehmen wir also Platz, lieber Geiger!

PROFESSOR GEIGER. Der Bürgermeister hat wirklich recht, man würde auf einen Gelehrten schließen, wenn man nicht wüßte, daß hier der Gründer und Leiter eines großen Geschäftsbetriebes zu Hause ist.

GEHEIMRAT CLAUSEN. Es hat Männer gegeben, die beides vereinigt haben. Schliemann und Grote waren zugleich große Kaufleute. — Ich habe leider nichts aufzuweisen.

PROFESSOR GEIGER. O bitte, Matthias, das sage nicht! Deine verstreuten Aufsätze würden mehrere Bände ausmachen. — Was ist das übrigens für ein wunderbares Schachbrett, Matthias?

GEHEIMRAT CLAUSEN. Ich bin beschämt, und es hätte mir unter anderen Verhältnissen wirklich große Freude gemacht: es ist ein Geschenk meiner Redakteure.

PROFESSOR GEIGER *mit Bezug auf das Schachbrett und die aufgestellten Schachfiguren auf einem kleinen Tischchen.* Ein wunderbares antikes Stück. Wahrscheinlich persisch, meinst du nicht? Die Felder Perlmutt und Lapislazuli, Silber und Gold, wahre Kunstwerke, diese Figuren!

GEHEIMRAT CLAUSEN. Man findet ein gleiches Stück wahrscheinlich in ganz Europa nicht. Meine Herren wissen, daß ich zuweilen eine Partie spiele. *Winter hat den Sekt serviert, und die Herren nehmen dabei Platz. Winter füllt die Gläser. Der Geheimrat erhebt sein Glas.* Ich danke dir, daß du gekommen bist.

PROFESSOR GEIGER. Oh, nichts zu danken, es paßte sehr gut. Ich komme immer gern in mein altes Mutterland, außerdem ist ja der Anlaß ein glücklicher. *Winter gibt Geiger Feuer. Er raucht und fährt fort.* Du hast dir das schöne Laster immer noch nicht angewöhnt.

GEHEIMRAT CLAUSEN. Dafür bin ich mit anderen reich gesegnet. *Beide Herren bleiben eine Weile stumm.*

PROFESSOR GEIGER. Du hast eine Perle von einer Tochter.

GEHEIMRAT CLAUSEN. Dein Wort in Ehren: es gleicht dem Stempel, den man auf die Wahrheit drückt.

PROFESSOR GEIGER. Deine Bettine liebt dich abgöttisch.

GEHEIMRAT CLAUSEN. Auch das ist auf eine Weise wahr, die mir manchmal bange macht.

PROFESSOR GEIGER. Töchter schwärmen nun einmal meistens für ihre Väter. Ich lasse mich auch von meiner Tochter, sooft es ihr Spaß macht, Wotan oder Zeus nennen.

GEHEIMRAT CLAUSEN. Es liegen aber Gefahren in solchen Verzückungen, die der Psychoanalytiker kennt und die beiden Teilen recht unbequem werden können. Übrigens bin ich Bettine wirklich zu Dank verpflichtet, sie ist ein liebes und braves Kind. — Apropos: erzählt deine Tochter dir manchmal Träume?

PROFESSOR GEIGER. Nein, dazu ist Alice zu praktisch gerichtet.

Höchstens spricht sie von Boating, Gymnastik und Unterricht.

GEHEIMRAT CLAUSEN. Meine Tochter erzählt mir Träume. Zwar sind es Träume, in die ich meist als eine Art höheren Wesens verwoben bin, manchmal mit meiner verstorbenen Frau im Bunde.

PROFESSOR GEIGER. Nun ja, Bettina ist religiös. Der Tod der Mutter ist ihr sehr nahegegangen.

GEHEIMRAT CLAUSEN. Und sie sagt: unsere Ehe sei keinen Augenblick unterbrochen, so daß wir, meine verstorbene Frau und ich, nach ihrer Ansicht noch heut unlöslich verbunden wären.

PROFESSOR GEIGER. Damit hat sie doch wohl, wie ich denke, deinen Trennungsschmerz zu mildern versucht.

GEHEIMRAT CLAUSEN. Ich nahm das auch an in der ersten Zeit und fand darin eine Art von Linderung — nicht weil ich Bettinens Ansicht war, sondern weil ihre kindliche Ausflucht mir Rührung abnötigte. Dann aber nahm ihr Glaube an diese Verbindung zwischen meiner verstorbenen Frau und mir Formen an, von denen sich mein gesundes Empfinden abwendete. Okkultistische Neigungen habe ich nicht, und so habe ich Bettine zwar, um sie nicht zu verletzen, laufen lassen, wenn sie von gewissen Rapporten mit dem Jenseits sprach, aber es wurde mir mehr und mehr peinlich.

PROFESSOR GEIGER. Nun ja, das Seelenleben alternder Mädchen, die körperlich etwas zu kurz gekommen sind, treibt mitunter seltsame Blüten — darüber kann man als Vater hinwegsehen. —

GEHEIMRAT CLAUSEN. Geiger, du bist die Stimme unserer gesunden Jugend, die so lange in mir geschwiegen hat. Sie klingt in mir, und ich höre sie wieder! Darum ist es wie das Walten einer Vorsehung, daß du überhaupt gekommen bist. Laß uns auf unsere Jugend anstoßen!

PROFESSOR GEIGER. Oh, warum nicht?! Wenn man auch heut nach einem schwarzen Haar auf meinem Kopfe ebenso vergeblich suchen wird wie in jungen Tagen nach einem weißen. *Sie stoßen an und trinken.*

GEHEIMRAT CLAUSEN. Ich denke, ich bin es dir schuldig, dir etwas von der Krise zu erzählen, die mich, nachdem wir meine Frau begraben hatten, in dem leeren Hause und, sagen wir, in der leeren Welt ergriffen hatte.

PROFESSOR GEIGER. Man sagt, es sei dir nicht gut ergangen.

GEHEIMRAT CLAUSEN. Und damit hat man wohl recht gehabt.

Der Verlust meiner Frau hatte mich in einer immerhin sonderbaren Verfassung zurückgelassen. Das Tor des Todes, durch
das sie davongegangen war, wollte sich scheinbar nicht mehr
schließen. Mir war, als läge ein Sinn darin. Auf der anderen
Seite — nun, sagen wir: hatte das Leben den Sinn verloren.
Da sah ich auf einmal, oder glaubte zu sehen, nichts als Fremdheit, Nutzlosigkeit und Trostlosigkeit.

Meine Umgebung tat nun natürlich das Ihre, um mich ins Dasein zurückzuziehen. Aber die lockenden Stimmen aller meiner
mir im Tode vorangegangenen Freunde schwiegen nicht. Warum
sollte ich ihnen nicht nachgehen?! Der Gedanke buhlte gleichsam mit mir. Es lag Entspannung, Ausruhen, ja, eine unverkenn-
bare Wollust darin.

Und wirklich, Geiger, ich würde wahrscheinlich den Weg alles
Fleisches gegangen sein, wenn ich nicht meine Kinder gehabt
hätte. Ich sage das nicht aus sentimentalen Rücksichten. Die
einfache Sorge um sie, ihre Existenz, ihre Wohlfahrt, hielt mich
zurück. Ich wollte wenigstens noch so lange durchhalten, bis
ihre Zukunft nach Menschengedenken einigermaßen geregelt
und gesichert war. Und hier darf ich nun auch der Verdienste
meines resoluten Hausarztes Steynitz und Doktor Wuttke nicht
vergessen. Sie setzten es mit unermüdlichen Schlichen und Mitteln durch, daß ich schließlich mein Auge von der schwarzen
Lockung abwandte, in die es immer wieder hineinstarren mußte,
und wieder ein Mensch unter Menschen ward.

PROFESSOR GEIGER. Gott sei Dank, also hast du dich wieder
herausgemausert?

GEHEIMRAT CLAUSEN. Meine Antwort muß ja und nein lauten.
Ich gehöre noch immer nicht recht dazu. Manchmal sehe ich
um mich her, und es ist mir, als ob mich das alles gar nichts
mehr anginge. Dazu kommt — in diesem Augenblick freilich
ist sie durch dich aufgehoben — eine Empfindung von Einsamkeit und Verlassenheit.

PROFESSOR GEIGER. Einsamkeit? Kurioser Gedanke, wenn man
dich eben inmitten eines solchen Festgewimmels gesehen hat.

GEHEIMRAT CLAUSEN. Du, lieber Geiger, nicht das Festgewimmel
hebt sie auf, diese Einsamkeit: das dringt zu mir wie durch
wattierte Türen. Dagegen freilich: ein treuer Freund ist die
Arznei des Lebens, wie der unendlich weise Jesus Sirach sagt.
Aber immerhin, ich bin auch sonst erheblich gebessert, trotz

der mitunter recht tückischen Rückfälle. Dann steigt er mir auf, der Überdruß, ich sehe nur noch makabres Gelichter, drehkrank, unbarmherzig und endlos von einer Maschine herumgewirbelt, und dann zuckt mir die Hand wiederum nach der bewußten Klinke, die jeder leicht herabdrücken kann, um schweigend den Tanztee zu verlassen . . .

Genug der psychologischen Metaphysik: wir wollen nun etwas ins Praktische eintreten. — Wie gefällt dir also mein Schwiegersohn?

PROFESSOR GEIGER. Business-man vom Kopf bis zur Sohle.

GEHEIMRAT CLAUSEN. So, das ist also der Business-man?! Früher sagte man der „Reisende". Mir gefällt er nicht. Aber ich gebe zu, er ist für den Fortgang von Handel und Wandel notwendig.

PROFESSOR GEIGER. Du stimmst nicht mit deinem Schwiegersohn?

GEHEIMRAT CLAUSEN. Oh, wir stehen sehr gut miteinander. Nur muß ich sehen, hell und grell sehen, wie mein ganzes schöne geistiges Lebenswerk unter seinen unentrinnbaren Händen garstiger Ungeist wird.

PROFESSOR GEIGER. In der Tat, die neuere Zeit sieht mehr und mehr ihren einzigen Zweck im Profitmachen.

GEHEIMRAT CLAUSEN. Und nun füge folgerichtig hinzu: du siehst in der Akquisition eines solchen Schwiegersohnes, nach dem die Stadtväter schon ihren Köder auswerfen, einen Glücksfall für die Meinen und mich.

PROFESSOR GEIGER. Gewissermaßen! — Ich leugne das nicht.

GEHEIMRAT CLAUSEN. Weißt du noch mehr, was zu seinen Gunsten spricht?

PROFESSOR GEIGER. Es wäre die Frage, ob Ottilie in ihrer Ehe zufrieden ist.

GEHEIMRAT CLAUSEN. Erstaunlicherweise ist sie zufrieden. Diese empfindsame kleine Ottilie, die sich verfärbte bei einem zu lauten Wort, unser zerbrechliches Marzipanpüppchen, dem man jedes rauhere Lüftchen fernhalten mußte — heut vergöttert sie diesen plumpen Kerl, an dem sie doch jeder Schritt, jedes Wort täglich und stündlich verletzen müßte. Und schließlich betrügt er sie obendrein.

PROFESSOR GEIGER. Da ist nichts zu machen, das müssen wir dulden, wenn sich unsere Töchter der männlichen Brutalität ausliefern.

GEHEIMRAT CLAUSEN. Daß man eine Tochter verliert, mag hingehen. Aber es geht mir auf andere Weise wunderlich mit dem Schwiegersohn: ich brauche nur flüchtig an ihn zu denken — und ich sehe sofort den Lauf einer Waffe auf mich gerichtet!

PROFESSOR GEIGER. Lieber Matthias, du gefällst mir noch nicht... Jeder Mensch muß, das gebe ich zu, den Platz, den er einnimmt, täglich und stündlich verteidigen. Unbedingt aber ist es falsch, wenn du, Allverehrter und Allgeliebter, aus dem Kreise der Deinen eine Waffe auf dich gerichtet siehst. Ich meine, du kannst diese Wendung zurücknehmen.

GEHEIMRAT CLAUSEN. Nein, ich nehme sie nicht zurück. Doch reden wir lieber von etwas anderem! *Er legt die Hand auf das Schachbrett, das in der Nähe steht.* Sieh dir mal, bitte, das Schachbrett an, das mir meine Herren geschenkt haben! Ein elektrischer Schlag gleichsam, als ich es sah! Ich war wirklich betroffen, kaum konnte ich den Überbringern schönen Dank sagen. Ich glaubte, es stecke Absicht dahinter: ein besseres Symbol meines Wirkens gibt es nicht.

Ein Leben lang habe ich Schach gespielt, vom frühen Morgen bis vor dem Einschlafen, Schach gespielt in die Träume hinein. Diese Elefanten, Pferdchen und Bauern sind Kunstwerke — aber das ist bedeutungslos. Figuren und Schachbrett hat man ja schließlich nur im Kopf. Die schwersten Partien, immer womöglich ein halbes Dutzend zugleich, kann man ja überhaupt nur im Kopf spielen — und ihre Figuren sind lebendigen Wesen, lebendigen Menschen substituiert.

PROFESSOR GEIGER. Das wird man dir ohne weiteres glauben, Matthias.

GEHEIMRAT CLAUSEN. Gut. Aber nun nähert man sich allmählich der Schlußpartie, wo der Gegenspieler noch nicht gerade der Tod, aber auch nicht mehr das von gesunden Säften strotzende Leben ist. Da werden Figuren zu Dämonen. Und augenblicklich spiele ich eine, die mich Tag und Nacht wie in einem Schraubstock hält und mich mit ihren Problemen martert.

PROFESSOR GEIGER. Wie meistens, wirst du als Sieger daraus hervorgehen.

GEHEIMRAT CLAUSEN. Etwas ist aber bei dieser Partie, das mir Grauen verursacht: die Schwarzen rücken mit lauter bekannten Gesichtern unerbittlich gegen mich an, sie sperren mir mehr und mehr die Ausflüchte und setzen mich unbarmherzig matt, wenn meine Augenlider nicht immer sperrangelweit offen sind.

Tausendmal muß ich, selbst in dem Alptraum jeder Nacht, überhaupt aus dem Schachbrett herausspringen.

PROFESSOR GEIGER. Wirf sie doch einfach um, wenn sie dich quält, diese Schachpartie! Dieses Gespenst von einer Schachpartie brauchst du doch nicht zu Ende zu spielen.

GEHEIMRAT CLAUSEN *verändert, entschlossen, erhebt sich.* So ist es, Geiger, ich werde sie umwerfen! Und damit wäre mit meinem ganzen bisherigen Leben tabula rasa gemacht.

PROFESSOR GEIGER. Tabula rasa mit deinem Leben, das eins der erfolgreichsten in der Welt gewesen ist?

GEHEIMRAT CLAUSEN. Ja, du sagst es, es ist gewesen! Willst du mir glauben, daß alles, alles, was soeben geschah, und ebenso alles, was mich umgibt, Kinder, Bilder, Teppiche, Tische, Stühle, ja meine ganze Vergangenheit, mir so viel wie der Inhalt einer Rumpelkammer bedeutet? Dies alles ist tot, und ich will es denen überlassen, für die es lebendig ist.

PROFESSOR GEIGER. Das würde heißen, du möchtest abdanken?!

GEHEIMRAT CLAUSEN. Ich liquidiere nur die Gespensterpartie. Warum sollen die Meinen mehr und mehr an mir, wenn auch nur im Herzen, zu Mördern werden und ungeduldig auf meinen Tod warten, da mir doch an dem, dessen freien Besitz sie so heiß ersehnen, nichts mehr gelegen ist?!

PROFESSOR GEIGER. Um Gottes willen, mein lieber Mensch, hier müßtest du dich vor allem von Depressionen frei machen. Kein Vater wird mehr als du von den Kindern verehrt.

GEHEIMRAT CLAUSEN. Ich sage nicht ja, nicht nein dazu. Habe recht oder unrecht, mein Freund, ich jedenfalls bin entschlossen, das Seil zu kappen, das mich an mein altes Schiff und an seinen alten Kurs gebunden hält. Ich kann nur so oder gar nicht leben. Seltsamerweise ist es nicht ganz leicht, das zu negieren und loszuwerden, was ja tatsächlich nicht mehr ist. Man braucht dazu strenge Exerzitien. Aber ich habe schon etwas erreicht — meine Psyche spürt eine neue Beweglichkeit. Und jetzt, wo ich wieder während längerer Zeitspannen gleichsam ein Mensch ohne Schicksal bin . . .

PROFESSOR GEIGER *immer schalkhaft.* Also, du hast einfach nicht gelebt? Du tust so, als wärest du eben geboren.

GEHEIMRAT CLAUSEN. So ist es. Es ist etwas Wahres daran. — *Er steht auf, wie erleichtert, atmet tief und geht im Zimmer auf und ab. Dann steht er still vor dem Bild seiner einstigen*

Braut und blickt es an. Meine ewig junge, schöne Braut an der
Wand: wenn es nicht nur ein Leben im Jenseits, sondern damit
auch ein göttliches Verstehen gibt, so weiß ich, du wirst mein
Verfahren begreifen, und auch die Vita nova, die damit be-
gonnen hat. Ich brauche mich vor dir nicht zu verteidigen. —
Wogegen mein Gedanke meiner lebenden Familie gegenüber
Konterbande ist. Ich muß ihn selbst vor Bettine geheimhalten.

PROFESSOR GEIGER. Nun sollte ich eigentlich mehr erfahren! —
So ist mir dein Verhalten zugleich wunderbar und rätselhaft.

GEHEIMRAT CLAUSEN. Man kann meinen Zustand nicht treffender
ausdrücken. Das Wunderbare gärt in mir, und vom Rätsel bin
ich umgeben!

PROFESSOR GEIGER. Eine dumme Frage, du mußt mich entschuldigen: spricht bei dieser Befreiung, dieser Besinnung, dieser Erlösung, wie du es nennst, irgendein äußerer Umstand mit, oder
ist alles in deinem Seelenzustand allein beschlossen?

GEHEIMRAT CLAUSEN. Es ist nicht ganz leicht, darauf zu antworten. Äußere Umstände — mag wohl sein: wobei aber immer die
inneren Umstände die ursächlichen sind. Ich könnte freilich
kurzen Prozeß machen. Ich könnte Frage mit Frage beantworten. Ich könnte fragen: hast du unter dem Menschengewimmel
im Garten irgendeine Erscheinung gesehen, die dir besonders
aufgefallen ist?

PROFESSOR GEIGER. O freilich, natürlich: die hübsche Blondine.

GEHEIMRAT CLAUSEN *steht still vor Geiger.* Ich sage dir heute
weiter nichts, aber ich nehme dich morgen aufs Land, in die
Gärtnerei eines unbewohnten Schlößchens in meinem Wagen
mit, und der Augenschein wird dich belehren, was es für ein
Erlebnis ist.

PROFESSOR GEIGER. Oh, ich ahne: das Volksgemurmel . . .!

ZWEITER AKT

*Spielt Ende August, etwa fünf Wochen nach dem ersten Akt.
Im Park von Schloß Broich. Das kleine Gärtnerhaus mit Eingang, an ein hohes Glashaus angebaut. Eine bewachsene Laube,
Regentonne, Gartengeräte und so weiter. Das Glashaus ver-
längert sich nach rechts. Links vom Gärtnerhaus schräge Mauer
mit Pförtchen. Dahinter der Turm einer ländlichen Kirche.*

Gärtner Ebisch sitzt in der Sommerlaube. Im Glashaus,
durch die mächtige Einfahrt sichtbar, spielen die Kinder des
Kindergartens. Frau Peters, eine Häkelei in den Händen, wan-
dert zu Beginn der Szene zwischen Glashaus und Laube hin
und her.

FRAU PETERS *spricht in die Laube hinein, vor der sie stehen-*
  geblieben ist. Wenn Inken nun nicht bald kommt, mußt du auf
  die Kinder aufpassen, Laurids.

EBISCH. Det wier je woll nich det erste mal —. Hier man, Anna,
  ich hab em kuriosen Brief jekriecht von Administrator Hanefeldt.

FRAU PETERS. Was denn fürn Brief?

EBISCH. Hei will mich versetten.

FRAU PETERS. Der Administrator will dich versetzen? Wohin
  will er dich denn versetzen, Laurids?

EBISCH. Hei will mi up eene Herrschaft in Polen versetten. Ich
  soll mehr Gehalt hebben, de Dienst wier leichter, de Wohnung
  wier hübscher, schriebt he mir.

FRAU PETERS. Na, und du, Laurids?

EBISCH. Ik will nich, ik will lever hier bliewen. Wat soll ik woll
  bei de Polacken, wo sich die Füchse gut Nacht seggen? Ich
  möchte glik mine Antwort upsetten, aber he kommt selbst, um
  die Sache mit mi zu besnaken, wie hei schriebt.

FRAU PETERS. Wie kommt er auf so was, der Herr Administrator?

EBISCH. Dat frag ik mi ooch, ik weet et nich.

Er steht auf und verschwindet im Glashausportal.

Langsam schreitet Frau Peters häkelnd gegen das Glashaus und
den Kindergarten, wo sie stehenbleibt. Die Kleinen haben sich
bisher still gehalten, umringen sie aber nun mit allerlei Wün-
schen. Während sie beruhigt werden, tritt aus dem Mauerpfört-
chen Pastor Immoos im Ornat, begleitet von Bettina Clausen.
Sie trägt sommerliches Straßenkostüm. Beide kommen, die
Mauer entlang, nach vorn. Der Pastor blickt in die Laube, die
er leer findet.

PASTOR IMMOOS *zu Bettina.* Ich höre die Kinder; entweder die
  Mutter oder die Tochter muß in der Nähe sein.

BETTINA. Es scheint ein recht friedlicher Ort, Herr Pastor.

PASTOR IMMOOS. Nicht wahr? Man könnte an sich wohl verstehen, wenn ein geplagter Mann, der mitten im Weltleben steht,

sich manchmal hierher zurückzöge. — Guten Morgen, Frau Peters! — Da ist sie ja.

FRAU PETERS *wendet sich um.* Schön Dank, und grüß' Sie Gott, Herr Pastor! *Sie legt die Hand über die Augen und erkennt erstaunt Bettina.* Ist es möglich, haben wir die Ehre, das gnädige Fräulein Bettina Clausen bei uns zu sehen?!

BETTINA. Ich hatte bei Herrn Pastor Immoos etwas zu tun. Herr Pastor wollte mich durch den Park führen: es sei der nähere Weg zur Chaussee, wo mich mein Wagen erwartet.

FRAU PETERS. Also die Bitte, Platz zu nehmen, erübrigt sich?

BETTINA. Leider — ich habe mich schon verspätet.

PASTOR IMMOOS. Frau Peters, ich komme gleich zurück.
Er verschwindet mit Bettina durch ein Gartenpförtchen im Park.

FRAU PETERS *zu Gärtner Ebisch, der wiederum erschienen ist und den Abgehenden nachblickt.* Weißt du, wer die Dame war, die Pastor Immoos durch den Garten führt?

EBISCH. Nee, weet ik nich. Wie soll ich denn ooch?!

FRAU PETERS. Geheimrat Clausen seine älteste Tochter.

EBISCH. Wat will die hier?

FRAU PETERS. Siehst du, Laurids, das weiß nu ich wieder nich.
Er geht seiner Arbeit nach, hin und her, ab und zu. — Frau Peters ist, immer mit der Häkelarbeit, wieder unter die Kinder getreten. Diese fragen, sie umringend, nach Tante Inken.

FRAU PETERS. Tante Inken ist nach der Stadt gefahren. Sie kommt bald wieder, sie bringt euch was mit.
Der Pastor ist wieder erschienen, allein, und hat die letzten Worte gehört.

PASTOR IMMOOS. Ihre Tochter ist nach der Stadt gefahren?

FRAU PETERS *wendet sich, erkennt den Pastor.* Ja, Herr Pastor, sie ist in der Stadt.

PASTOR IMMOOS. Ich habe sie lange nicht gesprochen. Früher hatte meine alte Konfirmandin doch manchmal ein Viertelstündchen Zeit für mich, jetzt vergißt sie, scheint's, ganz und gar ihren einstigen Seelsorger.

FRAU PETERS. O nein, Herr Pastor, das ist die Art meiner Inken nicht.

PASTOR IMMOOS. Darf man sich einen Augenblick niederlassen?
Er nimmt Platz. Leisten Sie mir Gesellschaft, Frau Peters! Ich habe Zeit, bis die Glocken läuten. Für zwölf Uhr ist eine Taufe angesagt. Es sind die Liebmanns von Heinrichsruhe.

FRAU PETERS *hat neben der Regentonne, am einfach gezimmerten Gartentisch, ebenfalls Platz genommen.* Es ist eine Tochter — das dritte Kind. Gott gebe, daß es diesmal den armen Eltern erhalten wird!

PASTOR IMMOOS *nach kleiner Pause.* Diese Bettina Clausen ist, solange ich denken kann, meine liebste Schülerin.

FRAU PETERS. Sie soll sehr fromm sein, wie ich gehört habe.

PASTOR IMMOOS. Sie besitzt durch die Gnade Gottes eine schlichte, wahre Herzensfrömmigkeit, und, Frau Peters, das will bei dem weltlichen Treiben, in dem sie aufgewachsen ist, etwas heißen. Übrigens hat sie Sorgen, das arme Mädchen, schwere Sorgen — sie hat geweint.

FRAU PETERS. Es ist wohl auch ähnlich wie mit Inken, Herr Pastor. Eigentlich habe ich Fräulein Bettina seit mehreren Jahren nicht in Ihrer Gesellschaft gesehen.

PASTOR IMMOOS. Wogegen ich sie des öfteren besucht habe. Es hing mit der Pflege des alten Geheimrats zusammen, der ja seit dem Tode der Frau recht gefährdet gewesen ist und den man ja doch noch heute mit aller möglichen Sorgfalt behütet. Man sieht ihn ja manchmal bei Ihnen im Hause . . .

FRAU PETERS. Er gibt uns mitunter die Ehre, Herr Pastor.

PASTOR IMMOOS. Bettina lebt nur für ihren Vater. Irgend etwas anderes existiert eigentlich für sie nicht. Ich meine, es würde ihr Tod sein, wenn ihm doch noch am Ende etwas zustieße.

FRAU PETERS. Was soll ihm denn zustoßen, wenn man fragen darf?

PASTOR IMMOOS. In die Einzelheiten und, sagen wir, Tücken seiner Seelenverfassung eingedrungen bin ich ja nun nicht. Er erhält sich aber, wie es scheint, nur mit Mühe in einem labilen Gleichgewicht. Man fürchtet eben fast stündlich Rückfälle.

FRAU PETERS. Wenn der Geheimrat bei uns ist, merkt man von seiner Gemütsbelastung eigentlich nichts.

PASTOR IMMOOS. So?! Ich werde das Fräulein Bettina mitteilen. Ich bin sicher, das es sie freuen wird. — Und was halten Sie von den Gerüchten, die umlaufen?

FRAU PETERS. Gerüchte, Herr Pastor? Die kenne ich nicht.

PASTOR IMMOOS. Es ist manchmal so bei den meist Betroffenen.

FRAU PETERS. Um Christi willen, was heißt denn das?

PASTOR IMMOOS *nach kurzer Pause.* Ich habe nur zwei Minuten Zeit, aber, Frau Peters, ich will sie nach Kräften ausnützen.

Ich kenne Sie als verständige Frau, die ein gesundes Urteil allen Lebensfragen gegenüber stets bewiesen hat: es sind die Besuche des Geheimrats hier, die sowohl Bettinen als der ganzen Familie Clausen einigermaßen Sorge verursachen.

FRAU PETERS. Sorge? In welcher Beziehung wohl?

PASTOR IMMOOS. Weil er, soweit ich Bettine verstanden habe, seit der Zeit wieder zum Schlimmen verändert ist. Es kann auch sein, die Besuche bei Ihnen sind nicht die Ursache, sondern schon die Folgen dieser Veränderung. Ich selber kann darüber nichts aussagen; mir fehlte bisher jede Gelegenheit zu einer Beobachtung. Sie könnten mir vielleicht einen Wink geben.

FRAU PETERS. Man hat von einer Krankheit gesprochen, aus der sich der Geheimrat langsam emporgearbeitet haben soll. Wenn er bei mir und bei Inken ist, kann man von einer Krankheit nichts merken. Trotz seiner Siebzig wirkt er noch jugendlich.

PASTOR IMMOOS. Ob nicht vielleicht zu jugendlich?

FRAU PETERS. Herr Pastor, Sie spielen auf Inken an. Hier fehlen nun mir wieder alle Grundlagen, wenn ich über die Beziehungen des Geheimrats zu meiner Tochter ein vernünftiges Urteil, wie Sie es mir zutrauen, fällen soll. Von außen genommen, scheinen sie mir gänzlich unverfänglich. Die beiden duzen sich nicht einmal.

PASTOR IMMOOS. Von außen genommen. Aber von innen?

FRAU PETERS. Ja, hineinkriechen in die Menschen kann man nicht.

PASTOR IMMOOS. Absurde Gerüchte behaupten, er habe die Absicht, Inken zu heiraten. Kein Wunder, wenn die Familie Clausen darüber aus dem Häuschen ist.

FRAU PETERS. So kann ich die Sache als Mutter nicht ansehen.

PASTOR IMMOOS *erhebt sich*. Nun, ich will mich jetzt noch eine Minute für die heilige Handlung sammeln. *Er tut einige Schritte, zögert und wendet sich dann wieder um.* Ich glaube doch, ich tue gut, wenn ich Ihnen gegenüber wenigstens in einem Punkt mein Herz entlaste. Es ist vielleicht etwas, das einer verständigen Frau zur Warnung dienen kann.

FRAU PETERS. Ich wäre Ihnen sehr dankbar, Herr Pastor.

PASTOR IMMOOS. Die Clausens besitzen einen alten Familienschatz. Die Preziosen der verstorbenen Frau Geheimrat sind hinzugekommen: sie bedeuten den Kindern ein Heiligtum. Können Sie mir sagen, ob, was ich nicht glaube, etwas davon,

ein und das andere Stück, ich will mal sagen, über den Geheimrat in den Besitz Ihrer Tochter gewandert ist?

FRAU PETERS. Ich würde mich schwerlich darüber äußern, selbst
wenn meine Tochter etwas davon erzählt hätte. Aber ich weiß,
und will es beschwören, kein Wort davon.

PASTOR IMMOOS. Gott sei gedankt, das beruhigt mich. So will
ich zum Schluß einen Rat geben: wirken Sie auf Inken ein, sie
möge niemals etwas dergleichen annehmen! Es würde, bei der
Verfassung des Geheimrats, ein beinahe unverzeihlicher Fehler
sein. — *Die Glocken des Kirchleins läuten.* — Guten Tag,
Frau Peters! Die Glocke ruft. Der Täufling wird in die Kirche
getragen.

*Pastor Immoos entfernt sich durch das Mauerpförtchen. Frau
Peters häkelt heftiger. Der Gärtner Ebisch tritt zu ihr.*

EBISCH. Wat wull eegentlich de Herr Pastor bei di, Anna?

FRAU PETERS. Was er wollte? Das weiß er wohl selber nicht.

EBISCH. Wat Düwel, do kümmt jo de Administrater.

Justizrat Hanefeldt taucht auf, elegant, sommerlich.

JUSTIZRAT HANEFELDT. Ich habe das Auto nur einen Augenblick
anhalten lassen, da ich gerade vorüberfuhr. Haben Sie etwas?
Guten Tag, lieber Ebisch! Eine Frage in Eile: mein Brief ist
eingelaufen?

EBISCH. Jo, de is richtig eingelaufen.

JUSTIZRAT HANEFELDT. Es eilt zwar nicht — aber wie stellen Sie
sich dazu?

EBISCH. Herr Administrater, ik wollte woll viel lieber hierbleiben.

JUSTIZRAT HANEFELDT. Also, Gehaltserhöhung schätzen Sie nicht?

EBISCH. Ik bin man eben so eingewohnt, und wir haben ja alle
hier unser Auskommen.

JUSTIZRAT HANEFELDT. Ah, da ist ihre Schwester. Guten Morgen,
Frau Peters! — Hören Sie mal, mein lieber Ebisch, über Ihren
Standpunkt weiß ich ja nun Bescheid — *mit Bezug auf Frau
Peters* — würden Sie uns mal fünf Minuten allein lassen?

EBISCH. Warum ok woll nich, Herr Administrater?!
Er drückt sich schnell.

JUSTIZRAT HANEFELDT. Zuerst mal die Frage, ob Sie von meinem
Antrag, die Versetzung Ihres Bruders betreffend, unterrichtet
sind?

FRAU PETERS. Ich bin unterrichtet, seit fünfzehn Minuten.

JUSTIZRAT HANEFELDT. Behalten Sie Platz, und plaudern wir einen Augenblick!

FRAU PETERS. Es sind schöne Reineclauden und Pfirsiche da, Herr Administrator.

JUSTIZRAT HANEFELDT. Danke, danke, ich nehme nichts. Meine Zeit ist kurz, und man kann ja nicht wissen, wie lange wir ungestört bleiben: Publizität verträgt diese Sache nicht.

FRAU PETERS. Sie machen mich ängstlich, Herr Administrator.

JUSTIZRAT HANEFELDT. Dazu haben wir nicht den geringsten Grund, Frau Peters, solange die in Frage stehende Sache nämlich nicht in ein unheilbares Stadium getreten ist. Ich denke, Sie haben nun wohl eine Vermutung, womit meine Mission zusammenhängt.

FRAU PETERS. Nein, ich habe keine Vermutung.

JUSTIZRAT HANEFELDT. Ihre Inken begegnete mir in der Stadt, das heißt, ich habe sie beim Vorüberfahren im Auto gesehen. Es war mit der Grund, daß ich hier abgestiegen bin. Denn geht auch, was wir zu beredten haben, im Grunde wesentlich Ihre Tochter an, so ist es besser, sie nicht dabei zu haben.

FRAU PETERS. Sie ist aber, wie sie wissen, sehr selbständig.

JUSTIZRAT HANEFELDT. Eben darum hat eine Mutter zuweilen die Pflicht, über den Kopf einer Tochter hinweg zu handeln, wenn es zu ihrem Besten notwendig ist. — Woran starb doch Ihr Mann?

FRAU PETERS. Er starb im Gefängnis durch eigene Hand. Man könnte vor allen Versetzungen Angst haben. Wir wurden versetzt, und der Waggon mit unserem Hausrat geriet in Brand. Es hieß, mein Mann sollte selber Feuer gelegt haben, man behauptete — eine infame Lüge! — wegen der Versicherung.

JUSTIZRAT HANEFELDT. Verzeihung, ich wollte die Wunde nicht aufreißen. Ich erinnere mich, es kam mir nur nicht gleich in den Sinn.

FRAU PETERS. Das macht nichts. Ich spreche bei jeder Gelegenheit und zu jedermann davon. Unser Gewissen ist rein. Die Schande und die Schmach liegt auf seiten der Justizmörder.

JUSTIZRAT HANEFELDT. Juristen sind auch nur fehlbare Menschen. Darf ich Sie nun fragen, ob Sie ebenfalls gegen die Versetzung Ihres Bruders auf einen besseren Posten sind?

FRAU PETERS. Ja, denn wir würden uns trennen müssen. Ich und Inken würden wahrscheinlich wohl hierbleiben.

JUSTIZRAT HANEFELDT. Hier? Sie meinen, im Gärtnerhaus?

FRAU PETERS. Natürlich nicht, aber in der Gegend.

JUSTIZRAT HANEFELDT. Würden Sie und Ihre Tochter Inken auch dann diese Gegend nicht verlassen, wenn man dafür eine hohe Summe — — *Er nimmt die Hand von Frau Peters.* Ihre Hand! Ich verlange Ihre volle Verschwiegenheit.

FRAU PETERS. Was ich verspreche, halte ich.

JUSTIZRAT HANEFELDT. Nochmals also: würden Sie darauf bestehen, mit Inken in dieser Gegend zu bleiben, wenn man für Ihr Verschwinden von hier eine Summe von vierzigtausend Mark zu Ihrer Verfügung stellen würde?

FRAU PETERS. Herr Justizrat, was bedeutet denn das?

JUSTIZRAT HANEFELDT. Sie werden mir zwei Minuten zuhören?

FRAU PETERS. Also ist es so weit: man will Inken loswerden? Das kann der Geheimrat billiger haben, weiß es Gott!

JUSTIZRAT HANEFELDT *bestimmt.* Der Geheimrat weiß von der Sache nichts.

FRAU PETERS. Sie meinen, er will von der Sache nichts wissen! Er versteckt sich, schickt andere vor, wie das bei großen Herren üblich ist.

JUSTIZRAT HANEFELDT. Der Geheimrat weiß von der Sache nichts, und ich setze hinzu: er darf es nicht wissen.

FRAU PETERS. Der Geheimrat braucht ja nur wegzubleiben. Er müßte doch meine Inken kennen, um zu wissen, daß sie ihm nicht nachlaufen wird.

JUSTIZRAT HANEFELDT. Sie dürfen als Mutter die Sache nicht so behandeln. Zum dritten Male: der Geheimrat weiß von der Sache nichts!

FRAU PETERS. Woher kommt denn das Geld, wenn nicht von ihm?!

JUSTIZRAT HANEFELDT. Sie geloben mir unverbrüchliches Stillschweigen?

FRAU PETERS. Man wird doch nicht einen Fußtritt ausposaunen, den man bekommen hat.

JUSTIZRAT HANEFELDT. Das Geld stammt von einem Teil der Familie Clausen, wo man, wenn es sein muß, zu allem entschlossen ist. Man will die Geschichte aus der Welt schaffen.

FRAU PETERS. Was für eine Geschichte denn?

JUSTIZRAT HANEFELDT. Um so besser für Sie, wenn es keine ist. Inken ist dann — Gott gibt es den Seinen im Schlaf — über

Nacht zur guten Partie geworden. Sie brauchen heute nicht ja oder nein zu sagen. Aber wir sind alle Menschen, Frau Peters, das bedenken Sie! Ein Kapital ist ein Kapital, eine Gelegenheit eine Gelegenheit. Wiederholen wird sie sich nicht. Sie werden so was nicht blind von der Hand weisen.

FRAU PETERS. Wenn meine Tochter davon erfährt, ist sie außer sich.

JUSTIZRAT HANEFELDT. Ihre Tochter braucht nichts zu erfahren.

FRAU PETERS. Man kann eine solche Sache nicht ewig geheimhalten. Erfährt sie davon, spuckt sie mir ins Gesicht.

JUSTIZRAT HANEFELDT. Nochmals: davon zu erfahren braucht sie nichts.

FRAU PETERS. Wie soll ihr das Geld sonst zugute kommen?

JUSTIZRAT HANEFELDT. Sie haben eine Erbschaft gemacht. — Besprechen Sie es mit Ihrem Bruder!

FRAU PETERS. Wissen Sie, was sie sagen würde? Mutter, du hast mich im grünen Wagen abschieben lassen.

JUSTIZRAT HANEFELDT. Solche Worte werde ich Inken niemals zutrauen.

FRAU PETERS. Ich trau' ihr noch weit Schlimmeres zu: ich trau' ihr zu, sie ginge ins Wasser, da sie in puncto Ehre empfindlich wie ihr Vater ist.

JUSTIZRAT HANEFELDT. Nun, Frau Peters, ich habe gesprochen. Sie wissen, wer Herr Klamroth ist. Ich habe mit Professor Wolfgang Clausen die gleiche Schulbank gedrückt, mit seiner Frau ist für niemand gut Kirschen essen. Warum soll man verschweigen, daß sich schwarze Gewölke zusammenziehen?!

FRAU PETERS. Von dem Geheimrat geht es nicht aus? Meint man, er werde Inken fortlassen?

JUSTIZRAT HANEFELDT. Es kommt darauf an, wer der Stärkere ist. — Da kommt Ihre Inken — leben Sie wohl! Und nun handeln Sie, wie Sie es für gut finden!

Er geht nach der entgegengesetzten Seite ab.

Inken, sommerlich angezogen, kommt langsam nach vorn, und zwar in der Weise, daß sie nach einigen Schritten stehenbleibt, ihr Gesicht in einen großen Karton Konfekt vertieft, etwas herausnimmt, in den Mund steckt, um wieder ein paar Schritte zu tun. Ihre Umgebung scheint sie ganz vergessen zu haben. Plötzlich wird sie von den Kindern entdeckt, umringt und angebettelt. Sie hebt ihren Karton hoch und wehrt ab.

INKEN. Nein, nein, nein! Das ist bitteres, ungenießbares Zeug. Ihr seid unartig.

FRAU PETERS. Artig sein! Marsch, ins Glashaus mit euch!

Die Kinder werden von Frau Peters zurückgescheucht.

INKEN. Ich kann ihnen doch nicht das gute Konfekt geben. Eins, zwei, drei ist es doch weggeputzt.

FRAU PETERS. Wo hast du es her, das gute Konfekt? Wo bist du gewesen? Du hast dich verspätet.

INKEN. Ein bißchen, ja. — Aber greif mal hinein, Mutter!

FRAU PETERS. Wo hast du es her? So etwas kannst du dir doch nicht kaufen, Kind?!

INKEN. Zwei Kilo, es kostet eine Stange Gold, Mutter.

FRAU PETERS. Und wer hat sie bezahlt?

INKEN. Egert Clausen, der jüngste Sohn vom Geheimrat, hat sie bezahlt. Er begegnete mir vor einem Konfektladen. Wirklich, ein lieber Junge ist das.

FRAU PETERS. Du solltest Geschenke lieber nicht annehmen. Ich habe dir das auch immer gesagt.

INKEN. Vom Geheimrat, hast du gesagt.

FRAU PETERS. Vom Geheimrat und von der ganzen Familie.

INKEN. Ich habe dir schon oft gesagt, daß du zu Besorgnissen nach dieser Richtung nicht die geringste Ursache hast. Der liebe Geheimrat traut sich ja nicht — ich möchte ganz gern mal ein hübsches Geschenk haben.

FRAU PETERS. Nun komm mal, setz dich mal ein bißchen her, Inken!

INKEN. Ach, Mutter, wenn du mir wieder wegen der berühmten Sache, für die ich doch nicht kann, in den Ohren liegen willst, möchte ich mich lieber nicht zu dir setzen. Tu doch, was du für richtig hältst, wirklich, ich kann dabei wenig machen.

FRAU PETERS. Was denkst du dir eigentlich bei der Geschichte, Inken?

INKEN. So allerlei — man wird ja sehn, ob es richtig ist.

FRAU PETERS. Ihm gegenüber bist du ein Kind: der Mann hat die Siebzig überschritten.

INKEN. Ich sehe ja jedesmal, es macht ihm nichts aus, daß ich jünger bin.

FRAU PETERS. Ihm? — Ihm wird es freilich nichts ausmachen. Du bist wahrhaftig naiv, mein Kind. Aber der Welt wird es etwas ausmachen, allen einigermaßen verständigen Menschen wird es etwas ausmachen, wenn ein Siebzigjähriger sein Auge auf einen Backfisch wirft.

INKEN. Einen Backfisch? Du irrst dich in mir, liebe Mutter.

FRAU PETERS. Mag sein. Ich begreife dich wirklich nicht. Du hast junge Menschen in Menge kennengelernt, hast Anträge von jungen Ärzten, Juristen und Ingenieuren bekommen: du wirst mir doch nicht einreden wollen, daß man in deinem Alter einen alten, verzeih mir, etepetetigen Herrn solchen Leuten vorziehen kann!

INKEN. Nicht? — Wenn ich ihn nicht zum Mann kriege, werd' ich mich totschießen.

FRAU PETERS *wehrt entsetzt ab.* Ein für allemal, Inken, mit solchen Überspanntheiten komme mir nicht!

INKEN. Das ist einfach die Wahrheit, das sind keine Überspanntheiten.

FRAU PETERS. Es sind verzweifelte, krankhafte Überspanntheiten, gegen die man mit allen Mitteln ankämpfen muß. — *Nach längerer Pause fährt sie fort.* Glaube nicht, Inken, ich spreche so, weil ich einen Augenblick lang annehme, der Geheimrat werde dir einen Antrag machen! Das ist einfach eine Undenkbarkeit. Eher könnte er jede Prinzessin heiraten, wogegen du, verzeih mir, doch nur so was Ähnliches wie ein besseres Kindermädchen bist!

INKEN. Dann schwärmt er vielleicht für Kindermädchen.

FRAU PETERS. Jawohl, er schwärmt: er will einfach sein Techtelmechtel mit dir! Lehre du mich diese alten Sünder kennen: ich weiß zu erzählen von der Welt! Du bist mir schließlich zu gut, um nur so ein Leckerbissen für einen übersättigten alten Lebemenschen zu sein. Es ist ja bekannt, wohin sie gewöhnlich entarten.

INKEN *wird ernst.* Mutter, nun wollen wir einmal ernst reden. Du kennst mich nicht und, vor allem, kennst den Geheimrat nicht, sonst würdest du nicht solche Ansichten immer wieder zum besten geben. In Gottes Namen denn, Kindermädchen — was weiß ich! Der Geheimrat hat mich verändert. Würde ich neunzig Jahre alt, ich vergäße ihn nicht! Es bliebe mir unverlierbar, was er mir gegeben hat.

FRAU PETERS. Was hat er dir denn nun also gegeben?

INKEN *zuckt mit den Achseln.* Auf den Tisch legen, wie ein Salzhering oder eine Flunder, läßt es sich nicht.

FRAU PETERS. Ich denke doch, Inken, wir wollten ernst reden.

INKEN. Ich hatte heute Glück mit den Clausens, Mutter. Erst in der Stadt traf ich Egert mit seinem Konfekt. Eine Viertelstunde von hier fuhr die arme, schiefe Bettina im offenen Auto an mir vorüber. Ich weiß, daß sie meine Feindin ist. Auch verstehe ich vollkommen, warum sie es ist: weil sie weiß, was für ein wundervoller, liebenswerter, herrlicher Mensch ihr Vater ist und fürchtet, ihn an mich zu verlieren.

FRAU PETERS. Du leidest an Größenwahn, gutes Kind.

INKEN. Das magst du glauben oder nicht glauben, da ja, so oder so, an der wahren Sachlage nichts geändert wird.

FRAU PETERS. Fräulein Bettina soll dich beneiden? Die anerkannte Lieblingstochter des Geheimrats soll eifersüchtig auf dich kleines, unbedeutendes Frauenzimmerchen sein?

INKEN. Ja, Mutter — so wirst du mich niemals kleinkriegen. Ich sage es dir ganz offen: du hast eine Tochter, die dir entwachsen ist!

FRAU PETERS *sichtlich erregt, beherrscht sich schließlich nicht ohne Mühe und sagt dann mit unnatürlicher Ruhe.* Sage mir bitte, sozusagen auf Ehr' und Gewissen, Inken, ob du etwas in dieser Angelegenheit vor mir geheimgehalten hast!

INKEN. Nicht nur etwas, natürlicherweise. Mit vollem Recht, denn es ist ganz meine eigene Sache.

FRAU PETERS. Aber es könnten Dinge in Frage kommen, die uns mit den Gerichten in Konflikt brächten, was du ganz gewiß nicht über uns hereinrufen wirst. Hast du nicht doch Geschenke erhalten? Hat der Geheimrat dir nicht am Ende doch einmal ein Brillantkollier verehrt oder einen Edelstein an den Finger gesteckt?

INKEN. Du machst mich starr! — Ich bin ganz platt, Mutter! *Sie lacht laut auf.* Also einen Eid, hier meine beiden Schwurfinger: so viel Rubinen, Smaragden, Brillanten, Berylle, Chrysoprase und was noch alles habe ich vom Geheimrat erhalten, als du an meinen Schwurfingern siehst . . .

FRAU PETERS. Nun, um so besser für dich und mich, liebe Inken! Jetzt sage mir noch: hat dir der Geheimrat jemals etwas von Heirat auch bloß angedeutet?

INKEN. Nein, weil es auch gar nicht nötig ist. — Übrigens hat mir die Schokolade einen gesunden Hunger gemacht, ich werde mir ein Stück Brot absäbeln. *Sie geht in die Laube, drückt das*

Brot, das dort auf dem Tisch liegt, an die Brust, ergreift ein Messer und tut es. Sag mal, Mutter, mein Vater ist im Gefängnis gestorben?

FRAU PETERS. Du bist wohl nicht bei dir, liebes Kind?!

INKEN. Er starb während der Untersuchungshaft.

FRAU PETERS. Wie kannst du denn so etwas sagen, Inken?!

INKEN. Er hat sich selbst das Leben genommen, weil man ihn des versuchten Versicherungsbetruges beschuldigte.

FRAU PETERS. Wer hat dir denn so etwas aufgebunden? Überhaupt, woher weißt du das?

INKEN. Du hältst mich zwar für ein Kind, gute Mutter, aber reg dich nicht auf: ich hab' immer so etwas geahnt — ich nehme die Sache, wie sie ist.

FRAU PETERS *schlägt die Hände vors Gesicht.* Was heißt das?! Das ist ja fürchterlich.

INKEN. Aber Mutter, wußtest du denn das nicht?

FRAU PETERS. Ich sinke ja in den Boden, Inken. Wer hat denn die Niedertracht gehabt . . .

INKEN *sehr ruhig.* Es fing damit an: ich bekam diese Postkarte. *Sie nimmt die Karte aus einem Täschchen und überreicht sie der Mutter.*

FRAU PETERS. Eine Karte? Mit welcher Unterschrift?

INKEN. Die hielt wohl der Schreiber für überflüssig. Lies sie in aller Ruhe durch! Es sei ruchbar geworden, was für eine saubere Familie wir sind, wir möchten uns nur so schnell wie möglich davonmachen in Gegenden, wo man uns nicht kennt, dort werde es ja vielleicht wiederum Menschen geben, die blind genug wären, einer Verbrecherbande ihre Kinder, und zwar zur Erziehung, anzuvertrauen.

FRAU PETERS. Lüge! Das greifst du aus der Luft, Inken! Solche Gemeinheiten gibt es nicht . . . Wenn ich ruhig bin, will ich dir einmal alles erklären, was eines dunklen Tages vor Jahren über uns hereingebrochen ist. Aber dein Vater war völlig unschuldig.

INKEN. Ich weiß es. Ich habe die Karte dem Sanitätsrat gezeigt. Ich war heute morgen in seiner Sprechstunde. Er hat mir ganz dasselbe gesagt.

FRAU PETERS. Ja, Doktor Steynitz hat deinen Vater gekannt, und alle, die deinen Vater gekannt haben — ich habe Stöße von Briefen in der Schublade —, wissen, er ist eines solchen

Verbrechens nie fähig gewesen! Meinst du, daß der Geheimrat
von der Sache erfahren hat?

INKEN. Der Sanitätsrat behauptet es. Ich habe ihn extra danach
gefragt, weil es sonst meine Pflicht gewesen wäre, dem Geheimrat gegenüber alles zur Sprache zu bringen

*Jetzt setzt wieder das Glöckchen der kleinen Kirche ein. Der
Täufling wird herausgetragen. Etwas von dem Taufzug ist
sichtbar, jenseits der Mauer. Die Kinder sind wieder ausgebrochen. Sie umringen Inken und betteln um Brotschnitten.
Frau Peters geht erregt auf und ab.*

INKEN *ruft über die Kinderköpfe weg.* Es ist doch nur gut,
Mutter, daß nun nichts mehr zwischen uns ist. Warum soll ich
nicht ebenso klar wie du sehen?! Du kannst dich doch jetzt
auch mehr aussprechen, wenn es dir ein Bedürfnis ist.

FRAU PETERS *faßt sich an die Schläfe und eilt fort ins Haus.*
Inken, wir sind von Feinden umgeben!

*Inken schneidet weiter Brot und verteilt es. Ohne daß er
bemerkt wird, tritt der Geheimrat, sommerlich gekleidet,
durch das Gartenpförtchen. Er sieht, was sich begibt. Er steht
still in entzückter Betrachtung. Dann nähert er sich der
belebten Gruppe um einige Schritte und steht wieder still.
Jetzt erkennt ihn Inken. Sie hat die Hand über die Augen
genommen.*

INKEN. Herr Geheimrat, Sie selbst? Wahrhaftig? Oder in meiner
Einbildung?

GEHEIMRAT CLAUSEN. Gott sei Dank oder leider: ganz wahrhaftig! Bin ich willkommen, oder jage ich Ihnen einen Schrecken
ein?

INKEN. Höchstens einen freudigen Schrecken. — Fort, Kinder,
fort, wo ihr hingehört! *Sie ruft.* Mutter, betreue doch bitte die
Kinder! *Sie treibt die Kinder in das Glashaus.* Ich hab' keine
Zeit, der Herr Geheimrat ist da. Da sind Sie wirklich, und ich
hatte mich gerade auf einige Tage Fasten vorbereitet.

GEHEIMRAT CLAUSEN. Nach Fasten sah es gerade nicht aus.

INKEN. Ich war in der Stadt, ich bin eben zurück — da hat man
immer einen Wolfshunger. Aber nun ist er wie weggeblasen
fort.

GEHEIMRAT CLAUSEN. Ja, Inken, ich wollte drei Tage fortbleiben . . . ich wollte sogar viel länger fortbleiben. Es ging aber
eben wie meistens mit guten Vorsätzen: ich bin wieder hier,

und Sie werden denken: nicht einmal auf lumpige zwei, drei
Tage wird man diesen siebzigjährigen Quälgeist los.

INKEN *liebenswürdig.* Gedankenlesen ist nicht Ihre Stärke. *Sie
staubt Tisch und Bank ab.* Sie sind wieder da, und das ist die
Hauptsache!

GEHEIMRAT CLAUSEN *legt Paletot, Zylinder, Handschuhe, Stock
auf den Tisch.* Meine Empfindung ist eine ähnliche. Ich war
nicht sehr auf dem Damm in jüngster Zeit, vom täglichen
Ärger abgesehen; seit ich den Kies Ihres Gärtchens unter meinem Fuße knirschen höre, ist mir erheblich besser zumute. —
Ich bin eben immer noch sehr von Ihnen abhängig.

INKEN. Und das quält Sie? Das mögen Sie nicht?!

GEHEIMRAT CLAUSEN. Ich mag es, ich sollte es aber nicht mögen.

INKEN. Was für Ihren blonden Kameraden, wie Sie mich manchmal genannt haben, kein gutes Zeugnis ist. *Sie rafft sich zusammen.* Seien wir heiter! Trübsal blasen an einem Morgen
wie heute schickt sich nicht.

GEHEIMRAT CLAUSEN *nimmt Platz.* Oh, Sie haben wahrhaftig
recht, Inken. — Hier nebenan wird ja sogar gehochzeitet.

INKEN. Getauft, was bei weitem lustiger ist. Eben trägt man den
Täufling aus der Kirche.

GEHEIMRAT CLAUSEN. So melden, scheint es, die Glocken den
neuen kleinen Erdenbürger im Himmel an.

INKEN. Wäre es so — ein netter Gedanke.

GEHEIMRAT CLAUSEN. Die Romantik ist aus der Welt: um Sie
herum, Inken, steht sie jedoch noch in voller Blüte.

INKEN. Sie sagen das oft, leider nutzt es mir nichts.

GEHEIMRAT CLAUSEN. Und so nennen Sie mich denn einfach
nichtsnutzig!

INKEN. Im Gegenteil, mich fühle ich nichtsnutzig. Das ist man, wenn
man jemandem, den man gern hat, ohne die dazugehörigen
Kräfte helfen will. Man fühlt sich da manchmal recht überflüssig.

GEHEIMRAT CLAUSEN *streckt ihr die Hand über den Tisch.* Kind,
haben Sie noch ein bißchen Geduld mit mir — —

INKEN. Geduld? — Ach, wenn es nur darauf ankäme!

GEHEIMRAT CLAUSEN. Es kommt darauf an: Geduld, Geduld!

INKEN. Bis die Welt sich auftut oder mein Urteil gesprochen und
die Kerkertür geschlossen ist? —

GEHEIMRAT CLAUSEN *seufzt auf.* Ach, Inken, der Mensch ist so
furchtbar zwiespältig! —

INKEN *nach längerer Pause.* Ich habe es beim ersten Blick gesehen, daß etwas mit Ihnen vorgegangen ist: wollen Sie es mir vorenthalten?

GEHEIMRAT CLAUSEN. Sie haben recht — und vor Ihnen geheimhalten, wie die Dinge nun einmal zwischen uns liegen, darf ich es nicht.

INKEN. Also kurz und klar! Meine innigste Bitte.

GEHEIMRAT CLAUSEN. Hätte ich kurz zu sein die Kraft gehabt, ich hätte der Schwäche nicht nachgegeben und wäre hierhergekommen. Wäre ich klar, so bedürfte es keiner Aussprache. Gewiß aber ist eine Stunde da, die uns beide stark finden muß. *Nach längerer Pause fährt er fort.* Es gibt aus meinem Dilemma mehrere Auswege. Einer ist der, den Seneca wählte, Marc Aurel vertritt, wie es die Alten nannten: der stoische. Man schließt nicht nur eine Sache, sondern das Leben überhaupt freiwillig ab.

INKEN. Ein solcher Ausweg läßt einen aufatmen.

GEHEIMRAT CLAUSEN. Was sagst du? — Inken, freveln Sie nicht! Wer darf eine Jugend voll Hoffnung, voll Freude, voll einer glückbringenden Kraft für die Nebenmenschen schnöde wegwerfen?! Für einen Mann über siebzig ist ein gutes Recht, was für ein Mädchen wie du Verbrechen sein würde.

INKEN. Solche Unterscheidungen sagen mir nichts.

GEHEIMRAT CLAUSEN. Geben Sie mir das Versprechen, Inken . . . Inken, bei meiner Liebe zu Ihnen: verschließen Sie meinen Ausweg nicht! Schwöre mir, mich allein zu lassen! Müßte ich die Befürchtung haben, du gingst den gleichen Weg, ich fände die Ruhe im Grabe nicht.

INKEN *steht da, Tränen tropfen aus ihren Augen.* Ich höre nur immer, ich soll Sie allein lassen, soll Ihnen den Ausweg nicht verschließen, nicht den gleichen Weg wie Sie gehen, Ihre Ruhe nicht stören, und so fort. Ist es Ihr Ernst — vielleicht habe ich immerhin noch eine gewisse Willenskraft . . .

GEHEIMRAT CLAUSEN. Inken, Sie wollen mich mißverstehen. Ich darf Sie nicht in mein Schicksal hinabreißen. Also ich verspreche, wenn Sie das gleiche tun: ich leiste auf diesen Ausweg Verzicht! Gerade Ihnen gegenüber hätte ich nicht davon sprechen dürfen . . .

INKEN. Sie meinen, weil mein Vater ihn so unbedenklich gegangen ist?

GEHEIMRAT CLAUSEN. Lassen wir dieses Thema, Inken! Wäre ich jung, ich würde ein Leben um dich aufbauen, du müßtest den Tod vergessen, Inken! Aber so . . . es gibt ja Gott sei Dank einen anderen Ausweg aus meinem Konflikt: wir wollen ihn den Verzicht aus Pflicht heißen.

INKEN. Nach meinem Empfinden ein Seelenmord: ein ärgeres Verbrechen gegen den Geist, als der physische ist.

GEHEIMRAT CLAUSEN *gequält.* Kann es denn eigentlich möglich sein, ein Kind wie Sie, und Sie mögen mich leiden, Inken?

INKEN. Nein! Wieso denn? Ich mag Sie nicht!

GEHEIMRAT CLAUSEN *steht auf, geht tief erregt auf und ab. Dabei schlägt er mit dem Stock Lilien die Köpfe ab. Plötzlich bleibt er vor Inken stehen.* Ich muß dir jetzt klaren Wein einschenken. Du wirst vielleicht finden, daß er sehr molkig ist. — Es wird abwechselnd hell und dunkel in mir, „es wechselt Paradieseshelle mit tiefer, schauervoller Nacht". Warum soll ich nicht Goethe zitieren, wenn er treffend gesagt hat, wie es ist? Wenn die Paradieseshelle über mich kommt, so sehe ich blauen Himmel und dich, rote Lilien und dich, goldne Sterne und dich, blaue Schweizer Seen und dich, ein Schloß auf hohem Berge, mit Zinnen und Fahnen, und darin dich, die Sonne, und dich, den Mond, und dich, kurz, Inken: dann sehe ich dich! dich! dich! Aber dann kommt die „schauervolle Nacht" herangeschlichen, der bekannte Drache, der dies alles in sich schluckt — nach dem Ormuzd herrscht Ahriman. Da sinke ich in die beizenden, nach verbranntem Fleisch und glühendem Eisen riechenden Verliese Ahrimans. Dort unten schwitze ich Blut und Wasser. Dort unten hausen Gespenster wie Vampire, dort unten wird zum Vampir, was oben ein Engel gewesen ist . . .

INKEN *fliegt ihm an den Hals und läßt ihn nicht los.* Aber dann siehst du auch dort wieder mich, mich, mich — und der ganze Teufelsspuk ist verschwunden — — —

Lange, schweigende Umarmung. Der Pastor im Barett geht jenseits der Gartenmauer, blickt herüber und entfernt sich. Danach lösen sich die Liebenden und lassen sich am Tisch nieder.

INKEN. Gott sei Dank, endlich! Ich hatte immer einen so schauderhaften Respekt vor dir.

GEHEIMRAT CLAUSEN *nach einer Pause.* War es das, was ich suchte? — Und was nun? — Befiehl! denn dein Wille ist meiner, Inken! Höre: ich kam hierher, sozusagen pour prendre congé. Gleichsam ein Zucken der Braue Gottes hat alles drunter und drüber gestürzt und eine völlig veränderte Welt um uns aufgebaut.

INKEN. Und, Geliebter, wie wollen wir uns darin festnisten!

GEHEIMRAT CLAUSEN. Ja, kleine Geliebte, das wollen wir! Das Zusammengestürzte ist nicht mehr zu fürchten. Nun will ich dir auch sagen, welches äußere Geschehnis dieser Wendung vorausgegangen ist, welchem Umstand wir sie wahrscheinlich verdanken. — Ich habe heut morgen mit meiner Tochter Bettina den ersten schweren und auch lauten Konflikt gehabt. Sie vergaß den Respekt und machte mir Vorwürfe. Sie ging so weit, den Namen meiner verstorbenen Frau zu mißbrauchen. Sie rief sie gleichsam gegen mich auf. Es ist immerhin schmerzlich und ergreifend, wenn ein Kind wie Bettina so etwas tut. Sie hat mich vergöttert, zeit meines Lebens. Dieses ganze, etwas zu kurz gekommene Geschöpf war gegen mich immer ganz Gehorsam und unermüdlich bereit zur Aufopferung. Sie hat mich seit dem Tode der Mutter wie einen Blinden geführt, eine Antigone sozusagen. Nun — übergebe ich dir, Geliebte, den Lahmen, der übriggeblieben ist!

INKEN. Liebster, du willst von Bettina reden.

GEHEIMRAT CLAUSEN. Ein Geheimniskrämer bin ich nicht. So ist denn wohl unsre Beziehung ortskundig. Freilich ist die Fama der Tatsache weit vorausgeeilt, obschon sie nun recht behalten hat. Unentschiedenheiten gibt es nun nicht mehr in unserer Sache. Des zum Zeichen, Inken, nimm diesen Ring.

Er steckt ihr einen Ring an den Finger, den sie küßt.

Es ist der Ring, den Bettina in der Schatulle der Mutter vermißte und um dessentwillen der Streit zwischen uns losgebrochen ist. Unlöslich bindet er uns jetzt aneinander. *Er steht auf.* Inken, mir ist so wohl und frei um Herz und Brust, wie mir, solange ich denken kann, nicht gewesen ist. Und nun bis zum Ende: wir halten zusammen!

DRITTER AKT

Das gleiche Zimmer wie im ersten Akt. In einem Teil des großen Raums ist der Frühstückstisch mit neun Gedecken gedeckt. Es ist Spätherbst. Anfang Oktober.

Sanitätsrat Steynitz und Frau Peters kommen: er im Cut, sie im schwarzen Straßenkostüm.

FRAU PETERS *tief bekümmert.* Ich wünschte, mein Bruder hätte die Versetzung nach der polnischen Herrschaft angenommen.

SANITÄTSRAT STEYNITZ. Frau Peters, wollen Sie nicht, bitte, ablegen?

FRAU PETERS. Nein, ich habe es dem Geheimrat gesagt; ich dachte anfangs, wir wären allein, aber ich fürchte mich vor der Familientafel. Inken hat es selbst eingesehen, der Chauffeur wartet und fährt mich zurück.

SANITÄTSRAT STEYNITZ. Viel Vergnügen würde wohl allerdings nicht herausspringen.

FRAU PETERS. Hier ist etwas, was ich Ihnen nur noch in aller Eile zeigen will, damit Sie sehen, in welcher Weise ich aus dem Hinterhalt verfolgt und beschmutzt werde. *Sie gräbt eine Postkarte aus dem Handtäschchen und reicht sie ihm.* Es ist eine anonyme Postkarte.

SANITÄTSRAT STEYNITZ *die Karte in der Hand haltend.* Man braucht nicht Graphologe zu sein, um zu erkennen, daß sie von derselben Hand wie vor Wochen die erste an Inken geschrieben ist.

FRAU PETERS. Ist es zu fassen? Auf offener Postkarte! Denken Sie, was mir hier vorgeworfen wird: ich soll es gewesen sein, die das Petroleum in die Lori mit dem Umzugsgut gegossen hat. Man hätte Beweise, man werde mir nachträglich den Prozeß machen.

SANITÄTSRAT STEYNITZ. Lassen Sie mir das Dokument! „Übers Niederträchtige niemand sich beklage", sagt der Hausheilige, „denn es ist das Mächtige, was man dir auch sage." *Er steckt die Karte ein.* Aber für Sie bedeutet es nichts. Ich bringe Sie bis ans Auto, Frau Peters.

Sie gehen beide ab.

Winter tritt ein, überblickt die Tafel und legt Servietten auf. Nach einiger Zeit kommt der Direktor Erich Klamroth, gleichsam auf Zehen.

KLAMROTH. Winter!

WINTER. Zu Befehl, Herr Direktor!

KLAMROTH. Wer ist beim Geheimrat im Arbeitszimmer?

WINTER. Ich glaube, Doktor Wuttke ist da.

KLAMROTH. Wuttke kam aus dem Hause, als ich mit meiner Frau aus dem Auto stieg. Es war außerdem eine weibliche Stimme.

WINTER. Vielleicht ist Fräulein Bettine beim Herrn Papa.

KLAMROTH. Sie sind wohl verrückt! Ich kenne doch wohl das gequetschte Organ von Bettine.

WINTER. Herr Direktor verzeihen, da weiß ich nicht, wer beim Herrn Geheimrat im Zimmer ist.

KLAMROTH. Sie wissen es nicht? Sie werden mir das nicht weismachen. Wenn hier im Hause ein Floh hustet, wissen Sie es.

WINTER. Zuviel Ehre für meine Gehörsnerven.

KLAMROTH. Sanitätsrat Steynitz hat eben eine Dame in Schwarz ans Auto geführt. Der Chauffeur vom Geheimrat hat sie abgefahren. Wissen Sie auch nicht, wer die Dame gewesen ist?

WINTER. Allerdings, ich könnte das auch nicht genau sagen.

KLAMROTH. Heißt das ja, oder heißt das nein? Mit dieser Wendung könnten Sie Botschafter werden. Ich will Ihnen sagen, wer es gewesen ist: es war die Mutter von Inken Peters.

WINTER. Das könnte allerdings möglich sein.

KLAMROTH. Und sie selbst, Inken Peters, ist beim Geheimrat im Zimmer. Und jetzt machen Sie weiter keine Umschweife: wie oft wöchentlich kommt diese Näherin ins Haus?

WINTER. Dann muß sie ohne mein Wissen herkommen. Ich bin ihr zum letztenmal beim siebzigsten Geburtstag des Herrn Geheimrats hier begegnet.

KLAMROTH. Und Sie wissen nicht, ob sie jetzt in seinem Zimmer ist?

WINTER. Das könnte immerhin möglich sein. Wenn Herr Direktor es meinen, so will ich es nicht bestreiten. *Er geht.*

KLAMROTH *ruft ihm nach.* Schlangenmensch Sie! mit Ihren gewundenen Windungen! Sie werden den Zeiger der Uhr nicht zurückdrehen.

Er durchmißt mehrmals das ganze Zimmer, dann bleibt er am Tisch stehen und zählt die Gedecke. Als er fertig ist, denkt er nach, hierauf zählt er nochmals, stutzt und schüttelt den Kopf wie jemand, der etwas nicht versteht.

Bettina und Ottilie, Arm in Arm, treten ein.

BETTINA. Ich bin sehr froh, daß wir alle beisammen sind. Ich habe mir das Meine gedacht, als ich bei Papa darauf bestand, das gemeinsame Familienfrühstück einmal im Monat wieder einzuführen.

KLAMROTH *wendet sich, eilt auf die Schwestern zu.* Wißt ihr, daß wahrscheinlich Inken Peters bei eurem Vater im Zimmer ist?

BETTINA *erbleicht.* Wer hat das gesagt? Das kann ich nicht glauben.

KLAMROTH. Es war die Stimme, ich habe sie erkannt, die Tür war nur angelehnt, als ich auf dem Flur vorüberging.

BETTINA. Inken Peters ist seit dem Geburtstag nie hier gewesen. Was würde denn das bedeuten sollen, gerade heut am Familientag?

KLAMROTH. Es könnte manches bedeuten sollen, was horrend zu denken ist.

BETTINA. Verzeiht, ich will doch mal Winter aufsuchen. *Sie geht ab.*

KLAMROTH. Komm gefälligst mal her, Ottilie! *Er führt sie an den Tisch.* Wieviel Gedecke siehst du hier aufgelegt?

OTTILIE *zählt.* Eins, zwei, drei, vier . . . es sind neun Gedecke.

KLAMROTH. Aus wieviel Personen besteht die Familie?

OTTILIE *sie macht gleichsam Tischordnung.* Vater, Bettine, du, ich sind vier. Egert, Wolfgang und seine Clothilde — das wären sieben. Hier sitzt der Sauerteig, wie Papa den Sanitätsrat nennt, den er doch immer dabei haben muß.

KLAMROTH. Der Teufel hole den Sauerteig! Und wer futtert hier, hinter dem neunten Gedeck?

OTTILIE. Das weiß ich nicht.

KLAMROTH. Du weißt es, aber du willst es nicht wissen.

OTTILIE. Nein, ich schwöre dir, Erich, daß uns Papa das gewiß nicht antun wird.

KLAMROTH. Was tu' ich mit deinem Schwur, Ottilie? — Übrigens mache ich einfach nicht mit. Ich habe sowieso keine Zeit übrig. Die philosophischen Tischreden eures Herrn Vaters und das professorale Getue von Wölfchen interessieren mich nicht. Ich stürze ein Glas nach dem andern hinunter, weil ich mich vor Langerweile kaum auf dem Stuhl halten kann! Als wären sie in Streusand getunkt, würg' ich die besten Bissen hinunter.

OTTILIE *furchtsam.* Du sagtest doch, daß du dabei sein wolltest, weil es für die Familie notwendig ist.

KLAMROTH. Ich muß dabei sein, weil ich schwarz sehe. Ich muß wissen, was vorgeht, damit wenigstens das Schlimmste ver-

mieden wird. Die Clausenschen Schwärmereien und Gefühls-
duseleien werden allmählich lebensgefährlich.

OTTILIE. Rege dich nur nicht wieder auf, Erich!

KLAMROTH. Ihr habt keine Ahnung von der Zeit, ihr säuselt
immer in höheren Sphären. Auf unsereinen sieht man herab.

OTTILIE. Niemand sieht doch auf dich herab. Es ist weiter nichts,
als daß in unserer Familie ein gewisser Idealismus heimisch ist.

KLAMROTH. Du meinst, weil dein Vater für ein Sündengeld sich
seidne Hemden und Unterhosen kauft und sich und euch
öffentlich lächerlich macht?

OTTILIE. Aber wieso? Was heißt denn das, Erich?

KLAMROTH. Die ganze Stadt lacht sich tot darüber. — Die Luft
ist mir hier ein bißchen zu dick, ich gehe hinunter in den
Garten. *Er geht ab.*

OTTILIE. Erich, lauf doch nicht fort, ich bitte dich!

Bettina kommt wieder.

BETTINA. Ich kann es nicht glauben, jedenfalls aber ist irgendeine Dame bei Papa. Komm mit mir, ich schließe mich ein in
meinem Zimmer: hat dein Mann recht, so wird man mich heut
vergeblich beim Frühstück erwarten.

*Bettina nimmt Ottilie mit sich fort. Beide ab mit erregten
Bewegungen. Winter erscheint wieder und macht sich an der
Tafel zu schaffen. Als Stimmen vernehmbar werden, horcht
er auf. Etwas später tritt der Sanitätsrat mit Inken ein. Winter
verhält sich, als ob er einen Geist sähe, und zieht sich erschrocken zurück. Inken bemerkt es nicht, aber der Sanitätsrat
lacht herzlich.*

INKEN. Herr Sanitätsrat, was haben Sie denn?

SANITÄTSRAT STEYNITZ. Mir fiel etwas recht Komisches ein. —
Also dies, Fräulein Inken, ist die Bibliothek.

INKEN. Wo ich schon einmal gewesen bin.

SANITÄTSRAT STEYNITZ. Und hier hängt nun das Bildnis, das
die verstorbene Frau Clausen im Unschuldsstand eines jungen
Mädchens zeigt.

INKEN. Vor dieser Frau habe ich Angst, Sanitätsrat.

SANITÄTSRAT STEYNITZ. Sie ist nicht mehr: weshalb sollten Sie
Angst haben?! Aber freilich, sie war eine große Frau.
Ebenso ihre beiden Schwestern. Die eine hat es bis zur eng-
lischen Lady gebracht, die andere spielte in Bochum die erste
Flöte. Ihre Ehehälften hatten sie alle gleich gut gewählt. Es

waren stille, feinsinnige Männer, die das Zeug zu großen Karrieren hatten. Diese haben sie denn auch alle gemacht. Unsere Frau Geheimrat war auch in unserer Stadt Mittelpunkt der Geselligkeit. Manchmal nahm sie so viel Logiergäste auf, daß der Geheimrat im Hotel schlafen mußte. Musiker, Maler, große Gelehrte und Staatsmänner, alles, alles, ging durch ihr Haus.

INKEN. Da kann man sich freilich recht nichtig vorkommen.

SANITÄTSRAT STEYNITZ *mit Inken ins nächste Zimmer schreitend.* Und dies hier war nun ihr Boudoir. Wie Sie sehen, reiht sich hier Kostbarkeit an Kostbarkeit. Man überhäufte sie, nicht nur der Gatte, mit Geschenken. *Beide ab.*

Winter kommt wieder, bestellt weiter die Frühstückstafel. Danach erscheinen Bettina, Ottilie, Professor Wolfgang Clausen und Paula Clothilde, geb. von Rübsamen.

PAULA CLOTHILDE *eilt mit großen Schritten an den Kamin und stellt einen protzigen Busch Blumen unter das Bild der verstorbenen Frau Clausen.* Zunächst mal den Manen meiner herrlichen, unvergeßlichen Schwiegermama diese Huldigung!

BETTINA. Wie rührend du bist, meine gute Paula!

PAULA CLOTHILDE *im Augenaufschlag zu dem Bilde.* Sei mit uns! Sei mit uns, damit wir in deinem Geiste eng zusammenhalten wie ein Mann!

OTTILIE. Auch Erich sagt, wir sollen entschieden zusammenhalten, ohne Rücksicht und Gefühlsduselei.

BETTINA *führt das Taschentuch an die Augen.* Wenn es nur nicht so schwer für mich wäre! Es ist ja so furchtbar schwer für mich. *Sie weint.*

PAULA CLOTHILDE. Tröste dich, Liebste, es wird alles gut werden.

PROFESSOR WOLFGANG CLAUSEN. Was ist geschehen? Weshalb bist du so traurig, Bettine?

BETTINA. Nichts, gar nichts, Wolfgang, es ist nichts geschehen.

PROFESSOR WOLFGANG CLAUSEN. Die Unruhe wird mir ein wenig zuviel. Ich wäre schon lieber nicht hergekommen. Die Lebensbedingungen eines stillen Gelehrten vertragen sich eigentlich mit so gespannten Zuständen nicht.

PAULA CLOTHILDE. Es war nicht zu umgehen, du mußtest herkommen.

BETTINA. Papa tut einem ja so unendlich leid. Ich verliere an ihm ja mehr als ihr alle. Dieser hohe und feine Mensch, zu

dem ich nur staunend hinaufblicken konnte! — Eine solche
Enttäuschung ertrüge ich nicht . . .

PROFESSOR WOLFGANG CLAUSEN. Ist Papa noch immer nicht zur
Vernunft gekommen?

OTTILIE. Wir können den größten Affront gewärtigen. Wollt
ihr euch diese Tafel ansehen und mir sagen, wer hinter dem
Gedeck, das zuviel ist, sitzen soll?

Winter tritt ein.

PROFESSOR WOLFGANG CLAUSEN. Da ist ja Winter. Können Sie
uns sagen, wer außer uns und dem Sanitätsrat noch erwartet
wird?

WINTER. Nein, Herr Professor, das kann ich nicht sagen. Es
waren erst zehn Gedecke aufgelegt, dann ließ der Geheimrat
eines wegnehmen. Ich sagte, Herr Geheimrat verzeihen, es ist
immer noch eines zuviel aufgelegt. Da haben der Herr Geheimrat mich angefahren: nichts sei zuviel, und ich solle den
Mund halten. *Er geht durchs Zimmer ab.*

PAULA CLOTHILDE *heftig auf und ab.* Mit dieser Nähterin sich
zu Tisch setzen?

PROFESSOR WOLFGANG CLAUSEN. Mit den Töchtern von Zucht-
häuslern speist man allerdings für gewöhnlich nicht. Es könnte
mich meine Stellung kosten.

BETTINA. Nein, nein, und wiederum nein, daß Papa uns das
zumutet, glaube ich nicht.

Egmont tritt ein.

EGMONT. Was ist denn los? Was geht denn hier vor, Herrschaften? Ihr seid ja wie ein aufgestörter Wespenschwarm.
Erich Klamroth rennt wie besessen im Garten umher, und hier
oben ist alles aus dem Häuschen.

PROFESSOR WOLFGANG CLAUSEN. Ja nun, es kann eben doch Dinge
geben, die selbst für die äußerste Langmut und Geduld eines
guten Sohnes schwer tragbar sind.

OTTILIE. Weißt du etwas von dem neunten Gedeck?

EGMONT. Ich denke, Inken Peters wird mitkommen oder womöglich bereits im Hause sein.

PAULA CLOTHILDE. Das sagst du so einfach hin, lieber Egert?

EGMONT. Das sag' ich so einfach hin, jawohl!

PAULA CLOTHILDE. Dann verstehst du den Schritt in seiner Bedeutung nicht. Es wird schrecklich tagen, mein lieber Junge,
wenn du mal diese kleine Ladenmamsell Mama nennen mußt!

EGMONT. Du hast wirklich danteske Phantasien! Ich rate dir, übernimm dich nicht!

PAULA CLOTHILDE. Und du, Egert, weißt nicht, was du sprichst. Die Mutter, die Alte, müßt ihr aufs Korn nehmen. Die alte Hexe weiß, was sie will. Man hat ihr ein Vermögen geboten, falls sie mit der Tochter verduften würde — sie hat es aber glatt abgelehnt. Die Tochter ist eben ihr Kapital, sie hofft noch ganz andre Dinge mit ihr herauszuschlagen . . .

EGMONT. Paula, du siehst entsetzliche Raffinements, deren diese einfachen Menschen gar nicht fähig sind. Du solltest sie dir genauer ansehen! Von der Geldgeschichte weiß ich nichts. Aber diese Inken ist ein so gerader und schlichter Mensch, daß ich für sie meine Hand ins Feuer lege. Wir waren zu dreien im Zoologischen Garten, Fräulein Inken, Papa und ich, es war eine reizende halbe Stunde.

PAULA CLOTHILDE. Möglich, daß die Tochter noch nicht verdorben ist, die Mutter hat Dinge auf dem Gewissen . . .

BETTINA. Was sagst du? In welcher Beziehung denn?

PAULA CLOTHILDE. Ihr Mann ist im Untersuchungsgefängnis gestorben. Er hat sich getötet, wie man weiß. Neuerdings kennt nun Hanefeldt die Prozeßakten: was man dem Mann, einem Bahnhofsinspektor, zur Last legte, die Lori mit dem eigenen Umzugsgut in Brand gesteckt zu haben, das soll sie gewesen sein. Sie ist mehr und mehr in Verdacht geraten. Wahrscheinlich hätte sie heute eine Zuchthausstrafe hinter sich, wenn sich der einzige Zeuge, ihr Mann, nicht abgemurkst hätte.

EGMONT. Ich traue dem Steynitz mehr als dem Hanefeldt. Steynitz läßt nichts auf Frau Peters kommen.

PAULA CLOTHILDE. Weil er einfach ihr Drahtzieher ist. Er wird wohl wissen, warum er es ist. Unsere Informationen sind anders geartet.

Sanitätsrat Steynitz tritt ein.

SANITÄTSRAT STEYNITZ. Ich bitte mir ruhig die Tür zu weisen, wenn ich irgendwie lästig bin.

EGMONT. Sie kommen wie gerufen, Doktor. Meine verehrte Schwägerin hat sich nämlich soeben über Frau Peters ausgelassen.

PAULA CLOTHILDE. Ich habe nur das gesagt, was in den Akten steht und erwiesen ist.

SANITÄTSRAT STEYNITZ. Was steht in den Akten? Was wäre erwiesen?

743

PROFESSOR WOLFGANG CLAUSEN. Paula, wir wollen von solchen Sachen absehen.

EGMONT. Meine Schwägerin meint, Frau Peters sei eine Brand-stifterin, für die sich der Mann im Gefängnis geopfert habe.

SANITÄTSRAT STEYNITZ. Das ist eine Ansicht, eine Behauptung, womit man die ehrenwerte Frau Peters im allerübelsten Gos-senstile sogar neuerdings durch anonyme Postkarten ängstigt. Sie hat mir eine davon gezeigt. Ich sammle solche Dokumente menschlicher Schlechtigkeit. Ich glaube sogar, ich werde die Karte hier haben. *Er holt sie heraus und reicht sie Paula Clot-hilde.* Ja, hier ist sie — wer sich dafür interessiert!

PAULA CLOTHILDE *leicht aus der Fassung, da sie die Karte, wie die erste, geschrieben hat.* Interessiert mich nicht. Wieso inter-essiert?

SANITÄTSRAT STEYNITZ. Ich dachte, Sie nähmen daran Inter-esse: das Geschmier auf der anonymen Postkarte vertritt doch dieselbe Ansicht wie Sie.

PAULA CLOTHILDE. Wieso das Geschmier? Wer schreibt eine ano-nyme Postkarte?

SANITÄTSRAT STEYNITZ. Das weiß ich nicht, sie ist ja doch anonym.

PROFESSOR WOLFGANG CLAUSEN *zu Steynitz.* Sie werden doch hoffentlich meiner Frau nicht sagen wollen, daß ihre Gesin-nung und die der Postkarte ein und dieselbe ist?!

SANITÄTSRAT STEYNITZ. Gewiß nicht, das liegt mir natürlich ganz fern.

PAULA CLOTHILDE. Solche Dinge wirft man doch einfach ins Kaminfeuer. *Sie versucht es, aber die Karte fällt auf die Erde.*

SANITÄTSRAT STEYNITZ. Ich wünschte, Sie täten das mit Ihrer falschen Ansicht über Frau Peters auch. — Aber die Karte muß ich mir aufheben. *Er nimmt sie von der Erde auf.* Frau Peters wird sie vielleicht zu ihrer Verteidigung noch einmal brauchen.

PAULA CLOTHILDE. Ob das geschieht oder nicht, ist mir gleich-gültig.

Während dieser Szene sind Professor Wolfgang Clausen und Bettina untergefaßt und lebhaft flüsternd im Zimmer umher-spaziert. Bettina hat Tränen in den Augen.

PROFESSOR WOLFGANG CLAUSEN *bleibt stehen, starrt Bettina an.* Das ist doch nicht möglich, was du sagst.

BETTINA. Bei Gott, es ist reine Wahrheit, Wolfgang.

PROFESSOR WOLFGANG CLAUSEN. Das wär ja Raub am Heiligsten, am Teuersten, was uns geblieben ist.

BETTINA. Bitte, Wolfgang, schweige darüber!

OTTILIE. Darf man wissen, wovon zwischen euch die Rede ist?

BETTINA. Ich möchte dich bitten: lieber nicht. Ich möchte es lieber für mich behalten.

PROFESSOR WOLFGANG CLAUSEN. Ottilie ist unsere Schwester, Bettine. Es ist sogar gut, wenn sie unterrichtet ist. — Vater hat Ringe und Schmuckstücke weggebracht und sie diesem Mädchen überantwortet. Ringe und Schmuckstücke der seligen Mama! Wir müßten Mutter Bild verhängen, wenn euch wie mir zumute ist.

OTTILIE. O Gott, mir ist ebenso zumute.

PAULA CLOTHILDE *weiter stark alteriert durch die Erkenntnis, daß Steynitz sie für die Verfasserin der anonymen Postkarte hält, zu ihrem Mann:* Wolfgang, darf ich um deinen Arm bitten? Mir war den ganzen Morgen nicht gut, vielleicht wäre man besser zu Hause geblieben.

PROFESSOR WOLFGANG CLAUSEN *faßt seine Frau unter und führt sie im Zimmer auf und ab.* Ein Kognak tut dir doch meistens gut, Paula. Übrigens, habe ich dir schon erzählt? Der Schmuck unserer Mutter geht allmählich an Vaters Verhältnis über.

PAULA CLOTHILDE. Unsinn! Ein Ding der Unmöglichkeit! Nein, Wolfgang, du wirst mir so was nicht einreden! Ein solcher Skandal . . .

EGMONT *zu Ottilie.* Macht doch um Gottes willen nicht so viel Wesens um eine Belanglosigkeit! Mag doch die kleine Inken mit uns mitessen! Es ist ja doch wohl für uns alle genug.

OTTILIE. Hast du gehört? Nun verzweifle ich an dem gesunden Menschenverstand von Papa.

EGMONT. Was soll ich denn schon wieder gehört haben?!

OTTILIE. Papa verschleudert den Schmuck der seligen Mama. Diese Inken trägt bereits ihre Ringe, Spangen und Armbänder. Wenn ich das meinem Manne sage — Erich gerät außer sich! *Sie geht hastig hinaus, wie um ihren Mann zu finden.*

PROFESSOR WOLFGANG CLAUSEN. Sagen Sie mir doch einmal ganz offen, Sanitätsrat, ob etwas Wahres an den Gerüchten ist: hat Vater am Zuger See einen alten Schloßbau gekauft, und läßt er ihn von einem Berliner Architekten ausbauen?

SANITÄTSRAT STEYNITZ. Ich weiß nur, daß von allerhand Plänen ähnlicher Art für die alten Tage des Geheimrats gelegentlich die Rede gewesen ist.

EGMONT *legt seinen Arm um die Schultern des Sanitätsrats.* Onkel Steynitz, das werden Sie doch nicht billigen! Wenn wirklich Vater unseren und Mutters alten Familienschmuck an Inken verschenkt, so würde das sich doch auch Ihnen als eine unbegreifliche Handlung darstellen?!

SANITÄTSRAT STEYNITZ. Das alles geht mich durchaus nichts an. Sie wissen längst, daß ich mich in Intimitäten der Familie Clausen nicht einmische.

EGMONT. Dann müßte man Mutters Bild verhängen. *Er geht zu Bettina.* Hast du das schon gehört, Bettina, was mit Mamas Schmuck geschehen ist?

BETTINA. Um Gottes willen, sprich nicht darüber. Ich habe es Wolfgang anvertraut, leider hat er es auch vor Ottilien nicht geheimgehalten . . .

EGMONT. Wer kann da noch zweifeln —: Papa ist wahnsinnig!

BETTINA. Bitte, Egert, sprich nicht so — es zerreißt mir die Seele! ich kann es nicht aushalten! Wenn es Ottilie nur Klamroth nicht mitteilte! Er hat eine Art, über Vater zu reden, die mir unerträglich ist. Laß mich, ich muß mich ein bißchen zurückziehen. *Sie geht ab. Klamroth und Ottilie kommen.*

KLAMROTH. Das stieße dem Faß den Boden aus, wenn er auch noch den Familienschmuck wegschenkte!

OTTILIE. Kaum die Hälfte soll noch vorhanden sein.

KLAMROTH. Noch schlimmer sind vielleicht die andern Engagements, in die er sich eingelassen hat. Es handelt sich da um sinnlose Ausgaben, durch die der Bestand des ganzen Vermögens gefährdet ist. Er kann es eben nicht mehr überblicken: mangelnde oder verminderte Zurechnungsfähigkeit.

PROFESSOR WOLFGANG CLAUSEN *zum Sanitätsrat.* Könnte man denn einen Schloßkauf, wenn er wirklich geschehen wäre, nicht rückgängig machen?

KLAMROTH *mischt sich ein.* Ich habe Justizrat Hanefeldt aufgesucht. Das Gesetz bietet keine Handhabe. Oder es müßte etwas geschehen, was unmöglich ist.

PROFESSOR WOLFGANG CLAUSEN. Für mich ist Papa nicht mehr zurechnungsfähig.

PAULA CLOTHILDE *am Tisch.* Ich muß an mich halten, sonst würde ich dieses neunte Gedeck zur Balkontür hinunterpfeffern. Beinah möchte ich sagen: pfui, pfui, pfui!

Winter kommt herein.

PROFESSOR WOLFGANG CLAUSEN. Ja, du hast recht. — Winter, nehmen Sie diese zwei Teller, diese Serviette, diese Gabeln und Messer weg! Am Familientag sind wir nur acht Personen.

WINTER. Es ist aber gegen strikten Befehl . . .

PROFESSOR WOLFGANG CLAUSEN. Ich tue es selbst, wenn Sie es nicht tun wollen. Zeigen Sie sich jedoch renitent, so werde ich Ihnen das einmal ankreiden.

Winter entfernt das Gedeck.

PAULA CLOTHILDE. Man soll sich nach oben entwickeln, man soll nicht hinabsinken.

EGMONT *faßt sich an den Kopf.* Beinahe möchte ich glauben, daß jede Familie ein verkapptes Tollhaus ist.

KLAMROTH. Still, das Undenkbare scheint sich nun doch zu ereignen!

Der Geheimrat führt Inken Peters herein.

GEHEIMRAT CLAUSEN *forciert aufgeräumt.* Guten Morgen! Ihr seid wohl schon ungeduldig?! Plagt euch der Hunger? Was ist die Uhr? Ich habe uns Inken Peters mitgebracht. Wir haben uns, Egert war dabei, mal wieder den kindlichen Spaß gemacht, den Zoologischen Garten aufzusuchen. — Es ist hübsch, Wolfgang, daß du wieder einmal gekommen bist. Schönen guten Morgen, Frau Schwiegertochter! — *Zu Wolfgang.* Was hast du übrigens mit dem Justizrat Hanefeldt zu tun? Er soll dich ja auf dem Bahnhof empfangen haben.

PROFESSOR WOLFGANG CLAUSEN. Eine Jugendfreundschaft, wie du ja weißt.

GEHEIMRAT CLAUSEN. Also etwa wie Geiger und ich. Übrigens ein höchst seltener Fall, da Jugend und Freundschaft meist zugleich schwinden. Also setzen wir uns! — *Er bemerkt das Fehlen Bettinens.* Wo ist Bettine? Wir wollen doch nun mit Essen anfangen. Sage doch Bettine, lieber Egert, daß wir alle versammelt sind! — *Egmont geht ab.* Was bringst du aus Freiburg mit, lieber Wolf?

PROFESSOR WOLFGANG CLAUSEN. Alles wie immer — durchaus nichts Neues.

GEHEIMRAT CLAUSEN *zu Klamroth.* Die neue Rotationsdruckmaschine arbeitet gut? Aber wir sprechen nach Tisch darüber. —

747

Wenn Bettina nicht kommt, so wollen wir Platz nehmen.

PROFESSOR WOLFGANG CLAUSEN. Ich möchte doch gern auf Bettine warten.

EGMONT *kommt wieder.* Bettine läßt sagen, sie sei nicht so recht auf dem Damm heute. Sie bittet, wir sollen ohne sie anfangen.

GEHEIMRAT CLAUSEN *mit Betonung zum Sanitätsrat.* Ich lasse Bettine bitten, zu kommen, da sie ja doch die Hausfrau zu vertreten hat. Und dann, lieber Steynitz, sagen Sie mir, was mit ihr ist.

Der Sanitätsrat ab.

EGMONT. Ich glaube, es ist nur die alte Migräne.

INKEN. Herr Geheimrat, würden Sie mir sehr böse sein, wenn ich Sie bäte, mich zu entlassen? Sie wissen, ich bat Sie schon darum. Mutter wartet zu Haus. Sie muß heut irgendeinen Termin wahrnehmen. Der Kindergarten ist bis auf den Onkel ganz allein.

GEHEIMRAT CLAUSEN. Die Gärtnerei hat doch Telephon. Egert, habe die Güte, Frau Peters anzurufen!

INKEN. Ich sagte ja, Mutter hat Termin.

GEHEIMRAT CLAUSEN. Ach ja, Frau Peters muß einen Termin wahrnehmen.

Er wird bleich, holt tief Atem, will reden, blickt vielsagend von einem zum andern, drängt zurück, was ihm auf der Zunge liegt, hüllt sich in Schweigen und geht unter wachsender Ungeduld auf und ab. Plötzlich bleibt er vor Wolfgang stehen.

Kennst du eigentlich Fräulein Inken?

PROFESSOR WOLFGANG CLAUSEN. Nein, das Fräulein wurde mir beim Geburtstag nicht vorgestellt.

GEHEIMRAT CLAUSEN *mit Betonung.* Man hat dich der jungen Dame noch nicht vorgestellt? Hiermit will ich dich also der Dame vorstellen: das ist mein Sohn Wolfgang, Fräulein Inken!

Der Sanitätsrat und Bettina treten ein.

SANITÄTSRAT STEYNITZ. Ich bringe Ihnen eine Genesene, Herr Geheimrat.

BETTINA. Verzeih, Papa, ich komme gern — ich dachte nur, ich sei nicht mehr notwendig.

GEHEIMRAT CLAUSEN. In welcher Verbindung dachtest du das?

BETTINA. In welcher Verbindung ist schwer zu sagen.

GEHEIMRAT CLAUSEN. Setzen wir uns, später mehr davon!

Alle nehmen Platz, Inken bleibt übrig. Geheimrat Clausen be-

merkt es, springt auf. Was heißt denn das? — Bitte, hier ist mein Platz, Inken.

WINTER. Verzeihung, ich hatte zuerst neun Gedecke aufgelegt.

GEHEIMRAT CLAUSEN. Und? — wo ist es geblieben? Ich meine das neunte?

WINTER. Ich habe es auf Befehl von Herrn Professor Wolfgang . . . *Schwüle Pause, danach.*

GEHEIMRAT CLAUSEN *schlägt mit der Faust auf den Tisch, daß die Gläser durcheinanderfallen.* Zum Donnerwetter, bringe es her! *Inken huscht schnell ab.*

SANITÄTSRAT STEYNITZ. Seien Sie ruhig, um Gottes willen, lieber Geheimrat . . .

GEHEIMRAT CLAUSEN *kommt zu sich, bemerkt Inkens Abwesenheit.* Wo ist Fräulein Inken hingekommen?

EGMONT. Kein Wunder, wenn sie vor einer so liebenswürdigen Familie geflüchtet ist.

GEHEIMRAT CLAUSEN *in tiefster, gefährlichster Entrüstung.* Eher verlaßt ihr alle, einer wie der andere, das Haus, als daß sie von dieser Schwelle gestoßen wird!
Der Geheimrat geht Inken nach, um sie einzuholen.
Allgemeine Erregung und Betretenheit.

SANITÄTSRAT STEYNITZ. Was habt ihr nun also erreicht, meine Herrschaften?

PROFESSOR WOLFGANG CLAUSEN. Niemand kann von mir verlangen, daß ich in Gegenwart des Bildes meiner seligen Mutter meine Gefühle, meine Empörung, meinen Abscheu unterdrücken soll!

KLAMROTH. Es hat sein Gutes, kann ich nur sagen. Wir haben es ja nun deutlich gehört, was für ein Schicksal uns erwartet.

SANITÄTSRAT STEYNITZ. Ja, das haben Sie deutlich gehört. Und es würde die schwerste Täuschung sein, wenn jemand an dem Nachdruck zweifeln würde, den ein Mann wie der Geheimrat seinen Worten zu geben vermag.

BETTINA *schlägt die Hände vor den Kopf.* Nichts mehr kann ich begreifen — ich bin wie irrsinnig. .

PROFESSOR WOLFGANG CLAUSEN. Es ist auch durchaus nicht zu begreifen. Oder können Sie mir sagen, Sanitätsrat, wie aus dem Munde eines Mannes wie unseres Vaters, der nichts Höheres kannte in aller Welt als seine Familie, eine solche Drohung hervorgehen kann?

SANITÄTSRAT STEYNITZ. Er ist aufs schwerste verletzt und gereizt worden.

EGMONT. Trotzdem ist es ein starkes Stück, wenn er alle seine Kinder aus dem angestammten Elternhaus hinauswerfen will.

SANITÄTSRAT STEYNITZ *horcht.* Die Peters ist fort — der Geheimrat kommt allein zurück.

PROFESSOR WOLFGANG CLAUSEN. Ich bin gefaßt — ich werde ihm antworten.

Alle haben sich auf einen furchtbaren Zornesausbruch gefaßt gemacht, aber der Geheimrat erscheint völlig verändert, ruhig und unbefangen, als wäre nichts vorgefallen.

GEHEIMRAT CLAUSEN. Wir sind verspätet — nehmen wir Platz!

Alle lassen sich um den Tisch nieder. Winter und ein zweiter Diener beginnen zu servieren Schweigsam ißt man eine Weile. Endlich beginnt der Geheimrat.

GEHEIMRAT CLAUSEN. Was gibt es Neues aus Genf, Herr Klamroth?

KLAMROTH. In Genf? Das weiß ich im Augenblick wirklich nicht.

GEHEIMRAT CLAUSEN. Ottilie, dein Jüngster hatte Mumps, ist er nun glücklich auskuriert?

OTTILIE. Längst, Papa, seit acht Tagen spielt er schon wieder im Sandhaufen.

GEHEIMRAT CLAUSEN. Hast du die schöne Abhandlung von Doktor August Weismann gelesen, Wolf, der ja bei euch in Freiburg Professor gewesen ist?

PROFESSOR WOLFGANG CLAUSEN. Ich müßte wissen, wovon sie handelt.

GEHEIMRAT CLAUSEN. Wovon sie handelt? Von Leben und Tod.

PROFESSOR WOLFGANG CLAUSEN. Davon handeln wohl alle Schriften.

GEHEIMRAT CLAUSEN. Aber Weismann behauptet, es gibt nur das Leben.

PROFESSOR WOLFGANG CLAUSEN. . . . was wohl doch etwas überstiegen ist.

GEHEIMRAT CLAUSEN. Er leugnet den Tod. Er leugnet, daß der Tod zur Fortsetzung und Erneuerung des Lebens die notwendige Unterbrechung ist.

PROFESSOR WOLFGANG CLAUSEN. Die Jugend kann, und das Alter muß sterben.

GEHEIMRAT CLAUSEN. Ich sehe, du verstehst davon nichts. — — Dir ist es hoffentlich wieder ganz wohl, Bettine?

BETTINA. Mein Schwächezustand, du kennst ihn ja.

GEHEIMRAT CLAUSEN *mit verhaltener Erregung, gleichsam stoß- weise.* Kopfschmerzen, Herzklopfen, Übelkeit — ich freue mich, daß du wieder in Ordnung bist. — Höre, Egert, du müßtest einmal auf den Spuren Filchners oder Sven Hedins eine Reise tun. Da gibt es einen wandernden See, in der Wüste Gobi liegt er ja wohl, richtig, Lob-nor ist sein Name. Er ist im Laufe der Jahrzehnte vom äußersten Norden der Wüste nach dem äußersten Süden und dann wieder auf demselben rätselhaften Wege nach dem äußersten Norden zurückgereist.

SANITÄTSRAT STEYNITZ. Sven Hedin hat darüber geschrieben.

GEHEIMRAT CLAUSEN *zu Klamroth.* Können Sie mir sagen, warum der hübsche Artikel nicht in unseren Blättern erschienen ist?

KLAMROTH. Ich kann meine Augen nicht überall haben.

GEHEIMRAT CLAUSEN. Das ist auch nicht nötig. Den Überblick habe ich ja schließlich. Laßt jeden nur seinen Posten ausfüllen.

KLAMROTH. Ich möchte glauben, das tue ich.

GEHEIMRAT CLAUSEN. Hält es an, Bettine?

BETTINA *verdutzt.* Was meinst du mit anhalten?

GEHEIMRAT CLAUSEN. Dein Wohlbefinden, hält es an?

BETTINA *mit ihrer Bewegung ringend.* Du meinst vielleicht, daß ich mich verstellt habe. Ich bin auch nur ein Mensch. Das Leben stellt eben, wie auch du dir gewiß nicht verhehlen wirst, manchmal nicht gerade ganz leichte Aufgaben.

GEHEIMRAT CLAUSEN. Gewiß verhehle ich mir das nicht. Übrigens eine Frage, Bettine: Anstand, einfach den gebotenen Anstand zu üben, rechnest du das unter die schweren oder unter die leichten Aufgaben?

BETTINA. Anstand ist für gebildete Menschen gar keine Aufgabe. Er ist etwas, was sich von selbst versteht.

GEHEIMRAT CLAUSEN. Und ihr, Bettine, ihr seid gebildet?

BETTINA. Ich denke doch, daß du unserem Kreise Bildung nicht absprechen wirst.

GEHEIMRAT CLAUSEN. Zu deutsch: eine gute Kinderstube . . . — wenn es auch Leute gibt, die auf schiefgerücktem Stuhle sitzen und meistens mit dem Ellenbogen auf der Tischplatte sind. *Klamroth, der so sitzt, nimmt langsam den Ellenbogen von der Tischplatte und rückt den Stuhl zurecht.* Nein, ich spreche euch

Bildung nicht ab. Nur hat eure Bildung einige Lücken. Es sind dieselben, die auch euer Anstand hat. — Reden wir lieber von etwas anderem! — Ich habe einmal die Idee gehabt, in aller Form abzudanken. Wie würden Sie sich einem solchen Schritt gegenüber verhalten, Herr Schwiegersohn?

KLAMROTH. Bei so etwas würde ich kaum in Betracht kommen. Es würde höchstens Ottilie angehen.

GEHEIMRAT CLAUSEN. Wer unter euch wäre, wenn ich das Meine wie jener alte törichte König verteilte, Cordelia?

EGMONT. Ich finde, du neigst zum Humor, Papa.

GEHEIMRAT CLAUSEN. Ich setzte den Fall, ich würde abdanken.

PROFESSOR WOLFGANG CLAUSEN. Du darfst nicht abdanken, lieber Papa.

GEHEIMRAT CLAUSEN. Du bist der Ansicht, ich dürfe nicht abdanken?

PROFESSOR WOLFGANG CLAUSEN. Von geschäftlichen Dingen verstehe ich nichts. Es ist bis heute noch niemand da, der deine Kraft ersetzen könnte.

GEHEIMRAT CLAUSEN. Das muß ich leider vollauf bestätigen

BETTINA *bewegt.* Ich wünschte, du hättest den vollen Einblick in unser Inneres, Papa, da würdest du sehen, wie wir gar nicht zu denken sind ohne dich! Du weißt nicht, wie mein Herz für dich zittert. Du bist unser allerhöchster Schatz: nur wollen wir diesen Schatz nicht einbüßen.

PROFESSOR WOLFGANG CLAUSEN. Was wir wollen, ist nichts als Beruhigung. Zerstreue die Sorgen, die uns ängstigen! Du kannst es mit einem herzlichen Wort: Ich bin verheiratet, habe Kinder, Ottilie hat Kinder: wir bangen für unsere Existenz, weil es uns scheint, daß du dich uns entfremdet hast.

GEHEIMRAT CLAUSEN. Darf ich euch alle fragen, wer mir die Sorgen um meine Existenz zerstreuen wird?

KLAMROTH. Die Zeiten sind schwer, Herr Geheimrat. Zu ernsten Sorgen um den Bestand des alten Geschäftes ist trotzdem nicht der geringste Anlaß vorhanden. Vielleicht entspricht mein Wirken nicht immer dem, was genau in Ihrer Linie liegt; für das Ganze kann ich indessen gutstehen. — Im übrigen weiß ich, was ich zu tun habe. Mein Denken, mein Handeln, meine Stellung im ganzen Betrieb — darüber kann kein Zweifel bestehn — hat meinen unerschütterlichen Willen als Grundlage.

GEHEIMRAT CLAUSEN. Ich verstehe durchaus die Bedeutung dieser

Erklärung, Herr Schwiegersohn. Haben Sie eigentlich schon Ihre Anwälte?

KLAMROTH *wischt sich den Mund mit der Serviette, steht erregt auf und geht umher.* Da hört sich denn doch wirklich alles auf. Eine solche Insinuation muß man sich einstecken!

BETTINA *vermittelnd.* Erich, wir wollen uns doch nicht aufregen. Es handelt sich doch nur darum, ob Papas Gesinnung gegen uns noch die alte ist, ob wir mit seiner väterlichen Liebe nach wie vor zu rechnen haben. Vielleicht sagt er uns, wie er sich die Zukunft denkt — alles natürlich in Güte und Liebe.

GEHEIMRAT CLAUSEN. Ach, sprichst du von Liebe und Güte, Kind?

KLAMROTH. Was ich berührte, waren geschäftliche Dinge. In geschäftlichen Dingen, Bettine, herrscht Sachlichkeit. Man kann da mit Liebe und Güte nichts ausrichten.

GEHEIMRAT CLAUSEN. Ihre Kampfansage, Herr Klamroth, registriere ich. Sie macht mir aber durchaus keine Kopfschmerzen.

KLAMROTH. Von einer Kampfansage bin ich einstweilen noch sehr weit entfernt, Herr Geheimrat.

GEHEIMRAT CLAUSEN. Ihr „einstweilen noch" wird zu den Akten genommen.

EGMONT. Um des Himmels willen, es besteht doch überhaupt kein Kampf zwischen uns. Wir sind überzeugt, du hast nach wie vor in bezug auf uns die reinsten, väterlichsten Absichten.

GEHEIMRAT CLAUSEN. Du würdest mich ebenso ehren, wenn du mir das Zeugnis ausstelltest, ich sei kein Keiler, der seine Jungen frißt.

PROFESSOR WOLFGANG CLAUSEN. Wir wollen ja nur ins Vertrauen gezogen sein, damit wir nicht im Dunkel herumtappen.

GEHEIMRAT CLAUSEN. Das wäre sicherlich längst geschehen, aber ich habe kein Bedürfnis dazu gefühlt.

PROFESSOR WOLFGANG CLAUSEN. So hältst du uns deines Vertrauens für unwürdig? Eine solche Kränkung hat keiner von uns verdient.

PAULA CLOTHILDE. Mit einem solchen Ausspruch verweist uns Papa in die Domestikenzimmer.

GEHEIMRAT CLAUSEN *steht auf, in einem Jähzornanfall erblassend.* Ja, ja und ja, weil ihr dorthin gehört! weil ihr, nach dem, wie ihr dieses schuldlose Mädchen und euren Vater soeben behandelt habt, dorthin gehört! Woher nehmt ihr das Recht zu eurem unverschämten Verhalten? Etwa daraus, daß ihr anspruchsvolle, verwöhnte, unter Sorgen und Mühen eurer Eltern großgepäppelte Bälger seid? Wollt ihr euren Erzeuger, Kinderwärter, Ernährer und Beschützer schulmeistern? Wollt ihr das vierte Gebot umstülpen und: Entehre Vater und Mutter! dafür setzen? Denn auch die Mutter habt ihr in mir entehrt! Bin ich euer Geschöpf? euer Gegenstand? euer Eigentum? Oder aber ein freier Mensch mit dem Recht auf freie Entschließungen? Habt ihr, was mich betrifft, das Recht der Inquisition? oder ein Züchtigungsrecht? Seid ihr befugt, mir meine Schritte vorzuschreiben, Spürhunde auf meine Fährten zu legen und mich heimlich wie einen Verbrecher polizeilich zu kontrollieren? Aber bildet euch nicht ein, daß ich es dulden werde, wenn ihr euch, euren Vater betreffend, eine Macht über Tod und Leben anmaßet!

KLAMROTH. Wir maßen uns keine Macht über Tod und Leben an, aber wir können nicht ruhig zusehen . . .

BETTINA. Vater, Vater, sieh Mutters Bildnis an . . .

GEHEIMRAT CLAUSEN. Treibt keinen Mißbrauch mit etwas Heiligem!

PROFESSOR WOLFGANG CLAUSEN. Das nenne ich Mißbrauch, wenn man die Tochter eines Menschen, der sich im Gefängnis entleibt hat, über diese geheiligte Schwelle bringt.

BETTINA. Papa, mir zerbricht das Herz — aber denke an Mutters Schmuckstücke . . .

GEHEIMRAT CLAUSEN *mit geballten Fäusten.* Hinaus, auf der Stelle, mit euch allen!

EGMONT. Aber guter Papa . . .

PROFESSOR WOLFGANG CLAUSEN. Ja, tausendmal lieber, wenn es sein müßte, ins Elend hinaus mit Weib und Kindern, als eine solche Behandlung noch länger aushalten.

KLAMROTH. Ja, tausendmal lieber ins Elend hinaus! Übrigens habe ich in mir genügend Kraft, um es von mir und den Meinen abzuhalten. Darum wird man den Zeiger der Uhr nicht zurückdrehen! Ich habe nicht nötig, meine Kräfte im Dienst eines sinkenden Schiffes aufzureiben.

GEHEIMRAT CLAUSEN. Das haben Sie auch nicht nötig. Hinaus! Hinaus! Hiermit entziehe ich Ihnen alle Vollmachten! Packen Sie Ihre Sachen! Packt eure Sachen! Hinaus! hinaus!

Alle verlassen ihn, bis auf den Sanitätsrat.

SANITÄTSRAT STEYNITZ. Mein lieber, alter, verehrter Freund . . .

GEHEIMRAT CLAUSEN *legt ihm die Hände auf die Schultern.* Ich lasse mir nicht das Lebenslicht ausblasen!

VIERTER AKT

Spielt in der ersten Hälfte des November. Die gleichen Räume wie im ersten und dritten Akt sind der Schauplatz. Es ist vormittags gegen elf Uhr, die elektrischen Lampen brennen. Professor Geiger sitzt beim Frühstückskaffee. Sanitätsrat Steynitz tritt ein.

SANITÄTSRAT STEYNITZ. Bitte sehr um Verzeihung, ich ahnte von Ihrem Hiersein nichts.

PROFESSOR GEIGER. O ja, ich bin gestern abend eingelaufen.

SANITÄTSRAT STEYNITZ. Ich wußte nur, daß Sie mit recht erheblicher Ungeduld vom Geheimrat erwartet worden sind.

PROFESSOR GEIGER. Er hat mir geschrieben, er wolle mich sprechen.

SANITÄTSRAT STEYNITZ. Darf ich Ihnen nur kurz·die Hand drücken . . .

PROFESSOR GEIGER. Oh, ich bin erfreut, Sie zu sehen. Sie werden mir sagen können, weshalb mir bis jetzt hier im Haus weder Bettina noch Egert noch irgendein Familienmitglied begegnet ist. Mit Matthias habe ich gestern abend nur flüchtig gesprochen.

SANITÄTSRAT STEYNITZ. Wie fanden Sie den Geheimrat?

PROFESSOR GEIGER. Oh, ich sah ihn nur einen Augenblick. Er guckte nur aus der Schafzimmertür. Wie mir vorkam, war er wie immer.

SANITÄTSRAT STEYNITZ. Der Geheimrat hat vielleicht etwas eingelegt. Das würde mich aber nicht weiter bekümmern . . . Ich habe Sorgen, die ernster sind.

PROFESSOR GEIGER *schmunzelnd.* Sie meinen — etwas fatale Sachlage?!

SANITÄTSRAT STEYNITZ. Daran hat man sich nun schon gewöhnt, an die Sachlage.

PROFESSOR GEIGER. Es ist doch nicht wahr, daß die Kleine im Hause wohnt?!

SANITÄTSRAT STEYNITZ. Fräulein Peters wohnt in der Tat schon seit Wochen im Hause.

PROFESSOR GEIGER *aufgeräumt.* So?! Immerhin eine Situation, die — meinen Sie nicht? — etwas kitzlig ist.

SANITÄTSRAT STEYNITZ. Die Situation ist ungewöhnlich.

PROFESSOR GEIGER *blitzt ihn mit großen Augen belustigt an.* Wir einigen uns auf ungewöhnlich. Schön! Wir bleiben bei ungewöhnlich. Es steht für uns beide jedenfalls fest, daß die Lage ungewöhnlich ist. Oder finden Sie sie nicht ungewöhnlich? Ich lebe in England, wo so etwas ganz und gar ungewöhnlich ist.

SANITÄTSRAT STEYNITZ. Bei uns ist es ebenso ungewöhnlich. Seit Wochen nährt sich fast ausschließlich von diesem Umstand der Klatsch und Tratsch unserer Stadt.

PROFESSOR GEIGER *wie vorher.* Und das ist keineswegs ungewöhnlich. Doktor, können Sie mir nicht einen Wink geben — ich bin nämlich grenzenlos ungeschickt —, haben Sie eine Ahnung, welcher Art meine Funktionen bei dieser heiklen Geschichte sein sollen?

SANITÄTSRAT STEYNITZ. Der Geheimrat braucht einen Bundesgenossen. Schließlich hat er ja doch mit fast allem gebrochen, woraus sein bisheriges Leben bestanden hat.

PROFESSOR GEIGER. Mit wem hat er also zum Beispiel gebrochen? Ich bin so unwissend wie ein Kind.

SANITÄTSRAT STEYNITZ. Zunächst hat er mit seinen Kindern gebrochen.

PROFESSOR GEIGER. Aber doch wohl mit Bettine nicht?

SANITÄTSRAT STEYNITZ. Bettine hat mit dem Vater gebrochen. Er spricht nicht von ihr, und er sieht sie nicht.

PROFESSOR GEIGER. Ich verstehe natürlich Bettinen aus Taktgründen. — Es ist mir überhaupt unerfindlich, warum mein alter Freund Clausen diesen heiklen Schritt nicht vermieden hat, der doch leicht zu umgehen gewesen wäre und die Öffentlichkeit ganz zwecklos herausfordert.

SANITÄTSRAT STEYNITZ. Das sollte er eben, er sollte herausfordern! Der Geheimrat bevorzugt jetzt einen gewissen Radikalismus bei all seinen Maßnahmen.

PROFESSOR GEIGER. Und das tut er ... weshalb? Was hat er dabei für Absichten?

SANITÄTSRAT STEYNITZ. Außer daß er, wie ich glaube, seinem kaltgestellten Schwiegersohn den Meister zeigen will, möchte er wohl der Welt im allgemeinen, bevor er sich zurückzieht, die Wahrheit geigen.

PROFESSOR GEIGER. Er wirft ihr den Fehdehandschuh hin, und mich will er dabei zum Bundesgenossen? Dazu bin ich wohl kaum der rechte Mann.

SANITÄTSRAT STEYNITZ. Der Geheimrat unterschätzt seine Gegnerschaft. Sein Schwiegersohn ist zu allem entschlossen. Die Kinder, die sich verstoßen glauben, schwimmen durchaus in seinem Fahrwasser.

PROFESSOR GEIGER. Matthias hat diesem Manne nie getraut, dafür könnte ich Ihnen Belege beibringen. Darum hat er ihn wohl hinausgeworfen.

SANITÄTSRAT STEYNITZ. Zu spät, denn außer Gefecht gesetzt ist der Mann eben trotzdem nicht.

PROFESSOR GEIGER. Will mein Freund nun durchaus dieses Mädchen heiraten?

SANITÄTSRAT STEYNITZ. Das ist meines Wissens sein fester Entschluß.

PROFESSOR GEIGER. Dann soll er es tun und nicht lange fackeln. Gegen eine vollendete Tatsache hilft schließlich alles Protestieren und Intrigieren nichts.

SANITÄTSRAT STEYNITZ. Vorausgesetzt, die Machenschaften der Gegner sind noch nicht bis zu einem gewissen Punkte fortgeschritten.

PROFESSOR GEIGER. Und was wäre der Punkt?

SANITÄTSRAT STEYNITZ. Ich weiß es nicht . . . Was man tuscheln hört, scheut man sich auszusprechen.

PROFESSOR GEIGER. Und doch wäre es gut, mich ins Bild zu setzen.

SANITÄTSRAT STEYNITZ. Unkontrollierte Gerüchte sprechen von einem Unschädlichmachen durch Entmündigung.

PROFESSOR GEIGER. Na ja, Gerüchte, das sind Gerüchte! Sie glauben doch selbst im Ernst an solchen Unsinn nicht.

SANITÄTSRAT STEYNITZ. Ich glaube es — und ich glaube es nicht. Ein Versuch könnte immerhin wohl gemacht werden.

PROFESSOR GEIGER. . . . meinen Freund Matthias zu entmündigen, der so gesund ist und so zurechnungsfähig wie Sie und ich? Da müßte man doch wohl Gründe ins Feld führen.

SANITÄTSRAT STEYNITZ. Wo keine Gründe sind, gibt es Behauptungen.

PROFESSOR GEIGER. Was um Gottes willen behauptet man?

SANITÄTSRAT STEYNITZ. Wie die Schablone nun eben ist. Trifft es einen Menschen von siebzig, so hilft ja das allgemeine Vorurteil. Zum Beispiel aus Gründen des Alters, Schwächung der geistigen Kapazität und so fort.

PROFESSOR GEIGER. Da möchte ihnen Matthias wohl heimleuchten! Also wenn einer im Alter nochmals heiraten will und seinen Erben paßt das nicht, erklärt man ihn kurzerhand für schwachsinnig?! Da müßte man ja das Vermögen verfluchen, das man seinen Kindern erarbeitet hat!

SANITÄTSRAT STEYNITZ. Es ist nicht alleine von wegen des Heiratens: er ist mit der Kleinen nach der Schweiz gereist und hat sich in Arth bei Goldau eine Besitzung gekauft.

PROFESSOR GEIGER. Zum Donnerwetter, er hätte doch sollen gleich dort bleiben!

SANITÄTSRAT STEYNITZ. Etwas anderes hat wohl noch mehr böses Blut gemacht. Der Geheimrat ist Bildersammler. Etwa zwei Dutzend der besten Niederländer, die er aus irgendeinem Grunde nicht zeigen wollte, standen seit Jahren im Souterrain unausgepackt. Unlängst wurden sie nach der Schweiz verfrachtet.

PROFESSOR GEIGER. Warum soll Matthias sich keine Besitzung in Arth kaufen? Warum soll er sie nicht mit seinen Bildern ausschmücken? Seine Mittel erlauben ihm das.

SANITÄTSRAT STEYNITZ. Außer daß man ihm dann noch vorwirft, er vergeude den Familienschmuck, gibt es einen dritten Umstand, der die Familie am meisten aufstachelt: er verhandelt wegen Verkaufs der ganzen Firma mit einem Konsortium.

PROFESSOR GEIGER. Ist das ein Verbrechen? Darf er das nicht? Er wird es doch wohl für opportun halten!

SANITÄTSRAT STEYNITZ. Es ist meiner Ansicht nach das einzige, was bei einer so gearteten Nachkommenschaft zu geschehen hat.

PROFESSOR GEIGER. Aber wie will man ihn dann entmündigen?

SANITÄTSRAT STEYNITZ. Durchdringen werden sie wohl auch nicht. Schlimm ist nur, daß jemand, gegen den der Richter das Verfahren auch nur einleitet, solange die Untersuchung dauert, de facto bereits entmündigt ist. Diesen Schlag würde der Geheimrat nicht aushalten.

PROFESSOR GEIGER. Und von alledem ahnt er nichts?

SANITÄTSRAT STEYNITZ. Er ist weltweit entfernt von solchen Gedanken . . . Der Geheimrat kommt, entschuldigen Sie mich! *Steynitz schnell ab.*

Geheimrat Clausen tritt mit schnellen elastischen Schritten ein.

GEHEIMRAT CLAUSEN. Verzeih, ich habe dich warten lassen. Wenn man, wie ich, sozusagen sein Haus bestellt, gibt es unendlich viel zu bedenken. Sei willkommen, mein lieber Freund! Du mußt mir in vieler Hinsicht deinen Rat geben.

PROFESSOR GEIGER. Ich höre, du willst in die Schweiz übersiedeln?

GEHEIMRAT CLAUSEN. Sage lieber: auf einen anderen Planeten,
mein Freund.

PROFESSOR GEIGER *lacht.* Mit dem Raketenflugzeug vielleicht?! —
Du hast Liegenschaften in Arth gekauft?

GEHEIMRAT CLAUSEN. Ein altes Schweizer Bürgerhaus — wir
lassen es umbauen —, das in einem großen Park am See gelegen ist. Inken ist ganz glückselig darüber.

PROFESSOR GEIGER. Ich sehe mit Freuden, daß du in einer zu-
versichtlichen Stimmung bist.

GEHEIMRAT CLAUSEN. Sag mir, weshalb ich zaghaft sein sollte!

PROFESSOR GEIGER. Du gehst auf Freiersfüßen, willst heiraten?

GEHEIMRAT CLAUSEN. In meinem neuen Lexikon steht zwar das
banale Wort „heiraten" nicht, in der Tat aber will ich das
Verhältnis mit meiner Freundin bald legitimieren.

PROFESSOR GEIGER. Und warum hast du so lange gewartet damit?

GEHEIMRAT CLAUSEN. Bedenke, was bei einem so verzweigten
Dasein wie dem meinen alles vorher ins reine zu bringen und
abzuwickeln ist!

PROFESSOR GEIGER. Freilich, freilich, da wirst du wohl recht
haben. Bist du mit deinen Kindern einig?

GEHEIMRAT CLAUSEN. Die Frage, ob ja, ob nein, interessiert mich
nicht. Ich bin jedenfalls mit mir selber einig. Beiläufig wäre
etwas zu sagen: solange die Kinder in der Welt sind, habe
ich ihnen zu dienen gesucht. Nie habe ich eigentlich etwas von
ihnen erwartet, aber am allerwenigsten freilich das, was sich
nun ergeben hat. Und nun will ich dir Inken Peters vorstellen.
Inken, komm doch bitte herein!

PROFESSOR GEIGER. Flüchtig kennen wir uns ja wohl.

GEHEIMRAT CLAUSEN. Richtig: von Broich — das hatt' ich vergessen.

Inken Peters tritt ein.

INKEN. Sie erinnern sich meiner von Broich, Herr Professor. Wir
sind glücklich, daß Sie gekommen sind.

PROFESSOR GEIGER *jovial.* O wirklich?! Wie komme ich aber bloß
zu dieser Unentbehrlichkeit?

INKEN. Herr Professor, das hat seine guten Gründe. Hier haben
wir nämlich ein großes Kind, das allerlei Stimmungswechseln
unterworfen ist.

Sie legt ihren Arm um den Geheimrat.

GEHEIMRAT CLAUSEN. Setz dich, Inken! Hoffentlich hast du noch
können ein Stündchen nachschlafen. — Sie läßt sich's nicht
nehmen, mir vorzulesen, wenn ich, wie hier manchmal, schlaf-
los bin.

INKEN. Er schläft wie ein Bär, sobald er auf Schweizer Boden
ist. In dem kleinen Hotel am Zuger See, von dem aus wir
unseren Umbau betreiben, ist Matthias ein anderer Mensch.
Hier unterliegt er dann wieder gewissen Anfällen.

PROFESSOR GEIGER. Es ist auch wohl keine Kleinigkeit, den Baum
aus einem Boden zu nehmen, in dem er fünfundvierzig Jahre
und länger seine Wurzeln verbreitet hat.

GEHEIMRAT CLAUSEN. Lieber Geiger, du mußt mit uns nach Arth
reisen! Einen schöneren Winkel wie unser Grundstück am Zuger
See gibt es nicht. Unvergeßliche Tage, die wir erlebt haben!

INKEN. . . . an deren Wirklichkeit, wenn man nur eine Woche
hier lebt, kaum noch zu glauben ist.

GEHEIMRAT CLAUSEN. Geiger, du solltest Inken am Zuger See
sehen, wie sie den Frosch mit der Hand aus der Regentonne
nimmt, den Igel auf dem Frühstückstisch seinen Spaziergang
machen läßt, im Garten jätet, sät und pflanzt oder das alte
Fischerboot in den See rudert!

INKEN. Und, Herr Professor, Sie sollten Matthias am Zuger
See sehen!

GEHEIMRAT CLAUSEN. Freilich bin ich ein anderer dort: ich würde
mich sonst wohl nicht Tag und Nacht dahin wünschen.

PROFESSOR GEIGER. Wirst du es denn in der Stille aushalten, wo
du von den gewohnten Aktivitäten deiner einstigen Welt abgeschnitten bist?

GEHEIMRAT CLAUSEN *weist auf das Schachbrett.* Du meinst die
Elefanten, Pferdchen und Bauern und so weiter meiner Schach-
hölle? Ich berufe mich einfach auf das, was ich dir bei deinem
letzten Hiersein gesagt habe. Nein, daß mich dieser Kampf
aller gegen alle noch einmal reizen könnte, fürchte ich nicht.
Und übrigens: die menschliche Seele hat zwei Kräfte, eine
aktive und eine kontemplative, wie ein alter Weiser sagt. Durch
jene schreitet man vorwärts, durch diese aber kommt man
zum Ziele.

PROFESSOR GEIGER. Wird man dich in der Schweiz denn noch
besuchen dürfen?

GEHEIMRAT CLAUSEN. Du ja, lieber Geiger, „man" aber nicht —
da ja doch die Mehrzahl meiner jetzigen Bekannten dann für
mich überhaupt nicht mehr ist. Ich würde sie gar nicht wiedererkennen. Natur, Kunst, Philosophie und Inken: diese vier
Dinge sind mir genug. — Inken liebt mich — kannst du dir
das Unmögliche vorstellen?

PROFESSOR GEIGER. Das ist nicht nötig, wenn der Augenschein
schließlich so deutlich spricht.

GEHEIMRAT CLAUSEN. Sie leiht mir ihr Auge, ihre Jahre, ihre
Frische, ihr magnetisches und elektrisches Fluidum. Ihre gesunden Atemzüge, die ich gelehrig nachahme, machen mich
leicht, frei und heimisch in der miasmenfreien Bergesluft. —
Lieber Geiger, du magst mir gratulieren.

PROFESSOR GEIGER. Das tu' ich von Herzen, und sogar einen
leichten Anflug von Neid leugne ich nicht.

GEHEIMRAT CLAUSEN. Jawohl, man hat Grund, mich zu benei-
neiden. *Dr. Wuttke wird sichtbar.* Entschuldigt mich einen Augenblick.
*Er geht auf Wuttke zu, nimmt ein Schriftstück entgegen, und
beide entfernen sich.*
Professor Geiger und Inken Peters allein.

PROFESSOR GEIGER. Ich habe von Matthias einen unerwartet guten Eindruck gehabt. Förmlich fällt mir ein Stein von der Seele.

INKEN. Warum hat es Sie überrascht?

PROFESSOR GEIGER. Oh, das war nur so obenhin gesagt. Immerhin sind es ja doch Konflikte, in die Matthias geraten ist.

INKEN. Herr Professor, sind Sie auf unserer Seite?

PROFESSOR GEIGER. Ich glaube wohl, daß mein Freund Matthias
das mit Recht voraussetzen kann.

INKEN. Dann helfen Sie mir, ihn aus dieser Umgebung fortbringen: sie übt einen schlechten Einfluß auf ihn.

PROFESSOR GEIGER. Ich könnte mir denken, daß Sie recht haben.

INKEN. Ich bleibe hier, und ich bleibe dort, ich gehöre so oder
so zu Matthias. Aber diese Mauern, diese alten Stuckdecken,
diese roten Damastbespannungen, diese staubige Verstorbenheit,
oder was es sonst ist, legt sich auch mir auf die Lungen.

PROFESSOR GEIGER. Sie haben das alte Haus nicht gern?

INKEN. Ich hasse das Haus, und das Haus haßt mich.

PROFESSOR GEIGER. Hören Sie etwas von den Kindern?

INKEN. Nein, begreiflicherweise nichts. Aber natürlich: sie sind zu fürchten. *Winter erscheint. Er trägt einen Brief durchs Zimmer. Was ist?*

WINTER. Ein Brief vom Administrator Hanefeldt. Eben hat ihn ein Bote abgegeben.

INKEN. Geben Sie her, ich besorge ihn. *Winter kommt, sie nimmt den Brief vom Tablett. Zu Geiger.* Kennen Sie den Justizrat Hanefeldt? Ich bekomme immer ein leichtes Friesel bei solchen Briefen.

PROFESSOR GEIGER. Hanefeldt ist doch der Administrator von Broich, wo Sie mit Ihrer Mutter gelebt haben?

Inken riecht den Brief an und wendet ihn nach allen Seiten.

WINTER. Eigentlich sollte der Bote ihn selber abgeben.

INKEN. Eigentlich oder uneigentlich: es würde mich trotzdem nichts hindern, ihn aufzumachen, wenn ich glaubte, er enthielte für Matthias eine Unannehmlichkeit.

WINTER. Also werden das gnädige Fräulein das Schreiben abgeben?

INKEN. Aber sicher, Herr Winter, das werde ich.

PROFESSOR GEIGER. Wenn ich nicht irre, steht er auf seiten der Geschwister, dieser Hanefeldt.

WINTER *nimmt sich heraus, sehr bedeutsam zu nicken.* Ganz und gar, ganz und gar, Herr Professor. — Und wer weiß, was für ein schrecklicher Giftstoff in dem Briefkuvert enthalten ist! — Wären der Herr Professor doch früher gekommen!

PROFESSOR GEIGER. Und warum das?

WINTER. Weil Sie der einzige sind, der auf Fräulein Bettina und Herrn Wolfgang Einfluß hat.

INKEN *ist aufgestanden.* Was soll es denn schließlich sein?! Hier sieht man ja täglich und stündlich Gespenster.

Sie entfernt sich, um den Brief abzugeben. Professor Geiger und Winter sind zurückgeblieben. Professor Geiger ist aufgestanden und geht, mit einem Entschluß ringend, hin und her.

PROFESSOR GEIGER *plötzlich zu Winter.* Können Sie mir sagen, wo Fräulein Bettina zu finden ist?

WINTER. Auf dem Gut ihrer Tante, von hier aus anderthalb Stunden Autofahrt.

PROFESSOR GEIGER. Ist ein Auto frei? Könnte man nicht hinausfahren?

WINTER *sieht den Professor lange an, verfärbt sich bis an die*

Nasenwurzel und bringt leise hervor. Ich fürchte, es ist zu spät,
Herr Professor.

PROFESSOR GEIGER. Sie fürchten, Herr Winter? Wissen Sie denn,
was ich vorhabe?

WINTER. Ich glaube ja. Acht Tage früher konnte vielleicht eine
Rettung noch möglich sein.

PROFESSOR GEIGER. Rettung? Was für ein Wort, Herr Winter?

WINTER. Wünschen Sie, daß ich schweige, Herr Professor, oder
soll ich Ihnen anvertrauen, was zu meinen Ohren gekommen ist?

PROFESSOR GEIGER. Natürlicherweise anvertrauen! Soll ich irgendwie helfen, so ist das notwendig.

WINTER. Herr Direktor Klamroth regiert wieder im Verlags-
hause.

PROFESSOR GEIGER. Der Schwiegersohn? Woher wissen Sie das?

WINTER. Von dem Boten, der eben mit dem Briefe von Justizrat
Hanefeldt gekommen ist. Er hat, wie es heißt, von Gerichts
wegen die Ermächtigung.

PROFESSOR GEIGER. Das sind wohl leere Gerüchte, Herr Winter.

WINTER. Nein. Ich ging gleich ans Telephon. Ich bekam Verbindung mit dem ehemaligen Büro des Geheimrats. Das war
leider die Bestätigung. Hier Direktor Klamroth, wer dort,
kam die bekannte Stimme.

PROFESSOR GEIGER. Und was schließen Sie weiter aus dieser be-
fremdlichen Sachlage?

WINTER. Was ich da weiter schließen soll, weiß ich nicht.

PROFESSOR GEIGER. Jedenfalls für den Geheimrat nichts Gutes.

WINTER. Wenn man nur wüßte, wie das alles so weit gekommen
ist! Da kann man nur sagen: gut, daß die da — *er weist auf
das Bild der verstorbenen Frau* — es nicht mehr erleben muß!
*Er geht ab. Der Geheimrat, begleitet von Inken und Dr. Wuttke,
tritt wieder ein.*

GEHEIMRAT CLAUSEN. Man kommt nicht mehr zu sich selber,
mein Bester. Da meldet sich ein gewisser Justizrat Hanefeldt.
Das Konsortium hetzt ihn mir auf den Hals, wie es scheint.
Er hat es eilig. Ich glaube, man versucht es vor dem endlichen
Abschluß noch mit einigen Schröpfköpfen. Die Leute sind zäh.
Doch sie täuschen sich gründlich, wenn sie mich für den Dum-
men halten. Erzielen wir keine Einigung — nun gut, so eilig
habe ich es nicht.

PROFESSOR GEIGER. Gibt es denn zur Verständigung mit deinen

Kindern gar keine Möglichkeit? Ich meine so, daß der Besitz erhalten bliebe?

GEHEIMRAT CLAUSEN. Klöße werden geboren von Köchen, Klöße haben keinen Sinn für Verantwortung. Meine Kinder freilich wären imstande, von sich zu glauben, sie besäßen Eigenschaften, wie sie für die Leitung eines solchen Betriebes notwendig sind. Sie würden aber nichts weiter tun, als sich ihrem Schwager Klamroth ausliefern, und diesen Menschen kenne ich. Trotz der geborenen von Rübsamen würden meine Söhne und Töchter sehr bald von ihm zu einer Art Almosenempfänger herabgedrückt und erniedrigt sein. *Winter bringt eine Karte. Geheimrat Clausen, indem er die Karte liest.* Hanefeldt! — Ich lasse bitten. — Ihr werdet mich fünf Minuten allein lassen.

INKEN *wollte sich mit Geiger und Wuttke entfernen. In einer plötzlichen Anwandlung kehrt sie um und ergreift die Hand des Geheimrats.* Matthias, soll ich nicht lieber hierbleiben?

GEHEIMRAT CLAUSEN. Aber warum denn, was hast du denn?

INKEN. Dann versprich mir, was er dir immer auch zumutet: bleibe du selbst! behalte den Kopf oben!

GEHEIMRAT CLAUSEN. Hast du je etwas anderes bei mir erlebt? *Inken, Wuttke und Geiger ab. Der Geheimrat geht in Erwartung auf und ab. Justizrat Hanefeldt tritt ein.*

Der Geheimrat, auf ihn zu. Was verschafft mir die Ehre Ihres Besuchs? Wollen Sie, bitte, gefälligst Platz nehmen! *Beide nehmen Platz.* Rauchen Sie?

JUSTIZRAT HANEFELDT. Mitunter, aber bitte jetzt nicht.

GEHEIMRAT CLAUSEN. Ich rauche ja, wie Sie wissen, überhaupt nicht. Darf ich nun fragen, weshalb Sie gekommen sind?

JUSTIZRAT HANEFELDT. Lassen Sie mich methodisch vorgehen!

GEHEIMRAT CLAUSEN. Wir haben Zeit, ich dränge Sie nicht.

JUSTIZRAT HANEFELDT *tupft sich die Stirn.* Sie wollen entschuldigen, wenn ich zu spät komme. Ich hatte auf dem Gericht zu tun. Ich hätte telephonieren können, aber ich wollte die Dinge nicht weiter hinauszögern, besonders um Ihretwillen nicht! Steht man vor einer Schwierigkeit, so soll man ihr eben zu Leibe gehen, um so schnell wie möglich hindurchzukommen.

GEHEIMRAT CLAUSEN. Durchaus meine Ansicht. Sie machen mich neugierig.

JUSTIZRAT HANEFELDT. Haben Sie eine Vermutung, weshalb ich gekommen bin? *Er sucht es durch einen Blick zu ergründen.*

GEHEIMRAT CLAUSEN. Waren Sie je Untersuchungsrichter? Der Blick, Herr Justizrat, den Sie mir eben geschenkt haben, hat mir die Frage nahegelegt. Sind Ihre Augen nun wirklich durchdringend, so können Sie nicht den geringsten Zweifel darüber haben, daß ich über den Grund Ihres Kommens völlig im Dunkeln bin.

JUSTIZRAT HANEFELDT. Wirklich, ich könnte es mir kaum vorstellen.

GEHEIMRAT CLAUSEN. Was tut's, Sie werden mich ja ins Bild setzen.

JUSTIZRAT HANEFELDT. Mit der Tür ins Haus fallen möchte ich nicht.

GEHEIMRAT CLAUSEN. Was heißt das, mit der Tür ins Haus fallen? Sie werden doch wissen, warum Sie gekommen sind. Sie brauchen es mir doch nur einfach mitzuteilen. Es ist also eine Schwierigkeit. An Schwierigkeiten ist man gewöhnt. Ihr Rat ist gut: gehen wir ihr zu Leibe!

JUSTIZRAT HANEFELDT. Ich habe die Sache übernommen, weil ich mir sagte, daß sie in meinen Händen am besten aufgehoben ist. Lange habe ich mich geprüft und bin endlich zu dem Schluß gekommen, daß niemand anders als ich so zum ... sagen wir: Treuhänder beider Parteien geeignet ist. Und so, in dem Sinne, meine ich, wollen Sie meine nicht gerade leichte Mission auffassen.

GEHEIMRAT CLAUSEN. Es wäre möglich, daß Sie in letzter Stunde von meinem Kontrahenten in der Umwandlungssache meiner Betriebe bemüht worden sind. Hier freilich wäre mein letztes Wort gesprochen und alles Weitere ohne Belang.

JUSTIZRAT HANEFELDT. Die Umwandlungssache betrifft es nicht, sondern die Unstimmigkeit mit Ihren Kindern.

GEHEIMRAT CLAUSEN *wird blaß, erregt sich.* Unstimmigkeiten zwischen mir und meinen Kindern gibt es nicht: meine Kinder benehmen sich skandalös, und ich ziehe daraus die Folgerungen, das ist alles, was hier zu sagen ist.

JUSTIZRAT HANEFELDT. Niemand kann mehr bedauern als ich, daß es so weit gekommen ist. Sie sind als versöhnlicher Mann bekannt, und es wäre nicht schwer gewesen, auch in dem Falle mit Ihren Kindern ein friedliches Resultat zu erzielen mit dem an Ihnen oft gerühmten Geist der Versöhnlichkeit. Er ist Ihnen, scheint es, abhanden gekommen.

GEHEIMRAT CLAUSEN. Sind Sie beauftragt, die weiße Fahne zu schwingen, und bringen Sie mir die Kapitulation, Sie werden mich zur Versöhnung sofort bereit finden.

JUSTIZRAT HANEFELDT. Die weiße Fahne schwinge ich nicht, mir wäre sonst wahrscheinlich wohler zumut. Eins aber kann ich doch vorausschicken, daß bei einem gewissen Entgegenkommen Ihrerseits eine gewisse Maßregel, die Ihre Kinder für notwendig hielten, nicht unwiderruflich ist.

GEHEIMRAT CLAUSEN. Was halten meine Kinder für notwendig? — — Widerruflich? — Unwiderruflich? — Maßregel? — Machen Sie sich nicht lächerlich! *Er ist unwillkürlich aufgesprungen. Es gelingt ihm sogleich, sich zu mäßigen.* Nein, nein, es ist mir nur so entschlüpft, Vergessen Sie bitte, was ich gesagt habe! *Er geht auf und ab, bleibt dann vor dem Justizrat stehen.* Ad eins: eine Maßregel, die Sie erwähnt haben, interessiert mich nicht. Nie und nimmer wird sie mich interessieren. Sie wird mich ebensoviel und -sowenig interessieren, als wenn mich jemand verklagen wollte, weil ich die Baugelder des Kölner Doms noch nicht beglichen hätte. Aber es wäre doch originell, und so berichten Sie bitte von Ihrer Maßregel!

JUSTIZRAT HANEFELDT. Herr Geheimrat, erschrecken Sie nicht: das Gericht hat mich als vorläufigen Berater an Ihre Seite gestellt, und so bin und bleibe ich Ihnen ganz zur Verfügung.

GEHEIMRAT CLAUSEN. Wenn Sie mir diese Sätze wiederholen möchten, würde ich Ihnen dankbar sein.

JUSTIZRAT HANEFELDT. Ich möchte das nicht eher, als bis ich Sie der nun einmal vorhandenen Lage gewachsen weiß. Denn wohlgemerkt: ich bin nicht als Ihr Gegner hier, sondern als Ihr bestallter Freund und Helfer.

GEHEIMRAT CLAUSEN. Wenn Sie nicht wollen, daß mein Gehirnkasten auseinanderfliegt, so reden Sie klar und ohne Umstände!

JUSTIZRAT HANEFELDT. Nun dann: es schwebt gegen Sie ein Verfahren wegen Entmündigung.

GEHEIMRAT CLAUSEN. Das nenne ich einen verfluchten Scherz! Mit so etwas sollte man mir nicht aufwarten.

JUSTIZRAT HANEFELDT. Es ist der volle, der ganze Ernst einer nackten Sachlage.

GEHEIMRAT CLAUSEN. Reden Sie weiter, es könnte ja sein, daß ein Erdbeben stattgefunden hat, ein Bergrutsch oder was Sie sonst wollen, und daß meine fünf Sinne den neuen Zustand

noch nicht registriert haben. Es ist dann vielleicht überall alles
geschehen, was früher nicht menschenmöglich gewesen ist. Sie
würden behaupten, man wolle mich unter Kuratel stellen?

JUSTIZRAT HANEFELDT. Es ist in der Tat das, was man will.

GEHEIMRAT CLAUSEN. Es ist schon geschehen, oder ist das Verfahren erst eingeleitet?

JUSTIZRAT HANEFELDT. Einstweilen ist das Verfahren erst eingeleitet. Aber Sie wissen ja, solange es dauert und bevor nicht
zugunsten des zu Entmündigenden entschieden worden ist, sind
Sie selber nicht mehr Partei in der Sache.

GEHEIMRAT CLAUSEN. Will sagen, daß ich solange entmündigt
bin. — Und so sind Sie mein Vormund, nach der Sachlage?

JUSTIZRAT HANEFELDT. Sagen Sie lieber, Ihr bester Freund.

GEHEIMRAT CLAUSEN *unheimlich kalt.* Sie werden sich keinen
Augenblick verhehlen, was eine solche Tatsache, wenn es sich
wirklich um eine solche handelt, für eine Persönlichkeit meines
Schlages und meiner öffentlichen Geltung, sowohl für mich
selbst als auch nach außen, bedeuten muß.

JUSTIZRAT HANEFELDT. Es könnte auch glücklich für Sie ausgehen.

GEHEIMRAT CLAUSEN. Der wird den Leichenduft nicht mehr los,
der einmal auch nur vier Wochen bürgerlich tot gewesen ist.

JUSTIZRAT HANEFELD. Dieser Ausgang läßt sich entschieden vermeiden.

GEHEIMRAT CLAUSEN. Herr Justizrat, Sie haben als Kind hier
vor dem Kamin mit meinem Sohn Wolfgang gespielt. Sie haben
auf meinen Knien geritten. Ich ließ Sie Bilderbücher betrachten.
Als Sie elf Jahre waren, habe ich Ihnen — erinnern Sie sich? —
eine goldene Uhr dediziert.

JUSTIZRAT HANEFELDT. Die halte ich immer noch hoch in Ehren.

GEHEIMRAT CLAUSEN. Und nun möchte ich hören, von wem dieses
widernatürliche Verbrechen an mir verübt worden ist. Von wem
geht der Antrag aus, wenn er wirklich gestellt wurde? Wer,
frage ich, hatte die freche Schamlosigkeit, die Feder zu ergreifen und seine gemeine Seele bloßzustellen mit seiner schand-
baren, seiner verruchten Unterschrift?

JUSTIZRAT HANEFELDT. Herr Geheimrat, Sie haben versöhnliche
Kinder ...

GEHEIMRAT CLAUSEN. Also, das schmutzigste aller Dokumente
trägt meines Sohnes Wolfgang, meiner Tochter Bettine, meiner
Tochter Ottilie — und noch eine Unterschrift?

JUSTIZRAT HANEFELDT. Nein, Egert hat sich ausgeschlossen.

GEHEIMRAT CLAUSEN. Ah, in dieser Pesthöhle wenigstens ein Hauch von reiner Luft. Gut! Das ist nun die Krönung meines Lebens: ich hatte sie mir nicht ganz so gedacht. — Wissen Sie was? So denke ich mir den Augenblick, wo nach Jesu Christi Kreuzigung der Vorhang im Tempel Gottes zerriß!

JUSTIZRAT HANEFELDT. Herr Geheimrat, Ihre Kinder befinden sich selbst in einem Zustand tiefster Erschütterung. Sie haben sich die Angelegenheit wohl selbst nicht so deutlich vorgestellt. Sie sind hier im Haus, sie wünschen den Vater zu sehen. Sie wünschen sich ihm ans Herz zu legen. Sie erflehen von ihm Verständnis, wenn es sein kann, Verzeihung, Absolution. Herr Geheimrat, lassen Sie Ihr Herz sprechen!

GEHEIMRAT CLAUSEN *rückt einen Stuhl vor den Kamin, unter das Bild seiner Frau, nimmt ein Messer, steigt auf den Stuhl und zerschneidet ebendieses Bild kreuz und quer.* Kinder? Wo sind meine Kinder? Ich war nie verheiratet, ich habe nie eine Frau, nie Kinder gehabt. Höchstens Egert. Aber es ist nicht möglich, daß er von der gleichen Mutter wie die anderen geboren ist. Siebzig Jahre, und wiederum Junggeselle! *Er springt vom Stuhl.* Hopsa, heißa, Herr Vormund, leben Sie wohl! *Nach einer Verbeugung gegen den Justizrat geht er hinaus. Bettina und Ottilie kommen erregt herein, gefolgt von Professor Wolfgang Clausen, als ob sie hinter der Tür gelauscht hätten. Bettina ist verweint, Ottilie zeigt eine finstere, harte, etwas gemachte Entschlossenheit. Professor Wolfgang Clausen ist kalkbleich und macht nicht den Eindruck von Geistesgegenwart.*

BETTINA. Wie hat es mein Vater aufgenommen?

JUSTIZRAT HANEFELDT. Fragen Sie mich lieber, wie so etwas, selbst von einer unbeteiligten Mittelsperson, wie ich es bin, zu ertragen ist! Der Stein ist im Rollen — wer wird ihn aufhalten?!

BETTINA. Man würde am liebsten alles zurücknehmen. Ich hatte gar nicht so recht begriffen, was für ein folgenschwerer Schritt es gewesen ist, den wir da unternommen haben.

OTTILIE. Gott im Himmel, es war aber notwendig.

PROFESSOR WOLFGANG CLAUSEN. Ich weiß nichts anderes, als daß er bitter notwendig gewesen ist . . . meinst du nicht? Vater wird das einsehen.

JUSTIZRAT HANEFELDT. Ein so Betroffener kann nichts einsehen.

Hätten wir, lieber Wolfgang, irgend etwas von Einsicht erwarten können, so mußte das ganz gewiß unterbleiben, was nun eben geschehen ist. *Er stürzt ein Glas Wasser hinunter.* Vergeben Sie mir, ich muß zu mir selbst kommen!

PROFESSOR WOLFGANG CLAUSEN. Eigentlich suchten wir doch nur eine Grundlage für die endliche Einigung.

JUSTIZRAT HANEFELDT. Ich stehe nicht ein für diese Grundlage. *Man hört, wie Porzellan und andere Gegenstände in den Räumen des Hauses zu Scherben gehen.*

PROFESSOR WOLFGANG CLAUSEN. Was bedeutet das?

JUSTIZRAT HANEFELDT. Ich weiß es nicht.

BETTINA. Das ist die schrecklichste Stunde meines Lebens — ich ertrage sie nicht.

Professor Geiger tritt ein.

PROFESSOR GEIGER. Wir müssen uns nach Hilfe umsehen . . . — er rast! Ich habe die schlimmsten Befürchtungen, trotzdem der Sanitätsrat bei ihm ist. Er demoliert alle Familienbilder, er trampelt auf Ihren Kinderphotographien herum —. Wodurch ist er denn eigentlich so verstört worden?

BETTINA *weint händeringend.* Aber was sollen wir denn getan haben?! Du hast mir gesagt, Ottilie, und dein Mann, Ottilie, hat mir gesagt, daß es notwendig ist. *Zu Wolfgang.* Du hast mir gesagt, daß es notwendig ist. Deine Frau hat in mich hineingeredet — eigentlich weiß ich ja von dem allem nichts.

OTTILIE. Du willst von dem allem nichts gewußt haben? Du lügst! Bettine, lüg nicht!

PROFESSOR WOLFGANG CLAUSEN. Lieber Hanefeldt, habe ich dich nicht unter Berufung auf unsere Jugendfreundschaft gefragt, ob dieser Weg nicht eine mögliche Lösung sein könnte?!

JUSTIZRAT HANEFELDT. Im Augenblick interessiert uns das alles nicht. Wir haben dringende Obliegenheiten. Nun nehmen Sie alle Kraft zusammen, das Schwerste in Ihrem Leben ist da: Sie müssen ihm gegenübertreten, Sie müssen sich persönlich verantworten!

Zwischen Wuttke und dem Sanitätsrat, von ihnen gestützt, tritt der Geheimrat ein. Es wird zunächst ein Umgang gemacht. Es ist, als ob der Geheimrat seine Kinder nicht sähe. Plötzlich macht er sich los und tritt unter sie.

GEHEIMRAT CLAUSEN. Wo ist mein Sarg?

BETTINA. Mein geliebter Papa . . .

GEHEIMRAT CLAUSEN *herrscht sie an.* Ich will meinen Sarg sehen! meinen Sarg! Ihr habt ihn doch mitgebracht?! *Zu Wolfgang.* Und du, wie? Springinsfeld! — — — du weißt doch, Springinsfeld nannt' ich dich, Springinsfeld! Wie geht's dir, mein lieber Springinsfeld? Und he, was macht dein verstorbener Vater?

PROFESSOR WOLFGANG CLAUSEN. Es ist ein Schicksal. Wie es bis dahin hat kommen können, weiß ich selber nicht . . .

GEHEIMRAT CLAUSEN. Was haben Sie eben gesagt, Herr Professor?

PROFESSOR WOLFGANG CLAUSEN. Es ist fraglich, Vater, wer unglücklicher von uns beiden ist . . .

GEHEIMRAT CLAUSEN. Ist es Ihnen bekannt, Herr Professor, daß ich Ihrer Mutter während Ihrer Geburt vierundzwanzig Stunden lang nicht von der Seite gewichen bin — ? Ihr Köpfchen war ziemlich deformiert, als Sie zur Welt kamen. Ich habe es sorgfältig, da es noch weich war, in die rechte Form gebracht. Ich war ein sehr resoluter Geburtshelfer. Heute haben Sie einen recht harten Kopf — er läßt sich nicht mehr so leicht modellieren . . .

PROFESSOR WOLFGANG CLAUSEN. Vater, das ist jetzt alles recht fernliegend. Ich will dir nur sagen . . .

GEHEIMRAT CLAUSEN. Erlauben Sie, kann Ihre Philosophie — Sie sind doch Professor — mir einen vernünftigen Grund dafür bringen, weshalb ich mich damals, bei Ihrer Geburt, so um Sie bemüht habe und warum wir beide in Tränen der Freude ausbrachen, Ihre Mutter und ich, als ich Sie auf dem Arme wiegte? Weshalb war ich so blind, nicht zu erkennen, daß ich meinen Mörder am Busen hielt?!

PROFESSOR WOLFGANG CLAUSEN. Wie soll ich auf diesen entsetzlichen und ebenso ungerechten Vorwurf antworten?

GEHEIMRAT CLAUSEN. Keine Antwort! Es gibt keine Antwort! Deshalb rate ich Ihnen das verstockte Schweigen des überführten Verbrechers an!

PROFESSOR WOLFGANG CLAUSEN. Ich war niemals, und bin auch heut kein Verbrecher.

GEHEIMRAT CLAUSEN. Gewiß nicht, wenn Vatermord kein Verbrechen ist.

JUSTIZRAT HANEFELDT. Herr Geheimrat, es ist eine widerrufliche Maßnahme . . .

BETTINA. Vater, wir nehmen alles zurück — wir dachten, es wäre zu deinem Besten. Wir sind gegen Krankheit nicht gefeit; aber gute Pflege, so dachten wir, kann gesund machen. Du bist gesund — wahrscheinlich bist du geistig kerngesund. Morgen schon kann es sich herausstellen.

GEHEIMRAT CLAUSEN. Vor meinen Augen braucht sich nichts mehr herauszustellen. Es hat sich alles herausgestellt. — Heult nicht, flennt nicht — quetscht keine Krokodilstränen! Ein Weib hat Katzen, Hunde, Füchse und Wölfe zur Welt gebracht, und sie sind Jahrzehnte hindurch in Kindergestalt, in Menschengestalt in meinem Haus herumgelaufen — fast ein Leben lang sind sie um mich herumgekrochen, haben mir Hände und Füße geleckt — und plötzlich haben sie mich mit den Zähnen zerrissen.

OTTILIE. Du tust uns Unrecht. Wir sind fehlbar, aber wir haben geglaubt, das Rechte zu tun. Auch auf deiner Seite gibt es Verfehlungen. Was wir letzten Endes erstrebt haben, ist schließlich nur eine Regelung. Findet sie statt, so kann heut oder morgen alles beim alten sein.

GEHEIMRAT CLAUSEN. Meine Dame, grüßen Sie Ihren Drahtzieher . . .

BETTINA. Vater, Vater . . . *Sie will seine Hände ergreifen und küssen.*

GEHEIMRAT CLAUSEN. Fort, Megäre, begeifere mich nicht . . .

PROFESSOR GEIGER *sehr einfach, sehr fest, tritt vor.* Well, was Sie gewollt haben, ist erreicht. Ich möchte vorschlagen, ziehen Sie sich lieber jetzt zurück! Zur Versöhnung ist jetzt nicht der Augenblick.

Der Geheimrat erleidet einen Schwächeanfall.

Inken kommt eilig herein, gefolgt von Winter, der auf silbernem Tablett eine Karaffe mit Kognak bringt.

SANITÄTSRAT STEYNITZ. Das Herz, das Herz . . .

INKEN *hat ein schalenartiges Glas mit Kognak gefüllt.* Es hat ihm schon öfters gut getan.

SANITÄTSRAT STEYNITZ. Gott sei Dank, Sie sind musterhaft ruhig, Fräulein Inken.

INKEN *fast unnatürlich bleich und gelassen.* Entweder oder — sonst gäbe es nur noch Tätlichkeit . . .

Wuttke und der Professor drängen die drei Geschwister auf sanfte Weise hinaus.

FÜNFTER AKT

*In der Wohnung des Gärtners Laurids Ebisch und seiner
Schwester. Niedriges Zimmer mit wurmzerfressener, dunkler
Balkendecke. Vorn rechts das übliche Wachsleinwandsofa mit
Photographien in Rähmchen, Familienporträts, darüber an der
Wand. Vor dem Sofa Tisch mit einfacher Decke darauf. Eine
brennende Hängelampe verbreitet ein mäßiges Licht darüber.
Das Zimmer ist mit Möbelstücken im Stile der ersten Hälfte
des neunzehnten Jahrhunderts ausstaffiert. Ein alter Glasschrank
mit allerlei Andenken, Brunnengläsern, Zuckerschalen und so
weiter, ist vorhanden. — Die Wand ist mit einigen Öldrucken
geschmückt und zwei runden Gipsplaketten nach Thorwaldsen,
wie man sie vom Hausierer kauft. Eine Tür links führt ins
kleine Entree, eine Tür rechts in ein Schlafzimmer. Zwei kleine
Fenster mit allerlei Topfgewächsen durchbrechen die Hinterwand. Auf der Diele sogenannte Fleckeldecken. Da und dort
angebracht, mehrere ausgestopfte Vögel, ein Kuckuck, ein Grün-
specht und ein Eisvogel.
Frau Peters und Gärtner Ebisch sitzen am Tisch, sie mit einer
Häkelarbeit, er mit Lesen beschäftigt. Draußen herrscht tiefe
Nacht. Es stürmt. Es schlägt eben elf auf der Kuckucksuhr.*

FRAU PETERS. Schon elf. Es ist Zeit schlafengehen, Laurids!

EBISCH. Wenn nur dat Wedder mir nich weeder zu viel Schaden
makt. Man schiebt es doch immer up den Gärtner.

FRAU PETERS. Wer dient, muß'n breiten Buckel haben. Laß reden,
Laurids, mach dir nichts draus!

EBISCH *tritt ans Fenster.* Hui, dat gibt'n Danz mit de trocknen
Blättern. Bums! Haste jehört? Dat waren sicher wieder 'n Dutzend Scheiben, die der Wind vons Glashaus gerissen hat. *Man
hat Scheiben zerklirren gehört.* Und de Rägen, de Rägen! Hörste
de Dachtraufe? Da läuft doch weeder der ganze Keller voll.
Kaum weggebracht — wie lange wird's dauern, hebben wir
weeder den Schwamm im Haus.

FRAU PETERS. Der Hund heult. Willste den Hund nich reinholen?

EBISCH. Warum denn?! Die Hütte is wasserdicht. — Drüben bei
Pastors is ooch noch Licht. Hei makt woll sine Predigt for
morgen.

FRAU PETERS. Ich will morgen mal wieder zur Kirche gehn, Laurids.

EBISCH. Nee, ik kreeg kalte Füße. Hei predigt to lang. — Een Rägen is dat, meterhoch springt et von de Erde.

FRAU PETERS. Ein schlechtes Vergnügen, wer heute kein Dach überm Kopfe hat.

EBISCH. Ein schlechtes Vergnügen, dat kannste woll seggen. — Du hast heute von Inken een Briefken gehat . . .

FRAU PETERS. Sie sind von der Schweiz zurückgekommen. So weit geht ja alles seinen Gang.

EBISCH. Da makt se doch woll ihr Glück, dat Mädchen.

FRAU PETERS. Ob sie ihr Glück macht, weiß ich nicht. Man muß das alles geruhig abwarten.

EBISCH. Nu von de Verschreibung seggst de doch.

FRAU PETERS. Wenigstens Doktor Wuttke sagt, daß er ihr allerlei in der Schweiz und in bar für den Fall seines Ablebens fest verschrieben hat.

EBISCH. Dat möchte wahr sind, dat woll ik er wünschen. Und damit gut' Nacht!

FRAU PETERS. Gut' Nacht! *Er wendet sich zur Schlafzimmertür.* Hör mal, Laurids, der Hund heult wieder.

EBISCH. De forcht sich, weil et so lärmt in de Glashäuser.

FRAU PETERS. Nee, Laurids, mir scheint, da will jemand rein.

EBISCH. Dat Gatter is offen — mag hei doch rinkommen. Möglich, dat et weeder, wie neulich, de Postbote is.

FRAU PETERS. Laurids, der Hund is ja außer sich!

EBISCH. I wat! is'm vielleicht de Katz zu nahe gekommen. Lat em bellen! — Also gut' Nacht!

FRAU PETERS. Möchtest du nu gern nach Arth in der Schweiz übersiedeln, wenn der Geheimrat dir noch mal den Antrag macht?

EBISCH. Dat tut nich gut, wenn de Nichte reitet und de Onkel im Stall de Pferde striegeln muß . . .

FRAU PETERS. Da is jemand, Laurids, du mußt mal nachsehen. Der rast ja, der Hund. Ich leg' mich nicht hin, bevor ich nicht weiß, daß draußen alles in Ordnung ist.

EBISCH. Na denn giv mi man min Ölzeug und min ollen Südwester!

FRAU PETERS. Und, Laurids, nimm den Revolver mit! Das is so 'ne richtige Nacht für Einbrecher.

EBISCH. Solange se Licht sehn, kommen de Einbrecher nich. *Ebisch hat seinen Ölrock angezogen und will eben den Süd-wester aufsetzen, als es wild in die Blechschelle reißt, die im Vorflur hängt.*

FRAU PETERS *ist vor Schreck emporgefahren, leise.* Siehste, Lau-rids, ich hab' es gewußt.

EBISCH *öffnet die Tür zum Vorflur. Gleich darauf wird aber-mals und noch wilder in die Klingel gerissen.* He ho! Reißen Se man nich de Klingel runter! So lange wern Se doch woll Zeit haben, als eener braucht, der upmachen muß!
Es wird zum drittenmal in die Klingel gerissen.

FRAU PETERS. Laurids, nimm den Revolver mit!

EBISCH. Dat verbitt' ik mir, solchen Lärm zu maken. Taub-stumme Leute wohnen hier nich! *Er verschwindet im Vorflur, und man hört seine Stimme.* Wer is hier? Wer will rin? Nennen Sie Ihren Namen!

FRAU PETERS *ist ihm bis in den Türrahmen nachgegangen.* Laß niemand rein, eh du weißt, wer's ist! Es sind schlimme Sachen vorgekommen. — Guck mal durchs kleine Seitenfenster!

EBISCH *wird nach einigen Sekunden Stille sichtbar.* Anna, 's is'n ganz durchnäßter Mensch ohne Hut, aber sonst nich schlecht angezogen.

FRAU PETERS. Vor der Türe stehenbleiben kann er doch nicht. Wolln mal sehen, was er will, mal'n Spalt bißchen aufmachen. Stell du dich mit dem Revolver hinter mich! *Sie verschwinden beide. Der Schlüssel dreht sich im Schloß. Man hört eine Tür-klinke.*

FRAU PETERS *unsichtbar.* Was bringen Sie denn, wer sind Sie denn?

FREMDE MÄNNERSTIMME. Ich denke, Frau Peters, Sie kennen mich.

FRAU PETERS. Sie sind mir ganz fremd, wie soll ich Sie kennen?

STIMME. Ich selbst bin mir fremd — und doch kenne ich mich ...

FRAU PETERS *unsichtbar.* O Gott, wo hatte ich meine Augen? Können Sie es denn wirklich sein, oder täusche ich mich?

STIMME. Sie täuschen sich nicht: ich bin's, Frau Peters.

FRAU PETERS. Bei diesem Wetter?! Um's Himmels willen, nur so schnell wie möglich ins Trockne herein!
Man hört jemand hereinkommen und sich die Füße vertreten.

STIMME. Es schüttet von Himmels Throne, Frau Peters.

FRAU PETERS. Näher, näher — legen Sie ab! Leg neues Holz in den Ofen, Laurids!

Ein Mann, begleitet von Ebisch und Frau Peters, tritt ein. Er trägt einen Sommerpaletot, ist aber ohne Hut. Die Kleidung ist beschmutzt und durchnäßt. Anscheinend ist er auf der Landstraße mehrmals ausgeglitten und hingefallen. Erst nach und nach erkennt man in ihm den Geheimrat Clausen.

GEHEIMRAT CLAUSEN *sehr aufgeräumt.* Sie wundern sich höchstwahrscheinlich, Frau Peters, aber es kam nun einmal so über mich. Ich glaube, heut jährt sich der Tag, an dem ich zum ersten Male an Ihre Tür pochte. Dieser Tag war entscheidend für mich — da half nun einmal kein Widerstand: ich mußte hierher, ich mußte ihn feiern.

FRAU PETERS. Das ehrt uns gewiß, Herr Geheimrat. Haben Sie wieder, wie dazumal, eine Panne gehabt? Sie sind doch gewiß nicht zu Fuß hier heraus gewandert?

GEHEIMRAT CLAUSEN. Zu Fuß, anders tut es ein Jüngling nicht. — Haben Sie etwas zu trinken, Herr Ebisch?

FRAU PETERS. Herr Geheimrat, ich glaube, Sie müssen sich umziehen. Haben Sie etwa Unglück gehabt? Ist Ihr Wagen etwa überfallen worden?

GEHEIMRAT CLAUSEN *lacht herzlich belustigt.* Nein, ich bin nicht überfallen worden. Auch eine Panne hatte ich nicht. Ich bin sozusagen leichtbeschwingten Schrittes zu Fuß herausgestampft: es zog mich unwiderstehlich hierher — ich konnte nun einmal nicht anders, Frau Peters . . . Und nun wollen wir einen behaglichen Punsch brauen!

EBISCH. Dat soll woll niemand bestreiten, daß dem Herrn Geheimrat 'n Schuß wat Warmes in dieser Verfassung gut täte.

GEHEIMRAT CLAUSEN. Was wollen Sie damit sagen: Verfassung?

EBISCH. Da wollt ik weiter gar nix seggen, als dat de Herr Geheimrat doch durchnäßt bis up de Knochen is.

GEHEIMRAT CLAUSEN *stöbert ungeniert in einem Regal herum.* Hier standen doch immer Ihre Likörflaschen . . .

FRAU PETERS. Nicht doch, ich hole, was nötig ist. Gott sei Dank ist das Feuer noch nicht aus, ich bringe heiß Wasser in zwei Minuten.

GEHEIMRAT CLAUSEN. Lassen Sie doch das Inken besorgen! — Wo ist eigentlich Inken, sagen Sie mal?

FRAU PETERS. Inken? Sie fragen mich, wo sie ist?

GEHEIMRAT CLAUSEN. Um ihretwillen bin ich ja schließlich hergekommen.

FRAU PETERS *flüsternd zu Ebisch*. Lauf rüber zum Pastor, er hat
noch Licht! Der Pastor muß kommen, im Augenblick.

EBISCH. Ik kann dich doch mit dem Mann nich alleen laten.

FRAU PETERS. Dann hol' ich den Pastor, bleib du hier.

EBISCH. Mir gruselt dat ooch mit em alleene.

GEHEIMRAT CLAUSEN. So?! Inken ist schon zu Bett gegangen?

FRAU PETERS. Inken ist doch schon lange nicht hier — Sie müssen
doch wissen, daß sie längst zu Ihnen übergesiedelt ist.

GEHEIMRAT CLAUSEN. Übergesiedelt? *Er denkt scharf nach.* Das
hatt' ich vergessen . . . Nein, ich bin nicht überfallen worden.
Ich habe auch nicht, wie damals, als ich Ihnen zuerst ins Haus
fiel, eine Panne gehabt. — Oder bin ich doch überfallen worden?
— Richtig, damals hab' ich eine Panne gehabt, und da kam ich
herein, um bei Ihnen zu telephonieren. Aber Ihre Klingel,
Frau Peters, würde ich unter tausend herauskennen — darf
ich die Schelle noch mal anziehen? *Er geht hinaus und zieht
die Schelle, kommt sogleich wieder.* Wollen Sie glauben, daß
ich mich den ganzen Weg heraus diebisch auf das Scheppern
gefreut habe? — Und Inken machte die Tür auf . . .

FRAU PETERS *heftig flüsternd zu Ebisch*. Lauf, Laurids, lauf, der
Pastor muß herkommen!

Ebisch schnell ab.

GEHEIMRAT CLAUSEN *zeigt Frau Peters ein Messer.* Da wir gerade
allein sind, Frau Peters: sehen Sie dieses Messer an! Wenn man
mit diesem Messer jemand tötet, blutet es nicht.

FRAU PETERS. Um Gottes willen, was heißt denn das?

GEHEIMRAT CLAUSEN. Man kann auch Tote töten damit — man
kann junge Mädchen damit töten, die als alte Frauen gestorben
sind . . .

FRAU PETERS *mit ineinander verkrampften Händen.* Das soll
doch nicht etwa heißen, Herr Geheimrat, daß meiner Inken
etwas zugestoßen ist?

GEHEIMRAT CLAUSEN. Nein doch, seien Sie ruhig, ihr nicht.

FRAU PETERS. Aber wem sonst?

GEHEIMRAT CLAUSEN. Nun, einer Verstorbenen . . . Wenn Inken
nicht da ist, macht es nichts — wir können einmal meine Sache
in Ruhe durchsprechen. Etwas Punschessenz haben Sie doch?
Sonst hätte ich gern etwas mitgebracht.

EBISCH *kommt zurück, leise.* Der Pastor kommt gleich.

GEHEIMRAT CLAUSEN. Und der Grog? — Ich fühle mich hier geborgen, Herr Ebisch. Sie werden mich wohl nicht vor die Tür setzen. Etwas Zivilcourage ist freilich notwendig — gut anbinden ist mit meinen Verfolgern nicht. Aber wenn Sie gefälligst bedenken wollen: Sie erhalten für eine Nacht gesicherter Unterkunft Ihr eigenes volles Gewicht in Gold . . . Morgen ist es dann nicht mehr notwendig —

EBISCH. Wenn Sie's nicht übelnehmen wollen, Herr Geheimrat, mit oder ohne Geld tät ik lieber nichts Unrechtes.

GEHEIMRAT CLAUSEN. Ich werde die Sache überlegen — wir wollen sehn, was zu machen ist.

Der Pastor erscheint in der Vorflurtür. Er stellt einen Schirm ab. Er ist im Schlafrock. Er beobachtet eine Weile, ohne daß der Geheimrat ihn sieht. Dem Geschwisterpaar, das ihn ansprechen will, winkt er ab.

GEHEIMRAT CLAUSEN. Übrigens habe ich ein Geheimnis entdeckt: wenn man die Welt durch die Beine sieht, haben die Menschen Klauen und Hauer — Sie lächeln, Frau Peters, Sie glauben das nicht . . .

FRAU PETERS. Ich zittre. Darüber zu lächeln, was Sie sagen, daran denk' ich wahrhaftig nicht.

PASTOR IMMOOS *stellt sich mit entschlossenem Schritt vor den Geheimrat.* Darf ich Ihnen guten Abend sagen? Herr Geheimrat, kennen Sie mich?

GEHEIMRAT CLAUSEN. Herrn Pastor Immoos wird man doch nicht verkennen.

PASTOR IMMOOS. Nun, sehen Sie! Darf man also fragen, was die Veranlassung Ihres Besuches zu dieser nächtlichen Stunde ist?

GEHEIMRAT CLAUSEN. Gewiß! Ich bin vogelfrei, Herr Pastor: Bedingungen gibt es nicht mehr für mich. Davon wollte ich auf der Stelle Gebrauch machen. Ich bin bürgerlich tot und kann deshalb alles tun, was ich will. Ich kann quietschen wie eine Puppe, miauen wie ein Kater, Sägespäne um mich streuen wie eine Vogelscheuche: man wundert sich nicht. Ich kann im Wasser nach Vögeln angeln und Karpfen aus der Luft schießen, keiner sieht etwas Arges darin.

PASTOR IMMOOS. Ich kann mich gut erinnern, daß der Herr Geheimrat öfter bei recht gutem Humor gewesen sind . . .

GEHEIMRAT CLAUSEN. Jetzt komm' ich nicht mehr heraus aus

dem Lachen: Wenn ich meinen Geschäftsleiter rufen lasse, so kommt er nicht. Wenn ich einem Beamten am Gehalt zulege, erhält er die Zulage nicht. Wenn ich meinen Kassierer um Geld bitte, gibt er es nicht. Wenn ich meine Unterschrift unter einen Vertrag setze, gilt er nicht. Wenn ich eine Meinung ausspreche, hört man sie nicht — das ist doch noch ein ganz anderer Humor, als er bisher bei den Clausens üblich gewesen ist . . .!

PASTOR IMMOOS *leise zu Ebisch*. Klingeln Sie mal gleich im Stadthaus des Geheimrats an! Hier ist etwas Schreckliches vorgefallen. *Ebisch geht in den Flur, und man hört ihn am Telephon arbeiten. Der Pastor fährt fort und wendet sich an Frau Peters, während der Geheimrat auf und ab schreitet.* Ich fürchte, ich fürchte, es hat sich vollendet, was Bettine immer an die Wand malte. *Jetzt laut.* Frau Peters, Sie sollten uns einen heißen Tee machen! *Zum Geheimrat.* Am liebsten würde ich Sie bitten, mit mir hinüber ins Pfarrhaus zu gehen — aber die Meinen sind alle schlafen.

Frau Peters ist geschäftig durch die Schlafzimmertür ab und zu gegangen. Eben kommt sie wieder.

FRAU PETERS. Herr Geheimrat, ich habe Ihnen ein frisches Hemd und Sachen von meinem Bruder zurechtgelegt. Sie müssen die nassen Sachen loswerden. Ich bestehe darauf: Sie müssen sich umziehen.

GEHEIMRAT CLAUSEN. Das tu' ich gern — *zum Pastor*. Aber dieses Asyl verlassen und mit Ihnen ins Pfarrhaus hinübergehen, Herr Pastor, das hieße die letzte Hoffnung aufgeben. —

PASTOR IMMOOS. Es war ja auch nur ein Gedanke von mir.

GEHEIMRAT CLAUSEN. Ich bin auf der Flucht, ich leugne es nicht. Ich wollte vorher nur noch Lebewohl sagen. —

PASTOR IMMOOS. Ich habe Ihnen bisher nicht widersprochen, Herr Geheimrat. Aber es kommt mir vor, als ob Sie heut, vielleicht durch irgend etwas erregt, Welt und Menschen und so auch sich selbst in allzu düsteren Farben gemalt sehen.

GEHEIMRAT CLAUSEN. Ja, durch irgend etwas erregt. So sagten Sie doch, wenn ich nicht irre, Herr Pastor? Jawohl, durch irgend etwas erregt! Durch irgend etwas erregt sozusagen! *Er sinnt nach.* Man weiß nicht genau, wodurch erregt — und doch ist man durch irgend etwas erregt worden. Sie haben das richtig erkannt, Herr Pastor. Vielleicht wird man später noch einmal erfahren . . . ich meine, wodurch man erregt worden ist.

FRAU PETERS. Herr Geheimrat, Sie wollten sich umkleiden.

GEHEIMRAT CLAUSEN. Gern, obgleich es nicht notwendig ist. *Er verschwindet, von Frau Peters gefolgt, rechts im Schlafzimmer.*

PASTOR IMMOOS *geht mit hoch gerungenen Händen im Zimmer auf und ab.* Das ist nun das Ende eines Menschen wie Matthias Clausen -- o Gott, o Gott!

FRAU PETERS *erscheint, drückt sorgfältig die Tür hinter sich ins Schloß.* Er zieht sich um. Er ist ruhig geworden — er legt sich sogar ein bißchen in die Kissen zurück.

PASTOR IMMOOS. Arme Bettina, arme Kinder!

FRAU PETERS. Und arme Inken, wenn Sie erlauben, Herr Pastor, muß ich hinzusetzen.

PASTOR IMMOOS. Ich habe freilich nichts Gutes geahnt — Frau Peters, haben Sie das nicht vergessen. Aber so fürchterliche Möglichkeiten, wie sie das grausame Leben im Rückhalt hat, hat man doch wohl nicht ahnen können. *Ebisch tritt ein.*

EBISCH. Die Verbindung ist da, Sanitätsrat Steynitz wartet am Telephon, er möchte gern den Herrn Pastor sprechen. *Pastor Immoos geht hinaus.*

FRAU PETERS. Du hast mit dem Sanitätsrat gesprochen — weißt du, was vorgegangen ist?

EBISCH. He hat von allerlei Saken gesproken, dat de Geheimrat von einen groten Schrecken betroffen worden is. Davon wor hei ganz außer sich. Do hat man denn eenen groten Arzt gerufen, der hat em da eenen Pfleger bestellt und ihn vorerst int Bett gesteckt. Dann hat man dat Bette leer gefunnen. Denn hat man dat ganze Haus durchsucht. Denn hat man de Polizei verständigt, weil he och da nich gewesen is. Alle hebben gedacht, he wull sich wat antun. Dat kann eener woll begrien, dat in de ganze Familie Heulen und Zähneklappern is. *Pastor Immoos kommt wieder.*

PASTOR IMMOOS. Es ist etwas Schreckliches vorgefallen. Ich sprach mit Steynitz und mit Ihrem Administrator Hanefeldt. Hanefeldt hat die traurige Pflicht gehabt, dem Geheimrat mitzuteilen, daß er zu seinem einstweiligen Vormund bestellt worden ist, weil die Kinder seine Entmündigung beantragt haben. Es ist eine Handlungsweise, deren Folgen mich keineswegs verwundern, wenn eine ans Befehlen gewöhnte Natur wie die des Geheimrats davon betroffen wird. Ich hätte den Kindern abgeraten.

FRAU PETERS. Und Inken?

PASTOR IMMOOS. Es wird gesagt, Ihre Tochter Inken sei schon seit einigen Stunden nicht mehr im Haus, sie sei, und zwar in Begleitung eines Herrn Professor Schweiger oder Geiger, auf der Suche nach dem Geheimen Rat. In welcher Verfassung, kann man sich denken.

FRAU PETERS. Es kann aus sein mit ihr, wenn es aus mit ihm ist. Wenn man sie wenigstens doch erreichen könnte, damit sie ihn noch am Leben trifft!

PASTOR IMMOOS. Haben Sie wirklich solche Befürchtungen?

FRAU PETERS. Ich hatte sie, sobald ich ihn sah, im Augenblick.

PASTOR IMMOOS. Doppelt gut, daß wir den Herrn Administrator Hanefeldt und Sanitätsrat Steynitz erwarten können. Bis sie da sind, müssen wir den Geheimrat hinhalten. Übrigens will ich mich einigermaßen zurechtmachen und meine Frau wecken; denn fast muß man fürchen, daß diese Nacht recht unruhig werden wird. *Er geht.*

EBISCH *am Fenster.* Dat Wedder is etwas stiller geworden. *Automobilhupe.* Unmöglich kann dat schon de Herr Administrator sein.

FRAU PETERS. Das kommt von der Straße, das fährt vorüber. *Sie horcht an der Schlafzimmertür.* Er atmet ruhig, er scheint zu schlafen.

EBISCH. Lat em schlafen! Wenn er überhaupt nicht mehr upwachte, wär dat besser for ihm. *Es fällt ein starkes Scheinwerferlicht auf die Fenster.* Aber wat is dat? Dat is'n Scheinwerfer. *Eine Hupe hupt heftiger, um sich bemerkbar zu machen.*

FRAU PETERS. Da ist es doch, Laurids. Das gilt uns. Geh und sieh, wer es ist, und dann komm wieder! *Ebisch ab in den Hausflur.*

Ebisch kommt mit Professor Geiger zurück.

PROFESSOR GEIGER. Oh, Sie sind wach? Ein glücklicher Zufall bei all dem Unglück, das uns betroffen hat. Kennen werden Sie mich wahrscheinlich nicht, obgleich ich schon einmal bei Ihnen war. Ich bin ein Freund von Geheimrat Clausen. Ich denke, daß Sie der Onkel von Fräulein Inken sind — das junge Fräulein sitzt draußen im Wagen. *Frau Peters eilt wortlos hinaus.*

EBISCH. Das war meine Schwester, die Mutter von Inken, die eben hinausgegangen ist.

PROFESSOR GEIGER. Das freut mich. Gerade darum nämlich, um das arme junge Mädchen in die Obhut ihrer Mutter zu bringen, habe ich das Auto hierherdirigiert. Es sind schreckliche Dinge vorgefallen — mein Freund, der Geheimrat, wird vermißt, man fürchtet einen Verzweiflungsschritt — wir waren auf einer hoffnungslosen Suche.

EBISCH *zeigt auf die Schlafzimmertür.* Der Geheimrat hat sich hier eingefunden.

PROFESSOR GEIGER. Oh, wirklich? Er lebt? Er ist hier? Ich hätte das nimmermehr gehofft!

EBISCH. Jawoll, er is hier — bloß fragen Sie nich, in welchem Zustande!

PROFESSOR GEIGER. Wir wollen uns nicht übereilen, Herr Ebisch. Fast kann es ja gar nicht anders sein, als daß der arme gehetzte Mann bei Ihnen abermals niedergebrochen ist. Aber wenn er lebt, kann alles noch gut werden, ganz gewiß sieht es Ihre Nichte Inken so an.

EBISCH. Mein Gott, wat soll da woll noch gut werden!? *Frau Peters kommt zurück.*

FRAU PETERS. Sie will mich nicht hören, sie will nicht hereinkommen. Ich sage ihr, der Geheimrat ist hier — sie ist wie betäubt, sie hört es nicht . . .

PROFESSOR GEIGER. Ich bin Professor Geiger, Frau Peters. Wie die Dinge sich hier entwickelt haben, bin ich beinah nicht mehr Herr über mich. Tatenlos kann ich hier nicht zusehn, obgleich ich ganz gegen meine Absicht in dies alles verwickelt worden bin und ein Mensch mit mehr Ungeschick solchen Umständen gegenüber kaum zu finden sein dürfte. Also wir haben die Absicht, meinen armen Freund Clausen fortzubringen, ihn aus dem Bereich seiner Gegner zu bringen, weil sonst sein Schicksal besiegelt ist.

Er geht hinaus. — Die Uhr schlägt.

FRAU PETERS. Ich habe Schlimmes mit meinem Manne erlebt — ich habe es hingenommen, Laurids. Wenigstens hast du eine Tochter von ihm, wenigstens hast du Inken, hab' ich gedacht. Und nun bringt gerade sie alles über uns! Gott ist mein Zeuge, wie ich gewarnt habe.

Inken im Automobilmantel und Professor Geiger treten wieder ein. Nach einiger Zeit erscheint Diener Winter im Flur, er trägt Decken und Mäntel.

INKEN *außer sich*. Ist es richtig, ihr wißt etwas von Matthias?

PROFESSOR GEIGER. Es sind natürlich bloße Vermutungen.

INKEN. Halte uns nur nicht lange auf, Mutter!

FRAU PETERS. Würdest du es ertragen, wenn ich dir sage, wo er ist?

INKEN. Ist er tot — dann foltre mich nicht!

FRAU PETERS. Vielleicht schlimmer als tot — doch noch ist er am Leben.

INKEN *fast im Weinkrampf*. Wo? wo? Ich beschwöre dich!

FRAU PETERS. Was gedenkst du zu tun, wenn du bei ihm bist!

INKEN. Wir nehmen ihn mit uns: fliehen, Mutter!

FRAU PETERS. Damit würdest du eine schwere Gefahr laufen, zu der ich nicht die Hand bieten kann.

PROFESSOR GEIGER. Frau Peters, ich werde dazu die Hand bieten. Was ich gesehen, gehört, erlebt habe, hat mir den festen Entschluß aufgedrängt. Ich werde den Kampf für Matthias und so auch für Ihre Inken aufnehmen.

INKEN *zur Mutter*. Du kannst dir nicht denken, was wir erlebt haben. Man kann dir davon auch keinen Begriff geben. Auch ich, Mutter, bis der Geheimrat vermißt wurde, habe mit diesem Menschen, diesem Klamroth, den häßlichsten Kampf meines Lebens gekämpft. Längst hätte ich alles hingeworfen, hätte ich nicht den Professor zur Seite gehabt. Als man mich von dem Geheimrat getrennt hatte, der gebrochen und hilflos, von zwei Wärtern bewacht, daniederlag, stürzte sich dieser Bursche auf mich. Er wies mir die Tür, er werde mich, wenn ich mich nicht bald darauf besänne, wo der Zimmermann das Loch gelassen habe, mit Gewalt an die Luft setzen, und so fort. Und sein Jargon, Mutter! diese Ausdrücke! — Dann freilich wurde er kleinlaut, als die Wärter mit langen Gesichtern dastanden und man begriff, daß das arme Opfer das Weite gesucht hatte, daß es seiner Gewalt entzogen war. Aufgeheult hab' ich vor Schmerz — und zugleich triumphiert, Mutter. Und nun sage, wenn du weißt, wo er ist . . .

FRAU PETERS. Ich verrate nichts, außer wenn du gefaßt und ruhig bist.

INKEN. Um Gottes willen, zögere nicht, du lieferst uns alle ans Messer, Mutter!

FRAU PETERS. Abgerissen wie ein Strolch kam er eben hier an — ein Anblick zum Gotterbarmen!

INKEN. Und wo ist er jetzt?

FRAU PETERS. Nebenan im Schlafzimmer. *Inken will hinein, wird von der Mutter zurückgehalten.* Wenn er nun schläft, wecken darf man ihn nicht.

INKEN. Da wir doch fort wollen, muß man ihn aufwecken.

FRAU PETERS. Es ist mehr als fraglich, ob er zur Flucht zu bewegen ist.

INKEN. Winter, kommen Sie schnell mit den Sachen! Wir haben Reisedecken, Pelze und warme Kleidung mitgebracht. Wenn er müde ist, kann er im Auto schlafen. Morgen um die gleiche Zeit ist er jenseits der Schweizer Grenze in Sicherheit. Dort hat er den ganzen schwarzen Spuk in wenigen Stunden abgestreift.

FRAU PETERS. Den ganzen Ernst seines Zustandes scheinst du noch nicht zu ahnen, Inken. Ich glaube nicht einmal, daß er bei vollem Bewußtsein ist: er stellt sich an, als ob er verfolgt würde.

INKEN. Verfolgt? Und ist er es etwa nicht?

PROFESSOR GEIGER. Es gibt Dinge im Leben, die mir leichter geworden sind. Aber den Blick, den flehenden Blick, den Matthias, während ihn der Paroxysmus überkommen hatte, auf mich richtete, vergesse ich nicht. Seine Sache ist meine geworden! Also Frau Peters, unterstützen Sie uns: so oder so, wir müssen die Sache durchfechten.

FRAU PETERS. Er hat uns gehört, er bewegt sich im Schlafzimmer. *Die Schlafzimmertür wird ein wenig aufgemacht, die Frauen verstummen. Der Geheimrat tritt heraus.*

INKEN. Matthias . . .! *Das Gesicht des Geheimrats bleibt unverändert. Inken zieht ihn weiter ins Zimmer und an sich. Dann lauter als vorher.* Matthias . . .! *und zum drittenmal, ihn gleichsam aufrüttelnd.* Matthias! —
Ein Lächeln des Erwachens geht über sein Gesicht.

GEHEIMRAT CLAUSEN *haucht, als wenn er eine Vision hätte.* Inken . . .

INKEN *macht mit der Hand Zeichen; alle außer ihr und dem Geheimrat entfernen sich.* Nun sprich, wir sind ganz allein, Matthias . . .

GEHEIMRAT CLAUSEN *erbleicht tief, spricht schwer.* Zu spät — meine Seele ist tot, Inken . . .

INKEN. Wen soll es wundern, wenn du im Augenblick dieser

Meinung bist! Jeder Schlaf ist schließlich ein Seelentod — Matthias, ich bin deine Auferstehung —

GEHEIMRAT CLAUSEN. Ich sehe ja, daß du Inken bist, aber ich kann es so recht nicht mehr fühlen — . . .

INKEN. . . . was mit dem Widernatürlichen, das du erlebt hast, leicht zu erklären ist.

GEHEIMRAT CLAUSEN. Meinst du, der Ekel hat mich vernichtet?

INKEN. Du bist jetzt wieder in reiner Luft, alles Verlorene kommt wieder, Matthias . . .

GEHEIMRAT CLAUSEN. Ich sehe dich an — ich suche es —, aber ich kann es vorerst nicht mehr finden. Ich schleppe eben eine tote Seele in einem noch lebendigen Rumpf herum . . .

INKEN. Sprich alles aus, schone mich nicht, Matthias!

GEHEIMRAT CLAUSEN. Ich fürchte, daß deine Macht zu Ende ist — tote Seelen kann niemand aufwecken — . . .

INKEN. Du brauchst mich nicht zu lieben, liebe mich nicht: meine Liebe zu dir gilt doppelt, Matthias.

GEHEIMRAT CLAUSEN. Dann sage mir, Inken, wo ich bin —

INKEN. In Broich, wo du oft gewesen bist!

GEHEIMRAT CLAUSEN. Inken, du hast eine gute Mutter — aber wie kommt es, daß ich in Broich, bei deiner Mutter bin? Waren wir nicht in der Schweiz miteinander?

INKEN. Ja freilich, Matthias, wir waren in Arth.

GEHEIMRAT CLAUSEN. Ich will wieder nach Arth — wir wollen nach Arth reisen.

INKEN. Das Auto steht draußen, reisebereit, wir können ohne Umstände losfahren. Winter sitzt beim Chauffeur, Professor Geiger mit uns im Wagen.

GEHEIMRAT CLAUSEN. Wirklich? Ist da nicht irgendwo oder irgendwie ein Hindernis?

INKEN. Nur wenn wir Zeit versäumen, sonst nicht. — Ist dir irgend etwas nicht klar in der Sache: laß es im Augenblick, wie es ist! Nimm alles von mir, bis du wieder im Besitz deiner alten Kräfte bist. Ich bin ja doch du, ich bin ja nichts anderes!

GEHEIMRAT CLAUSEN. O ja, ein besserer Vormund als Hanefeldt bist du sicherlich!

INKEN. Kein Vormund, Matthias: dein Stecken und Stab, dein Geschöpf, dein Besitz, dein zweites Ich! Damit mußt du rechnen, das mußt du festhalten.

GEHEIMRAT CLAUSEN. Sage mir nur, wie ich plötzlich ins Haus deiner Mutter geraten bin . . .

INKEN. Denke jetzt nicht weiter daran! Wahrscheinlich aber kennt man jetzt in der Stadt bereits deinen Aufenthalt. Komm, Matthias, wer weiß, ob nach Verlauf einer Viertelstunde unsere Flucht in die Freiheit noch möglich ist.

GEHEIMRAT CLAUSEN. Kann mir eigentlich jemand sagen, was geschehen ist? — Ich glaube, ein Kandelaber ist umgefallen. Ich bekam einen Schreck und ging zu Bett. — Vielleicht bin ich im Traume dann aufgestanden. Seit dem Tode meiner unvergeßlichen Frau hab' ich das, sagt man, manchmal getan. In diesem Zustand mag ich auch wohl hier heraus verschlagen worden sein.

INKEN. Fast lückenlos hast du alles geschildert, Matthias.

GEHEIMRAT CLAUSEN. Du sagtest „fast", wodurch du vor einer Lüge bewahrt worden bist. Denn nun sehe ich weiter und weiter.

INKEN. Du erzählst mir das alles im Wagen, Matthias. Wie wohl wird uns sein, wenn wir erst auf der Landstraße sind! Du legst dich in die Polster zurück; atmest du schwer und merke ich, daß ein Traum dich plagt, nun, Matthias, so wecke ich dich. Wozu säße ich dicht an deiner Seite?! Sei nur ein paar Tage wie ein Kind: wie für mein Kind will ich für dich sorgen.

GEHEIMRAT CLAUSEN. Kannst du begreifen, was für ein Abgrund ein Leben von siebzig Jahren ist? Niemand kann ohne Schwindel hinabblicken.

INKEN. Matthias, unwiederbringliche goldene Minuten legt der Zeiger der Uhr zurück. Draußen wartet der Wagen — fort, Matthias! Es ist nicht gut, wenn du immer von Abgründen sprichst. Wenn uns die Sonne erst wieder bescheint, blicken wir vorwärts und nicht in Abgründe . . .

GEHEIMRAT CLAUSEN. Du bist ein Bote vom Jenseits, Inken! *Er läßt sich auf das Sofa nieder.* Laß mich ruhig ein bißchen nachgrübeln! *Er schließt die Augen.* Wenn deine gesegneten Hände so um mich sind und mir wohltun und ich sehe sie nicht und sehe dich nicht — also wenn ich die Augen schließe —, so fühle ich, fühle ich klar und rein, daß eine ewige Güte ist . . . *Professor Geiger tritt ein.*

PROFESSOR GEIGER. Verzeih, Matthias, wenn ich ungerufen eintrete!

GEHEIMRAT CLAUSEN. Ungerufen kommst du ja nicht. —

PROFESSOR GEIGER. Gewissermaßen wohl auch gerufen, da ja wirklich dein Brief nach Cambridge eine Art Ruf gewesen ist. —

GEHEIMRAT CLAUSEN. Der eigentliche Grund dieses Rufs ist uns beiden freilich nicht klar gewesen.

PROFESSOR GEIGER. Ich fasse ihn auf als das, was er ist. Wir können später darüber philosophieren. Jetzt will ich nur sagen: der Chauffeur hat getankt, der Motor wird kalt, wir müssen einsteigen.

GEHEIMRAT CLAUSEN. Haben Sie Ihre Mappe hier, Doktor?

PROFESSOR GEIGER. Verkenne deinen alten Freund Geiger nicht!

GEHEIMRAT CLAUSEN. Sind die Legate in Sicherheit? Kann man sich auf Sie verlassen, Wuttke? Und wenn man sie etwa anfechten sollte, werden Sie dann meiner Inken wie ein besserer Löwe zur Seite stehn?

PROFESSOR GEIGER. Das will ich, Gott ist mein Zeuge, jawohl! Diese Frage kann ja auch ich beantworten.

INKEN. Matthias, das ist jetzt alles gleichgültig. Du hast eine übermenschliche Anstrengung hinter dir, ich möchte dich auf den Armen davontragen, hätte ich nur die Kraft dazu. Aber ich flehe dich an: du mußt dich aufraffen!

GEHEIMRAT CLAUSEN. Sage, hast du nicht einen Vater gehabt, der in puncto puncti sehr empfindlich gewesen ist?

INKEN. Mag sein — daran brauchen wir jetzt nicht zu denken.

GEHEIMRAT CLAUSEN. Gegen den Selbstmord sage ich nichts . . . aber mir ginge er gegen den Strich — und übrigens ist man ja nicht mehr im Leben.

INKEN. Du stehst morgen wieder mitten darin.

GEHEIMRAT CLAUSEN. Kennen Sie übrigens das Schicksal des bekannten Geheimrats Clausen, mein Kind? Er war der geachtetste Mann der Welt — heut hat die Gesellschaft ihn ausgespien, er ist nur noch Speichel, den man mit dem Fuß vertritt. —

INKEN. Es hilft nichts, wir müssen handeln, Winter. *Winter ist eingetreten, Pelze und Kleidungsstücke überm Arm.*

GEHEIMRAT CLAUSEN. Winter, Sie sind viel größer geworden — glauben Sie mir, Sie sind ein Gott! — Ja ja, das Unglück öffnet die Augen. — Sie dürfen sich mit mir nicht bemühen, Winter: ich bin einer, der, ausgeraubt, entkleidet, moralisch tot und physisch entehrt, den Hufen, Rädern und Sohlen der Straße überantwortet ist! Ich bin Kot gegen Sie — Sie gehören unter die Götter!

INKEN. Matthias, Matthias, du mußt dich aufraffen — wir verschaffen dir jede, aber auch jede Genugtuung.

Der Geheimrat atmet tief auf, lehnt den Kopf zurück und verfällt in Lethargie.

INKEN. Man muß gegen seine Schwäche ankämpfen. *Zu Ebisch und Frau Peters, die sichtbar werden.* Hast du Kognak, Onkel? Bring Tee, was du hast, Mutter! Ich höre im Geiste schon das Hupsignal von Administrator Hanefeldt. Man darf ihn seinen Verfolgern nicht ausliefern.

Frau Peters und Ebisch laufen nach dem Gewünschten.

PROFESSOR GEIGER *hat den Geheimrat schärfer beobachtet.* Wenn nur eine Reise mit ihm, in der Verfassung, in der er sich nun einmal befindet, überhaupt noch möglich ist. —

Eine Hupe wird hörbar.

INKEN *nahezu außer sich.* Das sind die Verfolger! Das sind die Hetzhunde! *Sie nimmt den Revolver des Onkels, der auf einer Kommode liegengeblieben ist.* Aber bei Gott! Solange ich lebe, solange noch ein Atemzug in mir ist, treten sie nicht über diese Schwelle.

Pastor Immoos tritt Inken in der Flurtür entgegen.

PASTOR IMMOOS. Im Namen Jesu Christi, Inken: lege sogleich die Waffe weg!

INKEN. Wenn entmenschte Rotten sich nahen, Herr Pastor?

PASTOR IMMOOS. Das sind Übertreibungen, die man deiner Lage zugute halten muß. Ich duze dich, denn du bist meine Konfirmandin: daß du dich dessen erinnerst, darauf rechne ich.

INKEN *erhebt halb die Waffe.* Zurück! Beiseite! Ich höre Sie nicht, und ich kenne Sie nicht!

Der Pastor weicht, und sie geht ihm nach, die Waffe in der Rechten, hinaus.

PROFESSOR GEIGER. Fräulein Peters, machen Sie keine Torheiten! Schließlich gibt es noch andere Möglichkeiten, wenn man auch vorläufig kapitulieren muß.

Er eilt Inken nach.

Vor dem Hause entsteht und steigert sich eine gewisse Unruhe. Hupensignale, Gespräch, Wortwechsel. Winter ist als einziger bei dem Geheimrat zurückgeblieben. Dieser liegt in der Sofaecke und atmet schwer. Winter entledigt sich der Gegenstände, die er trägt, nimmt auf einer Stuhlecke Platz und beobachtet den Schlafenden.

GEHEIMRAT CLAUSEN. Höre, wo kommt der Gesang her, der mich nicht schlafen läßt, Winter?

WINTER. Herr Geheimrat, ich höre ihn nicht.

GEHEIMRAT CLAUSEN. Wer den nicht hört, ist taub, guter Winter. — Chöre, Chöre, ein Chorgesang! Gewaltig! Er macht das Blut gerinnen. —

WINTER. Dann mag es die Orgel sein in der Kirche.

GEHEIMRAT CLAUSEN. Richtig, die Kirche ist nebenan. — Hat nicht Pastor Immoos mit mir gesprochen?

WINTER. Mag sein, Herr Geheimrat, ich weiß es nicht.

GEHEIMRAT CLAUSEN. Ich sollte ins Pfarrhaus, er wollte mich abholen. — was soll ich im Pfarrhaus . . . da meine Stätte doch mitten im Weltendome ist?! Jawohl, Winter, mitten im Weltendome . . .

WINTER. Ich möchte doch Fräulein Inken hereinrufen.

GEHEIMRAT CLAUSEN. Schenke mir ein Glas Wasser, Winter! — *Winter findet eine gefüllte Wasserkaraffe, gießt ein und bringt dem Geheimrat das volle Glas.* Danke! — Von diesen selben Händen erfuhr ich mein Lebtag so manche Handreichung, es würde uns schwerfallen, sie zu zählen. Und diese, die letzte, ist nicht die schlechteste, weil sie deinen alten Quälgeist vom Durst erlösen wird . . . Du kannst mal den Schlüssel im Schlosse herumdrehen!

WINTER *das gefüllte Glas noch in der Hand.* Ob ich das darf? Die Leute wollen doch ab und zu gehen.

GEHEIMRAT CLAUSEN. Still, Winter — *er horcht gespannt* —, eine Fuge, eine Motette oder ein Oratorium . . . Die Chimaira, das ist ein Tier, das den Leib einer Ziege, den Schweif eines Drachen und das Antlitz eines Löwen hat. Dieses Antlitz speit giftiges Feuer . . .

WINTER. Was haben der Herr Geheimrat gesagt?

GEHEIMRAT CLAUSEN. Mich dürstet . . . mich dürstet nach Untergang . . .

WINTER. Ich möchte gern Herrn Professor Geiger Bescheid sagen.

GEHEIMRAT CLAUSEN. Mich dürstet — mich dürstet nach Untergang . . . Das Blut gefriert einem in den Adern . . . Es ist die Fuge, ist die Motette, ist das Oratorium. — *Er kramt in den Taschen und bringt eine Glasröhre mit einem weißen Pulver hervor. Er übergibt sie Winter.* Schütt mir den Zucker ins Wasser, Winter . . . Zucker schlägt nieder: der Kopf ist mir

dumm . . . *Winter tut wie geheißen.* Hörst du die Fuge, die
Motette, das Oratorium? — — Erst gib mir die Röhre wieder,
Winter! *Er verbirgt sie hastig und sorgfältig.* Mich dürstet . . .
mich dürstet . . . nach Untergang . . . ! Also . . . mich dürstet . . .
mich dürstet . . . nach Untergang! Mich dürstet . . . mich
dürstet . . . — *Er schüttet das Glas hinunter.* Brrr! — *Er
schüttelt sich.* War das eigentlich Zucker, Winter — ? — Decke
mich zu, wenn du etwas Warmes in Reichweite hast! *Winter
deckt einen Pelz über ihn, der Geheimrat zieht ihn halb übers
Gesicht.* Mich dürstet . . . mich dürstet . . . nach Untergang —
*Einen Augenblick ist er still. Dann fängt er an, stärker zu
atmen. Winter beobachtet den Geheimrat. Er wird mehr und
mehr unruhig, geht zur Flutür, trifft auf Frau Peters.*

FRAU PETERS. Wenn es ihm dient, hier ist noch ein Restchen
Kirschwasser.

WINTER. Er hat eben Wasser getrunken, Frau Peters — aber
ich weiß nicht, was mit ihm ist . . .

FRAU PETERS *nach kurzer Beobachtung.* Er schläft. Gott sei Dank,
wenn der Mann sich ausruht, Herr Winter.

WINTER. Schrecklich, schrecklich, Frau Peters, wie man mit einem
solchen Herrn umgesprungen ist.

FRAU PETERS. Drüben beim Pastor sind alle versammelt: Bettine,
Wolfgang, und auch die Frau Klamroth ist da. Ein Krankenwagen steht vor dem Parktore, er wird in eine Anstalt gebracht. Steynitz stemmt sich mit allen Kräften dagegen, aber
der Administrator Hanefeldt behauptet, er muß darauf bestehen,
denn er trage die Verantwortung.

INKEN *kommt zurück, sehr erregt.* Ja, drüben im Pfarrhaus sind
sie versammelt. Warum tut sich die Erde nicht auf, um diese
Rotte Korah einzuschlingen?! Und dieser Verbrecher Hanefeldt:
er hat nach der Polizei geschickt: mit Gewalt, sagt er, werde
er vorgehen. Wir werden sehn, wer stärker ist!
Professor Geiger tritt wieder ein.

PROFESSOR GEIGER. Gegen diese Übermacht aufkommen kann man
im Augenblick nicht. Aber endlich werden wir siegen, wenn irgend
noch Recht und Gerechtigkeit in der Welt zu finden sind.
Der Geheimrat röchelt laut auf.

INKEN. Matthias, Matthias — was hast du, Matthias? *Er will
reden, vermag es nicht. Inken deckt ihn halb auf.* Sprich, was
möchtest du denn, Matthias?

FRAU PETERS. Er möchte reden — und kann es nicht. *Zu Professor Geiger.* Gehn Sie zu ihm, er sieht Sie an — er sieht Sie an und sieht dann Inken an. —

INKEN. Rede — kannst du nicht reden, Matthias?

FRAU PETERS. Gleich wird er reden — ihm zittert der Mund. — *Sanitätsrat Steynitz kommt. Frau Peters fährt fort.* Der liebe Gott selber schickt Sie, Herr Doktor!

SANITÄTSRAT STEYNITZ. Ich konnte nicht früher — da drüben gibt es das größte Durcheinander im Pastorhause, jeder will seine Schuld auf den andern abladen —

INKEN *mit dem Ohr dicht am Munde des Geheimrats.* Wenn du auch noch so leise hauchst, sprich, ich verstehe alles, Matthias — sag, was du auf dem Herzen hast. —

SANITÄTSRAT STEYNITZ *zu Inken.* Wollen Sie mir mal zunächst Ihren Platz überlassen?

EBISCH. Dat is doch nich etwa 'n Schlaganfall?

FRAU PETERS. Sprich leise, Laurids, die Sterbensminuten machen hellhörig.

SANITÄTSRAT STEYNITZ *deckt den Sterbenden halb ab und beobachtet ihn scharf. Danach.* Hier ist eine Wendung eingetreten —

PROFESSOR GEIGER *leise zu Frau Peters.* Wollen Sie nicht Ihre Tochter hinausführen?

SANITÄTSRAT STEYNITZ. Es wäre überhaupt angezeigt, wenn Sie mich mit dem Patienten allein ließen. Sie, Winter, und Professor Geiger bleiben vielleicht zur Hilfeleistung hier — es könnte sein, daß sie notwendig würde.

Ebisch und Frau Peters nehmen Inken zwischen sich, um sie hinauszuführen.

INKEN *wie vor den Kopf geschlagen.* Stirbt Matthias? Meinst du, er stirbt, Mutter? *Sie wird hinausgeführt.*

SANITÄTSRAT STEYNITZ *nimmt das leere Glas, das auf einem Tischchen in Armweite des Geheimrats stehengeblieben ist, und riecht daran.* Was wäre denn das für ein Glas, Winter?

WINTER. Der Geheimrat hat eben zu trinken verlangt. Er gab mir Zucker in einer Glasröhre, den hab' ich ihm müssen ins Wasser tun.

SANITÄTSRAT STEYNITZ *wie vorher.* Zuckerwasser? Wo ist die Glasröhre?

WINTER. Er forderte sie von mir zurück, er steckte sie wieder in die Tasche.

Sanitätsrat Steynitz nimmt vorsichtig das Taschentuch des Geheimrats und damit die Glasröhre aus dessen Brusttasche und hält sie prüfend unter die Lampe. Die Atemzüge des Geheimrats werden schneller und stärker. Steynitz blickt abwechselnd den Patienten, Winter und schließlich Professor Geiger an. Diesen winkt er mit den Augen zu sich heran.

PROFESSOR GEIGER *bedeutsam.* Was haben Sie da für eine Glasröhre?

SANITÄTSRAT STEYNITZ. Zucker mit bittrem Mandelgeruch.

PROFESSOR GEIGER. Also doch: der Schüler von Marc Aurel . . .!

SANITÄTSRAT STEYNITZ. Kein Zweifel, sein Schicksal vollendet sich. —

Der Geheimrat stößt mit einem lauten, von innerst kommenden Geräusch seinen letzten Atem aus.

PROFESSOR GEIGER *nach längerem erschüttertem Schweigen.* Sollte man Gegengifte und Gegenmaßregeln anwenden?

SANITÄTSRAT STEYNITZ. Gegen wen oder was? Das war der Tod, Herr Professor . . .

Inken, die den Laut gehört hat, dringt herein.

INKEN. Er ist tot — ich weiß es —, er ist nicht mehr. —

SANITÄTSRAT STEYNITZ. Und nun nehmen Sie alle Kraft zusammen. —

INKEN. Nicht nötig, ich bin ganz ruhig, Herr Steynitz —

Sie klammert die Hände ineinander, tritt einige Schritte vor und betrachtet den Toten mit zusammengepreßten Lippen.

PROFESSOR GEIGER *leise zu Steynitz.* Mir ist, als sähe ich einen, der einem Schuß aus dem Hinterhalt zum Opfer gefallen ist.

SANITÄTSRAT STEYNITZ. Er ist ein Opfer, das will ich meinen, ob er nun an dem Präparat gestorben ist oder nicht . . .

Eine Weile herrscht tiefes Schweigen, dann treten Hanefeldt und der Pastor leise ein.

JUSTIZRAT HANEFELDT. Wie stehn die Dinge? Man ist drüben sehr unruhig. —

SANITÄTSRAT STEYNITZ. Ihr Krankenwagen mag leer nach Haus fahren — und Ihre Vormundschaft war ein recht kurzes Provisorium . . .

JUSTIZRAT HANEFELDT. Ich habe nur im Interesse der Clausenschen Erben eine sehr, sehr traurige Pflicht wahrzunehmen

gehabt. Ich habe mich ihr, als Freund der Familie, nicht entzogen — es war eine undankbare Aufgabe. So schmerzlich der
Ausgang leider ist: ich muß mir den reinsten und besten Willen
zubilligen.

SANITÄTSRAT STEYNITZ. Verzeihen Sie, Herr Justizrat, wenn
ich nicht ganz aus vollem Herzen zustimmen kann!

JUSTIZRAT HANEFELDT. Ich werde Ihnen woanders antworten.
— *Frau Peters und Ebisch treten ein.*

PASTOR IMMOOS *nahe dem Verstorbenen.* Um Christi willen, nur
die Familie Clausen fernhalten!

PROFESSOR GEIGER. Warum denn, Herr Pastor? Sie hat, was
sie will.

FUHRMANN HENSCHEL

Schauspiel

Begonnen November 1897 in Dresden und Berlin,
fortgeführt Frühjahr 1898 in Tremezzo,
beendet September 1898 in Berlin-Grunewald.
Erstveröffentlichung: Buchausgabe 1899, ausgegeben 1898.

FUHRMANN HENSCHEL
FRAU HENSCHEL
HANNE SCHÄL, später Frau Henschel
BERTHA
PFERDEHÄNDLER WALTHER
SIEBENHAAR
KARLCHEN
WERMELSKIRCH
FRAU WERMELSKIRCH
FRANZISKA WERMELSKIRCH
HAUFFE
FRANZ
GEORGE
FABIG
MEISTER HILDEBRANT
TIERARZT GRUNERT
FEUERWEHRMÄNNER

Zeit: Die sechziger Jahre. Ort: Der Gasthof „Zum grauen Schwan"
in einem schlesischen Badeort.

ERSTER AKT

Ein Bauernzimmer, Kellerwohnung im Hotel „Zum grauen
Schwan". Durch zwei links hochgelegene Fenster fällt das Däm-
merlicht eines Winterspätnachmittags. Unter den Fenstern steht
ein Bett aus weichem, gelbpoliertem Holz, darin Frau Henschel
krank liegt. Sie ist eine Frau von etwa sechsunddreißig Jahren.
Nahe dem Bett die Wiege mit ihrem halbjährigen Töchterchen.
Ein zweites Bett an der Hinterwand, die gleich den übrigen
blau getüncht und gegen die Decke mit einem dunklen Streifen
abgesetzt ist. Rechts vorn ein großer, brauner Kachelofen mit
Ofenbank. In der geräumigen „Helle", dem Raum zwischen
Ofen und Wand, ist viel kleingehacktes Brennholz aufgestapelt.
Die Wand rechts enthält eine kleine Tür zur Kammer. Hanne
Schäl, junge, stramme Magd, ist in voller Beschäftigung; sie
hat die Holzlatschen beiseitegestellt und läuft in den dicken
blauen Strümpfen umher. Sie schiebt einen eisernen Topf, in
dem etwas kocht, aus dem Röhr und wieder hinein. Kochlöffel,
Quirl, Durchschlagsiebe liegen auf der Bank; ein großer, irdener,
bauchiger Krug, der in einen Flaschenhals ausläuft und ver-
stöpselt ist; der Bornkrug steht auch darunter. — Hannes Röcke
sind in einen Wulst gerafft, ihr Mieder ist schwärzlich-grau, die
nervigen Arme trägt sie bloß. — Um den Ofen herum läuft
oben eine vierkantige Stange; lange, sogenannte Jagdstrümpfe
sind über sie zum Trocknen aufgehängt, außerdem Windeln,
Lederhosen mit Bändchen und ein Paar Wasserstiefel. Rechts
davon eine Lade und ein Schrank; alte, bunte schlesische Stücke.
Durch die offene Tür der Hinterwand sieht man in einen dunk-
len, breiten Kellergang und gegenüber auf eine Glastür mit
bunten Scheiben; hinter ihr eine Holztreppe nach oben. Auf
dieser Treppe brennt immer eine Gasflamme, so daß die Schei-
ben durchleuchtet sind. Es ist Mitte Februar und im Freien
stürmisch.

Franz, ein junger Kerl in einfacher Kutscherlivree, zum Aus-
gehen fertig, guckt herein.

FRANZ. Hanne!

HANNE. Nu?

FRANZ. Schläft de Henscheln?

HANNE. Was denn sonste? Mach bloß nich Lärm!

FRANZ. Die Tieren schlagen woll genung im Hause! Wenn se
dadavon nich ufwacht —! Ich fahr nach Waldenburg mit 'm
Kutschwagen.

HANNE. Wer fährt denn mitte?

FRANZ. De Madam; einkoofen zum Geburtstag.

HANNE. Wer hat denn Geburtstag?

FRANZ. Karlchen!

HANNE. Die haben ooch aso a bissel Zucht. De Ferde einspann'n
wegen dem tummen Jungen; bei so'm Wetter nach Waldenburg
reesen!

FRANZ. Ich hab doch a Pelz!

HANNE. Die wissen reen gar nich, wie se's soll'n nausschmeißen
's Geld, mir missen uns abrackern!

*Der Tierarzt Grunert erscheint, langsam suchend, hinten im
Gange; ein kleiner Mann im schwarzen Schafpelz, mit Baschlikmütze und langen Stiefeln. Er schlägt mit dem Peitschenstiel
gegen die Türrahmung, um sich bemerklich zu machen.*

GRUNERT. Is Henschel-Willem noch nich zu Hause?

HANNE. Was soll denn sein?

GRUNERT. Ich komme ebens wegen dem Wallach.

HANNE. Da sein Sie der Dokter aus Freiburg, gelt? A is nich
zu Hause, Henschel. A is auch runter uf Freiburg, mit Fracht;
mich deucht, Sie mißten'n getroffen haben!

GRUNERT. In welchem Stalle steht denn der Wallach?

HANNE. 's is halt der große Fuchs mit der Blässe. Se haben ihn,
gloob ich, in a Gaststall gezogen. *Zu Franz.* Kannst amal mitte
gehn; kannst 's 'n zeigen!

FRANZ. Ieber a Hof nieber, immer nunter, unterm Saale, neben
der Kutscherstube nein. Fragen S' ock a Friedrich, der wird
Ihn Bescheid sagen. *Grunert ab.*

HANNE. Nu geh ock mit!

FRANZ. Haste nich a par Fennige Kleegeld fer mich?

HANNE. Ich soll woll mein Fell verkoofen, wegen deiner?

FRANZ *kitzelt sie.* Ich koof's gleich!

HANNE. Franze! Laß das! De Frau soll woll ufwachen? *Nach
dem Gelde kramend.* Wenn du een bloß kannst a paar Beehmen
rauslocken! Sonste ist dir ni wohl. Reen abgebrannt is man. —
Da, hier! *Sie drückt ihm etwas in die Hand.* Nu mach dich!
Eine Schelle wird angezogen.

FRANZ *erschrocken.* Der Herr! Hadje! *Schnell ab.*

FRAU HENSCHEL *ist erwacht und sagt schwach.* Mädel! Mädel! Heerschte denn gar nich, Mädel!

HANNE *grob.* Was is denn?

FRAU HENSCHEL. Sollst druf heern, wenn man dich ruft!

HANNE. Ich heer ja; wenn Se nich lauter sprechen, da kann ich nich heern! Ich hab ooch bloß zwee Ohr'n.

FRAU HENSCHEL. Kommste m'r wieder fläm'sch, Mädel?

HANNE *kurz.* Oh, vor mir!

FRAU HENSCHEL. Is das woll recht, hä? Sollst du 'nem kranken Weibe aso iebers Maul fahr'n?

HANNE. Wer fängt denn an? Wenn Sie bloß ufwachen, geht's Kujoniern los. Da is ooch reen nischte nich recht, man macht's nu aso oder aso.

FRAU HENSCHEL. Weil du nich folgen kannst.

HANNE. Da machen S' Ihn an Sache selber! Man schind't sich 'n ganzen Tag und de halbe Nacht, aber wenn das aso is, da geh ich schonn lieber meiner Wege! *Sie läßt den aufgebundenen Rock herunter und rennt hinaus.*

FRAU HENSCHEL. Mädel! Mädel! Tu m'r bloß das nich an! Was hab ich denn wieder Beeses gesagt? Nee, jemersch, jemersch! was soll denn wern, wenn die Mannsbilder kommen? Die wollen doch essen. Nee, Mädel, Mädel . . . *Sie sinkt erschöpft zurück, wimmert leise und fängt an, die Wiege am Bande leise zu wiegen. Durch die hinten sichtbare Glastüre drückt sich mit einiger Mühe Karlchen. Er trägt einen Topf Suppe und bewegt sich ängstlich und sorgfältig bis an das Bett der Frau Henschel, dort den Topf auf einen Holzstuhl abstellend.*

FRAU HENSCHEL. Nee, Karlchen, bist du's? Nee, sag mir bloß, was bringst'n du, hä?

KARLCHEN. Suppe! Die Muttel läßt grüßen und gute Besserung wünschen. Sie möchten sich's schmecken lassen, Frau Henscheln!

FRAU HENSCHEL. Nee, Junge, du bist doch der Beste von allen. — Hihnlasuppe! 's is woll nich meeglich! Nu, da sag nur der Mutter, ich ließ mich ooch vielmals scheene bedanken. Heerschte 's? Tu's bloß nich etwa vergessen! Nu wer ich d'r was sagen, Karlchen! Gelt! Du kannst m'r amal 'n Gefallen tun. Nimm der den Hader, der dorte liegt, steig amal uf de Banke, gelt? Und zieh mer den eisernen Topp a Bissel vor. 's Mädel is fort. Se hat 'n zu tief ins Röhr geschob'n.

KARLCHEN *steigt sogleich willig, nachdem er einen Hader ge-*

funden, damit auf die Ofenbank und guckt ins Röhr, fragend.
Den schwarzen oder den blauen, Frau Henscheln?

FRAU HENSCHEL. Was is denn im blauen?

KARLCHEN. Sauerkraut.

FRAU HENSCHEL *aufgeregt.* Zieh 'n raus, 's zerkocht m'r ja. —
Nee, Mädel, Mädel!

KARLCHEN *hat den Topf ganz nach vorn gezogen.* Is's so gutt?

FRAU HENSCHEL. Aso kannst 'n stehn lassen. Komm amal her,
ich wer d'r a Peitschenschnierla schenken. *Sie langt es vom
Fensterbrett und gibt es ihm.* Wie geht's denn der Mutter?

KARLCHEN. Gutt. Sie is nach Waldenburg einkaufen, für mich,
zum Geburtstag.

FRAU HENSCHEL. Mir geht's ni gutt, Junge! Ich wer woll sterben!

KARLCHEN. O nee, Frau Henscheln.

FRAU HENSCHEL. Ja, ja, kannst's glooben, ich sterbe, Jungel!
Kannst's auch meinswegen der Mutter sagen.

KARLCHEN. Ich krieg eine Baschlikmütze, Frau Henscheln!

FRAU HENSCHEL. Ja, ja, kannst's glooben. Komm amal her! Sei
stille! Gib amal Obacht! Heerschte, wie's tickt? Heerschte,
wie's tickt im morschen Holze?

KARLCHEN *den sie fieberisch am Gelenk festhält.* Ich fürcht mich,
Frau Henscheln!

FRAU HENSCHEL. Oh, beileibe! Wir missen ja alle sterben.
Heerschte, wie's tickt, hä? Gelt? was ist das? Der Totenwurm
tickt. *Sie fällt zurück.* Eens, zwee. — Nee, Mädel, Mädel! —
*Karlchen, den sie losgelassen, zieht sich ängstlich nach der Tür
hin zurück. Wie er die Klinke der Glastür schon in der Hand
hat, überkommt ihn die Angst; er reißt die Tür auf und schlägt
sie hinter sich zu, daß die Scheiben klirren. Gleich darauf wird
draußen heftig mit Peitschen geknallt. Von diesem Geräusch
berührt, fährt Frau Henschel heftig auf.* Vater kommt!

HENSCHEL *noch nicht sichtbar, draußen im Gange.* Dokter, was
machen wir denn mit dem Vieche? *Er und der Tierarzt Grunert
werden im Türrahmen sichtbar.*

GRUNERT. 's läßt sich nich ankommen; mer wern's missen
bremsen.

HENSCHEL *athletisch gebauter Mann von etwa fünfundvierzig
Jahren; Pelzmütze, Schafpelzjacke, darunter blaue Fuhrmanns-
bluse, lange Wasserstiefel, grüne Jagdstrümpfe, Peitsche, brennende Laterne.* Ich weeß gar nich, was mit dem Vieche is! Ich

798

komm gestern nach Hause, ich hatte Steenkohlen geladen uf der Fuchsgrube drieben, schirr ab, bringe die Ferde in'n Stall — und ooch gleich im Augenblick: schmeeßt sich hin und fängt an, um sich zu schlagen. *Er stellt die Peitsche in die Ecke und hängt die Mütze auf. — Hanne kommt wieder und nimmt ihre alte Arbeit auf, jedoch sichtlich verbost. —* Mädel, mach Licht!

HANNE. Eens ums andre!

HENSCHEL *hängt die Laterne auf, nachdem er sie ausgelöscht.* Das weeß auch der liebe Himmel, was das muß sein: da wird mersch Weib krank! da fällt m'r a Ferd! 's is balde, als wärsch uf mich abgesehn! — Den Wallach hab ich gekauft um Weihnachten von Walther-Gottfrieden; zwee Wochen, da lahmt a. Ich wers'n eintränken. Zweehundert Taler hab ich gegeben.

FRAU HENSCHEL. 's regnet woll draußen?

HENSCHEL *beiläufig.* Ju, ju, Mutter, 's regnet. Bescheeßt mich aso der eigne Schwager. *Er setzt sich auf die Ofenbank. Hanne hat ein Talglicht angezündet und stellt es im Blechleuchter auf den Tisch.*

FRAU HENSCHEL. Vater, du bist halt eemal zu gutt! Du traust halt a Menschen nischt Beeses zu.

GRUNERT *nimmt Platz am Tisch und schreibt ein Rezept.* Ich wern was ufschreiben, aus der Ap'theke.

FRAU HENSCHEL. Nee, wenn uns der Fuchs nu auch noch krepiert! Das wird doch der liebe Gott nich woll'n!

HENSCHEL *indem er Hanne das Bein hinhält.* Kumm, zieh m'r amal die Stiefeln runder! — Das hat was gepfiffen hier rein von Freiburg. 's Kirchdach unten im Niederdorfe hat's, gloob ich, halb abgedeckt, sprechen de Leute. *Zu Hanne.* Das is a Gewirge. Wird's nu balde?!

FRAU HENSCHEL *zu Hanne.* Ich weeß nich, daß du auch das nich lernst!? *Hanne bekommt den ersten Stiefel herunter, stellt ihn beiseite, greift den zweiten an.*

HENSCHEL. Sei stille, Mutter, du machst's nich besser!

HANNE *bekommt den zweiten Stiefel herunter, stellt ihn beiseite, hierauf unfreundlich zu Henschel.* Haben Se m'r meine Schirze von Kramstan mitgebracht?

HENSCHEL. Was sollt ich bloß alles in dem Koppe haben! Ich bin zufrieden, wenn ich mein bißl Gelumpe fer mich beisammen hab und meine Brunnenkisten heil uf die Bahn bringe. Was bekimmere ich mich um Weiberschirzen!

GRUNERT. Dadafier seid Ihr ooch nich berihmt.

FRAU HENSCHEL. Das wär woll ooch gar schlimm!

HENSCHEL *in Holzpantinen, erhebt sich, zu Hanne.* Nu mach — mach! Daß mir Essen kriegen! Mir missen heut noch in die Schmiede nunter.

GRUNERT *ist aufgestanden, hat das Rezept liegen lassen, steckt das Notizbuch mit Bleistift zu sich und sagt, im Begriff zu gehen.* Bald in die Ap'theke damit! Und morgen beizeiten seh ich zum Rechten. *Henschel läßt sich am Tisch nieder.*

HAUFFE *kommt langsam herein: er ist in Holzpantinen und Lederhosen und trägt ebenfalls eine brennende Laterne in der Hand.* A richtiges Schmeißwetter is das wieder.

HENSCHEL. Wie sieht's denn aus im Ferdestalle, hä?

HAUFFE. 's schlägt halt 'n ganz'n Stand entzwee. *Er löscht die Laterne aus und hängt sie neben die Henschels.*

GRUNERT. Gunacht mitnander! Da heeßt's halt abwarten. Mir Duktersch, mir sind eben ooch bloß Menschen!

HENSCHEL. Nu freilich! Das wissen mir woll von ganz alleene. Gu'n Abend, schmeißen Se nich etwa um! *Grunert ab.* Nu sag m'r bloß, Mutter, wie steht's denn mit dir?

FRAU HENSCHEL. Ich hab mich halt wieder so missen ärgern.

HENSCHEL. Wer ärgert dich denn? *Hauffe nimmt Platz am Tische.*

FRAU HENSCHEL. Nu, weil ich doch gar nich und kann gar nich zugreifen. *Hanne setzt eine Schüssel mit Klößen und eine Schüssel mit Kraut auf den Tisch, nimmt Gabeln aus dem Tisch-Schub und legt sie zurecht.*

HENSCHEL. Dazu da is ja 's Mädel da.

FRAU HENSCHEL. A Mädel hat doch keene Gedanken!

HENSCHEL. Mer haben ja zu essen; 's geht ja ganz gutt. Wärscht du nich ufgestanden zu zeitich, heute kenntste schonn wieder tanzen.

FRAU HENSCHEL. O jemersch, tanzen! Das wär aso was! *Hanne hat drei Teller mit je einem Stückchen Schweinefleisch zurechtgestellt, rückt nun auch für sich einen Schemel heran und setzt sich zu Tisch.*

HAUFFE. Der Haber wird ooch balde alle sein.

HENSCHEL. Ich hab gekooft, dreiß'g Sackfel, gestern. Uf a Sonnabend kommt ane Fuhre Heu. 's Futter wird immer teurer.

HAUFFE. Wenn's Viech soll arbeiten, will 's halt ooch fressen.

HENSCHEL. Aber die denken, 's lebt von der Luft, a will m'r wieder vom Fuhrlohn abdricken.

HAUFFE. A sagte ooch zu mir aso was.

FRAU HENSCHEL. Der Brunneninspektor?

HENSCHEL. Nu, wer denn sonste! Aber fer das Mal kommt a nich an.

FRAU HENSCHEL. Nee, aber ihr Leute, nu heert's doch vollens uf; wo soll'n ooch mir bleiben bei den schlechten Zeiten?

HANNE. Der Chausseeufseher is da gewest. Ihr sollt, gloob ich, morgen Gespanne schicken, an die große Walze. Se sein in Hinterhartau jetzunder.

Die Treppe hinter der Glastür herunter kommt Herr Sieben-haar. Anfang der Vierziger; er ist auf das sorgfältigste geklei-det. Schwarzer Tuchrock, weiße Weste, helle, englische Bein-kleider; Eleganz aus dem Ende der sechziger Jahre. Die schon ergrauten Haupthaare bilden nur noch einen wohlgeordneten Kranz, der Schnurrbart dagegen ist üppig und dunkelblond. Siebenhaar trägt eine goldene Brille und nimmt, wenn er scharf zusehen will, ein ebenfalls goldenes Pincenez zu Hilfe, welches er meist hinter den Brillengläsern aufsetzt; er stellt einen intel-ligenten Typus dar.

SIEBENHAAR *tritt, in der Rechten einen Blechleuchter mit un-angezündetem Licht und ein Schlüsselbund, gegen die offene Stubentür und späht, die Linke über die empfindlichen Augen haltend, herein.* Ist Henschel schon da?

HENSCHEL. Jawoll, Herr Siebenhaar!

SIEBENHAAR. Na, Sie essen ja grade. Ich habe im Keller was zu tun. Wir können das ja dann nachher besprechen.

HENSCHEL. Nee, nee, wegen meiner! Vor mir! Ich bin fertig.

SIEBENHAAR. Kommen Sie lieber dann mal rauf! *Er tritt ein und zündet sein Licht an dem an, welches brennend auf dem Tische steht.* Ich will mir nur mal das Licht anstecken. In meinem Büro sind wir ungestörter. — Wie geht's, Frau Hen-schel? Wie hat denn die Hühnersuppe geschmeckt?

FRAU HENSCHEL. Nu sagen Se m'r bloß, die hab ich vergessen!

SIEBENHAAR. Ist woll nicht möglich!

HANNE *den Topf mit der Hühnersuppe entdeckend.* Nu richtig, da steht se!

HENSCHEL. So is das Weib! Da mecht se gesund wern! Dabei da vergißt se Essen und Trinken.

Heftiger Windstoß.

SIEBENHAAR. Sagen Sie mal, was meinen Sie denn: meine Frau ist noch rüber nach Waldenburg. Das Wetter scheint immer toller zu werden. Ich mache mir Sorge. Meinen Sie nicht?

HENSCHEL. 's heert sich woll schlimmer an, wie 's is.

SIEBENHAAR. Na, na, man soll keine Kunststücke machen! Haben Sie 's denn nicht klirren gehört? Eins von den großen Fenstern, Sie wissen doch, an der Terrasse, im Speisesaal, hat mir der Wind doch schon eingedrückt. Das ist ein ganz kolossaler Sturm.

HENSCHEL. Ihr Leute, ihr Leute!

FRAU HENSCHEL. Das kost't wieder was!

SIEBENHAAR *durch den Kellergang nach links abgehend.* Umsonst ist der Tod.

HENSCHEL. A hat ebens auch a Puckel voll Sorgen!

FRAU HENSCHEL. Was wird a bloß wieder woll'n von dir, Vater?

HENSCHEL. O nischte. Wer weeß!? Ich wer's ja heern.

FRAU HENSCHEL. Wenn a bloß nich wieder Geld verlangte!

HENSCHEL. Nee, schwatz ock du keene Tummheeten, Mutter!

HANNE. Wenn aber die Leute un haben's nich dazu, was braucht da de Frau 'nen Hutt fer vier Taler?!

HENSCHEL. Halt du deine Gusche! Du bist nich gefragt! Deine Nase geheert in a Backtrog nein, aber nich in andrer Leute Geschichten. — So'n Haus, das soll man erhalten. Acht Wochen im Jahre kommt was ein, hernach kann a sehn, wo a bleibt.

HAUFFE. Dabei hat a noch missen bauen.

FRAU HENSCHEL. Das hat 'n erscht richtig neingeritten. Das hätt a sollen unterwegens lassen.

HENSCHEL. Weiber verstehn nischt von solchen Sachen. Bauen hat a missen, a konnte nich andersch. — Heute hab'n mer Kurgäste ieber Kurgäste, frieher waren 'r nich halb so viel. Dazumal aber hatten se Geld, heute mechten se alles umsonst. Schenk amal ein, 'nen Korn will ich trinken!

HAUFFE *indem er langsam sein Taschenmesser zusammenklappt, im Begriff aufzustehn.* Vierzig Stuben, drei große Säle und nischte drin wie Ratten und Mäuse. Wo soll a da die Interessen ufbringen? *Er erhebt sich. Franziska Wermelskirch blickt herein; sie ist ein munteres, hübsches Kind von sechzehn Jahren. Das lange, dunkle Haar trägt sie offen. Ihr Kostüm ist ein wenig exzentrisch: das Röckchen weiß und kurz, die Bluse spitz ausge-*

*schnitten, die Schärpe bunt und lang. Ziemlich weit entblößt
sind die Arme; um den Hals trägt sie ein buntes Bändchen mit
einem goldenen Kruzifix.*

FRANZISKA *sehr lebendig.* Herr Siebenhaar war doch eben hier?
— Ich wünsche wohl zu speisen, die Herrschaften. Ich wollte
mir nur zu fragen erlauben, ob nicht Herr Siebenhaar eben
unten gewesen ist?

FRAU HENSCHEL *unfreundlich.* Mir wissen's nich. Bei uns war
a nich.

FRANZISKA. Nicht? Ich dachte. *Sie stellt den Fuß kokett auf die
Ofenbank und bindet sich ein Schuhband.*

FRAU HENSCHEL. Herr Siebenhaar hinten, Herr Siebenhaar vorne.
Was haben Sie bloß immer mit dem Manne?

FRANZISKA. Ich? Nichts! Er mag bloß so gerne Gänseleber. Mama
hat grade welche, da schickt mich Papa, ich soll's ihm sagen. —
Übrigens, wissen Sie was, Herr Henschel? Sie könnten auch
wieder mal zu uns kommen.

FRAU HENSCHEL. Nee, laß du bloß Vatern, wo a is! Das wär
woll gar! Der hat jetzt keene Gedanken uf Wirtshauslaufen.

FRANZISKA. Heut ist aber ganz frisch angesteckt.

HENSCHEL *während Hauffe grinst und Hanne laut lacht.* Mutter,
du kannst dich um dich bekimmern. Wenn ich wer gehn wollen
avor a Glas Bier trinken, da frag ich, kannst glooben, keen'n
Menschen darnach.

FRANZISKA. Wie geht's denn, Frau Henschel?

FRAU HENSCHEL. Morgen mach ich mir auch eine Schärpe um
und tanz auf 'm Seile.

FRANZISKA. Da mach' ich mit. Das kann ich famos. Auf der
Wagendeichsel üb' ich das immer.

HENSCHEL. Drum hängen auch alle Deichseln so!

FRANZISKA. Sehn Sie, so macht man's, so balanciert man.
*Die Bewegung einer Seiltänzerin auf dem Seile nachahmend,
tanzt sie zur Tür hinaus.* Rechtes Bein, linkes Bein. Au revoir!
Ab.

HAUFFE *die Laterne herunternehmend.* Die schnappt bald ieber,
wenn se keen'n Mann krigt. *Ab.*

FRAU HENSCHEL. Wenn die bloß und mißte tichtig mit schuften.
Der wollt ich den Iebermut freilich austreiben.

HANNE. Nuf darf se nich kommen, das leid't die Madam nich.

FRAU HENSCHEL. Da hat se auch recht, ich tät's auch nich leiden.

HANNE. Die is doch ooch her hinterm Herrn wie a Schießhund. Alles was recht is, die treibt's a bissel toll.

FRAU HENSCHEL. Die Leute sollte ooch Siebenhaar nausschmeißen. Die Zucht mit dem Frauenvolk und mit den Kerlen.

HENSCHEL. Nee, Mutter, was red'st'n!

FRAU HENSCHEL. Nu, in der Schenkstube —.

HENSCHEL. Die Leute woll'n leben, grade wie mir. Soll a se etwa uf de Straße schmeißen? Der Wermelskirch is kee beeser Mann.

HANNE. Aber das Weib is 'ne alte Hexe.

HENSCHEL. Derwegen, wenn der a Pacht richtig zahlt — und wegen dem Mädel schonn lange nich. *Er ist aufgestanden und hat sich über die Wiege gebeugt.* Mir hab'n ja hier auch so a Dingel, mir werd'n doch derwegen auch nich nausfliegen.

FRAU HENSCHEL. Nu nee, das wär! 's schläft egelganz, 's will gar nich ufwachen.

HENSCHEL. 's is halt nich viel dran. — Nu, Mutter, du werscht mir doch nich etwa sterben! — *Indem er die Mütze vom Nagel nimmt.* Hanne, ich hab dich vorhin belogen. Draußen im Wagen liegt deine Schirze.

HANNE *schnell.* Wo d'nn?

HENSCHEL. In der Kelle; mußt gehn und suchen. *Ab durch die Mitte; Hanne ab in die Kammer.*

FRAU HENSCHEL. Da hat a die Schirze doch mittegebracht!

HANNE *kommt schnell aus der Kammer und entfernt sich durch die Mitteltür.*

FRAU HENSCHEL. Da hat a de Schirze doch mittegebracht! *Siebenhaar tritt vorsichtig ein, wie vorhin Licht und Schlüssel und noch zwei Flaschen Rotwein tragend.*

SIEBENHAAR. Ganz alleine, Frau Henschel?

FRAU HENSCHEL. Da hat a de Schirze . . .

SIEBENHAAR. Ich bin's, Frau Henschel; Sie täuschen sich wohl?

FRAU HENSCHEL. Ich gloobe schwerlich.

SIEBENHAAR. Ich hab' Sie doch nicht im Schlafe gestört? Ich bin der Siebenhaar!

FRAU HENSCHEL. Freilich! Nu freilich.

SIEBENHAAR. Ich bring' Ihnen nur ein'n Tropfen Wein, den sollen Sie trinken, der wird Ihnen gut tun. Sie erkennen mich wohl am Ende noch gar nicht?

FRAU HENSCHEL. Nu nee! Das wär woll! Sie sein doch . . . nu

freilich! Sie sein doch unser Herr Siebenhaar. Aso weit is doch
noch nich mit mir. Ihn wer ich doch kenn'n. — Ich weeß nich,
hab ich getraumt oder was — ?

SIEBENHAAR. Das kann schon sein. Wie geht's denn so jetzt?

FRAU HENSCHEL. Natierlich sein Sie doch Siebenhaar!?

SIEBENHAAR. Sie dachten wohl, ich wär Ihr Mann?

FRAU HENSCHEL. Ich weeß nich, ich kann das wirklich nich sagen.
Mir war halt so —

SIEBENHAAR. Sie liegen aber, scheint's, unbequem. Ich will mal
das Kopfkissen bißchen zurechtrücken; kommt denn der Doktor
noch regelmäßig?

FRAU HENSCHEL *weinerlich aufgebracht.* Ich weeß auch gar nich:
se lassen mich egelganz alleene. Nee, nee, Sie sein Siebenhaar,
ich weeß. Und wissen Se was? Ich wer Ihn was sagen, Sie sein
immer gutt mit mir gewest! Sie haben a gutt Herze. Wenn
Sie auch manchmal a beeses Gesicht machen. Ihn kann ich's
sagen: ich habe aso Angst! Ich denke halt immer: 's geht 'm
zu langsam.

SIEBENHAAR. Was denn zu langsam?

FRAU HENSCHEL *in Weinen ausbrechend.* Ich lebe zu lange! Was
soll denn aber aus Gusteln wern?

SIEBENHAAR. Aber liebe Frau Henschel, was reden Sie denn?

FRAU HENSCHEL *leise in sich schluchzend.* Was soll denn wern,
wenn ich sterbe, aus Gusteln?

SIEBENHAAR. Frau Henschel, Sie sind 'ne vernünftige Frau! Frau
Henschel, hören Sie mal jetzt auf mich: wenn man so stilliegen
muß im Bett, sehen Sie mal an, so Woche um Woche, wie Sie
leider jetzt, da hat man natürlicherweise allerlei dumme Gedanken. Dumme Dinge macht's einem vor. Aber da muß man
ganz resolut sein, Frau Henschel. Das wär' noch schöner! Solches Zeug! raus aus dem Kopfe! Das sind ja doch Torheiten!

FRAU HENSCHEL. Ihr lieben Leute, ihr wullt 's nich glooben: ich
weeß, was ich sag.

SIEBENHAAR. Das wissen Sie nicht. Das wissen Sie eben leider
jetzt nicht, und wenn Sie mal später dran zurückdenken, dann
werden Sie lachen. Ganz gewiß.

FRAU HENSCHEL *leidenschaftlich ausbrechend.* Hat a se nich in
der Kammer besucht!?

SIEBENHAAR *in ratlosem Staunen, zugleich durchaus ungläubig.*
Was denn? Wer denn?

FRAU HENSCHEL. Nu, Henschel! Das Mädel!

SIEBENHAAR. Ihr Mann? Die Hanne? Hier, wissen Sie was . . .
Wer Ihnen das eingeredet hat, das ist ein niederträchtiger
Lügner.

FRAU HENSCHEL. Und wenn ich tot bin, nimmt er se doch! —
Henschel erscheint in der Tür.

SIEBENHAAR. Sie leiden an Einbildungen, Frau Henschel!

HENSCHEL *gutmütig, erstaunt.* Was hat's denn, Malchen? Was
flennst'n aso?

SIEBENHAAR. Henschel! Sie dürfen die Frau nicht allein lassen!

HENSCHEL *ist freundlich bis ans Bett getreten.* Wer tut d'r denn
was?

FRAU HENSCHEL *wirft sich verbost auf die andere Seite herum,
das Gesicht gegen die Wand, Henschel den Rücken kehrend.*
O laß mich zufrieden!

HENSCHEL. Was soll denn das heeßen?

FRAU HENSCHEL *tränenerstickt, belfernd.* Oh, geh du weg!
*Henschel steht sichtlich verdutzt und blickt dann fragend auf
Siebenhaar, welcher kopfschüttelnd sein Pincenez putzt.*

SIEBENHAAR *leise.* Lassen Sie nur Ihre Frau jetzt ruhig!

FRAU HENSCHEL *wie vorher.* Unter die Erde wollt'r mich haben!

SIEBENHAAR *zu Henschel, der aufbrausen will.* Pst! Tun Sie mir
den Gefallen! Stille!

FRAU HENSCHEL. Man hat ja Augen. Man is ja nich blind. Man
braucht's een'n nich erscht merken lassen. Man is nischte mehr
nitze. Man kann sich packen!

HENSCHEL *mit Zwang ruhig.* Was meenste denn, Malchen?

FRAU HENSCHEL. Ja, ja, verstell dich!

HENSCHEL *aufs äußerste ratlos.* Nu sag mer ock bloß . . .

FRAU HENSCHEL. Mag's kommen, wie's will . . . Betriegen laß
ich mich nie und nimmer, und wenn ihr euch auch noch aso
sehr versteckt. Ich seh durch de Wände, ich seh euch doch.
Nu nee! nu doch! Ihr denkt, a Weib, das is leicht zu betriegen.
Plompe! sag ich. Eens kanst d'r merken: wenn ich sterbe, stirbt
Gustel mitte. Ich nehm se mitte. Eher erwürgen, wie an so'n
Frauvolk, verdammtes, ausliefern!

HENSCHEL. Nu, Mutter, was is denn in dich gefahr'n?

FRAU HENSCHEL. Unter de Erde wollt'r mich haben!

HENSCHEL. Nu heer aber uf, sonst wer ich wilde!

SIEBENHAAR *leise warnend.* Ruhig, Henschel! Die Frau ist krank!

FRAU HENSCHEL *die es gehört hat.* Krank? Wer hat mich denn krank gemacht? Ihr zwee beeden: das Frauvolk und du.

HENSCHEL. Nu mecht ich bloß wissen, in aller Welt, wer dir die Raupen hat in a Kopp gesetzt? Das Mädel und ich? Da schlag doch auch gleich a Gewitter nein. Mir sollten was miteinander haben?

FRAU HENSCHEL. Bringst'r nich Schirzen und Bändel mitte?

HENSCHEL *aufs neue hilflos.* Schirzen und Bändel?

FRAU HENSCHEL. Ja, Schirzen und Bändel.

HENSCHEL. Nu heert's doch uf.

FRAU HENSCHEL. Macht se nich alles immer scheen und gutt? Gibst du 'r woll a beeses Wort? Is se nich schonn wie Frau im Hause?

HENSCHEL. Mutter, sei stille, sag ich d'r bloß!

FRAU HENSCHEL. Du mußt schweigen, weil du nischt weeßt!

SIEBENHAAR *am Bett.* Frau Henschel, nehmen Sie sich zusammen! Das ist ja doch rein aus den Fingern gesogen.

FRAU HENSCHEL. Sie sind nich besser, Sie machen's nich andersch! Die armen Weiber, die gehn dran zugrunde! *In weiches Weinen aufgelöst.* Da meegen se doch zugrunde gehn. *Siebenhaar lacht kurz und ernst, tritt an den Tisch und öffnet resigniert eine der Rotweinflaschen.*

HENSCHEL *hat auf der Bettkante sich niedergelassen und begütigt nun.* Mutter! Mutter! Dreh dich ock rum! Ich will d'r a Wort im guten sagen. *Er wendet sie mit freundlicher Gewalt um.* Nu siehste, Mutter, du hast getraumt! Du hast halt amal an'n Traum gehabt. Unser Spitz, der traumt ja ooch manchmal a Ding. Nu sei aber wach! Verstanden, Mutter!? Du hast ja a Zeug zusammengeschwadroniert, da zerbricht ja der greeßte Frachtwagen, wenn man's will ufladen. Mir is noch ganz wirblich davon im Koppe.

SIEBENHAAR *der ein Glas gesucht und gefunden hat, in das er nun eingießt.* Mir lesen Sie auch noch die Leviten!

HENSCHEL. Nee, nehmen Se's ock beileibe nich iebel. Aso a Weib! Da hat man sein Leiden. Nee, mach ock und wer du wieder gesund! Sonst kommt's aso weit, du sagst m'r amal, ich hätte in Bolkenhain Ferde gestohl'n.

SIEBENHAAR. Hier, trinken Sie Wein, und stärken Sie sich!

FRAU HENSCHEL. Wenn man's bloß wißte! *Siebenhaar unterstützt sie beim Trinken.*

HENSCHEL. Was denn nu wieder?

FRAU HENSCHEL *nachdem sie getrunken.* Kenntest du's versprechen?

HENSCHEL. Alles, was du willst!

FRAU HENSCHEL. Wenn ich nu sterbe, tät'st du se heiraten?

HENSCHEL. Frag nich aso dumm!

FRAU HENSCHEL. Ja oder nee?

HENSCHEL. De Hanne? *Im Spaß.* Natierlich!

FRAU HENSCHEL. Ernstlich gesprochen —!

HENSCHEL. Nu heern Se bloß druf, Herr Siebenhaar! Was soll eener da sagen? Du werscht ja nich sterben!

FRAU HENSCHEL. Aber wenn ich nu sterbe?

HENSCHEL. Da nehm ich se auch nich. Na siehste! Da weeßte 's. Daß mir amal zu Ende kommen.

FRAU HENSCHEL. Kannst du's versprechen?

HENSCHEL. Was denn versprechen?

FRAU HENSCHEL. Daß du das Mädel nich tät'st nehmen.

HENSCHEL. Vor mir auch versprechen.

FRAU HENSCHEL. Hier in die Hand?

HENSCHEL. Ich sag dersch ja. *Er legt seine Hand in die ihre.* Nu is 's aber gutt. Nu laß mich mit solchen Sachen zufrieden!

ZWEITER AKT

Ein schöner Vormittag im Mai. — Das Zimmer aus dem ersten Akt; das Bett, in dem Frau Henschel gelegen hat, ist nicht mehr da. Die Fensterflügel an der Stelle, wo es gestanden hat, sind geöffnet. Hanne arbeitet mit aufgestreiften Hemdärmeln am Waschfaß, das Gesicht gegen das Fenster gerichtet. Franz, die Hemdärmel heraufgestreift, die Hosen aufgekrempelt, die bloßen Füße in Holzpantinen, kommt mit einem Holzeimer vom Wagenwaschen.

FRANZ *täppisch lustig.* Hanne, ich komm dich amal besuchen. Herr Gott noch eens. Hast du a bissel warm Wasser, hä?

HANNE *das Wäschestück, welches sie auf dem Waschbrett hat, unwirsch in die Wanne werfend und zum Ofen hinübergehend.* O komm ock du nich aso ofte rein!

FRANZ. Nanu?! Was hat's denn?

HANNE *heißes Wasser in seinen Eimer gießend.* Frag nich erscht! Ich hab keene Zeit.

FRANZ. Ich wasch'n Wagen, ich geh auch nich mießig.

HANNE *heftig.* Du sollst mich in Frieden lassen, wenn de's willst wissen, ich hab der's schonn mehr wie eemal gesagt.

FRANZ. Was tu ich d'r denn?

HANNE. Du sollst m'r nich nachlaufen!

FRANZ. Du hast woll vergessen, wie mir stehn?

HANNE. Oh, gar nich stehn mir. Wie soll'n mir ock stehn? Ich zieh meiner Wege, du ziehst deiner Wege, uf die Art stehn mir, andersch nich.

FRANZ. Das is ja 's Neuste!

HANNE. Mir is das was Altes.

FRANZ. 's scheint balde so. Hanne, was is denn zwischen uns?

HANNE. Nischte! Reen nischte! Bloß laß mich zufriedn!

FRANZ. Kannst du dich ieber mich beklagen? Bin ich dir etwa nich treu gewest?

HANNE. Oh, vor mir! Was geht mich das an? Treib du dich rum, mit wem du willst! Ich hab ooch noch nich aso viel dawider.

FRANZ. Seit wann denn, Hanne?

HANNE. Seit Olims Zeiten!

FRANZ *bewegt und weinerlich.* Du liigst ja, Hanne!

HANNE. Fang mer aso an! Da haste bei mir kee Glicke nich. Ich laß mir von dir keene Liigen vorschmeißen. Und kurz und gutt, daß amal alle wird. Und weil du aso a dickes Leder nu amal hast und nischt nich willst annehmen, da muß ich dersch halt amal deutlich sagen und uf a Kopp druf: 's is aus zwischen uns!

FRANZ. Is das dein Ernst?

HANNE. Zwischen uns is aus, und merk d'r das, Franze!

FRANZ. Ich wer mir's ooch merken! *Immer heftiger erregt, am Ende mehr weinend als redend.* Du brauchst nich denken, ich wär aso tumm, ich hab's woll schonn eher wie heute gemerkt. Ich dachte halt aber, du werscht zur Vernunft kommen . . .

HANNE. Das bin ich ebens.

FRANZ. Wie's eener uffaßt. Ich bin natierlich a armer Teifel, und Henschel, der hat a Kasten voll Geld. In eener Art, wenn man's recht bedenkt, bist du auch zu Verstande gekommen.

HANNE. Fang du mit solchen Sachen an, da haste schonn ganz und gar verspielt.

FRANZ. Is 's etwa nich wahr? Stellst du's nich egelganz druf an, Frau Henscheln zu werden? Na, hab ich nich recht?

HANNE. Das is meine Sache, das geht dich nischt an. A jedes hat fer sich selber zu sorgen.

FRANZ. Nu wenn ich und sorge nu fer mich selber, und geh und spreche zu Henscheln so: die Hanne, die hat mir die Heirat versprochen, wir waren uns einig . . .

HANNE. Versuch's, sag ich bloß!

FRANZ *fast weinend vor Wut und Schmerz.* Ich wersch auch versuchen! Du sorgst fer dich, und ich sorge fer mich. Wenn du aso bist, bin ich nich andersch. *Plötzlich verändert.* Aber ich mag dich erscht gar nich mehr. Du sollst dich meinswegen mir an'n Hals schmeißen. Aso a Frauvolk is mir zu schlecht!! *Schnell ab.*

HANNE. Na siehste's, da hat's doch endlich geholfen!
Während Hanne am Waschfaß weiter arbeitet, erscheint hinten im Gange Wermelskirch. Er ist ein Mann in den Fünfzigern, der ehemalige Schauspieler unverkennbar. Er trägt einen abgenutzten Schlafrock, gestickte Pantoffeln und raucht aus einer langen Pfeife.

WERMELSKIRCH *nachdem er eine Weile hereingeblickt, ohne von Hanne bemerkt zu werden.* Haben Se 'n husten gehört?

HANNE. Wen denn?

WERMELSKIRCH. Na, oben ist doch 'n Kurgast angekommen.

HANNE. Nu, 's is ooch Zeit, mir hab'n Mitte Mai.

WERMELSKIRCH *tritt langsam über die Schwelle — mit Hüsteln halblaut trillernd.*

Ich bin ein Schwindsuchtskandidat,
widiwidiwitt, bumbum!
Der nicht mehr lang zu leben hat,
widiwidiwitt, bumbum!

Hanne lacht übers Waschfaß hinaus. So was tut einem ordentlich wohl; da merkt man doch, daß der Sommer kommt.

HANNE. Eene Schwalbe macht noch keen'n Sommer!

WERMELSKIRCH *macht sich einen Platz auf der Ofenbank und setzt sich.* Wo ist denn Henschel?

HANNE. Der is doch heut runter uf a Kirchhof.

WERMELSKIRCH. I, freilich, heut hat ja die Frau Geburtstag. *Pause.* Es nimmt doch den Alten höllisch mit! Sagen Sie mal, wann kommt er denn wieder?

HANNE. Ich weeß ieberhaupt nich, was a erscht nunter hat missen fahren. Mir brauchen de Ferde wer weeß wie sehr! A neuen Kutscher hat a auch mitgenommen!

WERMELSKIRCH. I, Hanne, Ärger verdirbt 'n Appetit.

HANNE. Oh, 's is auch wahr! A läßt alles im Stiche. Der Omnibus soll pünktlich abfahren. Der Eenspänner steht noch im Drecke da, und Hauffe, der kommt doch nich mehr vom Flecke. Der alte Kerl is doch steif wie a Bock!

WERMELSKIRCH. Ja, ja, 's fängt an und gibt zu tun! Der Küchenchef oben tritt heut auch an. Vorn in der Bierstube merk' ich's auch schon.

HANNE *lacht kurz heraus.* Bei Ihn, da merkt man's aber noch nich, daß Sie viel zu tun haben.

WERMELSKIRCH *unbeleidigt.* Das kommt erst später, eleven o'clock. Da stürz' ich mich dann mit Dampf ins Geschäft.

HANNE. Mit Dampf werd's woll gehn, das kann ich m'r denken! De Feife werd woll dabei nich kalt werden.

WERMELSKIRCH *nach einigem Schmunzeln.* Ihr seid spitz, gnäd'ge Frau! Ihr seid nadelspitz! Wir haben heut — warten Sie mal! — zu Tisch: erstlich die Baßgeige, zweitens ein Cello, drittens zwei erste, zwei zweite Geigen. Drei erste, zwei zweite, drei zweite, zwei erste: jetzt sind sie mir durcheinander gefallen. Kurzum, zehn Mann von der Kurkapelle. — Was lachen Sie denn? Sie denken, ich flunkre Ihnen was vor? Was glauben Sie wohl, was die Baßgeige frißt? Sie werden sich wundern! Ob das woll zu tun macht?

HANNE *nachdem sie sich ausgelacht.* Natierlich, de Kochfrau werd woll zu tun haben!

WERMELSKIRCH *einfach.* Meine Frau, meine Tochter, die ganze Familie, wir müssen uns ehrlich und redlich abrackern. Und wenn dann der Sommer vorüber ist — da hat man sich fast umsonst geschunden.

HANNE. Ich weeß nich, was Sie zu klagen haben. Sie machen doch 's beste Geschäft im Hause. Die Schenkstube wird doch gar nich leer, die geht doch Summersch- wie Winterschzeit. Wenn ich wie Siebenhaar do oben wär, Ihn tät ich freilich andersch hochnehmen. Mit lumpichen dreihundert Talern Pacht, da kämen Sie freilich nich bei mir weg. Unter tausend wär nischt nich zu machen, da täten Sie auch noch gutt genug abschneiden.

WERMELSKIRCH *hat sich erhoben und geht pfeifend umher.* Wünschen Sie sonst vielleicht noch was? — Mir geht ja vor Schreck die Pfeife aus.

George, ein junger, geweckter und adretter Kellner, kommt sehr schnell, ein Frühstückstablett tragend, die Treppe hinter der Glastür herunter. Noch hinter der Tür stutzt er, öffnet sie aber doch, blickt den Kellergang rechts hinunter, dann links hinunter.

GEORGE. Schockschwerebrett! Wo bin ich denn hier?

HANNE *lachend über dem Waschfaß.* Sie haben sich verlaufen, Sie missen zuricke!

GEORGE. Des ist ja, weeß Gott, zum Schwindligwern. Hier kann sich ja doch kee Ferd zurechtfinden in den Kasten!

HANNE. Sie sein woll erscht zugezogen, hä?

GEORGE. Nu freilich, erscht gestern. Nu sagen Se, Herrschaften! Des is mir wahrhaft'ch noch nie passiert. Ich bin schon in manchen Hause gewesen, hier muß man ja immer 'n Gebirgsführer mitnehm.

WERMELSKIRCH *das Sächsische übertreibend.* Sagen Se, sind Se vielleicht aus Dräsden?

GEORGE. Meißen ist meine Vaterstadt.

WERMELSKIRCH. Weeßkneppchen! Ach Herr Jeses! wahrhaftig!?

GEORGE. Wo geht's denn hier weiter? Sagen Sie mal.

HANNE *in Gegenwart des Kellners geweckt, frisch und kokett in ihrer Art.* Immer zuricke de Treppe nuf. Solche Schwalbenschwänze kenn wir hier unten bei uns nich brauchen.

GEORGE. Hier ist woll die Bell Etasche, was?

HANNE. Se meen'n woll a Hundestall oder was? Wir wern Ihn bebell'n oder was Sie sagen. Hier unten hausen die vornehmen Leute!

GEORGE *vertraulicher Schäkerton.* Junge Frau, junge Frau, wissen Sie was, kommen Se, zeigen Sie mir'n Weg: mit Ihn'n, da tät ich mich ooch nich färchten, und wenn Se mich ooch wer weiß wohin fihr'n däten tun. In Keller nich und uf'n Heiboden ooch nich.

HANNE. Bleiben Se ock draußen, Sie wär'n mir der Rechte! Solche Windhunde gäb's 'r genug.

GEORGE. Junge Frau, soll ich Ihn'n waschen helfen?

HANNE. Nee! Aber wenn Sie's sonst druf anstellen, da helf ich Ihn noch uf a Trab dahier! *Indem sie ein Wäschestück halb aus dem Wasser zieht.* Da kenn Sie Ihr weißes Vorhemdchen suchen.

GEORGE. I, gar! So zum Schweine wern Se mich doch nich machen? Nu aber! Äh gar, das geht doch nich so? Da missen mer erst noch drieber reden. Nich wahr, junge Frau? Nu freilich, natierlich! Wir reden noch drieber. Wenn ich Zeit hab, später, andermal. *Ab. Die Treppe wieder hinauf.*

WERMELSKIRCH. Der wird sich wohl nicht mehr oft verlaufen! Den Weg vom Speisesaal zur Küche wird ihm Siebenhaar schon begreiflich machen. Hanne, wann kommt denn Henschel wieder?

HANNE. Nu, um a Mittag. — Soll ich vielleichte was bestellen?

WERMELSKIRCH. Ja. Sagen Se ihm — vergessen Se's nich! — sagen Se ihm, ich lasse schön grüßen.

HANNE. Tummheeten da! Ich kann mer's schon denken.

WERMELSKIRCH *mit leichter Verbeugung an ihr vorüber.* Gedanken sind zollfrei. Wünsche gut Morgen! *Ab.*

HANNE *allein, heftig waschend.* Wenn ock der Henschel bloß nich so tumm wär! —
Oben, außen vor dem Fenster, kniet der Handelsmann Fabig und blickt herein.

FABIG. Junge Frau! Morjen! Wie geht's, wie steht's?

HANNE. Wer sein denn Sie?

FABIG. Nu, Fabig von Quolsdorf. Kenn Sie mich nimehr? Ich bring an'n scheen Gruß von Vatern mitte. A läßt ihn auch sagen . . . oder soll ich reinkommen?

HANNE. 's is gutt! Ich gloob's schonn; a will wieder Geld haben; ich hab selber keens.

FABIG. Ich sagt 's 'm ja; a wollt's doch nich glooben. Sein Se alleine, junge Frau?

HANNE. Wegen was denn?

FABIG *die Stimme dämpfend.* Nu seh'n S' ock, ich hab halt das und jen's uf'n Herzen. Durchs Fenster kennten's de Leute heern.

HANNE. Oh, meinswegen, kommen Se rein! *Fabig verschwindet vom Fenster.* Daß der ooch heute grade muß kommen.
Sie trocknet sich die Hände ab.
Fabig tritt ein. Er ist ein ärmlich gekleideter, seltsam beweglicher, drolliger Hausierer, etwa sechsunddreißig Jahre alt, spärlicher Bart.

FABIG. An'n scheen'n guten Morgen, junge Frau!

HANNE *heftig*. Zum erschten: ich bin keene junge Frau.

FABIG pfiffig. Nu, wenn ooch; 's dauert doch nicht mehr lange.

HANNE. Das is a verpuchtes Liigengemähre und weiter nischt.

FABIG. Ich hab's halt geheert, ich kann nischt dafier. De Leute
sprechen's halt ieberall; weil doch die Henscheln is gestorben.

HANNE. Meinswegen ooch! Da meegen se reden! Ich tu meine
Arbeit . . . Was geht's mich an!

FABIG. Das is auch 's beste. Aso mach ich 's auch immer. Was
haben mir nich schon die Leute alles ufgehalst! In Altwasser
soll ich Tauben gemaust haben. Mir war a kleenes Hundel
nachgelaufen . . . Gleich meenten de Leute, gestohlen hätt
ich's.

HANNE. Wenn Sie und haben was zu reden mit mir, da machen
Sie's kurz!

FABIG. Gelt? Sehn S' es, da haben S' es. Das sag ich auch immer.
De Leute mähren mir auch immer zuviel; se haben a paar
Lumpen oder so was, gleich machen se a Gerede drum, wie
wenn se a Pauergutt sollten verkoofen. Nu wer ich mich halt in
der Kirze fassen. 's handelt sich also, junge Frau! . . . beileibe,
nehmen Sie 's ock nich iebel, ich hab mich halt doch schonn
wieder versprochen! Ich wollte sagen, Jungfer! 's handelt sich
also um de Tochter.

HANNE *heftig*. Ich hab keene Tochter, wenn S' es woll'n wissen!
Das Mädel, das bei mei'm Vater is, das is von meiner Schwester
de Tochter.

FABIG. Nu da! Da is das was andersch dahier. Wir denken halt
alle, das Mädel wär Ihre. Wo is denn de Schwester?

HANNE. Wer weeß, wo die is! Die wird sich hitten und wird
sich mucksen. Die denkt, ihr kennt sehn, wie ihr fertig werd't.

FABIG. Ihr Leute, ihr Leute; da sieht man's wieder. Da hätt
ich doch Steen und Been geschwor'n —! aber nich bloß ich,
nich bloß ich alleene; wir alle mitnander, drieben in Quolsdorf,
daß Sie de Mutter wär'n zu dem Dingel.

HANNE. Ju, ju, ich weeß schonn, wer mir das anhängt. Bei Namen
kennt ich se alle genennen! Se mechten mich gerne zum Frauvolk machen. Wenn se mir aber in de Hände laufen, die kriegen a Zahlaus, das kenn'n se sich merken.

FABIG. Das is aber wirklich a beeses Ding! Die Sache liegt nämlich aso, junge Frau: der Alte, der Vater — Sie wern 's ja
wissen! 's is doch nich andersch! — a wird doch nich nichtern.

A sauft doch immer bloß in ei'm Biegen fort. Nu is vor zwee Jahren de Mutter gestorben; sonste konnt a das Dingel daheeme lassen, das Mädel meen ich; jetze geht das nimehr, 's Häusel is leer. Da schleppt a se halt in a Gasthäusern rum, in allen Lechern, von Kretscham zu Kretscham. An'n Hund kann's jammern, wenn man's aso sieht.

HANNE *heftig.* Kann ich dafiere, daß a sauft?

FABIG. Um's Himmels wille, beileibe nich! Den Alten, den kann keen Mensch nimehr halten. 's is bloß ums Mädel, um das kann's een leed tun. Wenn die nich und werd 'n nich weggenommen und kommt nich in Flege zu gutten Leuten, da lebt die ooch keene zehn Wochen mehr.

HANNE *verstockt.* Das geht mich nischt an! Ich kann se nich nehmen. Ich hab fer mich selber Gewirge genug.

FABIG. Kommen Se ock amol nach Quolsdorf und sehn Se sich's an! Das wär halt 's beste. 's is Ihn a Mädel . . . a gar zu hibsch Dingel, und Händel und Fießel hat se, o jemersch; 's reene Porz'lan, aso zierlich sind se.

HANNE. 's is nich mei Kind, 's geht mich nischt an!

FABIG. Nee, kommen Se ock, und schaffen Se Rat! Man kann's reen gar nich mit Augen sehn. Wenn man aso in die Gasthäuser kommt, mitten in der Nacht oder wenn's nu is — sehn Se, ich muß, mei Geschäfte verlangt's — und sieht se mit Vatern im Rauche sitzen, das dreht een de Seele im Leibe rum.

HANNE. Die Gastwirte soll'n 'm nischt nich einschenken. An'n Priegel nehmen und feste nauspriegeln, da wird a schonn zu Verstande kommen. — Jetze is a Wagen in a Hof gefahren. Hier haben Se an'n Fimfbeehmer. Jetze machen Se lang, ich wer mir die Sache amal beschlafen. Jetze kann ich mich weiter damit nich befassen. Aber wenn Sie hier rumreden, in a Bierstuben, darnach sein mer geschiedene Leute.

FABIG. Ich wer mich hitten, was geht mich denn das an?! Ob das nu Ihr Kind is oder der Schwester, 's Kirchenbuch wer ich derwegen nich einsehn, und 's Maul, das wer ich m'r auch nich verbrenn. Aber wenn Sie an'n gutten Rat wollten heern: am besten, Sie sagen's Henscheln gleich, der wird Ihn a Kopp noch lange nich abreißen.

HANNE *immer aufgeregter, da Henschels Stimme schon hörbar wird.* O mit dem Gemähre! Da mißt man ja schwarz wern. *Ab in die Kammer.*

815

Henschel tritt ein; ernst und langsam. Er trägt einen schwarzen Anzug, Zylinder und weiße, gestrickte Handschuhe.

HENSCHEL *bleibt stehen und sieht Fabig, sich langsam besinnend, an. Einfach und ruhig.* Wer sein denn Sie?

FABIG *fix.* Ich kaufe Lumpen, altes Papier, Meebel, abgelegte Kleidung, halt alle Sachen, alles, was de vorkommt.

HENSCHEL *nach einem langen Blicke, gutmütig, aber fest.* Naus mit dem Kerle! — *Fabig ab, verlegen lächelnd.*

HENSCHEL *nimmt den Zylinder ab und wischt sich die Stirn und Nacken mit einem bunten Taschentuch; darnach stellt er den Hut auf den Tisch und spricht gegen die Tür der Kammer.* Mädel! wo bist'n?

HANNE. Ich bin bei Gusteln, hier, in der Kammer.

HENSCHEL. 's is gutt, ich kann warten. *Er setzt sich, tiefächzend.* Ja, ja! Nee, nee! Ma hat schonn sei Leiden!

HANNE *kommt sehr geschäflig.* 's Essen is gleich uf der Stelle fertig.

HENSCHEL. Ich kann nischt essen. Mich hungert nich.

HANNE. Essen und trinken erhält a Leib. Ich hab amal bei ei'm Schäfer gedient, der hat uns mehr wie eemal gesagt: wenn einer a Herzeleid hat oder aso was, wenn den auch nich hungert, der soll immer essen.

HENSCHEL. Da koch ock dei Mittag, wir wern ja sehn!

HANNE. Sie sollten nich nachgeben gar zu sehr! In so was muß man sich eemal finden.

HENSCHEL. War denn der Horand, der Buchbinder, da?

HANNE. Alles in Ordnung. Vierzig neue Billetter hat er gemacht. Drieben liegen se uf der Kommode!

HENSCHEL. Da fängt die Schinderei wieder an: Morgen fer Morgen, Mittag fer Mittag mit dem alten Omnibuskasten nach Freiburg neinkutschen und kranke Menschen ieber a Berg schaffen.

HANNE. Sie missen zu viel alleene machen. Der alte Hauffe is eemal zu langsam. Ich kann mer nich helfen, ich tät'n abschaffen.

HENSCHEL *steht auf, tritt ans Fenster.* Ich hab's nu reen satt, das Fuhrgeschäfte. Vor mir kann's ufheeren. Ich hab nischt dawider. Heut oder morgen, das is mir egal. Die Ferde schafft man nunter zum Abdecker, die Wagen läßt man zu Brennholz zerhacken. Man selber sucht sich a kleen, festes Strickel. — Ich wer amal ruf zu Siebenhaarn gehn.

HANNE. Ich wollt Ihn gern auch amal was sagen.

HENSCHEL. Nu was denn, hä?

HANNE. Sehn S' ock, mir wird's wahrhaftig nich leichte. *Ausgeprägt weinerlich.* Aber mei Bruder, der braucht mich doch eemal zu sehr. *Heulend.* Ich wer halt ziehn missen.

HENSCHEL *aufs äußerste verblüfft.* Du bist woll nich recht . . . Nu mach ock nich Dinge!

HANNE *steht da, Krokodilstränen flennend, die Schürze vor den Augen.*

HENSCHEL. Nu sag mir ock, Mädel, du werscht m'r jetze doch das nich antun? Das wär aso was! Wer soll denn wirtschaften? Jetze steht mir der Sommer vor der Tiere, und du willst mich aso im Stiche lassen?

HANNE *wie oben.* 's tutt een'm bloß um das Mädel leid.

HENSCHEL. Wenn du's nich versorgst, wer soll's denn versorgen?

HANNE *nach einer Weile sich scheinbar gewaltsam fassend und beruhigend.* 's geht eemal nich andersch!

HENSCHEL. 's geht alles in der Welt, man braucht's bloß zu woll'n. Dadervon da hast du doch nie nischt gesprochen! Jetze kommste uf eemal mit 'nem Bruder? Bin ich dir etwa zu nahe getreten? Paßt dersch vielleichte nich mehr bei mir?

HANNE. Daß 's mit dem Gerede und nimmt a Ende.

HENSCHEL. Was fier a Gerede?

HANNE. Oh, ich weeß nich! Da geht man schon lieber aus'n Wege.

HENSCHEL. Wenn ich bloß wißte, was du meenst!

HANNE. Ich tu meine Arbeit, ich nehme mei Lohn. Aso was laß ich mir eemal nich nachsagen. Wie die Frau noch lebte, hab ich gerackert a ganzen Tag; jetzt, weil se tot is, wer ich nich faulenzen. Meegen de Leute noch aso schwatzen: ich machte mich niedlich, ich wollte bloß Frau wern. Da such ich mir lieber a andersch Dienst.

HENSCHEL *erleichtert.* Da sei ock stille, wenn's weiter nischt is.

HANNE *nimmt irgendeine Arbeit als Anlaß, sich zu entfernen.* Nee, nee, ich geh! Ich kann nimehr bleiben. *Ab.*

HENSCHEL *hinter ihr dreinsprechend.* De Leute, die laß du geruhig reden! Was sollte denn wern aus den vielen Mäulern. — *Er zieht den schwarzen Rock aus und hängt ihn auf, dabei seufzend.* Das Heefel Sorgen wird halt nich kleener! *Siebenhaar kommt langsam herein; er trägt eine gefüllte Wasserflasche und ein Glas.*

SIEBENHAAR. Gu'n Morgen, Henschel.

HENSCHEL. Scheen'n Dank ooch, Herr Siebenhaar.

SIEBENHAAR. Stör' ich Sie?

HENSCHEL. I, wo denn! Das wär woll! Sei'n Se willkomm.

SIEBENHAAR *Flasche und Glas auf den Tisch stellend.* Ich muß nämlich wieder mal die Kur brauchen. Ich hab's wieder mit dem Halse zu tun. Na, Gott ja, an irgend was muß der Mensch doch sterben.

HENSCHEL. Immer tichtig Brunnen trinken. Der heilt een'm aus.

SIEBENHAAR. Das tu' ich eben.

HENSCHEL. Und nich a Mihlbrunnen, ooch nich a Oberbrunnen! Unsre Quelle, die is am besten.

SIEBENHAAR. Na, nu von was anderem. *Er hat in Gedanken eine Efeuranke ergriffen und damit gespielt, nun gewahrt er sie, überfliegt den Zylinder und Henschel mit einem Blick und sagt plötzlich.* Heut war der Geburtstag Ihrer Frau?

HENSCHEL. Heut wär se geworn sechsunddreißig Jahr.

SIEBENHAAR. 's is woll nich möglich.

HENSCHEL. Ja, ja, nee nee! — *Pause.*

SIEBENHAAR. Henschel, ich will Sie jetzt lieber allein lassen, aber wenn's Ihnen paßt, etwa morgen vielleicht, da möcht' ich mal etwas Geschäftliches durchsprechen.

HENSCHEL. 's wär m'r lieber, mir machten's gleich.

SIEBENHAAR. Es handelt sich um die tausend Taler . . .

HENSCHEL. Eh mer weitersprechen, Herr Siebenhaar, Se kenn se ruhig behalten bis zum Winter. Sehn Se, was soll ich denn liigen dahier? Jetze brauch ich se nich. Mir liegt nischt dran, und daß Se mir sicher sein, das weeß ich.

SIEBENHAAR. Na, Henschel, da bin ich Ihnen sehr dankbar; Sie tun mir einen großen Gefallen. Im Sommer kommt Geld ein, wissen Sie ja, jetzt wär' es mir wirklich schwer geworden.

HENSCHEL. Nu sehn S' es, da kommen mir grade zusammen. — *Pause.*

SIEBENHAAR *umhergehend.* Ja ja, ich wundre mich manchmal selbst: in dem Hause bin ich doch groß geworden. Heut, wenn ich nur halbwegs leidlich abschnitte, ich könnte mit Seelenruhe rausgehn.

HENSCHEL. Ich ging nich gerne, das muß ich sagen. Ich wißte reen gar nich, wohin mit mir!

SIEBENHAAR. Bei Ihnen ist es vorwärtsgegangen, Henschel. Dieselben Verhältnisse, sehn Sie mal an, gegen die ich mich nur mit höchster Mühe behaupten konnte, die eben haben Sie groß gemacht.

HENSCHEL. Dem een'n fehlt's da, 'm andern da. Wer schlimmer dran is, wer will das wissen?! Sehn Se, mir hat's halt a Weizen ooch verschlagen. Und ob er amal wird wieder ufstehn . . . Ich bin halt noch gar nich bei mir selber. — *Pause.*

SIEBENHAAR. Henschel, alles hat seine Zeit! Das müssen Sie nun aber überwinden. Sie müssen unter die Leute gehn, was hören, was sehen, mal 'n Glas Bier trinken, sich recht ins Geschäft stürzen meinetwegen, nicht immer der traurigen Sache nachhängen. 's ist nicht zu ändern, nun also vorwärts!

HENSCHEL. 's is auch nich andersch. Sie haben auch recht!

SIEBENHAAR. Gewiß! Ihre Frau war das beste, treueste Weib, überall ist da nur eine Stimme. Aber Sie stehen im Leben, Henschel. Sie sind ein Mann in den besten Jahren. Sie haben noch viel zu tun in der Welt. Sie müssen wer weiß was noch vor sich bringen. Sie brauchen dabei Ihre Frau nicht vergessen, im Gegenteil. Das ist ja bei einem Mann wie Sie auch ganz ausgeschlossen. Aber Sie müssen auf eine gesunde Art ihr Andenken ehren. Das kann ja nichts helfen! Ich habe Sie schon eine ganze Weile beobachtet und hatte mir stillschweigend vorgenommen, Ihnen mal wirklich gerade heraus ins Gewissen zu reden. Sie lassen sich zu sehr unterkriegen.

HENSCHEL. Was soll man aber dawider tun? Sie haben ja recht, ich streit's ja nich; aber man weeß sich halt manchmal keen'n Rat. Will man sich ins Geschäft stirzen, ieberall fehlt's een'n. Vier Augen sehn ebens mehr wie zwee. Vier Hände, die schaffen halt auch weit mehr. Die vielen Kutschen zur Sommerszeit! Wer hält m'r daheim 'ne Sache im Stande? Das is ebens wirklich kee leichtes Ding.

SIEBENHAAR. Die Hanne ist, denk' ich, doch ganz tüchtig?

HENSCHEL. Nu sehn Se's, se hat mir halt auch gekindigt! — Ohne a Weib is das halt zu schlimm! Man kann sich uf gar keen'n Menschen verlassen. Das is ja das ebens, was ich sag.

SIEBENHAAR. Heiraten Sie, Henschel!

HENSCHEL. 's beste wärsch. — Ohne Weib, was soll ich da machen? Unsereens kann ohne Weib nich auskommen. Ich hatte schonn vor, ich wollt amal nufgehn; ich wollte mit der Madam amal reden, verleichte hätt die mir 'n Rat gegeben. —

's is mir doch gar zu pletzlich gekomm! Se is m'r so mittenraus
gestorben aus allen Geschichten. Wenn ich Ihn soll de Wahrheit
sagen: 's Fuhrgeschäfte geht auch zurick. Wie lange, da kriegen
mir Bahne hierher. Nu sehn Se's: mir hatten uns was gespart,
da wollten mir uns a klee Gasthaus keefn — vielleicht in zwee
Jahren oder so rum; das is halt ohne Weib nich zu machen.

SIEBENHAAR. Auf die Dauer wird das ja auch nicht gehn. Sie
werden auch ganz gewiß nicht Witwer bleiben Ihr ganzes
Leben. Schon wegen dem Kinde geht das ja nicht.

HENSCHEL. Das sprech ich halt auch.

SIEBENHAAR. Ich hab' mich ja nicht hineinzumengen, aber schließlich sind wir ja alte Freunde. Warten, Henschel, bloß wegen
der Leute, das halt' ich für Unsinn, ganz und gar. Wenn Sie
sich tragen mit dem Gedanken, ernstlich tragen, wieder zu
heiraten: für Sie und das Kind ist's besser, bald. Nicht über-
stürzen, natürlich nicht! Sind Sie aber mit sich erst einig, dann
vorwärts, Preußen! Was ist dann zu zögern!? *Nach einer kleinen Pause, während welcher sich Henschel hinter den Ohren
kratzt.* Wissen Sie denn schon irgend jemand?

HENSCHEL. Ob ich jemanden weeß, das soll ich Ihn sagen? Vielleicht ja; bloß ich kann se nich nehmen.

SIEBENHAAR. Warum denn nicht?

HENSCHEL. Sie wissen's ja selber.

SIEBENHAAR. Ich? Wissen? Wieso?

HENSCHEL. Se brauchen bloß a bissel nachdenken.

SIEBENHAAR *kopfschüttelnd*. Im Augenblick kann ich mich nicht
erinnern.

HENSCHEL. Ich hab's doch mein'n Weibe versprechen missen.

SIEBENHAAR. Ach so!! — Sie meinen die Magd!? die Hanne? —
Pause.

HENSCHEL. 's is m'r sehr durch a Kopp gegangen. Was soll ich
denn hinterm Berge halten. Wenn ich ufwache bei der Nacht,
da kann ich manchmal zwee Stunden nich einschlafen. Immer
und ewig muß ich dran denken. Drieber weg kommen kann
ich nich. Das Mädel is gutt. Se is a bissel jung fer mich alten
Kropp; aber schuften kann se mehr wie vier Männer. Da-
derbei nimmt se sich Gusteln wahr: mehr kennte de Mutter
auch nich machen. Und zu guter Letzt hat das Mädel an'n
Kopp: die hat an'n Kopp, der is besser wie meiner. Und rechnen kann se, besser wie ich. An'n Kalkulator kennte die vor-

stellen. Uf Heller fer Fennig weeß die an Sache; sechs Wochen
kenn'n drieber vergangen sein. Ich gloobe, die macht zwee
Juristen zum Affen.

SIEBENHAAR. Ja, wenn Sie von alledem so überzeugt sind . . .

HENSCHEL. Da gäb's keene bessere Frau fer mich! Jedennoch!
Ich komme nich drieber weg. — *Pause.*

SIEBENHAAR. Ja, ja, jetzt kann ich mich dunkel erinnern. Das
war in der letzten Zeit so ziemlich. Ich kann Ihnen aber ganz
offen sagen: so ernsthaft hab' ich das gar nicht genommen.
Ihre Frau war eben sehr aufgeregt. Das hat doch so mehr in
der Krankheit gelegen. Das scheint mir die Hauptfrage nicht
zu sein. Die Hauptfrage kann doch immer nur die sein: paßt
die Hanne auch wirklich für Sie? Sie hat viele Vorzüge, unbedingt! Manches gefällt mir auch nicht an ihr! Aber Fehler:
wer hätte die schließlich nicht! Sie soll ja ein Kind haben,
sagen die Leute!

HENSCHEL. Se hat a Kind. Ich hab mich erkundigt. Nu wenn
ooch! Da mach ich mir nischte ni draus. Sollte se etwa auf
mich warten, hä? Se hat ja noch gar nischt von mir gewußt.
Vollblittig is se, das will sich doch Luft machen. Wenn de
Birnen halt reif sein, da fall'n se halt runter. Deswegen, da
hätt ich keene Bedenken.

SIEBENHAAR. Nun also! Das andere ist Nebensache. Und wenn
auch nicht grade Nebensache — so was geht einem nach, das
begreif' ich schon! —, jedenfalls muß man sich davon frei
machen. Sich daran binden trotz besserer Einsicht, ist aus-
gesprochene Torheit, Henschel!

HENSCHEL. Das hab ich mir auch schon zehnmal gesagt. Sehn
Se, sie wollte doch immer a besten Nutzen fer mich. Ich meene
mei Weib, in gesunden Tagen. Se will m'r doch nich im Wege
stehn. Wo se auch sein mag, se will doch mein Fortkommen.

SIEBENHAAR. Ganz gewiß.

HENSCHEL. Heute bin ich nu uf 'n Grabe gewest. De Madam
hat ooch an'n Kranz lassen hinlegen. Ich dachte: du werscht
amal hingehn, dacht ich. Vielleichte schickt se dir an'n Gedanken. Vielleichte kannst d'r da schlissig wern. — Mutter,
sagt ich in mein'n Gedanken, gib mir a Zeichen! Ja oder nee?
So wie's ausfällt, soll mir's recht sein. An halbe Stunde hab
ich gestanden. Ich hab auch gebet't und hab er ooch alles vorgestellt, aso bei mir selber, meen ich natierlich: wegen dem

Kinde und dem Gasthause und daß ich m'r auch im Geschäfte
keen'n Rat weeß — aber se hat m'r kee Zeichen gegeben.

*Hanne kommt herein, nur Seitenblicke auf die Sprechenden
werfend, im übrigen sich sogleich energisch beschäftigend. Sie
setzt Schemel und Waschfaß beiseite und hantiert dann beim
Ofen.*

SIEBENHAAR *zu Henschel.* Gott lasse die Toten selig ruhn. Sie
sind 'n Mann, Sie stehen im Leben. Was brauchen Sie Zeichen
und Wunder, Henschel! Wir können uns doch ganz gut zurechtfinden, ganz leidlich auskommen mit unserm Verstande. Gehen
Sie einfach Ihren Weg! Auf Ihrem Schiffe sind Sie Kapitän.
Alle Flausen und Nücken raus! über Bord! Je mehr ich die
Sache überlege, um so ernstlicher leuchtet sie mir auch ein . . .

HENSCHEL. Hanne, was sagst denn du dazu?

HANNE. Ich weeß ja nich. Ich kann doch nich wissen, von was
Sie reden!

HENSCHEL. Nu wart nur, hernach da wer ich der's sagen.

SIEBENHAAR. Gu'n Morgen, Henschel; auf Wiedersehn! Viel
Glück auf den Weg!

HENSCHEL. Das mecht man hoffen.

SIEBENHAAR. Um Sie is mir keinen Augenblick bange. Sie haben
von jeher 'ne glückliche Hand. *Ab.*

HENSCHEL. Man soll es nich beruffen, Herr Siebenhaar.

HANNE. Wir woll'n dreimal ausspucken: Tw! Tw! Tw! — *Pause.*
— Ich kann mir nich helfen, Sie sein zu gutt.

HENSCHEL. Wegen was denn, hä?

HANNE. Ihn rauben de Leute aus, mecht man sagen.

HENSCHEL. Du denkst woll, a hat woll'n was haben von mir?

HANNE. Nu was denn sonste? A sollte sich schämen, bei armen
Leuten betteln zu gehn.

HENSCHEL. Hanne, du weeßt jetzt nich, was du sagst.

HANNE. O freilich weeß ich's.

HENSCHEL. Du weeßt's ebens nich. Du kannst's auch nich wissen.
Aber später wirschte's schonn noch begreifen amal. — Jetz
wer ich avor gehn in de Schenkstube und wer m'r wieder amal
an Kuffe Bier kaufen; das is seit acht Wochen 's erschte Mal.
Dernochert kenn mir mitnander essen, und nach'n Mittage —
heer amal drauf! — da woll'n mir a Wort mitnander reden.
Da wern mir ja sehn, wie sich alles wird einrenken. — Oder
hast du ni Lust?

HANNE. Sie sagen's ja selber: mir wern 's ja sehn.

HENSCHEL. Das sag ich auch noch, mir lassen 's druf ankommen. *Ab. Pause. —*

HANNE *schaftert unbeirrt weiter. Als Henschel außer Hörweite ist, hält sie plötzlich inne, trocknet sich, die freudige Erregung kaum bemeisternd, die Hände ab, reißt sich die Schürze herunter usw. und sagt unwillkürlich triumphierend vor sich hin.* Ich wersch euch zeigen, paßt amal uf!

DRITTER AKT

Das Zimmer wie in den beiden vorhergehenden Akten. Es ist ein Abend Ende November; im Ofen brennt Feuer, ein Licht steht auf dem Tisch. Die Mitteltür ist geschlossen. Aus dem oberen Stockwerk des Hauses dringt gedämpfte Tanzmusik. Hanne, jetzt Frau Henschel, sitzt am Tische und strickt; sie ist adrett und sauber in blauen Kattun gekleidet, dazu trägt sie ein rotes Brusttuch. Meister Hildebrant, der Schmied, kleine, nervige Erscheinung, kommt.

HILDEBRANT. Gu'n Abend, Henscheln! Wo is denn dei Mann?

FRAU HENSCHEL. Nach Breslau. A holt doch drei neue Ferde.

HILDEBRANT. Da wird a woll heute ni heemkomm'n? gelt?

FRAU HENSCHEL. Vor 'n Montage nich.

HILDEBRANT. Heute haben mer Sonnabend. Mir haben a Brettwagen wiedergebracht. A steht unterm Saale. Mer haben missen alle vier Reifen neu machen. Is Hauffe nich da?

FRAU HENSCHEL. Der is doch schonn lange ni mehr bei uns!

HILDEBRANT. Was Teifel red ich bloß wieder fier Tummheeten. Ich meente ja ebens a neuen Knecht. Is Schwarzer nich da?

FRAU HENSCHEL. A is mitte nach Breslau.

HILDEBRANT. Nee, nee, mit Hauffe das wer ich woll wissen. A kommt immer nunter in de Schmiede und hat Maulaffen feil, weil mir Eisen uflegen. A hat doch noch immer kee Unterkommen.

FRAU HENSCHEL. De Leute sagen, a fängt an zu saufen.

HILDEBRANT. Ich gloob immer, 's werd woll nich andersch sein. 's is halt schlimm fer den alten Kerl. 's will 'n doch eemal kee Mensch mehr haben. — Was is denn heute da oben los?

FRAU HENSCHEL. Tanzmusik. Halt de Resursche.

HILDEBRANT. Wie wärsch, wenn mer nufgingen, Henscheln, mitnander. Warum soll'n mir nich auch an'n Walzer mitmachen?

FRAU HENSCHEL. Da wern die nich schlecht die Augen ufreißen.
Was wollten Sie denn von Henscheln, Meester?

HILDEBRANT. Der Oberamtmann hat doch an'n Fuchshengst,
das Luder will sich nich lassen beschlagen, da wollten mir
Henscheln gern amal bitten. Wenn der den gehangnen Hund
nich zum Stehn bringt, hernach da soll'n der Teifel scharf-
machen. Gu'n Abend, Henscheln!

FRAU HENSCHEL. Gu'n Abend, Meester! *Hildebrant ab. Frau
Henschel horcht auf ein schleifendes Geräusch, welches draußen
vom Gange herkommt.* Was is denn das fer a Geschleife da
draußen? *Sie geht und öffnet die Tür.* Wer macht denn hier
draußen solchen Randal?

FRANZISKA *kommt hereingetanzt.* Platz, Platz, Frau Henscheln,
ich hab' keine Zeit! *Sie dreht sich um den Tisch herum nach
dem Takte des von oben klingenden Walzers.*

FRAU HENSCHEL. Nanu schlägt's dreizehn! Was fällt denn dir
ein!? Dich hat woll a toller Hund gebissen!? *Franziska tanzt
unbeirrt weiter und singt die Walzermelodie dazu. Frau Henschel, immer mehr belustigt.* Um Gottes willen, dich riehrt ja
der Schlag. — Nee, Mädel, du werscht woll noch ieberschnap-
pen! *Die Musik bricht ab.*

FRANZISKA *fällt erschöpft auf einen Stuhl.* Ich könnte mich mause-
tot tanzen, Frau Henscheln.

FRAU HENSCHEL *lächelnd.* Wenn du's aso treibst, das will ich
glooben. Da wird man ja drähnig bloß beim Zusehn.

FRANZISKA. Tanzen Sie gar nicht?

FRAU HENSCHEL. Ich? Ob ich tanze? Nu freilich tanz ich. A Paar
neue Schuhe, das kam ooch vor, die tanzt ich ooch durch in
eener Nacht.

FRANZISKA. Kommen Sie, tanzen Sie mal mit mir!

FRAU HENSCHEL. Geh ock du nuf und tanz oben mitte!

FRANZISKA. Ja, wenn ich bloß dürfte! Wissen Sie was, ich schleiche
mich rauf. Ich schleiche mich rauf auf die Galerie. Sind Sie
da schon mal oben gewesen? Im Großen Saal auf der Galerie?
Wo die Säcke stehen mit den gebackenen Pflaumen. Da geh'
ich ganz frech rauf und gucke runter. Da ess' ich Pflaumen
und gucke runter. Warum soll ich denn da nicht runtergucken?

FRAU HENSCHEL. Vielleicht läßt dich Siebenhaar runterhol'n.

FRANZISKA. Ich gucke ganz frech. Das ist mir ganz gleichgültig. Und wenn eine mit'n Herrn Siebenhaar tanzt, die bombardier' ich mit Pflaumenkernen.

FRAU HENSCHEL. In Siebenhaarn bist du doch reene vernarrt!

FRANZISKA. Der ist auch der allerfeinste von allen. *Musik.* Nu geht's wieder los. Nu spielen sie Polka. *Wieder tanzend.* Mit Herrn Siebenhaar möcht' ich gleich mal tanzen. Da würde ich ihm, eh er sich versieht, ganz einfach 'nen Kuß geben, mir nichts, dir nichts.

FRAU HENSCHEL. Mir wär der Siebenhaar freilich zu alt.

FRANZISKA. Ihr Mann ist doch ebenso alt, Frau Henscheln.

FRAU HENSCHEL. Du Dare du; mei Mann is um finfe Jahr jinger, verstanden?

FRANZISKA. Aber er sieht doch viel älter aus. Der sieht doch so alt aus und so verrunzelt. Puh, nee, dem möchte ich keinen Kuß geben.

FRAU HENSCHEL. Nu sieh, daß du fortkommst, sonste nehm ich 'n Besen. Mach du m'r mein'n Mann schlecht! Wo soll ich denn gleich an'n bessern hernehmen? Wart ock, wenn du in de Jahre kommst, du werscht ooch schonn merken, was das heeßt, an'n Mann haben dahier.

FRANZISKA. Ich heirate gar nicht! Ich warte mal ab, bis 'n feiner Herr kommt, am liebsten 'n Russe — im Sommer — 'n Kurgast —, von dem lass' ich mich mitnehmen, raus in die Welt. Weit fort in die Welt; die Welt will ich sehn, nach Paris will ich reisen. Dann schreibe ich Ihnen auch mal, Frau Henschel.

FRAU HENSCHEL. Ich gloob immer, daß du amal durchgehst, Mädel.

FRANZISKA. Da könn'n Sie sich heilig drauf verlassen. Herr Siebenhaar war ja auch in Paris, bei der Revolution, der kann fein erzählen. So 'ne Revolution möcht' ich auch mal mitmachen; da muß man mit Barrikaden baun . . .

WERMELSKIRCHS STIMME. Franziska, Franziska! Wo steckst du denn wieder?

FRANZISKA. Pst. Sagen Sie nichts!

WERMELSKIRCHS STIMME. Franziska! Franziska!

FRANZISKA. Pst. Stille. Ich soll wieder vorne bedienen. Das ist mir scheußlich, das mag ich nicht.

WERMELSKIRCHS STIMME. Franziska!

FRANZISKA. Das ist doch Papas Sache oder Mamas, oder sollen sie sich einen Kellner halten. Ich lasse mich nicht zur Biermamsell machen.

FRAU HENSCHEL. Das is doch 's Schlimmste noch lange nich.

FRANZISKA. Ja, wenn das vornehme Herren wären, aber nichts wie Brunnschöpfer, Kutscher und Bergleute. Da dank' ich dafür. Das paßt mir denn doch nicht.

FRAU HENSCHEL. Wenn ich wie du wär, mir wär das a leichtes; ich tät mer a scheenes Trinkgeld machen. Du kennt'st der an'n hibschen Beehmen erspar'n, an'n hibschen Fennig beiseitelegen.

FRANZISKA. Böhmens und Sechser nehm ich nicht an. Und wenn der Herr Siebenhaar oder der Baumeister oder der Doktor Vallentiner mir mal was schenkt, da vernasch' ich's gleich.

FRAU HENSCHEL. Das is ja ebens. Der Appel fällt ebens nich weit vom Stamme. Vater und Mutter sein auch nich viel andersch. Ihr nehmt euch die Schenkstube ebens nich wahr. Wenn ihr euch das Geschäfte tät wahrnehmen — ausgeborgt mißt't ihr schonn haben 's Geld.

FRANZISKA. Wir sind eben nicht so geizig wie Sie.

FRAU HENSCHEL. Ich bin nich geizig, ich halt's bloß zusammen.

FRANZISKA. Die Leute sagen, Sie wären geizig.

FRAU HENSCHEL. De Leute kenn mich suchen, verstanden! und du da dazu. Mach, daß de nauskommst! Ich hab's nu satt, dei Gelapsche da; und wieder brauchste auch nich zu kommen. Mir is noch nich bange gewest nach dir. Am besten, man sieht und heert nischt von euch! von der ganzen Pakasche mitsammen dahier.

FRANZISKA *schon an der Tür, sich wendend, böse.* Wissen Sie, was die Leute noch sagen?

FRAU HENSCHEL. Nischt will ich wissen, bloß naus mit dir. Sieh du dich ock vor, daß du nischt zu heern kriegst. Wer weeß, wie du stehst mit Siebenhaarn! Ihr beede werd's wissen, und ich weeß auch. Zwanzigmal wärt ihr schon rausgeflogen mit eurer pol'schen Wirtschaft da vorne. Man mißte doch Siebenhaarn sonste nich kennen.

FRANZISKA. Pfui, pfui und pfui! *Ab.*

FRAU HENSCHEL. Pakasch, sag ich!

Die Mitteltür ist offen geblieben. Der eine von oben kommend, der andre den Gang herauf, treffen sich Siebenhaar und der

*Kellner George, so daß ihre Begegnung im Rahmen der Türe
sichtbar wird. George ist wienerisch gekleidet, Hut, Stöckchen,
langer Paletot, bunter Schlips.*

SIEBENHAAR. Was wünschen Sie hier?

GEORGE. Sie wern verzeihn, ich habe beim Fuhrmann Henschel
zu tun.

SIEBENHAAR. Der Fuhrmann Henschel ist nicht zu Hause. Sie
haben das nun schon dreimal gehört: in meinem Hause ist
kein Platz für Sie. Wenn Sie sich nun das künftig nicht merken,
dann lasse ich Ihr Gedächtnis auffrischen; durch den Gendarm,
verstehen Sie mich!

GEORGE. Herr Siebenhaar, ich muß doch sehr bitten, ich komm
nich zu Ihn'n. Die Leute wohnen in Ihrem Hause. Sie kenn
mir nichts Ehrenrühriges nachweisen.

SIEBENHAAR. Aber wenn ich Ihnen wieder begegne, dann lass'
ich Sie durch den Hausknecht rausschmeißen. Also richten Sie
sich gefälligst danach. *Ab.*

GEORGE *tritt ins Zimmer ein, fluchend.* Das laß ich druf ankomm!
Das woll'n mer erscht abwarten.

FRAU HENSCHEL *schließt heftig die Tür, die Wut über Siebenhaar
schwer bemeisternd.* Mir sein auch noch da, a soll's erscht versuchen. Hier is unsre Stube, nich seine Stube, und wer de zu uns
kommt, der kommt zu uns! Da hat a keen Wort nich nein-
zureden.

GEORGE. Wir woll'n 's amal abwarten, sag ich bloß, das kennt'n
doch teuer zu stehn komm. Das kost Pinke-Pinke, wenn ma
das anzeigt. Er is schon mal äklich reingesaust, mit dem Alfons,
der vor zwee Jahren hier war. Mit mir fällt er noch viel
äklicher rein: dreißig Taler Schmerzensgeld is mir zu wenig.

FRAU HENSCHEL. Die hat a erscht gar nich mehr in der Tasche,
der Hungerleider, verdammte, dahier. Im ganzen Kreese muß
a sich rumpumpen. Nischte wie Schulden, wo man hinheert.
Wie lange werd's dauern, da is a fertig, da muß a selber naus
aus dem Hause, statts daß a andre Leute läßt nausschmeißen.

GEORGE *hat den Überrock abgelegt, den Hut dazu aufgehängt
und sucht nun die Federchen von Rock und Beinkleidern.* Nu
freilich. Das is ja auch gar kee Geheimnis mehr. Se reden ja
schon am Stammtisch davon. Kee Mensch hat Mitleed, se genn's
'n alle. Mei jetziger Chef kann 'n schon gar nich verknusen.
Bloß wenn er den Namen hört, wird er schon giftig. *Holt*

*Taschenspiegel und Taschenkämmchen heraus und schniegelt
sich.* Weeß Gott, sagt a immer, der Siebenhaar! Wahrhaft'ch,
ich hab in den Manne mehr Haare gefunden wie bloßich sieben.

FRAU HENSCHEL. Das will ich glooben, da werd a woll recht
haben.

GEORGE. Nu sag amal, haste was Warmes, Hannchen?

FRAU HENSCHEL. Warum biste denn gestern nich gekommen?

GEORGE. Du denkst woll, ich kann alle Tage weg? Ich hab mich
schwer genug heute kenn losmachen. Gestern ging's bis um
dreie in der Nacht.

FRAU HENSCHEL. Was war denn los?

GEORGE. Enne Feuerwehrsitzung. Se ha'm doch 'ne neue Spritze
gekooft, da woll'n se halt nächstens 'n Einweihungsfest geben.
Da ham se eben 'ne Sitzung gehabt.

FRAU HENSCHEL. Wenn die bloß an'n Vorwand zum Saufen
hab'n. Derweil hab ich alleene gesessen und hab gewart't bis
tief in die Nacht. Eemal — ich weeß nich, was das muß gewest
sein! a Vogel muß sein ans Fenster geschlagen — da dacht
ich, du wärscht's, und ging ich ans Fenster und macht es uf.
Hernach da ward ich aso verbost, ich konnte die halbe Nacht
nich einschlafen. *Sie schlägt mit der Faust schwach auf den Tisch.*
Ich weeß nich, ich bin auch noch immer verbost.

GEORGE. I, gar! Was soll m'r sich lassen die Laune verderben?
Er faßt sie um. Das is ja nich neet'ch! Warum nich gar!

FRAU HENSCHEL *entwindet sich ihm.* O nee! 's is wahr! Ich weeß
nich, wie's kommt, 's muß een ooch immer alles verquer gehn.
De ganze Woche sitzt Henschel daheeme, und wenn a nu wirklich amal a bissel fort is, da muß man de Zeit verstreichen lassen.

GEORGE. Na aber, mer ham doch heute noch Zeit. A kommt
doch erscht Montag wieder, denk ich.

FRAU HENSCHEL. Wer weeß, ob's wahr is?

GEORGE. Warum sollt's 'n nich wahr sein, das wißt ich doch
nich?

FRAU HENSCHEL. Der Mann muß amal daheeme sitzen. Frieher
war das nich halb aso schlimm. Da war a wochenlang uf der
Reese, heute da barmt a wer weeß wie sehr, wenn a bloß eene
Nacht soll woandersch schlafen. Und wenn a sagt, ich bleibe
drei Tage, da kommt a mehrschtens am zweeten schonn heem.
Nu heerschte's: ich gloobe, das sein se gar schonn. Wer werd
denn sonste aso knallen im Hofe!

GEORGE *nachdem er gehorcht, unterdrückt.* Da soll'n doch gleich der Teifel hol'n. Verfluchtes Gemähre, verdammtes, dahier. Ma hat sich ja kaum ä bißchen erwärmt. Da wer ich wohl gleich wieder fortmissen, was? Das hab ich mir freilich anders gedacht. *Er zieht den Paletot wieder an und nimmt den Hut in die Hand.*

FRAU HENSCHEL *reißt ihm den Hut aus der Hand.* Hier werd geblieben, was brauchste denn fortgehn? Vor wen soll ich mich firchten, etwan vor Henscheln? Der hat zu kuschen! Das sollte mir einfall'n. Wärscht du gestern gekommen, ich hab dir's gesagt. Da wär uns kee Mensch nich dazwischen gekommen: kee Henschel nich und kee Siebenhaar auch nich. Heute da is der Teifel los.

Pferdehändler Walther tritt ein, ein hübscher, strammer Kerl, gegen vierzig Jahr' alt. Baschlikmütze, Pelzjackett, Jagdstrümpfe und langschäflige Stiefel; Fausthandschuhe an Schnüren.

WALTHER. Henscheln, dei Mann is draußen im Hofe. Gu'n Abend! Ich komm bloß schnell amal rein, ich will d'r an'n guten Abend sagen. Hernach muß ich gleich wieder ufs Ferd. Scheene Brabanter haben mer gehandelt. A hat der ooch sonste was mitgebracht.

FRAU HENSCHEL. Ich dachte, ihr werd't erscht a Montag heemkommen.

WALTHER. Das wär auch nich andersch sein geworden, mer sein ebens bloß bis Kanth geritten. Dort haben mer die Ferde verladen missen, sonste hätten se Hals und Beene gebrochen, aso schlechtes Laufen war bei dem Glatteis.

GEORGE. Mit der Eisenbahne geht's freilich schneller.

WALTHER. Was is denn das noch fer a Mannsbild dahier? Sie machen sich ja reene unsichtbar! Das is woll Schorschl? Ich gloobe immer! Der Kerl sieht ja aus wie a richt'ger Baron.

GEORGE. Ma verdient äben besser drieben im „Stern". Ich steh mich halt äben bei weitem besser. Hier hat man sich alles vom Halse gerissen. Ich war ja dahier fast nackt zuletzt, jetzt kann man sich eben wieder was anschaffen.

WALTHER. Nu rat amal, was a d'r mitbringt, Henscheln.

FRAU HENSCHEL. Was denn da, hä?

WALTHER. Ob de woll werscht ane Freude haben!?

FRAU HENSCHEL. Mer wern ja sehn. Je nachdem 's werd sein.

WALTHER. Nu da leb ock gesund, sonste beißt mei Weib.

FRAU HENSCHEL. Leb gesund!

WALTHER. Leb gesund!

GEORGE. Ich gomme gleich mit, gu'n Abend, Frau Henscheln.

FRAU HENSCHEL. Wollten Sie nich mit Henscheln noch sprechen?

GEORGE. Das hat je doch Zeit, das eilt je doch nich.

WALTHER. Wenn Se was mit'n zu reden haben, da lassen Sie's
lieber bis morgen, Schorschl. Heute hat a andre Sachen im
Koppe. Weeßte denn, was a d'r mitbringt, Henscheln?

FRAU HENSCHEL. Was soll a'n mitbringen? Schwatz nich aso!

WALTHER. Nu halt deine Tochter bringt a d'r mit.

FRAU HENSCHEL. Was bringt a m'r mit? Ich hab's nich geheert!

WALTHER. Mer war'n halt in Quolsdorf und haben se geholt.

FRAU HENSCHEL. Ihr seid woll besoffen, hä, ihr zwee beede?

WALTHER. Nee, nee, was ich sag!

FRAU HENSCHEL. Wen habt ihr geholt?

WALTHER. Mir hat a ja nischte davon gesagt; mer war'n halt uf
eemal drieben in Quolsdorf und saßen im Kretscham.

FRAU HENSCHEL. Nu, und was weiter?

WALTHER. Mer saßen halt da, und nach an kleen Weilchen, da
kam halt dei Vater und brachte dei Mädel.

FRAU HENSCHEL. 's is nich mei Mädel!

WALTHER. Das weeß ich ja nich. Bloß aso viel weeß ich: a hat's
halt draußen. A ging zu dein Vater hin und sagte, das Mädel
wär hibsch. — Darnach nahm a's halt uf a Arm und tat mit'n
scheene. Soll ich dich mitnehmen, fragt a's darnach, und da
wollt's halt gleich.

FRAU HENSCHEL. Nu, und mei Vater?

WALTHER. Dei Vater kannte doch Henscheln nich.

FRAU HENSCHEL. Das is ja noch besser! Weiter nischt?!

WALTHER *nun mehr an George seine Worte richtend.* Weiter war
nich viel. A nahm's halt mit raus und sagte zu Vatern: „Ich
will bloß das Mädel amal ufs Ferd setzen." Die brillte bloß
immer: „Reiten, reiten!" Nu setzt a sich halt uf sein'n großen
Brabanter, ich mußt'n 's Mädel geruhig rufreechen. Darnach
sagt er hadje und ritt los.

FRAU HENSCHEL. Und Vater hat sich das lassen bieten?

WALTHER. Was wollt er'n machen? Da hätte ja dreiste ganz
Quolsdorf kenn'n anricken. Was Henschel amal in a Händen
hat . . . das wollt ich keen'n Menschen nich raten, dahier! Da
getraut sich ooch keener im ganzen Kreese, im Beesen mit

Henscheln anzubinden. Der Vater wußt ja nich, was 'n geschah. Uf eemal brillt a ja dann ganz erbärmlich und schrie und fluchte ja mehr wie genug. De Leute lachten. Sie kannten doch Henscheln. Aber der meente bloß ganz geruhig: „Leb gesund, Vater Schäl, ich nehm se mitte. De Mutter daheem wart't schonn druf. Heer uf zu saufen", sagt a'n noch, da werd auch für Vatern bei euch noch a Platz wern.

GEORGE. Adje, ich wer lieber morgen mal vorsprechen. *George ab.*

FRAU HENSCHEL. Und da denkt a, ich sollte se hier behalten? Und nie und nimmer werd das geschehn. Das is nich mei Kind. Wie soll ich jetze dastehn vor a Leuten? Erst in Quolsdorf, hernach hier. Hat man sich etwa nich genug geschind't! Tag und Nacht, mecht man sprechen, mit Gusteln. Nu kennte die Schinderei wieder anfangen. Das wär aso was! A soll sich in acht nehmen!

Henschel, ebenfalls in Pelzjacke, Schaftstiefeln, Jagdstrümpfen und Lederhosen usw., wie er vom Pferde gestiegen, erscheint in der Mitteltür. Er führt ein sechsjähriges Mädchen, welches sehr schmutzig und zerlumpt angezogen ist, herein.

HENSCHEL *halb fröhlich mit Bezug auf Hannes letzte Worte.* Wer soll sich in acht nehmen?

FRAU HENSCHEL. Oh, ich weeß nich.

HENSCHEL. Sieh amal, Hanne, wer hier kommt! *Zu dem Mädchen.* Geh amal, Berthel, und sag gu'n Abend! Geh ock und sag's! Sag: „Gu'n Abend, Mutter!"

Berthel geht, nachdem sie sich schwer von Henschel losgemacht, welcher sie durch einige freundliche Schubse vorwärtsbringt, quer durch das Zimmer auf Hanne zu, die in der Haltung einer Schmollenden auf der Ofenbank sitzt.

FRAU HENSCHEL *als das Kind ratlos vor ihr steht.* Was willst denn du hier?

BERTHEL. Ich bin geritten uf an scheen Ferdel.

Henschel und Walther lachen herzlich.

HENSCHEL. Nu also, da wern mer se hierbehalten! — Gut Abend, Hanne! Nu? Biste verbost?

FRAU HENSCHEL. Du sagtest doch, du wollt'st erschte am Montag heemkommen. Jetze hab ich reen nischte zum Abendessen.

HENSCHEL. A Sticke Brot und Speck werd woll da sein. *Er hängt die Mütze auf.*

FRAU HENSCHEL *reißt unsanft an der kleinen Bertha herum.* Wie siehst'n du aus?

HENSCHEL. Du werscht'r bald missen was koofen zum Anziehn. Se hat bald gar nischte mehr uf'n Leibel. 's war gutt, daß ich tichtig Decken mithatte, sonste wär se m'r vollens erstarrt hierieber. *Nachdem er die Pelzjacke aufgehängt, sich die Hände gewärmt usw., usw.* Am besten nein in a Waschtrog mit'r.

FRAU HENSCHEL *unwillkürlich.* Am besten, du hätt'st se gelassen, wo se war.

HENSCHEL. Was sagste?

FRAU HENSCHEL. Nischte.

HENSCHEL. Ich dachte, du sagst was. Immer nein in a Waschtrog, hernach ins Bette. A Kopp, den kannst'r ooch a bissel absuchen. Ich gloobe immer, 's hat Einquartierung. *Berthel heult.* Was is denn? Zerr se ock nich aso!

FRAU HENSCHEL. O plärr nich, Mädel, das fehlte noch.

HENSCHEL. Du mußt a bissel freindlich mit'r sein. Das Mädel is dankbar fer jedes Wort. Sei stille, Berthel, sei stille!

BERTHEL. Ich will zu Vatern.

HENSCHEL. Du bist ja bei Muttern. Mutter is gutt. Ich bin sehr zufrieden, daß mer se da haben; 's war heechste Zeit. Sonste hätt ich se kenn'n uf'n Kirchhofe suchen.

FRAU HENSCHEL. Das is nich halb aso schlimm, wie du's machst.

HENSCHEL *stutzig, doch gütig.* Was heeßt denn das? — *Pause.*

WALTHER. Jetze lebt m'r gesund, ich mach mich davon.

HENSCHEL. Nee, wart ock, mer trinken erscht a Glas Grog.

FRAU HENSCHEL. Ja, ja, wenn bloß Rum im Hause wär.

HENSCHEL. Du kannst'n doch hol'n bei Wermelskirchen.

FRAU HENSCHEL. Ich will mit den Leuten nischt nich zu tun haben.

WALTHER. Nee, nee, ich muß heem. Ich hab keene Zeit. Ich hab noch an halbe Stunde zu traben. *Zu Hanne.* Ich werd d'r beileibe nich zur Last liegen.

FRAU HENSCHEL. Wer hat denn dadavon gered't?

WALTHER *launig.* Nischte! Ich wollte auch gar nischt gesagt haben. Gott soll mich bewahr'n! Ich laß mich nich ein. Mit dir is a beeses Kirschenessen. Hadje, lebt gesund!

HENSCHEL. Leb gesund! An'n scheen'n Gruß fer dei Weib, verstanden?

WALTHER *schon von außen.* 's gutt! Gu'n Abend! Ich wersch nich vergessen. *Walther ab.*

HENSCHEL. Nu? Hab ich's nu etwa nich recht gemacht?

FRAU HENSCHEL. Was soll ich denn zu a Leuten sagen?

HENSCHEL. Du werscht dich doch deiner Tochter nich schämen!

FRAU HENSCHEL. Wer sagt denn das, hä? — Mir is das egal! Du willst's ja nich andersch, wenn se mich schlecht machen. Du stellst's ja druf an! *Zu dem Kinde, barsch.* Da hier, trink Milch! Hernach fort und schlafen mit dir. *Berthel trinkt.*

HENSCHEL. Werscht du das dahier aso weitertreiben?

FRAU HENSCHEL. Was treib ich denn Beeses?

HENSCHEL. Halt mit dem Mädel.

FRAU HENSCHEL. Die wer ich nich fressen, beileibe nich! *Sie bringt das stillweinende Kind in die Kammer, zu Bett.*

HENSCHEL *hinter ihr dreinsprechend.* Zum Fressen is se ja auch nich da. Da hätte ich se nich erscht brauchen mitbringen. *Kleine Pause. Hanne kommt alleine wieder.*

HENSCHEL. Wenn man's bloß wißte, wie man's euch recht macht. 's is eemal keen Auskommen mit euch Frauvelkern. Du hast dich doch immer aso gestellt . . .

FRAU HENSCHEL *boshaft, weinerlich.* Das is an Liige, wenn de's willst wissen.

HENSCHEL. Was wär an Liige?

FRAU HENSCHEL *wie oben.* Ich bin dir mit Bertheln niemals gekommen. Kaum daß ich dir eemal hab von ihr gered't!

HENSCHEL. Das sag ich ja nich. Was brillst'n aso! — Drum ebens, weil de nischt hast gesagt, da wollt ich der weghelfen über dei Schweigen.

FRAU HENSCHEL. Kannst du nich fragen? Ma fragt doch, eh man aso was anstellt.

HENSCHEL. Nu wer ich d'r was sagen: 's is heute Sonnabend. Ich hab mich gesput't aso viel wie ich konnte, bloß daß ich und wollte daheeme sein. Ich dachte, du werscht mich andersch empfangen. Nu, wenn's halt nich is, da kann ich's nich ändern. Bloß laß mir mein'n Frieden. Haste geheert!

FRAU HENSCHEL. Den raubt dir kee Mensch nich.

HENSCHEL. Haste geheert? Ich will mein'n Frieden und weiter nischt. So weit hast du's richtig gebracht. Ich hab m'r nischt Beeses dabei gedacht. Gustel is tot. Die kommt nich mehr wieder. Die hat sich de Mutter auch noch geholt; 's Bett is leer; mer sein alleene. Warum sollten mir uns des Mädels nich annehmen? Ich denke aso und bin nich sei Vater. Um wieviel mehr sollt'st du so denken, da du doch Mutter bist zu dem Kinde.

FRAU HENSCHEL. Da haste's! Nu werd's een'n schonn vorgeschmissen.

HENSCHEL. Wenn de nich ufheerst, geh ich avor zu Wermelskirchen und komme die ganze Nacht nich heem. Du willst mich woll gar aus'm Hause treiben? Ich denk immer, 's werd amal andersch wern, aber 's wird bloß immer schlimmer. Ich dachte, wenn de dei Mädel werscht haben, da werscht du a bissel zu Verstande kommen. Wenn das nich bald a Ende nimmt . . .

FRAU HENSCHEL. Aso viel sag ich: bleibt se im Hause und sagst du a Leuten, das wär mei Mädel . . .

HENSCHEL. Sie wissen's ja alle! Was soll ich denn sagen?

FRAU HENSCHEL. Da kannste druf rechnen: ich laufe fort.

HENSCHEL. Lauf, lauf, was de kannst, aso viel, wie de willst. Du sollst dich schämen, aso lang wie de bist!!

VIERTER AKT

Die Schenkstube von Wermelskirch. Ein flaches, weißgetünchtes Zimmer; links eine ins Hausinnere führende Tür. Die Rückwand, von links nach rechts, bildet in der Mitte des Raumes eine Ecke und setzt sich rechtwinklig in den Hintergrund fort. So entsteht ein zweiter gangartiger Raum mit einer weit zurückgelegenen Hinterwand. Die rechte Seitenwand dieses Raumes, welche zugleich die des Vorderraumes ist, hat eine Glastür ins Freie und mehr nach vorn ein Fenster. — An der Rückwand, vorn links, ist das Schenksims etabliert mit vierkantigen Schnapsflaschen, dem Bierapparat, Gläsern usw. usw. Hellpolierte Kirschbaummöbel, Tische und Stühle, sind aufgestellt. Ein roter Vorhang trennt den Querraum von dem dahinter sich anschließenden Längsraum. In diesem ebenfalls viele Tische und Stühle; ganz hinten ein Billard. Öldrucke, meist Jagdszenen darstellend, sind aufgehängt. Wermelskirch, im Schlafrock und mit langer Pfeife, sitzt und spielt das Pianino, welches links an der Wand steht. Drei freiwillige Ortsfeuerwehrmänner spielen Billard. Vorn rechts brütet Hauffe über einem Schnapsglase; er ist merklich herabgekommen. Frau Wermelskirch, eine zi-

*geunerhaft schmuddelige Alte, wäscht Gläser hinter dem Schenk-
sims. Franziska hockt auf dem Fensterbrett rechts und spielt
mit einem Kätzchen. Kellner George steht bei seinem Glas Bier
vor dem Schenktisch; er trägt elegantes Frühjahrskostüm, Lackschuhe, Glacés und hat den Zylinder auf dem Kopf.*

WERMELSKIRCH *spielt und singt.*
        Als ich einst Prinz war von Arkadien,
          lebt' ich in Reichtum, Gut und Geld.
GEORGE *der die Tanzbewegungen dazu gemacht hat.* Na, immer
    weiter im Texte!
WERMELSKIRCH *künstlich hustend.* Geht nicht! Stockheiser! Na,
    überhaupt . . .! Nochmal anfangen!
        Als ich einst Prinz . . . *hustend* —
        Als ich einst Prinz war von Arkadien,
          lebt' ich in Reich . . . lebt' ich in Reich . . .
  I, hol's der Teufel!
GEORGE. Immer weiter im Texte! Das war doch ganz richt'ch!
    Das war doch ganz scheene!
WERMELSKIRCH. Ich wer euch was husten! 's geht eben nicht mehr.
GEORGE. Das begreif ich doch nich. Das is doch die scheenste
    Kammermusik.
WERMELSKIRCH. Kammerjägermusik!
GEORGE. Meinswegen ooch. Den Unterschied kenn ich ja so genau
    nich. Nu, Freilein Franziska, was lachen Sie denn?
FRANZISKA. Weil Sie so schöne Lackschuhe anhaben!
GEORGE. Nu allemal. Ich kann doch nich barfuß gehn. Geben
    Sie dem Manne ooch 'n Glas Bier. Wie wär'sch mit 'n Gläschen
    Danziger Goldwasser, Freilein Franziska? Ei ja, meine Lack-
    schuhe, die sind scheene. Kosten mich ooch vier harte Taler.
    Nu, man kann's ja haben. Man kann sich's ja leisten. Im
    „Schwert" da verdient man doch wenigstens was. Freilich, wie
    ich im „Stern" drieben war, da hätt ich m'r freilich keene
    Lackschuh nich kenn beschaffen.
WERMELSKIRCH. Gefällt's Ihnen also besser im „Schwert"?
GEORGE. Nu allemal! So 'n gemietlichen Chef, wie ich 'n jetzt
    haben tu, hab ich nich gehabt, solange wie ich in meinem
    Medjeh drinne bin. Mir stehn Ihnen ja wie zwee Freinde
    mitnander, wie zwee Brieder, mecht ich sprechen; zu dem kennt
    ich du sagen.

WERMELSKIRCH. Das ging nu mit Siebenhaar freilich nicht. *Franziska lacht heraus.*

GEORGE. Nu sehn Se 's: Hochmut kommt vor dem Fall. Vierzehn Tage — drei Wochen, da is Auktion, da kann ich m'r seine goldene Uhr koofen.

WERMELSKIRCH. Kaufen Sie doch das ganze Haus!

GEORGE. Einstweilen noch nicht; so was muß man abwarten, und 's is ja ooch schon verkooft, außerdem prost, meine Herrn — Ihr Wohl, meine Herren! Nämlich wenn's alle is, gibt's 'n noch mehr. Der Käufer heeßt Exner, was? Der 's gekooft hat! A wird ja bloß Brunn fillen und versenden; das Gasthaus will a ja woll verpachten. Ich tät's gleich pachten, wenn ich 's Geld hätte.

HAUFFE. Gehn S' ock zu Henscheln, der werd's Ihn schonn geben.

GEORGE. I, wissen Se was, das wär gar nich so unmeeglich.

HAUFFE. Nee, nee, Sie stehn ja sehr gutt mit der Frau. *Franziska lacht heraus.*

GEORGE. Nu warum ooch nich? Die Frau is gar nich so iebel, heern Se! Wersch weeß, wie's gemacht wird, kann ich Ihn'n sagen, dem fressen de Weiber aus der Hand.

HAUFFE. Nu, wenn Sie und haben das aso weit gebracht, daß de Henscheln und tut Ihn aus der Hand fressen, da missen Sie Ihre Sache verstehn.

Fabig kommt, den Zugstrick um die Schultern. Er setzt sich bescheiden in eine Ecke.

GEORGE. Da sehn S' es, das is ja doch, was ich sage! Das kann mer sobald kee andrer nich nachmachen; wer da nich ganz uf'm Posten is, der kann Ihn'n die scheenste Keile besehn.

WERMELSKIRCH. Na, 's is ja noch nicht aller Tage Abend. *Siebenhaar tritt ein von links.* Wo Henschel hinhaut, wächst auch kee Gras. Ergebener Diener, Herr Siebenhaar.

SIEBENHAAR *etwas blaß.* Guten Morgen!

GEORGE. Ich wer mal 'n bißchen zum Billard gehn. *Er nimmt sein Bier und verschwindet in die hintere Abteilung.*

SIEBENHAAR *sich an dem Tische nächst dem Klavier niederlassend.* Sie haben doch eben gesungen, Herr Wermelskirch. Lassen Sie sich nicht stören, bitte.

WERMELSKIRCH. Wie? Ich? Gesungen? Das ist wohl nicht möglich! Ja, wissen Sie, ich bin tief gerührt. Wenn Sie es sagen, dann muß es wohl wahr sein. Erlauben Sie, daß ich mich zu Ihnen setze? Bring mir auch eine Grätzer, Franziska!

SIEBENHAAR. Na, wenn man bedenkt: vor drei, vier Jahren, damals waren Sie doch absolut stockheiser, da haben Sie sich doch sehr erholt.

WERMELSKIRCH. Was nutzt mir das alles, Sie haben ja recht. Halbwegs hat man sich nu wieder raufgekrabbelt, aber jetzt: wer weiß, was nu wieder wird.

FRANZISKA *stellt die Grätzer vor Siebenhaar; zu Wermelskirch.* Ich bringe deins auch gleich.

SIEBENHAAR *nachdem er getrunken.* Was soll denn werden, was meinen Sie denn?

WERMELSKIRCH. Ich kann ja nicht recht was Bestimmtes sagen, ich weiß ja nicht recht, aber sehen Sie, es juckt mich in allen Knochen. Ich glaube, wir kriegen ander Wetter. Ohne Spaß, ich habe so allerhand Merkmale, alte Komödiantenroutine. Damals wußte ich, als mir der Brunnen so gut tat: hier bringen mich keine zehn Pferde weg, und richtig, keine vier Wochen vergingen, da war meine Schmiere aufgelöst. Jetzt werde ich wohl den verdammten Karren doch wieder weiterschieben müssen. Wer weiß, wohin?

SIEBENHAAR. Wer weiß, wohin! So geht's in der Welt. Ich, meinesteils, bin ganz froh darüber!

WERMELSKIRCH. Sie stehen auch noch in den besten Jahren. Ein Mann wie Sie findet überall seinen Platz in der Welt. Mit mir altem Hunde ist das was ganz andres. Wenn ich mein bißchen tägliches Brot hier verliere, ich meine, wenn ich die Kündigung kriege, was bleibt mir dann übrig, möcht' ich bloß wissen? Ich müßte mir grade 'ne Drehorgel zulegen. Franziska könnte ja sammeln gehn.

FRANZISKA. Da würde ich mich gar nicht genieren, Papa.

WERMELSKIRCH. Das glaube ich, wenn 's nämlich Dukaten schneite.

FRANZISKA. Aber nein, Papa, wie du immer redest, du könntest doch wieder zur Bühne gehen.

WERMELSKIRCH. Nicht mal ins Affentheater, mein Kindchen.

SIEBENHAAR. Hat Ihnen Herr Exner was angedeutet? Er wollte doch alles, wie er mir sagte, im großen ganzen beim alten lassen?

WERMELSKIRCH. Zum großen Ganzen gehör' ich wohl nicht!

FRAU WERMELSKIRCH *kommt in großer Aufregung an den Tisch.* Herr Siebenhaar, ich muß Ihnen sagen. Sie können mir glauben,

Herr Siebenhaar. Ich bin eine alte, fünfzigjährige Frau, ich habe schon manches, wahrhaftig, erlebt, aber wie man uns hier so hat mitgespielt — nein, wirklich, das ist ja . . . da weiß ich schon gar nicht . . . das ist ja die purste, reine Gemeinheit, die purste, nichtswürdigste Bosheit ist das, die reinste Niedertracht, könn'n Sie mir glauben.

WERMELSKIRCH. I, Mutter, fang du mir auch noch an! Mach mal und zieh dich gefälligst zurück, sei so gut, hinter deine Verschanzung!

FRAU WERMELSKIRCH. Was hat unser Fränzchen diesem nichtswürdigen Weibsbild getan?

FRANZISKA. Ach laß doch, Mama!

FRAU WERMELSKIRCH. Im Gegenteil. Sollen wir denn auch alles ertragen? Soll man sich gar nicht dagegen wehren, wenn sie einen ums Brot bringt? Wenn sie Sachen ausstreut von unsrer Tochter? — *Zu Siebenhaar.* Ist Ihnen das Kind je zu nahe getreten?

WERMELSKIRCH. Mama, Mama! Jetzt komm mal, Mama! So! Ruh dich mal aus! Die Stelle ist schon ganz hübsch gegangen. Heut abend repetieren wir wieder. *Er führt sie hinter das Schenksims, wo man sie noch ein Weilchen schluchzen hört. Wermelskirch, der wieder Platz nimmt.* Im Grunde genommen hat sie ja recht. Ich habe auch schon so munkeln gehört, daß Henschel die Schenkstube pachten wird. Da steckt natürlich die Frau dahinter.

HAUFFE. Wer soll denn sonste dahinterstecken? Wo's bloß an Stänkerei gibt irgend im Dorfe, da braucht eens gar nich erscht weiter zu fragen. De Henscheln hat eemal a Teifel im Leibe.

FABIG. Und uf de Schenkstube spitzt se schon lange.

SIEBENHAAR *zu Hauffe.* Hauffe, man sieht Sie ja gar nicht mehr. Wo sind Sie denn eigentlich hingeraten?

HAUFFE. Wo wer ich ooch hingeraten sein? Ins Unglicke bin ich halt neingeraten, und der mich hat neingestoßen dahier, das war auch das sackermenschte Weibsbild. Nu wer denn sonste, mecht ich bloß wissen? Mit Henscheln hab ich doch nie nischt gehabt.

FABIG. Sei Weib hat ebens die Hosen an.

HAUFFE. Ich bin 'r nich mehr gefirre genug. Der Jingste is man ja freilich nich mehr. Um de Schirzenbändel wer ich 'r auch nich mehr gehn, und das ebens will se, das muß man kenn'n.

Die is aso hitzig, mecht man sprechen . . . die kriegt nie genug.
— Derwegen aber: arbeiten kann ich. Die jungen Kerle, die
se sich anschafft, die sein doch aso stinkmadig faul, die arbeit
ich noch dreimal in a Sack.

SIEBENHAAR. Der alte Henschel kann einem leid tun!

HAUFFE. Is a's zufrieden, was geht's mich an! Aber daß ich steif
uf de Knochen bin, das sollt a wissen, woher das kommt. Mit
Faulenzen bin ich's nich geworn; und wenn a heute und hat a
Kasten voll Geld dahier, a gutt Teel hab ich 'm mit erschind't.

SIEBENHAAR. Ich kann mich ja noch ganz gut erinnern, Sie haben
doch schon bei Wilhelm Henschels Vater gedient.

HAUFFE. Nu was denn sonste! 's is auch nich andersch. Und Wilhelms Ferde hab ich gefittert bei achtzehn Jahre dahier und
drieber. Hab eingespannt und hab ausgespannt, hab wintersch
und summersch Reesen gemacht. Bin nach Freiburg gefahren
und nach Breslau gefahren, bis nuf nach Bromberg hab ich
mußt kutschen. Manch liebe Nacht hab ich missen im Wagen
schlafen. Ohren und Hände sein m'r verfroren, Frostbeulen
hab ich in beeden Fießen aso groß wie Birnen. Jetze jagt er
mich fort, jetze kann ich gehn.

FABIG. Das is alles bloß de Henscheln. Er selber is gutt.

HAUFFE. Was hat a sich mit dem Weibe behängt! Jetze kann a
sehn, wie a fertig wird. A konnt es ja kaum erwarten, dahier.
De Henscheln war ja kaum richtig kalt, da lief a doch schonn,
mit der neuen Hochzeit machen.

SIEBENHAAR. Man hat sie ja eben nicht so gekannt.

FABIG. Ich kannt se genau. O jemersch nee. Hätt er mich gefragt,
ich hätt's 'm gesagt. Wenn er Gusteln wollte der Mutter nach-
schicken, da gab's gar kee besseres Mittel dafier; er mußt'r die
Hanne zur Stiefmutter geben.

HAUFFE. Ja, ja — nee nee, ich sag weiter gar nischt. Da hat schon
manch eener a Kopp geschittelt. Aber das kommt 'm noch amal
heem. Dazumal haben sich de Leute gewundert, heute traun s'
'm 's Schlimmste zu.

SIEBENHAAR. Das ist jedenfalls bloß Klatsch und Tratsch!

*Pferdehändler Walther tritt ein. Schaftstiefel, Jagdjoppe, Mütze
und Peitsche. Er setzt sich an einen der Tische und macht Zeichen zu Franziska, die ihm bald Bier bringt.*

HAUFFE. Das sagen Sie aso, wer weeß, ob's wahr is. Wenn aber
die Toten wiederkämen und täten sprechen: de alte Henscheln

kennte woll was erzählen dahier. Die konnte nich leben, die wollte nich leben. Und was 's Haupt is: die sollte nich leben.

SIEBENHAAR. Hauffe, nehmen Sie sich in Obacht! Wenn Henschel mal von der Sache Wind kriegt . . .

HAUFFE. Da brauch ich mich gar nich in Obacht nehmen. Das sag ich an jeden ins Gesichte. Die alte Henscheln hat missen sterben. Ob se sie vergift't haben, das weiß ich ja nich, dabei bin ich ja nich gewest. Mit richt'gen Dingen is das nie und nimmermehr zugegangen. Die Frau war gesund, die hätte noch kenn dreißig Jahre leben! *Siebenhaar trinkt aus und geht.*

WALTHER. Daß sie gesund war, das kann ich bezeugen. Meine Schwester wer ich woll kenn am Ende. Die war im Wege, da mußt se abschieben. *Siebenhaar geht ruhig hinaus.*

WERMELSKIRCH. Meine Herren, vielleicht eine Prise gefällig? *Gedämpft, vertraulich.* Meine Herren, Sie gehen doch, scheint mir, zu weit. Sehn Sie sich den Mann mal an. Gestern, spät am Abend, saß er noch hier. Der Mann hat so tief geseufzt, sage ich Ihnen — es war weiter niemand im Lokal —, es ist mir ordentlich nahegegangen.

HAUFFE. 's beese Gewissen plagt 'n halt.

WALTHER. Oh, laßt mich bloß mit den Henschel zufriedn. Er kommt m'r schon oben zum Halse raus. Mir beede sein lange fertig mitnander.

WERMELSKIRCH. Ach nein, Herr Siebenhaar hat schon recht, es muß einem leid tun um den Mann.

WALTHER. Das kann a halt'n, wie a will, meinswegen. Aber was ich von Henscheln zu denken hab . . . da braucht mir kee Mensch nischt mehr zu sagen.

Henschel und der Schmiedemeister Hildebrant treten von rechts ein. Henschel hat die kleine Bertha, sauberer gekleidet als früher, auf dem Arm. Es entsteht eine kleine Pause der Betretenheit unter den Anwesenden.

WERMELSKIRCH. Schön willkommen, Herr Henschel!

HENSCHEL. Guten Morgen mitnander!

FRANZISKA. Nu, Berthel, wie geht's?

HENSCHEL. Sprich: Sein Se bedankt! Na, kannste nich sprechen? 's geht ja, man muß ja zufrieden sein. Guten Morgen, Schwager! *Er reicht Walther lässig die Hand, die dieser ebenso ergreift.* Wie geht's — wie steht's?

WALTHER. Wie soll mir's gehn? Wenn's besser wär, schad't's nischt! Du bist ja die reene Kinderfrau.

HENSCHEL. Ja, ja, 's is wahr, 's is bald nich andersch.

WALTHER. Man sieht dich ja bald nich mehr ohne das Mädel. Kannste se nich bei der Mutter lassen?

HENSCHEL. Die muß bloß immer scheuern und schaffen. Da is 'r das Dingel bloß im Wege. *Er setzt sich auf die Wandbank neben dem Schenksims, unweit seines Schwagers, das Kind auf dem Schoß. Ihm gegenüber nimmt Hildebrant Platz.* Wie steht's, Meester Hildebrant, was wern mern trinken? An Kuffe Bier hab'n mer, denk ich, verdient. Zwee Kuffen Bier und zwee Gläsel Korn!

HILDEBRANT. Das Aas hat mich richtig ufgeschlagen!

HENSCHEL. 's reene Fillen, und hat solche Kräfte, und alle vier Eisen hintereinander. Guten Morgen, Hauffe!

HAUFFE. Morgen!

HENSCHEL. A is a bissel brummig. Lassen mern zufriedn.

FABIG. Herr Henschel, koofen Se mir was ab. A Nadelbichsel vielleicht fir de Frau, a hibsch Kämmel vielleicht, ins Haar zu stecken! *Die Anwesenden lachen.* Der Schorsch, der Kellner, hat auch eens gekooft.

HENSCHEL *der gutmütig mitlacht.* Oh, laß du mich mit dem Krame in Frieden! *Zu Wermelskirch.* Geben S'n ock ooch ane Kuffe Bier! A putziges Männel, wo is 'n der her?

HILDEBRANT. Das is doch, denk ich, der Fabig von Quolsdorf. 's nischnitzigste Luder im ganzen Kreese.

HENSCHEL. Da hätt ich ja auch a klee Pflänzel von Quolsdorf.

FABIG *zu Bertha.* Mir sein doch ooch gute Bekannte, nich wahr?

BERTHA *zu Fabig.* Zuckernissel will ich doch haben!

FABIG. Nee . . . die weeß schonn, wer ich bin. Ich will amal suchen, ob ich was finde!

BERTHA. Draußen, im Wagen!

FABIG. Nee, hier, in der Tasche. *Er gibt dem Kinde Zuckerzeug.* Nu siehste's, Mädel, du kommst aus a Wirtshäusern eemal nich raus. Dazumal nahm dich der Großvater mit, heute mußte mit Henschel-Wilhelm umziehn.

HENSCHEL. Sprich: Kimmer du dich um dei altes Gelumpe. Fir mich is gesorgt. Immer mach und sag's 'n!

George kommt lebhaft aus dem Billardzimmer.

GEORGE *ohne Henschel zu bemerken.* Das hätt ich doch nimmermehr nich gegloobt, der Kerl frißt je Glos wie nischt Guts, wahrhaft'ch. Immer ran an de Kreide, Freilein Franziska; eene Lage Bier, mir sind fünf Mann!

FRANZISKA *hat Bertha auf den Arm genommen. Sie geht mit dem Kinde hinter das Schenksims.* Berthchen erlaubt's nicht, ich kann jetzt nicht.

GEORGE. Weeß Gott, Meester Henschel, da sind Sie ja ooch!

HENSCHEL *ohne George zu beachten, zu Hildebrant.* Sollst leben, Hildebrant! *Sie stoßen an und trinken.*

FABIG *zu George, welcher ein wenig betreten an einem der Tische seine Zigarre ansteckt.* Sag'n's ock, Herr Schorsch, Sie kenn'n woll hexen?

GEORGE. Nu allemal! Weshalb meen Se denn?

FABIG. Sie waren ja verschwunden vorhin wie a Licht.

GEORGE. Nu eben, was soll man sich denn erst einlassen, ich begeh mich mit Siebenhaar eemal nich.

FABIG *mit Ohrfeigengeste.* De Leute sagen, 's hätt eingeschlagen. — *Im Vorübergehen zu Hauffe.* Du hast woll 's große Los gewonnen?

HAUFFE. Mogote, verfluchter. *Lachen.*

FABIG. Ja, ja, ich bin auch eener.

HENSCHEL. Is wahr, du bist jetze bei Nentwichen unten?

HAUFFE. Was geht'n das dich an?

HENSCHEL *lachend und gleichmütig.* Nu seht ock den wider-borschtigen Kerl! Er sticht wie a Igel, wo man'n tut an-fassen.

WALTHER. Na, nu werscht woll du bald hier unser Wirt sein?

HENSCHEL *nachdem er ihn kurz befremdet angesehen.* Dadavon is mir nischt nich bekannt!

WALTHER. Ich dachte. Ich weeß nich, wer mir's gleich sagte.

HENSCHEL *nach einem Trunk, gleichgültig.* Der dir das sagte, der muß geträumt haben. — *Pause.*

HILDEBRANT. In dem Hause kommt alles jetze untereinander. Wer weeß, wie's werd! Und aso viel sag ich: nach Siebenhaarn werd ihr alle noch seufzen!

HENSCHEL *zu Hauffe.* Du kennt'st amal rieber nach Landshut fahren. Dort hab ich zwee neue Kutschferde zu stehn. Hätt'st mer se kenn'n amal runterreiten.

HAUFFE. Ich wer der was scheißen, wer ich der was!

HENSCHEL *lachend, doch gleichmütig.* Jetze kannst aber sitzen,

biste werscht schwarz wern. Ich kimmere mich nich mehr aso
viel um dich.

HAUFFE. Du hast auch vor deiner Tiere zu kehr'n!

HENSCHEL. 's is gutt, 's is gutt, wir lassen's gutt sein!

HAUFFE. Du hast Unflat genug im eegnen Hause.

HENSCHEL. Hauffe, ich sag dersch, ich tu's nich gerne. Aber wenn
de dahier an'n Krakeel willst anfangen, da sag ich dersch
bloß: da schmeiß ich dich naus.

WERMELSKIRCH. Pst, Friede, Herrschaften! Friede! Friede!

HAUFFE. Du bist hier nich Wirt! Du kannst mich nich nausschmeißen. Du hast hier nich mehr zu sagen wie ich. Ich laß
mir von dir's Maul nich verbieten. Von dir nich und von dei'm
Weibe nich, do meegt ihr schonn aushecken, was ihr wollt, ihr
beede mitnander, dei Weib und du, das ficht mich ooch nich
aso viel an!

*Henschel, ohne sichtbare Aufregung, erfaßt Hauffe vorn an
der Brust, steht auf, schiebt den nutzlos Widerstrebenden rückwärts zur Tür, wendet sich selbst kurz vorher, drückt mit der
Linken die Klinke der Glastür hinunter und setzt Hauffe
hinaus; gesprochen wird dabei folgendes.*

HAUFFE. Ich sag dersch, laß los; laß los, sag ich bloß!

WERMELSKIRCH. Herr Henschel, das geht nicht, das kann ich
nicht zugeben.

HENSCHEL. Ich hab dersch gesagt. Jetze is nischt zu machen!

HAUFFE. Was? Willst du mich wirgen? Sollst loslassen, sag ich!
Du bist hier nich Wirt.

FRAU WERMELSKIRCH *über das Schenksims.* Was soll denn das
heißen? Das geht doch nicht, Ludwig! Das darfst du dir doch
nicht gefallen lassen!

FABIG *während Henschel mit Hauffe schon nahe der Tür im
Seitenraum ist.* Das lassen Se gutt sein, da is nischt zu machen.
Der Mann, der is wie a Anthelet. Der beißt in de Tischkante
beißt a nein und hebt a Tisch mit a Zähn'n in de Heeh, da
fällt auch noch nich a Schnapsgläsel um. Den braucht's bloß einfallen, kann ich Ihn sagen, da liegen mir alle mitnander
draußen.

Hauffe ist hinausgeworfen, Henschel kommt zurück.

HENSCHEL *sich bei allgemeiner Stille niedersetzend.* A läßt eemal
keene Ruhe, der Kropp.

ERSTER FEUERWEHRMANN *welcher aus dem Billardzimmer herein-*

gekommen, am Schenksims einen Schnaps getrunken hat. Ich mechte bezahl'n! 's is besser, man geht. Uf de Letzte fliegt man sonste auch noch naus.

WERMELSKIRCH. I, noch 'n Glas Bier! Das fehlte noch grade. Am Ende bin ich doch einstweilen noch da!

WALTHER. Wenn du's aso machst, Henschel-Wilhelm, wenn de werscht hinterm Schenksims stehn und werscht hier statts Wermelskirchen der Wirt sein, das kann ich d'r sagen: viel Gäste werschte aso nich erhalten.

HENSCHEL. Uf solche Gäste kommt's auch nich an

WALTHER. Aussuchen werschte se halt nich kenn'n. Hauffe zahlt auch nich mit falschem Gelde.

HENSCHEL. Vor mir mag a zahln, mit was a will! Aber jetze sag ich dersch noch amal: komm m'r nich wieder mit der Geschichte. Ich iebernehme die Wirtschaft nich. Wenn ich se tät iebernehmen dahier: ich mißt's doch am allererschten wissen. Nu also! Koof ich amal an Wirtschaft, da wer ich der's sagen. Hernach kannste m'r auch an'n Rat geben; und wenn dersch nich paßt und du kommst nich zu mir, nu jemersch, da mußte's halt bleiben lassen, Schwager. *Der Feuerwehrmann, heftig die Türe zuschlagend, ab.*

WALTHER. Man mechte woll auch gehn! *Er macht Anstalten zu zahlen.*

WERMELSKIRCH. Herr Henschel, das ist doch aber nicht recht, Sie treiben mir ja meine Gäste fort!

HENSCHEL. Nu aber, ihr Leute! Jetzt sagt mir amal, wenn der jetze fortlooft, was geht'n das mich an? Vor mir kann a hocken bis morgen frih!

WALTHER *steckt das Geld wieder ein, in steigender Heftigkeit.* Du hast hier keen'n Menschen nauszuschmeißen. Du bist hier der Wirt nich!

HENSCHEL. Weeßt du etwa noch was?

WALTHER. Man weeß gar manches, man schweigt bloß lieber. Beese Geschichten! Wermelskirch weeß das am allerbesten.

WERMELSKIRCH. Wieso denn ich? Aber hören Sie mal an . . .

HENSCHEL *gesammelt und fest.* Was wissen Sie, hä? Immer raus mit der Sprache! Der eene weeß das, und der andre weeß jenes. Damit wissen se beede an'n Dreck.

WALTHER *in veränderter Tonart.* Wenn du bloß und wärscht noch der alte wie frieher; aber wer weeß, was in dich gefahren is. Dazumal hast du doch dagestanden: de Leute kamen von weit und breit und holten bei Henschel-Wilhelm Rat. Und was der sagte, das war, mecht ma sprechen, wie a Gesetze, das stand, kann man sagen. Wie Amen in der Kirche war das. Jetze is gar kee Auskommen mehr mit dir.

HENSCHEL. Immer weiter im Texte.

WALTHER. Nu ebens, das werscht du woll selber merken. Frieher, da hatt'st du bloß Freinde, heute, da kommt kee Mensch mehr zu dir, und wenn se und wollten auch zu dir kommen, da bleiben se wegen dem Weibe weg. Zwanzig Jahre hat euch der Hauffe gedient, uf eemal paßt a dem Weib nich mehr, und du, du nimmst'n bei der Krawatte und schmeißt'n naus! Was is denn das? Die braucht bloß winken, da springst du auch schonn, statts daß du und nimmst d'r an'n ticht'gen Strick und treibst 'r die Mucken grindlich aus.

HENSCHEL. Wenn de nich stille bist, jetzt, uf der Stelle — da nehm ich dich ooch noch bei der Krawatte.

GEORGE *zu Henschel.* Meister Henschel, nur bloßig nich hinreißen lassen. Sehn Se, der Mann versteht's halt nich besser. *Schnell ab ins Billardzimmer.*

WALTHER. Ja ja, das gloob ich! Das bist du imstande; wenn eener kommt und sagt d'r de Wahrheit, der fliegt an de Wand. Aber so a Kerl, so a windiges Luder wie der Schorsch, der kann dich beliigen, Tag und Nacht. Dei Weib und der um die Wette dahier. Du willst belogen sein, da laß dich beliigen! Aber wenn de noch Augen im Koppe hast, da sperr se amal uf und sieh amal um dich, da sieh der den Kerl amal ord'ntlich an. Die betriegen dich ja am lichten Tage!

HENSCHEL *will auf ihn los, bezähmt sich.* Was hast du gesagt, hä? Nischte! 's is gutt. — *Pause.*

FABIG. 's richtige Aprilwetter is das heute; bald scheint die Sonne, bald graupelt's wieder.

HAUFFES STIMME *von außen.* Dir wer ich's heemzahlen, paß amal uf! Laß ock du's gutt sein! Wir sprechen uns wieder, uf'm Gerichte sprechen wir uns.

WALTHER *trinkt aus und steht auf.* Hadje, nischt fir ungutt.

HENSCHEL *legt seine linke Hand um Walthers Handgelenk.* Dableiben! Verstanden?!

WALTHER. Was soll ich denn noch?

HENSCHEL. Das werd sich schonn finden. Du bleibst, sag ich bloß.

Zu Franziska. Geh hinunter, mei Weib soll kommen.
Franziska ab.

WERMELSKIRCH. Aber lieber Herr Henschel, um Himmels willen, machen Sie hier doch keinen Skandal! Ich kriege die Polizei auf den Hals, ich . . .

HENSCHEL *in furchtbar ausbrechender Wutraserei, blaurot im Gesicht.* Eher schlag ich euch alle tot!! Oder Hanne muß kommen, hierher uf der Stelle.

WALTHER *in fassungsloser Bestürzung.* Willem, Willem, mach keene Tummheeten. Ich wollte ja gar nischt weiter gesagt haben. Wahrhaftig nich! Und de Leute reden ja lauter Liigen.

HILDEBRANT. Willem, du bist ja a guter Kerl! Komm du ock wieder zu Verstande! Wie siehst denn du aus, hä? Sei ock verninftig! Du hast ja gebrillt! Was hat's denn mit dir? Das haben se geheert im ganzen Hause.

HENSCHEL. Das soll jetzt heern meinswegen, wer will; aber du bleibst hier, und Hanne kommt her.

WALTHER. Was wer ich ooch hier bleiben? Ich weeß nich, zu was! Deine Sachen, die gehn mich nischte nich an. Ich meng mich nich nein, ich will mich nich neinmengen.

HENSCHEL. Hätt'st d'r das eher ieberlegt!

WALTHER. Was mir sonste noch haben, das kommt vors Gerichte; da wern m'r ja sehen, wer recht behält. Ich wer zu mein'n Gelde schonn kommen dahier. Vielleicht ieberlegt sich's dei Weib doch a bissel, ob sie und tut an'n falschen Eid leisten. Das andere geht mich nischt nich an. Ich sag dersch, laß los, ich hab keene Zeit. Ich muß nach Hartau, ich kann nich mehr warten. *Siebenhaar kommt wieder.*

SIEBENHAAR. Was ist denn passiert?

WERMELSKIRCH. Ja, mein Gott, ich weiß nicht! Ich weiß gar nicht, was Herr Henschel will.

HENSCHEL *fortgesetzt Walthers Gelenk umklammert haltend.* Hanne soll kommen, weiter nischt.

FRAU WERMELSKIRCH *zu Siebenhaar.* Die Leute trinken ganz ruhig ihr Bier, da kommt Herr Henschel und fängt hier Streit an, als ob er hier Herr im Hause wäre.

SIEBENHAAR *abwehrend.* Pst, pst, schon gut. *Zu Henschel.* Henschel, was ist Ihnen denn begegnet?

HENSCHEL. Herr Siebenhaar, ich kann nich dafier. Ich kann nich dafier, daß das aso kommt. Da meegen Se denken, was Se woll'n. Ich kann nich dafier, Herr Siebenhaar.

SIEBENHAAR. Aber Henschel, was glauben Sie denn von mir, ich kenne Sie doch als ruhigen Mann.

HENSCHEL. Ich bin schonn bei Ihren Herrn Vater gewest, und wenn's ooch zehntausendmal aso aussieht: ich kann nischt dafier, wie das aso kommt. Ich weeß selber nich, was ich verbrochen hab! Ich bin niemals nich keen Krakeeler gewest. Aber jetze is 's aso geworn. Se kratzen und beißen mich alle mitnander. Der Mann hat Dinge gesagt uf mei Weib, die soll a beweisen, sonst gnade Gott!

SIEBENHAAR. Ach lassen Sie doch die Leute schwatzen!

HENSCHEL. Beweise! Beweise! Sonst gnade Gott!

WALTHER. Ich kann's beweisen, ich wersch beweisen. Da wern 'r nich viele sein in der Stube, die das nich wissen aso gutt wie ich. Dei Weib is eemal uf schlechten Wegen. Ich kann nischt dafier, ich hätt's nich gesagt, aber soll ich mich etwa lassen von dir ins Gesicht schlagen? Ich bin kee Liigner, ich red immer die Wahrheet. Frag du meinswegen, wen du willst! Frag a Herr Siebenhaar ufs Gewissen. Die Sperlinge schrein's ja von allen Dächern und noch ganz andre Sachen dazu.

SIEBENHAAR. Überlegen Sie sich, was Sie reden, Walther!

WALTHER. A zwingt mich dazu, a soll mich losgeben. Weshalb soll ich denn leiden fer andre Menschen?! Sie wissen ja alles aso gutt wie ich. Wie haben Sie mit Henscheln frieher gestanden, da er und hatte de erschte Frau noch! Denken Sie etwa, man weeß das nich? Sie betreten ja seine Stube nich mehr.

SIEBENHAAR. Was wir beide haben, das sind Privatsachen. Ich verbitte mir jede Einmischung.

WALTHER. Aber wenn erscht die Frau stirbt und is ganz gesund, und acht Wochen darnach stirbt Gustel auch noch, da sein das, denk ich, schonn mehr wie Privatsachen.

HENSCHEL. Was? Hanne soll kommen!

Frau Henschel tritt schnell und plötzlich ein, wie sie von der Arbeit kommt, sie trocknet sich die Hände.

FRAU HENSCHEL. Was brillst 'n aso?

HENSCHEL. 's is gutt, daß de da bist! Der Mann hier sagt . . .

FRAU HENSCHEL *will fort.* Verknuchte Tummheet!

HENSCHEL. Hier sollste bleiben!

FRAU HENSCHEL. Ihr seid woll besoffen alle mitnander? Was

fällt euch denn ein? Denkt ihr, ich wer euch an'n Affen abgeben? *Sie will fort.*

HENSCHEL. Hanne, ich rat dersch. Der Mann hier sagt . . .

FRAU HENSCHEL. Oh, vor mir mag er sagen, was er will.

HENSCHEL. Daß du mich hinten und vorne betriegst.

FRAU HENSCHEL. Was? Was? Was? Was?

HENSCHEL. Ja? Darf a das ooch sagen? Und daß mir . . . mei
Weib . . .

FRAU HENSCHEL. Ich? Liigen verdammte! *Sie schlägt sich die
Schürze vor die Augen und rennt fort.*

HENSCHEL. Daß ich . . . mei Weib . . . daß wir mitnander . . .
daß unser Gustel . . . 's is gutt! 's is gutt! *Er läßt Walthers
Hand los und läßt röchelnd den Kopf auf den Tisch sinken.*

WALTHER. Ich wer mich hier lassen zum Liigner machen!

FÜNFTER AKT

*Das gleiche Zimmer wie in den ersten drei Akten. Es ist Nacht,
ziemlich heller Mondschein dringt durchs Fenster. Das Zimmer
ist leer. Seit den Vorgängen im vierten Akt sind wenige Tage
vergangen. In der Kammer wird Licht gemacht; nach einigen
Sekunden kommt Henschel, das Licht im Blechleuchter tragend,
heraus. Er hat Lederhosen an, seine Füße stecken in Schlaf-
schuhen. Langsam geht er bis an den Tisch, blickt unschlüssig
zurück und nach dem Fenster, setzt hierauf das Licht auf den
Tisch und nimmt selber am Fenster Platz. Hier stützt er das
Kinn in die Hände und blickt in den Mond.*

FRAU HENSCHEL *unsichtbar, aus der Kammer, ruft.* Mann! Mann!
Was machst'n da draußen? Immer das Rumgealber dahier.
Sie guckt, spärlich angezogen, herein. Wo bist'n? Komm schlafen! 's is nachtschlafne Zeit! Morgen da kannste wieder nich
fort. Da liegste wieder da wie a Sack, und im Hofe geht alles
drunter und drieber. *Sie kommt ganz heraus, spärlich angezogen wie sie ist, stutzig und ängstlich sich Henscheln nähernd.*
— Was machst'n du, hä?

HENSCHEL. Ich?

FRAU HENSCHEL. Was sitzt'n du und sprichst kee Wort?

HENSCHEL. Ich seh mer die Wolken an!

FRAU HENSCHEL. Nee, nee, ihr Leute, 's is reen zum Verwirrtwern. Was hat's denn da oben, mecht ich bloß wissen! Mit dem Gewirge jetzt, Nacht fer Nacht. Man hat ja in aller Welt keene Ruhe nich mehr. — Was siehst'n du immer? Da red ock a Wort!

HENSCHEL. Da oben sein se.

FRAU HENSCHEL. Du traumst woll, hä? Du, Willem, wach uf! Leg dich ins Bette und schlaf dich aus! Da oben sein Wolken und weiter gar nischt.

HENSCHEL. Wer Augen hat, der kann doch auch sehn!?

FRAU HENSCHEL. Und wer de verwirrt is, verliert a Verstand.

HENSCHEL. Ich bin nich verwirrt.

FRAU HENSCHEL. Das sag ich ja nich. Aber wenn de's aso treibst, kannste's noch wern. *Sie fröstelt, zieht eine Jacke an und schürt mit der Feuerkrücke die Asche im Ofen auf.*

HENSCHEL. Welche Zeit is denn?

FRAU HENSCHEL. A Viertel uf zwee.

HENSCHEL. Du hast ja a Seeger umgehangen. A hing doch sonst immer bei der Tiere.

FRAU HENSCHEL. Was werd bloß dir alles noch einfallen dahier. A hängt, wo a immer gehangen hat.

HENSCHEL *erhebt sich.* Ich wer amal niebergehn in a Stall.

FRAU HENSCHEL. Ich sag dersch, geh schlafen; ich mach sonste Lärm. Im Stalle hast du jetzt nischte zu suchen. Ins Bette geheerscht du nein bei der Nacht.

HENSCHEL *bleibt ruhig stehen und blickt Hanne an.* Wo is denn Gustel?

FRAU HENSCHEL. Was willst'n? Die liegt doch im Bette und schläft. Was du immer mit dem Mädel kommst! Der geht doch nischt ab. Ich tu 'r doch nischt.

HENSCHEL. Der geht nischt ab. Die is schlafen gegangen. Die hat sich beizeiten schlafen gelegt. De Gustel! Berthel meen ich nich.

FRAU HENSCHEL *heult, stopft sich die Schürze in den Mund.* Ich laufe fort, ich bleib nich mehr hier.

HENSCHEL. Geh schlafen, geh! Ich komme nach. Das Flennen kann jetze weiter nischt helfen. Wer ebens dran schuld is, das weeß unser Herrgott. Du kannst nischt dafier. Du brauchst nich zu flenn'n. Unser Herrgott und ich: mir beede, mir wissen's. *Er schließt die Tür ab.*

FRAU HENSCHEL *schließt hastig wieder auf.* Was schließt'n du zu, ich laß mich nich einschließen!

HENSCHEL. Ich weeß nich, warum ich hab abgeschlossen.

FRAU HENSCHEL. De Leute, die haben dir a Kopp verdreht. Was die d'r haben in a Kopp gesetzt, das wern die missen amal verantworten. Ich hab dei Mädel besorgt wie mei's. Dadavon wär se gewiß nich gestorben. Aber Tote kann ich nich uferwecken. Wenn eens soll sterben, da stirbt's halt dahier. Da is kee Halten nich, da muß a fort. An Gusteln is nie nich viel dran gewest, das weeßt du doch grad aso gutt wie ich. Was fragst'n da immer und siehst mich an, wie wenn ich wer weeß was mit'r gemacht hätte!

HENSCHEL *mißtrauisch fragend.* Das kann ja auch sein! Das is ja nich unmeeglich.

FRAU HENSCHEL *außer sich.* Das hätt mir soll'n eener sagen, dazumal, da wär ich doch lieber betteln gegangen. Nee, nee, ihr Leute, das hätt ich soll'n wissen. Asone Sachen muß man sich anheern. Ich wollte ja gehn, wer hielt mich denn, hä? Wer hat mich denn feste gehalten in dem Hause? Ich hab doch mei Auskommen immer gefunden. Mir war keene Bange, arbeiten konnt ich. Aber du hast doch nich nachgelassen. Jetze hab ich's davon! Jetze kann ich's ausbaden.

HENSCHEL. Kann sein, 's is wahr, daß du und mußt's ausbaden; wie's kommt, aso kommt's! Was will eens da machen. *Er schließt wiederum die Tür.*

FRAU HENSCHEL. Sollst offen lassen, Willem! Sonst schrei ich um Hilfe.

HENSCHEL. Pst, sei amal stille! Haste's geheert? Draußen im Gange kommt was gelaufen. Heerschte, nu geht's an de Wasserstande. Heerschte's planschen? Se steht und wäscht sich.

FRAU HENSCHEL. Du! Mann! Du traumst! De Stande is hier!

HENSCHEL. Nu ebens! Ich weeß schonn! Mir wern se nischt vormachen. Wer's weeß, der weeß's — *hastig* — weiter sag ich gar nischt. — Komm, komm, mer gehn schlafen. Kommt Zeit, kommt Rat. *Während er auf die Kammer zuschreitet, schließt Frau Henschel die Tür leise auf und schlüpft schnell hinaus. Ab.*

HENSCHEL *indem er vom Rahmen der Kammertür eine Peitsche herabnimmt.* Das is mei alter Triester Stecken. Wo kommt bloß der alte Stecken her? Den hab ich doch ieber a Jahr nich gesehen. Der is noch zu Muttersch Zeiten gekooft. *Er horcht.* Was meenst'n? Gelt! Nu ganz natierlich! Nischte! Wenn ooch! Warum ooch nich gar! 's is gutt! Ich weeß schonn, was ich zu tun hab! Ich wer mich nich sperr'n! Das laß ock du gutt sein.

Durch die angelehnte Tür ist Siebenhaar eingetreten; durch Gesten bedeutet er dem Wermelskirch, welcher ihm folgt, zurückzubleiben, ebenso der Frau Henschel. Er ist vollkommen angezogen, nur hat er statt des Kragens ein seidenes Tuch um den Hals. Wermelskirch ist im Schlafrock.

SIEBENHAAR. Guten Abend, Herr Henschel! Was? Sind Sie noch wach? Sind Sie nicht wohl, wie? Fehlt Ihnen was?

HENSCHEL *nachdem er ihn einen Augenblick verdutzt angesehen, einfach.* Ich kann halt nich schlafen! Ich hab gar keen'n Schlaf. Ich mechte was einnehmen, wenn ich was wißte. Ich weeß nich, wie's kommt. Weeß Gott, wie das zugeht.

SIEBENHAAR. Ich will Ihnen was sagen, alter Freund: legen Sie sich jetzt ruhig zu Bett, und morgen beizeiten schick ich den Doktor. Sie müssen jetzt wirklich was Ernstliches tun.

HENSCHEL. Kee Dukter wird mer woll nich kenn'n helfen.

SIEBENHAAR. Das sagen Sie nicht, das woll'n wir mal sehn. Der Doktor Richter versteht seine Sache. Meine Frau hat wochenlang nicht geschlafen, der Kopf tat ihr zum Zerspringen weh. Am Mittwoch hat sie ein Pulver genommen, jetzt schläft sie die ganze Nacht wie tot.

HENSCHEL. Ju ju, nee nee, 's kann immer sein! Mir wär's schonn recht, wenn ich schlafen kennte. Is de Madam etwa richtig krank?

SIEBENHAAR. Ach, wir sind alle nicht recht auf dem Damme. Wenn erst der Montag vorüber ist, dann wird sich ja alles wieder machen.

HENSCHEL. Se haben woll Montag die Iebergabe?

SIEBENHAAR. Ja, hoffentlich sind wir bis Montag so weit. Einstweilen häuft sich die Arbeit so, mit Schreiben und Inventariumaufnehmen, ich komme kaum aus den Kleidern heraus. Hören Sie, gehen Sie schlafen, Henschel! Den einen drückt's da, den andern hier. Das Leben ist keine Spielerei, wir müssen alle sehn, wie wir zurechtkommen. Und wenn Ihnen manches durch den Kopf geht: nehmen Sie sich's nicht so zu Herzen!

HENSCHEL. Haben Se scheen'n Dank, Herr Siebenhaar, und nischt fier ungutt, mecht ich gebeten haben. Leben Sie vielmal gesund mit der Frau!

SIEBENHAAR. Wir sehen uns ja morgen noch wieder, Henschel. Zu

danken haben Sie mir für gar nichts. Wir haben uns manchen
Dienst getan, solange wir Hausgenossen sind. Das hebt sich
auf, da ist nichts zu sagen; wir waren Freunde, und denk' ich,
wir bleiben's.

HENSCHEL *tut stumm einige Schritte bis in die Nähe des Fensters,
durch das er hinausblickt.* Das sein ebens aso Sachen dahier! De
Zeiten bleiben halt eemal nich stehn. Daß Karlchen und hat uns
nie mehr besucht. Man kann ja nischt sagen. Sie mochten ja
recht haben. Nischt Gutes hätte der Junge nich lern kenn'n.
Frieher da sah das ja andersch aus.

SIEBENHAAR. Henschel, jetzt weiß ich nicht, was Sie meinen.

HENSCHEL. Sie haben doch de Stube auch nich betreten . . . Dreiviertel Jahre kann das gutt her sein.

SIEBENHAAR. Ich hatte eben zu viel im Kopfe.

HENSCHEL. Da sein Se frieher erscht recht gekommen. Nee, nee,
ich weeß, und Sie haben auch recht. De Leute haben alle mitnander recht. Ich kann mit mir keen'n Staat nich mehr machen.

SIEBENHAAR. Henschel, ruhen Sie sich jetzt aus!

HENSCHEL. Nee, nee, mir kenn'n ja a bissel davon reden. Sehn
Se, ich bin ja an allen schuld; ich weeß, daß ich schuld bin, nu
gutt damit. Aber eh ich das machte mit der Frau, ich meene,
eh ich die Hanne nahm, da fing das schonn an und wurde mitsachten . . . aso mitsachten ging's halt bergab. A Fischbeenstek-
ken, der brach mer entzwee. Hernach, das weeß ich noch ganz
genau, da ieberfuhr ich m'r doch mei'n Hund. 's war der beste
Spitz, den ich hatte. Dann fielen m'r hintereinander drei Ferde,
das scheene Hengstferd fer dreihundert Taler. Hernach, zum
letzten, da starb m'r mei Weib. Ich hab's woll gemerkt in mein'n
Gedanken, daß das und war uf mich abgesehen. Da aber mei
Weib und war gegangen, da hatt ich woll auch an'n Augenblick,
daß ich und dachte, nu werd's woll genug sein. Nu kann a m'r
nich mehr viel nehmen dahier. Sehn Se's, er hat's doch fertig-
gebracht. — Von Gusteln will ich ja gar nich reden. Verliert
ma a Weib, verliert ma a Kind. Aber nee: ane Schlinge ward
mir gelegt, und in die Schlinge da trat ich halt nein.

SIEBENHAAR. Wer hat Ihnen denn eine Schlinge gelegt?

HENSCHEL. Kann sein, der Teifel, kann sein, a andrer. Erwirgen
muß ich, das is gewiß. — *Pause.*

SIEBENHAAR. Das ist eine unglückselige Idee . . .

HENSCHEL. Nee, nee, ich streit ja das gar nich amal! Schlecht bin ich geworn, bloß ich kann nischt dafier. Ich bin ebens halt aso neingetapert. Meinswegen kann ich auch schuld sein. Wer weeß's!? Ich hätte ja besser kenn'n Obacht geben. Der Teifel is eben gewitzter wie ich. Ich bin halt bloß immer gradaus gegangen.

SIEBENHAAR. Henschel, Sie sind Ihr eigener Feind! Sie schlagen sich da mit Phantomen herum, die nie und nirgendwo existieren. Der Teufel hat Ihnen gar nichts getan. Sie sind auch in keine Schlinge getreten. Es erwürgt Sie auch niemand. Das ist alles Unsinn! Gefährliche Einbildungen sind das.

HENSCHEL. Mer wern 's ja sehn; mer kenn'n 's ja abwarten.

SIEBENHAAR. Sagen Sie mir mal was Bestimmtes. Sie werden sehen, da wissen Sie nichts. Sie sind weder schlecht oder wie Sie sagen, noch haben Sie irgendeine Schuld.

HENSCHEL. Das weeß ich besser.

SIEBENHAAR. Nu was denn für eine?

HENSCHEL. Hier stand a Bette, da lag se doch drinne, da hab ich 'r doch 's Versprechen gegeben. Ich hab's 'r gegeben, und ich hab's 'r gebrochen.

SIEBENHAAR. Was für ein Versprechen?

HENSCHEL. Sie wissen's ja! Das hab ich gebrochen — da hatt ich verwonnen. Das war ich fertig. Da hat ich verspielt. Und sehn Se's: jetzt kann se die Ruhe nich finden.

SIEBENHAAR. Sie sprechen von Ihrer verstorbenen Frau?

HENSCHEL. Ju, ju, von derselbigen sprech ich ebens. Se kann keene Ruhe nich finden im Grabe. Sie kommt und geht und hat keene Ruhe. Ich striegle de Ferde, da steht sie da. Ich nehm m'r a Sieb vom Futterkasten, da seh ich sie hinter der Tiere sitzen. Ich will ins Bette gehn, in de Kammer, da liegt se drinne und sieht mich an. Se hat m'r a Seeger umgehangen, se kloppt an de Wand, se kratzt an de Scheiben. Sie legt m'r a Finger uf de Brust, da will ich ersticken, da muß ich nach Luft schnappen. Nee, nee, ich wer's wissen. Asone Geschichten, die muß man durchmachen, eh man se kennt. Erzählen kann man die eemal nich. Ich hab was durchgemacht, kenn Se m'r glooben.

SIEBENHAAR. Henschel, mein allerletztes Wort. Raffen Sie sich von Grund aus zusammen; stellen Sie sich auf beide Beine. Gehn Sie, und fragen Sie einen Arzt! Denken Sie sich: ich bin krank, ich bin sehr krank, aber jagen Sie diese Gespenster fort! Das sind Hirngespinste, sind Phantasien.

HENSCHEL. Aso sagten Sie dazumal woll auch. Aso oder ähnlich haben Se gesprochen.

SIEBENHAAR. Kann sein, und ich stehe auch ein dafür. Was Sie damals getan haben mit der Heirat, das war Ihr gutes, vollkommnes Recht. Von Sünde und Schuld ist da gar nicht die Rede. *Wermelskirch tritt hervor.*

WERMELSKIRCH. Henschel, kommen Sie mit zu mir! Wir zünden das Gas an und spielen Karten. Wir trinken Bier oder was Sie wollen und rauchen unsere Pfeife dazu. Da sollen die Geister doch mal ankommen. Zwei Stunden, da haben wir hellen Tag, dann trinken wir Kaffee und fahren spazieren. Das müßte doch mit dem Deibel zugehen, Sie müssen doch wieder der alte werden.

HENSCHEL. 's kann ja sein. Mer kenn's ja versuchen.

WERMELSKIRCH. Na also, los!

HENSCHEL. Zu Ihn komm ich nich mehr.

WERMELSKIRCH. I was, die alberne Sache von neulich! Das war ja bloß alles Mißverständnis! Das hat sich ja alles aufgeklärt. Ich lasse den Hauffe erst gar nicht mehr rein. Der Kerl ist ja wirklich immer besoffen. In der Hitze wird mal 'n Wort geredet. Zum einen Ohr rein, zum andern raus. So muß man's machen, so mach' ich's immer.

HENSCHEL. Das wär auch's beste. Sie haben auch recht. Aber nee — in de Schenkstube komm ich nich mehr. Ich wer viel rumreesen, denk ich, vielleicht. Ieberall wern se m'r woll nich nachkommen. Jetzt schlaft gesund! Jetzt schläfert mich auch.

SIEBENHAAR. Wie wär's, Henschel, kommen Sie rauf zu mir! Bei mir ist noch Licht, im Büro ist geheizt, da machen wir unser Spiel zu dreien, ich würde mich doch sonst kaum schlafen legen.

HENSCHEL. Ja, ja, das kennten mir machen mitnander. Ich hab ja schon lange nicht Karten gespielt.

FRAU HENSCHEL. Ja, ja, geh nuf; du kannst doch nich schlafen.

HENSCHEL. Ich geh nich, haste's verstanden dahier?

FRAU HENSCHEL. Nu wenn de halt hier bleibst, dann geh ebens ich. Wer weeß, was du alles noch anstellst de Nacht. Du fängst wieder an mit a Messern zu spiel'n. Ja, ja, das hat er gestern gemacht. Da is man ja seines Lebens nich sicher.

HENSCHEL. Das sollte m'r einfallen, da nuf sollt ich gehn! A hat mer's geraten, was ich gemacht hab, dann war er der erschte, der mich veracht't hat.

SIEBENHAAR. Henschel, ich habe Sie niemals verachtet. Sie sind ein Ehrenmann durch und durch, reden Sie sich keine Torheiten ein. Gewisse Schicksale treffen den Menschen. Da hat man zu tragen, das ist nicht leicht. Krank sind Sie geworden, brav sind Sie geblieben, und dafür leg' ich die Hand ins Feuer.

HENSCHEL. Das mechte wahr sein, Herr Siebenhaar! — 's is gutt, mer woll'n von was anderm sprechen. Sie kenn'n nischt dafier, das sag ich ja immer. Der Schwager, den kann ich auch nich verdammen. A werd woll wissen, woher er's hat. Se geht ebens rum bei a Leuten und sagt's 'nen. Die is ieberall, bald hier, bald da. Beim Bruder werd se ja auch gewest sein.

WERMELSKIRCH. Wer soll denn rumgehen bei den Leuten? Da denkt keine Menschenseele dran. Die ganze Geschichte von neulich, Henschel, die haben die Leute längst vergessen.

HENSCHEL. 's bleibt uf mir sitzen, man dreht's, wie man will. Die werd's schon wissen, wie se's soll anfangen. Die is ieberall, die werd's 'nen schonn einreden. Und wenn's flugs die Leute und täten's verschweigen und wär'n nich wie Hunde hinter mir her: 's kann eemal nischt helfen, 's bleibt uf mir sitzen.

SIEBENHAAR. Henschel, wir gehen nicht eher fort, Sie müssen sich das aus dem Sinn schlagen. Sie müssen sich ganz vollkommen beruhigen.

HENSCHEL. Ich bin ja verninftig, ich bin ganz ruhig.

SIEBENHAAR. Nun schön, wir wollen mal offen sein. Sie sehen jetzt, wie Ihre Frau bereut. Der Kellner ist fort, über alle Berge, den kriegen Sie niemals mehr zu sehen. Jeder kann straucheln, er sei, wer er wolle. Jetzt reichen Sie sich ganz einfach die Hände! Begraben Sie, was zu begraben ist, und machen Sie einfach Frieden mitnander!

HENSCHEL. Ich brauche keen'n Frieden weiter zu machen. — *Zu Hanne.* Derwegen, de Hand, die kann ich d'r geben. Daß du und hast an'n Fehltritt begangen, das mag unser Herrgott richten dahier. Ich will dich weiter da nich verdammen. Wenn man bloß . . . ich meene mit Gusteln . . . wenn man und wißte da was Bestimmtes!

FRAU HENSCHEL. Ihr kennt mich erschlagen uf der Stelle, meinswegen. Tot will ich sein im Augenblick, wenn ich hab Gusteln ums Leben gebracht.

HENSCHEL. Das sag ich ja ebens: 's bleibt uf mir sitzen! Na, morgen kenn mer ja weiterreden. Eh mer da wern haben ausgered't, da werd woll noch mancher Troppen ins Meer laufen.

WERMELSKIRCH. Machen Sie sich 'n gemütliches Feuer, und brauen Sie sich einen heißen Kaffee! Nach dem Regen kommt immer der Sonnenschein. Zwischen Eheleuten ist das nicht anders. Ohne Gewitter kein Ehestand. Aber nach dem Gewitter, da wächst's um so besser. Die Hauptsache ist: su, su, su, su. — *Er macht die Geste, als ob er ein Kindchen auf dem Arm wiege.* So was muß sein. Das müßt ihr euch anschaffen. *Jovial Henscheln die Schulter klopfend.* Der Alte mag eemal das Kroppzeug gern. Tut's halt zusammen und kauft euch so'n Spielzeug. Potz Blitz, Henschel-Wilhelm! Das wär doch der Deifel! Ein Hüne wie Sie, nichts leichter als das. Gut Nacht mitnander!

SIEBENHAAR. Es ändert sich alles, nur immer Mut!

WERMELSKIRCH. Nur immer kalt Blut und warm angezogen! *Siebenhaar und Wermelskirch ab. Henschel geht langsam nach der Tür und will wiederum zuschließen.*

FRAU HENSCHEL. Sollst offen lassen!

HENSCHEL. Meinswegen auch. Was machst'n da?

FRAU HENSCHEL *die aufrecht vor dem Ofenloch steht, so wie sie eben hastig emporgefahren ist.* Du siehst's ja: Feuer!

HENSCHEL *nachdem er sich schwerfällig an den Tisch gesetzt hat.* Vor mir zind auch de Lampe an! — *Er zieht den Tischschub auf.*

FRAU HENSCHEL. Was suchst'n du?

HENSCHEL. Nischte!

FRAU HENSCHEL. Da kannst a doch neinschieben. — *Sie geht hin und schiebt den Schub zu.* Berthel soll woll davon noch ufwachen? — *Pause.*

HENSCHEL. Am Montag geht a. Da sein mer alleene.

FRAU HENSCHEL. Wer geht'n am Montag?

HENSCHEL. Halt Siebenhaar. Wer weeß, wie das sein wird mit dem neuen.

FRAU HENSCHEL. Der neue is reich, der werd dich nich anpumpen.

HENSCHEL. Hanne, eener von uns muß weichen! Von uns zwee beeden. Ja, ja, 's is wahr. Du kannst mich ansehn. Das is nich andersch.

FRAU HENSCHEL. Fort soll ich gehn? Fort willst du mich jagen?

HENSCHEL. Das werd sich erscht zeigen, wer da werd gehn missen. Kann sein, ich muß, kann sein, auch du. Wenn ich tät gehn . . . Das weeß ich alleene: dir werd deswegen nich bange werden.

Du versorgst ja's Fuhrwesen wie a Mann. — Aber wie gesagt: uf mich kommt's nich an.

FRAU HENSCHEL. Wenn eener gehn muß, da geh halt ich. Ich bin derwegen noch kräftig genug. Da mach ich mich fort, da sieht mich kee Mensch mehr! Die Ferde, die Wagen, die Sachen sein deine. Du kannst aus der Väterei doch nicht rausgehn. Da geh ebens ich, und hernach is alle.

HENSCHEL. Das is nich gesagt; immer eens nach'n andern.

FRAU HENSCHEL. Kee langes Gemähre. Was aus is, is aus.

HENSCHEL *indem er sich schwerfällig erhebt und nach der Kammer geht.* Und Berthel? Was soll aus dem Mädel denn wern?

FRAU HENSCHEL. Die muß zu Vatern, nieber nach Quolsdorf.

HENSCHEL *schon in der Kammertür.* Laß gutt sein, morgen is auch noch a Tag. 's ändert sich alles, sagt Siebenhaar. *Schon in der Kammer.* Morgen hat alles a ander Gesichte. *Pause. Henschel, unsichtbar.* Berthel schwitzt wieder ieber und ieber.

FRAU HENSCHEL. Die kann a bissel schwitzen, das schad't 'r nischte. Mir laufen de Troppen auch ieber a Hals. Aso a Leben — *sie öffnet ein Fenster* — da lieber gar keens.

HENSCHEL. Was red'st 'n du noch? Ich kann nischt verstehn.

FRAU HENSCHEL. Leg dich ufs Ohr und laß mich zufrieden!

HENSCHEL. Kommst du nich auch?

FRAU HENSCHEL. Jetze wird's ja Tag. *Sie zieht die Uhr auf.*

HENSCHEL. Wer zieht denn de Uhr uf?

FRAU HENSCHEL. Du sollst jetzt dei Maul halten! Wenn Berthel ufwacht, da haben mer's wieder. Da brillt se doch wieder an halbe Stunde. — *Sie läßt sich am Tisch nieder, beide Ellbogen aufstützend.* Am besten wärsch, man ging uf und davon. — *Siebenhaar guckt herein.*

SIEBENHAAR. Ich komme nochmal. Ist Ihr Mann jetzt ruhig?

FRAU HENSCHEL. Ja, ja, a hat sich schlafen gelegt. *Sie ruft.* Mann! Willem!

SIEBENHAAR. Pst! Henscheln, danken Sie Ihrem Herrgott! Machen Sie auch, daß Sie schlafen kommen! *Ab.*

FRAU HENSCHEL. Was bleibt een denn iebrig! Ich wer's halt versuchen. *Bis an die Kammertür gelangt, steht sie still, gleichsam gebannt, und horcht.* Willem! Mann! Du kannst doch antworten! *Lauter, ängstlicher.* Willem! Du sollst mich nich wieder erschrecken! Du denkst woll, ich weeß nich, daß du noch wachst! — *Immer ängstlicher.* Mann! Ich sag dersch . . . Berthel ist auf-

gewacht und fängt an zu weinen. Berthel, jetzt sieh, daß de stille bist! Mädel, ich weeß nich, was sonste passiert. — *Fast schreiend.* Willem, Willem! — *Siebenhaar blickt wieder herein.*

SIEBENHAAR. Frau Henschel, was ist denn?

FRAU HENSCHEL. Ich schrei immerzu, und a gibt keene Antwort.

SIEBENHAAR. Sie sind wohl verrückt? Was machen Sie denn!?

FRAU HENSCHEL. 's is aso stille! 's is was passiert!

SIEBENHAAR. Was? *Er nimmt das Licht und tritt in die Kammertür.* Henschel, sind Sie schon eingeschlafen? — *Er geht hinein.* — *Pause.*

FRAU HENSCHEL *ohne sich hineinzugetrauen.* Was hat's denn? Was hat's denn? Was geht denn vor? *Wermelskirch blickt herein.*

WERMELSKIRCH. Wer ist denn drin?

FRAU HENSCHEL. Herr Siebenhaar. — 's is aso stille, 's antwort kee Mensch. —

SIEBENHAAR *eilig, totenblaß, kommt wieder, Bertha auf dem Arm.* Frau Henschel, nehmen Sie sich das Kind und gehen Sie rauf zu meiner Frau!

FRAU HENSCHEL *schon mit dem Kind auf dem Arm.* Um Gottes willen, was is denn passiert?

SIEBENHAAR. Das erfahren Sie schon noch zeitig genug.

FRAU HENSCHEL *mit erst zurückgehaltenem, dann hervorbrechendem Schrei.* Ihr Leute, der hat sich was angetan! *Ab mit dem Kinde.*

WERMELSKIRCH. Den Doktor?

SIEBENHAAR. Zu spät! Der kann nichts mehr helfen.

IPHIGENIE IN DELPHI

Tragödie

Geschrieben: Juli bis September 1940 in Kloster auf Hiddensee.
Erstveröffentlichung: Buchausgabe 1941.

Dramatis Personae

IPHIGENIE
ELEKTRA
ORESTES
GEIST DER KLYTÄMNESTRA
PYLADES
PYRKON
PROROS
AIAKOS
DREI GREISE
TEMPELDIENER UND TEMPELDIENERINNEN
    DES APOLLON-TEMPELS
TEMPELDIENERINNEN DER TAURISCHEN
    ARTEMIS
DELPHI-PILGER UND ALLERLEI VOLK

DER SCHAUPLATZ

Der Schauplatz ist in allen drei Akten der gleiche: der Apollon-Tempel zu Delphi.

Durch den Vorhof gelangt man über eine Freitreppe auf eine breite Terrasse, dann in die Vorhalle.

Hinter ihr schließt ein Purpurvorhang einen Raum des Tempelinneren ab.

Der Hof ist flach. Ganz im Vordergrund ein offener Halbkreis gegen den Zuschauer.

Dieser Halbkreis wird durch Säulen markiert.

Auf der Terrasse, rechts und links an der Freitreppe, stehen große goldene Wasserschalen.

Die Vorhalle, aus Säulen bestehend, läßt einen breiten, torartigen Raum frei, in dem der Purpurvorhang besonders sichtbar wird.

Öffnet sich dieser Vorhang, so blickt man in das Tempelinnere, einen Raum, an dessen Hinterwand ein qualmender Dreifuß steht und ein goldenes Bild des Apoll.

Zwischen den Säulen im Hof mündet rechts und links eine Straße.

Auf der Terrasse befindet sich ein niedriger Altar.

Die wesentlich dorische Säulenordnung des Ganzen zeigt einen derben frühgriechischen Charakter. Weihgeschenke sind darin aufgestellt.

ERSTER AKT

ERSTER AUFTRITT

Magische Morgendämmerung.

Seltsame, gedämpfte Laute dringen von überall her: Tempelpauken, tubaartiger Klang, gleichsam hergehauchte Akkorde von Saiteninstrumenten, dazu mitunter Gesang von Knabenstimmen.

Alles fast unwirklich hörbar.

Pyrkon, Proros, Aiakos, drei Priester des Apoll, davon Pyrkon der Oberpriester, haben am Altar auf der Terrasse die Zeremonien eines Rauchopfers beendet.

Nachdem diese feierlich abgebrochen sind, gehen sie in ungezwungener Haltung auf der Terrasse langsam hin und her.

PYRKON.

Von allen Göttern sind die Musen doch
die unermüdlichsten! So früh es ist,
sie machen Delphis rote Felsen tönen.

PROROS.

Ehrwürdigster, Parnassos' Gipfel ist
uns nah genug und auch der Helikon
nicht fern.

AIAKOS.   Wer lebt gerne ohne diese Neun
wohl in der Welt?

PYRKON.   Kein Mensch! Vielleicht das Tier.

PROROS.

Es ist ein wunderliches Wesen heut
im heiligen Bezirk und um ihn her.

AIAKOS.

Von Krisa bis herauf nach Pytho herrscht
seltsame Unruh'.

PYRKON.   Schiffe sind, so heißt's,
im Hafen eingelaufen.

AIAKOS.   Ihrer drei.

PROROS.

Wem stehen sie wohl zu?

PYRKON.   Die Bauart deutet
auf Argolis. Doch wie auch immer sich's
verhalten mag: einstweilen forschet nicht!
Vielleicht daß durch der Oberen Beschluß
der Tag uns Großes bringt.

*Er entfernt sich seitlich durch die Vorhalle. Proros und Aiakos
haben sich verbeugt.*

ZWEITER AUFTRITT

Sie machen es sich nun, auf der Terrasse sitzend, bequem.

PROROS.   Er hat die Nacht
durchwacht, der Hochehrwürdige, ich lag,
gewärtig seines Rufs, vor seiner Tür,
doch rief er nicht. Ich hört' ihn flüstern, ihn —
mir schien — mit Götterboten leise sich

beraten; endlich aber schlief er ein —
und fuhr empor, als jenes Schüttern dann
den Götterberg bewegte, das wir alle
deutlich gespürt.

AIAKOS.　　　　　Kein Fest ist nah, und doch
von Pilgern wimmelt's auf den Tempelsteigen.
Thyiaden, von der Erde ausgespien,
umtanzen Iakchos' Säulen. Rohes Volk,
verhungert und verlumpt, ist eingeströmt
und macht den Tempelwächtern arge Mühsal.
Und wie begreift sich dieses Dämmerlicht,
das alles, Erd' und Himmel, Mensch und Tier,
ins Niegesehne ändert? Höre, Proros:
unwiderstehlich zog es mich zum Strand,
um mir die Bangnis einer bangen Nacht
in salziger Meereswoge abzuspülen;
nie sah ich seine Fläche so wie heut
im Purpur, den der Tagesgott vorauswarf,
wie jenes Drachen Schuppenhaut erzucken,
metallisch vielfach, den der Gott erschlug.

PROROS.
So viel hab' ich verstanden an der Tür
des Gottberufenen, der Sibyllas Sprüche
hellwissend deutet: Zeichen lassen hoffen,
daß endlich sich der Atreuskinder Schicksal
zum Lichte kehre.

AIAKOS.　　　　　Herrlicher Orest,
Bild deines gottgewaltigen Vaters, Siegers
von Ilion, Agamemnons, aller Griechen
allmächtiger Herr dereinst! Es lag auf ihm
die Pflicht, den Mord des Unvergleichlichen
zu rächen an der Mörd'rin, seiner Mutter!
Er tat das Übermenschliche, tat's auf Befehl
des Gottes. Doch es hefteten sogleich
die fürchterlichen Namenlosen sich
an seine Spur, des Grauns Geburten und
die tausendfach das Graun gebären: Rüden,
die, wie sie nie ermüden in der Jagd,
ihr Wild doch niemals schlagen und nur quälen —
nach Götterratschluß. So geschah's auch hier.

PROROS.

Selbst der am heiligen See von Delos einst
geborene Sohn Kronions und der Leto,
der Pythontöter, als er jenes Untier
erlegt, bedurfte aller Sühnungen,
um rein zu werden, die den Ewigen
allein der Göttervater geben kann.
Nun gar der Mensch, der Blutschuld auf sich lud
und so der Uranionen heilige Satzung
verletzte! Gnädig ihm die Sühnungen
aufzuerlegen, ist Apoll befugt.
Und so erriet ich aus Gesprächen, die
im Kreis der Oberen hin und wider gingen,
welch unerfüllbar-schweren Auftrag man
dem Rächer seines Vaters auferlegt:
nämlich das Bild der Göttin Artemis
zu Tauris den Barbaren zu entwenden.
Dort herrscht sie blutig, heißt's, als Hekate
mit Schlangenhaaren, Hunds- und Löwenkopf,
verstört der Menschen Sinn! Stygische Hunde
winseln um sie, die, was man opfert ihr,
wütend zerreißen, Tier und Mensch, auch Griechen,
die eine fürchterliche Priesterin
am Altar darbringt! Soll man sagen, daß
die Göttin, von dem Griechenvolk beleidigt,
ihm zürnt? Apollon ist ihr Bruder! Will
er sie zur Heimkehr zwingen mit Gewalt?
Auch im Geschlecht der Uranionen regt
sich Eris anders nicht als wie bei uns;
doch wehe, wehe dem, der wie Orest
gar von den Moiren ausersehen ist,
sich schlichtend einzudrängen zwischen zwei
Geschwistergötter — die veruneint hadern:
die Todesgöttin und den Herrn des Lichts!

DRITTER AUFTRITT

Einige ärmlich gekleidete Gestalten überqueren den Tempel-
hof, aus ihnen löst sich vermummt Elektra. Sie bewegt sich
scheu, hastig und wirr. Sie gelangt zu dem ersten Weihwasser-
becken, faßt hinein und besprengt sich, das gleiche tut sie bei
dem zweiten.
Alsdann hockt sie sich irgendwo nieder.
Die magische Beleuchtung ist unverändert.

ELEKTRA.
  Wie schrecklich ist es hier! Wie hallen hier
  furchtbar die Felsen! Stechend gleißt's in mir
  und, schien es, stürzte schreiend seinen Glanz
  in meines Sehens Sehen, das mir fast
  ertaubte. Unbegreiflich ist, o Loxias,
  das Grauen deiner Gottheit, schauerlich,
  mehr als die tückisch murrende, die Nacht
  der Styx und ihre wälzenden Gewässer.
  Erstarrt' ich je vor Kälte so wie hier,
  sei's selbst im Eisesgräberhauch der Mordnacht?
  Und dennoch steh' ich ganz in Flammen, brenne! —
  würd' ich zur Asche doch! — allein ich stehe
  in Flammenqual, die unverlöschlich ist
  vom Anbeginn der Welt. Wer bin ich wohl?
  Elektra, sagt man, Agamemnons Tochter,
  des Tantaliden! Tantalide selbst,
  ein Ding verborgen schleppend, das ich bald
  küsse in Heimlichkeit, bald laut verfluche.
  Ich werf' es von mir, doch es kehrt zurück
  der blutbeschmierte Wegwurf jedesmal.
  Was ist es denn? Ein Beil! mit Doppelschneide!
  Doch jedem, der es anfaßt, sträubt vor Grausen
  das Haar sich. So geschah's dem Greise, der
  mühsam sich Reisig brach und dem ich's gab,
  damit es seine Mühe ihm erleichtre.
  Und nun: dort ist dein Altar, Loxias!
  Der Spalte Dunst
  verwirrt das schon Verwirrte. Herrscher du
  im heiligen Delphi, das Parnassos krönt!

Ich biete mich dir an als Priesterin,
allein im Wahnsinn sehend und allwissend! —
Schenk mir noch mehr davon: Allwissenheit
durch dich, betäube mich durch deinen Rauch
und zeige mir die Morde dieser Erde,
in der Entrückung deiner Gotteskraft,
grell und erbarmungslos: nicht einer bleibe
der Sterblichen, mir, fernerhin verhüllt!
Zu schwer erträgt sich einer: gib mir mehr!
Orest erschlug die Mutter mit dem Beil!
Sie war auch meine, seine Mutter, war
das Weib, in dessen Schoß er wurde und
das ihn zur Welt gebar. Er schlug sie tot,
schlug des zum Dank — und wenig fehlte, heißt's,
daß die Geburt Orestens schon das Leben
ihr nahm! — ihr mit der Axt ins Angesicht.
Nimm hin das Beil, Apollon, denn er tat's
auf dein Geheiß!
Sie legt das Beil auf den unteren Altar
                      Verfluchter Bruder! Oh,
geliebter Bruder! Oh! Geliebt, verflucht!
Verflucht, geliebt!
Elektra ist lauter und lauter geworden und hat die Aufmerk-
samkeit von Proros und Aiakos auf sich gelenkt. Jetzt erhebt
sich Proros und schreitet auf sie zu.

PROROS.

Was hast du hier zu suchen, widerliches,
entmenschtes Weib?

ELEKTRA.   Entmenscht? Mag sein: vergottet
durch die Erinnyen! Ist ihr Grauen,
das gräßlich-unausprechliche, doch nicht
im Menschlichen zu finden. Und ich bin
ganz Grausen. Wiederhole nun dein Wort,
Milchbart im Priesterkleid, und zittre bis ins Mark
vor der Entmenschten! Keinen Tropfen Blut
birgt sie in sich, der ihr noch zugehört
und nicht den Rachegöttern. Du bist blind!
Hinter den Bildern deines Gottes siehst
du nicht die Schlangenhaarigen: nimm wahr
mein scheußliches, mein göttliches Gefolge!

Nenn mich ein Opfer meinethalb, so nahmen
und so zerrissen mich die Himmlischen
und können sich nicht sättigen an mir,
mit Raubtierzähnen wütend. Also bin ich,
wie du mich nanntest, Milchbart, widerlich —
doch gerade darum göttlich und so: heilig!

PROROS.

Sprich ruhig und sprich klar! Mag sein, daß ich
mich übereilte. Irgend etwas ist,
ich spür' es nun, im Raum des Tempels, stumm
und hörbar, das kein irdisch Auge sieht
und dennoch ist. Wo kommst du her?
Sag reine Wahrheit in Apollons Haus!

ELEKTRA.

Komm' ich von Argos oder nicht? Stieg ich
aus meines Vaters, meiner Mutter Grab?
Heißt irgendeines Herrschers Burg Mykene?
Heißt dieser Herrscher Agamemnon? Ließ
er seine Tochter schlachten, sie Selenen,
für guten Segelwind zur Fahrt nach Troja,
hinwürgen, als ihr Opfer? Eines nur
ist's, was ich weiß: hier meine Füße sind
zwei Klumpen Blut und Eiter. Götterwege
und Steige waren's, die ich ziellos lief,
wo spitze Steine von den Sohlen mir
das Schuhwerk wie mit Zähnen rissen. Ich
hing bald an Klippen schwindelnd, wie mir scheint,
lief barfuß, blutend, übers Eis, versank
bis an die Brust im Schnee . . .

PROROS.   Genug, genug!
Und was erwartest du am heiligen Orte
zu Delphi?

ELEKTRA.   Sie! Die Todesgöttin! Sie —
wen sonst als sie?

PROROS.   Nun, Hilfeflehende,
Verwirrte — denn als beides schätz' ich dich —,
sollen dich Tempeldienerinnen erst
ins Bad und dann zur Ruhe bringen. Du
wirst ausruhn und hernach mit klarem Sinn
uns dein Anliegen künden: ob dich Zufall

hierher verschlug ins höchste Heiligtum
von Hellas — ja, der Welt — und was, sofern
es anders ist, du hier zu finden hoffst.

ELEKTRA *flüchtet gegen eine Tempeltür, die verschlossen ist.*
Mord! Mord! Ihr wollt mich morden: Bäder sind
Mordhöhlen, blutiger Schaum! Die Göttin will
mich auf der Schlachtbank sehn, wie meine Schwester!
Sie wirft sich vor dem Priester nieder.
Erbarmen! Habt Erbarmen! Mörder, schlachte
mich nicht: sind meine Hände doch
nicht blutbesudelt! Meine Hände nicht!
Ob meine Brust auch — nein, ich leugn' es nicht —
an Klytämnestras Tode, meiner Mutter,
reichlichen Teil hat.

PROROS.   Fürchte nichts!

ELEKTRA.   Könnt' ich
Orest entsühnen, der das blutige Amt,
das heilige, zu vollziehen auserwählt war —
Orest, den Herrscher von Mykene —, könnt' ich's,
wie gerne stürb' ich Iphigeniens,
der Schwester, Tod für meines Bruders Leben:
denn ohne ihn ist Atreus' Stamm dahin.

PROROS.
Was sprichst du da von einer Schwester, und
wie nanntest du sie?

ELEKTRA.   Iphigenie!
Wer kennt sie nicht in Hellas, die ein Vater —
er war auch meiner — ihrer Mutter nahm
und auf dem Holzstoß niedermachen ließ,
um gute Fahrt für seine Räuberschiffe
von Artemis sich einzuhandeln! Hier,
furchtbare Göttin, steh' ich: nimm auch mich —
und schenk Orest Gesundheit und das Leben!
Nein! Nein! Er darf nicht sterben oder gar
gestorben sein! Magst du mein Opfer nicht —
wie eine Geiß spräng' ich empor den Holzstoß —,
so gönne Loxias mir seinen Pfeil!

PROROS.
Ich will den Oberpriester rufen, Fremde;
die Namen, die du nanntest, schrecken mich.

Mit halbem Ohr war ich dabei, als jüngst —
entschwanden Wochen seither oder Jahre?
ich weiß es nicht — ein Rasender erschien.
War es ein Jüngling oder nur ein Schatten,
entflohn der Nacht des Hades? Offen stand
sein Mund, und zwischen seinen blauen Lippen
drang, wie mir's vorkam, schwarzer Rauch hervor.
Die Worte spie der Schreckliche mit Grausen,
so schien mir, von sich, so, als wär' es Unflat,
die Augen drangen ihm aus seinem Kopf,
es pfiff aus seinem Halse: niemals, sprach
hernach der Oberpriester, habe er
je einen Sterblichen so unterm Fluch
der gnadenlosen Götter leiden sehn.

ELEKTRA.
Das war Orest, mein Bruder.

PROROS.   Doch ein andrer
war mit ihm.

ELEKTRA.   Pylades!

PROROS.   Ich las den Namen
im Tempelbuch — dort hieß es: Strophios,
der König, war sein Vater, seine Mutter
sei Agamemnons Schwester.

ELEKTRA.   Und so ist's.
Elektra wird bewußtlos und sinkt um.

VIERTER AUFTRITT

Pyrkon erscheint. Die drei Priester bemühen sich um Elektra
und betten die Ohnmächtige auf eine Marmorbank.
Dann treten sie ein wenig zurück zur Beratung.

PYRKON.
Ich lauschte. Mit Bestimmtheit kann ich euch
nun sagen, wer sie ist: Elektra ist's!
Ihr Kommen ward für heut vorausgesagt.

AIAKOS.
Oh, wie erschüttert solche Gegenwart,
ganz anders, als Gerüchte tun! Und doch

liegt der Atriden Schicksal über Hellas
wie ein Gewölk des unteren, schwarzen Zeus.

PYRKON.

Sie ist's! Man sagt, sie liebe ihren Bruder
Orest mehr als sich selbst, die Erde samt
den Göttern! Und so frevelt sie an ihnen,
an sich und an der Welt. Kommt, Aiakos
und Proros, laßt sie schlummern: nun befreit
von diesem fürchterlichen Doppelbeil,
das nur Apollons Strahl reinbrennen kann,
des Altar es nun trägt. Die Traumlast wird
ihr das erleichtern. —

              Hört denn, Jünglinge:
es ist die Zeit nun da, euch einzuweihen.
Ihr, meine nächsten zwei, durch mich geprüft,
bestandet ihr in Reinheit vor dem Gott!
So darf ich euch ins Allerheiligste
des Planes führen, den sein Wille uns
durch der Sibylle Mund dereinst erschloß.
Der Auftrag, den der Pythontöter einst
dem Pelops-Enkel gab, an seiner Mutter
den Mord des Gatten, seines hohen Vaters,
zu rächen, ward erfüllt! Doch er zerbrach
den Täter. Proros, du hast ihn erblickt,
wie du berichtetest, in unserm Tempel.
Im hohen Rat der Priester ward nunmehr
erwogen, ob Orest zu helfen sei,
und der Beschluß gefaßt, mit Opfern und
Gebet den Tagesherrscher zu erweichen.
Der Gott — er sei gelobt! — blieb uns nicht stumm.
Die Dunstbegeisterte erließ dies Wort:
der Muttermörder rüste Schiffe aus
und führe sie nach Tauris, wo Barbaren
am Altar einer grausamen Hekate
Gefangene, Griechen, ohne Gnade opfern.
Ob diese Göttin wirklich Artemis,
Appollons Schwester, ist: wer will's entscheiden?
Gelüst' es niemand, sich in die Geheimnisse
der Uranionen einzudrängen! Man
verehrt von ihr ein uralt-heilig Bild,

drei Spannen hoch, nicht mehr! Es hat drei Köpfe:
Pferd, Hund und Löwe, wie es ein Gerücht
zu wissen vorgibt. Seine Herkunft ist
nicht irdisch, sagen die Barbaren; denn
es fiel vom Himmel in den Tempel samt
der Priesterin, die seinen Dienst versieht.
Genug: Oresten hat nun Loxias
geboten, beides — Bild und Priesterin —,
und sei es mit Gewalt, herbeizuschaffen,
um so vom Fluch des Mords sich zu befrein.

PROROS.

Ich schweige. Scheues Schweigen ist allein
am Platz im Rätselreich der Gottheit.

PYRKON.   Ja!

Doch ruft uns nun der Dienst. Noch eins: was jene
Schiffe, die ihre Anker ausgeworfen
zu Krisa unten, anbelangt, so ist
ein seltsamliches Wesen um sie her.
Delphine, sagt das Volk, umkreisen sie
furchtlos. Am Strande drängen sich
Rudel von Hirschen, und vor allem dies
ist sonderbar: Selenens Scheibe glänzt
und übergießt den Hafen ganz mit Licht;
sie will, so scheint's, dem Sonnenlicht nicht weichen.
Im Schiffspatron und allen Seinigen
erblickt das Krisavolk Unsterbliche.
Macht euch auf Ungewöhnliches gefaßt!

Die drei Priester entfernen sich seitlich durch die Säulenhalle.

FÜNFTER AUFTRITT

Man hört Hundegebell.
Ein ungeschlachter Mensch, verwahrlost und vermummt, mit
wüstem, schneeweißem Haarwuchs, erscheint. Er trägt ein Ruder
und hat einen Mantel umgeschlagen, blickt sich mißtrauisch
um, schleicht sodann wie verfolgt erst an das eine, dann an
das zweite Weihwasserbecken. Schließlich legt er das Ruder
auf den gleichen Altar wie Elektra das Doppelbeil. Der Mensch
nennt sich Theron und ist in Wahrheit Orestes.

871

THERON (ORESTES).

Wo bin ich hier? Wie ist mir alles doch
bekannt und unbekannt zugleich: so ist's
nun wohl mit jedem Dinge in der Welt.
Allein hier stehn Bekannt und Unbekannt —
Zwerg und Gigant — einander gegenüber.
Dies ist ein Altar, seh' ich recht, wenn ohne
Blutströme irgendeiner möglich ist.
Doch trieft er augenblicks von Purpur nicht,
so trägt er doch zum mindesten ein Mordbeil.
Verfluchtes Beil! Ich seh' es überall,
es blüht als ewiger Schemen mir im Haupt,
tropfend von einer — meiner — Mutter Blut!
Nein, es ist wirklich! Dieses Beil, ich kenn's
allzu genau· verfluchter, treuer Hund,
den ich vergeblich immer von mir trete,
mit Steinen scheuchte! Dike, sinnest du
dir unermüdlich neue Tücke aus,
als ob du niemand sonst zu foltern hättest
auf dieser finstern Wahnsinnswelt als mich?
Das Gebell schweigt.
Hier ist ein Ruder, und ich leg' es zu dem Beil.
Warum? Ich sehe etwa überall
um mich den Sühnetempel des Apoll:
gleichviel, wohin ich spreche in die Luft,
wo immer her der Herr der Winde bläst —
wer nirgend wohnt, ist überall zu Haus.
Er hat das Ruder auf den Altar gelegt.
Als hätt' ich eine Reise hinter mir
auf stürmischen Gewässern, ist mir fast,
als Schiffspatron. Mag sein, ich trug ein Schwert!
Vielleicht auch träumt' ich. Wüste Träume handeln
von Dingen oft, die außermenschlich sind:
von Göttern, Ungeheuern, brüllenden
Giganten, Weiberraub, erzwungener
Vermischung. Einerlei! denn Wahrheit ist
nur Traum! und Traum ist Wahrheit! Sei's genug!
Elektra seufzt im Schlaf tief auf.
So seufzt die Welt! — Ist hier noch außer mir
ein Sterblicher, und will er seine Torheit —

ich bin bereit! — mit meinem Jammer messen?

ELEKTRA *im Halbschlaf.*

Was raunt hier? Eine Stimme aus der Nacht?

THERON (ORESTES).

Ja! Auf die Welt des Lichts ist kein Verlaß.

ELEKTRA.

Das klingt, als spräch's die Stimme meines Bruders.

THERON (ORESTES).

Wenn er der obern Welt den Hades vorzieht,
so ist es auch der meine.

ELEKTRA.   Ausgeburt
des Traumes! Stimme, rede, sprich nur fort!

THERON (ORESTES).

So laß uns Träume ineinander mischen,
ich gebe gern dir meine Hälfte hin,
die tödlich-bleierne: vielleicht daß ich
aufatme, von der halben Last befreit.
Allein du wachst, du öffnest deine Augen!

ELEKTRA.

Auch deine sind geöffnet, und du träumst!

THERON (ORESTES).

Liegst du im Tempelschlaf? Ist dies ein Tempel?

ELEKTRA.

Von vielen Tempeln ist mein Traum erfüllt,
die zwischen roten Felsen bunt erglänzen.

THERON (ORESTES).

So bist du eine Priesterin
des Gottes, der im heiligen Delphi herrscht,
und augenblicks betäubt vom Dunst der Kluft?

ELEKTRA.

Betäubt, das bin ich, doch von Gram und Not.

THERON (ORESTES).

Was grämt dich so? Und sag mir deine Not!

ELEKTRA.

Laß ab! Erhoffe niemals Antwort, Traum,
auf diese Frage! Zung' und Lippe, die
ihr willig dienten, würden gleich zu Stein.
So erfahre, Traum: ich trage Blutschuld.

THERON (ORESTES).

Auch ich! So sind wir denn durch Blut verwandt.

ELEKTRA.

Doch meine Schuld, mein Bruder, übertrifft
die deine.

THERON (ORESTES).

        Und zudem bin ich entsühnt.

ELEKTRA.

Durch wen entsühnt?

THERON (ORESTES).   Durch Loxias!

ELEKTRA.   Mein Bruder,
des Schuld die meine, nicht die seine, ist
zweimal entsühnt: zu Delphi und Athen;
landflüchtig trotzdem irrt er auf der Erde.

THERON (ORESTES).

Ist dies dein Traum nun, oder ist's der meine?
Wie aber heißt der Gottbetrogene denn?

ELEKTRA.

Es ist der Tantalidensproß Orest.

THERON (ORESTES).

Orest? Orest? Wo hört' ich diesen Namen?
Doch schweig, Unselige, träume weiter nicht!
denn etwas, wie ein süßlicher Geruch
von Würmerspeise, breitet sich sogleich
um mich und macht mich taumelnd. Nein, ich will
mit deinem Traum nicht teilen! Nochmals nein,
behalt den deinen ganz!

ELEKTRA.   Orestes ist
mit Sühnelorbeer doppelt längst bekränzt.

THERON (ORESTES).

Mag sein, auch ich! Ich heiße Theron, bin
ein Steuermann, in Brot und Lohn bei einem
Phönizier. Allein mir drückt ein Traum
die Brust, macht meine Glieder regungslos
und preßt mir Hilferufe aus beinahe,
als wär' ich selbst Orestes.

ELEKTRA.   Grauser Traum
und Traumbild, grausenhafter noch als du!
Verstricke mich nicht weiter!

THERON (ORESTES).   Wär' ich selber
nur nicht in deines Traumes Netz verstrickt,
wie in des Henkers kaltes Erz! Verjage,

verfluchter Traum, die eklen Vetteln mir,
die um uns schnarchend hocken, schwarz von Haut,
triefäugig und mit schmutzverklebtem Haar,
in schwarzen Mänteln, scheußlich tropfenden
von blutiger Jauche: Mißgeburten sind's,
nicht Mann, nicht Weib, nicht Tier, nicht Mensch, aus Aas
gebildet, nicht aus Fleisch, im Erebos
und großgesäugt von jedem Gift des Abgrunds.
Weh, neben jeder schläft ein Höllenhund;
geweckt: ein Würger, den selbst Götter fürchten!
Elektra erwacht, sie fährt wild empor.

ELEKTRA *vom Anblick des Theron entsetzt, den sie jetzt erst zu
bemerken scheint.*
Wer bist du, Fürchterlicher?

THERON (ORESTES).   Und wer du?

ELEKTRA.
Du blickst mich an mit Augen, drin die Wut
des Blutdursts lauert.

THERON (ORESTES).   Und nicht minder du!
Aus solchen Augen schöpft man Mut zur Tat.

ELEKTRA.
Ich habe unbefleckte Hände.

THERON (ORESTES).   Das
mag sein: doch bist du trotzdem blutbefleckt.

ELEKTRA.
Du lügst!

THERON (ORESTES).
        Ich tat's im schwersten Augenblick,
tat's bei dem Opfer meiner grausen Bluttat,
nur um so sicherer meinen Schlag zu tun:
doch hierin gleich' ich ganz den ewigen Göttern.

ELEKTRA.
Dem Gott vor allem, der Orest betrog.
Hundegebell erneut.

THERON (ORESTES).
Weib, siehst du die Unnennbaren um uns,
die schnarchend einen Augenblick verschnaufen
mit ihrer Meute? Einen Augenblick —
so fallen sie mit Hussaho uns an
und reißen uns in Stücke: Faß, pack an!

Faß, faß! Pack an! Faß, faß, pack an, pack an!

ELEKTRA.
Die Angst erwürgt mich.

THERON (ORESTES).   Sie erwürgt auch mich,
doch leb' ich, leb' ich! Wisse: Muttermord
macht uns unsterblich.

ELEKTRA.   Uns?

THERON (ORESTES).   Ja, dich und mich!
Und dies bestätigt — sieh! — der Mutter Schatten.

ELEKTRA.
Der Mutter? Deiner Mutter — meiner nicht!

THERON (ORESTES)
Nicht meiner Mutter: deiner! denn du trägst
an dir das brandige Mal eines Muttermords.
Es wird der durchsichtige Schatten Klytämnestras sichtbar. Er
nähert sich Elektren: eine hohe königliche Frau, deren Antlitz
blutüberströmt ist.

ELEKTRA.
Am Körper nicht, vielleicht wohl an der Seele.
Oh, Mutter!

THERON (ORESTES).
            Mutter, Mutter, oh, laß ab!
Laß ab von mir, o Mutter! Mögen die
von Mensch und Gott Verfluchten lieber mich
mit ihren Martern martern, ihren Doggen,
den schwarzen, Pest und Feuer atmenden,
lebend zum Fraß mich geben, als daß du
den Tod nicht schmeckst und immer wieder mich
mit einem bittren Klageblick besuchst.
Das Hundegebell reißt ab. Die Erscheinung verschwindet.
Ein süßer Hauch von Mutterliebe hat
mich angeweht.

ELEKTRA.   Auch mich.

THERON (ORESTES).   So laß uns nun,
Schutzflehende, des Altars uns erinnern!

ELEKTRA.
So sei's! Komm näher, Fremder — nein, nicht Fremder,
das Unglück selbst nennt seinen Bruder dich.
Komm, Bruder! denn ich bin's, ich bin das Unglück.

THERON (ORESTES)
  Bist du verflucht, bist du geächtet? Sei
  gesegnet mir, Geschenk des Himmels, Schwester!

ELEKTRA.
  Ja, ich erkenn's: du bist vom rechten Schlag,
  ein wahrer Mensch, die andern sind nur Puppen
  des Glücks, der ewigen Götter Tändelwerk.
  Ich war nie Kind.

THERON (ORESTES).   Und doch, wir beide wissen's,
  bist du von einem Elternpaar gezeugt.
  Wer war dein Vater?

ELEKTRA.   Wenn er mit der Braue mir
  nur winkte, schwand ich hin, wie in der Sonne
  ein brennend Wachslicht: Licht und Wachs zugleich.
  Er winkte mit der Braue, und es folgte
  ihm zitternd Hellas — der Kronide hatte
  nicht größre Macht, so schien's —, allein für Hellas
  war ihm kein Opfer je zu groß; er legte
  um seinetwillen, seiner Ehre willen,
  die eigne Tochter, Iphigenien,
  auf den Altar der Todesgöttin. Oh,
  er ehrte, wie kein anderer, die Götter.

THERON (ORESTES).
  Er lebt nicht mehr?

ELEKTRA.   Nein, Agamemnon traf —
  er starb durch Meuchelmord — ein schwer Geschick.

THERON (ORESTES).
  Erlag er der Blutrache?

ELEKTRA.   Rächt die Mutter
  den Tod der Tochter, wie dann nennst du das?

THERON (ORESTES).
  Blutschuld ist leider meiner Brust vertraut,
  wie Atem. Doch für eine solche Tat
  gibt es kein menschlich Wort. Ich hörte nie
  von Agamemnon.

ELEKTRA.   Nun, dann hast du nicht . . .,
  nicht einmal blind und taub und stumm, gelebt.
  Doch lügst du, denn du schielst bei diesem Worte.

THERON (ORESTES).
  Sofern ich schiele, schielt mein eines Auge

nach deiner Schönheit.

ELEKTRA. Hebe dich hinweg,
Unsinniger, mit deinem geilen Blick!

THERON (ORESTES).
Doch sagtest du, ich sei vom rechten Schlag:
ein wahrer Mensch.

ELEKTRA. Es war ein Irrtum; denn
du bist, ich seh's, nur Wegwurf.

THERON (ORESTES). Du hast recht.
Drum nanntest du mich auch des Unglücks Bruder
mit Recht und so auch deinen, denn du seist
das Unglück. Also tu nicht spröde, Weib!
Anfang und Ende alles Jammers ist
doch Eros!

ELEKTRA. Hilfe!

SECHSTER AUFTRITT

*Durch den mittleren Vorhang treten die drei Priester, und zwar
in der Weise, daß Proros und Aiakos ihn für Pyrkon mit den
Händen trennen, ihm den Vortritt lassend. Alle drei stehen
dann vor dem geschlossenen Vorhang: Pyrkon in der Mitte.*

PYRKON.
Was für ein Lärm? Was geht hier vor? *Zu Theron.* Wer bist du?

THERON (ORESTES).
Ich frage dich: wer du? Wer du? Wer du?

PYRKON.
Weißt du nicht, wer ich bin, so weißt du auch
nicht, wo du bist.

THERON (ORESTES).
So sage mir auch das!

PYRKON.
Verworren sprichst du, so verworren scheint
dein Antlitz. Du bist krank und hast vielleicht
den Freund, den Arzt, den Helfergott gesucht?

THERON (ORESTES).
Wie alle Sterblichen! Du sagst es. Ja!
Denn ewig Suchen ist ja Menschenlos.

PYRKON.
  Nicht unrecht hast du, viele Kränze hängen
  im Heiligtum des Helfergotts Apoll
  von solchen, deren Übel er getilgt,
  und viele Pilger warten vor den Türen,
  behaftet mit Gebresten aller Art,
  die Heilung suchen.

THERON (ORESTES).   Der Heilbringer? — Sagt,
  wo weilet dieser Gott?

PYRKON.   Auf dem Parnaß,
  und seine Heiligtümer sind in Delphi.

THERON (ORESTES).
  Dies sei die Stätte auch der Sühnungen,
  sagt ein Gerücht.

PYRKON.   Dann ist es ein Gerücht,
  daß heilige Götter den Olymp bewohnen?
  Und nun, Ungrieche, Unmensch, packe dich
  aus dieses Tempels heiligem Bezirk
  und fernehin aus Pythos ganzem Umkreis!
  Du ekle Speise der Erinnyen,
  pack dich!

THERON (ORESTES) *bricht in ein gräßliches Lachen aus.*
  Willkommener Ruf — so altgewohnt —,
  der nie verstummt, wo ich auch immer bin,
  ob ihm Athene Schweigen auch gebot
  sowie Apoll.

PYRKON.   Trat dir der Gottverlassene
  zu nahe, Fürstin?

THERON (ORESTES). Nennst du Fürstin sie,
  so bleibt sie gottverlassen doch wie ich.
  Er will gehen.

PYRKON.
  Was ist's mit diesem Ruder? Eh du gehst —
  was soll's auf Gottes Altar?

THERON (ORESTES)   Mir befahl
  ein Schiffsherr, auf den nächsten Altar es
  als Dank es zu legen für gelungne Fahrt.

PYRKON.
  Von welcher Fahrt denn ist er heimgekehrt?

THERON (ORESTES).

Vom Lande Tauris, das am Pontos liegt.

PYRKON.

Und warst du Rudersklave dieses Schiffsherrn?

THERON (ORESTES).

Der letzte, der verachtetste: ich war's!

PYRKON.

Weißt du wohl etwas von dem Tempeldienst,
den man im Tempel der Barbaren übt?

THERON (ORESTES).

Als Priesterin der blutigen Göttin waltet
ein übermenschlich grauenvolles Weib.
Die Fürchterliche spricht in Griechenlauten.
Gleichviel: ein Opfertier, ein Griechensohn,
versteinten Herzens würgt sie beide ab.

PYRKON.

Wie heißt der König dieses Landes?

THERON (ORESTES).   Thoas.

Ihn kommt wohl weibisch Mitleid eher an
als seine Priesterin, dies Bild von Erz.
In ihrem Schlachthaus herrscht sie unbeschränkt,
blutgieriger, gnadenloser als die Göttin.

PYRKON.

Ja, mancher glaubt, sie sei die Göttin selbst.

ELEKTRA.

Von dieser Priesterin hat mir geträumt.

PYRKON.

Dazu, o Fürstin, hast du reichlich Grund.
Wie sehr du Stand und Wesen auch vor mir
verbirgst: ich weiß, daß du Elektra bist,
und heiße dich im Heiligtum willkommen.

ELEKTRA.

Wie Balsam ist dein Gruß mir, heiliger Mann,
und Hauche süßer Hoffnung wehen plötzlich
um mich — geweckt wovon? Ich weiß es nicht.

THERON (ORESTES).

Wahnsinnige, wenn du Elektra bist,
so nimm es für gewiß: des Priesters Gruß,
der milder Sühne Atem um dich hauchte
und der Versöhnung nahen Trost, er log!

Orest, dein Bruder, wisse, lebt nicht mehr.
Er ist verblutet unterm Mordstahl der
Barbarenpriesterin und Pylades,
sein Freund, nach ihm, wie er.

ELEKTRA.
Du lügst!

THERON (ORESTES).
Und das warum?

ELEKTRA.   Um dich zu rächen
dafür, daß ich als Wegwurf dich erkannt.

THERON (ORESTES).
Wenn Fürst Orest mir nun den Auftrag gab,
Mykene, Tiryns, Argos zu besuchen,
um dort den Seinigen zu berichten, daß
er im verfluchten Leben nicht mehr weilt?

ELEKTRA.
Du lügst! Du lügst!

THERON (ORESTES) *schäumend, stampft mit den Füßen.*
Orest ist tot, ist tot!
Verflucht, wer seinem Grab sich naht! Verflucht,
wer widerspricht! Wer auch nur seinen Namen
noch nennt: er sei verdammt, er sei verflucht!
*Er rast davon und verschwindet in einer der mündenden Tem-
pelstraßen.*

ELEKTRA.
Ich beiße mir die Zunge eher ab,
als daß ich spreche. Eh ersticke ich,
als daß ein Schrei sich aus der Brust mir reißt.
Sofern ich dann veratme, sterb' ich nicht
der Fackelträgerin als Opfer hin —
nein: ihm, nur ihm, dem Lügengott Apoll!

PYRKON.
Furchtbar ist freilich, was ans Ohr uns drang.
Es scheint beinah den Seher zu entwurzeln,
der nur vom lebenden Orestes weiß
und seiner nahe harrenden Erlösung.
Doch wenn die Kere zu dem Menschen kommt,
so überrascht sie, scheint es, selbst die Götter.

ELEKTRA.
Verruchter Priester, schwarzverlogene Brut,

voran du, Pythia, auf dem goldnen Dreifuß,
hier lag mein armer Bruder hingestreckt,
Orestes, vor dem Altar eures Gottes.
Er nahm nicht Trank noch Speise zu sich, frei-
gesprochen zwar vom Blutgericht Athens
und jener Göttin, die, mit Helm und Schild,
mit Speer und Männerblick begabt, ihn löste
von aller Blutschuld, doch trotzdem verfolgt,
so nach wie vor, von den Erinnyen.
Da fiel der Spruch der Pythia:

„Raube das Bild der Göttin Artemis
zu Tauris, das dereinst vom Himmel fiel,
geleit es, führ es an Apollons Altar!"

Er hat gehorsam das Gelübd' befolgt
und starb, wie Iphigenie, seine Schwester:
ein Fraß der Hekate! Säh' ich ihr Bild,
mit diesem Beile würd' ich es zerschmettern.
*Sie hat das Beil wieder vom Altar gerissen und stürmt durch
eine der mündenden Straßen davon.*

PYRKON.

Schreckliche Frevlerin! Jedoch ein Weiberherz
mag immerhin an dieser jähen Wendung
zum Hoffnungslosen brechen: hab' ich selbst
doch Not, dem neuen Sturm zu widerstehn.
Orestes tot? Unmöglich! Kann das Wort
und heilige Ahnen dieser Rätselstunden
doch nie und nimmer Trug und Irrtum sein! —
Bringt sie zu Pflegerinnen und zu Ärzten!
Proros und Aiakos gehen ab, in Befolgung des Befehls.

ZWEITER AKT

ERSTER AUFTRITT

*Pyrkon steht, wo er im ersten Akt zuletzt gestanden hat.
Pylades mit den zwei Begleitern tritt auf. Die Erscheinung des
Pylades überschattet die Begleiter. Sie tragen Schwert und Helm
bei sonst reicher Kleidung. Sie schreiten eilig auf Pyrkon zu.*

PYLADES.
Erkennst du mich wohl, Hochehrwürdiger?

PYRKON.
Nein, nicht sogleich im ersten Augenblick.

PYLADES.
Ich bin — wer bin ich? Womit fang' ich an?
Ich bin des Fürsten von Mykene Freund,
des allerunglückseligsten der Menschen —
Orestens Freund. Er ist nie ohne mich,
wie ich nicht ohne ihn. Und Pylades
hat mich mein Vater zubenannt. Ich bin
des Strophios von Phokis einziger Sohn,
die Schwester Agamemnons nenn' ich Mutter.

PYRKON.
Wer, Fremder, maßest du dir an zu sein:
der tote Pylades — Orestens Freund,
des Toten?

PYLADES.   Er ist tot, solange noch
in ihm der schwarze Wahnsinn herrscht — doch nur
als Geist: als Mann und Mensch ist er lebendig.

PYRKON.
Ich fasse mich und suche zum Gerücht
zu stempeln, was von Grund aus meinen Sinn
erschüttert hat. Ein wüster Mensch beschwor:
Orest und Pylades — wie jeder weiß,
sein Freund und Schatten — seien beide tot.

PYLADES.
Wer dies berichtet, o Ehrwürdiger, log!

PYRKON.
Fast scheint es selbst mir so, was dich betrifft;
denn mehr und mehr mein' ich dich zu erkennen.
Kein Zweifel: Du bist wirklich Pylades!

PYLADES.
Und du bist Pyrkon, jener Weise, der
durch seiner Güte Herzschlag schon allein
beinah Genesung ist den Leidenden
und den Schutzflehenden der sichre Schutz.

PYRKON.
Ein hohes Lob: es zu verdienen, sei,
solang ich lebe, meines Wirkens Ziel. —

Doch nun: ich will mich nicht dabei verweilen,
das Rätsel eurer Auferstehung mir
zu klären, sondern dessen mich befleißen,
was dir und mir zunächst am Herzen liegt.
Was bringst du mir?
PYLADES.   Zwiespältiges! Die Brust,
laut will sie jubeln, doch das Auge weint.
Vollbrachtes, unterm sichren Götterschutz,
von schwerster Bürde hat es uns befreit;
nun aber, da die Last ihn nicht mehr drückt,
brach er, der Träger, unter ihr zusammen. —
Kurz laß mich sein: was uns Pythonios
als letzten Preis der Sühne aufgetragen —
Ihr wißt von welcher Blutschuld —, ist erfüllt.

„Ich mag den Glauben nicht verlieren", sprach
Orest, „daß Delphis Helfergott es ernst meint. —
Auch über alle Taten fürchterlich
war ja die meine! — Also lege ich
an Delphis Altar das Gelübde ab:
das Bild der Artemis herbeizuschaffen
aus Tauris oder ohne Wiederkehr
in schwarze Nacht des Wahnsinns zu versinken!"

Und was doch ganz unmöglich schien, gelang.
Laß mich verschweigen, wie unsinnige Mühen
wir hatten, unsre Schiffe auszurüsten.
Schiffsvolk zu werben, einen Steuermann,
gewillt, die Irrfahrt zu versuchen in
den Pontos und nach Tauris: beides ward
erreicht. Und jetzt nun wär' es an der Zeit,
von einem Helden zu berichten, der
keinem von denen, die um Troja rangen,
zu weichen braucht: es sei denn dem Achill!
Und dieser Aias, dieser Hektor ist
kein andrer als Orest. — Der Tempel ward
im Sturm genommen und der Göttin Bild
samt ihrer vielberufenen Priesterin
glücklich und schnell auf unser Schiff geraubt.

Wir lichteten die Anker, und wir sind
nach einer ohnegleichen kurzen Fahrt
in Krisas Hafen heute angelangt.

PYRKON *ergriffen.*

Des Gottes sichtbarliches Wirken hat —
wie meine Ahnung mir bereits verriet —
an euch, ihr Freunde, glorreich sich erfüllt.

PYLADES.

An dir, Hochwürdiger? Nur fehlt Orest!
Und wir, samt unserm Schiffsvolk, sind dabei,
den jählings uns Entschwundenen zu suchen.

PYRKON.

Sei dessen sicher, Fürst, und tröste dich,
der Herr in Argos wird noch heut gefunden —
und mehr: wird der Verfolger ledig sein.

PYLADES.

Du meinst: der gnadenlosen, göttlichen?

PYRKON.

So ist's! Doch sage jetzt mir eines, Fürst
von Phokis: bin ich darin recht belehrt,
daß dir Orest Elektren zugedacht
als Gattin, seine Schwester?

PYLADES.   Ja, bereits
als Knabe banden mich mit ihr Gelübde.
Dann brach das Fürchterliche auf uns ein.

PYRKON.

Und, wie es heißt: sie, deren Hände zwar
vom Blute rein sind, dünke sich nicht minder
von der Erinnyen blutigem Haß gehetzt.

PYLADES.

Ehrwürdiger, ich rufe wehe! wehe!
und zehnmal wehe! über dies Geschlecht,
das ganz so zärtlich, wie es grausam ist.
Es streiten zwei Dämonen sich in ihm;
ein ewiger Bruderkrieg mit giftigen Dolchen!
Seit Pelops ruht der Fluch des Hauses nicht.

PYRKON.

Wahrst du Elektren ebendiese Treu'
wie ihrem Bruder?

PYLADES.   Meines Herzens Kammern

sind ihrer zwei: in einer wohnt Orest,
Elektra in der andren immerdar.

PYRKON.

Nun denn, laß dir berichten: sie ist hier,
doch weniger als der Bruder nicht zerstört
vom schauerlichen Schicksal ihres Hauses.
Ich glaube fast, sie liegt im Pflegehaus,
wohin zwei junge Priester sie geleitet.

PYLADES.

Was wollte sie? Was tat sie hier?

PYRKON.   Sie legte
auf den Altar ein doppelschneidig Beil,
das scheußliche, das in der Mutter Stirn,
von ihres Bruders Faust geschwungen, eindrang.

PYLADES.

Bring mich zu ihr!

PYRKON.   Komm mit, es soll geschehn!
Pyrkon geht mit Pylades und seinen Begleitern vor dem Vorhang rechts ab.

ZWEITER AUFTRITT

Es ist während des vorigen Auftritts schon nach und nach dunkler geworden. Man hat Murren eines fernen Gewitters gehört. Es ist näher gekommen: die Blitze werden heller und folgen in geringeren Abständen, der Donner wird lauter, ein starker Regen fällt ein.
Allerlei Volk sucht Schutz unter dem Pronaos des Tempels: Wallfahrer mit vielerlei Gebresten sowie sühnesuchende Weiber und Männer in verschiedenen Altersstufen dringen schreiend und kreischend ein.
Drei schon greisenhafte Männer haben sich zusammengefunden: erster, zweiter und dritter Greis.

ERSTER GREIS.

Es kam urplötzlich, und vergeblich hättest
du eben noch den Himmel abgesucht
nach einem Wölkchen.

ZWEITER GREIS.   Hundertfach erdröhnt
der Donner hier in unsern Felsenklippen.
Mir scheint es, daß die Götter Schweigen uns
gebieten und allein den heiligen Ort
besitzen wollen, etwas zu beginnen,
auch wohl zu enden, dessen Endschaft reif ist:
wenn dies der Fall ist, brauchen sie uns nicht.

DRITTER GREIS.
Oh, schrecklich, wenn die Götter unter sich
allein sind, sich nicht mehr der Kreatur
erinnern, nicht der Tempel noch der Priester!
Dann fegen jählings alles sie hinweg,
der Boden bebt, die Felsentürme wanken
und bröckeln, furchtbar polternd, in den Abgrund —
und Weihgeschenke stürzen ihnen nach,
wie nichtiges Geröll.

ERSTER GREIS.   Ein Ziegenhirt,
berauscht, kam mir entgegen: nicht von Wein,
sein Seherauge war von Gott berührt,
denn aus der Spalte unterm Dreifuß quillt
der Dunst heut, alles um sich her betäubend,
so Mensch als Tier. Er schwor: die Todesgöttin,
die Fackelträgerin, die Jägerin,
kurz, eine gnadenlose Hekate
stehe vor Delphis Tor und heische Einlaß.

ZWEITER GREIS.
Schütz uns, Apoll! Nimm aus der Schwester Händen
die Waffen! Ihrer sind ja Legion,
allein du hast die Macht, sie abzustumpfen.

ERSTER GREIS.
Nacht rauscht empor aus der kastalischen Schlucht
der Phädriaden: schwarze Wasser ahnen
der Engverwandten gnadenlose Nähe,
der Nächtlich-Schönen, die den Tod regiert.
Wir sind nicht mehr: wir brauchen sie, die Götter,
doch sie nicht uns. Was sie verhängen, sind
grausame Martern, denen sie mit Lust
zuschauen: Martern über Mensch und Tier.

*Unauffällig, gleichsam wie zum Volk gehörig, sind Elektra
und Theron (Orestes) erschienen.*

ELEKTRA.
Nimm weg, Mensch, deine widerliche Faust
von meinem Handgelenk!
THERON (ORESTES).　　　　　Nicht eher, bis
ich ins Gewahrsam dich gebracht des Tempels.
ELEKTRA.
Das haben zwei Grünschnäbel schon versucht,
des Phoibos noch nicht flügge Priester.
THERON (ORESTES).　　　　　　　Mir,
o Schwester, muß es um so mehr gelingen.
ELEKTRA.
Du gabst den Tod mir, Bube, sei verflucht!
THERON (ORESTES).
Vom Abgrund hab' ich dich zurückgerissen,
auf hohem Felsen, eh er dich verschlang.
ELEKTRA.
So ist's! Du häufst Verbrechen, wie mir scheint:
nichts ist in mir noch lebend, so wie so. —
Allein fort, fort! Hinweg aus Götternähe,
wo menschliches Gewürm in Furcht und Not
kriechend sich häuft, Rechtlosigkeit in Kot
sich blutig wälzt und das Soniedrige
sich nicht in Niedrigkeit genug zu tun
vermag! Wenn Götter sich der Herrschaft brüsten,
weil Bettlerelend, das vom Aussatz starrt,
Pfennige opfert und Gebete lallt
mit faulem Atem: sind sie darum mehr?
Die Götter sind geworden wie die Menschen
und haben so wie diese sich bekriegt.
Hebt irgendeine Macht sie über uns,
so die, das Böse ungestraft zu tun. —
Sind Götter groß? Sie haben sich in mir
wie kleines Ungeziefer eingenistet,
wovon kein Lorbeer, kein kastalischer Quell
zu reinigen vermag. — Mir scheint, sie haben

von mir gelernt, nicht ich von ihnen, was
den Menschen klein — und groß die Götter macht.
Oh, große Lüge! große Lüge! Bist du nicht
die schwarze Kuh, aus der wir weiße Milch
wie süßes Leben einzutrinken glauben
und die uns doch nur eins: den Wahnsinn bringt?

THERON (ORESTES) *von ihrer Empörung gleichsam angesteckt.*
Ja, ja! — Wer bist du, große Seherin,
die um der Hölle Dreifuß gräßlich zwitschert
wie eine Fledermaus? Von neuem Schwester —
und immer wieder Schwester nenn' ich dich!
Es schwelt in uns, ich schwör's, das gleiche Blut.
*Er nimmt seine Kappe ab, in der sein Haar verhüllt gewesen
ist. Es fällt nun als schneeweißes, dichtes Gelock über seine
Schultern.*
Orestes starb: nimm mich an seiner Statt.
Mein Haar ist weiß — indessen meine nicht,
daß ich ein Greis sei! Nein, ich bin ein Mann,
wie je nur einer war: an Arm und Lenden
gleich stark! Mein Haar, wie das Orestens, ist
erbleicht zu Schnee, als ich zum erstenmal
der Schlangenhaarigen eine im Gemach
entdeckte, wie sie unbeweglich stand:
verwester und bemalter Stein, nichts mehr.
Was einzig an ihr lebte, rann aus Mund
und Auge ihr; schwarz war's und purpurn: Blut!

ELEKTRA.
Weißhaarig starb Orest?

THERON (ORESTES).   So weiß wie ich
durch der Erinnye Anblick, die — in Meuten —
nun täglich, stündlich mir Gesellschaft ist.

ELEKTRA.
Fremder, was ist's mit deinem weißen Haar?
Es zieht mich an sich: darf ich es berühren?

THERON (ORESTES).
So scher es ab! Wie gerne geb' ich's hin,
als Opfer hin, auf unseres Vaters Grab.

ELEKTRA.
Wie unauflöslich kann der Wahnsinn doch
verstricken! Unsers Vaters, sagst du, wie?

THERON (ORESTES).

Nun magst du wissen, daß ich mit Orest
nach Tauris fuhr und nachts mit seiner Flotte
in Krisa landete.

ELEKTRA.   Doch ohne ihn?

THERON (ORESTES).

Ja, ohne ihn; doch mit dem Götterbild,
des Raub Pythonios von ihm verlangte,
und überdies mit jener Priesterin
der Artemis, auf deren Altar noch
dein Bruder als ihr letztes Opfer starb.

VIERTER AUFTRITT

*Die Ruhe in der Natur ist zurückgekehrt. Wolken geben die
Sonne frei, die nun hell über allem leuchtet. Pyrkon, Proros
und Aiakos treten ganz in der Weise auf wie im sechsten Auf-
tritt des ersten Aktes. In einigem Abstand hinter ihnen nimmt
Pylades mit seinen Begleitern Aufstellung.
Heilrufe einer Volksmenge nähern sich.*

PYRKON.

Ein heilig Jauchzen schallt von ferne her
und nähert sich, bald wird es sich verbreiten
und selig Fels und Klüfte überschwemmen,
wird Berg und Täler klingen machen, wird
die Stadt der Städte, diese Tempelstadt,
beseligen. Man wird Gesang der Neun,
der Ardaliden, laut und lauter hören,
herniederschwebend von Parnassos' Höhn,
im Schmelz, dem nichts, was hart ist, widersteht.
Und dieses Fest — Fest aller Feste! —, das
sich vorbereitet, heißt: Versöhnung!, und
aus Himmelsgrund durchdringt es alle Welt:
daß Artemis und Phoibos, lang entzweit,
sich in Geschwisterliebe wieder einen.
Der Wagen, mit zwei Hirschen angeschirrt,
steht golden glänzend am Olymp bereit,
und beide werden wieder ihn besteigen.

Erst aber naht sie sich, voll Schwesterliebe —
die selbst sich ins Barbarenreich verbannt —,
glückseliger Rückkehr in ihr Vaterland.
Sie naht allein mit ihrer Priesterin,
ihr, die — von einem Rätselhauch umweht —
gleichsam das heilige Haus der Göttin selbst,
das wandelnde, bedeutet, drin sie wohnt:
und Artemis, wer glaubt sie nicht zu sehn,
der sie erblickt? —
Noch sei euch dies vertraut:
Der Götterbote, dessen Phoibos sich
diesmal bediente, die Versöhnte heim-
zuführen, war nicht Hermes, sondern war
ein Sterblicher, ein Held aus hohem Stamm,
der dadurch sich nicht nur von dem Gelübde
gelöst, das er getan, nein, der vielmehr
mit unvergänglich hohem Ruhme sich
gekrönt! Und wißt: es haben ihn die Zwölf,
nach Götterlaune, heut zu ihrem Liebling
erkoren und zum Mittelpunkt der Festlust
ernannt, als Stifter himmlischer Vermählung;
und drum hat heut sich der Parnaß bewegt,
aus seinen Gipfeln rasen die Thyiaden,
Apoll zu ehren und Dionysos
und dieses Pelopiden heilige Tat.
Des Berges Hirten tanzen, Flöte spielend,
des Marsyas Weisen aber neigt sein Ohr
sogar der Musengott heut willig. Ja,
heut quillt die Freude überall, sie gluckst
in jedem Bache, rauscht in allen Hainen
der Himmlischen, in Blum' und Grashalm springt
sie auf, weil Bromios mit dem Thyrsosstab
wider die Erde stößt und sie erweckt.
Doch nun gebiet' ich Ruhe, heilige,
ehrfürchtige Stille: denn die Göttin naht!

Eine Prozession bewegt sich von links in den Tempelhof. Junge
Priesterinnen, wie Nonnen dunkel gekleidet, schreiten voran.
Von ebensolchen Priesterinnen getragen, erscheint eine Bahre,
auf der das alte Holzbild der Artemis steht.
Dieser Bahre folgt, in Purpur gekleidet, die hoheitsvolle Ge-
stalt der Oberpriesterin. Sie überragt die andern an Größe und
bewahrt ein unbewegliches, archaisches Lächeln.
Der Zug ist bis in die Mitte des Raumes gelangt, und die Stille
hat einen beinahe bänglichen Grad erreicht, als plötzlich ein
Schrei die Luft zerreißt.

ELEKTRA *die den Schrei ausgestoßen hat.*
  Was sagst du, Unglückseliger: sie ist
  die Mörderin, die meinen Bruder totschlug?
THERON (ORESTES).
  Und Griechen abgeschlachtet ohne Zahl!
ELEKTRA *stellt sich, das Doppelbeil in der Faust, drohend vor die*
  Oberpriesterin.
  Fluchwürdige, steh still und sieh mich an!
  Du, die vom Blute meines Bruders trieft:
  steh still und sieh mich an! Wo ist Orest?
  Gib ihn mir wieder! Grab ihn aus der Erde!
  Hol ihn vom finstren Hades mir herauf,
  reiß ihn dem Höllenhunde aus dem Rachen —
  und von den Meuten der Erinnyen,
  den zähnefletschend bellenden, sei selbst
  umstellt und durch die Ewigkeit gehetzt!
  Kein Tod erblühe dir, verruchtes Weib,
  so wenig wie er mir noch jemals blüht;
  denn ich, ich war's, die ihn zum Muttermord
  rastlos gepeitscht und so an seinem Tod
  gleichschuldig ward: so fall' ich nun
  zugleich mit dir und trete Hand in Hand
  mit dir vor Hades' Thron und gebe kreischend
  uns hin der blauen, knochennagenden
  Persephoneia. Deine Schuld, Apoll,
  und deine, Artemis, wir nehmen sie
  auf uns! Als du den Tod der Mutter

verlangtest, Loxias, warst du ein Gott —
und Götter morden heiter, ungestraft.
Wer darf sie Mörder nennen? Mörder du,
Apoll! Dich heiß' ich Mörder meiner Mutter.
Und rein und schuldlos starb mein Bruder drum.
Dies Beil, das meiner Mutter Leben trank:
an dir, verruchtes Werkzeug, räche es —
mit Iphigeniens dereinst — zugleich
Orestens schuldlos-blutigen Opfertod.
Pylades ist herangesprungen, hat Elektra das Beil entwunden
und fortgeschleudert und faßt nun mit beiden Händen ihre
Handgelenke.

PYLADES.
Erwache jetzt, Elektra! Weiter treibe
des Traumes wüste Blindheit dich nun nicht!
Entsetzt verflüchtigt sich die Menge, die
dein Tun und deine Worte nicht begreift.
Knie nieder, nimm zurück, was deinem Gram
und deinem wirrgewordenen Sinn entfloh!
Wach auf! Langmütig sind die Himmlischen.

ELEKTRA.
Gönn einen Augenblick Besinnung mir,
denn was ich höre und zu sehen meine
in diesem Augenblick, kann ein Erwachen
nicht sein, o Pylades, nur neuer Traum!
Schon daß ich Pylades gesagt: wie käme
so süßer Klang so süßen Namens je
in mein Gemüt zurück und er, er selbst —
ein übergöttlich Bild — vor meine Augen?

PYLADES.
Und doch, begreife, ich bin Pylades,
bin wirklich Pylades, bin es wahrhaftig!

ELEKTRA.
Wie einfach wird die Welt, wie schlicht und still
auf einmal! Wenn wir zwei zusammen sind,
gehören Erd' und Himmel uns allein.

PYLADES.
Es war einmal. Doch jetzt gehören wir,
ja unterstehen wir den hohen Mächten
der Gottesstadt, die — über Hellas weit

hinaus — die Welt erleuchtet und beherrscht.
Füg dich dem Augenblick, füg dich dem Wunder!

ELEKTRA.

Du einzig bist das Wunder, Pylades!
Und in dies Wunder fügt sich alles ein,
wie mit Genesungsbalsam mich durchdringend.
Stoß mich nicht von dir, o Geliebter, laß
an deiner Brust mich endlich einmal ausruhn
und weinen, weinen, weinen!
*Sie hat ihre Arme um seinen Hals gelegt und bricht in Schluch-
zen aus. Dann macht sie sich sanft los und fährt fort.*

                                        Linder nun
wird jeder Schmerz. Allein jetzt sage mir —
du, den ich einstens von mir ziehen ließ
nur um Orestens, meines Bruders, willen,
damit du ihm, als Freund und Helfer, stets
zu Seite seist, nicht bloß vor tückischen
Bluträchern ihn bewahrend, sondern mehr
noch vor sich selbst! — so sage mir: wie kam
das fürchterliche Ende über ihn?
Ihr waret eins in jeglicher Gefahr,
nie dacht' ich anders als: sie sind ein Leben!
Für sie bereitet ist im Rat der Keren
ein und derselbe Tod. Ich irrte mich:
denn du bist hier und lebst, er aber fehlt.
Oh, Pylades! Oh, wehe uns! Getilgt
ist Agamemnons Stamm nun von der Erde.

PYLADES.

Du irrst, Elektra, und dein Bruder lebt!
Auch du erwache nun, Orest, und tritt
aus deines Grames fürchterlicher Nacht
heraus ins reine Tageslicht der Gottheit!

ORESTES *mit erstaunlicher Gelassenheit.*

Ich bin erwacht, und was um mich geschieht,
wird in der schlichten Form mir wiederum
erkennbar, wie gesunder Sinne Kraft
dem Sterblichen sie schenkt.

ELEKTRA.   Wer bist du, sprich?

ORESTES.

Befreit von Krankheit durch den Arzt Apoll,

894

nenn' ich Orest mich und Elektra dich!
Elektra sinkt bewußtlos um. Pylades·und Orestes lassen sie
sanft zur Erde gleiten.

OBERPRIESTERIN.

Welch einen Fluch sprach diese Fremde aus,
und wem wohl galt er, o hochheiliger Mann?
Die Göttin, der ich diene, trennte mich,
nach ihrer strengen Satzung, von den Freuden
der Welt. Blut, wie es in mir fließt,
ist mehr verwandt mit des Olympos Schnee
als mit des Göttervaters Himmelsfeuer.
Ihr irrt nicht, nennet ihr mich tagesfremd.
Der Purpur, den ich trage, gelte niemand —
so glutvoll er auch äußerlich erscheint —
als Merkmal etwa, daß ich Irrtum rede.
Er spricht und deutet hin auf jedes Blut,
das abwärts frei zum Hades sich ergießt
und Opferspeise auf dem Herd zurückläßt.
Mir ist nicht unvertraut, was ich erfuhr
in diesem Augenblick: die Gnadenlose —
so nenn' ich Hekate — hat mich geschult.
Kalt bleibt ihr Götterblick, ihr Mund bleibt stumm,
ob ihre Opfer schreiend sie verfluchen.
In Wahrheit ist bei euch mir alles fremd.
Doch etwas legt sich warm hier um mich, so,
als wollt' es etwas in der Brust mir tauen:
auch regt sich's in mir wieder wie ein Herz. —
Geduld! Ich fühle fast, ich rede irr.
Man sagt mir, und ich weiß es, Hekate
bereitet, enger mit Apoll vereint,
sich nun in Hellas einen neuen Dienst.
Nach ihrer Wandlung, fürcht' ich, sie bedarf
nun auch wohl einer neuen Priesterin.
Auch dieser Blitz, der vor mir niederging,
war furchtbar von den Unterirdischen
geschleudert, schoß vom Abgrund schwarz zurück.
Bleibt ruhig, Tote, in des Hades Nacht,
ihr seid es, ihr nur, denen ich gehöre!
Orestes tritt langsam vor die Priesterin.

ORESTES.
  Erinnerst du dich meiner?

OBERPRIESTERIN.   Ja, du bist
  Führer der Griechenschiffe, deren Männer
  das Bild der Göttin raubten.

ORESTES.   Weißt du noch,
  daß du mit deinem starren Blick mir sagtest:
  „Ich kenne dich“?

OBERPRIESTERIN.   Ich tat's — und leugn' es nicht.

ORESTES.
  Ich hob mein Schwert, um blutig dich zu strafen
  für blutiges Wüten gegen Hellas, und
  ohnmächtig ward mein Arm bei deinem Wort.
  Die Reinigung ist nah, bald wird die Schmach
  von mir gespült.

PYRKON.   Dein Glaube schon beweist
  die Wahrheit deines Worts.

ORESTES.   Nun, Priesterin,
  ich bitte dich, steh weiter Red' und Antwort:
  unmöglich doch, daß Agamemnons Name,
  des Göttergleichen, bis zu dir nicht drang.

OBERPRIESTERIN.
  Mich kommt ein Grausen an bei diesem Namen,
  trotzdem ich ihn zu Tauris nie gehört.

ORESTES.
  Der Heros hatte Ähnlichkeit mit dir,
  nur daß du zahllos Griechen hingeopfert
  und er — derselben schlimmen Artemis —
  ein einzig Weib nur: seine eigene Tochter.

OBERPRIESTERIN.
  Was hier sich um mich, was sich an mich nestelt,
  ohnmächtig stirbt es an dem Priesterkleid,
  das mich umgibt. Ward eine Jungfrau einst
  der Göttin auf dem Altar dargebracht,
  nun, so geschah es auch dereinst mit mir.
  Ich will und mag nicht wissen, wie's geschah.
  Genug: ich starb ins Göttliche hinein
  und mag im Sterblichen nicht wieder leben.

ORESTES.
  O du Unnahbare, was treibt mich doch,

in das geheimnisschwangre Reich zu dringen,
darin du lebst? Nur du allein vermagst
sein undurchdringlich Dunkel aufzulichten.
Dein Auge sagt's, daß dir, du Seherin,
nichts dunkel sein kann. So erbarm dich, sprich:
drang auch der Name Iphigenie
nie bis zu dir nach Tauris?
*Oberpriesterin zieht einen langen Nonnenschleier über ihr
Gesicht.*

PYRKON.   Fürst Orest,
laß ab! Ob eine dunkle Wolke auch
für Augenblicke unser Fest verdüstert,
sie macht nur strahlender des Gottes Licht.
Du aber, Göttin, die du uns besuchst,
kehr ein ins Allerheiligste des Bruders,
Willkommene, samt deiner Priesterin!
Und nun entfeßle Bromios die Lust!
Zum Holzbild gewendet.
*Unter immer anschwellender Harfenmusik bewegt sich die
Prozession mit dem Holzbild und der Priesterin die Treppe
empor durch den Pronaos. Der Vorhang geht auseinander und
zeigt das Allerheiligste, in das der Zug eintritt. Vor dem gol-
denen Dreifuß erwartet ihn eine Gruppe prunkvoll gekleideter
Priester.*
Hierauf schließt sich der Purpurvorhang.
*Die beiden Begleiter des Pylades sind auf den Stufen, das Ge-
sicht nach dem Allerheiligsten und dem Vorhang gewendet,
niedergekniet.*

DRITTER AKT

*Dieser Akt spielt am Morgen des folgenden Tages. Noch ist
Nacht. Die Mondscheibe steht voll am Himmel.*
*Im Pronaos brennen, der Artemis zu Ehren, Fackeln. Dort ist
auch ein steinernes Relief aufgestellt, auf dem Artemis und
Apoll in einem mit Hirschen bespannten Wagen zu sehen sind.*

Proros und Aiakos sitzen auf den Treppenstufen in stillem Gespräch.

PROROS.
O Aiakos, wir wurden wertgehalten,
in Götternähe Großes zu erleben,
wie wenige.
AIAKOS.   O Proros, du hast recht.
Ein Jahrmarkt ist's ja täglich rings um uns,
wo Schuldbeladne in die Tempel drängen
und Ablaß suchen. Wahrlich aber, nicht
bei jedem bebt Parnaß und Helikon
und dröhnt von des Kroniden Wort der Himmel!
PROROS.
Was haben wir erblickt mit unsern Augen?! —
Unfaßbares drang schmerzend uns ins Ohr!
Geschleudert von den Mächten — willenlos,
entehrt — die schmachgehetzte Atreustochter,
zertreten wie Orest, Mykenes Fürst,
ihr Bruder! Nein, nicht Pyrkons heiliger Ruf
war fähig, Freude über uns zu schütten!
Und unseres Gotteshauses hartem Ernst,
ihm nur ein leises Lächeln abzulocken —
es hätten's selbst die Musen nicht vermocht!
Meint man, ein jeder von uns sei ein Ball,
kunstvoll im Spiel geworfen von den Göttern,
nun gar ein goldener, so irrt man sich —
vergib mir, Aiakos, ich bin noch jung
und drum so kühn noch, als ich töricht bin —:
viel eher sind wir wie ein blutiger Raub,
an dem sich eine Bracke müde schüttelt.
AIAKOS.
Schweig, Frevler, fürchte selber das Gebiß,
von dem du sprichst! Hast du die Priesterin
genauer betrachtet? Dieses Bild der Nacht:
ein Lächeln ist um ihren Mund geprägt,
ein regungsloses, das allwissend scheint.
Wie Mandeln, quellend, schräg geschlitzt, und zwischen

den halbgeschlossenen Lidern wie erblindet
sind ihre Augen! Doch da kommt sie! Still!

ZWEITER AUFTRITT

Zwei nonnenhafte Tempelfrauen der Artemis ziehen den Vor-
hang auseinander, so daß die Oberpriesterin, die eine brennende
Fackel trägt, in den Pronaos treten kann, und schließen ihn,
selbst in den Pronaos tretend, hinter ihr.
Proros und Aiakos haben sich, von der Priesterin unbemerkt,
ehrfurchtsvoll ins Dunkel zurückgezogen; doch bleiben sie
während des Folgenden, beobachtend, gegenwärtig.
Die Oberpriesterin, von ihren Nonnen mit demütig über-
einandergelegten Armen gefolgt, schreitet bis zum Altar vor,
an dem sie ihre Fackel befestigt.

AIAKOS.
Persephoneia ist es, die herauf
vom Hades stieg.
PROROS.　　　　Und wenn nicht sie, so ist
es Hekate, die Mondesgöttin, selbst.
AIAKOS.
Hör, wie die Sterne gleichsam lauter singen
und blitzen — und das bleiche Mondgestirn
hat einen weiten Kreis um sich gezogen,
gleich einer Glorie, Eosphoros
strahlt doppelt, dreifach heller jetzt als sonst.
PROROS.
Was aber ist es, was sich dort begibt?
Es hat ein Schwan sich an den Säulenknauf,
das Weihgeschenk von Argos, angeklammert.
AIAKOS.
Apollon bringt ihr seine Huldigung!
Jedoch sie opfert, glaubt allein zu sein.
Laß uns in Ehrfurcht ihre Andacht schonen!
Proros und Aiakos gehen ab.

DRITTER AUFTRITT

Gegen Altar und Tempel gestellt und in den Anblick des Mondes verzückt, verbrennt die Artemis-Priesterin Weihrauch. Rechts und links von ihr knien die beiden Nonnen.

OBERPRIESTERIN.
Du meine Göttin! Meine Mutter! Du,
die gleichsam mich getötet und auf neue
gebar, du blickst auf mich wie manche Nacht
und doch auch anders: anders ganz als sonst!
Das Erz, womit du meinen Geist erbaut,
will schmelzen, das Geheimnis, drin verwahrt,
verliert die Starrheit: gleichsam war es tot
wie ich. Nun regt sich's fast, als wollt' es leben.
O Göttin, mache mich nicht irr an dir!
Zwar weiß ich, daß du vielgestaltig bist,
auch unergründlich viel Gesichter trägst;
allein ich bin nur eine Sterbliche:
laß es dabei bewenden, wie du mich
mit hartem Stempel furchtbar hast geprägt!
Ich war dein Werkzeug, Göttin, und mit einem Blick,
den du zu Stahl gehärtet, tat ich das,
was du mir anbefahlst. Ich opferte
auf deinem Altar Griechensöhne: Kinder
von Müttern meines Volks. Ich konnt' es tun
durch dich und weil ich — selbst ein halbes Kind —
dereinst wie sie geopfert ward: ich starb,
wie nur ein Opfer je, auf blutigem Altar.
Wie lebe ich trotzdem? und kam nach Tauris
trotzdem? Du weißt es, Göttin! Was ich weiß,
ist einzig dies: ich wurde neugeboren
in dir, durch dich und durch Kronions Macht —
weitab von dem, was Phoibos überglänzt —
in eine Nacht des kalten Hasses wider
die fürchterlich verderbte Menschenwelt.
Mutter, ich hatte keine andere je
als dich und will mich keiner sonst erinnern,
obwohl du mein Gedächtnis nicht getrübt,
vielmehr der Sehergabe mich gewürdigt.

Ich will sie weiter tragen! So erhalte mir
denn auch die Kraft, die übermenschlich sein muß,
damit der so Begabte nicht zerbricht!
So, Göttin, Mutter, führe mich zurück
in des Barbarenlandes fremde Wildnis —
und kann es nicht sein, sonst, wohin du willst:
nur fort von Menschen, Jahrmarktstreiben, Freuden,
die widerlich wie Kindsbrei sind, nur fort
in fernste Felsenklüfte, Wüstenein
und unauffindbar tiefe Einsamkeit!
Sie sinkt überwältigt am Altar zusammen.

VIERTER AUFTRITT

*Im Tempelhof erscheinen Elektra und Pylades. Elektra zeigt
in ihrem ganzen Verhalten und in ihrem Äußern, daß der
furchtbare Paroxysmus vorüber ist. Trotzdem ist sie lebhaft
erregt, bleich und von den Spuren der Erlebnisse gezeichnet.*

PYLADES.
    Orestes schläft im Gästehaus. Es ist
die erste Nacht seit Monden, glaube mir,
drin ihn der Schlaf erquickt. Der Helfergott
durchdringt ihn mit den Kräften der Genesung,
die deinem Bruder ganz zu schenken er
gewillt ist: wenn sein junger Strahl ihn weckt,
ist er gesund. —
    Nun aber denk an dich,
du Ruhelose, biet auch dich der Heilung dar,
die sich, ein Göttersegen, um dich drängt!
Um deinetwillen tu's und auch für mich:
denn du bist mein! — Es sind Gesandte da,
die vom Europas und Alpheios Botschaft
für deinen Bruder bringen. Sparta ist
verwaist, weil Menelaos nicht mehr lebt,
der neidische Bruder deines hohen Vaters.
Man bietet seinen Herrschersitz Orest —
und seine Königswürde bietet ihm
zugleich Arkadien. Die Theoren haben

dem großen Rat der Amphiktyonen sich
mit feierlichem Ernst darin eröffnet,
sie wünschten Agamemnons Sohn und keinen
andren zum König! Welche Wendung! Sichtbar wird
der Götter gnädige Umsicht und ihr Walten
zum Wohl Orestens: Argos und Mykene
sind immer noch vom Blutgeruch erfüllt,
und Hadesschatten lassen sich ihr Recht,
dort schrecklich umzugehn des Nachts, nicht rauben.
Ein neues Leben fängt sich für Orest
sowohl in Sparta als Arkadien an
und mit der Götter Gunst verjüngtes Werden
des Atreusstamms. — Zwar meine Väterburgen
in Phokis öffnen uns die Pforten weit;
dort ziehn wir mit Orest ins neue Dasein,
bis eine Gattin sich zu ihm gesellt,
die seiner besser pflegt als seine Mutter.
Nun aber komm, Elektra, laß uns ruhn!

ELEKTRA.

Der Götter Walten spür' ich, Pylades,
und bin des froh. Orestes lebt! Berglasten,
die mich begruben, fielen von mir ab.
Ein Etwas aber blieb in mir zurück,
das nagt und nagt und bohrt in meiner Brust
wie eine schmerzhaft rätselhafte Frage,
die eine Antwort unnachsichtig sucht.
Sag mir, was ist es mit der Priesterin,
die ihr in Tauris raubtet? Graun befällt mich,
denk' ich daran, wie ich das Mordbeil schwang,
fluchwürdig, wider ihr geweihtes Haupt.
Als hätten Götter mich zurückgerissen,
so ist mir, von der allerärgsten Tat, die je
verübt ward selbst im blutigen Geschlecht
der Tantaliden. Hat mein Vater einst
die Tochter, Iphigenien, töten lassen
auf Rat des Thestorsohnes Kalchas, den
Mykene in die Welt gesetzt, so war es mir,
als wenn erst ich, zu blinder Wut verführt,
die Hand erhoben hätte, sie zu töten.

PYLADES.

Auch mir ging Iphigenie wiederum,
und näher als seit Jahren, durch den Sinn.
Und hättest du Orest gesehn, wie er —
du lagst in Ohnmacht — sich der Priesterin
mit rätselhaften Fragen nahte — nun:
auch er, dein Bruder, hat der Schwester wohl
gedacht, die Agamemnon hingegeben,
um so, auf Rat des Kalchas, seine Herrschaft
über ganz Hellas unerschütterlich zu machen. —

ELEKTRA.

Was regt sich dort? Still, Pylades, sie ist's!
Sie liegt in Andacht hingesunken. Still!
Laß mich geduldig harren, Pylades,
bis sich die Innigflehende erhebt!

PYLADES.

Mein Rat, Elektra, ist: sprich nicht mit ihr!
Du hast ihr furchtbar weh getan — vielleicht,
daß dich ihr Zorn darüber schmerzhaft trifft.

ELEKTRA.

Sie soll mir zürnen und danach vergeben,
ich könnte sonst nicht Ruhe finden, trotz
der guten Wendung, die sich um uns anbahnt.
Ist dir mein Leben lieb: laß mich allein!

PYLADES.

Ich tu's. Dein guter Dämon schütze dich!
Er zieht sich zurück und geht ab.

FÜNFTER AUFTRITT

Die Oberpriesterin erhebt sich langsam.
Sie dehnt sich, streckt die Arme aus, als habe sie um einen
Entschluß gerungen und ihn nun durch die Gnade der Göttin
gefaßt.
Es ist heller geworden, und die Fackeln verblassen.

OBERPRIESTERIN.

Vergib, Apoll, wenn mich dein wachsend Licht
nur schmerzt: Licht löscht das Licht! Mich aber nähren

allein der Hekate glückselige Fackeln. —
Nun kommt ins Dunkel, meine Mädchen, kommt!
Die beiden Nonnen erheben sich.

ELEKTRA *spricht schließlich, nachdem sie sich der Oberpriesterin*
mit schwankendem Entschluß genähert, diese an.
Verzeih mir, Göttliche, wenn ich die Stille,
die heilige, deiner Opferstunde störe!
Oberpriesterin scheint größer zu werden, blickt Elektra fremd
und beinah abweisend an.
Ich habe dein Verzeihn, Ehrwürdige —
ich fühl's —, auch nur für dies Vergehen nicht.
Nun aber komm' ich her, mit einer Schuld
beladen, die unendlich größer ist
und die nur dein Verzeihn,
wenn auch nicht tilgen kann,
so wenigstens mir lindern! — Kennst du mich?

OBERPRIESTERIN.
Erlaß mir diese Antwort, Fragerin,
und fahre fort!

ELEKTRA.   Fortfahren heißt bei mir
nur weiter fragen. Doch ich dränge nicht,
obgleich ich gern erführe, wer du bist. —
Du blickst mich an und schweigst: nun, sei es drum!
Allein du mußt ertragen, zu erfahren,
daß ich die fluchbeladene Irre bin,
die wider dein geweihtes Haupt das Beil
erhob, um dich zu töten.

OBERPRIESTERIN.   Und warum
geschah dies?

ELEKTRA.   Wahnsinn tuschelte mir zu,
du habest meinen Bruder hingeschlachtet.

OBERPRIESTERIN.
Wie aber heißt dein Bruder? frag' ich nun.

ELEKTRA.
Es ist der waffenglänzende Orest,
derselbe, der dich her aus Tauris brachte.

OBERPRIESTERIN.
So ist's. Nicht wenig fehlte, und ich wurde
die Beute schon von deines Bruders Schwert.

ELEKTRA.
Wie viele Schwerter zücken über uns
in jeder Stunde, jedem Augenblick!

OBERPRIESTERIN.
Auch dies ist wahr: ich weiß davon zu sagen.

ELEKTRA *sinkt nieder und umarmt der Priesterin Knie.*
Verzeih dem Bruder und verzeih auch mir!

OBERPRIESTERIN *legt unwillkürlich die Hand auf Elektrens*
Scheitel.
Der Schwester wie dem Bruder sei verziehn.
Sie hebt Elektra auf.

ELEKTRA.
Furchtbare, wieviel Güte wohnt in dir!
Wie sprachst du diese beiden Worte aus,
das eine: Schwester?! und das andre: Bruder?!
als wär' ich deine Schwester und mein Bruder
der deine.

OBERPRIESTERIN.
      Tat ich das?

ELEKTRA.   Und sieh: das ist's,
was im Gemüt mir — und wohl auch Orest —
ein nie gekanntes, dumpfes Fragen weckt.

OBERPRIESTERIN.
Erkläre deutlicher mir, was du meinst!

ELEKTRA.
Du bist die fremdeste der Frauen mir
und doch auch wiederum so altvertraut
wie keine sonst in Hellas. Schwermut blickt,
gleichwie durch Fenster, dir aus beiden Augen.
Ein Seufzen ungestillter Sehnsucht ist,
wo du auch gehst und stehst, um dich verbreitet.
Du scheinst mir, Hohe, wie ein Schmerz, der wandelt —
nein, mehr: als wie der Schmerz der ganzen Welt.

OBERPRIESTERIN.
Zuwenig und zuviel ist, was du sagst.
Von zugemeßnen Schmerzen trägt die Welt
die kleinere Last, der Einzelne die große.
Doch willst du, Danaide, mich vergleichen,
nenne mich lieber: einen Tod, der wandelt!

ELEKTRA.
Die hohen Weihen einer Priesterin
der Artemis durchdringt nicht leicht ein Mensch
des Alltags: selbst das königliche Haus,
dem ich entstamme, drin die Majestät
des Königs auch das Priestertum umschließt,
läßt mich in diesem Sinne unbelehrt.
Nur du, ein Teil der Göttin, der dein Tun
gewidmet ist, kannst mir dein Sein erschließen.

OBERPRIESTERIN.
Oh, bleib im Lichte und begehre nicht —
du Kranke, kaum geheilt — es zu durchdringen!
Und wenn du meinem Rate Güte zutraust,
die mehr als Weisheit ist, so höre den:
ersticke deinen Fürwitz und was sonst
dich immer anreizt, menschlich mir zu nahen —
und sieh so wenig mich, als du mich sahst,
eh man mich dem Barbarenvolk entriß!

ELEKTRA.
Sah ich dich nie vorher?

OBERPRIESTERIN.   Das fragst du mich
vergebens. Denn nicht alle, die mich sahn
im Leben, sah auch ich.

ELEKTRA.   So sahst auch du
mich niemals, wie du meinst?

OBERPRIESTERIN.   Ich wüßte nicht.

ELEKTRA.
Ich fürchte fast, es schleicht des Wahnsinns Wolf
aufs neue sich an mich, sein Opfer, an.
Wenn ich dem Ungeheuren Worte leihe,
das mir Erinnerung in die Seele flüstert,
als hätt' ich unter Veilchen und Narzissen
auf grünem Rasengrund mit dir gespielt:
ich ganz noch Kind und du die holdeste
der kaum erblühten Jungfrauen in Mykene.
Du hießest damals: Iphigenie.
Wenn ich dich jagte und du vor mir flohst,
umgab dein goldfalb Haar wie eine Lohe
dir Haupt und Schultern. Oh, wie süß du warst!
Dich nur zu sehen war mir ein Gebet,

glückseliger Dank an alle Himmlischen.
Und wie dein Lachen perlte durch den Duft
der Gärten! Oh, ich hätte mich für dich,
um dir zu dienen, jauchzend töten lassen! —
Nun weißt du meinen Wahnwitz.

OBERPRIESTERIN *die flache Hand vor den Augen.*

Ja!

ELEKTRA.
Und ist es wirklich Wahnwitz?

OBERPRIESTERIN.   Ja! und ja!

ELEKTRA.
So sollst du wenigstens noch dies erfahren:
Als Pylades den Mord an dir verhütet,
fiel ich in Ohnmacht, wenig Augenblicke
war ich bewußtlos, mehr denn je im Schlaf.
Als ich erwachte, war ich aufgestiegen
aus meiner Kindheit fernster Gegenwart.
Ein Jüngling aber, schwarz und weiß beflügelt,
bog sich zu mir herab und raunte leis:
du hast im Schlaf mit ebender gespielt
auf deines Vaters Blumenanger, die
du eben mit dem Beile töten wolltest —
mit Iphigenien nämlich, deiner Schwester!

OBERPRIESTERIN *wie vorher.*
Halt ein!
*Sie bebt wie ein Baum, den die schwerste Axt so im Kern ge-
troffen hat, daß sein Fall unvermeidlich scheint. Dann nimmt
sie die Hand von den Augen und wendet sich, eine leichenhafte
Blässe im Gesicht, gegen Elektra.*

        Das halbe Kind, mit dem du spieltest,
gleichwie ein bunter Falter mit dem andern,
es schüttelte die Locken, sprang umher,
fing und umfing dich, küßte heftig dich,
doch nur um das Entsetzen zu betäuben:
weil es ein Zufall ihr verraten hatte,
sie sei dem Tod geweiht. — Mein Wissen dank' ich,
wie du, allein dem Traum. Im Dienst des Vaters
stand Kalchas, Sohn des Thestor, in Mykene —
die Griechenflotte lag zu Aulis still —,
da träufelte der herrschbegierige Schurke

dem Vater diesen Höllenrat ins Ohr:
sofern er seine Tochter opfern würde,
für der Hellenen Kriegszug gegen Troja,
es müsse ihm die Herrschaft über Hellas
auf immer sichern.

ELEKTRA.　　　　　Und wie nennst du wohl
des Herrschers Tochter?

OBERPRIESTERIN.　　　　Iphigenie!
Die Mutter — als der Gatte ihr's eröffnet —
schwor laut, sich lieber selber zu entleiben,
als dies zu dulden: und so dröhnte noch,
indes die Töchter draußen heiter spielten,
vom wilden Ehestreit das ganze Haus.

ELEKTRA.
Das tat es oft. Die Schwester Helenas
war herrschbegierig. Agamemnon gab
wohl etwa einmal nach; nie meine Mutter.

OBERPRIESTERIN.
Und doch ward sie besiegt in diesem Streit.
Sie trat aus des Palastes Tür heraus
damals und riß mich heiß in ihre Arme,
als wollte sie mich nie mehr von sich tun.
Und dennoch tat sie's.

ELEKTRA.　　　　Starr und starrer wird
mein Blick vor diesem Wunder; denn du bist
in Wahrheit Iphigenie.

IPHIGENIE.　　　　Ich bin's!

ELEKTRA.
Ich fühl's. Und doch: wie soll das Wunder sich
mir klären?

IPHIGENIE.　　Einen Augenblick Geduld,
nicht mehr — es ist der letzte, den ich dir
zu geben habe: eisern ist der Kere Spruch!
Ward ich nun einmal, Schwester, dir enthüllt,
sollst du, bevor ich ewig von dir scheide,
wenn auch nicht wissen, so doch ahnen lernen
mein großes Schicksal.

ELEKTRA.　　　　Niemals wieder werden
Orest und ich dich von uns lassen, sei
wie immer auch umdüstert dein Geschick.

IPHIGENIE.

Die Frist ist kurz, Elektra, höre zu!
Was jemand wissen kann von euch Geschwistern,
weiß ich, und mehr! Hellsichtiger als Apoll
weitaus ist Hekate. Er nur verhüllt die Nacht —
ihr ist sie bloß der ausgestirnte Mantel,
in dessen Faltenwurf auch Phoibos sitzt.
Erspare mir's, den Jammer, den du kennst,
dir als Beweis zu schildern! Als Orest,
in Waffen blitzend, jüngst nach Tauris kam,
ward ich in einem Doppelsinn versucht:
nicht schöner konnte Nireus sein von allen
Danaern, die vor Troja stritten, und
der Pfeil des Eros streifte meine Haut.
Doch bald errang die Rache wiederum
in mir den Sieg, der Rachedurst, der nie
zu Tauris mich verließ. Ich sah im Bruder
den Griechen, und ich haßte jeden! Nur
ein toter Grieche war ein guter mir.
Und überdies: Orestes hatte mir
die Mutter hingemeuchelt, unter Menschen
die einzige, die um mein Leben rang
und meinen Tod an meinem Mörder rächte.

ELEKTRA.

O Unglückselige, Unglückselige!

IPHIGENIE.   Schweig!

Der Mordgeselle war in meiner Hand.
Ein Wort von mir — enthauptet lag er da:
doch als mir dieses Wort entschlüpfen wollte,
kam Blut aus meinem Munde statt seiner, weil ich
die Zunge mir zerbissen hatte. Ich
war feig und schwach! — Und also fing er mich,
stahl meiner Göttin Bild und mich dazu
und schleppte wider Willen uns nach Hellas.
Doch allgemach ward ich dieselbe wieder
wie je in Tauris' gnadenlosem Dienst,
und niemand wird mich fürderhin noch schwach sehn.

ELEKTRA.

Wie, Schwester, deut' ich solche Worte mir?

IPHIGENIE.
Tu's, wie du willst!

ELEKTRA.　　　　　So hart formst du die Sprache,
Schwester, bei unsrem seligen Wiedersehn
nach bittrer Trennungsjahre langer Zeit,
anstatt daß du ans Herz mich drückst, wie ich
ans Herz dich reißen möchte.

IPHIGENIE.　　　　　　　　An dein Herz,
das deinen Bruder antrieb — mit hetz, hetz!
faß! faß! wie eine Bracke angetrieben —,
die Mutter, meine Mutter, zu erwürgen?
Elektra schreit auf.
Ja, kreische du, du fremdes Weib, des Schuld
durch seine Feigheit sich vertausendfacht!

ELEKTRA *verändert.*
Nicht weiter! Denn Erkennungszeichen sind
mir nun nicht mehr vonnöten: ja, du bist
geboren aus dem Fluch von Atreus' Haus,
du bist vollbürtig: doch so bin's auch ich.
Hochmütige, vermeine nicht, ich sei
ein wehrlos Täubchen. Klytämnestras Tochter
und Agamemnons bin auch ich, wie du;
so laß uns also, wie es üblich ist
im Stamm des Atreus, unsre Kräfte messen.

IPHIGENIE.
Verzeih, ich tat dir unrecht und auch mir!
Nichts da von neuem Zwist, von neuem Streit:
das Lied ist aus! Nur dies ist zu beweisen,
bevor ich wiederum ins Dunkel schwinde,
woher ich kam.

ELEKTRA *gleichsam zerbrechend.*
　　　　　Weh, weh, ihr Ewigen,
wie unersättlich ist doch euer Haß!
Kaum habt ihr euch zum Guten hingewandt,
schon fühlt ihr Reue. Iphigenie,
sei wieder, die du warst, umarme mich,
wie du als ältre Schwester oft getan!
Ja, statt zu züchtigen, erhebe mich,
du Unversöhnliche, auf deine Arme!
Sie umarmt Iphigenie inbrünstig.

IPHIGENIE *erschüttert, legt ihre Arme um Elektra und drückt*
einen Kuß auf ihren Scheitel.
Elektra, meine süße kleine Schwester!
Iphigenie rinnen die Tränen aus den offenen Augen, während
Elektra an ihrem Halse schluchzt. Nach einer Weile lösen sie
sich voneinander.
Vergiß der Schwäche, die ich dir gezeigt,
indem ich dich geschmäht: der Priesterin
geziemet, wie der Göttin selbst, Verstehen.
So war mein Priestertum das rechte nicht
bis jetzt; ich kam hierher, um es zu lernen.

ELEKTRA.
Geliebte Schwester, nein, du kehrest heim,
um neu, wie wir, das Leben zu beginnen
in dem entsühnten Argos unsrer Väter,
die allversöhnend-liebevolle Stunde
von Tag zu Tage gläubig zu genießen,
hilfreich zu sein im Aufbau des Zerstörten,
zu helfen, wo zu helfen ist, und wo
zu trösten immer manches übrigbleibt,
zu trösten. Mit mir schreitet Pylades,
der treuste Treue, künftig durch das Leben.
Und irgendwo blüht für Orestes schon
die Gattin, die ihm Kinder geben wird,
so wiederum erneuernd Atreus' Stamm.
Und dir gebührt — wer wagte dies zu leugnen? —
ein Herrscher über Hellas als Gemahl.

IPHIGENIE *hatte wiederum die Hand vor die Augen gelegt und*
nimmt sie nun ab.
Du meine Göttin, meine Mutter, nicht versage mir
in diesem Augenblick die Kraft,
das fernerhin zu sein in deinem Dienst,
wozu du mich gemacht! Schenk mir die Worte,
die meine arme Schwester ahnen lassen,
daß ich für ihre Welt verloren bin!
Elektra, o versuche zu verstehen,
was unabänderlich beschlossen ist!
Ich starb drei Tode:
Zu Aulis starb ich meinem Vater ab,
wie meiner Mutter, und in meinem Tod

911

beschlossen, starben Elternhaus und Vaterland.
Wie ich nach Tauris kam, ein totes Leben,
die Götter wissen's: sie bestimmten, daß
man mich bewußtlos vom Altar entführte,
mich einer Ware gleich verschiffte und
mich noch bewußtlos Fiebernde zu Tauris
ans Land gesetzt: dies war mein erster Tod.
Den zweiten starb ich, als mich Priesterinnen
der Hekate in einen Sarg gelegt,
wo ich der Welt durch einen Schwur entsagte.
Dir sei es anvertraut: ich schwor beim Styx!
Die Göttin Hekate, die damals mir
in ihrer ganzen Majestät erschien,
verlangte diesen Göttereid von mir.
Und als ich dann die Eidesformeln sprach,
die grausigen: was wurde da aus mir! —
Ich schrie! ein jedes Teilchen meines Seins
an Haupt und Gliedern, schmerzhaft umgebildet,
ward fühlbar. Dann, bewußtlos, träumte mir,
ich sei im Hades, werde aufgenommen
im Kreis Persephoneiens und im Land
der Toten. Danach wacht' ich auf,
stieg aus dem Sarg und ward — die ich noch bin.
Was dies bedeutet, Schwester, dir eröffnen,
ist Unding: wisse nur, daß meine Wohnung
im Totenreich Persephoneiens ist!

ELEKTRA.

Nein, sprich nicht weiter! Denn es ist in mir
die Kraft, dich von den Toten zu erwecken,
den Leichenglanz aus deinem Blick zu nehmen,
die leisen Grabeshauche um dich her
durch salziges Meergestäube zu verjagen.
Zum Schweigen bring' ich deines Mantels Wimmern.
Du schielst! Gradaus ins Dasein wiederum
blickst du nach wenig Tagen meiner Kur.
Vertraue! Glaube! Lebe!

IPHIGENIE. Meine nicht,
du wüßtest wahrhaft etwas von dem Stand,
in den die nächtige Göttin mich erhob!
Kaum noch berührt mein eisiger Fuß die Erde,

und dennoch bringt sein Tritt sogleich den Tod.
Allein ich nütze eine letzte Frist,
dir nah zu sein, wie du zu sprechen und
zu denken. Höre dies: wenn Iphigenie
am hellen Tag Apollons wiederum
erscheint, was brächte sie dem Vaterstamm
anders als neues Unheil? Agamemnon
war also ein Betrüger, würde man
sogleich in Hellas allenthalben raunen,
er hat die Tochter nie geopfert und
das Volk der Griechen hinters Licht geführt.
Wie der Erzlügner dann den Tod erlitt,
war nur eine gerechte Strafe. So die Stimme
des Volkes! Und sie würde weiter laut
und lauter werden: dieses Atreushaus —
hieße es dann — sei durch und durch verfault
und müsse schmählich ausgerottet werden
mit allen seinen Wurzeln! Und man würde
dann jählings rufen: stellt vor allem sie,
stellt Iphigenien, die Mörderin
so vieler Griechensöhne, vor Gericht!
Und nun begönne das Entsetzliche:
die so viel Tode litt, ihr blühte dann
der gräßlichste zuletzt: ein Tod der Schmach.
Elektra will reden und vermag es nicht.
Daß du zu reden nicht vermagst, Elektra,
spricht deutlicher als Worte. Endlich hast
du mich verstanden. Nein, ich fürchte nicht
den wohlvertrauten Pfeil der Göttin, die
mir selbst so wohlvertraut ist: trifft er mich,
so macht er mich zu dem, was ich schon bin.
Ihr aber, denen noch das Leben lacht,
steigt ins verdiente Bad der Läuterung
und lebt beim Klang der heiligen Neun und dessen,
der Erd' und Himmeln seine Leier schlägt:
des Schwanengotts Apoll! Ein Schwanenlied
mag meinen letzten Augenblick umschmeicheln.
Und nun: Auf Nimmerwiedersehn! Leb wohl!
Iphigenie schreitet schnell und fest durch den Vorhang und ver-
schwindet dahinter.

Elektra hatte die Sprache verloren. Sie ringt ohnmächtig die
Hände. Sie ist der Davonschreitenden wie schlafwandelnd einige
Schritte nachgegangen. Danach steht sie versteint.
Pylades tritt auf, blickt suchend umher, entdeckt Elektren und
nähert sich ihr schnell. Er stutzt, als er ihren Zustand bemerkt,
berührt dann vorsichtig ihre Schulter und fängt sie auf, als sie
wiederum ohnmächtig zu werden droht. Elektra faßt sich so-
gleich wieder, vermag aber nicht zu sprechen, obgleich sie sich
bemüht.

PYLADES.
  Was ist geschehn, Elektra?
ELEKTRA.   Nichts!
PYLADES.   Du sprachst mit ihr?
ELEKTRA.
                  Oh, schweige! Forsche weiter nicht!
PYLADES.
  Den Wunsch dir zu erfüllen, wird mir schwer,
  Elektra! Denn was sie dir offenbart,
  hat ein Gewicht — so scheint mir —, das sich leichter
  von zweien als von einem tragen läßt.
ELEKTRA.
  So wisse denn . . . Doch nein und nimmermehr!
  Es darf nicht sein! Und bitte, du Geliebter,
  mit mir die Götter — heißer Inbrunst — Tag
  und Nacht, daß nichts fortan mein Schweigen breche!
  Nur eines wisse, Pylades: sie hat
  mich klein gemacht! uns alle winzig klein!
PYLADES.
  Wie das?
ELEKTRA.
                  Nur dieses Wort noch: durch ein Opfer!
  Damit das Übermenschliche mit seinem
  erhabnen Werte nach Gebühr geehrt sei,
  schweig' ich darüber, wie ein sprachlos Tier.
PYLADES.
  Oh, Heißgeliebte, lasse dich nicht wieder
  ins Labyrinth des Wahns verlocken! Bade

914

im Morgenlichte, das uns überquillt,
am schwer erkämpften neuen, wahren Morgen,
der uns nun aufging! Atme dich gesund
im Licht von allem Wust, der uns beinah
erstickte! Denk der Fremden weiter nicht!
So tu' auch ich und halt' es als Gesetz.
Der Gott hat die Erinnyen verjagt! —
Was sie von wirren Ängsten über uns
geschüttelt aus den eklen Mantelfalten,
befleckt nicht weiter unsre Haut. Allein
vielleicht daß eine Schleppe, die sie nachziehn,
noch einen Augenblick uns unrein macht.
Genug damit!

ELEKTRA.   Wenn du, mein Pylades,
auf so bestimmte Weise dich gefaßt,
bin ich's, mehr als du wissen kannst, zufrieden.
Und also laß uns gehn!

PYLADES.   's ist hohe Zeit.
Schon drängt das Volk sich draußen um den Tempel,
Einlaß begehrend, um nach Ruf und Los
den großen Sündenablaß zu empfangen.
Der Erstentsühnte aller wird Orest!

ELEKTRA.
Sag mir, wie ist mein Bruder aufgewacht
vom Schlaf?

PYLADES.   Gleich einem Knaben, den die Mutter
zu Bett gebracht am Abend. Wunderbar,
was er berichtet: Klytämnestra ist
ihm nachts erschienen, und mit eigener Hand
tat sie den Sühnelorbeer auf sein Kissen. —
Dort fand und griff er ihn mit beiden Händen.

ELEKTRA.
Ja, ja! So laß uns neu beginnen: ja!
Wir schenken gläubig uns zurück ans Leben.

SIEBENTER AUFTRITT

Es ist inzwischen ganz hell geworden. Nun füllt sich der Tem-
pelhof mit Pilgern aller Art, zwischen denen Elektra und
Pylades verschwinden.

Einige Augenblicke danach erscheint ein Zug von Kriegern ohne Waffen, an deren Spitze Orestes schreitet. Alle sind beinahe prunkhaft gekleidet. Man weicht aus, und der Zug ordnet sich in der Mitte des Hofes zu einer Gruppe, mit dem Gesicht gegen den Pronaos.

Musik.

Pyrkon, Proros und Aiakos in priesterlichem Prunk treten aus dem Vorhang.

PYRKON *entfaltet eine Pergamentrolle und liest.*
Fürst von Mykene, Argos und nunmehr,
durch Wahl und durch Bestätigung Apolls,
Arkadiens Herr und Spartas: Völkerhirt
nunmehr! Die dich begrüßt, die Gottesstadt,
tut es mit diesem Gruß von allen Städten
zuerst und heißt dich solcherart willkommen.

Er wendet sich gegen den Vorhang, der nun das Allerheiligste freigibt. Man sieht in der Mitte ein gewaltiges Tongefäß und — rechts und links davon — zwei Tempeldienerinnen in statuarischer Haltung. Jede trägt ein Wassergefäß auf der linken Schulter.

Jetzt schreiten Proros und Aiakos, rechts und links von Pyrkon, allein in das Tempelinnere. Proros nimmt einen Lorbeerkranz in Empfang, Aiakos Lorbeerzweige; damit nehmen sie Aufstellung.

Pyrkon, nun ebenfalls im Tempelinnern und hinter dem großen Tongefäß stehend.
Und nun: die pyläisch-delphische Amphiktyonie,
die in den alten und den neuen Würden
dich jetzt bestätigt hat, grüßt dich noch einmal
als in Arkadien, Sparta, Argos Herr!
Allein der höchste Gruß ist dir erschollen
von Pythia: des Sonnengottes Stimme.
Tritt nahe vor ihn hin und sei entsühnt!

Orestes steigt feierlich unter allgemeinem Schweigen über die Stufen zum Pronaos und steht vor dem Weihgefäß still. Nun gießen die beiden Priesterinnen das Wasser aus ihren Gefäßen hinein. Pyrkon fährt fort.
Kastalisch Wasser, Pythos heilige Flut,
geweiht und Weihe spendend, Götterbergen

entronnen: diesen Wedel tauch' ich ein,
und wie ich dich damit besprenge, Fürst
und König, sprechen die Olympier dich
frei von jedweder Schuld und machen dich,
wie diese heiligen Wassertropfen, rein.

Orestes ist niedergekniet und wird mittels des Wedels von Pyr-
kon dreimal besprengt. Danach erhebt er sich und wendet sich
gegen das Volk, das in Jubel ausbricht. Nun naht sich ihm
Proros mit dem Lorbeerkranz und drückt ihn auf sein Haupt,
fast zugleich Aiakos, der ihm einen Lorbeerzweig in die Hand
legt. Diese Zeremonie steigert das Jauchzen des Volkes ins
Frenetische.

Nach wenigen Sekunden wird der Tempelvorhang zugezogen,
und das Volk entfernt sich nach und nach.

ACHTER AUFTRITT

Aiakos erscheint, in dem Bestreben gleichsam, im Pronaos und
Tempelhof nach dem Rechten zu sehen.
Plötzlich stürzt, ebenfalls aus dem Tempelinnern, Proros auf
ihn zu.

PROROS.
  Furchtbares ist geschehn: die Priesterin
  der Artemis, die mit dem Holzbild kam,
  liegt in der Phädriadenschlucht zerschmettert!
AIAKOS.
  Wer will dies wissen? Welcher neue Schlag!
  Pyrkon erscheint vor dem Vorhang.
PYRKON *gebietet Ruhe.*
  Schweigt still, ihr Jünglinge! Hand auf den Mund!
  Vollendet ist der Ring: geschehen ist
  der Götter Ratschluß! —

  Wer die Priesterin
  der Taurischen Selene wirklich war,
  bleibt heiliges Geheimnis unsres Tempels.
  Einst, wenn die höchsten Weihen dieses Orts
  von euch durch unablässig treuen Dienst

errungen sind, eröffnet sich's auch euch.
Doch wer zum Opfer einmal ausersehen
von einer Gottheit — ob es auch so scheint,
er habe ihrem Spruche sich entwunden —:
die Moiren halten immer ihn im Blick
und bringen, wo er dann auch sich versteckt,
an den gemiednen Altar ihn zurück.
Der Spruch von Delphi, der allmächtige,
bestimmte dieser Priesterin dereinst
den Opfertod! Und Pythos hohen Spruch
vermochte selbst die Göttin nicht zu brechen,
Apollons bleiche Schwester Artemis!
So nahm die Heilig-Hehre ihren Weg,
die Priesterin, nun halb schon Gottheit, doch
zu uns: wo ihr die Kere, die willkommene,
den selbstgewählten Pfad zum Opfertode —
dem ewig-sühnenden — in Gnaden freigab.
Und so verharrt in Gottergebenheit
und Gottesfurcht, o Jünglinge, auch ihr!

© 1965 by Verlag Ullstein GmbH Frankfurt/Main - Berlin
Gesamtherstellung:
Druck- und Buchbinderei-Werkstätten May & Co Nachf., Darmstadt
Einbandgestaltung: Gotthard de Beauclair
Schutzumschlag: Erwin Poell
Printed in Germany 1966